U0104043

經學研究叢書・經學史研究叢刊

程氏經學論文集

卷一

程元敏　著

自序

余於民國四十九年秋進入國立臺灣大學中國文學系就讀，受教於諸經學大師，即專於經學典籍，多所研習。五十三年秋，試入同校中國文學研究所，受業於山東魚臺屈萬里翼鵬先生，師以宋人經學爲題範，命爲碩士論文，於是多就宋人經史文獻研讀。五十五年四月，發表平生第一篇論文，題〈張栻「洙泗言仁」編的原委〉。次歲六月，撰成碩士論文，題〈王柏之詩經學〉版行。九月，復試入同校中國文學研究所博士班第一屆，攻讀博士學位，六十年八月，撰成博士論文〈王柏之生平與學術〉七十餘萬言，獲授文學博士學位。尋應聘於同系所任教，以迄退休，至民國一百零四年。凡四十九年間，計撰寫專書一十五部（其中一十五部已版行中外，一部刻正在印梓行中），單篇論文一百一十七篇（其中已在中外學術性期刊發表者一百一十五篇，尚未發表者手稿二篇）。此一百一十七篇單篇論文，其中六十七篇已融（收）入專書中，刪去（第六四、八六）兩篇不錄，手稿二篇收入專書《漢經學史》，餘四十六篇，今集編爲《論文集》，以其所論悉是經學，故題書名爲《程氏經學論文集》，弁「程氏」者，正題姓氏，明文皆自著，不敢欺人也（附〈程元敏著作目錄分年類編〉繫全書之後）。

本《論文集》所收論文，略依《四庫》〈經部〉分類序次，首〈周易類〉，而下依次為〈尚書類〉、〈詩經類〉、〈三禮類〉、〈春秋左氏傳類〉、〈四書類〉（《論語》、《四書》），其後為〈讖緯類〉，《四庫》無是類，案讖緯書乃經書之附屬（《隋》〈志〉錄列讖緯書列於六經之下），文多申暢經義，朱彝尊《經義考》列〈毖緯〉一類，著錄群經讖緯書，茲略依焉，作為一類；最後為〈經學史類〉，約當《四庫》之〈五經總義類〉、《經義考》之〈群經類〉。

諸類所納各篇要義，請綜陳於下：

始〈周易類〉：〈易傳〉多闡發《易》卦爻辭義理，〈小象傳〉同然，昔賢未多闡述。余此撰〈淺說《周易》〈小象傳〉義理〉，以張皇其誼。朱子著《易本義》，《語類》亦多《易》說，余此撰朱子〈易例〉以與〈易傳〉比較研究，亦昔賢之所未及。余別著〈蜀才及其《易》著〉，收入專書《三國蜀經學》；又專書《先秦經學史》，亦論孔子及洙泗後學之《易》學：附誌於此。

〈尚書類〉論文收十七篇：一，〈《尚書》通說〉，槩陳《尚書》之編集、內容、著成時代、價值、讀法，俾利初學。二、三，關涉《書序》者二篇，為余另本專書《書序通考》長帙之精要篇，亦為初學設計。徵眞古文《尚書》之出土篇卷，為本類第四篇。第五篇論漢代今文家主張《尚書》爲唐虞夏商周五家之號令，科分爲〈虞夏〉、〈商〉、〈周〉三類書法教是也。梅頤獻上本《僞古文尚書》之流傳，自渡江而左至還傳於北，具第六篇，詳〈說《僞古文尚書經傳》之流傳〉，考確其傳人、徵實其年代，殆昔賢所未及。初刊於《漢學研究》，後見收於中國大陸《古史考》七卷。晚近出土之所謂《漢熹平石經》殘石字，時彥群據以論定《漢石經》係用歐陽家本爲底本。余甄別其爲僞品，羅列七大證，用昭揭其僞跡，還《漢石經》用小夏侯本爲底本之正，著長文〈六二七八號《漢熹平石經》《尚書》殘石字甄僞〉，發表於中央研究院中國文哲研究所宋代經學國際討論會，獲中外學者專家認同，至今無人異議，在第七篇。《尚書》〈禹貢〉全篇千一百九十四字，僅其篇首十二字及篇尾八字係史官紀錄之辭，餘千一百七十四字皆禹自陳之辭，傳統以爲全篇皆史官敘事之辭，非也。又篇末「禹錫玄圭，告厥成功」，禹執玄圭告成功於天也，舊說多訛誤。夫既爲禹告其治水工程完成，則今本〈禹貢〉篇乃「天命禹平治水土」之書也，見第八篇。王莽作〈大誥〉討劉、翟，幾字字句句倣《尚書》〈大誥〉篇，故視之爲西漢末年《尚書》〈大誥〉版本，茲余作〈莽誥註譯（上）、（下）〉、〈莽誥商價〉二文，載在第九、十篇，與余另著〈莽誥、大誥比辭證義〉（附入專書《尚書周誥十三篇義證》〈大誥義證〉篇後）竝立爲參。余既作〈尚書周書洪範義證〉（編入專書《尚書周書牧誓洪範金縢呂刑篇義證》），復以〈洪範〉陳古先王治國大法，義理深奧，別撰〈尚書洪範註譯（上）（下）〉，猥蒙《國語日報》主編稱許，刊入〈古今文選〉，用便初學，爲第十一篇。本類第十二、十三篇，一詳記漢代第一位經學大師伏生之家世、經業、著述、授學，再考證兩漢《洪範五行傳》，伏翁始作，其後夏侯始昌自撰《洪範五行傳》，傳伏公之學也。余此著〈兩漢《洪範五行傳》作者索隱〉，匡正舊說之誤。「〈蚕叢啓國誓蜀碑〉」文鐫「濁歜燭觸钃」五字，考依陰陽五行學說，亦伏生《五行傳》說支流餘裔，今作爲本類第十四篇。漢《尙書》歐陽學宗始師歐陽容、大夏侯學宗始師夏侯勝，竝未嘗自身受立爲《尙書》學博士，不僅此也，即漢各經學之顯學派，其始師亦不必盡受立爲該學宗博士，後世昧於此理，因誤定歐陽容、夏侯勝身爲《尙書》博士，余徵之前獻，正其註謬，作〈歐陽容夏侯勝未曾身爲《尙書》博士考〉，長文見第十五篇。宋代《尙書》學，朱子、蔡沈師弟子集大成者也。朱子疑《書序》，謂乃周秦間低手人作，嘗自撰《書序辨說》，原典至明晩葉猶存。蔡沈承師命作《書集傳》，將《尙書》各篇〈小序〉總附全經之末，亦撰《書序辨說》，一如師法，宋元古本《書集傳》尙可覘見，俗本或予刪削，或將各序移置各篇經文之前，余於此類第十六篇作〈朱熹蔡沈師弟子《書序辨說》版本徵孚〉，還原朱蔡原本眞象。元代《尙書》學，吳澄《書纂言》，傑作也。〔明〕鄭曉端簡手批本《書纂言》（明嘉靖刊本）存鄭氏批文多條，匡正吳書，今具錄並評騭，如末第十七篇。曩余從屈先生學治《尙書》有年，別著專書《三經新義輯考彙評—尙書》、《書序通考》、《尙書學史》，又博士論文論王柏之《尙書》學，篇幅甚多：附誌於此。

〈詩經類〉：前三篇，宋人鄭樵、朱子、王柏等議〈國風〉中男女自作情詩，是爲淫詩。蓋毛鄭據《詩序》斷此諸淫奔之篇爲他人刺淫之作，故群起反對《詩序》。余此作〈兩宋之反對《詩序》運動及其影響〉，用昭其原委。繼撰朱子所定《詩經》〈國風〉中之男女情詩二十九篇。朱門嫡三傳弟子王柏承師祖之說爲三十篇，影響後世極大。余別草專書《王柏之詩經學》專考詳其說。後成博士論文專書《王柏之生平與學術》亦有專編申論。究其實，先秦兩漢人早已指斥〈國風〉篇什中有男女自作淫詞，非宋人俑始，此余〈國風私情詩宋人說討原〉一文之所以作也。夫漢《詩經》學魯齊韓毛四大家，余的考三家無《詩序》，唯《毛詩》有之。今文三家雖立官學而日式微，古文《毛詩》行於民間，而傳世至今不絕者，有《詩序》逐篇闡明詩旨，優於三家，斯其重要因素之一：此余專書《詩序新考》之所以作，附誌於此。跋裴溥言先生著《詩經研讀指導》，深佩裴先生《詩經》學宏著多種之成就，篇末亦稍獻己意，以明去取之旨。《詩經新義》，北宋王安石介甫作，爲宋代國定教科書，懸爲功令至南宋，其重要性，不遜唐《五經正義》中之《毛詩正義》，惜其書久佚。余早已留意，籌作《三經新義輯考彙評——詩經》，且於民國六十八年四月至七十二年二月，分篇及專文在臺灣學術期刊發表。西元一九八三年八月至八四年夏，在美輾轉購致中國大陸學人邱漢生先生著《詩義鉤沉》（一九八三年九月出版），拜讀之後，以爲邱著有重大疏失，基於學術，蒙不敢闇默，因特撰〈評介邱著《詩義鉤沉》〉三萬餘言，分爲十五項目，在《漢學研究》五卷二期刊出，迄今約二十八年，邱先生雅量，蓋以拙意尚可取，未蒙具文指正。

〈三禮類〉：《三經新義》中之《周禮新義》，王安石親筆獨力撰著，作爲其變法理論之依據，視其另《尙書新義》、《詩經新義》，尤爲重要。余據清《文淵閣四庫全書》本及其它多本，輯其佚文、同佚文、評語，成專書《三經新義輯考彙評——周禮》，見其中嘉道咸同間錢儀吉補輯《經苑》本《周官新義》十六卷附《考工記講義》二卷，流傳甚廣，而是本多有誤輯、失置、抄衍、奪文、譌校、體例疎失，因作〈重輯周禮天官地官春官夏官秋官、考工記新義論錢儀吉本〉三篇論文，一一詳加辨正，作爲本類前三篇。第四篇《儀禮》經文索引，舊作唯有字彙索引、文句索引，逐字索引，必俟日野間文史先生之著《儀禮索引》（一九八八年六月十日初版）而後有之。一編在手，以求《儀禮》某字某辭立得，斯舊作《儀禮引得》之所不及，余特推介如上。顧亦見有七事未安，願略抒己意以與作者商兌，並就教於大雅。《禮記》中之〈中庸〉、〈坊記〉、〈緇衣〉三篇，舊或說爲孔子嫡孫孔伋子思之作，出其手著《子思子》二十三篇（原書《漢書》〈藝文志〉著錄，久佚，有輯本，輯存佚文），誤。余考此三篇均非孔子思作，盡非出於其所著《子思子》二十三篇中，徵諸書本文獻與新近出土楚簡，撰〈《禮記》〈中庸〉、〈坊記〉、〈緇衣〉非出於《子思子》考〉，都約四千言，初刊於《張以仁先生七十壽慶論文集》，流行未廣。後轉刊於中國大陸《古史考》七卷，繼復載入《古史辨時代之中國古典學中編》，得多請教於兩岸三地學人。〈緇衣〉，今傳《禮記》中一篇，版本一也；一九九三年湖北荊門楚墓〈茲（緇）衣〉，版本二也；一九九四年出土〈紂（緇）衣〉、上海博物館藏，版本三也。兩楚簡本竝約戰國中期偏晚著成。余取三本文字互勘，見古竹本甚優於今紙本。〈緇衣〉多引故書，合三本引書，徧及《詩》、《書》、《易》、《論語》四籍凡四十一條次（詳具〈引書表〉），又資竹本正今本重大錯誤：臚陳七事以明之，具文約四萬言，連類上文爲本類第五、六篇。附誌：余著專書《先秦經學史》論孔子暨七十子及其後學之《禮》學，復作《三禮通論》，論《周禮》《儀禮》《禮記》（附及《大戴禮記》）之著成。

〈春秋左氏傳類〉：《左傳》記晉靈公不君，趙穿擊殺之，太史董狐書曰「趙盾弑其君」，而孔子贊狐爲古之良史，余應〈古今文選〉主編囑，作〈《左傳》「趙盾弑其君夷皐註譯」〉，用宣明孔子著《春秋》大義。夫欲通《左傳》，舍杜預《注》莫之由；欲明杜《注》，須先通杜〈序〉，因著《春秋左氏經傳集解序疏證》專書。又於《先秦經學史》論孔子《春秋經》及戰國諸子之《左傳》學，於《左傳》之著成，亦闢爲專章以明之，且併論及於外傳《國語》：附誌於此。

〈四書類〉：《論語》者，五經之錧鎋，六藝之喉衿也（趙岐《孟子題辭》）。陸象山應朱子之請，於白鹿洞書院講《論語》〈里仁〉篇「君子喻於義，小人喻於利」章，聽者感動，至於泣下，茲爲註譯，列爲〈四書類〉首篇。次篇爲〈張栻《洙泗言仁》編的原委〉，栻類聚《論語》言仁處，裒爲一編，申釋己意，茲列爲第二篇。朱子集〈大學〉篇、〈中庸〉篇、《論語》書、《孟子》書爲之章句集注，四部書文之編次原爲〈大學〉、《論語》、《孟子》、〈中庸〉，敘朱門爲學次第，先讀〈大學〉以定其規模，次讀《論語》以立其根本，復次讀《孟子》以觀其發越，最後讀〈中庸〉以求古人之微妙處。顧今俗本誤次〈中庸〉於《論語》之上，此類第三篇〈談《四書》原來的編次〉之不容不作也。又《論語》、〈學〉、〈庸〉、《孟子》，拙著專書《先秦經學史》分別立爲專章以詳其書之著成及其經學要旨：附誌於此，幸大雅參酌。

〈讖緯類〉：讖緯之學，起自西漢末哀平之際，大行於東漢，而西鄙蜀中人士，特盛此學，稱之爲內學，舉與群經竝重。第此一重大學術盛業，迄無人著作專文予以表述，此余〈東漢蜀楊厚經緯學宗傳（上）（下）〉都四萬八千言之所以作也。文以東漢楊厚家世之學爲中心，上溯達其高祖仲續，下述及其弟子，覃及三傳，併旁師授者五人，得名者凡二十八家，具論其經緯學。記此諸家或有經緯學專著，或上陳陰陽消救之術，或詭爲隱語，以決吉凶，寵取祿位。又諸家固多通經，今古文兼采，若《易》孟、《書》歐陽夏侯、《詩》韓、《周禮》、《春秋公羊》、《論語》。又以《老》《莊》玄妙，可與圖讖之神祕虛誕氣臭相投，援此濟彼，義理無窮，故楊厚宗傳後學，通《老》《莊》者亦頗有其人。

〈經學史類〉：十篇，漢立經學博士，自文帝以迄元帝朝，凡立《易》《書》《詩》

《禮》《春秋公羊》《春秋穀梁》家，十五學宗博士，具《漢書》〈藝文志〉、〈儒林傳贊〉者，頗多疏誤，要如：《易》學，武昭世楊何爲大家，班氏肊改楊何爲田何。《儀禮》學三學宗二戴慶普，三家共出於后蒼，夫后氏《禮》學，宣帝朝初立學官，班氏誤爲武昭世已立官，今皆一一爲之補正。唯〈儒林傳贊〉總計今文家之立官，所執基本理念，厥在彰顯宣帝朝爲經學分爭別立時代，而《詩》學始終爲魯齊韓三家，並無分立或增立，故省略不舉，此孟堅筆削之義，後人未諳，或曲爲之解，或咎班書疏漏，皆非是也：作〈《漢書》〈藝文志〉〈儒林傳贊〉論經學博士討覈〉。兩漢文士，多兼擅經學；命筆爲文，動根六藝。降及三國，而流風未沫。蓋器識本先，藻翰末後，故評文者自其本觀之，以第文章之高下；研經者由其末反本，遂考經學之淺深，所用雖異，所據素材——藝文之作則一。孫吳有薛綜者，以名能文；亦通經之士，師宗漢儒，研幾南交，馳譽江左。遺文傳世者，今雖殘缺，猶可藉以略考見其經學。作〈薛綜藝文徵經〉，論其經學之見乎文辭者也。綜師事北海劉熙，再傳鄭君《禮》學，定《五宗圖述》，《通典》存其佚文，正題《述鄭氏禮五宗圖》，果是鄭學。薛又著詩賦難論數萬言及注〈東京賦〉、〈西京賦〉，亦多根柢六經。通觀薛氏遺文，得三事論結：（一）薛綜讀經，溥及《易》《書》《詩》《三禮》（《儀禮》雖未見明引，然欲通《三禮》，非通《儀禮》不可。）《三傳》（《公羊》亦未見明引，然注「八佾」選用《穀梁》，必亦嘗考之《公羊》《左傳》。）《論語》，且賦注用《爾雅》《孟子》，則後世謂十三經者，僅《孝經》一書未見稱引而已。以深通經術，故一爲孫慮長史，「外掌眾事，內授書籍」，爾乃以「名儒居師傅之位」者也。（二）綜治經主古文，所用《（僞）古文尚書》、《毛詩》、《左傳》、《周禮》，皆古文也；其說經從古文言，毛公《詩傳》、《毛詩序》、馬融《論語注》、王肅《易傳》、《尙書（僞）孔氏傳》、陸璣《毛詩草木鳥獸蟲魚疏》，皆古文說也，而用鄭玄說尤多。夫鄭氏，古文大家也，薛氏甚尊鄭，《詩》說有時竟舍毛從鄭者。（三）其明引《僞古文尙書》〈君陳〉篇經文，而所引《尙書》經文，都與《僞古文尙書》相合，又用《僞孔傳》文解經，可證《僞古文尙書》經傳均爲王肅及其門客（如鄭沖等）僞作，當魏正始四年（時肅年四十九）之前已流傳，故薛氏得見以稱引。昔賢考僞書作者，多未知徵引薛文，致生爭議，至今未已。經學研究，必須憑藉資料，資料愈充足，所得研究結果愈正確。自唐《五經正義》頒行，統一經學至北宋初，疑古風氣遂起，創新革故，於考定經學資料，貢獻極大。余以五萬言論述宋人在學術資料（書本資料、器物資料）方面之貢獻。書本資料：一論疑古風氣之形成，若胡瑗《五經異論》、劉敞《七經小傳》、王安石《三經新義》及歐陽脩《易童子問》等。二論經篇時代之考定，若《尙書》〈康誥〉篇，吳棫等以爲周武王誥弟康叔書，正《書序》及《史記》之誤；《詩》〈何彼襛矣〉者，周平王世之詩，舊說爲文王之詩，王質《詩總聞》等正其誤，後世多是之。三論經書版本之復原，若呂大防、晁說之、呂祖謙復《周易》古本十二篇之原；若宋諸家考《尙書》今本〈堯典〉、〈臯陶謨〉、〈洪範〉錯簡譌文，多得其正。四論辨別僞書，所辨經書《易》、《周禮》、《儀禮》、《左傳》、《孝經》、《尚書僞古文》二十五篇、《詩經》，史子書有今本《竹書紀年》、《越絕書》、《通鑑節要》、《孔子家語》：或論其書晚作，或指實其爲僞撰。五論輯佚書，輯已佚古經之遺文，旨在保存文獻，俾作學術研究，造始於宋末王應麟《詩考》及鄭康成《易注》（二書至今全存），而實由朱子啓發，應麟《詩考》〈自序〉曰：「朱文公《集傳》閎意眇旨，卓然千載之上。……文公語門人，《文選》多《韓詩章句》，嘗欲寫出。應麟竊觀傳記所述三家緒言，尙多有之，罔羅遺佚，傳以《說文》、《爾雅》諸書，稡爲一編，以扶微學，廣異義，亦文公之意云爾！」其鄭玄《易》義輯本〈自序〉云：「……今鄭《注》不傳，其說間見於李鼎祚《集解》及《釋文》、《詩》《三禮》《春秋義疏》、《後漢書》、《文選注》，因綴而錄之，先儒象數之學於此猶有考云。」清人繼宋人軌範，光大此學，著群經注輯本，又擴及子史集部之書。皮錫瑞《經學歷史》推許清人有殊功於後學者三事，輯佚其首庸也。器物資料：夫書本資料，由於傳抄傳刻，易失本眞。器物資料則無此弊，物爲當時鑄造，字爲當日鐫刻，歷千百歲而完好如初，屬第一手資料，極其珍貴。宋人蒐訪古器物，以劉敞最早，其後有歐陽脩《集古錄》、趙明誠《金石錄》、……等，呂大臨《考古圖》著錄凡三十七家。而下以古器拓墨、刊板、刻石者歐呂趙之外，又有董逌《廣川書跋》、洪适《隸釋》《隸續》等十餘家。夫以金石文字考經述史早有，惟知廣泛應用古器物資料，以補經史之闕，正經傳之譌，始庸非歸諸宋人不可。

不唯藏器家資之，即一般學者亦嘗以遺訓正古書，如朱子嘗語門人曰：「舊讀《尚書》〈文侯之命〉篇『罔或耆壽俊在厥服』作一句，今觀古記款識中多云『俊在位』，則當於『壽』字絕句矣！」專門家著作，如郭忠恕《汗簡》，自書本文獻——古經書、《說文》、古子史書等與器物文獻——《石經》集錄古文字，以楷字注釋，此文字之學也。字學之討治，將以通經史；經籍史乘，古聖先賢懿則典法之所萃，而治道之本原也。宋人勤治古器物之學，如《尚書》〈文侯之命〉，劉敞依器刻銘文，參考經傳，定此篇爲周平王之書，正《史記》之失。如《詩》〈大田〉「興雨祈祈」，曾鞏據〈無極山碑〉銘文，正雨當作雲，可徵見本字誤。《漢石經》刻七經，資以考訂經書版本，視它器尤爲切要。宋人集存《漢石經》殘字最多，考釋最精者，洪适《隸釋》《隸續》二書是矣，其載殘碑字皆與書本文獻相校，貢獻經學最大。《後漢書》〈獻帝紀〉「元康元年十月乙卯漢皇遜位，魏王稱天子」，歐陽脩《集古錄跋尾》著錄〈魏受禪碑〉，正定爲「十月辛未（二十九日）受禪于漢」，正定史之誤。宋人藉器物文字考訂書本文獻者，毋煩畢舉，即祇就廓開風氣一功而論，既永垂不朽矣。宋人解儒經，自純粹文字傳注進步入以圖文合併解經時代，若周子《太極圖》，朱子首先引之弁《四書章句集注》編首，以見夫《四書》傳授之奧。朱子亦自作〈善惡圖〉、〈性圖〉、〈元亨利貞圖〉、〈愛有等差圖〉，見於《文集》、《語類》，大抵以此授門人。朱子高第門人，鮮有圖學專著傳世。有之則大約六十年後，其三傳弟子金華王柏魯齋始將圖學中興，成專著《研幾圖》一卷，〈自序〉曰：「《河圖》出而人文開，八卦畫而《易》道顯，九疇錫而〈洪範〉著。成王之傳位也，《河圖》在東序，參錯於天球、弘璧之間。古人左圖右書，未嘗偏廢；後世書籍浸繁，而圖學幾絕。……予曩自麗澤歸，溫習舊書，有未解者，因手畫成圖。」《宋史》〈柏本傳〉載柏有《研幾圖》，葉由庚撰〈魯齋壙誌〉錄其《研幾圖》一卷，〔元〕吳師道作王柏〈行實〉云柏作《研幾》七十餘圖。第考今傳本《研幾圖》，明正德刻一本、崇禎刻二本、清刻一本、民國影印一本，凡五本，其編者求應吳師道「七十餘圖」之語，裒圖七十三，序次漫無理致，陋儒所爲，決非王書本原，其中若干圖爲後人僞託。《四庫提要》、《僞書通考》均判爲僞書。余愼加考訂，原則有四：一、圖與王柏其它著述參驗，不悖者爲可信，二、圖爲後人明白引述者爲可信，三、合乎一般辨僞原則，明其爲僞者，定爲僞託，四、無所參考，但無顯著述迹者，置之存疑。《研幾圖》逐漸從浙東傳遍長江南北與大河兩岸。影響南方者，爲其弟子金履祥及再傳弟子許謙，盡人皆知；影響北方者爲四川導江張𩇕，𩇕於元初曾任孔顏孟三氏教授，教聲洋溢乎中州者八年，則知者甚尠。自中州北傳及乎東國朝鮮，大儒李滉退溪先生據《研幾圖》作〈敬齋箴圖〉、〈夙興夜寐圖〉，於李朝宣祖元年（明穆宗隆慶二年，一五六八）十二月箚進時君：以上余於〈研幾圖的著成傳布和眞僞等問題的探討〉一文詳之。徽州朱子之學，由其高第弟子黃榦下傳婺州何（基）、王（柏）、金（履祥）、許（謙），學者推尊爲金華四先生。履祥築室仁山之下，命曰仁山書堂，人因尊稱之爲仁山先生。履祥師事王柏，尋又登何基之門受教。基誨以治學要用眞實刻苦工夫，成實質堅苦之學。履祥恪遵師訓，從二師學歷年，除經史外，於天文地形禮樂刑法田乘兵謀陰陽律曆，無不博通。故當咸淳四至九年襄樊被圍時，疾赴臨安獻策朝廷由海道直攻敵巢，惜宋廷終莫能用。召爲史館編修，辭不就任。慕嚴子陵之「懷輔存體用，治亂生死關」之素志，故嚴州郡守聘履祥主教釣臺書院，欣然就道。履祥遺著《書經注》，《尚書表注》，《大學疏義》，《論孟集註考證》，《通鑑前編、舉要》，《金仁山集》，《濂洛風雅》具存（《金仁山遺書》本、《四庫全書》本、《金華叢書》本；朝鮮朴世采據增刪《濂洛風雅》）。諸書可歸爲經學、史學、文學三大類。其學旨，或淵源於前人，或遵守師說，或爲一己創建。在金華之建安之學，因之有顯著改變，清三百年學術，因履祥而光輝。《尚書》〈高宗肜日〉篇，《尚書表注》論爲祖己告幼君之書，非殷高宗祭成湯之書，正《書序》及《史記》之誤，近人王國維楊筠如據甲骨文竝推遵履祥之考得實。又如〈君奭〉篇「割申勸寧王之德」，《禮記》引作「周田觀文王之德」，《表注》考周當作害音曷，近人據鐘鼎文證其是，令全句得正解。《表注》之爲經解也，體爲履祥獨創，即於每葉框欄之外，上下左右，將篇之章旨、義理及考證文字，以細字表注於欄外，於古來注經之家別爲一體，既不使經文傳文雜廁，又便查讀。《四書》學，其《大學義疏》、《論孟集注考證》，考據通博精確，允爲紫陽功臣。朱子與呂祖謙讀經史或評文，每將警要處以色筆標出，履祥承二家之意，著標抹凡例，元明人多遵用之。履祥亦主張去《序》言《詩》，略同王柏師，但於今本男女情詩是否爲漢人竄入，始終置疑。履祥用心三十餘年，著成《通鑑前編、舉要》，書與呂祖謙《大事記》、章如愚《山堂考索》，人譽爲金華三大書。夫司馬光《資治通鑑》，始周威烈王二十三年，以前史事則缺紀。履祥欲編集此段史實，故作《前編》，亦欲上繼朱子《通鑑綱目》，寄寓褒貶，成一家之言。取材以《尚書》爲主，下及《詩》《禮》《春秋》，傍納百家——舊史、諸子、年表之說，但「存其近似，削其誕淺」。將材料按年世分繫各年之下，或加訓釋，成一融書經合百家之完整編年史二十一卷。宋道學家之文學理論，周敦頤最先提出文以載道主張，伊洛二程兄弟認文可害道，朱子倡議文從道中流出，但不能貫道。眞德秀遵朱，編選《文章正宗》，所錄一以世教民彝爲主。王柏初規摹朱眞宗旨，編《詩翼詩準》，用作教本，後又撰《詩可言集》，祇收周張（載）朱、張（栻）等理學家文章，晚年又編《濂洛文統》二百卷，作爲濂洛一派學者文章總集。然宋代文學家之文學理論，必遲至履祥晚年選定《濂洛風雅》六卷始告成立。此編一本於道，所錄非但盡爲濂洛師友作品，且必須合乎〈國風〉、〈大〉〈小雅〉之遺規，共錄四十八家。自此「道學之詩與詩人之詩，千秋楚越」（《四庫提要》），爲吾國文學史上第一部理學家總詩集。履祥倣照呂居仁（金華人）之〈江西詩社宗派圖〉，立〈濂洛詩派圖〉附載書前。上推周濂溪爲宗主，下迄其好友王佖。此書原意在教人知道理學家如何於詩表現「道」，至於其體製，是銘？是箴？是五言、七言？律絕？並不重視，所以「但以師友淵源爲統紀，而未分類」（〔元〕唐良瑞〈序〉）。今本類別，乃作序人所分。良瑞評履祥所錄選之詩：「皆涵暢道德之中，歆動風雩之意。淡平者有淳厚之趣，而浩壯者有義理之勇。言言有教，篇篇有感。」編選既「意主章明義理，裨益教化」（〔清〕盧文弨《抱經堂文集》），便不於字句上求工，《四庫提要》評其「欲挽千古詩人歸其一轍」。異域朝鮮徐明皋作詩，規橅《濂洛風雅》，自成一格。金華地理環境優越，易於接受四方學派影響。朱子素來不喜浙學，嫌其「雜」。履祥學問，正長在「雜」上，能兼容並包，巨細靡遺。然後融會貫通，成一家之言。渠用力勤苦，「于書無所不讀，而融會於《四書》，貫穿六經」（許謙說），是經學家、理學家；渠究心歷代制度，志在明體達用，是史學家。渠持守純固，是宋遺老，不作元順民。履祥不若許魯齋衡，屈身事虜，作新朝高官，搏美譽；亦不若吳草廬澄，名為宗朱，其實近陸，側身經筵，占博浮名。然而數宋元之際學者，世稱「北許南吳」，千古有待論定。元程端禮敬叔，遞傳朱子之學，著《讀書分年日程》，大槩依《朱子讀書法》撰修。其言為學進程：一、八歲未入小學前之學前教育，二、八歲入學後之小學教育，三、自十五歲後之深造教育。依次先讀小學書文字學，次讀經書。經自《四書》始，然後讀《孝經》，再次讀《易》《書》《詩》《三禮》《春秋經傳》。讀經，敬叔創「鈔讀法」，先熟習正文，次熟習其主要注疏，再熟習輔翼注疏，進而將經注疏鈔輯於一所，玩索其同異。以圖解經之法，至宋大興，敬叔屢將「諸儒圖書鈔於卷首」，俾學者於熟讀精思後，涵泳體察，致更深一層工夫。經書精熟後，讀史。然後讀《韓文》、《楚辭》。夫通經在於致用，從政必由科舉，故作文之法亦須學習。爲文技巧，在於多玩索名家作品，心通默識。科舉文，敬叔類爲六：策、經問、經義、古賦、古體制誥章表、四六章表。每類列有應專習之作品，熟讀之，爲作好此類文章之捷徑。蓋作策、經問、經義類文章固必須以經書爲根本，即下筆寫古賦、章表，若無經學修養，文義亦難宏深，故敬叔教人於學習作文期間，「仍於每日早飯前，倍溫《四書》經注或問本經傳注諸經正文」。要之，敬叔讀經法，在爲國培養實用人材，而實施綱領，則甚多暗合朱子〈學校貢舉私議〉。王守仁陽明先生以爲：經，常道也，在天曰命，賦於人曰性，主於身謂之心，故道不外吾心。斯道也，應乎感則爲惻隱羞惡辭讓是非四端，見於事則爲父子君臣夫婦長幼朋友五倫。六經者，《易》《書》《詩》《禮》《樂》《春秋》也，《易》以道陰陽、《書》以紀政事、《詩》以歌詠性情、《禮》以著條理節文，《樂》以生欣喜和平、《春秋》以辯誠僞邪正，斯六經之道也，備於吾心，充塞天地，亙古長存。故求六經之道於吾心，即所以尊六經也。經既爲吾心之記籍，故求道當於本心，不應外於文字章句考索。陽明深歎今經學不明，由於尚功利、崇邪說、習訓詁、傳記誦、侈淫辭、競詭辯，都爲明暢其心即理之學，反覆申論，鞭辟近裏，可與其《傳習錄》、《大學問》並看；而行文條暢、格局完整，猶其餘事焉。浙江鄞縣戴君仁靜山先生既著《梅園論學集》，又彙其近三年經學理學論文三十餘篇及舊撰文字學四篇，合編爲《梅園論學續集》梓行。此集考鑒經學源流，平章儒道同異，張皇先哲微旨，排擊異端邪說。用考據講明義理，多正前人之誤；敷陳材料以判定事實，補舊說之或疎。矧足以匡救時弊，恢張彝教。余受讀感於懷，而有不能已於言者焉。先生治兩漢經學，務尋繹其變遷軌轍，謂由經今文學之荒誕奇怪，必然轉變爲經古文學家之平凡實在；亦即由神秘主義轉變爲自然主義，乃經學之進步。若《詩》之毛鄭、《春秋左氏》學之勃興。漢武帝之獨尊儒術而黃老漸微，洎東漢經古文學藉其自然主義得盛，而道家亦趁勢賴以復興。雖然，道家倡自然主義，誠有助於經古文學之發展；而崇尙虛無，遂開魏晉清談風氣，王弼注《易》、何晏集解《論語》，皆時時注入玄言：皆經先生指出。何、王以後，玄風愈熾，士大夫祖述虛無，非毀禮教，捉麈清談，飲酒廢職。先生大聲疾呼：「清談家思想行爲，伏流至今未絕。現代中國人亦頗有沾染之者；外國亦有類似情形，且反轉影響中國。」至學者著書，雜老莊乃至佛語入儒典，先生謂「其患甚於楊墨」，因倣朱子辨雜學，作皇侃〈論語義疏的內涵思想〉，檢舉其玄言佛語凡三十餘條，別白疑似，使文武周孔之道復興。且作〈經疏的衍成〉，考南北朝義疏體裁，西漢已有，非盡模仿西域佛典，正梁任公等之誤。原始《周易》僅有卦爻辭，用於占筮，而殊少義理之言。降及春秋戰國，儒者作《十翼》，而義理之《易》學出焉。先生強調《易》之時代意義在辭而不在占，尙辭當主《易程傳》。然又憂世人觀象玩辭，求義過深，於是條舉〈彖〉〈象〉〈繫辭〉〈文言〉中哲理之言，就其宇宙論、人性論，原天道以明人事；就其政治學理、教育學理，推人事以究天理，度皆不外乎時用。〈蹇〉〈彖〉云「時用大矣哉」！其斯之謂歟！先生語人：陸王之學，簡易警切，最能啓發人心；程朱則居敬窮理，下學而上達。然古今言姚江弟子，每摘其末流狂禪一派，嚴辭訾詆，殊不知江右王門之羅念菴、鄒東廓、聶雙江、劉兩峰所主，皆先察識而後涵養，都與楊龜山門下默坐澄心以體認天理同旨，而與泰州、龍溪倡見在良知者異調。是論也，一則以表章先哲，一則以軌世範物，其作意深矣。先生每歎中國教育家，孔子第一，朱子第二，因於晦庵尋常傳注中探討其教育理論與淑世之志，慧眼獨具，而景崇紫陽，獻身教育之志業，從可見矣。懷疑古書，自先秦已有之，《孟子》云「盡信書，則不如無書，吾於〈武成〉，取二、三策而已矣」，因：以周武王之至仁伐殷紂之至不仁，牧野之戰，何至於血流漂杵？就考信故實之態度而言，固應致疑。班固《漢書》〈藝文志〉著錄之書，疑爲後人依託或增益者，約二十種。唐人《辨僞集語》，近人張西堂所輯，十有八家。降及有宋，疑古之風益盛，歷元明清，至於近世，辨別僞書發展成一專門學問。請分四類舉例說之：一、專辨一書者，若歐陽脩《易童子問》、朱子《詩序辨說》、梅鷟《尙書考異》、閻若璩《尙書古文疏證》……二、專辨同類之書者，若《柳河東集》辨諸子、宋濂《諸子辯》……三、辨群書者，若晁公武《郡齋讀書志》、胡應麟《四部正譌》、《四庫全書總目提要》、崔述《考信錄》……四、彙編彙纂者，若顧頡剛主編《古籍考辨叢刊》、張心澂《僞書通考》……。上所舉諸籍，版本及重要論據，均詳於各書題下疏證，此不煩具述。

全書都約八十萬言。原盡爲單篇論文，曩幸蒙學術期刊編者惠允登載，時得讀者學人指正，今將梓爲專書，愚將全文重加勘校，或改正錯誤，或芟薙浮詞，或補苴闕漏。第以著作歷時甚久，又或對應投稿期刊性質，讀者對象不同，行文或爲語體文，或爲文言文，篇文或加專名號（如——……《》）或否，爲例不純，又或篇幅長大深刻，幾可成爲專書，亦或短小淺近（早期著作論文每如此），取便初學，疎略舛誤，自度必甚多，第竊意所爲文，言皆有物，有所謂而作，故敢昧編以陳，幸大雅垂督，續賜眎正。書中多篇曾獲國家科學委員會獎（補）助（歷載在會之年度報告目錄），總致謝忱於此。

——西元二〇一九年，歲在己亥八月上日，安徽嘉山程元敏序於臺灣臺北興隆路寄寓。

目次

卷一

圖版

卷二

詩經類

三禮類

春秋左氏傳類

四書類

讖緯類

卷三

經學史類

〔附〕程元敏著作目錄分年類編

周易類

一　淺說《周易》〈小象傳〉義理

原始《周易》僅有卦及卦辭、爻辭，目的在於占筮；如廟中之神籤（《朱子語類》），而殊少義理之言。蓋上古文明未盛，人類畏懼自然威權，迷信鬼神，有疑則取決於龜著，故原始占筮之《易》於當時價值甚高。今則不然，人文發達，科學昌明，以理知實證決事，不復尊尚卜筮。

《易》本爲占筮而作，占筮與術數密不可分，故說《易》主術數，乃《易》之正宗。術數派《易》學者，說《易》或以象數，或以陰陽災異。漢三國人若孟喜、焦延壽、京房、鄭玄、荀爽、虞翻諸人，莫非此派大家。以今視之，其說已甚少是處。

以義理說《易》，起於先秦儒者。先秦儒者著〈彖傳〉、〈象傳〉、〈繫辭傳〉、〈文言傳〉、〈說卦傳〉、〈序卦傳〉（〈雜卦傳〉蓋漢人作）——即所謂《十翼》。《十翼》發揮《周易》哲理，以今視之，爲《周易》本文最有價值部分。循此而下，有義理派《易》學。魏王輔嗣開其端，惟其《易注》多雜老莊之學；程伊川承其後，著《易傳》，最爲醇粹。

伊川發明《十翼》義理，皆連卦爻辭說之。至南宋王柏始以《十翼》中之〈大象傳〉自成一書，撰《大象衍義》以推闡其理。其後〔元〕俞琰《周易集說》（其中〈大象傳〉）、〔明〕劉元卿《大象觀》、王畿《大象義述》、〔清〕王夫之《周易象解》等皆此類之作。而近人宏揚〈象〉、〈大象〉、〈文言〉、〈繫辭〉、〈說卦〉、〈序卦〉、〈雜卦〉義理，著爲專文者甚多。顧釋爻辭之〈小象傳〉，雖亦頗有義理之言，乃著文專發其義蘊者，古今並不多見。茲故擇要略申其義，作〈淺說周易小象傳義理〉。

爻辭斷一爻之吉凶，富神祕之言。〈小象〉作者於解說爻辭之義，有敷衍爲文者，如〈大壯〉九三「小人用壯，君子用罔」；〈象〉曰：「小人用壯，君子罔也」，如同未解。〈小畜〉初九「復自道，何其咎？吉」；〈象〉曰：「復自道，其義吉也」，謂「吉」之故在「義」，亦直同未釋。餘如〈大畜〉九二「輿說輹」，〈象〉曰：「輿說輹，中無尤也」；〈大過〉九五「老婦得其士夫，无咎无譽」，〈象〉曰：「老婦士夫，亦可醜也」：皆增字解經，而或竟於義無所當。

〈象傳〉擺脫爻辭占筮拘束，別於占外立義，不乏其例。有但因爻辭字義衍申者，如〈謙〉初六「謙謙君子，用涉大川，吉。」〈象〉曰：「謙謙君子，卑以自牧也。」初六在最下，故言卑；謙有卑義，故訓治。〈小象〉捨「用涉大川，吉」不言，而只就「謙謙君子」申之，云謙謙君子乃能謙卑自治也。

有歸納爻辭義例，據以發明占外義理者。如〈訟〉九五，是爻以陽居五，既中又正，辭曰：「訟，元吉。」〈象〉曰：「訟元吉，以中正也。」中正乃聽訟之道，能中則聽獄不偏，能正則斷案合理，故《尚書》〈呂刑〉篇有「咸庶中正」之言。

有就爻象位（此謂地位）講說義理者。如〈解〉初六曰「无咎」，〈象〉曰：「剛柔之際，義无咎也。」剛謂九二爻，柔謂初六爻；取兩爻相鄰，故曰「剛柔之際」。爻辭但主斷吉凶，〈象〉乃別立斯義。施於治國；則爲寬猛相濟，子產嘗行於鄭，而孔子嘗嘆美之矣。〈坎〉六四〈象〉曰「樽酒簋貳，剛柔際也」，與此同例。又〈鼎〉上九：「鼎，玉鉉。大吉，无不利。」〈象〉曰：「玉鉉在上，剛柔節也。」九爲陽剛居柔位，猶玉之德堅剛而溫潤；剛而居柔，堅而溫潤，故云「剛柔節」，《尚書》〈洪範〉篇「沈潛剛克，高明柔克」，言矯治氣質偏失，亦剛柔平節之義也。

有〈象傳〉作者變更爻辭原意，但摭爻辭一二字，純從人事說理者。如〈師〉上六：「大君有命，開國承家，小人勿用。」小人謂平民，但〈象傳〉說小人爲品德低下之人，云：「大君有命，以正功也；小人勿用，必亂邦也。」用賢臣，斥小人，安定邦家，懷保百姓，此政治之常經，〈象傳〉言之甚切。又如〈同人〉初九：「同人于門，无咎。」同人，與人同，謂交友也。以誠實不私交友，在家（于門）可以同人；秉此無私之心結交天下，未有不同者，故〈象傳〉申之云：「出門同人，又誰咎也？」〈象〉之言交友者，尚有〈隨〉，初九〈傳〉：「官有渝，從正吉也；出門交有功，不失也。」出門而交則有功。〈兌〉初九〈象〉亦言：

「和兌之吉，行未疑也。」悅於眾，有行必吉；反之則凶，故〈頤〉六二〈象〉曰：「六二征凶，行失類也。」再如〈損〉六三：「三人行，則損一人。一人行，則得其友。」爻純爲占筮之言，隱祕難曉。〈象傳〉作者蓋以爲「三人損，一人得友」，就尋常文義言之，乖違情理，故捨損人與得友不言，而云：「一人行，三則疑也。」俞琰《周易集說》云：「一則專而无他志，三則雜而疑所與。」得之。

有衍繹爻義，而就夫婦室家，以及邦國天下爲說，而言尤親切受用者，茲雜舉於下：

〈坤〉六四：「括囊，无咎。」〈象〉曰：「愼不害也。」括囊謂束結囊口，〈象〉云「愼不害」，蓋愼言則無害。

〈蒙〉上九：「擊蒙，……利禦寇。」〈象〉曰：「利用禦寇，上下順也。」上謂在君位者，下謂臣民，上下和順，故能共禦外侮，《朱子語類》曰：「問：『利用禦寇，上下順也。』曰：『……能禦寇，便如適來說孔子告陳恆之事，須是得自家屋裏人從我，方能去理會外頭人。若自家屋裏人不從時，如何去禦得寇，便做不得，所以〈象〉曰「上下順也」。』」〈需〉九三：「需于泥，致寇至。」〈象〉曰：「……自我致寇，敬愼不敗也。」爻未明言不敗之義，〈象〉以爲「需」則能寧耐以待，故衍繹其義曰「敬愼不敗」。朱子《易本義》謂：「敬愼不敗，發明占外之占，聖人示人之意切矣。」

〈訟〉九二：「不克訟，歸而逋，其邑人三百户，无眚。」〈象〉衍繹爻辭「不克訟」，由倫敘立論，云：「……自下訟上，患至掇也。」訟上猶言犯上，斯乃禍亂之根源，故〈象〉極言禍患繁多。

正夫婦，厚人倫，齊家而後治國，故《易》以乾坤爲門戶，《詩》以〈關雎〉爲首詠，〈象〉衍繹爻義，有關室家者如：

〈小畜〉九三：「輿脱輻，夫妻反目。」〈象〉曰：「夫妻反目，不能正室也。」夫妻反目，由不能正其室家，俞琰《周易集説》云：「爻辭曰夫妻反目，孔子乃釋之曰不能正室，蓋又因此發明修身齊家之道以示教也。」

〈恆〉六五：「恆其德，貞。婦人吉，夫子凶。」〈象〉云婦人貞則吉；貞，「從一而終」之謂。以順爲正，以貞爲行；柔順終其身，守節不變，爲我國婦女優良傳統，而〈象傳〉先已立此德目，百世以下莫不奉爲典常。

〈家人〉九三：「家人嗃嗃，悔，厲，吉。婦子嘻嘻，終吝。」〈象〉曰：「家人嗃嗃，未失也。婦子嘻嘻，失家節也。」家人，指嚴君言。嗃嗃，嚴厲之貌。治家嚴厲雖不免有過，然未失法則，故吉；若婦子嘻嘻，是無禮法，失家之節度，家必亂矣。——家應有節，爻辭之所未及。

其爲治國平天下者，例如：

〈謙〉九三：「勞謙君子，有終，吉。」〈象〉曰：「勞謙君子，萬民服也。」案：三非君位，故此君子非國君，〈象〉衍申其義謂萬民服焉，是謂民服從君主矣。

〈師〉九二：「在師中，吉，无咎。王三錫命。」〈象〉曰：「……王三錫命，懷萬邦也。」爻謂帥師征伐著有功績者，王三次賜以恩命。〈象傳〉發揮之，以此征是義戰，目的在安保天下黎庶，故云「懷萬邦也」。楊時取《古文尚書》所載武王既克商，釋箕子囚，封比干墓，式商容閭，散財發粟，大賚于四海，而萬民悦服，即所以錫命而懷萬邦，大概得〈象傳〉之意。

爻辭頗言征伐，但著其吉凶，〈象傳〉概釋爲義師，一若上例，如：

〈謙〉六五：「……利用侵伐，无不利。」〈象〉曰：「利用侵伐，征不服也。」添

「征不服」，則爲湯、武之義師。

〈離〉上九：「王用出征，有嘉折首，獲匪其醜，无咎。」〈象〉曰：「王用出征，以正邦也。」依〈象傳〉則師出有名矣。

除上述類例外，〈象傳〉借爻辭發明哲理者：如〈明夷〉初九「君子于行，三日不食」，純爲占辭；而〈象〉曰：「君子于行，義不食也」，則就人之節操言。〈漸〉上九「鴻漸于陸，其羽可用爲儀，吉」；謂羽毛可爲儀飾而已，〈象〉則曰：「其羽可用爲儀，吉，不可亂也」，衍申爲人之威儀不可亂。〈未濟〉〈象傳〉亦戒人不可自喪威儀，〈未濟〉上九：「有孚于飲酒，无咎。濡其首，有孚失是」；〈象〉曰：「飲酒濡首，亦不知節也。」

孟子推崇孔子爲聖之時者，願學孔子。程伊川自序其《易傳》曰：「易，變易也；隨時變易以從道也。」「時義」洋溢於《易傳》，而《經》（卦爻辭）則未嘗言。《經》云「見龍在田」，〈文言傳〉曰：「時舍也」，〈象傳〉亦屢次贊美時義可貴。〈小象傳〉力闡時義之旨，不減〈彖傳〉，茲舉三例：

〈坤〉六三：「含章可貞，或從王事，无成有終。」〈象〉曰：「含章可貞，以時發也。……」可貞則貞，可發則發，惟其時之宜。伊川云：「義所當爲者，則以時而發不有其功耳。不失其宜，乃以時也，非含藏終不爲也。含而不爲，不盡忠者也。」此說能盡〈象〉義，與孔孟言出處之道合轍。

〈井〉初六：「井泥不食，舊井无禽。」〈象〉曰：「……舊井无禽，時舍也。」井有泥無泉，人不用汲，禽鳥不顧，此爻辭義。〈象〉曰「時舍」，謂其不能濟物，爲時所棄也。及加浚渫修治（見九三、六四爻辭），時則爲所用矣。

〈節〉初九：「不出户庭，无咎。」案：君子進退行藏，有一定之理，時塞則止，時通則行，〈象〉曰「知通塞」，即此義也。初九不出户庭无咎，九二適反者，時不同也。九二爻辭曰：「不出門庭，凶。」當出而不出，故〈象〉曰「失時極也」。

《易》道廣大，無所不包。惟吾人今時研讀《易經》，應重視其義理性；闡發幽隱，使用於人倫日常之間，庶不辜負聖賢淑世垂教之心。〈小象傳〉受爻占範圍，不得如〈象〉、〈大象〉、〈文言〉及〈繫辭〉，卷舒自如，而暢言天道人理；然就淺陋上舉諸例觀之，其言修己治人，大經大本固已略備矣。

——原載《孔孟月刊》十三卷三期，民國六十三年十一月

二　朱子〈易例〉及〈易傳〉比較研究

敘言

原夫《易》者，卦畫、卦辭、爻辭，所謂「經」是也。〈彖〉、〈象〉、〈繫辭〉、〈文言〉、〈說卦〉、〈序卦〉、〈雜卦〉凡七，所謂「十翼」，——翼經之傳而已。傳說經義，未云有例，故《朱子語類》（下簡稱《語類》）曰：「卦爻象初無一定之例。」（註一）見乎傳文，雖不著一「例」字，然綜錯之中，時得總理，豈非《易傳》之例乎？故朱子《周易本義》（下簡稱《本義》）又曰：「或曰：弗過遇之。若以六二爻例，則當如此說；若依九三爻例，則過當如過防之義。」（註二）

（宋）朱子《本義》卷末，未若（魏）王弼《易注》，附編〈略例〉，然實亦有其義例，《語類》論卦變即云：「……然而某這箇例，只是一爻互換轉移，無那隔驀兩爻底。」（註三）

《本義》解《易》，頗從程頤《易程傳》，凡程《傳》已得其要者，則每不復辭費，僅曰：「程《傳》備矣。」（〈坤〉〈文言〉、〈履〉〈大象〉、〈夬〉九五〈象傳〉下注）否則曰：「程子論之詳矣。」（〈復〉〈象傳〉）故欲通《本義》，當先知程《傳》；猶欲知《十翼》之例，必併卦爻辭合而觀之。茲就《易傳》之因襲於《經》者，《本義》之損益於程《傳》者，比而觀之，得例若干，如下所述。

《周易本義》注解例

朱子以爲《易》成於四聖之手，須分別看之，《語類》曰：

伏羲《易》自作伏羲《易》看，是時未有一辭也。文王《易》自作文王《易》，周公《易》自作周公《易》，孔子《易》自作孔子《易》看，必須牽合作一意看，不得！（註四）

文王卦辭不過曰「乾，元亨利貞」，至孔子始「專以天道明乾義，又析元亨利貞爲四德以發明之。」（〈乾〉〈彖〉朱注）緣是朱子以爲〈彖傳〉未必悉符《經》意，故每詳於《經》注而略於〈彖〉注；〈象傳〉未必妙得爻旨，故時下注爻次而於〈象〉則不贊一辭。如：

〈復〉初九：「不遠復，无祇悔，元吉。」〈象〉曰：「不遠之復，以脩身也。」案：爻無「以脩身也」之義，〈象傳〉意必之言，朱子不注。

〈大畜〉九二：「輿説輹。」〈象〉曰：「輿説輹，中无尤也。」〈象傳〉增文解經，

「中无尤」，本義不解。

象數例

畫卦取象，〈繫傳〉有明言，曰：「聖人有以見天下之賾，而擬諸其形容，象其物宜，是故謂之象。」（上第八章）又曰：「易者，象也；象也者，像也。」卦爻辭〈彖〉〈象〉，雖不專釋「象」意，唯時取物爲象，如〈小畜〉像雲、婦、風均是。《本義》曰：

「其象爲潛龍。」（〈乾〉初九注）

「坤，地之象。」（〈坤〉〈大象〉注）

「鼎，……爲卦下陰爲足，二三四陽爲腹，五陰爲耳，上陽爲鉉，有鼎之象。」（〈鼎〉卦辭注）

〈說卦傳〉後出，說象頗悟經文，朱子疑之，《語類》曰：

《易》之〈象〉理會不得，如乾爲馬，而〈乾〉之卦卻專說龍。如此之類皆不通。（註五）

故《本義》注〈說卦傳〉章十一曰：「此章廣八卦之象，其間多不可曉者；求之於經，亦不盡合也。」而又時摭其說，以濟註解之窮，如〈睽〉「中女少女志不同歸之類」，且亦以〈象〉解《易》，如〈夬〉九五，《本義》曰：

莧陸，今馬齒莧，感陰氣之多者。九五當決之時，爲決之主，而切近上六之陰，如莧陸然。

〈彖〉〈象〉不以數釋《經》，〈繫辭〉始有天數地數之說。〈繫辭〉又云：「河出圖，洛出書，聖人則之。」（上，章十一）朱子遂謂《河圖》五十有五協《易》〈繫辭〉之數，《本義》所錄邵子《伏羲八卦方位圖》，乾南、坤北，艮西北、兌東南，震東北、巽西南，坎西、離東，謂合於〈說卦傳〉「天地定位，山澤通氣，雷風相薄，水火不相射」（章三）之旨，猶待考徵；而悖於「震，東方也，齊乎巽；巽，東南也……」云云，則爲義至顯。

互體例

下繫章九：「若夫雜物撰德，辨是與非，則非其中爻不備。」漢儒論爲互體。中爻者，「謂卦中四爻。」（《本義》注）以卦之二至四爻互一卦，三至五爻又互一卦者，互體也。如〈屯〉卦，震上坎下，就中間四爻觀之，二至四爲坤，三至五爲艮。朱子不信互體，《語類》嘗論其難通，曰：

> 互體，……亦有取不得處也，如〈頤〉（敏案：中四陰，二至四及三至五皆坤卦）、〈大過〉（又案：互體僅得三陽之乾卦）之類是也。（註八）

《本義》不取此說，然又嘗論其不可廢（註七），元胡一桂《易本義附錄纂注》載《卦互體圖》，所本不詳，恐非晦翁元意。

卦配十二月例

漢儒言十二消息卦，以十二卦配十二月，《本義》從之。

䷗〈復〉	十一月	冬	《本義》曰：「陽復生於下也，……十有一月，其卦爲復。」
䷒〈臨〉	十二月	冬	又曰：「二陽浸長以逼於陰，……十二月之卦也。」
䷊〈泰〉	正月	春	又曰：「天地交而二氣通，……正月之卦也。」
䷡〈大壯〉	二月	春	又曰：「……二月之卦也。」
䷪〈夬〉	三月	春	又曰：「三月之卦也。」
䷀〈乾〉	四月	夏	見〈姤〉下。
䷫〈姤〉	五月	夏	《本義》曰：「乾，四月之卦，至姤然後一陰可見，而爲五月之卦。」
䷠〈遯〉	六月	夏	又曰：「六月之卦也。」
䷋〈否〉	七月	秋	又曰：「七月之卦也。」
䷓〈觀〉	八月	秋	又曰：「此卦四陰長而二陽消，正爲八月之卦。」

䷖〈剝〉　九月　秋　又曰：「陰盛長而陽消落，九月之卦也。」

䷁〈坤〉　十月　冬　《本義》缺注。《易學啓蒙》「伏羲六十四卦節氣圖」，以〈坤〉爲冬至子半，是晦翁固以坤當十月之卦也。

朱子以上述諸卦配十二月，蓋取陰陽消長之義，（詳下「陰陽」例，又參上列〈觀〉、〈剝〉二卦注，亦可見一斑），決無據以穿鑿釋《經》《傳》之事，如：

〈大過〉九二：「枯楊生稊」。《本義》曰：「陽過之始而比初陰，故其象占如此。稊，根也，榮於下者也。榮於下，則生於上矣。」非若三國吳虞氏之穿鑿也。

陰陽、剛柔、二氣、消長、虛實、誠僞例

〈泰〉〈象傳〉：「內陽而外陰。」云下乾陽，上坤陰。

〈乾〉初九〈象傳〉：「陽在下也。」

〈坤〉初六〈象傳〉：「陰始凝也。」

〈繫辭下〉章六：「乾，陽物也；坤，陰物也。」

〈坤〉〈文言〉：「陰疑於陽必戰。」

〈說卦〉章二：「分陰分陽，迭用剛柔，故易六位而成章。」

以奇畫屬陽，耦畫屬陰，《十翼》例同，（〈序卦〉、〈雜卦傳〉偏於解釋諸卦次第，應分別看之，下放此）而朱子說同。

《本義》曰：「初六陰柔在下。」（〈觀〉）

又曰：「爲卦上下二陽內含四陰。」（〈頤〉）案：上下謂初九、上九，四陰謂六二、三、四、五。

又曰：「伏羲……畫一奇以象陽，畫一耦以象陰。」（〈乾〉卦注）

陽德剛，陰性柔；剛者健，柔者順，

〈剝〉〈彖傳〉：「剝，削也；柔變剛也。」案：謂上下二陽爲中四陰所削。

〈乾〉〈大象傳〉：「天行健。」案：天，象乾。

〈繫上〉章一：「剛柔斷矣。」

〈說卦〉章二：「分陰分陽，迭用剛柔，故易六位而成章。」

朱子亦謂陽剛健而陰柔順，

《本義》曰：「九二剛健中正。」（〈乾〉）

又曰：「柔順虛中。」（〈損〉六五）

又曰：「乾者，健也，陽之性也。」（〈乾〉）「坤者，順也，陰之性也。」（〈坤〉）

以陰陽爲二氣，《易傳》僅二見，

〈乾〉〈文言〉：「陽氣潛藏。」謂初九爲陽之氣。〈咸〉〈彖〉云：「柔上（上六）剛下（九三），二氣感應以相與。」

或云「一陰一陽之謂道」（〈繫上〉章四）即謂陰陽交而生物，故朱子注曰：「陰陽迭運者氣也。」然理氣終爲宋儒所倡，《語類》曰：

陰陽只是一氣。（註八）

二氣互爲消長，〈彖傳〉屢申此理：

〈臨〉〈彖傳〉：「剛浸而長。」《本義》曰：「二陽浸長，以逼於陰。」

〈遯〉〈彖傳〉：「小利貞，浸而長也。」《本義》曰：「爲卦二陰浸長，陽當退避。」

〈夬〉〈彖傳〉：「剛長乃終也。」《本義》曰：「夬，……陽決陰也；以五陽去一陰。」

陽實陰虛：〈繫辭〉、〈文言〉、〈說卦〉、〈序卦〉、〈雜卦〉不見「實」字，〈彖〉、〈象〉雖言虛、實，覘之爻位，多所枘鑿，不可執爲一例。

〈損〉〈彖傳〉：「損剛益柔有時，損益盈虛（二字動詞），與時偕行。」

〈剝〉〈彖傳〉：「君子尚消息盈虛。」案：消息盈虛謂日月。

〈彖傳〉兩見「實」字，均與陰陽無關，

〈大畜〉〈彖傳〉：「剛健篤實輝光。」案：篤實謂艮。又既與剛健（乾）分說，尤知其非指陽言。

〈頤〉〈彖傳〉：「自求口實。」案：上下二陽象口，中四陰象實（一本實作食）。

〈象傳〉著虛實，亦無定例，其合於陰虛陽實者有之：

〈泰〉六四：「皆失實也。」

〈既濟〉九五：「實受其福。」

其違於陰虛陽實者有之：

〈蹇〉六四：「當位實也。」

〈鼎〉六五：「中以爲實也。」

又其疑未定或別有所指者亦有之：

〈蒙〉六四：「獨遠實也。」或謂六四遠上九、九二之謂。

〈歸妹〉〈象傳〉：「上六無實，承筐虛也。」實謂筐中物。（鼎有實同）。

然則陰陽虛實之之說，《本義》始撰爲定例：

《本義》曰：「其卦九五以坎體中實。」（〈需〉）

又曰：「以實履陷。」（〈訟〉）實謂上乾。

又曰：「虛中以上應。」（〈萃〉六二）

又曰：「頤，……爲卦上下二陽，內含四陰，外實內虛。」

虛意近僞，實無非誠。周濂溪說太極爲實理，《通書》首論存誠。實有其理，空（虛）無一物，此儒佛之根本不同處，晦庵又於《易》爻上發揮，蓋言《十翼》之未嘗言者焉。

〈萃〉六二，《本義》云：「九五剛健中正，誠實而下交。故卜祭者有其孚誠。」〈无妄〉初九，《本義》又云：「以剛在內，誠之主也。如是而往，其吉可知。」

至於陰靜、陽動，陰惡，陽善，陽君子，陰小人，占得陽多吉，陰數凶，《語類》皆推本《十翼》爲說：

曰：「陰陽有以動靜言者，有以善惡言者。」（卷六五，頁一，〈易一〉〈綱領〉上之上）

曰：「至以陽爲君子，陰爲小人，則又自夫剛柔善惡而推之。」（同上，頁二）

曰：「《易》中之辭，大抵陽吉而陰凶。間亦有陽凶而陰吉者，何故？蓋有當爲，不當爲。若當爲而不爲，不當爲而爲之，雖陽亦凶。」（同上，頁五）

位例（當位、不當位）

〈乾〉〈彖傳〉云：「大明終始，六位時成。」六位言六爻之位。〈繫辭下〉章九：「二與四同功而異位，……三與五同功而異位。」二四蓋指陰位，三五似謂陽位。茲選列《十翼》言位處，以見陰爻陽爻當居之位。

〈同人〉〈彖傳〉：「柔得位……而應乎乾。」《本義》曰：「柔謂六二，乾謂九五。」

〈小畜〉〈彖傳〉：「柔得位而上下應之。」《本義》曰：「柔得位指六居四。」

〈家人〉〈彖傳〉：「女正位乎內，男正位乎外。」謂內，六二，外九五也。

〈既濟〉〈彖傳〉：「剛柔正而位當也。」《本義》曰：「六爻之位，各得其正。」六爻謂初九、六二、九三、六四、九五及上六也。

由上四例知〈彖傳〉以陰爻居二、四、六，陽爻處一、三、五爲得位（或稱正位，當位）。

〈賁〉六四〈象傳〉：「當位，疑也。」

〈履〉九五〈象傳〉：「夬履貞吉，位正當也。」

〈明夷〉六二〈象傳〉：「六二之吉，順以則也。」案：則猶正。下同。

〈明夷〉上六〈象傳〉：「初登於天，照四國也；後入于地，失則也。」案：登天謂上六，入地謂入初六。

上例言〈象傳〉得位之爻。其言失位者，舉證如下：

〈履〉六三〈象傳〉：「咥人之凶，位不當也。」

〈晉〉九四〈象傳〉：「鼫鼠貞厲，位不當也。」

由上六例，知〈象傳〉與〈彖傳〉合，〈繫辭下〉章十云：

道有變動，故曰爻；爻有等，故曰物；物相雜，故曰文；文不當，故吉凶生焉。

不當，謂爻不當。〈繫辭下〉章五釋〈困〉六三之「文」（爻）不當，有曰：

《易》曰：「困于石，據于蒺蔾，入于其宮，不見其妻，凶。」子曰：「……非所據而據焉，身必危。」（敏案：〈困〉六三爻不當位；不當位，故凶。）

〈繫辭下〉章五又曰：

子曰：「危者安其位者也。……是故君子安而不忘危，存而不忘亡。……」《易》曰：「其亡！其亡，繫于苞桑！」（敏案：〈傳〉言在〈否〉九五安而不忘危。）

由上證知〈繫辭〉以陰六居三爲「非所據而據」，陽九處五爲「安其位」，與〈象〉〈象〉翕合。唯〈坤〉〈文言〉釋六五曰：

君子黃中通理，正位居體。

似以六五陰居陽位爲當，《本義》「雖在尊位，而居下體，釋裳字之義也」未知是否。又王弼據〈乾〉上九〈文言〉、〈需〉上六〈象傳〉牽合〈繫辭〉，出初上無陰陽定位說，其《例略》〈辨位〉篇曰：「案：象无初上得位失位之文，又〈繫辭〉但論三五、二四同功異位，亦不及初上，何乎？惟〈乾〉上九〈文言〉云：『貴而无位』（案：〈繫辭上〉章八重出而加「子曰」字），〈需〉上六（〈象傳〉）云：『雖不當位』。若以上爲陰位邪？則〈需〉上六不得云不當位也。若以上爲陽位邪，則〈乾〉上六不得云貴而无位也。陰陽處之，皆云非位，而初亦不說當位失位也。然則初上者，是事之終始，无陰陽定位也。」案：〈文言〉論爻得位，與〈彖〉〈象傳〉不一，〈文言〉曰：

九三，重剛而不中。（〈乾〉）

九四，重剛而不中。（〈乾〉）

案：上二條，迄無定解。又：

〈乾〉〈文言〉九二：「龍德而正中者也。」

綜上「上九貴而无位」，驗之〈彖〉〈象傳〉，有所不通。蓋〈彖〉〈象傳〉言位乎中正（或作正中）必指九據五或六値二而說（其義別有所屬者例外，詳下）且〈文言〉道爻位者，寥寥可數，而與它傳之通則竟扞格若是，宜乎輔嗣之屑有詞也。然其初上無位之說，即舉〈既濟〉〈象傳〉一證，已足破之矣：

曰：「既濟，小亨者也。利貞，剛柔正而位當也。」

朱子《本義》：「六爻之位，各得其正。」

晦翁固堅持六爻咸有定位者，嘗援伊川程氏語以闢王說矣。《語類》云：

問：「王弼說初上無陰陽定位，如何？」曰：「伊川說陰陽奇耦豈容無也？〈乾〉上九『貴而無位』，〈需〉上九『不當位』，乃爵位之位，非陰陽之位。」此說極好。（註九）

又曰：

上雖無位，然本是貴重，所謂「貴而無位，高而無民」，在人君則爲天子父、天子師，在他人則清高而在物外不與事者，此所以爲貴也。（註一〇）

此以人事說上無位（在下本無位，不消贅詞），又論中四爻有位，云：

凡初上二爻皆無位。二士、三卿大夫、四大臣、五君位。上六之不當位，如父老不任家事而退閑，僧家之有西

堂之類。（註一一）

朱子《本義》於〈需〉上六〈象〉「不當位」，云「以陰居上，是爲當位，未詳」，訓門人晏亞夫更疑傳文或衍（〈困〉上六〈象〉：「未當也」，無「位」字），《語類》又云：

〈需〉之不當，卻有可疑，二四止是陰位，不得言不當。（註一二）（案：朱子以爲：二四是陰位，〈易傳〉一致，則六亦應爲陰位。）

即或〈需〉上六〈象傳〉「位」非衍文，《本義》亦可以「爵位之位」暢其說，故〈謙〉上六〈象傳〉「志未得也」，曰：

陰柔无位，才力不足，故其志未得。（卷一，頁一八）。

〈噬嗑〉初九，《本義》曰：

初上无位，受刑之象。（卷一，頁二二）。

陽在一三五，陰在二四六是當位（或稱正位，詳下），朱子說《易》，從無例外，《本義》曰：

> 九，陽（爻）；四，陰（位）。（〈乾〉九四）。
>
> 六，陰（爻）；三，陽（位）。（〈坤〉六三）。
>
> 以剛居柔。（〈訟〉九二）。
>
> 以剛居剛。（〈大過〉九三）。
>
> 柔得位指六居四。（〈小畜〉〈彖〉）。

《語類》論之尤備，其說云：

> 以陰居陽，以陽居陰，是位不當；陰陽各居本位，乃是正當。（註一二三）

中爻例

二五居三畫之中，故《易傳》言中爻，非二即五。謂二曰中者：

〈蒙〉〈象傳〉：「初筮告，以剛中也。」剛中謂九二。

〈訟〉〈象傳〉：「剛來而得中也。」剛中亦謂九二。

〈小畜〉〈象傳〉：「剛中而志行。」剛中謂九二、九五。

〈需〉九二〈象傳〉：「需于沙，衍在中也。」

〈小畜〉九二〈象傳〉：「牽復在中。」

〈大畜〉九二爻：「輿説輹。」本無「中」意，〈象傳〉增文解之云：「中无尤也。」用意甚顯。

謂五曰中者：

〈履〉〈象傳〉：「剛中正，履帝位而不疚。」中正謂九五。

〈觀〉〈彖傳〉：「大觀在上，……中正以觀天下。」亦謂九五；中正以示天下。

〈隨〉九五〈象傳〉：「孚于嘉，吉；位正中也。」

〈師〉六五〈象傳〉：「長子帥師，以中行也。」

〈坤〉六五〈文言〉：「黃裳元吉，文在中也。」

《傳》以它爻位不得中，故〈震〉上六〈象〉曰：

震索索，中未得也。

朱子二五爻得中，它爲不中，說與《傳》同，例證甚多，茲舉《本義》四條，《語類》一條：

《本義》曰：「六五，用師之主，柔順而中。」（〈師〉）。

又曰：「九二，……以剛居中。」（〈蒙〉）

又曰：「九三，……剛而不中。」（〈小畜〉）

又曰：「（六四），陰柔不中。」（〈師〉）

《語類》曰：「九二處得其中，……若九三則剛而不中。」（註一四）

正文例

初三五位，以處陽，二四六以位陰，是爲當位、得位，已於辨位條舉例；當、得位，即所謂「正」——正位，《易傳》曰：

〈屯〉初九〈象傳〉：「雖盤桓，志行正也。」

〈臨〉初九〈象傳〉：「咸臨貞吉，志行正也。」

唯〈彖傳〉言正多在九五、六二，每併言中正或正中，〈彖〉曰：

剛中正，履帝位而不疚。（〈履〉；中正謂九五）。

大觀在上，……中正以觀天下。（〈觀〉；中正亦謂九五）。

柔麗乎中正。（〈離〉）《本義》曰：「（六二），柔麗乎中而得其正。」又曰：

「（六五），柔麗乎中，然不得其正。」

然而《易傳》亦有言正而不符其爻所處之位者，畢舉如下：

〈蒙〉初六〈象傳〉：「利用刑人，以正法也。」

〈離〉上九〈象傳〉：「王用出征，以正邦也。」

〈晉〉初六〈象傳〉：「晉如摧如，獨行正也。」

〈艮〉初六〈象傳〉：「艮其趾，未失正也。」

〈巽〉上九〈象傳〉：「巽在牀下，上窮也；喪其資斧，正乎凶也。」

〈未濟〉九二〈象傳〉：「九二貞吉，中以行正也。」

〈乾〉〈文言〉：「九二曰：『見龍在田，利見大人』，何謂也？子曰：『龍德而正中者也。』」

初六、上九位不正，但此「正法」、「正邦」、「正乎凶」，固可以動詞解；然「未失正」、「獨行正」，或兼爻位而言，若是則〈象傳〉體例未臻嚴謹。至九二中而不正，朱子別創「得中即得正」說以濟其窮，《本義》於〈未濟〉九二〈象傳〉下曰：

九居二，本非正，以中故得正也。

又廓伊川之說以發其蘊，《語類》曰：

中重於正，正未必中。蓋事之斟酌得宜，合理處便是中，則未有不正者；若事雖正而處之不合時宜，於理無所當，則雖正而不合乎中。此中未有不正，而正未必中也。（註一五）

朱子認陽爻在一三五位、陰爻在二四六位爲正，《本義》《語錄》決無例外。

〈屯〉初九，《本義》曰：「居得其正。」

〈坤〉六二，《本義》曰：「柔順而中正。」

〈小過〉九三，《本義》曰：「以剛居正。」

〈小畜〉六四，《本義》曰：「柔順得正。」

〈隨〉九五，《本義》曰：「陽剛中正。」

〈節〉上六，《本義》曰：「雖得正而不免於凶。」

〈坤〉六二，《語類》曰：「坤，……惟六二居中得正。」（註一六）

〈履〉九五，《語類》曰：「以剛中正履帝位。」（註一七）

凡不合上例者，爲不正，

〈屯〉六三，《本義》曰：「陰柔居下，不中不正。」

〈同人〉九四，《本義》曰：「剛不中正。」

〈屯〉六三，《語類》曰：「不中不正。」（註一八）

中正爻例

九在五位，六在二位，既中又正，上敘「正」條，實例多已舉出，茲再引《易傳》及朱子《易》說，用證成之：

〈訟〉〈彖傳〉：「剛來而得中也，利見大人，尚中正也。」案：大人謂九五。

〈豫〉六二〈彖傳〉：「不終日貞吉，以中正也。」

〈旅〉六二，《本義》曰：「二有柔順中正之德。」

〈巽〉九五，《本義》曰：「剛健中正。」

〈需〉九五，《語類》曰：「以正中，以中正也則一般，只是要協韻。」（註一九）

考上例，便見《易傳》與朱說若合符節。

主爻例

《周易》經傳言「主」字者，凡十（併異文一，共十一）見，其關涉「一卦之體，必由一爻爲主」（王弼《周易略例》）者，不過二處：

一曰〈无妄〉〈彖傳〉：「剛自外來而爲主於內。」謂初九自〈大畜〉上九來，而爲內（三畫〈震〉）卦之主。

次曰〈繫辭上〉章八：「樞機之發，榮辱之主也。」主謂〈中孚〉九二。

此二確鑿可靠證據，前者爲卦陽爻四、陰爻二，似以多者爲主；後者爲卦二陰、四陽，乃寡者，竟眾之所不宗。然則主爻之誼，必別有曲情矣。

〈師〉〈彖傳〉：「師，眾也；貞，正也。能以眾正，可以王矣。剛中而應，行險而順，以此毒天下，而民從之，吉，又何咎矣。」案：九二剛中，五陰從之，是爲〈師〉之主。

〈大有〉〈彖傳〉：「柔得中位大中，而上下應之。」謂六五居尊，而上下五陽應之。〈比〉、〈同人〉、〈謙〉、〈豫〉、〈復〉、〈夬〉、〈小畜〉，竝同。

此合於輔嗣「一卦五陽而一陰，則一陰爲之主矣；五陰而一陽，則一陽爲之主矣」之例，而朱子《本義》從之，如其注〈復〉初九曰：

一陽復生於下，〈復〉之主也。

然〈履〉六三，《本義》不以爲眾陽之主；〈姤〉初六，「一陰生於下」，朱子不以爲「〈姤〉之主也」而類〈復〉之於初陽者，是晦菴主爻之例，必非「少者，多之所貴也；寡者，眾之所宗也」可以範圍者矣。歸其類如下：

（一）六畫卦以寡少之爻為主

(1)上述〈師〉、〈大有〉、〈比〉、〈同人〉、〈謙〉、〈豫〉、〈復〉、〈夬〉、〈小畜〉諸卦；

(2)䷂〈屯〉《本義》曰：「初九陽居陰下，而爲成卦之主。」《語類》曰：「問〈屯〉象云：『利建侯』，而《本義》取初九陽居陰下爲成卦之主何也？曰：此象辭一句蓋取初九一爻之義；初九一爻蓋成卦之主。」（註二〇）

(3)䷓〈觀〉《本義》曰：「卦以觀示爲義，據九五爲主也。爻以觀瞻爲義，皆觀乎九五也。」

(4)䷬〈萃〉《本義》曰：「九五剛中，而二應之，又爲澤上於地，萬物萃聚之象，故爲萃。」

(5)䷸〈巽〉《本義》曰：「初以陰居下，爲〈巽〉之主。」又曰：「陰爲主，故其占爲小亨。」

（二）六畫卦以盛多之爻為主

⑹䷄〈需〉《本義》曰：「其卦九五以坎體中實，陽剛中正而居尊位，爲有孚得正之象。」

⑺䷫〈姤〉《本義》曰：「五以陽剛中正，主卦於上。」案：「上」，意兩兼：一指上卦；一謂君位。此側重後者。

⑻䷰△〈革〉《本義》曰：「九五以陽剛中正爲〈革〉之主。」

⑼䷼〈中孚〉《本義》曰：「九五剛健中正，中孚之實，而居尊位，爲〈孚〉之主也。」

（三）六畫卦陰陽各三爻

⑽䷐△〈隨〉《本義》曰：「初九以陽居下，爲〈震〉之主，卦之所以爲〈隨〉者也。」

⑾䷕〈賁〉《本義》曰：「六五柔中，爲〈賁〉之主。」

（四）六畫全同之卦

⑿ ䷁〈坤〉　《語類》曰：「問〈坤〉六二，……曰：『〈坤〉六爻中，只此一爻最重。』」（註二一）

（五）三畫卦以寡少之爻為主

⒀ ䷃〈蒙〉　《本義》曰：「九二，內卦之主。」（案：內爲下卦，詳見後「上下」例。）

⒁ ䷅〈訟〉　《本義》曰：「九二陽剛爲險（敏案：下坎，險）之主。」

⒂ ䷟〈恆〉　《本義》曰：「初，……以陰居下，爲〈巽〉之主。」案：☴，三畫〈巽〉卦。

⒃ ䷰△〈革〉　《本義》曰：「六二柔順中正，而爲文明（敏案：下離，明也）之主。」

⒄ ䷐△〈隨〉　《本義》曰：「初九以陽居下，爲〈震〉之主。」

⒅ ䷵〈歸妹〉　《本義》曰：「六三陰柔而不中正，又爲說（敏案：下兌，說也）之主。」

⒆ ䷸△〈巽〉　《本義》曰：「初以陰居下，爲〈巽〉（敏案：兼涉全六畫〈巽〉卦及下

三畫〈巽〉卦〉之主。」

由右廿例，吾人可歸納爲五點：

第一　朱子或以寡少之爻爲六畫卦之主，與《十翼》論主爻趨勢略合；

第二　朱子或以眾多之爻爲六畫卦之主；

第三　朱子以寡少之爻爲三畫卦之主；

第四　朱子常以三畫卦之主爻爲全六畫卦之主爻，如䷸〈巽〉(5)，䷸〈巽〉(19)與䷐〈隨〉(10)，䷐〈隨〉(17)；亦嘗以三畫卦與六畫卦各有其主，如䷰〈革〉(8)，以九五爲主，而䷰〈革〉(16)，以六二爲主；

第五　(2)至(12)各卦主爻，非取九在陽位（其間上下相應者五卦，不應者三卦），即六在陰位或不在陰位而居中者。僅〈巽〉初六一爻例外，蓋〈巽〉，巽順而入，取陰初而舍陽二，此《易》之時義（時義見附論）。

竊意《本義》詞尚簡，而每於師弟問答時始暢其旨，茲再舉《語類》二條以證：

(20)䷃〈蒙〉《語類》曰：「此一卦緊要是九二一爻爲主，所以治蒙者，只在兩箇陽爻，而上九過剛，故只在此九二爲主，而二與五應，亦助得那五去。」（註二二）案：取二舍上之義甚明。

(21)䷦〈蹇〉《語類》曰：「九五尊位而居蹇之中，所以爲大蹇。」又曰：「五是爲蹇

主；凡人臣之蹇只是一事，至大蹇須人主當之。」（註一三）

尊卑例

〈大有〉〈彖傳〉：「柔得尊位大中。」柔謂此卦獨有之陰爻，位在中五；是以五位爲尊。

〈履〉〈彖傳〉：「剛中正，履帝位而不疚。」九，剛；居五位而得中得正，是以五爲帝位；帝位固尊位也。

〈謙〉〈彖傳〉：「地道卑而上行。」地道，謂坤；地卑則天尊，故〈繫辭上〉章一：「天尊地卑。」

由右例察之，知彖者以（1）在上位者尊，下位者卑；（2）五（陽）位爲尊。

〈謙〉初六〈象傳〉：「卑以自牧也。」

是〈象〉者以卑爲下，旨同〈彖傳〉。

〈繫辭上傳〉章一：「天尊地卑，乾坤定矣。」又章五曰：「德薄而位尊。」《本義》曰：「此釋〈鼎〉九四爻義。」

是〈繫傳〉作者謂（1）上尊下卑，旨亦同〈彖傳〉；（2）四（陰）位亦尊，與〈彖傳〉「在上位尊」之意不違；蓋四居上卦。

《本義》曰：「剛健中正，以居尊位。」（〈乾〉九五）

又曰：「雖以陽剛中正居尊位，」（〈屯〉九五）

《語類》曰：「九五剛健中正，居尊之象。」（〈訟〉）（註二四）

《本義》曰：「六五以居尊位。」（〈坤〉）《語類》說同。

又曰：「柔中居尊。」（〈蒙〉六五）說〈蠱〉六五同。

朱子似以尊位專屬五（陽）位。

貴賤例

尊卑以位言，貴賤以爻言，〈彖〉〈象傳〉實如此。〈繫辭傳〉則不盡然；貴賤有時亦兼言位。曰「二與四同功而異位，……三與五同功而異位」（〈繫辭下〉章九）矣！（案：同功，謂同爲陰爻；異位，謂二在下位，四在上位，此與〈繫辭〉例合，而晦翁說異）曰「卑高以陳，貴賤位矣」（〈繫辭上〉章一）！故文公《本義》注曰：

> 卑高者，天地萬物上下之位；（敏案：此就人事上言）貴賤者，易中卦爻上下之位也。

〈繫辭上〉章三曰：「是故列貴賤者，存乎位。」文公《本義》注又曰：

> 位謂六爻之位。

朱子本〈繫辭傳〉，渾尊卑與貴賤爲一，言位之尊卑即包爻之貴賤而論矣！《語類》云：

問：「上下貴賤之位何也？」曰：四、二，則四貴而二賤；五、三，則五貴而三賤；上、初，則上貴而初賤。（註二五）

晦庵稱貴賤以爻應之者，試舉一例：

〈鼎〉初六，《本義》曰：「居鼎之下，……蓋因敗以爲功，因賤以致貴也。」案：賤謂初六（在下而陰），貴謂九四（居上而陽）。故同卦九四，《本義》曰：「居上，……而下應初六之陰。」

若〈象傳〉及〈文言〉，衹以貴言陽爻，賤歸陰爻（陰爻得中者例外），茲將有關例證備舉於後：

〈屯〉初九〈象傳〉：「以貴下賤，大得民也。」〈屯〉陽爻少，成卦之主（朱子意），貴；陰爻多，賤。

〈鼎〉初六〈象傳〉：「鼎顛趾，未悖也；利出否，以從貴也。」謂初六賤，上從九四貴。

〈歸妹〉六五〈象傳〉：「其位在中，以貴行也。」
〈蹇〉上六〈象傳〉：「利見大人，以從貴也。」貴謂九五。
〈乾〉上九〈文言〉曰：「貴而无位。」謂九爻貴。

大小例

〈彖傳〉僅及爻位之尊卑，不及陰陽爻之貴賤，然其嘗論九大而六小矣！

〈大過〉〈彖〉曰：「大過，大而過也。棟橈，本末弱也。剛過者中。」《本義》曰：「大，陽也。四陽居中過盛，故爲大過。上下二陰（敏案：釋本末）不勝其重，故有棟橈之象。又以四陽雖過而二五得中。」案：陰陽對稱，以陽爲大，陰必爲小矣。

〈旅〉〈彖〉曰：「柔得中乎外而順平剛，止而麗乎明，是以小亨。」《本義》曰：「以六五得中於外，而順乎上下之二陽，艮止而離於明，故其占可以小亨。」案：卦之取義，以六五一爻爲主，視六陰爲小，則陽必大矣。

〈大壯〉〈象〉曰：「大壯，大者壯也。剛以動，故壯。」

《本義》曰：「大，謂陽也。四陽盛長，故爲大壯。」〈巽〉〈彖〉曰：「柔皆順乎剛，是以小亨。」《本義》曰：「陰爲主，故其占爲小。」

〈泰〉〈彖〉曰：「小往大來，吉亨。……內陽而外陰，內健而外順，內君子而外小人。君子道長而小人道消也。」〈否〉彖辭與〈泰〉反。

大，陽：君子；小，陰：小人。君子來，則小人往，吉；反之則非。斯泰、否之判也。

（案：往來內外，義詳後例。）

〈彖傳〉言君子小人，多兼地位高下與品德良窳言，〈象傳〉亦是。至朱子蓋秉《程傳》之意，幾專以品德言之，君子道長則小人道消。〈彖傳〉已以純陽之三畫卦爲大，其斷〈大壯〉曰：

剛以動，故壯。

案：剛以動，謂下乾。又嘗斷純陰之三畫卦爲小，曰：

否之匪人，不利君子貞，大往小來。

案：來謂坤來。此〈繫上傳〉「齊大小者存乎卦，……是故卦有大小」（章三）之依據，朱子據此定「陽卦」（多陰）爲大卦，「陰卦」（多陽）爲小卦，晦庵注〈繫下〉章四有曰：

〈震〉〈坎〉〈艮〉爲陽卦，皆一陽二陰；〈巽〉〈離〉〈兌〉爲陰卦，皆一陰二陽。

此論三畫卦者〈坎〉至六畫卦，《語類》復援〈繫上傳〉「辭有險易」，舉大卦凡五朱子曰：「好底卦。」

䷊〈泰〉

䷍〈大有〉

䷗〈復〉朱子曰：「『休復，吉』底辭，自是平易。」（註一六）

䷎〈謙〉

䷪〈夬〉

小卦凡四朱子曰：「不好底卦。」

䷋〈否〉

䷥〈睽〉

䷮〈困〉朱子曰：「如『困于葛藟』底辭，自是險。」（註二七）

䷽〈小過〉

〈過〉〈復〉〈謙〉皆一陽五陰，且上下卦咸陽衰陰盛而大之；〈否〉〈睽〉〈困〉均九六各半，而小之。朱子申說曰：

「齊大小者存乎卦」，齊猶分辨之意。……小謂〈否〉〈睽〉之類，大謂〈泰〉〈謙〉之類，如〈泰〉〈謙〉之辭便平易，〈睽〉〈困〉之辭便艱險。故曰「卦有大小，辭有險易」原註：此說與《本義》異。

又曰：

看來只是好底卦便是大，不好底卦便是小。如〈復〉、如〈泰〉、如〈大有〉之類，是好底卦；如〈睽〉、如〈困〉、如〈小過〉底，盡不好底。（註二八）

此純由人事上說理，故《語類》續云：

如人光明磊落底，便是好人；昏昧迷暗底，便是不好人。（註二九）

蓋已舍《易傳》，逕搆爻辭（如上列〈復〉〈困〉下注）；故其大小之詣，非《十翼》之例，直紫陽之《易》例耳。

比例

《易傳》用「比」字僅見於〈比〉卦及〈序卦傳〉，錄其要如下：

〈象〉曰：「……比，輔也；下順從也。」

〈大象〉曰：「地上有水，比，先王以建萬國親諸侯。」

六二〈象〉曰：「比之自內，不自失也。」

六四〈象〉曰：「外比於賢，以從上也。」

六五〈象〉曰：「顯比之吉，位中正也。」

上六〈象〉曰：「比之无首，无所終也。」

〈序卦〉章一曰：「師者，眾也；眾必有所比，故受之以比。」王弼注：「眾起而不比，則爭无由息；必相親比，而後得寧也。」

首二及末條，以「親」釋比，毋庸置疑。比之自內，《本義》謂二應五；比之无首，既「易第六爻在上爲首」（註三〇），而曰「无首」者，以「陰柔居上，无以比下」（案：言无爲下所親之之道）故「惟三乃應上，……爲比之匪人也。」（註三一）六四外比九五賢者，九五固不必拘人君之義，

若三家村中，推一箇人作頭首，也是爲人所比也，須自審自家才德，可以爲之比否？（註三二）

察諸傳義：比，親也；下（下爻；位下之人）親上（上爻；位上之人）也。

朱子《易》說擴充「比」義，《周易本義》：

陽比陰，上比下，此爻比彼爻：〈大過〉九二，「陽過之始，而比初陽。」

陽比陰，上比下，一爻比二爻：〈遯〉九三，「下比二陰，當遯而有所繫之象。」比陰陽，比上下，〈萃〉九四，「上比九五，下比眾陰。」

比有應意，胎祖〈彖傳〉。〈比〉〈彖〉既云「比，輔也；下順從也」，賡曰：

原筮元永貞、无咎，以剛中也。不寧方來，上下應也。

應例

上下兩爻相應與否，關乎占辭之吉凶殊甚，故《易傳》恆言之，〈彖〉曰（在「」內）：

(1)當位相應：

九五←→六二，「同人，柔得位得中而應乎乾。……中正而應。」

九五←→六二，「无妄，剛自外來而爲主於內，動而健，剛中而應。」〈遯〉同。

上六←→九三，「咸，感也。柔上而剛下，二氣感應以相與。」

(2)不當位相應：

六五↓九二，「蒙，……匪我求童蒙，童蒙求我，志應也。」

六五↑九二，「臨，剛浸而長，說而順，剛中而應。」

六五↕九二，「未濟，亨，柔得中也。……雖不當位，剛柔應也。」

(3)一卦之內有當位有不當位者相應：

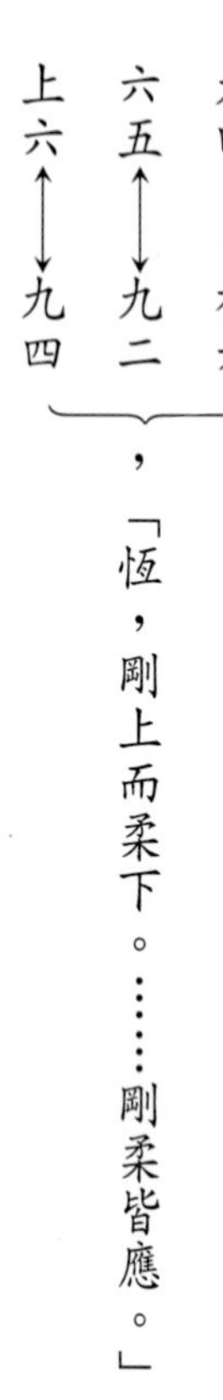

九四↕初六
六五↕九二
上六↕九四
，「恆，剛上而柔下。……剛柔皆應。」

(4)五爻應一爻：此僅見於獨陰或獨陽之卦。

眾陽應一陰，「小畜，柔得位而上下應之。」

羣陰應一陽，「比，……以剛中也，上下應也。」〈大有〉同。

右(4)「五爻應一爻」，非應之常，寘之弗論。〈彖傳〉實以一與四、三與六、二與五陰陽相應，就中以二、五相應最重要，至當位與否，〈彖〉不甚究，故〈艮〉䷳之六二、六四及九三雖當位而上、下無陽、陰應與，故〈彖〉名之爲「敵應」，曰：

艮其止，止其所也。上下敵應，不相與也。

大小〈象傳〉，均不著一「應」字（註二二），然其或言應與之義者，勘得數處。

〈蒙〉九二〈象〉曰：「子克家，剛柔接也。」《本義》曰：「（剛柔接），指二五之應。」

〈師〉九二〈象〉曰：「在師中吉，承天寵也。」《本義》曰：「九二在下，……有剛中之德，上應於五。」

〈泰〉初九〈象〉曰：「拔茅征吉，志在外也。」屈師翼鵬曰：志在外，語意雙關：上求六四之應其一。敏案：以〈小象傳〉它例參之，是。又朱子《本義》及《語類》說異。

〈困〉九四〈象〉曰：「來徐徐，志在下也；雖不當位，有與也。」案：由此「志在下，有與」視之，足徵前條「志在外」爲求應之義。

〈井〉九二〈象〉曰：「井谷射鮒，无與也。」《本義》曰：「二剛中，……上无正應。」

〈象〉以「與」爲應，說本〈咸〉〈象〉；至於承，承應乎六五；接，接應乎六五也。拈字不同，初與四、三與上、二共五陰陽相應，〈象〉〈象〉之例則齊也。

初應四，二應五，上應六，朱子釋〈比卦〉，有曰：

> 初應四，……二應五，……三乃應上。（註三三）

晦翁說應，大本同〈彖〉〈象〉，然枝節亦有迥異乎《易傳》者，分析如下：

(1)五爻應一爻：——此全同〈彖傳〉；

〈比〉、〈小畜〉、〈大有〉等獨陰或獨陽之卦。（詳引已見前。）

(2)當位相應：——此大旨同〈彖〉〈象傳〉；

六四←→初九，《本義》曰：「陰柔居屯，……初九守正於下，以應於己。」（〈屯〉）

六四）〈小畜〉同。（註三四）

六二←→九五，《本義》曰：「六二得位得中而上應九五。」（〈同人〉）〈比〉、〈隨〉同。

九三←→上六，《本義》曰：「以剛居剛，……正與上六闇主爲應。」（〈明夷〉）九

三）

得位相應又稱「正應」：

九五↔六二，《本義》曰：「九五，有六二正應。」（〈屯〉九五）

初九↔六四，《語類》曰：「臨，……二陽（敏案：初九、九二）在下，四、五（又案：六四、六五）皆以正應。」（註三五）案：九二不當位，與六五應而不正（說詳後），晦庵蓋渾而言之，語有疵矣。

(3)不當位相應：——此全同〈彖〉〈象傳〉；

六五↔九二，《本義》曰：「以陰居尊，……下應九二。」（〈泰〉六五）〈蒙〉、〈師〉、〈蠱〉、〈臨〉同。

不得位而應又稱「應之不以正」：

初六↔九四，《本義》曰：「初與四皆不得其位而相應；應之不以正者也。」（〈解〉）案：〈困〉九四，《本義》曰：「初六、九四之正應，處位不當。」「正」

字蓋衍。

朱子於應，或稱「應援」（〈晉〉六二《本義》），或稱「係應」（〈同人〉初九《本義》），不過拈字尙變，其旨未戾《易傳》。唯以剛，應剛，則爲《易傳》所未有，或亦前所未聞者也。

(4)陽剛與陽剛，不當位之應：

九二↔九五，《本義》曰：「九二陽剛，爲險之主，本欲訟者也，然以剛居柔，得下之中而上應九五；陽剛居尊而上不可敵，故其象占如此。」（〈訟〉）案：《本義》注同卦卦辭下則曰：「九二中實，上无應與，又爲加憂。」此蓋就卦辭上言，說爻當以爻下注爲正。且孤證難立，再舉一證以佐之：

〈中孚〉九二，《本義》曰：「九二中孚之實，而九五亦以中孚之實應之。」又九五，《本義》曰：「九五剛健中正，中孚之實，而居尊位，爲孚之主者也，下應九二，與之同意。」

承乘例

就字訓說，下之奉上曰承，

〈坤〉〈象〉曰：「乃順承天。」

〈蠱〉六五〈象〉曰：「幹父用譽，承以德也。」

〈坤〉〈文言〉曰：「承天而時行。」

就爻位言，下爻之於上爻曰承，

〈師〉九二〈象〉曰：「在師中，承天寵也。」九二承六五。

〈歸妹〉初九〈象〉曰：「跛能履，吉，相承也。」九二爲初九所承。

〈節〉六四〈象〉曰：「安節之亨，承上道也。」《本義》曰：「柔順得正，上承九五。」

朱子說承義蓋同《易傳》，例不贅引。

就字訓言，以上乘下曰乘，

〈象〉於〈解〉六三曰：「負且乘，亦可醜也。」

就爻位言，上爻之於下爻曰乘，茲將《易傳》竝朱《本義》注「乘」處備舉如下：

〈夬〉〈象〉曰：「剛決柔也，……柔乘五剛也。」《本義》曰：「柔乘五剛，……謂以一小人（柔）加於眾君子（五剛）之上。……。」

〈歸妹〉〈象〉曰：「无攸利，柔乘剛也。」《本義》曰：「三、五……皆以柔乘剛。……。」

〈屯〉六二〈象〉曰：「六二之難，乘剛也。」《本義》曰：「六二陰柔中正，……乘初剛。……」《語類》略同《本義》。（註二六）

〈豫〉六五〈象〉曰：「貞疾，乘剛也。」《本義》曰：「以柔居尊，又乘九四之剛，眾不附而處勢危，故爲貞疾之象。」

〈噬嗑〉六二〈象〉曰：「噬膚滅鼻，乘剛也。」《本義》曰：「六二中正，……以柔乘（初）剛。……。」

〈困〉六三〈象〉曰：「據于蒺蔾，乘剛也。」《本義》曰：「其義〈繫辭〉備矣。」

案：〈繫下〉章五曰：「……非所據而據，身必危。」

〈震〉六二〈象〉曰：「震來厲，乘剛也。」《本義》曰：「六二乘初九之剛，故當震之來危厲也。」

據右言承，乘例，得結論四條：

一曰、凡言承者，必下承上，且所承者非陽爻即居君位之陰爻（六五）；

二曰，凡言承必吉；

三曰、凡言乘者，必上（爻）陵下（爻），且被陵者皆陽爻，而陵之者盡陰爻；

四曰、凡言乘者必凶。

歷驗〈彖〉〈繫〉〈文言〉、《本義》、《語類》皆從，故曰大同。

卦變例

方畫卦之始，知有⚊、⚋，不知陰陽有往來；洎成卦之時，八卦、六十四卦，而未見兩卦之間剛柔得以上下。故言《經》（卦、卦辭、爻辭），〈訟〉止〈訟〉、〈蠱〉止〈蠱〉，不曰〈需〉〈訟〉互反；〈遯〉九三，自居下卦之上，六二自居內卦之中，而無與於〈訟〉之二、三。謂兩卦正反爲變，肇乎〈彖傳〉；斷兩卦鄰爻相易，即〈彖傳〉「往來、上下」云云之本誼，則大倡於朱子。

欲明朱例是否，先審〈彖傳〉往來、上下諸辭之義。

(1)內外

〈兌〉〈彖〉曰：「兌，……剛中而柔外。」謂☱九二、九五剛於兩三畫卦之中，而上六、六三柔於兩三畫卦之外。「中」實指內，外實指「上」而言。

〈觀〉六二，《本義》曰：「陰柔居內，而觀乎外。」謂☷下卦之中爲內，其上爲外。與〈彖〉說內外合。

〈泰〉〈彖〉曰：「內陽而外陰，內健而外順。」謂上☷爲外陰，順；下☰爲內陽，

健。朱子亦本〈象〉意，以上爲外卦，下爲內卦，

〈乾〉〈卦辭〉，《本義》曰：「下者，內卦也；上者，外卦也。」

《語類》曰：「內卦爲貞，外卦爲悔。」（註三七）又曰：「問：『……每卦內三畫爲貞，外三畫爲悔？』曰：是如此。」

(2)上下

〈小畜〉〈象〉曰：「柔得位而上下應之。」案：此以六四爲基準，上有九五、上九，下有九三、九二、初九。

〈訟〉〈象〉曰：「上剛（乾），下險（坎）。」案：此以外三畫卦爲上卦，內三畫卦爲下卦。

朱子說上下，義同〈彖傳〉，

〈比〉〈象〉，《本義》曰：「剛中謂五，上下謂五陰。」云九五之上爲上六，下爲六之初、二、三、四。

〈屯〉卦辭，《本義》曰：「震，動在下；坎，險在上。」云外三畫爲〈震〉卦，在上；內三畫爲〈坎〉卦，處下。

(3)往來（進退）

〈睽〉〈彖〉曰：「柔進而上行，得中而應乎剛。」六五得中而與下九二應。進即往，故〈漸〉〈彖〉曰：「進得位，往有功也。」

〈隨〉〈彖〉曰：「剛來而下柔。」既云「下柔」，知「從上」來；來既由上而下，往必自卑登高矣。故〈无妄〉〈彖〉曰：「剛自外來，而爲主於內。」內卦僅初九爲陽剛，故爲卦主；初，爻之最下者，故知言來者必自上而下也。

〈彖〉意：凡自上（卦、爻）而下（卦、爻）或由外（卦、爻）而內（卦、爻）謂之來（退）；反之謂往（進）。此說朱子《本義》與之同，詳見後論。

辭意，〈彖傳〉與朱子《易》說契合，推「卦變」之究竟，乃大相逕庭。

〈彖〉言往來，上下，關乎「卦變」者凡廿二卦：曰〈訟〉、〈泰〉、〈否〉、〈隨〉、〈蠱〉、〈噬嗑〉、〈賁〉、〈復〉、〈无妄〉、〈大畜〉、〈咸〉、〈恆〉、〈晉〉、〈睽〉、〈蹇〉、〈解〉、〈損〉、〈益〉、〈升〉、〈鼎〉、〈漸〉、〈渙〉（註二八）是也。

䷋〈否〉〈彖〉曰：「大往小來，……內陰而外陽，內柔而外剛。」謂〈泰〉之反爲

〈否〉。〈泰〉外卦三陰爻，來居〈否〉內卦，爲下三陰爻；〈泰〉內卦下三陽爻，往處爲〈否〉外卦三陽爻。既往既來，遂成〈否〉之內陰外陽，內柔外剛矣。

䷔〈噬嗑〉〈彖〉曰：「柔得中而上行，雖不當位，利用獄也。」謂〈賁〉反爲〈噬嗑〉，六二得中上行爲六五。

䷦〈蹇〉〈彖〉曰：「利西南，往得中也。」謂〈解〉反爲〈蹇〉，〈解〉九二往爲〈蹇〉九五而得中。

䷧〈解〉〈彖〉曰：「解利西南，往得眾也；其來復吉，乃得中也。」謂〈蹇〉反爲〈解〉，九三往而爲九四，得五上二陰爲眾（註三九）；〈蹇〉之九五來爲〈解〉九二，得中。

䷱〈鼎〉〈彖〉曰：「柔進而上行，得中而應乎剛。」謂〈革〉之六二上往而爲〈鼎〉之六五得中而下應九二。

䷺〈渙〉〈彖〉曰：「剛來不窮，柔得乎外而上同。」謂〈節〉九五來爲〈渙〉九二；六三往爲六四，得位而同於九五。

〈彖傳〉只以鄰近兩卦爻位正反爲卦變，故僅有此一卦變爲彼一卦，決無此一卦來自另二卦者。朱子則非是，其法：某卦自另某卦而來者，以相連之兩爻，上下相易。故有一卦自另一卦來者，如〈噬嗑〉〈彖傳〉，《本義》曰：

> 本自〈益〉卦六四之柔，上行以至於五而得其中，是以陰居陽，雖不當位而利用獄。

又有一卦自另二卦（或三卦）來者，如〈隨〉〈彖〉「剛來而下柔」，《本義》曰：

> 以卦變言之，本自〈困〉卦九（二）來居初（九），又自〈噬嗑〉（上）九來居（九）五，而自〈未濟〉來者，兼此二變。

職是，朱子之所謂卦變例，實如《語類》所云「一爻互換轉移」例而已，其教戛亞夫云：

> 某這箇例，只是一爻互換轉移，無那隔蓦兩爻底。（註四〇）

隔蓦兩爻，蓋謂二來爲五、初上爲四之類。然一爻互轉，非惟乖違〈彖〉意，抑且自相矛盾。如：

> 〈蹇〉〈彖〉「往得中也」，《本義》曰：「卦自〈小過〉而來，陽進則居五而得中。」

〈噬嗑〉〈彖〉「柔得中而往。」《本義》曰：「……柔上行以至於五而得其中。」

案：〈蹇〉「往得中」，謂〈解〉九二上行至〈蹇〉九五而得中，此若以晦庵〈小過〉九四進爲九五而後得中說之，亦通。唯〈噬嗑〉「柔得中而往」，謂六二先已得中而後上行進居六五，若依朱子

本自〈益〉卦六四之柔，上行以至於五而得其中

之說，則〈噬嗑〉〈彖〉當如〈蹇〉〈彖〉詞例作「柔往而得中」，不當作「柔得中而往」，晦翁窮矣！

〈解〉〈彖〉曰：「……其來復吉，乃得中也。」《本義》曰：「卦自〈升〉來，……二居其所，而又得中。」

案：〈彖〉云「來」，必自外之內，晦庵因〈升〉、〈解〉二同爲九，遂釋「其來」之來爲「居」，來內「乃得中」爲原本「得中」，其說愈窮矣！

〈渙〉〈彖傳〉（原文見前引），《本義》曰：「其變則本自〈漸〉卦，九來居二而得中，六往居三得九之位而上同於四。」

但《本義》於同卦六四爻辭下注曰：

居陰得正，上承九五。

案：「上承九五」（承猶同，《本義》頗有釋承爲同之處），實「柔（六）得乎外（四位）而上（九五）同」註腳，則晦庵亦以反卦爲變之說是〈彖傳〉之本詣矣。不寧唯是，〈漸〉六二往居〈渙〉爲六三；六三而曰「得（位）乎外」可乎？故朱子《本義》強爲詞曰「六往居三得九之位」，其辯益巧而理益困，衡之於慮，自覺「有些不穩」，《語類》曰：

（〈渙〉〈彖〉）剛來不窮，是九三來做二；柔得位而上同，是六二上做三。此說有些不穩。卻爲是六三不喚做得位。（註四一）

朱子《本義》前附卦變圖，自注曰：「〈彖傳〉或以卦變爲說，今作此圖以明之。蓋《易》中之一義，非畫卦作《易》之本旨也。」其說得之。蓋畫卦繫辭，本爲卜筮，若卦必以接鄰相反爲變，則〈乾〉〈坤〉、〈頤〉〈大過〉、〈坎〉〈離〉、〈中孚〉〈小過〉何以反而仍爲本卦乎？或曰以辭義求之，卦反，義亦隨之反。然案諸正反二十八卦，非必如此，僅〈泰〉〈否〉二卦，反義爲顯。豈先哲寓《易》之「時」義於一、二（〈泰〉〈否〉卦辭）之端乎？

〔附論〕時義

時義洋溢於《易傳》，而《經》則不言，《經》云：「見龍在田」，《傳》曰：「時舍也」。《經》言「含章」，《傳》謂「以時發」也。故〈彖〉屢稱「時義大矣哉」！當謙之時，三四猶吉；處剝之世，二五亦凶。逢升之會，柔以時升而占曰允順；宜遯之際，剛以時遯而辭曰利曰嘉。〈艮〉〈彖〉曰：

艮，止也。時止則止，時行則行。動靜不失其時，其道光明。

黃鳥止丘，晦庵注〈大學〉云：「言人當知所當止之處也」；〈艮〉時止時行，《本義》解曰：「艮之義則止也。然行止各有其時，故時止而止，止也；時行而行，亦止也。」在〈蠱〉之上九，高尚其事，不事王侯，而曰「志可則也」；在〈解〉之九四，釋其初拇，无位不正，而曰「朋至斯孚」。故〈彖〉曰：

解之時地大矣哉！

損之歲，二簋可用享；有之年，盈車而不敗。二簋應有時，盈車順天時，此亦〈彖〉之言也。

〈蒙〉亨吉者，朱子云：

九二以可亨之道，發人之蒙，而又得其時之中。

〈困〉征凶者，朱子云：

九二有剛中之德，以處困時。……征行……非其時。

〈大過〉棟橈，本末弱也；王臣蹇之，君臣難也。〈彖〉曰：

蹇之時用大矣哉！

〈彖〉之解辭，〈象〉之解爻，其因革，求諸時義可也；朱子之註《十翼》，其損益，亦求諸時義可也；後之說朱《易》者，豈無斟酌於其間乎？竝歸諸時義可矣。《傳》不曰乎：

與時偕行！

註釋

一　〔宋〕朱熹：《朱子語類》，《易》三，〈綱領〉下（臺北市：正中書局，影明成化覆宋刊本），卷六七，頁一八。下同。

二　〔宋〕朱熹：《周易本義》，〈小過〉九四爻下（臺北市：世界書局，影《五經讀本》本），卷二，頁五二。下同。

三　《語類》，《易》九，卷七三，頁一七。

四　《語類》，《易》二，〈綱領〉上之下，卷六六，頁三。
五　《語類》，《易》二，〈綱領〉上之下，卷六六，頁一九。
六　《語類》，《易》三，〈綱領〉下，卷六七，頁二〇。
七　《語類》，《易》十二，〈繫辭〉下，卷七六，頁一四。
八　《語類》，《易》一，〈綱領〉上之上，卷六六，頁一。
九　《語類》，《易》三，〈綱領〉下，卷六七，頁一八。
一〇　《語類》，《易》十二，〈繫辭〉下，卷七六，頁一四。
十一　《語類》，《易》六，〈屯〉，卷七〇，頁五。
十二　《語類》，《易》六，〈需〉，卷七〇，頁六。
十三　《語類》，《易》三，卷六七，頁二〇。
十四　《語類》，《易》五，〈乾〉下，卷六九，頁一。
十五　《語類》，《易》三，〈綱領〉下，卷六七，頁二〇。
十六　《語類》，《易》二，〈綱領〉上之下，卷六六，頁七。
十七　《語類》，《易》六，〈履〉，卷七〇，頁一三。
十八　《語類》，《易》六，〈屯〉，卷七〇，頁三。
十九　《語類》，《易》六，〈需〉，卷七〇，頁五。
二〇　《語類》，《易》六，〈屯〉，卷七〇，頁二。
二一　《語類》，《易》五，〈坤〉，卷六九，頁二三。

二二　《語類》，《易》六，〈蒙〉，卷七〇，頁四。

二三　二引均見《語類》，《易》八，〈蹇〉，卷七二，頁一七。

二四　《語類》，《易》六，〈訟〉，卷七〇，頁六。

二五　《語類》，《易》十二，〈繫辭〉下，卷七六，頁一四。

二六　《語類》，《易》十上，〈繫〉上，卷七四，頁一二。

二七　《語類》，《易》十上，〈繫〉上，卷七四，頁一二。

二八　《語類》，《易》十上，〈繫〉上，卷七四，頁一二。

二九　《語類》，《易》十上，〈繫〉上，卷七四，頁一二。

三〇　《語類》，《易》六，〈比〉，卷一七，頁一一。

三一　《語類》，《易》六，〈比〉，卷七〇，頁一〇。

三二　〈升〉卦卦辭後，「〈象〉曰：柔以時升，……剛中而應。」阮元《周易注疏校勘記》云：「毛本同。石經岳本、閩監本、古本、足利本，象作彖。案：象字誤也。」阮是。

三三　《語類》，《易》六，〈比〉，卷七〇，頁一〇。

三四　《語類》，《易》六，〈小畜〉，卷七〇，頁一一。

三五　《語類》，《易》六，〈臨〉，卷七〇，頁一七。

三六　《語類》，《易》六，〈屯〉，卷七〇，頁二。

三七　《語類》，《易》二，〈綱領〉上之上，卷六六，頁一七。

三八　參〔清〕江永《群經補義》，《周易補義》：〈卦變考〉，頁三九。《皇清經解》卷三五六。案：朱子以爲卦變者，凡十九。

三九 說參江永《群經補義》，《周易補義》：〈卦變考〉，頁七。後或參其說。

四〇 《語類》，《易》九，〈渙〉，卷七三，頁一七。

四一 《語類》，《易》九，〈渙〉，卷七三，頁一七。

——原載《中山學術文化集刊》第十四集，民國五十八年十一月

尚書類

三　《尚書》通說

敘言

《尚書》是一部古書，記虞、夏、商、周四代之事。孔子以它作爲教科書，是今傳《十三經》中的一「經」，所以也名「書經」。但在先秦，典籍引述《尚書》的文字時，只稱之爲「書曰」：如《荀子》〈致士〉篇與〈君子〉篇，引《尚書》〈康誥〉篇文，《孟子》〈告子下〉篇、《大戴禮》〈保傅〉篇，分別引《尚書》〈洛誥〉篇、〈呂刑〉篇文，都作「書曰」，而不作「書經曰」；有時在「書曰」之上加朝代名，如《左傳》〈隱公六年〉引《尚書》〈盤庚〉篇文，作「商書曰」、《國語》〈楚語上〉引《尚書》〈無逸〉篇文，作「周書曰」等，也都不作「書經曰」。

「書經」之名，先秦固然沒有；就連「尚書」的稱謂，恐怕也要晚到秦末、漢初才有。因爲《尚書》的記事，雖然「上起唐、虞，下訖秦穆（公）」；但《尚書》各篇的撰著時代，最早卻不過周武王時，最遲已至戰國晚葉，像記錄唐、虞事迹的〈堯典〉和夏朝事迹的〈甘誓〉等篇，都不是當時著成，而爲後代人追述古事的著作。成書時代既都在周朝，周朝人當然不便名之爲「尙」書了。因爲「尙書」的「尙」，同「上」；「上」有「古」義，「尙書」就是「古書」。秦末、漢初人伏勝（習稱「伏生」）的弟子輯錄他的「書」說，定名爲「尙書大傳」。從此以後，「尙書」就取代「書」，而多爲後世史籍著錄與學者所稱道了。

周朝人撰《尙書》，大致使用當時通行的語言文字，如〈大誥〉篇，爲討伐武庚、管叔、蔡叔告全國軍民書；〈召誥〉、〈洛誥〉二篇，爲營建東都洛邑甫成告全國民眾書，當時家喻戶曉。但今天讀起來，便覺得非常艱深，這是因爲世代相隔久遠，彼時常用的文字，現在不常用了；從前通行的話語，如今不常說了。加上古書流傳久遠，由於篇簡錯亂、傳抄訛誤，使這部原本明白通暢的書籍，愈益難讀了。所幸先賢整理《尙書》、註釋《尙書》、闡發《尙書》義理、考徵《尙書》記事，……夙夜匪懈者二千年，吾人承受先賢的智慧，加上自身的努力，求解《尙書》，《尙書》不再是一部難讀的書了。茲爲方便初學研讀此書，分爲五類，以說明《尙書》之概要及研讀《尙書》的方法。

一　《尚書》的編集與流傳

《尚書》諸篇的撰寫，非出於一人之手，也不是成於一時；把許多散篇編集在一起，成爲一部書，司馬遷和班固（見《史記》〈孔子世家〉、《漢書》〈藝文志〉）都說最早爲孔子，所編爲一百篇。孔子設科授徒，爲了教學需要，選取當時流傳的單篇，編定成一書，以作教本，應爲事實。考《論語》兩次引述《尚書》，《孟子》和《荀子》常引《尚書》，儒家其它典籍也多引《尚書》本文，可證《史記》、《漢書》「孔子編集《尚書》」的話，確有根據。不過，孔子時流傳之《尚書》篇，不止一百，這可由先秦典籍所引《尚書》有在百篇篇目之外的，得到證明；而現在所流傳的《尚書》，也不是孔子「《尚書》初編本」的原貌，因爲「今傳本」廿九篇《尚書》中，有孔子身後才撰成的（如〈甘誓〉篇）。

今本廿九篇《尚書》，是漢初伏生所傳。他是漢代第一個《今文尚書》學家，他著《尚書大傳》，是漢代第一部《尚書》學專著。所謂「今文尚書」，就是用漢代通行文字（隸書）寫的《尚書》；「古文」，就是用漢代以前的文字（古文）寫的《尚書》本子。後來因爲各守「家法」及其它原因，今文家和古文家對《尚書》的解釋，也產生了很大的差別。伏生，濟南人，本爲嬴秦博士，家藏《尚書》許多篇。秦末、楚漢之交，連年兵燹，頗有散失。至漢一統天下，尚餘二十九篇，此二十九篇，就是現在所傳的《尙書》，篇目爲：

〈堯典〉、〈臯陶謨〉、〈禹貢〉、〈甘誓〉——以上〈虞夏書〉四篇

〈湯誓〉、〈盤庚〉、〈高宗肜日〉、〈西伯戡黎〉、〈微子〉——以上〈商書〉五篇

〈牧誓〉、〈洪範〉、〈金縢〉、〈大誥〉、〈康誥〉、〈酒誥〉、〈梓材〉、〈召誥〉、〈洛誥〉、〈多士〉、〈無逸〉、〈君奭〉、〈多方〉、〈立政〉、〈顧命〉、〈康王之誥〉、〈費誓〉、〈呂刑〉、〈文侯之命〉、〈秦誓〉——以上〈周書〉二十篇

伏生收藏的《尙書》，本來也是用「古文」寫的。漢初，他在齊、魯之間教授《尙書》，爲了適應需要，或許已將原文改寫爲隸書；至於他對《尙書》的說解，當然使用當世通行的語言文字，這是沒有疑問的。漢文帝時，朝廷派太常掌故鼂錯去跟伏生學習《尙書》，而伏生後傳的弟子，成就最大，最負盛名的是歐陽容及其後裔歐陽高，世稱爲「歐陽《尙書》」；還有二夏侯——大夏侯勝、小夏侯建，世稱爲「夏侯《尙書》」。歐陽高在漢武帝時立爲《尙書》學博士，而小夏侯則在漢宣帝時立爲《尙書》學博士。歐陽、夏侯兩家都有《尙書》學專著傳世，至西晉永嘉之亂時亡失。

《古文尚書》的發現，比《今文尚書》略晚。漢景帝初年，魯恭王（劉餘）欲擴建宮室，毀壞孔子的舊宅，在牆壁中發現一批用古文寫的竹簡，其中有一部分是《尚書》，這就是「古文尚書」。和伏生傳本相較，伏生二十九篇，《古文尚書》都有；另外還比伏生傳本多十六篇（其中「九共」一篇，或者分爲九篇，則多廿四篇）。

這四十五篇古文書，漢武帝時由孔安國的家人獻給朝廷，漢平帝時才獲立於學官，王莽既篡漢，尊古文經，《古文尚書》當然也在立官之數。西漢末葉，此書猶全存。到了漢光武帝建武年間，亡佚〈武成〉一篇，至永嘉之亂，餘篇皆亡佚。漢代傳《古文尚書》學的，有孔安國、賈逵、馬融、鄭玄等，馬、鄭之說，散見《經典釋文》及《尚書注疏》引述。

今傳《尚書注疏》五十八篇，題〔漢〕孔安國傳（傳即注解），〔唐〕孔穎達疏。其實，其中二十五篇經文是僞作的，僞篇篇目爲：

〈大禹謨〉、〈五子之歌〉、〈胤征〉、〈仲虺之誥〉，〈湯誥〉、〈伊訓〉、〈太甲上〉、〈太甲中〉、〈太甲下〉、〈咸有一德〉、〈說命上〉、〈說命中〉、〈說命下〉、〈泰誓上〉、〈泰誓中〉、〈泰誓下〉、〈武成〉、〈旅獒〉、〈微子之命〉、〈蔡仲之命〉、〈周官〉、〈君陳〉、〈畢命〉、〈君牙〉、〈冏命〉。

其餘是把伏生本的二十九篇剖分爲三十三篇——剖〈堯典〉一篇爲〈堯典〉、〈舜典〉二篇，又僞造「曰若稽古帝舜，曰重華，協于帝。濬哲文明，溫恭允塞，玄德升聞，乃命以位」二十八字，加在所謂〈舜典〉的篇首；剖〈臯陶謨〉一篇爲〈臯陶謨〉、〈益稷〉二篇；剖〈盤庚〉一篇爲〈盤庚上〉、〈盤庚中〉、〈盤庚下〉三篇。

僞造的二十五篇經文及「曰若稽古帝舜」等二十八字，分割伏生本二十九篇爲三十三篇，大約都是東晉（或稍前）人所爲；至於所謂孔安國《傳》，當然也是出於同一手，僞託無疑。書爲東晉梅賾所獻，遂即列爲國學。

梁武帝爲太子時，曾疑二十八字不眞。〔唐〕孔穎達根據此本撰《尚書正義》時，微疑僞二十五篇晚出。至宋人吳棫，始直指此二十五篇經文，疑其僞製。吳棫以後，朱子、洪邁、蔡沈，也多於僞篇致疑。元人吳澄作《書纂言》，只解伏生本二十九篇，而將僞古文二十五篇附於其後，且不予注釋。及〔清〕閻若璩作《尚書古文疏證》，專發其僞迹，僞古文一案，遂成定讞。

二　《尚書》二十九篇的內容

讀書在求眞知，僞篇自不必讀。眞《尚書》二十九篇，按照它的文體，依舊說可分爲六類。茲將各篇分別歸類，並簡述其內容如下：

第一類　**典**　〈堯典〉篇：記唐堯、虞舜的施政，以禪讓爲中心。

第二類　**謨**　〈皐陶謨〉篇：記禹和皐陶獻謀於虞廷。〈禹貢〉篇：記禹平治水土，劃分九州，定賦稅，分五服等績業。〈洪範〉篇：記周武王時，箕子陳述九類治國大法。〈金縢〉篇：記周武王病重，周公祈求神明，欲代武王死，兼及周公東征前後事。

第三類　**訓**　〈高宗肜日〉篇：記殷帝祖庚肜祭武丁時，祖己教戒之辭。〈微子〉篇：記殷將亡，微子以去留就教於箕子、比干。〈無逸〉篇：周公教戒周成王不可耽嗜逸樂。〈君奭〉篇：周公旦勉勵召公奭繼續留在朝廷，共輔國政。

第四類　**誥**　此類篇數最多，共十二篇——〈盤庚〉：商帝盤庚從奄遷都殷，告戒臣民；〈西伯戡黎〉：西伯昌勝黎以後，祖伊告戒紂王；〈大誥〉：周成王伐管、蔡及武庚，誥全國軍民；〈康誥〉：周武王封其弟康叔於康之誥書；〈酒誥〉：周成王誥妹邦戒酒；〈梓材〉：本篇是兩篇文章的誤合，前半爲周成王誥康叔，後半爲周公進戒成王；〈召誥〉：營建洛邑時，召公告成王、周公；〈洛誥〉：記營建洛邑時，周公與成王相戒、祭典及命周公留守洛邑；〈多士〉：周公在洛邑，用成王命告殷遺民；〈多方〉：周公傳成王命，告諸侯及殷遺民；〈立政〉：周公告成王用人之道；〈康王之誥〉：周康王釗即位，誥大臣與諸侯：都是告戒之辭。

第五類　**誓**　誓，戒敕之義，常用於軍旅，就是「誓師之辭」，有〈甘誓〉篇：夏王啓伐有扈國，在甘誓師；〈牧誓〉篇：周武王伐紂，在牧野誓師；〈費誓〉篇：魯僖公伐淮夷及徐方，在費地誓師。又有戒敕軍民者二篇：湯誓——商湯將伐夏桀，在亳邑誓軍民；〈秦誓〉：殽之戰秦敗，秦穆公悔過，兼誓軍民。

第六類　**命**　〈顧命〉篇：周成王臨終，命諸侯與大臣。〈呂刑〉篇：周穆王命呂侯作刑書，昭誥天下。〈文侯之命〉篇：周平王賜晉文侯仇弓矢等物，作辭以命之。

三　《尚書》各篇的著成時代與作者

論《尚書》各篇的著成時代和作者，最早且最完整的爲《書序》；《書序》今存於《尚書注疏》各篇之首。例如〈堯典〉篇首序文：「昔在帝堯，聰明文思，光宅天下，將遜于位，讓于虞舜，作〈堯典〉。」說本篇爲堯、舜當時的著作，然而本篇開篇就說「曰若稽古帝堯」，顯然是後人述古之作。又如〈無逸〉篇首序文：「周公作〈無逸〉。」〈立政〉篇首序文：「周公作〈立政〉。」然而兩篇經文都有「周公曰」，作者如爲周公，不應自稱「公」；顯然是他人述周公之言，而非周公自著。再如〈牧誓〉篇首序文：「武王戎王車三百兩，虎賁三百人，與紂戰于牧野，作〈牧誓〉。」然考此篇述參與討紂之諸侯國有蜀，蜀在春秋中葉才與中原交通；且本篇武王直稱軍士「夫子」，乃戰國時習尚，春秋以前無有（據崔述《洙泗考信錄》），故本篇固非伐紂當時文獻。

考察《尚書》二十九篇本文，參酌其它有關資料，吾人於各篇著成時代的論定，大分爲二類：

(1)當時檔案——〈康誥〉（周武王時作）。〈大誥〉、〈多方〉、〈酒誥〉、〈多士〉、〈召誥〉、〈洛誥〉、〈梓材〉、〈立政〉、〈無逸〉、〈君奭〉、〈顧命〉（以上十一篇，依時次先後，都是周成王時作）。〈康王之誥〉（周康王時作）。〈呂刑〉（周穆王時作）。〈文侯之命〉（周平王時作）。〈費誓〉（魯僖公時作）。〈秦誓〉（秦穆公時作）。

(2)後人述古之作——〈盤庚〉（西周初葉作）。〈西伯戡黎〉、〈微子〉（二篇都是東周初葉作）。〈高宗肜日〉（東周之世作）。〈金縢〉（春秋中葉作）。〈禹貢〉（春秋中葉之後，戰國之前作）。〈堯典〉、〈臯陶謨〉、〈洪範〉、〈湯誓〉（以上四篇皆戰國初期作）。〈牧誓〉（戰國之世作）。〈甘誓〉（最遲，戰國晚期作）。

至於二十九篇的作者，除〈召誥〉、〈洛誥〉及〈多士〉三篇，都不可確考。〈洛誥〉篇末明著「作冊逸誥」，可知該篇作者爲作冊（官，即內史）逸。〈召誥〉與〈洛誥〉同記作洛，兩篇事既相屬，時日也相連；而〈多士〉篇爲營建開始時周公用成王命告殷遺民之書，故〈召誥〉與〈多士〉，也應該是當時職掌朝廷冊命的大臣——內史逸所作。史官掌君王誥命辭書，以推其它各篇，屬於「當時檔案」的其餘十四篇，都是不知名的史官（〈費誓〉、〈秦誓〉爲諸侯國史官，其餘爲王朝史官）所撰。

屬於「後人述古之作」諸篇，據各篇內容，分別大約爲殷人（謂入周後之殷民）述古之作（如〈盤庚〉、〈西伯戡黎〉、〈高宗肜日〉、〈微子〉、〈湯誓〉），儒士述古之作（如〈堯典〉、〈臯陶謨〉、〈洪範〉），史官述古之作（〈金縢〉），〈禹貢〉爲春秋某國人述古之作，其餘〈牧誓〉、〈甘誓〉，也是後人作，亦難定其身分。

四　《尚書》的價值

據上節所析述，此二十九篇書，半數以上是周代王朝或諸侯國檔案，上溯周武王十二、三年（〈康誥〉），下迄周襄王二十五年（〈秦誓〉），都是第一手材料；其餘多爲東周或春秋中葉至戰國初期人述古之作，記事往往比《左傳》、《國語》、《戰國策》、《世本》爲可信。章學誠說「六經皆史」，六經中，「書經」的史學價值獨在它經之上，無怪乎西洋人常將「尚書」英譯爲"Book of History"了。

《漢書》〈藝文志〉說：「古之王者，世有史官，君舉必書。……左史記言，右史記事；事爲《春秋》，言爲《尙書》。」今就此二十九篇考察，《尙書》確以記言爲主。〈康誥〉、

〈召誥〉、〈洛誥〉、〈無逸〉等西周諸篇，多記天子及臣下之言，開後世史書「實錄」一體，而其謨、訓、誥、命諸體文，又爲後代史家撰寫詔、策、章、奏所取法。

稽討古代制度，如不求之《尚書》，可謂不知本源。〈堯典〉篇透露古代有禪讓制度；《墨子》〈尚賢〉，或在其後。〈立政〉篇載古代官職，遠在《周禮》之前，而頗爲漢代設官分職所本。〈呂刑〉明周代刑典，五刑懲罪，罰鍰贖免，後世刑章沿襲之而不絕。堯命羲、和觀象授時一節，可見古人已知一年爲三百六十五日餘。禹承帝命平治水土，九州、五服、田賦等次、貢物名目，皆見於〈禹貢〉，後世正史「地理志」，體例多仿此篇。

近世考古學發達，考古學家多以地下器物與書本文獻印證，用考正古史。如鐘鼎彝器銘文所載職官，多見於《尚書》。又如〈盤庚〉篇：「先王有服，恪謹天命；茲猶不常寧，不常厥邑，于今五邦。今不承于古，罔知天之斷命。」反覆玩味此文，「五邦」不應包括盤庚自身所遷之邦——殷，得《竹書紀年》，知《尚書》經文不誤，五邦爲囂、相、耿、庇、奄，果然不包含殷地。

班固撰《漢書》〈藝文志〉，以爲諸子學出於六藝。儒家是戰國時代的「顯學」，《論語》多闡述孝悌；而遠在孔子之前，〈康誥〉篇已論孝慈友愛，有謂：「元惡大憝，矧惟不孝不友」。陰陽五行家學說，戰國末葉大盛，於後代政教影響甚巨，但考其最早文獻，則非〈洪範〉篇莫屬。「天人相與」，亦見於〈洪範〉，我國歷代哲人莫不講究，故今不治思想史則已，治則非先研讀〈洪範〉不行。是班固之說，信而有徵。

學者多認爲尊重司法獨立、保障人權，是西方政治學家首倡，此由於未及細讀《尙書》，故誤爲此說。周武王告戒康叔封不得但憑一己之私，便刑人殺人，就連輕微的肉刑，也不可任意施行，〈康誥〉篇說：「非汝封刑人、殺人，無或刑人殺人；非汝封又曰劓、刵人，無或劓、刵人。」又偵察審判，都應依據法律明文，故同篇後文又說：「汝陳時臬事，罰蔽殷彝，用其義刑義殺，勿庸以次汝封。」此豈非以法律保障人權？至尊重司法權、法官審判獨立，〈立政〉篇記周文王倡而行之：「文王罔攸兼于……庶獄、庶愼，惟有司之牧夫是訓用違。庶獄庶愼，文王罔敢知于茲。」庶獄、庶愼，如今世所謂偵察起訴、審訊判決，文王皆聽由法曹〈有司之牧夫〉辦理，絲毫不加干預。是欲治社會科學，如置《尙書》不讀，則難免亡本媚外之譏矣。

六經爲政教而作，「皆先王之政典」；戰國諸子書爲濟世而撰，目的在於「匡救時弊」。是周秦學者大抵皆因治道而著書立說，「爲文學而文學」的文人，幾不一見。「政典」的撰者，雖未必皆「以能文爲本」，然而爲了推行政令，化民成俗，傳之久遠，必須「言之有文」。「書（經）以道事」，是「政典」中一部要籍，篇篇「言之有文」，準此，若倣後世四部分類，將它編入「集部」，使與韓、歐古文同科，並無不可。

〈堯典〉開篇，就用典雅的文辭形容堯帝的盛德：「曰若稽古帝堯，曰放勳。欽、明、文、思、安安，允恭克讓；光被四表，格于上下。」多用表象之辭，不但「煥乎其有文章」，而且在首段中自然帶出堯帝的美德，作爲全篇的主意。其文律精巧，比之後世文章家，固無遜色。其次如敘舜巡守四方事，條理井然，最先述東方，說：「歲二月，東巡守，至于岱宗，柴，望秩于山川，肆覲東后。……」其次述南巡守，於「柴，望秩于山川，肆覲南后」等禮儀事項，但以「如岱禮」三字盡之，不更複述，簡明得體。再次述西巡守，但說「如初」（即「如岱禮」）。末述朔巡守，又變言「如西禮」：參互錯綜，修辭立意，頗費經營。

〈秦誓〉成篇，比〈堯典〉略早，而其「情思贍富，詞章抑揚」，與《詩經》〈秦風〉〈蒹葭〉，同爲秦文中傑作，千古風詠不絕，請以首段爲證：「我心之憂：日月逾邁，若弗云來。惟古之謀人，則曰未就予忌；惟今之謀人，姑將以爲親。……番番良士，旅力既愆，我尚有（友）之。仡仡勇夫，射御不違，我尚不欲。惟截截善諞言，俾君子易辭（字亦作辝，《公羊傳》引作怠），我皇多有（友）之？」讀者循聲慢誦，掩卷深思，穆公當日心情，如在目前矣！游氏《先秦文學》云：「秦之文學，罕得而言；然稽之經典：《詩》有〈秦風〉，《書》有〈秦誓〉，並秦文之較古者。……穆公悔過，兼戒羣臣，作〈秦誓〉，文稍變古，娓娓動人聽聞，若有詩意焉。」所評甚是。

後世動輒舉韓文公〈進學解〉「〈周誥〉、〈殷盤〉，佶屈聱牙」之言，指〈盤〉、〈誥〉文字皆艱深難曉。其實若〈盤庚〉篇「有條而不紊」、〈酒誥〉篇「人無于水監，當于民監」類辭語，〈盤〉、〈誥〉中頗多，至今仍是「活潑潑的語言」。況「文格典古」，自有足多者，柳存仁《上古秦漢文學》舉〈周誥〉篇章為說：

惟〈周誥〉則辭句既甚艱深，而語言意味豐長，文格典古，復多與銅器文字相類，允足推為《尚書》中之代表文字。……〈周誥〉之遺辭用字，及用譬喻之處，令人讀之，已頗有文學彬彬之感。……

遺辭用字典雅樸質，故意味豐長，〈周誥〉十餘篇莫不皆然，與後世行文務為崢嶸者不同，此於西漢散文影響甚大。至於用譬喻，〈大誥〉篇：

若考（父）作室，既厎（致）法，厥子乃弗肯堂（築土臺為堂），矧肯構（架設棟樑柱椽）？厥父菑，厥子乃弗肯播，矧肯穫？厥考翼（翼大概是語助詞）其肯曰：「予有後，弗弃（棄）基？」

此周成王自勵，並勗勉國人，完成父祖未竟事業，以建屋、墾田為譬，謂父祖肇創基業，至為艱辛，且已大段成功，子孫應終竟其事，否則不孝。懇切諄摯，用能感動黎庶擁護王室，敉平叛亂。它如以「涉淵水，唯濟川是務」喻治國（〈大誥〉篇），以「痛瘝在身，務病是去」喻養民（〈康誥〉），周公以「火始燄燄，厥攸灼，敘弗其絕」為喻，戒成王勿以小明自用（〈洛誥〉），……可謂巧喻層出不窮。

王闓運以為：「《尚書》之文，迥殊議論；短句相續，不容行氣。」大概指〈周誥〉而言。其實〈周誥〉頗有長句，如〈大誥〉篇「宜爾邦君越爾多士、尹氏、御事綏予曰」一句，〈洛誥〉篇「王命予來承保乃文祖受命民」一句，類此長句甚多，皆後世散文之祖，而皆非「駢文之類」。至於「不容行氣」，因為〈周誥〉於兩段銜接處，常以「王曰」更端別起，不以虛字鉤連；而辭句章節之間，也極少用虛字（如後世文言「既而」、「若夫」、「至於」、「且」之類），看似斷頓，其實文氣相貫，意理相承。細繹〈無逸〉、〈顧命〉、〈康王之誥〉等篇便可見。漢初文章家，尚多因襲此風格，不煩析述。

《尚書》各篇，絕多為散文，是我國散文的鼻祖，然而〈洪範〉篇多協韵之文，且有體製與《詩經》相近者：

無偏無陂，遵王之義。無有作好，遵王之道；無有作惡，遵王之路。無偏無黨，王道蕩蕩；無黨無偏，王道平平（平，讀音如「辨」）。無反無側，王道正直。

十二句六韻語，大概採自當時流傳的詩歌，《墨子》〈兼愛下〉篇引「無偏無黨」以下四句（「無」作「不」），正作「周詩曰」，可證。是讀《詩經》者，不得不讀《尙書》。

論詩歌起源，吾人常舉〈詩大序〉：「詩者，志之所之也；在心爲志，發言爲詩。情動於中，而形於言；言之不足，故嗟歎之；嗟歎之不足，故永歌之。」這種理論，《尙書》〈堯典〉篇已有：「詩言志，歌永言，聲依永，律和聲；八音克諧，無相奪倫，神人以和。」此段文論詩之所以作，在表達情感；論先有詩（歌辭）而後有音樂，比〈詩大序〉辭簡，而意義反而明白肯定。是治文學批評者，不可不讀《尙書》。

不寧惟是，虞廷賡歌，影響屈賦，游氏《先秦文學》云：

> 今《書》〈益稷〉（敏案：篇名當作〈皐陶謨〉。）載帝舜作歌曰：「敕天之命，惟時惟幾。」乃歌曰：「股肱喜哉！元首起哉！百工熙哉！」皐陶拜首（手）稽首，乃賡歌曰：「元首明哉！股肱良哉！庶事康哉！」又歌曰：「元首叢脞哉！股肱惰哉！萬事墮哉！」古籍所載唐虞詩歌，以此爲最古；其辭亦稍有風韻。每句韻腳之下，綴以助詞，已開〈風〉、〈騷〉格調之先聲。

是治屈、宋文者，亦不可不讀《尙書》。

如上所言，欲成爲史家、哲者、政人、文士，必讀《尚書》，故自漢以來學校、貢舉，莫不傳習此書，莫不考試此書，而歷代朝廷主撰經注——如唐永徽年間《五經正義》、宋熙寧年間《三經新義》、明永樂年間《四書五經大全》、清初《御纂七經》，亦無不命儒士疏解此書。

五　《尚書》的讀法（兼說歷代《尚書》學要籍）

欲通《尚書》，需先略知從前學者研究成果。西漢初葉，當嬴秦焚禁之後，學者一面收輯遺書篇簡，一面考訂註釋、講論傳授，其時伏生、歐陽、夏侯皆有專著行世，惜今皆不傳，但有殘文碎篇，賴清人綴輯而倖存。

西漢末葉之前，今文學始終列爲國學，受政府重視，而古文學則盛行於民間。至劉歆提倡古文，今、古之爭遂大起。此後，《古文尚書》學家輩出，賈逵、馬融皆是，至鄭玄，雜揉今、古，自成一家，兩派爭議漸息。王肅繼起，亦兼采今、古文，著書多攻鄭玄。諸家《尚書》注皆佚，唐陸德明《經典釋文》、孔穎達《尚書正義》，頗引其說。

六朝經學，疏經甚有成就，號爲義疏時代。唐初敕修《尚書正義》，據東晉僞託孔安國《傳》，且將六朝經疏纂入，絕多不存原著者之名。故《尚書正義》行，六朝疏盡廢。

由唐永徽至宋慶曆，四百年之間，《尚書》學者所讀，《尚書正義》一書而已。此後，疑古之風漸起，《尚書》新說寖多。至南宋紹興間，林之奇著《尚書全解》，雖不廢漢、唐古注舊疏，但博采北宋諸家之說，斷以己意，篇帙繁大。下至慶元間，蔡沈用朱子遺意，又增添紹興以後各家說，成就不在林氏之下；行於科場，影響尤大。

元、明兩代治《尚書》，無重大成就，於此略而不言。明室既亡，漢學復興。王鳴盛《尚書後案》、孫星衍《尚書今古文注疏》，皆廣蒐兩漢舊注，而務反宋學。及至晚清，皮錫瑞承道咸《公羊》餘緒，著《今文尚書攷證》，貴今文賤古文，持論過偏。

民國肇造以來，抉發《尚書》中難題，專文討論，散見期刊雜誌者多；而通釋全經，成就較高者意不多覯，有之，則楊筠如《尚書覈詁》、屈先生（翼鵬）《尚書釋義》等數編而已。

今初學《尚書》，愚意當：

一　由《尚書注疏》入手。

二　參看前人研究成果，其重要必讀之書，除《尚書注疏》外，至少應有：

（一）宋林之奇　《尚書全解》（其書特點爲多收北宋人之說。）

（二）宋蔡沈　《書經集傳》（其書特點爲多收南宋人之說。）

（三）清王鳴盛　《尚書後案》（其書彙輯漢魏人說，最便檢閱。）

（四）段玉裁　《古文尚書撰異》（其書多於校訂經文用力。）

（五）近人楊筠如《尚書覈詁》（承王國維之學，多以卜辭、金文解書。）

（六）屈萬里《尚書釋義》（據漢晉古注，參清人傳疏，徵以金、甲文字，最便初學。）

三　破除漢、宋門戶，捨棄今古文成見，擇善而從。

四　利用出土器物文獻，作比較研究。

五　釋辭解字，務通觀章句篇段，最忌摭取片辭隻字，破碎其義，悖理害道。

苟如是，則《尚書》雖奧衍弘深，不患其義不能知矣。

——原載《幼獅月刊》第四十七卷第二期，民國六十七年二月

四　《書序》通論

《尚書》每篇經文之前皆有序，名《書序》。《書序》今存，考定凡一千一百零一字（《尚書注疏》、《唐開成石經》）。

上述序文，或稱之曰《書序》，或稱之曰《尚書序》，或稱之曰《百篇書序》，或稱之曰《書小序》，亦或渻稱之爲《序》，又或尊稱之爲《經》；夫《尚書》先秦但稱「《書》」，則「序（敘）其作意」之序文，當正稱「《書序》」，漢人絕多如是稱名之。

《書序》出孔子壁中，孔子裔孫孔鮒藏之於家壁，當嬴斯焚禁後、秦二世元年之前，漢武帝末獻上（詳拙著〈《古文尚書》之壁藏發現獻上及篇卷目次考〉），《漢書》〈藝文志〉著錄，漢《桓譚新論》旁資印證，〔晉〕束皙見壁本而引其文（《尚書正義》載），〔宋〕朱子（《朱文公文集》、《朱子語類》）、〔清〕毛奇齡（《古文尚書冤詞》）、王懋竑（《白田草堂存稿》）、程廷祚（《晚書訂疑》）等咸認《書序》出孔壁，具明文，惟近人鍥齋氏（〈書序說〉）力辨《書序》非自壁出。考《書序》今古文《尚書》家竝傳，鍥齋以謂今文家不一及、古文家不傳，非也。〔清〕吳汝綸（《尚書故》）堅持《書序》出《史記》之後，

《書序》絕多抄襲《史記》。詳甄吳說，反證《史記》依《書序》，非《書序》因《史記》也，吳說甚多自相牴牾、無徵不信之言。且余持《書序》八十一目逐一與《史記》所述引考校，斷《史記》襲《書序》，臚陳八證，知《史記》凡同於《書序》者，皆《史》襲《序》；異者，皆司馬遷更改。

《書序》作者（詳後文論說）依《尚書》本經八十一目一百篇作序，今剋就現存目篇本經及逸亡目篇佚文，參酌經傳史籍，論其可信：《書序》著成下傳，兩漢人見用，伏生（《尚書大傳》）、《逸周書序》作者、司馬遷（《史記》）、歐陽學宗《尚書》家（見《漢書》〈藝文志〉）、張霸（見《漢書》、《論衡》）、《緯書》作者（見孔穎達《尚書正義》）、孫寶（見《漢書》）、揚雄（《法言》）、劉向歆父子（《別錄》、見《漢書》〈律曆志〉）、班固（《漢書》〈藝文志〉、《白虎通義》）、王充（《論衡》）、賈逵（見孔《尚書正義》）、許慎（《說文解字》）、馬融與鄭玄（詳下）、王逸（《楚辭注》）、審忠（見《後漢書》）、劉陶（同上）、應劭（《風俗通義》）、楊彪（見《後漢書》），均親見《書序》。多子者，或爲今古文《尚書》家，或爲史學家，或爲思想家，或擅辭賦，莫不親見《書序》而參酌之、引之，以之說經、議政、論學、注典，厥中《逸周書序》作者，倣《書序》體製、用語，取《書序》記史，都凡七事，而馬鄭師徒更爲《書序》全書作傳注，原書雖佚，今有輯本，保存佚文約半。而下，三國魏、吳人亦親見《書序》，曰王肅，注《書序》全書

（今存佚文多條），曰韋昭，注《國語》引《書序》，西晉束晳見《書序》引其文，東晉某氏撰《僞古文尚書》及《傳》，全解《書序》，今具存，范甯注《穀梁傳》取義《書序》，李顒《尚書注》，於《書序》同施注（見《尚書正義》），〔梁〕陶弘景專注《尚書序》一卷（《經義考》轉引），劉叔嗣特將亡篇《書序》萃於一所而注之（見《隋書》〈經籍志〉）。洎乎陳隋，顧彪著《尚書義疏》，主《僞孔傳》，併疏其本所傳之《書序》，二劉——焯、炫《尚書義疏》、《尚書述義》（竝《隋書》〈經籍志〉著錄），亦竝依僞孔所錄《書序》而疏之。至唐，陸德明《經典釋文》、孔穎達《尚書正義》，二書今具存，亦皆全解《書序》，因僞孔本而傳此學，影響尤大！嗚呼！《書序》眞實不誣，其確鑿可信也如此！

《書序》孔壁本，至西晉束晳猶及親見而引之。伏生可見，恐非壁本，第以伏生傳廿九篇及弟子所記輯《尚書大傳》與今本《書序》考參，兩本目字異字才八，音近殊寫故；篇次異二，兩家於古史認知不同故；多〈大戰〉、〈揜誥〉二亡篇，出諸伏翁記憶故；說《尚書》本經異者，僅得一〈金縢〉，蓋伏公長於五行災異，出以作風雷動變，發天人相感之驗而已。則是《大傳》絕多同《書序》，故秦博士伏勝持之有故，豈不信哉！《漢石經尚書》底本，用伏生傳人小夏侯家本，《石經》幸存《書序》殘字約四十四字，持與今本校，異文八者，或因正俗，或通假，或音近寫別，形誤才一，或博士依本經更改，則今本《書序》可信，又得一證。

司馬遷初習《今文尚書》，後從古文大家孔安國問（《尚書》）故，其《史記》述引《書序》，或引篇名，或采其義，多達七十三目，絕多相合；述引不及者，才八目，乃史公損益取舍。深考之，是《史記》襲《書序》，謹歸納為八事，用證其塙。史遷既兼治今古文，故其襲述《書序》時，旁資今文，得十序十字，八成屬於古人名地名傳寫異字。又遷《史》述《書序》篇次小異五目，其中得正可糾僞孔之失次者三，誤解失第者二，則援《書序》可匡《史》誤。史公〈自序〉述百三十篇目體倣《書序》，文史家所共識，又其〈表〉暨〈彙傳〉前序文體亦倣《書序》，則論者較少。《史》〈自序〉先言事由，後言作某〈本紀〉、某〈世家〉、某〈列傳〉，師法《書序》先言其篇作意，後結曰作某篇也。乃近人張西堂（《尚書引論》）反謂《書序》體裁模倣《史記》，錯亂一何至於斯耶！《史記》與《書序》同者如是之多，吳汝綸曰「此《序》襲《史》之證也」；其或相異，吳乃曲說「《序》誤」、「《序》誤改《史》」，即《史》變更《序》之雅詞為俗詞，明是訓詁，吳亦曲為飾說。其堅持己見，罔顧事證，一至於此！

馬融鄭玄，古文《書》家二大儒也，均注《書序》，二家注本，向謂之《古文書序》，持其幸存之殘本與今本校，曰總《書序》為一卷繫全經後（見《經典釋文》、《尚書正義》），同；鄭本篇次異者六目，大同小異，兩家以己意變古，第篇均不遵壁《序》之舊，而〔清〕孫星衍（《尚書今古文注疏》）、馬邦舉（《書序畧考》）、〔民國〕趙貞信（《書序辨序》）、蔣善國（《尚書綜述》），因論馬鄭與僞孔本優劣，多失宜允；文字異者五，馬本又多五字（〈金縢序〉、〈康王之誥序〉）少一字（〈文侯之命序〉），專名易異，通假改字，裒多益寡，覈皆尠關宏旨，今一一辨究其緣故於下。職是兩派三本《書序》，共出魯壁，乃清魏源（《書古微》）判馬鄭古文本係衛宏僞造，非司馬遷所受安國之古文本，晦昧史實，橫議乃爾！

《書序》〈五子之歌〉非《國語》「啓有〈五觀〉」之〈五觀〉，王逸注〈離騷〉、蔡邕〈述行賦〉引可證，近人崔適（《史記探源》）謂僞孔本改〈五觀〉爲〈五子之歌〉，誤。〈咸有一德〉，《禮記》〈緇衣〉引作〈尹告〉，馬邦舉認當從《禮記》題篇，不知當時篇名猶未固定，各隨己意定名，致異而已。〈康誥〉、〈酒誥〉、〈梓材〉三目三篇，孫詒讓（《尚書駢枝》）見《韓非子》引〈康誥〉稱〈酒誥〉，因謂〈康誥〉當分上中下篇，〈酒誥〉、〈梓材〉分別爲其中下篇，無〈酒〉、〈梓〉篇名，按《尚書》篇名尚未定，故《韓非》引異，孫說非也。《史記》有〈大戊〉篇而《書序》無，馬邦舉責《書序》缺錄，孫星衍謂今本脫〈大戊〉，而《僞孔》裂〈汝鳩〉、〈汝方〉爲二以就百篇之數，〔清〕汪之昌（《青學齋集》）謂本有〈大戊〉而無〈伊陟〉，俗儒不知闕〈大戊〉，妄增〈伊陟〉，以足百數，今考〈大戊〉乃《史記》衍文，本文辨之詳且塙也。〔清〕王鳴盛（《尚書後案》）謂《僞孔》詁改〈說命序〉「夐求」爲「營求」、改「〈成王征〉」之征爲政，蔣善國謂是《僞孔》改字一個實例，蔣又謂今本〈洪範書序〉視漢本字異一又多五字：所論皆失，余考諸《說文》、古本及《世經》引《書》例明之。〔清〕張穆（《月齋文集》）謂《序》「〈胤征〉」征字當正，〈胤正〉篇書，乃〈夏大正〉，胤往正義和者，董正其治歷失理也，張氏肊造史實，失義駭世！〈君陳書序〉，崔述（《豐鎬考信錄》）以爲「君」是尊稱，不應君而稱其臣爲「君」，因疑《書序》與《僞孔經》共出一手。余考天子亦得尊稱臣下，東壁失疑。壁出《眞古文尚書》有〈舜典〉，〔明〕梅鷟（《尚書譜》）、近人唐文治（《尚書大義》）、趙貞信皆謂僞孔氏僞作增添，罔顧《漢》〈志〉著錄、鄭玄稱引事寔，誤也。趙及童書業（〈評書序辨序〉）竝認《書序》曾經《僞經》作者竄改（童且定爲王肅），故意欲與鄭玄立異，要降低曹（魏）馬（司馬晉），乃抬舉成王以壓周公，余考今本《書序》多見成王及周公相成王文，抬降之誼未見，二家殆衍〔清〕焦循（《尚書補疏序》）之誤說，不容不辨正。

《書序》八十一目一百篇（共七十七條），各目篇（條）之間文氣連貫，原本自爲一編（即自爲一大篇）。條條文氣連貫，孔穎達指出其前後相顧爲文，〔宋〕林之奇（《尚書全解》）、馬廷鸞（〔元〕董鼎《書蔡傳輯錄纂註》引）從申之，凡舉《書序》文〈洪範〉上與〈武成〉下與〈微子之命〉、〈湯誓〉上與〈汝鳩〉、〈汝方〉、〈周官〉上與〈大誥〉及〈微子之命〉、〈洛誥〉上與〈召誥〉，均相顧爲文；〈堯典〉下接〈舜典〉，《序》文相承接，而〈三謨序〉文亦與〈舜典〉緊相承續。余更考之，猶有〈帝告序〉，下與〈仲丁、河亶甲、祖乙、盤庚四序〉連貫，又有〈太甲序〉文氣上承〈伊訓序〉，〈泰誓〉、〈牧誓〉、

〈武成〉三序記伐殷年月日繁省互補，〈大誥序〉文承〈金縢〉，〈成王政序〉文氣下接以〈將蒲姑序〉，〈亳姑〉、〈君陳〉二序「將」、「既」時次上下相承，〈君陳序〉且冒上〈亳姑序〉省略「王」字：《序》文前後相照，始終有度，眞渾然一片文章也。《尚書》本經多有逸亡，賴諸篇《序》文合編而獲保存其篇目篇義，與《詩》〈雅〉六亡篇藉與眾《詩序》合編而知其篇目篇義同功，陸德明、題〔宋〕鄭樵（《六經奧論》）、〔清〕汪之昌、邵瑞彭（《尚書決疑》）說，均是也。古書之序皆殿全書之末，經別如《易》〈序卦傳〉、《詩小序》，史如《逸周書》〈序〉、《史記》〈太史公自序〉、《漢書》〈敘傳〉，子如《莊子》〈天下〉、《呂氏春秋》〈序意〉、《淮南子》〈要略〉、《法言》〈序〉、《論衡》〈自紀〉、《潛夫論》〈敘錄〉。《書序》總爲一編繫全經之末，遵先秦古本之舊也。《書序》孔壁本（《漢》〈志〉著錄）、《別錄》本（見《尚書正義》）、馬鄭本（見《經典釋文》、《尚書正義》）《序》皆聚置全經之後，誠西漢孔安國之舊本也。又均之每篇《序》尚不足十七字，不便各獨成篇（卷），則必是合爲一篇（卷）併繫全經之末，故總列於後云者，非各篇《序》分條分行立，《漢石經書序》廿九篇併爲一篇，僅《序》與《序》間各空一格作一「●」，可爲顯證也。降至東晉《僞古文》本，乃始散析各篇《書序》弁諸各篇經首，《書大序》自供曰「《書序》，序所以爲作者之意，昭然義見；宜相附近，故引之各冠其篇首」。此變更古度，《僞孔氏》俑始，陸德明、孔穎達具文申之，〔清〕段玉裁（《古文尚書撰異》）考證尤爲精審！唐《尚書正義》主《僞孔傳》本，分《書序》弁各篇經文之首，永徽四年頒行，以訖〔宋〕朱子、《蔡傳》，其間《尚書》全注本除永嘉薛季宣行復古典之舊，集百篇《書序》總爲一卷，置本經之後（在其《書古文訓》卷末）說解外，它皆謹依《正義》本冠《書序》於經篇上。林之奇雖然深知古本體製，今本得失，然撰《尚書全解》仍謹依今本置《書序》經上；而主朱蔡學者王天與，竟亦不依師法，轉從《正義》加《書序》於本經之篇上，其《尚書纂傳》即如此署寘。《僞孔》、唐本影響深遠如此。《書序》一目一篇一序爲常，〈堯典〉、〈禹貢〉、〈湯誓〉、〈牧誓〉等凡五十九目篇是；一目多篇一序爲變，〈太甲〉、〈咸乂〉、〈九共〉等六目廿五篇是；異題多篇共序亦爲變，〈大禹謨〉與〈皐陶謨〉、〈伊訓〉與〈肆命〉與〈徂后〉等是也。夫異目多篇共序之作也，必多目篇同記一事，總敘其作意於下也；同目多篇共序之作也，一篇簡竹不容多載故也。〔宋〕蔡沈（《書蔡傳》《書序辨說》）、〔明〕郝敬（《尚書辨解》）均疑共序，郝且謂《僞孔》割裂一目一篇爲三篇，用足百數。蔡郝未察共序之所以作，失疑。《書序》敘所以爲作者之意既已，絕多結言「作某題（一篇）」，或「作某題多篇」。若「……作〈堯典〉」、「……作〈甘誓〉」、「……作〈湯誓〉」、「……作〈牧誓〉」（各皆一篇，一篇例不著篇數）；又若「……作〈九共〉九篇」、「……作〈咸乂〉四篇」、「……作〈泰誓〉三篇」（超過一篇則著篇數）等是也。例外僅三篇，〈禹貢書序〉「……任土作貢」、〈仲虺之誥書序〉「……仲虺作誥」、〈微子書序〉「……作誥父師少師」。考〈禹貢〉古本或多「作禹貢」三字，今本脫；湯相仲虺告時君，《序》依〈仲虺之誥〉篇題云「仲虺作誥」，言簡言該，不必贅言「作〈仲虺之誥〉」，〔宋〕陳經（《尚書詳解》）、題鄭樵（《六經奧論》）析說是。微子作誥，句型同「仲虺作誥」，但下多受誥者——父師、少師，俞樾謂「作誥」誥下當疊一字，或是。《書序》題題篇篇都記作者，如「……湯始征之，作〈湯征〉」（〈湯征序〉）、「武王……邦諸侯，班宗彝，作〈分器〉」（〈分器序〉）、「成王在豐，欲宅洛邑，使召公先相宅，作〈召誥〉」（〈召誥序〉）、「召公既相宅，周公往營成周，使來告卜，作〈洛誥〉」（〈洛誥序〉）、「穆王命伯冏爲周太僕正，作〈冏命〉」（〈冏命序〉）五篇，依次爲商帝湯、周武王、周成王、周公旦、周穆王所作，此其常也。又有序末結句或序文止一句直題某人作者，得十三篇，撮舉四序「……誼伯、仲伯作〈典寶〉」、「伊尹作〈咸有一德〉」、「……芮伯作〈旅巢命〉」、「周公作〈無逸〉」，此其非常也。《書序》體例參差，又多苟作，學者或曲爲迴護（孔穎達、薛季宣、〔宋〕夏僎《尚書詳解》、錢時《融堂書解》、陳經），林之奇則嚴詞病《序》之爲體不一，而多家曲護之非也。至《書》本經，國家公文也，職由史官執筆，即爲當時檔案，題某王作、某公作、某人作亦不洽，矧經篇尚多後史稽古之作，《序》但據經文直題某某作，尤失。故林之奇、郝敬、簡朝亮（《尚書集注述疏》）、近人李泰棻（《今文尚書正僞》）均著文非之。

《書序》始目曰〈堯典〉，主記舜事，最早；終目曰〈秦誓〉，記周襄王世秦穆公事，最晚，其它七十九目，亦依時次，故孔穎達曰：「編《書》以世先後爲次。」雖然，論八十一目百篇或超過或不足八十一目百篇之次第，各本未盡相同，舉如伏生本《尚書》及《尚書大傳》與今本《書序》篇次不盡同，《史記》述《書序》篇次亦與今本《書序》不盡同，馬鄭本《書序》篇次亦與今本《書序》不盡同。或疑今本變更篇次，鄭本得正（簡朝亮），或仍〈洪範〉宜次〈分器〉後（孫星衍），今本失，或辨〈多方〉宜先〈多士〉宜後（亦簡氏），或論〈蔡仲之命〉當第〈洛誥〉之上（《蔡傳》），今本均失次，或深病今本〈多士〉云遷殷頑民在洛邑成建之後（吳棫、《蔡傳》、〔元〕陳櫟《書蔡傳纂疏》、金履祥《書經注》、〔清〕馬徵慶《尚書篇誼正蒙》），或徑升〈康誥〉〈酒誥〉〈梓材〉三篇於〈大誥〉之前（〔清〕王心敬《尚書質疑》）。其論得失，一一爲之討說於卷中。《書序》之序，敘也，逐篇敘作者之意也，法倣《孟子》「與萬章之徒序《詩》、《書》，述仲尼之意」，是也。敘《尚書》，亦即說《尚書》，《法言》、《論衡》竝謂《書序》爲說《書》者，等同傳注解詁，〔清〕鄭杲（《論書序大傳》）擬諸《禮》經之記。觀今存《序》文，皆記本經作者，或說明本經所載之史實，或記其作意，或依本經撮述其旨要，要於本經外增集事證，已迭見上述；或竟詮解本經文，如〈堯典書序〉「聰明文思」以詮本經「欽明文思」（《朱子語類》），「光宅天下」以詮本經「光被四表，格于上下」（〔民國〕章炳麟《膏蘭室札記》）；又經「巽朕位」巽，

《序》詁作「遜」，視西漢解故（《尚書大小夏侯解故》等），無以異也。

《書序》誰作？有人於此曰：《史記》一則曰「孔子序《尚書》」（〈三代世表〉），再則曰「孔子序《書傳》，編次其事」（〈孔子世家〉），三則曰「孔子於是論次《詩》、《書》」（〈儒林傳〉），非孔子作而誰耶？曰：否，否！序《尚書》、序《書傳》，序謂編次，故下文曰「編次其事」，亦即〈儒林傳〉「論次《詩》《書》」。吳汝綸、康有爲（《新學僞經考》）、崔適、趙貞信、鍥齋，近人張西堂（《尚書引論》）、蔣善國說，咸辨析《史記》「次」義爲編次，不據以謂司馬遷言孔子作《書序》。

《尚書》今文歐陽《尚書》家，始以《書序》孔子作，視之爲經（《漢》〈志〉著錄）。西漢哀平之際，《緯書》作者謂《書序》孔子作，而《尚書》古文家鄭玄依焉（見《尚書正義》）。班固繼歐陽《書》家後，治經不歫《讖緯》，又受《史記》「孔子序《書傳》」影響，以《書序》孔子作，具明文，《漢》〈志〉〈書類敘〉曰：「故《書》之所起遠矣，至孔子纂焉，上斷於堯，下訖于秦，凡百篇，而爲之《序》，言其作意。」班〈志〉影響甚大，後世多參用其說。〔漢〕王充、許慎、應劭、〔魏〕王肅（見《尚書正義》）並云孔子作《書序》，充且謂《書序》作者——孔子係說《書》者篇家，譬孔子作《書序》爲鴻筆之人（《論衡》〈須頌篇〉）。〔漢〕大儒揚雄最早不以《書序》孔子作，《法言》云「如《書序》，雖孔子末如之何矣」，則謂《書序》爲孔子以前之一本著作，故下遂以之爲「昔之說《書》

者」，言「昔」者，孔子之前既有之也。大儒劉歆亦未言《書序》孔子作，《蔡傳》最早謂歆未以爲孔子作《書序》，郝敬、馬邦舉、康有爲、趙貞信、陳夢家說同蔡。閻若璩云「百篇之《序》，兩漢諸儒並以爲孔子作」（《尚書古文疏證》），未考無據。東晉僞孔氏不以《書序》出孔子手，孔穎達初不敢質言僞孔言孔子作《書序》，後乃勉強作孔子作《書序》言（《尚書正義》、《毛詩正義》）。陸德明則破《孔傳》改從馬鄭王，定《書序》孔子作。其後《隋書》〈經籍志〉、〔唐〕劉知幾（《史通》）、司馬貞（《史記索隱》）咸遵孔《正義》之說。

論《書序》非出孔子手者，亦多疑《書序》有失，揚雄最早疑《書序》，「法言」「……惜乎！《書序》之不如《易》也」，謂《書序》不如《易》〈序卦傳〉，無法緣以推確《書經》某篇亡闕，啓朱子論《書序》「低手人作」。晉杜預（《春秋左氏經傳集解後序》），見《書序》敘商帝太甲大臣伊尹事乖異《汲冢紀年》，致疑《序》說。劉知幾亦據《汲冢瑣語》「舜放堯」，疑〈堯典序〉徒虛說。孔穎達不滿〈洪範序〉於本經外自添文，又疑亡篇《書序》〈汨作〉、〈九共〉、〈槀飫〉、〈帝告〉、〈釐沃〉、〈亳姑〉，「不見其經，闇射無以可中」，「經文既亡，其義難明」，「篇名與《序》不相允。會其篇既亡，不知所道」。宋後疑亡篇序，由孔《正義》啓發。據此，漢晉唐人已疑《書序》，邵瑞彭「《書序》，孔子所作，漢世無異詞」、皮錫瑞（《今文尚書攷證》）「西漢馬、班、東漢馬、鄭皆以《書序》爲孔子作，唐以前尊信無異辭，至宋儒始疑之」，均考之未深也。

鄭杲謂至南宋中期之後朱子蔡沈師徒始議《書序》之失，北宋及南渡初期無有人也，考究亦淺。之前，王安石（《尚書新義》）疑〈梓材序〉，蘇軾（《東坡書傳》）疑〈泰誓序〉文有闕，又病〈多士序〉不詞，竟爲改作。晁說之（《嵩山集》）疑〈君奭序〉失倫，葉夢得（見《書蔡傳輯錄纂註》引）疑〈君陳序〉「分正東郊」非。胡宏（《皇王大紀》）疑〈康誥序〉誤武王書爲成王書。趙貞信、鍥齋竝斷〔宋〕吳棫第一個疑《書序》，考之失周。於宋世，吳棫繼王蘇晁葉胡下，作《尚書裨傳》，其中一卷曰「《書序》」，專論《書序》，朱蔡甚稱其說（見下）。薛季宣謂〈洪範序〉失史實，誤據《僞古文》〈武成〉經也。

辨《書序》得失，最早撰爲專書——《書序辨說》。初，朱子疑《書序》說經本事錯謬，因除卻各《小序》，不復令冠篇首（《朱子語類》），遂萃聚之爲一編，綴附五十八篇本《尚書》全經後，用復古本之舊，「使覽者得見聖經之舊而不亂乎諸儒之說，又論其所以不可知者」（《朱文公文集》）。朱子於漳州學官刻《尚書》，即掃《小序》爲一編作一卷總刻附全經末，專辨其得失，題《書序辨說》（《朱文公文集》〈書臨漳所刊四經後〉），定爲郡學教本。《書序辨說》原典，宋元人藏書目錄多著錄（〔宋〕尤袤《遂初堂書目》、陳振孫《直齋書錄解題》、〔元〕馬端臨《文獻通考》），至明晚葉猶存（陳第《世善堂書目》）。朱門高第弟子蔡沈奉師命作《書集傳》六卷，亦承作《書序辨說》，盡如師意，一一自本經卷首除之去，退附全經之末，逐序辨其得失。俗刻《書集傳》或將《書序辨說》削去，或將之前移總冠全經之先，惟善本《書集傳》附《書序》於卷末存蔡氏原典之舊。宋元善本如北京圖書館藏宋理宗淳祐十年呂遇龍上饒郡學刊《書集傳》，正經之後即爲《書序辨說》，今全存；中央圖書館藏元建陽刊初印本《書集傳》六卷，卷六末爲《書序辨說》，今亦全存。

朱子《書序辨說》既逸，其疑《書序》意見今唯散見於《文集》、《語類》、《大學或問》；蔡沈《書序辨說》幸存，其疑《書序》絕多見諸該編，間或出於《蔡傳》本卷（兩書統稱之曰《蔡傳》，用省翰墨）。下以朱蔡說爲主，併其前後學者疑《書序》者相關意見，連成一氣，釐爲要點多則，歷陳其理由於後。

云《書序》不合本經義：〈康誥〉，按本經爲周武王命弟康叔封之命書，〈序〉謂成王命康叔封之書，〔宋〕胡宏、吳棫、朱子（《文集》、《語類》、《大學或問》）、《蔡傳》、王柏、〔元〕金履祥（《尚書表注》）、吳澄（《書纂言》）、何異孫（《十一經問對》）、陳櫟（《書蔡傳纂疏》）、〔清〕簡朝亮咸論《序》誤，而中以朱蔡師徒申說最詳確。夫《序》者不知今本〈康誥〉首四十八字爲錯簡，又誤《左》〈定四年〉載述之另一〈康誥〉——成王徙封康叔於衛之命書爲今本《尚書》〈康誥〉篇，以致失誤。〈胤征書序〉「羲和湎淫，胤往征之」，吳棫、朱子、《蔡傳》、崔邁均致疑，或誤據《僞古文》〈胤征〉「本經」，所論皆非是。

云《書序》於本經外添文：〈洪範書序〉「勝殷殺受」，薛季宣據〈僞武成〉經紂師「前徒倒戈，攻于後以北」，因定紂非武王所殺。朱子師徒以謂聖人安事於殺？因集而論之。《蔡傳》進而病《序》於經外添文。夫武王親手伐紂頭，事寔確鑿，《序》增益故事，以昭經義，不誤，不足爲病。〈文侯之命〉本經載周平王賜晉文侯「秬鬯」，《書序》記多賜「圭瓚」一物，《蔡傳》、陳櫟、董鼎、吳汝綸竝致疑。夫錫秬鬯以圭瓚副，《序》者因《詩》〈大雅〉，參酌《禮》書，用昭本經義，正故訓家本分，無可疑者。

云《書序》衍文缺文：朱子疑〈畢命書序〉文有闕字有衍字，諸家承之說，王應麟（《困學紀聞》）、陳櫟、郝敬、江聲（《尚書集注音疏》）、崔應榴（《吾亦廬稿》）、簡朝亮竝是。案：《序》首句「作冊」二字，誠衍文，抄書者筆誤，不當視爲《序》者誤。

云《書序》不合史實：〈盤庚書序〉「盤庚五遷」，《蔡傳》、郝敬、簡朝亮竝謂帝盤庚之前之商帝已五次遷都，盤庚之遷爲六遷，《序》誤。案：據本經、亡篇〈仲丁〉、〈河亶甲〉、〈祖乙〉三書序及《竹書紀年》，《書序》誠誤。〈高宗肜日書序〉「高宗祭成湯」，《蔡傳》據本經「典祀無豐于昵」，疑非祭成湯；金履祥據本經「高宗」，云是廟號，武丁明非主祭者。案：《序》失，「肜日」上爲受祭者非主祭者。〈伊訓肆命徂后書序〉「成湯既沒，太甲元年」，似湯孫太甲繼湯立爲帝，而中間無外丙仲壬二帝者，似不合子史所載，多家（蘇軾、董銖、《蔡傳》等）均責《序》悖史實，言湯、太甲間猶有外丙仲壬二帝。林之奇爲

《序》辯護，云《序》者推本成湯之歿爲言，非謂湯歿之後即爲太甲元年；崔述申之尤詳。則《序》無失。〈泰誓書序〉「武王十一年伐殷」，《僞古文》本經「武王十三年伐紂」，或僞經或《書序》必有一書是年誤，指《書序》字誤者，朱子師弟子、《蔡傳》、錢時、陳櫟。今按〈洪範〉武王十三年訪箕，與《史記》〈周本紀〉合相推算，及參《竹書紀年》、《史記》〈齊世家〉載伐紂年，咸十一年，諸家據僞經定《書序》誤，失之。

云《書序》乖違倫常：〈君奭書序〉「召公不說周公」，宋晁說之謂「類乎無上」，失義。按《序》取義於《荀子》〈儒效〉篇，清王鳴盛（《尚書後案》）有說詳之。

云《書序》屢述神異災祥，不經：〈說命書序〉「殷高宗夢得傅說」，程伊川門疑其僞。〈咸乂書序〉「帝太戊時，亳有祥，桑穀共生于朝」，可疑。〈高宗肜日書序〉「肜祭日，飛雉升鼎耳而雊」，《蔡傳》質疑，郝敬申之。〈歸禾書序〉「唐叔得禾，異畝同穎，獻諸成王」，崔適謂乃王莽僞造祥瑞，以遂其篡漢陰謀。案：王侯夢兆，經子史籍多有之，《序》但據〈說命〉本經，非僞。蔡氏《書序辨說》於亡篇絕多置弗論，否則亦將議〈咸乂書序〉致疑矣。夫天以災異譴告人君，冀其修省，經籍習見，《易》曰「天垂象，見吉凶」，《禮》曰「國家將亡，必有妖孽」，天動威，開厥顧天，故太戊修德，而祥桑枯死，祖庚正厥德，而殷國興。祥桑、雉雊，《序》依本經言其作意，無可疑者。《禮》又曰「國家將興，必有禎祥」，《序》從本經記嘉禾生，非王莽可得而僞也。

云《書序》失稱：〈旅獒書序〉「太保作〈旅獒〉」，閻若璩、王鳴盛、莊述祖竝謂《序》者誤追稱爲當時實稱，武王時召公尚未居官太保，崔述謂召公成王時始爲太保，《序》者僞撰。按召公爲成王之保傅，在武王世，《大戴禮》、金文均有說，諸家失評。〈顧命書序〉召公畢公等「相康王」，吳汝綸以爲當依《史記》作「相太子」。按《序》統合新王即王位前後，槩稱太子釗爲康王，不爲苛細之分，甚是簡當。〈君牙書序〉「穆王命君牙爲周大司徒」、〈冏命書序〉「穆王命伯冏爲周太僕正」，兩「周」字，《蔡傳》辨爲「無意義」，蓋以周人敘周事，不需更加「周」字，簡朝亮、趙貞信、鍥齋附從之。按王國及諸侯國皆有大司徒、太僕正官，爲區別天王與諸侯，故加「周」字，童書業有說未臻詳塙。又「太僕正」，簡氏謂：正，長也。稱太僕，其爲長可知，太僕而加正，若綴旒然。按周禮：太僕，下大夫二人，殆以一人爲長，故太僕非必爲太僕正，《序》文非綴旒。〈多士書序〉「遷殷頑民」，王安石首先責《序》失稱（《尚書新義》）、蘇軾徑改「頑民」爲「多士」。陳櫟、郝敬、〔清〕徐與喬（《經史辨體》）、簡朝亮申之。按以頑民惡稱稱商士，先秦典籍已見《逸周書》，《序》者襲用耳。

云《書序》之文不詞：〈武成書序〉武王「往伐，歸獸」，郝敬謂之「不成語」。按獸讀爲狩，「武王罷兵西歸行狩」，歸獸成語，郝不通假借。〈康王之誥書序〉「康王尸天子」，《蔡傳》：此居其位而廢棄其事之稱，無義理；郝敬云「尸天子，語拙」。按尸，職主也，尸天子，主天子位也。見字書、《詩經》《詩傳》，二家狃於後世「尸位素餐」誼，失評。

云《書序》敘篇意失要：〈武成書序〉「歸獸」，《蔡傳》謂即〈武成〉本經「歸馬放牛」，其非大事，何獨先取哉！按蔡據《僞經》記事猥多，故病《序》者許多要事不敘，偏取歸馬放牛細節，矧《序》下文「識其政事」，是亦有取於他大事，唯歸狩（蔡釋爲歸馬放牛，誤）在先，故先取，《序》者何尤？

云《書序》不能悉一篇之義：〈堯典書序〉帝堯「聰明文思」，變易本經「欽明文思」而成，朱子師徒病之；簡朝亮申朱蔡，進而謂同《序》「光宅天下」略變本經「光宅四表」以成，均何裨於經義？同《序》主記遜位一事，〈舜典書序〉主記僅及「歷識諸難」便已，故朱子病其不能通貫一篇之義。《蔡傳》、崔邁、簡朝亮、康有爲從申。按《序》以聽詮欽，《序》記二帝政要，爲禪讓一事之始終，尙能盡一篇大義。壁《書》有眞〈舜典〉，蓋多述歷試舜之事，諸家不知參據，但據僞分之〈舜典〉（即〈堯典〉「愼徽五典」以下）責《序》，非也。〈召誥書序〉不及召公告王一字，陳櫟、董鼎譏其簡略。〈洛誥書序〉於本經毖殷、祭禮、告周公留後皆不之及，簡朝亮、〔清〕邵懿辰（《尙書通義》）譏其不盡篇義，邵且曰「《序》每望文生說，猶〈金縢序〉單舉冊祝事，豈足蔽〈金縢〉之義耶」！〈召洛金三序〉傷簡，譏短之，良是。《顧命》本經成王戒大臣及新君，《序》不一及，簡朝亮又責《序》不盡篇義。按《書序》紀事要，從不直引君臣言辭，矧帝王顧命，其辭多相若，何必特述？簡評失之。吳汝綸見《史記》述〈康王之誥〉有「太子見廟申告」，遂謂「《序》不言之，亦爲疏畧」，按《史》襲《書序》而增文，是《史》繁非《序》簡。陳櫟據〈僞湯誥〉經，以謂「湯誥諸侯與天下更始」，因責《序》意欠明，《僞經》烏足據正眞《序》哉！

云《書序》文贅：《僞古文》〈五子之歌〉本經「太康……以逸豫滅厥德，黎民咸貳」，文襲同篇《書序》「太康失邦」；「厥弟五人，……徯于洛之汭，……述大禹之戒以作歌」，文襲同篇《書序》「昆弟五人，須于洛汭，作〈五子之歌〉」，乃《蔡傳》、馬廷鸞、郝敬反病《書序》文贅，吁！怫哉！〈旅獒書序〉「西旅獻獒」，《僞古文》〈旅獒〉本經襲改爲「西旅厎貢厥獒」，《序》「太保作〈旅獒〉」，《僞經》襲增一字曰「太保乃作〈旅獒〉」，林之奇不知經僞，誤評《序》「失於贅」。《僞古文》〈蔡仲之命〉本經「叔卒」以下九字襲《左》〈定四年傳〉，旨意文字極若同篇《書序》「蔡叔既沒」以下十二字，後者實據眞〈蔡仲之命〉本經，林之奇不察，嫌《書序》文贅，而郝則明知經僞，竟責《序》曰「篇中自有序，此亦贅語」。〈周官書序〉首曰「成王既黜殷命」，《蔡傳》斥《序》不當於成王黜殷久年之後復作此言。按作〈周官〉時黜殷尚未幾，蔡失，何異孫蹈其誤。陳櫟亦妄據《僞經》斷《序》文雷同者文贅，郝敬則明知《僞經》，竟亦援以病《序》語贅。諸家未見眞經，非之無理。類此所謂贅《序》，蔡氏云不爲註。余檢〈五子之歌〉外計另尚有〈帝告〉、〈釐沃〉、〈湯征〉、〈咸有一德〉、〈沃丁〉、〈咸乂〉、〈伊陟〉、〈原命〉、〈仲丁〉、

〈河亶甲〉、〈微子〉、〈金縢〉、〈召誥〉、〈洛誥〉、〈無逸〉、〈多方〉、〈立政〉、〈顧命〉、〈冏命〉凡二十目，蔡均不爲註，未知蔡氏果皆以其爲贅《序》否乎？

云《書序》誤分篇目：有〈顧命書序〉、又有〈康王之誥書序〉，是《序》者以〈顧〉、〈康〉爲兩篇目。朱子、郝敬、簡朝亮、吳汝綸俱謂伏生本《尚書》〈顧〉〈康〉合爲一篇，《序》者割分爲二，失分。按伏生本二十九篇，〈顧〉、〈康〉爲二。孔壁《古文》、《史記》、古文大家漢魏馬鄭王本亦皆二分。朱子等說誤。〈顧〉〈康〉記成康傳位大典，文氣固相連，但〈顧〉篇主記成王末命，〈康〉篇主記康王因羣臣之戒而報誥之，且一在廟，一易地於寢舉行，宜分爲二。

云逸亡篇《書序》可疑：本經逸亡之篇之《書序》，南朝人已加重視，〔梁〕劉叔嗣注《尚書》亡篇《（書）序》、某氏撰《尚書新集（書）序》。顧本經既亡，靡可稽討，故序其作意，難以徵信，孔穎達數謂「本經既亡，其義難明」，上已枚舉〈汩作書序〉等六篇。林之奇謹遵孔說，舉逸亡篇《序》一皆疑之，因其蔑本經可憑，一槩不予解說。朱門師徒亦痛詆〈逸亡書序〉，朱曰「此《百篇之序》，其於已亡之篇，則伊（依？）阿簡略，尤無所補」，又直指〈九共書序〉「別生分類」，本無證據。《蔡傳》全襲師語，且指亡篇〈亳姑書序〉「周公在豐」可疑。陳櫟則於亡篇〈汩作九共槀飫書序〉論曰「亡《書序》尤不可強解，餘並倣此」。顧炎武（《日知錄》）甚至謂逸亡篇名亦未可盡信。按本經既亡，晦庵、九峰又何所憑而知《序》者是簡略無所補益經義？矧若〈帝告書序〉，記成湯上世都凡八遷，可與《尚書大傳》、《史記》相證；〈仲丁〉、〈河亶甲〉、〈祖乙〉三書序，記三商君遷都事，可大補亡經及史書資料不足之憾，庸詎謂之「無補」？而其眞正依阿簡略甚者，若〈咸有一德〉（《僞古文》）、金縢、無逸、立政四序〉，爲見存之篇，三宋元人竟無譏，不知何故。《書序》保存亡篇古義，其席不可遽奪，陳氏籲俊存察，視其師儒，高明多矣。至顧氏所謂四十二亡篇，其中〈汩作〉、〈九共〉、〈原命〉尚見於孔壁，它三十九篇亦間存逸文，餘篇與之一體，宜均可信。

云《書序》闕列百篇外《尚書》失當：孫寶侗、顧炎武、清李榮陛（《尚書考》）、馬邦舉、崔應榴、簡朝亮六家均責《書序》者未入百外篇目失不全，計共舉〈康誥〉（此成王命書，非今本武王〈康誥〉）、〈唐誥〉、〈伯禽之命〉、〈夏訓〉（以上《左傳》引）、〈尹誥〉、〈祭公〉（以上《禮記》引）、〈克殷〉、〈度邑〉、〈皇門〉、〈大戒〉、〈嘗麥〉（以上《逸周書》各篇）、〈禹誓〉、〈總德〉、〈湯說〉、〈官刑〉、〈武觀〉（以上《墨子》引）、〈揜誥〉（《尚書大傳》引）、〈大戊〉（《史記》引）；其中〈尹誥〉即〈咸有一德〉，百篇已入，〈大戊〉是《史記》衍文。而《逸周書》之篇，體雖近《尚書》，乃別一著作已成一書，不當錄入《尚書》，《書序》作者不錄無過失。其它經史子眾引，《書序》者蓋偶未見，或以爲不合編入，故棄去，非闕疏密。矧百篇外逸目，見於先秦、西漢典籍引者，凡廿六，孫氏豈能一一以「疏漏」責《序》之缺少乎？〔清〕盧見曾（《雅雨堂文集》）謂百篇外逸《書》甚多，而《書序》不錄列，不可便責之疏漏，得之。它論則有誤，或未深入。馬氏又見《史記》〈秦本紀〉載帝舜語大費「咨爾費」等十七字及《論語》〈堯曰〉篇「咨爾舜」等二十二字，以謂此古《尚書》篇文當補入。按後者陰用〔宋〕王柏意，果如是，皆錄入《尚書》，則經典殘文碎義凡度其近似《尚書》文體者不其遐棄矣。〔清〕齊召南疑《書》篇不及夏少康中興功烈，有失，徐與喬謂〈商書〉多於〈周書〉，〈虞書〉多而〈夏書〉少，彌遠而彌多，豈可盡信？按《書序》多記禹事，未見少康中興之迹，年世悠遠，《書》殘有間，《序》者未見本經，亦何所據而敘其作意耶？〈夏書〉獨少，以此；且〈虞書〉，《書序》八目十六篇，其中〈大禹謨〉、〈皐陶謨〉、〈益稷〉三目篇多關涉夏禹事，或可歸入〈夏書〉，則謂夏少虞多，亦未甚允也。〈商書〉二十六目三十五篇，〈周書〉三十八目四十篇，周多於商，徐氏失討。

言《書序》作者：

曰史官作：西漢末揚雄曰「如《書序》，雖孔子末如之何矣」，則謂《書序》孔子以前之人之著作。夫孔子之前學術在王官，由史官執掌，《尚書》篇者史官紀錄之辭，傳本猶具明文。子雲以謂史官既作《書》篇，又各篇爲之《序》，用言其作意耳。東漢末鄭玄偶然亦謂《書序》出史官手（《尚書正義》引）。至宋，二林——光朝（《經義考》引）、之奇竝云史官作《書序》，「歷代史官相傳，以為《書》之總目，孔子因而討論是正之」（《尚書全解》）。衍之奇說者，〔宋〕葉適（《習學記言》）、夏僎、馬廷鸞、何異孫、朱彝尊、盧見曾、蔣善國也。案：《書》，號令也。史官作冊，初無篇名。經籍引《書》舉篇名，昉於戰國，至周秦之際，為《書序》者乃參酌舊引，繹察經意，題曰〈堯典〉、〈舜典〉、……〈大誥〉、〈康誥〉、……〈秦誓〉等共八十一目。目非史官所題，且史作《書》亦毋需題標。《書序》，敘經一篇作意，功等同傳注，史官承君命作《書》，無緣又自為之注，矧當日號令，語文天下所共曉，固不俟《序》注而後明，《序》非撰各篇本經之史官作，彰彰明矣。

曰孔子作：舊說《書序》孔子作，略如上文。至宋以下，多家因之。〔宋〕劉敞（《七經小傳》）、吳祕（《法言注》）、蘇軾、程頤（《伊川經說》）、薛季宣、眞德秀（車若水《腳氣集》引）、項安世（《項氏家說》）、黃度（《尚書說》）、胡士行（《尚書詳解》）、〔清〕莊述祖（《珍藝宧文鈔》）、江聲、馬邦舉、劉逢祿（《書序述聞》）、宋翔鳳（《尚書譜》）、陳喬樅（《今文尚書經說攷》）、鄭杲，以上諸家，但遵漢魏唐人舊說，並未舉申理由，都難見信。〔宋〕程珌（《洺水集》）、張九成、陳經、夏僎、錢時，或謂唯孔子筆力乃能序〈堯典〉，竟與王充贊此《書序》為孔子鴻筆同。又或謂同《序》「聰明文思」，形容堯之德，「必如孔子之行止久速無可無不可」然後可以言之，則與他人病《書序》抄襲本經原文一無發明恰反。更或謂〈湯誥書序〉見得湯承大統，與天下更始，其義昭昭，比

（《僞古文》）本經篇首義勝。今玩《序》文，亦不見深義。宋人暢談孔子作《春秋經》，又作《書序》，二書筆法同。張九成謂夫子作〈堯典書序〉與作《春秋》同幾云云，按《序》「昔在帝堯」三句，撮取〈堯典〉本經首數句，庸手尙優爲之，何必須夫子？禪讓者，此篇之重心，經美堯德「允恭克讓」，厥臣若舜、禹、垂、益皆能有讓，中人讀書，亦能察而表之，九成以方夫子《春秋》之幾用，得毋過譽之乎？錢時、陳經竝謂〈甘誓書序〉書戰而不書大，不舉扈罪，不曰夏王，不曰征，而獨曰「啓與有扈戰」，皆有書法，按去「大」字，無寓意，省文耳。不及扈罪，亦省文。不書夏王而作啓，直稱王名，〈虞〉〈夏〉〈商〉書《書序》常見，並無深意。《序》謹依經意，書「與……戰」，何必若《春秋》周天王戰列國之筆，曰「征」、「伐」？言〈甘序〉合《春秋》書法，非篤論也。蘇軾謂〈胤征書序〉「胤往征之，見征伐號令之出于胤」，同《春秋》之寓義褒貶，錢時從說，按《序》實據眞〈胤征〉本經，蘇錢變亂史實，臆度胤侯矯命專征，謂《序》是孔子筆法，林之奇、夏僎已援古史藉以甄其失矣。呂祖謙謂孔子〈微子之命書序〉發尊王之義，示征伐自天子出，按《序》云成王黜殷，命微子代殷後，夫成王世征伐一皆出王命非出周公，《序》據本經，篇篇皆然，不見書法如《春秋》然。〈泰誓書序〉紀月稱「一月」不書「正月」，呂祖謙、袁燮（《絜齋家塾書鈔》）竝謂合《春秋》書法，按《序》一月，亦據眞經，〈眞泰誓〉雖逸，但《眞古文》〈武成〉本經曰「一月壬辰」，不作「正月」，推知〈眞泰誓〉本經亦必作「一月」：均直書之，不講所謂

《春秋》筆法也。〈洪範〉「武王以箕子歸」者，明箕子之心不歸周，武王強之歸也，合《春秋》書法，按《隱七》《春秋經》「戎伐凡伯于楚丘以歸」，迫凡伯與之俱歸戎國也。夷考《書序》「以」當釋「因」，以箕子歸，因箕子來朝而問之也，非如《春秋》，迫箕子與俱歸鎬也。《書序》〈君牙〉、〈冏命〉記官名均著「周」字，或謂此同《春秋經》「王正月」義例（《蔡傳》引），按王朝、列國皆有大司徒、太僕，《書序》於此二官上各加「周」字，明以區別天王與諸侯國之官，加「周」，屬天子官，不加，則屬諸侯國大司徒、太僕正，並不類《春秋》義例。

曰先秦經師作：朱子答問云《書序》乃先秦經師所作，〔宋〕陳淳（《北溪大全集》）、〔清〕王懋竑（《白田草堂存稿》）申從，但朱子猶又云「然亦無證可考」。

曰周秦間低手人作：朱子云「《書小序》只是周秦間低手人作，後人亦理會他未得」，舉〈大禹皐陶謨書序〉，評之「固不能得《書》意」。《蔡傳》亦評此《書序》「淺近，不足以知〈禹〉〈皐〉之精微」，金履祥更評其不達三聖傳授之精微。閻若璩申朱說，云「非周秦間不能備知百篇之名，非低手人亦不應說之如是庸且妄也」，簡朝亮謹遵朱蔡說。朱蔡評《書序》低手人作一事，併參下《書序》非孔子作節。

曰周秦間人作：程廷祚、孫喬年（《尚書古文證疑》）、〔民國〕陳柱（《尚書論略》）主是說，說遠承朱子等宋人，但均未明說理由。別有郝敬據朱子、《蔡傳》重譏《書序》六弊：一祇依本經篇中文義重複演說，二辭義疏略，三語多孟浪，四煩簡不中節，五割裂篇章湊足百篇，六篇目眞贋混淆。按郝謂〈虞書〉不應有〈舜典〉、〈汨作〉、〈九共〉目，夫《書序》緣篇之本經作，〈九共〉尚存佚文，舜歷試事，彼〈堯典〉所載甚簡，由〈舜典〉詳之，殆《孟子》、《史記》所載舜事之所出，則此數目篇非贋。又《書序》緣經直敘，不免重述經句，而其欲於十餘字間殫一篇誥命多至千餘字之意，誠難該洽，遂來疏略之譏。要之，《書序》作者親睹八十一目百篇《書》本經，本之作《序》，郝云割裂湊足百數，允非的評。至云《書序》語多孟浪，殆謂其用詞失當，文理不合邏輯，及繁簡失倫，按少數篇《書序》簡甚，繁則無有。

曰先秦齊魯間儒者（孔家人）作：朱子堅信《書序》與《孝經》同出孔壁（此千眞萬確，《漢》〈志〉等具明文，孔鮒藏壁當焚禁時），故定時先秦，云「想是孔家人自做底」。《孝經》「傳文」，皆齊魯間陋儒纂集，《書序》一如《孝經》「亂道」，此輩齊魯間陋儒（如上段云「低手人」），乃是孔家人自作，用作《尚書》教本之輔助教材。金履祥斷《書序》齊魯間諸儒次序附會之作。梅鷟（《尚書考異》）定爲先秦戰國時講師所作，略同朱金，但未舉理由。邵懿辰大抵謂是戰國齊魯間人作，作者是孟子門人（邵舉〈君奭書序〉「召公不悅」，謂出《孟子》書，則未是）。

曰秦漢之際人作：趙貞信云「《書序》是秦漢經師彙集幾十篇書，替它加上去的一個總目」云云，陳夢家「《書序》體制不見於先秦，而《史記》〈自序〉敘作百二十九篇與相似，認是秦漢之際解經人所作」云云，蔣善國云《書序》是儒家整編《尚書》作附在經末的。三家推測大抵無誤，但均未臻深切。

曰漢人作：一、伏生作：杜預嘗謂《書序》爲老叟伏生作，但幾乎未舉理據。〈泰誓書序〉敘周武王伐殷「一月戊午」渡河，趙貞信謂「一月」是秦曆，鍥齋從說，更據〈秦誓書序〉稱秦伯任好曰「秦穆公」，非周人語，遂斷《書序》必秦季博士所爲。秦季《尚書》博士自非伏生莫屬。按「一月」，據〈泰誓〉本經；〈眞武成〉本經（孟子親見）亦記伐殷，作「一月」同。金文有「隹一月，既生魄」、「隹一月初吉」，豈西周竟用秦曆乎？《春秋經》《左傳》並稱秦君惠公、景公、康公，《左傳》〈文公三年〉亦稱任好爲穆公，《傳》豈秦人作乎？二、伏生之徒作：李榮陛先已謂《書序》「一月」爲秦曆，謂其徒（張生、歐陽容等）入漢初，習用秦曆，故不覺發之於《書序》。按「一月」，周秦並用，評已見上。三、伏生以後之人作：柯劭忞云《書序》抄襲伏生《尚書大傳》，故云。四、司馬遷以後之人作：吳汝綸云《書序》抄襲《史記》，故云。按係《大傳》、《史記》襲《書序》，柯吳顚倒原委。五、劉歆作：指《書序》劉歆作，〔清〕方苞（《方望溪全集》）首倡，方云〈君奭書序〉「召公不悅」周公，歆欲助莽篡故竄入《書序》。按《書序》於本經外取材，非歆得攙入。康有爲、廖平（《古學考》）、崔適斷《百篇書序》盡歆僞爲，合論駁之於下：（一）云《書序》襲張霸《百兩篇尚書》，按張霸《僞百兩篇》，乃案百篇之《序》空造，《漢書》〈儒林傳〉、《論衡》具明文。（二）云史遷從孔安國問故，《書序》乃劉歆僞造，班史依入。按班〈志〉刪歆《七略》以備篇籍，要非全部抄襲；而〈儒傳〉，孟堅自著書，子駿不及僞爲，且班亦無緣媚歆，是「從問故」一節可信。云《書序》與古文同出，古文爲劉歆之僞，則《書序》亦爲歆僞。夫班〈志〉〈書類敘〉謂孔子作《書序》，係以歐陽《尚書》家及讖緯爲前導，非出劉歆《七略》。（三）云《史記》與《書序》同者，乃《書序》勦《史記》，非《史記》採《書序》。……《書序》既勦《史記》復作異同者，蓋故作參差以彌縫其剽竊之迹。說略同吳氏汝綸。考《史記》勦《書序》，故二者多同；《史》又頗於經典之外援用，故二者偶異。（四）云歆僞造祥瑞，爲莽篡謀，按先秦西漢言祥瑞者甚多，《書序》祥瑞文據本經，非歆得僞。（五）云莽法舜受堯禪，凡事比迹重華，故劉歆僞作〈舜典〉篇名。按孔壁出逸《書》有〈舜典〉本經、同壁出《書序》亦有〈舜典〉目篇；歆父向《別錄》序次百篇目列焉，賈逵、馬融、鄭玄、王肅承之，非國師劉僞造。且〈眞舜典〉主記「堯將使舜嗣位，歷試諸難」，新莽受禪不必非取此不可，而〈莽傳〉曰「予前在大麓」、「流棻于幽州」，云云，倣〈堯典〉而言，莽篡不必賴〈舜典〉，國師不必承旨僞造明矣。鍥齋、趙貞信、蔣善國均撰文痛斥指《書序》爲歆作者之失：略云《書序》之中心思想與歆不合；云康氏《公羊》之學，專與劉歆爲難，其於《書序》，亦謂劉歆僞造。康氏本非經生，其所以倡今文《公羊》之學者，意在聳動人主，改制以變法耳。故其說經之書，多辨而寡實；云崔說游辭無根。（六）衛宏作：〔清〕牟庭（《同文尚書》）、魏源（《書古微》）、皮錫瑞，或謂宏既作《毛詩序》，故《書序》亦彼作，由賈逵奏上，或疑《古文書序》宏作，按宏作〈定古文官書序〉，未嘗作《書序》，賈逵有家學，不至中道信宏《序》而奏上之：馬邦舉有評，是也。

曰王肅之徒作：〈旅獒書序〉、《僞古文》本經均有「太保」云云，崔述以爲「太保」者稱召公奭，武王命書不當著之，因疑《僞書》本經與《書序》出於同一人之手。夫《僞古文》本經，崔謂「乃南渡以後，晉宋之間，宗王肅者之所僞撰，以駁鄭義而伸肅說者耳」（《古文尚書辨僞》），則固亦定《書序》爲東晉、劉宋之際王學之徒所撰矣。夷考包含〈旅獒〉在內之僞二十五篇，東晉時已出現，范曄之祖父甯爲作《集解》，的非晉宋之際人始僞，若《書序》與之同爲一人撰，則至遲在東晉之前已成書；矧《書序》出孔壁，兩漢、魏以至西晉人所親見，固亦非晉宋間人僞撰，東壁失考。童書業謂《書序》由王肅改造、趙貞信謂晉作《僞古文》經之人改造，欲與鄭玄爭勝故爾。按王肅，《古文尚書》家，好賈馬而異鄭玄，其注《書序》用馬本同鄭，均是《古文》孔壁本，改《書序》說悖理無稽。

曰《書序》非孔子所作：認爲史官、先秦經師、周秦間人、齊魯間儒者……等作《書序》者，亦一律認爲《書序》非孔子作，甫詳上記。此下別記宋以下人言《書序》非孔子作者，又有多家，中以吳棫才老最早（王應麟《漢藝文志考證》引），朱子踵後，云《書小序》「斷不是孔子作」，嘗概括論《百篇序》之失云「《序》於見存之篇，雖頗依文立義，而亦無所發明；《序》於已亡之篇，依阿簡略，尤無所補，非孔子所作，明甚」，《蔡傳》全用師說。〈康誥〉，武王命康叔之書也，《書序》敘本經錯失史實，誤爲成王書，朱蔡辨此《書序》失多條累數百千言，因決言「必其非孔子作也」、「果非孔子作也」。〈多士〉本經，係周公以成王命誥庶殷之書，事在洛邑初建之時，《書序》次諸〈洛誥〉之後，又錯失史實，編排失次，蔡又因斷《書序》曰「吾固以爲非孔子所作也」。〈夏社書序〉：湯欲遷夏社，不可云云，蔡致疑，因決言《序》非聖人之徒——孔子作，自不足以知聖人——湯也。蔡據〈僞說命〉本經，指《書序》夢傅說求而得諸傅巖「非惟無補經文，而反支離晦昧，豈聖人之筆哉」！其後，〔元〕何異孫議《書序》遺落帝仲壬失史實，因云「《小序》若果孔子，必不如此不合」。「《書》之失誣」，《禮記》〈經解〉之言也，簡朝亮論治《尚書》者認《書序》孔子作，正是誣也。

《書序》之作，舊說大要論爲四科：史官作一，孔子作二，周、秦間人作三，漢人作四也。第究其言論，考索其文，槩屬空說，羌無實證，不得視爲定論。余今茲案《書序》體製之淵源、《書序》篇目之所據定，尤其《書序》之引《書》及敘史事之依據，一一討原尋根，布列十三綱多目，詳徵其實如下：一、〈文侯之命書序〉據《詩》〈大雅〉〈江漢〉，則其著成，不得早至周宣王之前。二、《書序》載周代事，取史《左傳》〈僖二三〉、〈定四年〉。

又其體製，上敘作書緣由，下結以作某書，亦濫觴於《左傳》、乃至《國語》〈楚語〉。夫《左》、《國》二書，約成著於戰國初葉，《書序》作者見而據之，則《書序》必戰國中葉以後撰成也。三、〈牧誓書序〉敘事取材於《孟子》。《書序》幾篇篇敘明本經之作意於上，既而記作某篇於下，此一體製取法《孟子》者尤深，《孟子》引〈湯征〉、〈太誓〉、〈堯典〉及〈周書〉逸文，皆上敘明作書緣由，下乃引本經，甚至釋經字，而《書序》均倣作。《孟子》引《尙書》七目，〈堯典〉、〈湯誓〉、〈伊訓〉、〈太甲〉、〈太誓〉、〈武成〉、〈康誥〉，全同《書序》，《書序》悉依《孟子》定篇目，至明至確。《書序》取資《孟子》多端，則成編於戰國中葉之後，有徵可信也。四、〈君奭書序〉「周、召相成王爲左、右」，襲自《公羊傳》，而「召公不悅周公」，則出《荀子》〈儒效〉篇。《公羊傳》子夏所傳，諒在戰國中葉，而《書序》據焉，則《書序》戰國晚期作，又《序》既援《荀子》，則《書序》果周秦之際人之著作也。五、《書序》每序之末，除〈禹貢〉、〈仲虺之誥〉、〈微子〉稍異外，莫不爲「……作某篇」形式，而其上敘作篇緣由，下即結以「作某篇」，此法直接以《逸周書》爲前導，《逸周書》如〈大匡〉、〈程典〉、〈謚法〉、〈芮良夫篇〉……，首敘事由，末作某篇，《書序》幾悉倣之，成「……作某」爲常式，又《書序》僅取本經中主告者名篇，亦倣《逸周書》。再者，《書序》述事設辭抄襲《逸周書》，如「三監、周公相成王、將黜殷、殷餘民、殷頑民」，自《逸周書》〈作雒〉、〈度訓〉、〈程典〉篇來。《逸周書》七十篇之編成一書，則須俟晚至戰國末葉。《書序》既見而據之立辭，則其成書非戰國末周秦之間人而何？六、《易序》、《詩序》、《書序》，爲同一風氣下之產物，第苟以需要度其發生之先後，《易序》最先，其次《詩序》，而《書序》最後。夫《尚書》，述四代史事，本經義明者多，《序》言其作意，不如《易》《詩》之急要。《周易》〈序卦〉之著成，不能前乎戰國晚年，《詩序》少後，則《書序》之成編非遲至周秦之際不可矣。七、《禮記》引《尚書》十二目最多，其中九目《書序》與之同，《書序》參酌《禮記》定篇目。又〈費誓書序〉定爲伯禽時書，據《禮記》〈曾子問〉也。《書序》者見《禮記》而據焉，則其成書，戰國晚葉以後事也。八、《書序》之成編，必在百篇《尚書》編定之後。百篇《尚書》之編定，僅以今存之廿九篇本經之著成年歲即大致可論定，其中如最晚著成之〈甘誓〉，著五行、三正說，或已晚至鄒衍之後，戰國晚期乃成文，而爲之作《書序》者，必戰國晚年以後人爲之也。九、〈湯誓書序〉「湯伐桀，升自陑，遂與桀戰于鳴條之野」，改易《呂覽》〈簡選〉篇「登自鳴條」成文，而《呂覽》者，秦王政六年（前二四八）成書（近人陳奇猷〈呂氏春秋成書的年代〉），是《書序》著成，在其後也。十、《書序》「殷始咎周」，云殷紂畏惡周文王者，由於文王「三伐」，事據《韓非子》〈難二〉篇「昔文王侵盂、克莒、舉酆，三舉事而紂惡之」，是《書序》取材資《韓非子》，則其成書決在韓非卒年（秦政十四年，前二三三）之後，審矣。十一、〈呂刑書序〉「穆王訓夏贖刑」，本經無此義，亦無此文，余檢《世本》

〈作篇〉（〔清〕茆泮林輯本）竟得其根原。夫《世本》述事及戰國趙王遷事，且稱之「今王遷」，認乃戰國末趙人所作，成書年代約在秦王政十三（前二三四）至十九（前二二八）年，更越八年（前二二一）而始皇一天下。《書序》既見而本之，則其著成果在周秦之間也。十二、「《尚書》」，先秦但題曰「《書》」。名「《尚書》」，劉歆（《七略》）謂始起漢歐陽氏先君。考伏生傳《尚書》予歐陽容，容世世相傳至曾孫歐陽高武帝世立爲博士，是歐陽《尚書》學派，以容爲始師。歆云「歐陽氏」，當指前立爲博士之歐陽高、歐陽地餘，而其先君則歐陽容也。容與張生等輯錄伏生《書大傳》，命爲「《尚書大傳》」；又以《尚書》授倪寬；《漢》〈志〉著錄歐陽學派《尚書章句》三十一卷。則「《尚書》」起名者歐陽學首祖容，方文、景帝際，《帛書周易》〈要篇〉稱孔子曰「《尚書》」云云，《帛易》成書於漢文帝前元十二年（前一六八）少前，正當歐陽《尚書》學派受授時期，書本文獻亦與地下材料契合，則劉子駿說是。夫歐陽容師弟兄，以「《書》」爲上古之書，故加「《尚》」字於「《書》」字之上，始命之曰「《尚書》」（尚，上也），而前此爲八十一目百篇《書》作《序》者，但題「《書序》」，決不致題「《尚書序》」，則《書序》之著成必在漢文帝景帝之前。十三、孔子裔孫鮒（字子魚）藏《書序》於家壁，當秦始皇嬴政焚禁後、秦二世元、二年前（西元前二一三至西元前二〇九、西元前二〇八），則《書序》之著成時間下限非提早爲秦亡之前不可。《書序》秦王政十九年至秦二世二年成撰，的是周、秦之間也。周秦間某士作此：文筆庸拙，甚至文理不通（王充竟訣爲鴻筆），如〈西伯戡黎序〉是。常抄掠本經數語，綴連成章，欲用十餘字敘發一篇經旨，筆力多未見逮。其顯悖經義，失史實者亦有〈盤庚〉、〈高宗肜日〉、〈康誥〉、〈君奭〉、〈呂刑〉、〈費誓〉序。又多苟作，如〈明居〉、〈咸有一德〉、〈無逸〉、〈立政〉四序，文各止一句，敷衍了事而已。斯低手人作者，朱子認是孔家人自作，誠是。孔家人作此，爲《書經》參考教材，用課生徒，輔助口義，隨本經藏壁，傳至今日耳。

《書序》雖爲庸淺之作，然究屬先秦經解專書，近百分之九十傳至今日，治經研史者固不可忽視。其與《易》〈序卦傳〉、《詩序》並重，揚雄謂《書序》不如《易序》，特就即《序》可具知卦目而言，不足爲《書序》病。馬端臨（《文獻通考》）力主《書序》可廢，《詩序》不可廢，蓋過信《詩序》美刺決定詩旨，亦擬於失倫。夫《書序》言本經作意，發明經旨，多能敷暢厥義，除少數篇意外，並無巨失。《書序》詮本經字，又考經故實，於經外增益史料，如〈甘誓〉、〈盤庚〉、〈高宗肜日〉、〈西伯戡黎〉、〈金縢〉、〈召誥〉、〈洛誥〉、〈多方〉、〈顧命〉、〈文侯之命〉等是。夫《尚書》之傳，先秦已有之，原編皆逸。《書序》亦古《尚書》傳，爲今存最古之《尚書》傳注，其價值不在漢《尚書大傳》、《歐陽夏侯章句說義解故》之下。〔清〕鄭杲擬諸《禮經》之「《記》」，洵是也。

保存虞夏商周四代重要史料，斯《書序》之最大價值。《書序》一千一百零一字，本身即是四代史料，又多引故籍以證《尚書》義，而所引古獻原典或有散失，賴茲以保存。近人陳夢家考校西周金文與歷史，謂《書序》中有西周重要史料，陳治古史，宜其重視之如此。矧《書序》所載八十一目百篇《尚書》，本經今已逸亡者凡五十二目六十九篇，賴《書序》存其義，《書序》保存古史料之功，莫大於此。逸亡目篇〈虞書〉部分，有〈汨作〉、〈舜典〉、〈大禹謨〉，四代《尚書》記唐虞之篇殊少而亡佚殊多，有斯三篇保存舜禹事要，彌足珍貴。〈夏書〉部分，〈胤征〉、〈湯征〉，可與《孟子》引殘文證應；〈五子之歌〉，太康世事，屈子〈離騷〉有述，與《書序》合；伊尹往來事湯桀，〈汝鳩汝方書序〉記述，《孟子》《呂覽》《孫子》有載，經子互徵，知此大事的有。〈商書〉部分，商得天下前，嘗遷都八次，載見《尚書》〈帝告〉篇，惜本經亡，幸《書序》者及見原典，記其事實，云「自契至于成湯八遷，湯始居亳、從先王居」，與其它古史之書尚合。《尚書》〈盤庚〉篇記帝盤庚之前之商先王已遷都五次，據《史記》僅得帝仲丁遷囂、河亶甲遷相、祖乙遷耿三都。而〈仲丁書序〉「仲丁遷于囂」，〈河亶甲書序〉「河亶甲居相」；〈祖乙書序〉「祖乙圮於耿」，既於耿都爲水所毀是祖乙當再遷都，《尚書》〈祖乙〉篇即緣此而作者。參以《汲冢紀年》，祖乙曾再遷庇，益以南庚遷奄，正協〈盤庚〉經「于今五邦」之數。〈仲丁〉、〈河亶甲〉及〈祖乙〉皆亡篇，賴《書序》而保存其要義，此又一重大事證。別有十二條，其中關涉成湯伊尹者九條。〈夏社〉，據《書序》，夏朝曾立社，湯欲遷之，而廷議不可。〈明居〉、〈沃丁〉兩書序，據知湯大臣有咎單。勝國取敗國寶器，商湯俘諸夏桀如〈書典寶序〉載。《序》又錄本經作者——誼伯、仲伯，或是湯史，先秦它典籍未見。其餘五條《書序》，本經俱有殘文傳下，舊典多籍引之。湯既一天下，於亳作〈湯誥〉，《書序》據本經以記也，《史記》引眞〈湯誥〉佚文百廿六字，有此《序》爲之參證，益信。湯左相仲虺以夏王矯天命失政誡湯，《墨子》《左傳》《荀子》《呂覽》皆述引之，有該〈仲虺之誥書序〉而知其盡原出於《尚書》。《竹書紀年》殘文載伊尹放太甲于桐自立，後太甲潛出殺伊尹，而〈伊訓肆命徂后〉、〈太甲〉及〈咸有一德〉三書序載伊尹以祖湯受天命伐夏、陳政教垂法度誡太甲，冀其修德安邦，篡自立意未見，太甲出桐殺之，甚悖常理，則〈太甲書序〉云太甲立不明，伊尹放之三年，太甲復歸亳都，與《孟子》太甲悔過於桐，復歸于亳合。伊陟，名見《書序》〈咸乂〉、〈伊陟〉兩篇，指爲帝太戊相具明文，合《尚書》〈君奭〉本經「在太戊，時則有若伊陟」，〈咸乂書序〉記伊陟相太戊時，國都有桑、穀共生於朝之異，而《尚書大傳》亦記帝武丁時「桑、穀俱生於朝」，事相若，令後史家疑惑。當太戊、武丁朝均有是祥異。《國語》引〈說命〉本經，曰「武丁於是作書」、曰「武丁使朝夕規誨箴諫」，〈說命書序〉「高宗得（傳說），作〈說命〉」，〈說命〉，命傳說也，《書序》依本經製作，以經證史而孚，古史益明。〈周書〉部分，《尚書》記周武王伐紂，年月日惟備見於〈（眞）泰誓〉，而〈（眞）泰誓〉本經逸，賴《書序》詳記其伐殷渡河年月日，與《汲冢書》載年合。武王初克殷，行封諸侯且班之宗廟彝器，史承作專文「〈分器〉」以告，〈分器〉本經亡，有《書序》存其篇旨要，周初禮制因是以明。周人既代商政，遠西酋豪來同，南蠻巢君來覲，事均不見於其它先秦文獻，而《尚書》〈旅獒〉、〈旅巢命〉專記其事，兩本經盡逸，有兩《書序》見在，資料聊以保存也。攸關成王誦及周公旦者最多。武王封紂子武庚於朝歌，王崩，武庚與周蔡叔等叛，周公秉成王命誅武庚，放蔡叔，乃封微子啓於宋，作〈微子之命〉。本經盡逸，它先秦典籍未見，幸《書序》存其義。蔡叔既放死，周公請成王命封其子胡於蔡，作〈蔡仲之命〉，原典逸，《左傳》〈定四〉述其事且存逸經十二字，而《書序》據本經敘此《尚書》篇義，云「王命蔡仲踐諸侯位」，視《左傳》「周公見諸王而命之以蔡」，尤爲切要明確。東征武庚、管蔡、奄等之役，周公奉成王命行之，成王未曾躬與，知者，憑《尚書》〈歸禾〉、〈嘉禾〉兩書序也。周公得嘉禾併成王命書於軍陣，公東而王西，王不曾與役，雖兩本經盡佚，俟兩《書序》存義，可的知也。周公東征三年，伐淮夷，遂踐奄，乃作〈成王政〉；既滅奄，遂遷奄君於蒲姑，乃作〈將蒲姑〉；海東既厎定，東北夷肅愼來賀，成王命作〈賄肅愼之命〉：三篇本經盡佚，先秦它籍又不見述，而《書序》載其情實，周初經略大東，賴以保存重要史料。成王〈周官〉「立大師、大傅、大保，茲惟三公」十一字，此眞《尚書》〈周官〉篇殘文也，其《書序》曰：「成王滅淮夷，還歸在豐，作〈周官〉。」用茲，確知周初立三公官職，而《周官》一書非公旦著作，獲一重要佐證。周公薨葬事，先秦它典籍不見載，〈亳姑〉詳其事，本經盡佚，有其《書序》在，知公墓在畢，使從文王陵也。〈君陳〉，據其本經逸文，度爲天子告臣。臣者知爲君陳；天子謂誰？何爲告之耶？案《書序》存其義曰「周公既沒」，是當成王世；又曰「命君陳分正東郊——成周」，是成王命君陳嗣其父周公治東都洛邑也。康王穆王書共三篇，〈畢命〉、〈君牙〉、〈冏命〉也。初，周召二公分陝而治，爲東西二伯，洎周公薨，以畢公代之主東，〈康王之誥〉「畢公率東方諸侯」，與〈畢命書序〉「康王命作冊，畢分居，里成周郊」攸關，本經存殘文十二字，尚不足宣明篇旨，它先秦典籍亦不見載，惟《書序》保存史實。〈君牙〉，穆王命君牙爲王朝大司徒，本經殘存十九字，不足昭明篇之要旨，幸賴《書序》徵孚。〈冏命〉，本經佚絕，由《書序》而知其爲穆王命伯冏爲王朝太僕正也。

《書序》撰作體製，影響後世序文體製，於漢，直接因襲《書序》，或間接參酌《書序》者，約有景帝初年之後所撰之《逸周書序》、《淮南子》〈要略〉、司馬遷《史記》〈太史公自序〉、〈表〉暨〈彙傳〉、揚雄《法言》〈序〉、班固《漢書》〈敘傳〉、〈表〉、〈志〉暨〈彙傳〉及王符《潛夫論》〈敘錄〉六者。此六家書之序文，所倣於《書序》者，大槩有：倣《書序》將序文總繫全書之末；先言一篇作意，後乃言作某篇；一目一序爲常，多目共序爲變；以人名命篇；上下相顧爲文，渾成一大篇也。

《書序》，西漢文景世歐陽《尚書》家先已視之爲「經」，「《歐陽經》三十二卷」，三十二卷之中，一卷爲《書序》。其後，〔東漢〕許慎《說文解字》引《書序》文，稱之爲

「《書（經）》」。盧植引《書序》文，稱之爲「《尚書（經）》」。鄭玄《周禮注》引《書序》文，題爲「《書（經）》曰」。應劭《風俗通義》〈正失〉及〈皇霸〉竝引《書序》文，均題「《尚書（經）》」；劭另撰《漢官儀》亦引《書序》文，乃亦稱之爲「《書（經）》」。宋以下人，劉敞、蘇軾、程頤、鄭杲亦均曾稱《書序》爲「經」。

——原載《孔孟學報》七十七期，民國八十八年九月

五　《書序》之價值

今傳《尚書注疏》篇目五十、篇數五十八，每篇目經文之前皆有《書序》，亦有本經亡而《書序》存者多篇，計今載存《書序》文六十七條，亡佚十條則僅存篇目十目。存、亡凡載八十一目一百篇之《書序》，今存一千一百零一字（〔清〕嘉慶二十年江西南昌府學重栞宋本，〔唐〕《開成石經》本字數同）。《書序》出諸孔壁，先秦人作，具《尚書》古義、備歷代注疏家解說、存虞夏商周四代古史之逸文、影響後世經史專家文章「序」體，請略陳其價值，欲以豐富經史學之研究。

一　《書序》與《易》《詩》二序並重

《易》〈序卦傳〉、《詩序》、《書序》，經書之序三也。論《書序》之重要性，學者常持與《詩序》較量，〔元〕馬端臨《文獻通考》卷一七八〈經籍考〉：

以愚觀之，《書序》可廢，而《詩序》不可廢。就《詩》而論之，〈雅〉〈頌〉之序可廢，而十五〈國風〉之序不可廢。何也？《書》直陳其事而已，序者後人之作，藉令其深得經意，亦不過能發明其所已言之事而已，不作可也。《詩》則異於《書》矣，……讀〈國風〉諸篇，而後知《詩》之不可無序，而序之有功於《詩》也。蓋〈風〉之爲體，比興之辭多於敘述，風諭之意浮於指斥，蓋有反覆詠歎聯章累句而無一言敘作之之意者，而序者乃一言以蔽之曰爲某事也，苟非其傳授之有源，探索之無舛，則孰能臆料當時指意之所歸，以示千載乎？

案：〈國風〉詩辭誠多比興，詩人託意諷諫，爲《詩序》者蔽以一言曰美曰刺，指爲某事，西漢三家敘及《毛序》咸同，鄭玄申《毛序》，唐孔《正義》依焉。第後人（特以宋人）考究，《序》者指刺某美某，多不可信，是未必盡是「傳授之有源，探索之無舛」也。而《書序》敘八十一目百篇作意，大抵契合本經義，間有旁資其它文獻，補證事實，不僅「發明其（經）所已言之事」而已。是《書序》亦不可不作也。

或謂《尚書》直載史迹，敘事而已，且各篇作意，史官已記於本文中，故《書序》功效不及《詩序》，明初蔣悌生《五經蠡測》卷三：

> 《書小序》與《詩小序》，雖皆昔人序作者之意，然二序關於後學功效大不侔。《書序》可無，《詩序》不可無，難一槩論也。蓋《書》者當時記載之書，其本文史臣已序作者之意，如〈五子之歌〉、〈太甲〉、〈說命〉等篇，史臣既序其作書之由，篇中更端處史氏又以語貫之，已極詳明，雖《小序》不作，後世讀者依文求義，自能通之。

案：蔣氏舉〈五〉、〈太〉、〈說〉三題，俱僞書，所謂史臣序及篇內連貫語，咸僞作，眎證無效。雖然，《尚書》固記言體，絕多記君臣語言，篇或徑錄誥辭揭於文首，如〈湯誓〉（開篇即直書「王曰」，通篇全記王言）、〈大誥〉（開篇即直書「王若曰」，其下更端三書「王曰」，以終篇）……等，誥辭中未貫史氏語，蔣氏謂史臣序作書之由於篇端，以語貫之於篇中，是讀《尚書》未盡廿九篇，所為輕率之論也；又或於誥辭前著數語，以引入本誥（如〈堯典〉、〈皐陶謨〉、〈甘誓〉、〈盤庚〉、〈高宗肜日〉、〈西伯戡黎〉、〈牧誓〉、〈洪範〉、〈金縢〉、〈召誥〉、〈多士〉、〈多方〉、〈顧命〉、〈呂刑〉十四篇；〈禹貢〉是記事抑記言，尚有爭議，暫不計入），其中有七目（〈堯〉、〈皐〉、〈盤〉、〈肜〉、〈金〉、〈召〉、〈顧〉）篇內有史氏連貫語，然皆非序作者之意，連貫語又簡略，功效並不克與《書序》侔。《書序》有助於讀解本經，蔣君抑之非是。

或持《書序》與《易》《詩》二序並觀，論後者眞不可廢而前者贋可不用，〔明〕郝敬是

也，其

《尚書辨解》卷首「讀書」：「讀《易》先讀〈序卦〉，讀《詩》先讀《古序》；《書序》無足觀。先考其世代篇目，詳其命篇本意，乃讀其文辭，條理血脈自然貫串。」又卷九「孔氏《古文尚書》〈序〉」：「夫序者直也，作者有未明之志，序以直之。《易》無〈序卦〉，則不知演《易》之意；《詩》無《古序》，則不知美刺之由：皆篇中未傳，懼來者之無稽，故著爲序，所以不可廢也。如《書序》，祇依篇中文義重複演說，不用固無傷。」

案：《易序》誠不可廢；《詩序》亦不可廢，但三百五篇篇中亦有自著美刺者（如〈三頌〉俱是美，〈魏風〉〈葛屨〉「維是褊心，是以爲刺」是刺），非盡待序而後乃傳。《尚書》記四代古史，年世悠遠，事迹闕略湮昧，賴《書序》考世代定篇目，通命篇本意，俾助於研讀本經，〈序〉因忠於本經，間有撮取原文以成者，乃指爲重複演說，主棄之不用，又指爲贋物，亦過矣。

清高宗弘曆以《書序》辭義不及《詩序》，似作廢《書序》之議，

《御製文二集》卷二二〈書小序考〉：「……使《書序》辭義精於《詩序》，則爲夫子所作，或不可知；今《書序》遠遜《詩序》，朱子亦以爲非夫子所作，而馬端臨且謂《詩序》不可廢，《書序》可廢。是知《書序》乃出於漢儒所爲。」

案：《詩序》多宣發所謂比興之微旨，即作者有未明之志，序者直之，而《書序》者但依本經直陳事實，故云辭義遠遜於《詩序》：此弘曆之意，不外馬、郝所已說。夫《詩》、《書》之爲經也，性格殊異，不便較比優劣，其序之所以作，致功固不一，亦不堪次其辭高下，夫典謨訓誥誓命歌征，國之公文書也，直敘其事要可矣，豈君臣誥辭亦存興寄諷諭有俟序者抉發者乎？弘曆《詩序》辭義勝過《書序》說，非也。

二　《書序》作者及見八十一目百篇《尚書》本經依作序文傳漢

《書序》之藏壁也，當秦皇焚書至二世元、二年間（西元前二一三至西元前二〇九、西元前二〇八），歷至漢景帝（前元）三年（西元前一五四），蒙塵約一甲子。作者爲秦末人，其時《尚書》本經亡佚不如漢世亡佚之多，彼猶及見八十一目百篇經文，緣據以作序，此由本經今存目篇、孔壁出土逸目篇、先秦典籍引目篇引逸文、漢人引目篇引逸文及其它典籍載事知之。

今存《尚書》本經二十九目三十一篇（二十九篇乃伏生傳本，孔壁古文本同有；但伏本〈盤庚〉作一篇，依《書序》作三篇，故多兩篇，共三十一篇）：

〈堯典〉一、〈皐陶謨〉二、〈禹貢〉三、〈甘誓〉四、〈湯誓〉五、〈盤庚〉六、〈高宗肜日〉七、〈西伯戡黎〉八、〈微子〉九、〈牧誓〉十、〈洪範〉十一、〈金縢〉十二、〈大誥〉十三、〈康誥〉十四、〈酒誥〉十五、〈梓材〉十六、〈召誥〉十七、〈洛誥〉十八、〈多士〉十九、〈無逸〉二十、〈君奭〉二十一、〈多方〉二十二、〈立政〉二十三、〈顧命〉二十四、〈康王之誥〉二十五、〈呂刑〉二十六、〈文侯之命〉二十七、〈費誓〉二十八、〈秦誓〉二十九。（目篇之次序一準《書序》）

《書序》敘此諸目篇，今有本經可驗，眞實可信。

《逸尚書》十六目二十四篇，亦出諸孔壁，乃伏生本所無者，漢魏人多見此諸篇（西晉末永嘉之亂乃亡佚），〔漢〕鄭玄記其目：

〈舜典〉一、〈汨作〉二、〈九共〉九篇十一、〈大禹謨〉十二、〈益稷〉十三、〈五子之歌〉十四、〈胤征〉十五、〈湯誥〉十六、〈咸有一德〉十七、〈典寶〉十八、〈伊訓〉十九、〈肆命〉二十、〈原命〉二十一、〈武成〉二十二、〈旅獒〉二十三、〈冏命〉二十四。以此二十四爲十六卷，以〈九共〉九篇共卷；除八篇，故爲十六。（鄭玄《書序》注，載《尚書正義》〈虞書〉大題下）

《書序》敘此諸目篇，漢魏人猶見本經，自亦眞實可信。

其餘爲亡目篇，得目三十六、篇四十五，茲先記其目篇，曰：

〈稾飫〉、〈帝告〉、〈釐沃〉、〈湯征〉、〈汝鳩〉、〈汝方〉、〈夏社〉、〈疑至〉、〈臣扈〉、〈仲虺之誥〉、〈明居〉、〈徂后〉、〈太甲〉（三篇）、〈沃丁〉、〈咸乂〉（四篇）、〈伊陟〉、〈仲丁〉、〈河亶甲〉、〈祖乙〉、〈說命〉（三篇）、〈高宗之訓〉、〈泰誓〉（三篇，此先秦眞〈泰誓〉）、〈分器〉、〈旅巢命〉、〈微子之命〉、〈歸禾〉、〈嘉禾〉、〈蔡仲之命〉、〈成王政〉、〈將蒲姑〉、〈周官〉、〈賄肅愼之命〉、〈亳姑〉、〈君陳〉、〈畢命〉、〈君牙〉。

此諸目中，〈湯征〉、〈仲虺之誥〉、〈太甲〉、〈說命〉、〈高宗之訓〉（《禮記》引，作

「高宗」，無「之訓」二字）、〈泰誓〉、〈蔡仲之命〉、〈君陳〉、〈君牙〉九目十五篇，明見先秦典籍稱引；〈帝告〉、〈嘉禾〉二目二篇，《尚書大傳》有篇目及（或）引逸文；〈周官〉，鄭玄引「成王〈周官〉」逸文（載《周禮》〈地官〉〈保氏〉序官賈《疏》引〈鄭志〉趙商問）、〈畢命〉、《漢書》〈律厤志下〉引劉歆《三統厤》載〈畢命〉目及逸文，二目二篇亦俱眞實可信。

此外二十三目二十六篇，須深加稽討：

〈汝鳩〉、〈汝方〉：《書序》二目二篇共一序，述伊尹去湯適夏復歸亳邑，《孟子》〈告子下〉言伊尹五就湯五就桀、《呂覽》〈愼大〉記伊尹奔夏，反報於湯、《尚書大傳》與《史記》並載伊尹去湯適夏，事要與此《書序》合，皆實有其事，則《書序》有先秦漢初文獻資證，可信。

〈徂后〉：〈伊訓〉、〈肆命〉、〈徂后〉三目三篇共一序，皆伊尹訓太甲文，今〈伊訓〉、〈肆命書序〉既徵爲可信，〈徂后書序〉理應可信。〈徂后〉，伊尹述已故之君——湯之法度以戒太甲，與〈伊訓〉，殆伊尹泛以君道戒太甲，及〈肆命〉，伊尹極陳政教之所當爲戒新君太甲，三位一體，是〈徂后書序〉亦可信。

〈伊陟〉：伊陟，太戊賢大臣，見〈君奭〉本經，《書序》「太戊贊于伊陟」，太戊朝確有此人，宜非序者嚮壁虛構，宜可信。

〈仲丁〉、〈河亶甲〉、〈祖乙〉：三目三篇，取商三君名。三君遷囂、遷相、遷耿又遷庇，吻合〈盤庚〉本經「先王……于今五邦（加南庚遷奄）」之五遷，參印以殷甲骨卜辭、《竹書紀年》均合。是此三《書序》又眞切可信。

〈分器〉：《書序》云周武王班宗彝予諸侯而作，分器即班宗廟彝器與受封者，同類事《左傳》（〈昭十二〉、〈定四〉）頗載。武王克殷，大封親戚功臣，因分班器物，《書序》乃據本經，可信。

〈微子之命〉：武王既克殷，初封武庚於殷故都，以承國祀，迨武庚叛伏誅，成王乃封微子啓於宋，用代殷祀，史傳多載，《書序》「成王命微子啓代殷後，作〈微子之命〉」云云，可信。

〈歸禾〉：〈歸禾〉、〈嘉禾〉，記首尾連貫之兩事，前者，成王命唐叔餽瑞禾予周公旦；後者，周公旦既得命禾，陳述天子之命。兩事實止一事。〈嘉禾〉，《尚書大傳》存篇目，既可信，則記其事端始之〈歸禾〉，亦當有，亦併可信。

〈將蒲姑〉：蒲姑氏，殷紂時奄國國君，嗾武庚管蔡叛，後周成王遷之於齊地，地因蒲姑氏定遷而得名蒲姑。蒲姑，見〈昭九〉、〈二十〉《左傳》；爲奄君鼓反武庚，見《尚書大傳》。〈將蒲姑書序〉記彼謫遷事，宜可信。

〈賄肅愼之命〉：肅愼國，見《左》〈昭九年〉，周東北夷也，昔周武王克殷嘗來朝貢

（《國語》〈魯語下〉）。洎「成王既伐東夷」（《書序》別多篇云「歸周公于東」、「踐奄」、「東伐淮夷」、「滅淮夷」，與此「伐東夷」，統指徐戎、淮夷、奄眾多方諸侯也。），肅慎又來賀，成王以幣賄賜之，併命榮伯作策書以命之。榮伯，姬姓（見《國語》〈晉語四〉），畿內諸侯，眞有其人。《書序》據本經，先秦典籍可旁證，非虛構，宜可信。

〈亳姑〉：《書序》記周公旦至亳姑止，其下不復著公旦事，〈亳姑〉記周公薨，是也。初，公欲葬成周，明臣於成王；而成王則示天下以不敢臣周公之意，終葬之於文王陵墓所在地——畢。《尚書大傳》記載詳實，可證此《書序》可信。

上考自〈汝鳩〉至〈亳姑〉十三目十三篇，宜皆可信。僅餘〈槀飫〉、〈釐沃〉、〈夏社〉、〈疑至〉、〈臣扈〉、〈明居〉、〈沃丁〉、〈咸乂〉（四篇）、〈旅巢命〉、〈成王政〉十目十三篇，缺乏強有力事證（如先秦典籍等載引），證其確信。但僅占目之百分之十二及篇之百分之十三，且亦無強有力事證，證其子虛烏有。是當與它眾篇同可信。

三　《書序》言本經作意發明經旨乃先秦重要文獻

八十一目百篇本經，依其體有典謨訓誥誓命歌征（或細作十體，分多貢、範二體），稱名不同，立義有別，賴《序》敷暢厥義，故

〔唐〕劉知幾《史通》卷四〈序例〉曰：「（僞）孔安國（《書大序》）有云『序者，所以敘作者之意』也。竊以《書》列典謨、《詩》含比興，若不先敘其意，難以曲得其情。故每篇有序，敷暢厥義。」

《尚書》之所主，本於號令，政書也。致治之道，重在考績。日成、月要、歲會，皆考績也（出《周禮》〈天官〉〈宰夫〉）。《書序》者，即《書經》之「會、要、成」，從以索經義，猶爲政者歲月旬之考百僚之成績也，

〔明〕梅鷟《尚書譜》〈尚書序譜〉：「攷治者歲終正歲會，月終正月要，旬終正日成。聖人之經，正猶一歲一月一旬之事也；聖人之序，正猶歲之會、月之要、旬之成也。明經而不明序，猶歲終而不正歲會，月終而不正月要，旬終而不正日成，不啻若瞽者無相，倀倀焉雖欲索步，其可得乎？……」（敏案：鷟後撰《尚書考異》謂《書序》乃先秦戰國時講師所作，不同此謂孔子作）

梅《譜續》又曰：

……惜夫！穿穴之流，茫茫營營，故意謗傷：以箋註觀者，則曰無所發明；以歲時紊者，則曰不得經旨。余甚傷之，甚憫之。

責《書序》無所發明，〔宋〕蔡沈輩（郝敬申之）也；難《書序》紊歲時，如謂遷殷頑民在作雒之前，則〈多士書序〉「成周既成，遷殷頑民」失時，吳棫輩（蔡沈申之）也。《書序》發明經旨，有功後學，爾乃斷截小文，媟黷微辭，以年數小差，掇爲巨謬，而欲廢之，梅君傷之憫之，良有以也。

取今存本經之《書序》二十七條（今存二十九目《尚書》中，〈酒誥書序〉、〈梓材書序〉兩條並亡），謹與其本經相較：除〈高宗肜日序〉云「高宗祭成湯」，因本經「高宗肜日」詞例異常致誤；〈康誥序〉因篇首四十八字簡錯及爲《左傳》另一〈康誥〉致誤爲成王書；〈君奭序〉用《荀子》說，誤爲召公不悅周公；〈費誓序〉因本經有淮徐，因誤以爲伯禽世事；〈呂刑序〉受《世本》禹作贖刑影響，又見本經重罰鍰，故誤作「穆王訓夏贖刑」：總才五目。其餘敘篇之作意，並無巨失（它如〈西伯戡黎書序〉「殷始咎周」，下當接以「紂囚文王」之類文，今乃接曰「周人乘黎」，文意不貫。類此小疵，不計），其發明經旨，洵先秦經史學之重要文獻。

四　《書序》論經字考故實，係上古經解

序者，敘也。《書序》敘《書經》義，猶後世傳注（若「義」、「記」、「解詁」之類）；不但詮詁經字，且增益事實，用暢經義，試綜舉十一篇，論次於下：

〈堯典書序〉「聰明文思，光宅天下，將遜于位」，

《朱子語類》卷七八：「問：《序》云『聰明文思』，《經》作『欽明文思』，如何？……問：恐是作序者見《經》中有『欽明文思』，遂改換『欽』字作『聰』字否？曰：然。」

民國章炳麟《膏蘭室札記》卷二：「《書序》『昔在帝堯，聰明文思，光宅天下。』麟按：光宅天下，即《經》之『光被四表，格于上下』。《經》光借爲横，此光亦然。此之宅，即《經》之格，古音宅格同部也。四表上下，是爲六方，舉天下則足以包之。」

案：朱子師徒謂序者避同字，故解經時易「欽」爲「聰」，蓋是；抑或以「聰」詁代「欽」，猶《史記》述《尚書》多改本字爲詁訓字，是也。太炎謂《序》者以「光宅天下」詮解經文

「光被四表，格于上下」（云格宅同訓尙待商），亦是詁字。又經「巽朕位」巽，《序》解作「遜」，亦是以今義訓古義。

〈甘誓書序〉「啓與有扈戰于甘之野」，《經》「大戰于甘」，《序》增「之野」甘下，仿〈牧誓〉武王戰紂「牧野」，此加文也；《經》「王曰：……有扈氏威侮五行」，《序》以王爲夏啓，曰「啓與有扈戰」，此考史也。

〈盤庚書序〉「盤庚五遷，將始宅殷」（孔壁本），五遷，淬練《經》「盤庚遷于殷，……于今五邦」，以成；將始宅殷，則通觀上中下三篇《經》「盤庚作，惟涉河以民遷」、「盤庚既遷」及「盤庚遷于殷」云云，定此爲始宅殷，亦解詁之要務也。

〈高宗肜日〉《經》「肜日，越有雊雉」，義不明，《書序》作「飛雉升鼎耳而雊」，增成雉飛升鼎耳雊，明祭事遘疾；《經》「祖己曰『惟先格王，正厥事』，乃訓于王曰」，《序》刪合爲「祖己訓諸王」，彰顯本經主體——祖己告教祖庚，又以「諸（之于也）」代「于」，令經義益臻明確。

〈西伯戡黎〉《經》「祖伊恐，奔告于王」，《書序》僅更改「王」爲「受」一字，渠考本經它篇（〈牧誓〉、〈無逸〉、〈立政〉）紂名也；以「乘」詁「戡」（鄭玄注：「乘，勝也。」戡，克也，勝也），注字也。

〈金縢〉《經》「王有疾」，《書序》加「武」於「王」上，凡經篇「王」云云，序者槩加王名弁於此條序文之上，此考史也。

〈召誥〉《經》「月日，王朝步自周，則至于豐」，下句「太保先周公相宅」，文似不聯貫，《書序》發明經旨云「成王在豐，欲宅洛邑，使召公先相宅」，相土宅洛命自天子之義乃明。〈洛誥書序〉「召公既相宅，周公往營成周」，檃栝〈召誥〉《經》「周公朝至于洛，則達觀于新邑營」成章；「使來告卜」，檃栝〈洛誥〉《經》「伻來以圖」及「公既定宅，伻來、來」也：序者取精用宏。

〈多方〉《經》「王來自奄，至于宗周」，《書序》考甄後文，知是成王踐奄凱旋（乃周公稱王命東征，成王未曾親征），故以「歸」詁代「來自」，深得經意。

〈顧命〉本經首受召聆命者多人，《書序》惟稱成王「命召公畢公率諸侯相康王」者，見《經》下文「太保率西方諸侯，畢公率東方諸侯」也，夫諸侯爲王室藩衛，二公率之相天子，則朝廷安四海靖矣：《序》深得經義。

〈文侯之命〉《經》「王若曰」、「王曰」，不定何王；有邦有土之「義和」，不定何君，《書序》定王爲平王，君爲晉文侯：此考史也，千古疑獄乃決。

《尚書》之傳，先秦已有之，孟軻氏對齊宣王「湯放桀，武王伐紂」問，曰：「於傳有之。」（《孟子》〈梁惠王下〉）傳，書傳也。《國語》〈周語下〉載單襄公引「〈泰誓〉故」，《書》〈泰誓〉篇傳也。類此《書傳》原編皆逸。《書序》亦古《尚書》傳，今幾存全

（存六十七條，占百分之八十七；亡逸十條，纔占百分之十三），爲今存最古之《尚書》傳注，其價值不在《尚書大傳》、《歐陽夏侯章句說義解故》之下。

五　《書序》保存古代史料

保存虞夏商周四代重要史料，斯《書序》之最大價值。《書序》一千一百零一字，本身即是四代史料，此其一；《書序》多引故籍以證《尚書》義，而所引古獻原典或有散失，賴茲以保存，此其二，〔民國〕陳夢家曰：

我們考校西周的金文和歷史，往往發現其（《書序》）中有很多與西周有關的重要史料。因此，不能因爲朱子之說而貶低它的價值。在研究《尚書》的時候，《書序》還是十分重要的。（《尚書通論》，頁一〇二）

大部分《書序》（即見於《史記》的），其作成時代當在西元前第二世紀內，距今已二千餘年。這些資料對於研究古史還有很大的價值。至於《孔傳》本，包含了晚於《史記》的諸篇序，約略補作於西元前第一世紀內，則應分別對待。（《尚書通論》，〈尚書補述〉，頁二八二）

案：陳氏治古史，宜其重視《書序》如此。惟《書序》因經考事，上及三代（虞夏商），下覃及東周、春秋世，不僅攸關西周而已。又《書序》出諸一人之手，僞孔本《書序》篇次、文字，雖小異，但其中並非有一部分是補作，於古史研究，亦一律「有很大的價值」。

《書序》載八十一目百篇《尙書》，其中本經已逸十六目二十四篇，此諸經原典西晉末猶存，亡於永嘉亂；另本經原典入漢已亡者有三十六目四十五篇。逸亡之本經凡五十二目六十九篇，賴《書序》存其義，《書序》保存古史料之功，莫大於此，此其三也，請詳說如下：

〔宋〕吳祕《揚子法言》〈問神〉篇注曰：「《書》百篇，……其亡過半，孔子序《書》，存百篇之義。」

〔清〕莊述祖《珍藝宧文鈔》卷三〈旅獒序〉說：「自文武之受命，召公以甘棠治內，旅獒治外，耇造勖德施於成康，故從其後書之曰『太保作〈旅獒〉』。百篇之序存，《書》未嘗亡也，而揚子雲乃謂『《書序》不如《易》』，固哉！」

〔清〕程廷祚《晚書訂疑》卷二：「（《書》）《序》於《經》，不足爲輕重，而二十八篇之外群逸書，賴以垂其篇名，若爲稽古之一助。然前而《百兩》之淺陋，後而二十五篇之補綴，又莫不由之以起。」

案：《尚書》傳至宋代，原典已亡失五十二目六十九篇，各占八十一目百篇之百分之六十四強及百分之六十九，吳云「其亡過半」良是。此諸近七成目篇，其中一部分雖見先秦及兩漢典籍稱引，碎簡零縑，不克彰表各該篇要旨，肆吳氏贊《書序》「存百篇之義」，莊氏立《書序》存而本經存，固亦仍亡經之義存乎《序》是也。

又案：《書序》載《書》經八十一目百篇，而「二十八（〈顧命〉、〈康王之誥〉合爲一篇）篇之外群逸（亡逸合稱逸）書」，見引於先秦典籍明題篇目者才〈湯征〉（《孟子》引「湯一征，自葛始」，湯一征，視爲「湯征」篇名）、〈仲虺之誥〉、〈伊訓〉、〈太甲〉、〈咸有一德〉、〈說命〉、〈高宗之訓〉（《禮記》引，少「之訓」二字）、〈泰誓〉、〈武成〉、〈蔡仲之命〉、〈君陳〉、〈君牙〉，又見引於漢人典籍者才〈九共〉、〈帝告〉、〈湯誥〉、〈嘉禾〉、〈周官〉、〈畢命〉、〈冏命〉，凡十九目三十三篇，餘過半數——三十三目三十六篇，端賴《書序》「以垂其篇名」，廷祚說甚是；誠大有助於稽古。群逸亡書若果盡存且傳廣，則漢晉兩僞本必不致有作，是「淺陋、補綴」、贋經欺世，罪不在《書序》也。

逸亡之目篇《書序》說《書》義，〔宋〕林之奇因其乏本經可憑印證，故於所撰《尚書全解》，但錄《書序》白文，一槩不予討論，且亟言其不可信。雖然，資逸亡書序考補古史功庸，林氏固不得不大力推贊，其

《尚書全解》卷十八〈盤庚書序〉：「逸書之序，蓋有其書雖已亡，而其所述亦可證見存之書者。若其記載商人遷國之始末也，『自契至于成湯八遷，湯始居亳，從先王居，作〈帝告〉、〈釐沃〉』，『仲丁遷于囂』，『河亶甲居相，作〈河亶甲〉』，『祖乙圮于耿，作〈祖乙〉』：此皆逸書之序也。『盤庚五遷，將治亳殷，民咨胥怨，作〈盤庚〉三篇』，此見存之書也。〈盤庚〉之書雖存，然不得逸書之序以見其前世遷徙之始末，則〈盤庚〉之意亦復不明于世，故自〈帝告〉、〈釐沃〉以至於〈祖乙〉五篇之序，蓋所以爲〈盤庚〉之書張本於前，若《左氏傳》或先經而始事也。學者欲讀〈盤庚〉，當以此序始。……仲丁立，始自亳遷于囂。仲丁崩，弟外壬立。外壬崩，弟河亶甲立，後自囂遷于相。河亶甲子祖乙立，復自相遷于耿。既遷于耿，則其地水泉濕，爲水所圮，欲改遷于他所，而重勞民，故遂留于耿。自祖乙以來，凡歷五世，竟不克還，及盤庚即位，而民之被於墊溺已甚，遂謀遷于亳殷，此其遷徙之始末，見於《書》之序者然也。……序曰『盤庚五遷，將治亳殷』，其文蓋與自〈帝告〉、〈釐沃〉至於〈祖乙〉五篇之序文勢首尾相貫；蓋自契至成湯八遷，而自湯至祖乙又五遷也。」

諸侯國之商，自始祖契至湯，嘗遷都八次：契自亳遷蕃一，昭明由蕃遷砥石二，又由砥石遷商邱三，相土東徙泰山下四，後又復歸商邱五，夏帝芬三十三年商侯遷於殷六，夏孔甲九年殷侯復歸商邱七，湯自商邱遷亳八也（據王國維《觀堂集林》卷十二說自契至於成湯八遷）。《尙書》〈帝告〉篇本經亡，幸《書序》者及見原典，記其事實，云「自契至于成湯八遷，湯始居亳、從先王居」，與其它古史之書尙合，是於保存古代史料，大有功也。

《尙書》〈盤庚〉上篇記帝盤庚之前之商先王（不包括諸侯國之商君）已遷都五次，其中商朝始王成湯是定都非遷都不計，據《史記》〈殷本紀〉僅得帝仲丁遷囂（隞）、帝河亶甲遷相、帝祖乙遷耿（邢）三都，今更考《竹書紀年》猶有帝祖乙居庇、帝南庚自庇遷奄（《古本竹書紀年輯校》）。囂（仲丁）、相（河亶甲）、耿（祖乙）、庇（同上）、奄（南庚）五邦是也。而〈仲丁書序〉「仲丁遷于囂」；〈河亶甲書序〉「河亶甲居相」；〈祖乙書序〉「祖乙圮于耿」，既於耿都「爲水所毀」（鄭玄注），是帝祖乙當再遷都於庇（上引《竹書紀年》），《尙書》〈祖乙〉篇即緣此而作者；參以《汲冢紀年》帝南庚遷奄，正協〈盤庚〉經「于今五邦」之數。〈仲丁〉、〈河亶甲〉及〈祖乙〉皆亡篇，賴《書序》而保存其要義，此一又重大事證。

上方述〈帝告〉、〈仲丁〉、〈河亶甲〉及〈祖乙〉四《書序》之外，保存古代史料之逸亡目篇《書序》猶另有三十七條，今具存，爲：

〈舜典〉、〈汨作〉、〈大禹謨〉（以上〈虞書〉）、〈五子之歌〉、〈胤征〉、〈湯征〉、〈汝鳩〉、〈汝方〉（以上〈夏書〉）、〈夏社〉、〈典寶〉、〈仲虺之誥〉、〈湯誥〉、〈明居〉、〈伊訓〉、〈肆命〉、〈徂后〉、〈太甲〉、〈咸有一德〉、〈沃丁〉、〈咸乂〉、〈伊陟〉、〈說命〉（以上〈商書〉）、〈泰誓〉、〈武成〉、〈分器〉、〈旅獒〉、〈旅巢命〉、〈微子之命〉、〈歸禾〉、〈嘉禾〉、〈蔡仲之命〉、〈成王政〉、〈將蒲姑〉、〈周官〉、〈賄肅慎之命〉、〈亳姑〉、〈君陳〉、〈畢命〉、〈君牙〉、〈冏命〉（以上〈周書〉）。

〈虞書〉部分：〈汨作〉無佚文，又無早期史料資徵，然《書序》次之於〈舜典〉之後、〈皐陶謨〉之前，故當爲舜帝朝書。〈舜典書序〉，記帝堯歷試舜，可與《孟子》參證。謨猷於虞廷，禹、皐陶獻言最多；〈皐陶謨〉之作也，以皐陶爲主，今存，〈禹謨〉經佚，得《書序》而知以禹爲主者亦有〈大禹謨〉一目。四代《尚書》記唐虞之篇殊少而亡佚殊多，有〈舜典〉、〈汨作〉、〈大禹謨書序〉而保存舜禹事要，彌足珍貴。

〈夏書〉部分：二征——〈胤征〉、〈湯征〉，《孟子》節引其文，前者殘文曰「有攸不惟臣，東征」，與《書序》「胤往征羲和」併觀，肯定夏帝有征權臣羲和事；後者，夏諸侯國葛君，慢天棄神不祀，成湯征之，自茲四征無道，誅其君弔其民，《孟子》述厥事頗詳，據《尚書》也，第書原篇佚，若無《書序》明其本經旨要，孰能篤信《孟子》之說？〈五子之歌〉，〈離騷〉「啓九辯與九歌兮，夏康娛以自縱；不顧難以圖後兮，五子用失乎家巷」，屈子親見本經，故定爲太康世事，今覘之《書序》知合。商湯有汝鳩、汝方二大臣，先秦典籍今唯《書序》著之，序錄依《尚書》本經也；伊尹，往來事湯桀，《孟子》《呂覽》《孫子》竝記述，據《尚書》也，幸有《書序》「伊尹去亳適夏，復歸於亳」云云，證實此大事的有。《書序》保存夏商史迹，有時功高遷《史》，遷《史》固多引《書序》文。

〈商書〉部分：逸亡目篇《書序》，別有十二條見於此，其中關涉成湯伊尹者九條。〈夏社〉，據《書序》，夏朝曾立社，可資證〈甘誓〉「弗用命，戮于社」，湯欲遷之，而廷議不可。〈明居〉、〈沃丁〉兩書序均著「咎單」，據知湯大臣有咎單者（馬融注「湯司空」），雖未必，但其篇次〈太甲〉前，當是湯臣），原爲《尚書》之所載，先秦它典籍未之見也。勝國取敗國寶器，商周人均行之，周武王俘商舊寶玉億有八萬（《逸周書》〈世俘〉篇），其中豈乏在昔商湯俘諸夏桀如《書》〈典寶〉序錄《尚書》本經之所載者乎?序又錄本經作者——誼伯、仲伯，或是湯史，先秦它典籍亦未見。其餘五條《書序》，本經俱有殘文傳下，舊典多籍引之。湯既一天下，於亳作〈湯誥〉，《書序》據本經以記也，《史記》引眞〈湯誥〉佚文百廿六字，有此序爲之參證，益信。湯左相仲虺（《左傳》〈定元年〉）以夏王矯天命失政誡湯，《墨子》《左傳》《荀子》《呂覽》皆述引之，有該〈仲虺之誥書序〉而知其盡原出於《尚書》。《竹書紀年》殘文載伊尹放太甲于桐自立，後太甲潛出殺伊尹，〈伊訓〉、〈肆命〉、〈徂后〉（三目共一序）、〈太甲〉及〈咸有一德〉三條《書序》載伊尹以祖湯受天命伐夏、陳政教垂法度誡太甲（見三經殘文，《禮記》《孟子》同引），冀其修德安邦，篡自立意未見，太甲出桐殺之，甚悖常理，則〈太甲書序〉云太甲立不明，伊尹放之三年，太甲復歸亳都，與《孟子》太甲悔過於桐，復歸于亳合。諸篇本經既佚，賴《書序》存古史之要，乃知《孟子》考事有據，偏信雜史而疑儒家大師言者，可以釋疑矣。伊陟，名見《書序》〈咸乂〉、〈伊陟〉兩篇，指爲帝太戊相具明文，合《尚書》〈君奭〉本經「在太戊，時則有若伊陟」，〈咸乂書序〉記伊陟相太戊時，國都有桑、穀共生於朝之異，而《尚書大傳》亦記帝武丁時「桑、穀俱生於朝」，事相若，令後史家疑惑。當是太戊、武丁朝均有是祥異，即或不爾，〈咸乂書序〉所記爲太戊世事據本經爲確有，不可指爲武丁朝故事。《國語》引〈說命〉本經，一則曰「武丁於是作書」、再則曰「武丁使朝夕規誨箴諫」，〈說命書序〉「高宗……得〈傅說〉，……作〈說命〉」，說命，命傅說也，《書序》依本經製作，以經證史而孚，古史益明。

據上考詳，〈商書〉佚亡《書序》十六條，條條裨補於古史，無論遷都，立社，獲寶，誡臣民，規君上，扶幼主，明祥異，在在保全古代史料，《書序》之珍貴也如此。

〈周書〉部分一：《尚書》記周武王伐紂三目，〈牧誓〉有日無年月、〈眞〉〈武成〉有月日無年，年月日則備見於〈眞〉〈泰誓〉，而〈眞〉〈泰誓〉本經逸，賴《書序》詳記其伐殷渡河年月日，與《汲冢書》載年合，陳夢家謂《書序》多有西周重要史料（已詳上引），類此皆是也。周天子分封諸侯，班授彝器，見《左傳》（昭十二及十五、定四），武王初克殷，行封諸侯且班之宗廟彝器，史承作專文「分器」以告，〈分器〉本經亡，有《書序》存其篇旨要，周初禮制因是以明。周家起於西土，既代商政，遠西酋豪來同，南蠻巢君來覲，事均不見於其它先秦文獻，而《尚書》〈旅獒〉、〈旅巢命〉專記其事，兩本經盡逸，有兩《書序》見在，資料聊以保存也。

〈周書〉部分二：攸關成王誦及周公旦者九篇最多，保存文獻，補益西周初葉重要史實，貢獻亦最大。武王甫克殷，封紂子武庚於朝歌，用續殷祀。王崩，武庚與周蔡叔等叛，周公秉成王命誅武庚等，放蔡叔，乃封微子啓於宋，代奉殷先祀，作〈微子之命〉。本經盡逸，它先秦典籍未見，幸《書序》存其義。蔡叔既放死，周公請成王命封其子胡於蔡，作〈蔡仲之命〉，原典逸，〈定四〉《左傳》述其事且存逸經十二字，而《書序》據本經敘此《尚書》篇義，云「王命蔡仲踐諸侯位」，視《左傳》「周公見諸王而命之以蔡」，尤爲切要明確。東征武庚、管蔡、奄等之役，周公奉成王命行之者也，成王未曾躬與，知者，憑《尚書》〈歸禾〉、〈嘉禾〉兩書序也。前一序「唐叔得禾，……獻諸天子。（成）王命唐叔歸（餽也）周公于東」，是成王在西（鎬京）君臨天下，而周公在東遠行役也。後一序「周公既得命禾，旅（報陳也）天子之命」，是周公得嘉禾併成王命書於軍陣，作書以上報天子也。其它先秦典籍均未載此事。夫公東而王西，王不曾與役，雖兩本經盡佚，俟兩書序存義，可的知也。又序記成王、周公君臣上下，謹依禮度，乃王莽僞造〈嘉禾〉（今僅存殘文）謂周公蒞政稱假王，何其謬且妄耶？研史治經者何多爲其欺耶？周公旦未曾稱王，〈嘉〉〈歸〉兩書序在，足徵矣。周公東征三年，後期伐淮夷，遂踐（滅也）奄，乃作〈成王政〉（征也）篇；既滅奄，遂遷奄君於蒲（一作薄）姑，乃作篇〈將蒲姑〉；海東既厎定，東北夷肅愼來賀，成王命作〈賄肅愼之命〉：三篇本經盡佚，先秦它籍又不見述（《逸周書》〈王會〉記諸侯以職來獻有云：「西面者，正北方稷愼（稷愼，肅愼也），大麈。」此另一事），而《書序》載其情實，周初經略大東，賴以保存重要史料。鄭玄引成王〈周官〉「立大師、大傅、大保，茲惟三公」十一字於先秦典籍，此眞《尚書》〈周官〉篇殘文也（眞〈周官〉篇原典久亡，鄭不及見），眞〈周官〉篇果成王世作，著成當滅淮夷之後，其《書序》曰：「成王……滅淮夷，還歸在豐，作〈周官〉。」用茲，確知周初立三公官職，而〈周官〉（劉歆始改名〈周禮〉）一書非公旦著作，獲一重要佐證。周公薨葬事，先秦它典籍不見載，〈亳姑〉詳其事，本經盡佚，有其《書序》在，知公墓在畢，使從文王陵也。君陳，周公子也，據《尚書》〈君陳〉篇逸文今存三條六十字（均《禮記》引），度爲天子告臣。臣者知爲君陳；天子謂誰？何爲告之耶？案《書序》存其義曰「周公既沒」，是當成王世；又曰「命君陳分正東郊——成周」，是成王命君陳嗣其父周公分治東都洛邑也。周初封建，父子相繼，《書序》保存史料，又一重大獻替。康王穆王書共三篇，〈畢命〉、〈君牙〉、〈冏命〉也。初，周召二公分陝而治，爲東西二伯，洎周公薨，以畢公代之主東，〈康王之誥〉「畢公率東方諸侯」，與〈畢命書序〉「康王命作冊，畢（公）分居（分別部居），里（釐）成周郊」攸關，本經存殘文十二字，尚不足宣明篇旨，它先秦典籍亦不見載，《書序》保存史實。〈君牙〉，穆王命君牙爲王朝大司徒，本經殘存十九字，不足昭明篇之要旨，幸賴《書序》徵乎。〈冏命〉，本經佚絕，由《書序》而知爲穆王命伯冏爲王朝太僕正也。

據上考詳，〈周書〉逸亡書序十八條，保存武王伐殷、分封、柔遠史料，成王周公東征、復命殷後蔡後、經略東夷北夷、制定官職史料，多見保存，而成康之際，君陳、畢公相繼治東國，穆王命官主民政統內官，亦頗見稱說。《書序》補益姬周史事，貢獻視施之於前三代者尤大。

六　《書序》體製於漢世序文體製之影響

「序」，文章體裁之一種，以著成時代論，《周易》〈序卦傳〉爲斯體之權輿。（《周禮》序官，體製異不同）《周易》〈序卦傳〉，先秦成撰，至漢，人多以爲孔子撰，尊爲「《十翼》」七種之一，使渾然爲《易經》不容分割之一部分。〔梁〕蕭統選文，殆以之爲

「姬公之籍，孔父之書」，不敢列選入編，故《昭明文選》卷四五「序上」首但列《毛詩序》（即〈詩大序〉，自「〈關雎〉，后妃之德也」至「是〈關雎〉之義也」），署卜商子夏撰；次列〈尚書序〉（即〈書大序〉，亦即僞孔安國〈書大序〉），署〔漢〕孔安國（臨淮）撰。茲後，敘次「序」體者，多遵蕭《選》，以謂〈詩大序〉乃「序」體文之始。

〔明〕吳訥《文章辨體》〈序說〉頁四二：

> 《爾雅》云：「序，緒也。」序之體，始於《詩》之大序，首言六義，次言風雅之變，又次言二南王化之自。其言次第有序，故謂之序也。

〔明〕陳懋仁曰：

> 序起於〈詩大序〉，序、所以序作者之意，謂其言次第有序也。（舊題〔梁〕任昉《文章緣起》「序，漢沛郡太守作鄧后序」註）

〈詩大序〉，大抵總敘《詩經》一書三百十一篇之要義若風雅正變六義等；而特述各篇（如〈葛覃〉、〈鹿鳴〉、〈文王〉、〈閟宮〉等）之義者幾無，謂〈詩大序〉「所以序作者之意」，失其精確。

〔唐〕劉知幾首以〈書小序〉爲「序」體文章之權輿，〈詩小序〉在次，其《史通》卷四「序例」曰：

〔僞〕孔安國（〈書大序〉）有云「序者，所以敘作者之意」也。竊以《書》列典謨、《詩》含比興，若不先敘其意，難以曲得其情。故每篇有序，敷暢厥義。

〈書小序〉（如〈堯典〉篇書序：「昔在帝堯，聰明文思，光宅天下，將遜于位，讓于虞舜，作〈堯典〉。」等篇）、〈詩小序〉（如〈女曰雞鳴〉篇詩序：「刺不說德也。陳古義以刺今，以不說德而好色也。」等篇），皆特述各該篇之作意，而敷暢之，是也。

《書》、《詩》〈大〉、〈小序〉作意有別，不唯一敘全書義，一敘單篇義，後世又謂其或重議論，或重敘事，爲體不一，因析爲二，〔明〕徐師曾《文體明辨》「序」：

《爾雅》云：「序，緒也。」字亦作「敘」，言其善敘事理，次第有序若絲之緒也。又謂之大序，則對小序而言也。其爲體有二：一曰議論，二曰敘事。〔宋〕眞氏嘗分列于《正宗》之編，故今倣其例而辯之。

小序者，序其篇章之所由作，對大序而名之也。〔漢〕班固云：「孔子纂《書》，凡百篇，而爲之序，言其作意。」此小序之所由始也。

〔宋〕眞德秀《文章正宗》正續區分「序」文爲「議論」、「敘事」二科，但未收《尚書》大小序。師曾《文體明辨》卷四四「序上」「議論」首收〈詩大序〉，其次收杜預〈春秋左傳序〉，……均定爲一全書之總序；卷四五「序下」「敘事」首收〈書大序〉，次《史記》〈自序〉（斷取自「昔在顓頊」至「自黃帝始」），……亦均定爲一全書之總序；卷四五「序下」「敘事」科又列「小序」門，首收「〈詩小序〉」五條（如〈國風〉〈關雎序〉、〈小雅〉〈魚麗序〉……），次收《史記》小序、《法言》小序、《漢書》小序（三籍小序說詳下）。

其後，〔明〕賀復徵作《文章辨體彙選》，卷二八一「序一」，引言曰：

序，東、西牆也；文而曰「序」，謂條次述作之意，若牆之有序也。……〔宋〕眞氏《文章正宗》分「議論」、「序事」二體，今敘目曰經、曰史、曰文、曰籍、……曰詩集、曰文集、……曰自序、……諸體，種種不同。而一體之中，有序事有議論；一篇之中，有忽而敘事忽而議論，第在閱者分別讀之可爾。

賀氏以一體或一篇之中，往往議論、敘事錯出，二之匪易，故但記類目，不復析分議論、敘事。其「序一」「經類」首選〈毛詩大序〉、次〈書大序〉，「序三、四」「史類」收《史記》〈三代世表序〉、〈太史公自序〉（自「昔在顓頊」至「百三十篇」）等，又收《漢書》〈王子侯表序〉、〈敘傳〉（至「凡百篇」止，其下刪略）等。

以馬、班《史》、《漢》兩書中序文，體淵源於〈書小序〉者，亦出劉氏《史通》，其卷四「序例」繼續曰：

降逮《史》、《漢》，以記事爲宗，至於表志雜傳，亦時復立序。文兼史體，狀若子書，然可與誥誓相參，風雅齊列矣。

《史》、《漢》表志雜傳前序文，體因〈書小序〉，說詳下。《史記》序文體倣〈書小序〉，宋、清人有遵《史通》說者，詳說亦錯出於下文中。

徐師曾《文體明辨》「小序」：本以〈書小序〉爲《史記》〈自序〉等序體之前導，但認〈書小序〉「決非孔子所作，蓋由後人妄探作者之意而爲之，故多穿鑿附會，依阿簡略，甚或與經相戾，而鮮有發明」，故此門黜去〈書小序〉不收，而祗收〈詩小序〉作爲《史記》、《法言》、《漢書》「小序」文體之前導。夫氏既述〈書小序〉於「小序」之首，又曰「此小序之所由始也」，寔已承認〈書小序〉爲「司馬遷以下諸儒，著書自爲之序」之前導矣。故渠於「小序」門緊接〈詩小序〉下收《史記》小序二十一條（如「……作〈項羽本紀〉第七、……作〈十二諸侯年表〉第二」），繼收《法言》小序二條（如「……譔〈問道〉第四、……譔〈問明〉第六」），後收《漢書》小序十四條（如「……述〈高紀〉第一、……、述〈禮樂志〉第二……述〈敘傳〉第七十」）。

綜上考研，蕭統、徐師曾、賀復徵均以《詩》、《書》兩大序爲「序」之前導，後世一書之總序濫觴於此，吳訥、陳懋仁因蕭《選》，祗及〈詩大序〉，推爲「序」始。劉知幾、徐師曾、賀復徵均以〈書小序〉爲《史》、《漢》傳志等序文之前導，而徐說尤緻密，且擴及《法言》小序。

雖然，諸家至多舉《史》、《漢》等相關之「序」文，但絕未持與〈書小序〉體製比較，明其相因之迹；又漢代倣〈書小序〉作「序」文者，猶前有《逸周書》〈序〉、《淮南子》〈要略〉篇，後有《潛夫論》〈敘錄〉，諸家論列尚未及。此本節之不得不作，請詳說於下。

《書序》撰作體製，影響後世序文體製，於漢，直接因襲《書序》，或間接參酌《書序》者，約有景帝初年之後所撰之《逸周書》〈序〉，《淮南子》〈要略〉篇，司馬遷《史記》〈太史公自序〉、〈表〉暨彙傳，揚雄《法言》〈序〉，班固《漢書》〈敘傳〉、〈表〉、〈志〉暨彙傳，及王符《潛夫論》〈敘錄〉六者，說如下。

《逸周書》序體製倣《書序》，余考得七事：

《逸周書》（當正名作《周書》，此姑從俗常，且欲以別於《尚書》〈周書〉），《漢書》〈藝文志〉「《周書》七十一篇」，顏注引劉向曰：「周時誥誓號令也。」其正文七十篇；另七十篇之序總爲一篇——一大篇繫正文之末。《逸周書》〈序〉之出現，晚至漢成帝河平間劉向校書時，比《書序》晚甚（《書序》景帝初出土，武帝天漢間獻上朝廷）。故其作也得倣百篇《書序》，晚作，昔賢多言之，

（清）姚際恆《古今僞書考》〈史類〉：「《周書》，……其序全仿《書序》。」（見《姚際恆著作集》，林慶彰主編本）

（清）朱右曾《逸周書集訓校釋》〈周書序〉：「〈周書序〉，……疑周末史官依放百篇爲之。」

同學黃沛榮宏著《周書研究》因之，

頁一七：「〈周書序〉敘述各篇之大要，完全是仿照百篇《書序》的作法。」

又頁一九：「〈周書序〉的作者，大概是見到了孔壁所出的百篇《尚書序》，故仿傚而

爲《周書》作序。」

惜諸說於後者因襲前者之迹，未遑著墨，故尚難遽見信於人。余略考兩獻體製，得其相關者七事焉，

——（一）《逸周書》〈序〉各篇序，先言一篇作意，乃言作某篇，悉倣《書序》，而體製益臻畫一。

——（二）《逸周書》〈序〉各序之聚析同《書序》，

〔宋〕陳振孫《直齋書錄解題》卷二〈經部〉〈書類〉：「《汲冢周書》……凡七十篇，序一篇在其末。今京口刊本以序散在諸篇，蓋以倣孔安國《尚書》〈序〉。」

——（三）《逸周書》〈序〉頗於本文外采收資料，或自抒己見，用昭篇誼，同《書序》之所作，

〔清〕唐大沛《逸周書分編句釋》〈周書序〉：「此序……時代先後每有顛倒，序語亦不盡可憑信。」

朱右曾又曰：「……然序文與本書時有不相應處，豈本書有脱誤歟？抑序者之失歟？」

所謂不盡可信，不相應者，如

〈文酌〉篇序「……西伯修仁，明恥示教」，唐大沛曰：「序與本篇文義不合。」朱右曾曰：「此篇……無明恥示教之意。」清陳逢衡《逸周書補注》卷二二〈周書序〉：「此篇……與序所謂『明恥示教』迥不合。」

〈大匡〉篇序「穆王……作〈大匡〉」，唐大沛曰：「盧（文弨）云：『穆王當作文王，豈穆考亦可稱穆王歟？』」（朱右曾説同）

〈酆保〉篇序「文王……命周公謀商難」，朱右曾曰：「篇中皆保國之謀，言『謀商難』，非也。」

〈克殷〉篇序「武王率六州之兵車」，唐大沛曰：「本篇明云『周車三百五十乘』，而序乃云『率六州之兵車』，誤矣！」朱右曾曰：「〈牧誓〉從征者八國耳，此云『六州』，蓋廣言之。」

〈本典〉篇序「周公爲太師」，本篇不言周公爲太師。

〈器服〉篇序「車服制度，明不苟踰」，朱右曾曰：「此序與書不相應。」

而《書序》〈湯征〉、〈湯誓〉、〈太甲〉、〈西伯戡黎〉、〈牧誓〉、〈大誥〉、〈康誥〉、〈多士〉、〈君奭〉、〈呂刑〉、〈費誓〉及〈秦誓〉等十二篇，亦均於本經外取材，此宗風爲《逸周書》〈序〉者所采納。

——（四）《逸周書》〈序〉多目共一序，型式倣《書序》。《書序》如〈大禹謨〉、〈皐陶謨〉兩目共一序，〈伊訓〉、〈肆命〉、〈徂后〉三目共一序，……《逸周書》〈序〉考如：

武有七德，□王作〈大武〉、〈大明武〉、〈小明武〉三篇：此三目共一序。

文王在程，作〈程寤〉、〈程典〉：此兩目共一序。

文（王）啓謀乎後嗣，以脩身敬戒，作〈大開〉、〈小開〉二篇：同上。

它猶有〈大開武〉與〈小開武〉、〈武順〉與〈武穆〉、〈和寤〉與〈武寤〉，各皆兩目共一序。

——（五）《逸周書》〈序〉六十三條序文之間連貫，相顧爲文，渾然一篇，倣《書序》也，其例有若：

〈文儆〉篇序：「文王有疾，告武王以民之多變。」少後，〈柔武〉篇序：「文王既沒，武王嗣位，告周公禁五戎，作〈柔武〉。」人有疾，下應以人既沒，相顧爲文。

〈克殷〉篇序：「武王率六州之兵車三百五十乘，以滅殷。」上方言滅殷，次即繼作〈大匡〉篇云：「武王既克商，建三監，以救其民，爲之訓範。」既克，顧前方滅爲文。

〈五權〉篇序：「武王有疾，……命周公輔小子，告以正要。」下即接以「武王既沒，成王元年，周公忌商之孽，訓敬命」。亦有疾，應以既沒。

〈明堂〉篇序：「周公將致政，成王朝諸侯於明堂。」公將致政，次〈嘗麥序〉作「王即政（親政）」以顧應之，云：「成王既即政，因嘗麥以語群臣而求助。」將，未然之辭；既，已然之辭也，連著「將……既」，明時序前後相因。

〈度訓〉篇序「昔在文王，商紂並立，困于虐政，將弘道，以弼無道，作〈度訓〉」，而〈命訓〉篇序緊承之，蒙上序渻略撰書之主人——文王，云「殷人作教，民不知極，將明道極，以移其俗，作〈命訓〉」。序者謂兩「訓」篇撰作目的及要旨相近，又皆周文王所爲，故後一序渻人名。

〈文酌〉篇序「上失其道，民散無紀，西伯修仁，明恥示教，作〈文酌〉」，而下〈糴匡〉篇序渻「西伯」，云「上失其道，民失其業，□□（敏案：缺二字，度其文意，必非西伯）凶年，作〈糴匡〉」，冒上序序文乃消也。

〈史記〉篇序「穆王思保位惟難，恐貽世羞，欲自警悟，作〈史記〉」，下〈職方〉篇序冒上消略「穆王」，云「王化雖弛，天命方永，四夷八蠻，攸尊王政，作〈職方〉」。

——（六）《逸周書》〈序〉用語倣《書序》，大概有昔在、在酆、有疾、將、既五語，

〈度訓〉篇序：「昔在文王，商紂並立，困于虐政，將弘道，以弼無道，作〈度訓〉。」此第一篇序，陰襲《書序》第一篇〈堯典〉序「昔在帝堯，……作〈堯典〉」也。夫《尚書》記事「上斷于堯」，堯事又甚古遠，故首序用「昔在」，明載記之端始。而《逸周書》〈序〉倣之，弁「昔在」於其首序，明載記周事，「上斷于文（王）」，是也。

〈酆保〉篇序「文王在酆」，倣〈召誥書序〉「成王在豐」，彼序欲顯示成王在豐告廟，故著所在，此篇文王在都——酆命周公，則毋庸著所在；今而著之，倣《書序》也。（〈程寤〉〈程典序〉「文王在程」，亦倣《書序》在某所）

《尚書》〈金縢〉「（武）王有疾」，《書序》用本經，云「武王有疾」，《逸周書》

〈文儆〉、〈五權〉兩篇序辭襲《書序》，云「文王有疾」、云「武王有疾」，而兩篇本文並無「王有疾」語。

將字，《書序》八見。《逸周書》〈序〉〈度訓〉「將弘道」、〈命訓〉「將明道」、〈酆謀〉「將興師」、〈寤敬〉「將伐商」、〈和寤〉〈武寤〉「將行大事」、〈明堂〉「周公將致政」、〈祭公〉「王制將衰」、〈殷祝〉「湯將放之」，亦凡八見，皆襲《書序》爲之。

既字，《書序》十九見。《逸周書》〈序〉〈柔武〉「文王既沒」、〈成開〉「武王既沒」（均近《書序》〈蔡仲之命〉「蔡叔既沒」及〈君陳〉「周公既沒」）、〈大匡〉「武王既克商」、〈箕子〉「武王既釋箕子囚」、〈作雒〉「周公既誅三監」（近《書序》〈周官〉「成王既黜殷命」）、〈嘗麥〉「成王既即政」、〈王會〉「周室既寧」，凡七見，辭皆襲《書序》。

——（七）《逸周書》〈序〉取《書序》之記事，

〈本典序〉「周公爲太師」，而本篇不言公爲太師；〈序〉取〈君奭書序〉「召公爲（太）保，周公爲（太）師」也。

則《逸周書》〈序〉在後，以《書序》爲前導，至爲明確。

《淮南子》〈要略〉篇上列二十篇篇目——〈原道訓〉至〈泰族訓〉，下遂即敘此諸篇之作意，其型式爲「某某（篇名）者，……也。某某（篇名）者……也」。茲舉二例：

〈天文〉（訓）者，所以和陰陽之氣，理日月之光，節開塞之時，列星辰之行，知逆順之變，避忌諱之殃，順時運之應，法五神之常，使人有以仰天承順，而不亂其常者也。（例一）

《書序》先言作意，後言「作某篇」，此則更改爲先舉成著篇名，後乃言此篇之所以作。又《書序》有兩篇共一序，《淮南》亦因之，如

〈説山〉（訓）、〈説林〉（訓）者，所以竅窕穿鑿百事之壅遏，而通行貫扃萬物之窒塞者也。假譬取象，異類殊形，以領理人之意，解墮結細，説捍摶囷，而以明事埒事者也。（例二）

《史記》〈自序〉述百三十篇篇目體倣《書序》。《史記》末卷第一百三十〈太史公自

序〉，敘作〈本紀〉，如云「維昔黃帝，法天則地，四聖遵序，各成法度。唐堯遜位，虞舜不台；厥美帝功，萬世載之，作〈五帝本紀〉第一」；敘作〈表〉，如云「春秋之後，陪臣秉政，彊國相王；以至于秦，卒并諸夏，滅封地，擅其號，作〈六國年表〉第三」；敘作〈書〉，如云「維禹浚川，九州攸寧；爰及宣防，決瀆通溝，作〈河渠書〉第七」；敘作〈世家〉，如云「武王克紂，天下未協而崩。成王既幼，管蔡疑之，淮夷叛之，於是召公率德，安集王室，以寧東土。燕易之禪，乃成禍亂。嘉甘棠之詩，作〈燕世家〉第四」；敘作〈列傳〉，如云「末世爭利，維彼奔義；讓國餓死，天下稱之，作〈伯夷列傳〉第一」，凡此上文述其事，下文乃結言作某文（僅一例外，即「秦既暴虐，楚人發難，項氏遂亂，漢乃扶義征伐；八年之閒，天下三嬗，事繁變眾，故詳著〈秦漢之際月表〉」，「作」代以「故詳著」，《書序》亦有「例外」，如〈禹貢序〉「禹別九州，隨山濬川，任土作貢（又〈仲虺之誥〉、〈微子〉二書序亦屬「例外」）」，〈太史公自序〉之「例外」亦受從《書序》），體例倣《書序》，故朱子答孫季和曰：「太史公……用其（《書序》）體。」（《朱文公別集》卷三）而〔清〕俞樾《湖樓筆談》卷三曰：

> 紀事之體，本於《尚書》，故太史公作〈自序〉一篇，云「爲某事作某本紀、某表、某書、某世家、某列傳」，猶《尚書》之有序也。古人之文，其體裁必有所自。

〔清〕簡朝亮《尚書集注述疏》卷末上〈書序辯〉曰：

書而又序，若綴旒然，古史不當若斯也。《史記》、《漢書》倣之（《書序》）而作序焉，皆未察爾。

案：《書序》各篇，按所記史事之時代次其先後（〈費誓〉不按時次，使下連〈秦誓〉共居百篇之末者，蓋僞孔氏妄改），上、下兩序又常相顧爲文，其顯者，如〈湯誓序〉「湯伐桀，……遂與桀戰于鳴條之野」，繼以〈典寶序〉「夏師敗績，湯遂從之」，復有〈夏社序〉「湯既勝夏」（用《史記》次）；又如〈洪範序〉「武王勝殷殺受」，下〈分器序〉承之云「武王既勝殷」；又如〈大誥序〉「成王將黜殷」，下〈微子之命序〉「成王既黜殷命」；更如〈召〉、〈洛〉二誥，同年檔案也，〈召序〉曰「成王使周公先相宅」，〈洛序〉曰「召公既相宅」：各序文脈貫連，事迹相因，構成長文一大篇。《史記》〈自序〉倣之，唯因釐爲〈本紀〉、〈表〉、〈書〉、〈世家〉、〈列傳〉五種，且因編次前後，有其史法，非一依時代，故上、下序文脈事迹未必盡能貫連，史遷倣《書序》之「作某篇」，但於下增序數——第一、第二、……，如云「作〈禮書〉第一、作〈樂書〉第二、……」，如云「作〈伍子胥列傳〉第六、作〈仲尼弟子列傳〉第七」，……如云「〈序略〉……第七十」：亦統爲長文一大篇，一如《書序》然也。

《史記》〈表〉、〈彙傳〉前亦有序，亦受《書序》影響，說併見下《漢書》卷。

揚雄親撫百篇《書序》，見其中〈酒誥書序〉亡佚，故興「俄空」之歎，語在其《法言》〈問神〉篇；《法言》卷末綴「〈法言序〉」（善本如此；俗本裁各篇序分弁各篇本文之首，失之），〈敘學〉〈行止〉〈孝至〉凡十三目之撰作大意也，〔唐〕李軌注：「〈法言序〉，子雲歷自序其篇中之大略耳。」是也。舉例如：

> 天降生民，倥侗顓蒙，恣乎情性，聰明不開，訓諸理，譔〈學行〉。（《漢書》卷八七下揚本傳載，下猶有「第一」；其餘十二目〈序〉本傳所載，亦皆著「第二」……「第若干」於目下）
>
> 神心忽恍，經緯萬方，繫諸道德仁義禮，譔〈問神〉。
>
> 仲尼以來，國君將相卿士名臣，參差不齊，一槩諸聖，譔〈重黎〉、〈淵騫〉。

譔同撰；撰，作也。「譔某目」，倣《書序》「作某目」（《書序》如「作〈堯典〉」、作〈甘誓〉、作〈高宗肜日〉、作〈呂刑〉之類）。「譔」上一番文字，即此目之「所以爲作者之意」，倣《書序》「作某目」上之文（《書序》如「作〈堯典〉」上之「昔在帝堯，聰明文思，光宅天下，將遜于位，讓于虞舜」、「作〈呂刑〉」上之「呂命，穆王訓夏贖刑」等）。一序一目爲常，倣《書序》之絕多爲一目一序也；多目共一序爲變，如〈重黎〉、〈淵騫〉各爲一目又各自爲一篇，以作意相同，故共序曰「仲尼以來」云云（或別僞造「淵騫」目序三十一字，竄入於「重黎」之下，詳清汪榮寶《疏》卷十六、卷二十），乃因襲《書序》（《書序》如〈大禹〉與〈皐陶謨〉、〈汝鳩〉與〈汝方〉，……並兩目共一序之倫）。又《書序》頗純以人名爲篇名，若〈汝鳩〉、〈汝方〉、〈太甲〉、〈沃丁〉、〈盤庚〉、〈君陳〉、〈君牙〉，……等咸是，《法言》本文暨序襲其體，重（少皥之後裔）、黎（顓頊之子），淵、騫（即顏淵、閔子騫），四皆人名，取爲篇名。且此以多人人名爲篇目又共用一序，倣《書序》〈汝鳩〉〈汝方〉之共用一序也。

《史記》〈自序〉體倣《書序》（方詳上說明），《漢書》近倣《史記》〈自序〉，《漢書》末卷卷一百下〈敘傳〉曰：

……爲〈春秋考紀〉、〈表〉、〈志〉、〈傳〉凡百篇，其敘曰：「皇矣漢祖，纂堯之緒，實天生德，聰明神武。秦人不綱，罔漏于楚，爰茲發迹，斷蛇奮旅。神母告符，朱旗迺舉。（下略五十六字）股肱蕭曹，社稷是經，爪牙信布，腹心良平，恭行天罰，赫赫明明。述〈高紀〉第一。」……

顏注：「春秋考紀，謂帝紀也。」又注曰：「自『皇矣漢祖』以下諸敘，皆班固自論撰《漢書》意，此亦依放史遷之敘目耳。史遷則云爲某事作某本紀、某列傳；班固謙，不言『作』而改言『述』，蓋避『作者之謂聖』，而取『述者之謂明』也。」是「述高（帝）紀」，即作〈高帝紀〉，亦同《書序》「作〈堯典〉、作〈甘誓〉、作〈西伯戡黎〉、作〈文侯之命〉」等，而「述」上「皇矣漢祖……赫赫明明」，述作此目之事由，亦猶《書序》〈堯典〉上「昔在帝堯……讓于虞舜」……等，是班書遠紹《書序》。《漢書》敘其八〈表〉，如曰：「篇章博舉，通于上下，略差名號，九品之敘，述〈古今人表〉第八。」其敘十〈志〉，如曰：「（上略二十字）光演文武，春秋之占，咎徵是舉，告往知來，王事之表，述〈五行志〉第七。」又其敘七十〈列傳〉，如曰：「淮南僭狂，二子受殃，安辯而邪，賜頑以荒，敢行稱亂，窘世薦亡，述〈淮南衡山濟北傳〉第十四。」均前敘事由，後著「作某目」，亦遠紹《書序》也。班書（《漢書》之外，猶見《白虎通義》）述事說經，多用《書序》，此作〈紀〉〈表〉〈志〉〈傳〉序倣《書序》體，理念同也。

《書序》有眾目共一序體例，以其所敘事由相同故也（如〈大禹〉與〈皐陶謨〉、〈伊訓〉與〈肆命〉與〈徂后〉等，前已屢言之矣），班書〈敘傳〉亦襲用此體，舊論未及，余因特論於此，班曰：

孝惠短世，高后稱制，罔顧天顯，呂宗以敗，述〈惠紀〉第二、〈高后紀〉第三。

案：《漢書》〈惠帝紀〉在卷二，〈高后紀〉在卷三，分目分卷，班氏合共一序敘之，直倣《書序》耳。

《史記》十〈表〉前皆有序（僅〈漢興以來將相名臣年表〉前無序，序亡佚）、〈彙傳〉如〈孟子荀卿列傳〉及〈儒林列傳〉前並有序，《漢書》八〈表〉、十〈志〉及〈彙傳〉前亦皆有序，或以爲因承「經序」，

〔唐〕劉知幾《史通》卷四「序例」：「〔僞〕孔安國有云『序者，所以敘作者之意』也。竊以《書》列典謨、《詩》含比興，若不先敘其意，難以曲得其情。故每篇有序，敷暢厥義。降逮《史》、《漢》，以記事爲宗，至於表志雜傳，亦時復立序。文兼史體，狀若子書，然可與誥誓相參、風雅齊列矣。」

〔清〕浦起龍釋曰：「言序之爲道，主於序明篇旨，馬、班有作，猶存經序之遺。」敏案：《史》、《漢》此類序文，類似一篇文章導言，貼文敘明篇旨者少，立文受「經序」影響。夫「經序」有三：一曰《易》〈序卦傳〉，言六十四卦先後次第，辨析哲理；二曰《詩序》，多

定篇之美刺，從而指事以證之，二序皆非《史》、《漢》序體之所宗；三曰《書序》，先敘作意，後稱作某文，的是《史》、《漢》〈表〉〈志〉〈彙傳〉前序文體式之所本。

〔東漢〕王符《潛夫論》，凡三十六目篇；其最後一目篇爲「〈敘錄〉第三十六」，敘前三十五目篇之作意，舉二例如：

先聖遺業，莫大教訓，博學多識，疑則思問，智明所成，德義所建，夫子好學，誨人不倦，故敘〈讚學〉第一。

上觀太古，五行之運，咨之《詩》《書》，考之前訓，氣終度盡，後代復進，雖未必正，可依傳問，故敘〈五德志〉第三十四。

敘事由概用四字句，全部協韻，倣《漢書》也（《史記》〈自序〉敘事由絕多用四字句，部分協韻）。其先言作意（如「先聖遺業」至「誨人不倦」），後結以「故敘某目」，亦遠紹《書序》也。「故敘」故，自《史記》〈自序〉「……故詳著〈秦楚之際月表〉」來。又總其「敘錄」爲一編，殿全書正文之末，亦倣《書序》聚百篇之序於一所，而次之《尚書》全經之後也。

七　後世（西漢初至清）或視《書序》為「經」

《周易》〈序卦傳〉，西漢宣帝世今文《易》三家，已視之爲「經」，故《漢書》〈藝文志〉著錄曰：「《易》，經十二篇，施、孟、梁丘三家。」顏注：「上、下經及《十翼》，故十二篇。」〈上經〉、〈下經〉共兩篇；《十翼》共十篇，其中〈序卦傳〉爲一篇，則三家都以〈序卦傳〉爲《易》之「經」。此在《書序》，西漢文景世歐陽尚書家先已視之爲「經」矣，《漢書》〈藝文志〉著錄「《尚書》經二十九卷」，班固自注曰：「歐陽經三十二卷。」三十二卷之中，一卷爲《書序》，則歐陽家視《書》「序」爲《書》「經」、《尚書》「經」也。

其後，東漢許慎《說文解字》卷四上引〈說命書序〉文，稱之爲「《書》（經）」。盧植引〈太甲書序〉文，稱之爲「《尚書》（經）」（載《三國志》〈魏書〉〈董卓傳〉裴注引）。鄭玄《周禮》〈春官〉〈車僕〉注引〈牧誓書序〉文，題爲「《書》（經）曰」。應劭《風俗通義》〈正失〉篇及〈皇霸〉篇引〈牧誓書序〉文，均題「《尚書》（經）」；劭另撰《漢官儀》卷上「《書》稱『武王伐紂，戎車三百兩』」云云，亦〈牧誓書序〉文，乃亦稱之爲「《書》（經）」。

〔唐〕陸德明《經典釋文》〈尚書音義〉於《書序》「作〈汩作〉、〈九共〉九篇、〈槀飫〉」下曰「眾家經文並盡此」云云，是以〈汩作〉、〈九共〉、〈槀飫書序〉爲「經」。孔穎達《尚書》〈君陳書序〉《正義》引〈君陳〉及〈蔡仲之命書序〉，並直稱之爲「經」。

大抵言之，等同「《書序》」爲「《書經》」者，每亦認定《書序》爲孔子作；孔子作《春秋》，《春秋》既受尊爲「經」，則又作《書序》，《書序》固得視「經」以尊稱之，上述歐陽家、許慎、鄭玄、應劭、陸德明及孔穎達即是。宋以下人，劉敞、蘇軾、程頤、鄭杲……等，均論《書序》爲孔子作，且稱之爲「經」。〔宋〕劉氏《七經小傳》卷上引〈泰誓〉、〈武成〉兩書序，直謂之〈泰誓〉、〈武成〉本經之文。蘇氏引〈湯誓書序〉及〈洪範書序〉，直謂之「孔子曰」及「此孔子敘書之意也」（分別見《東坡書傳》卷七、卷十）；又引〈伊訓〉等書序文，直指謂「經曰」。程氏既肯定「《書序》，夫子所爲」，又曰「此（〈堯典書序〉）夫子之序」（並見《伊川經說》卷二），洎引〈夏社書序〉，更直稱之爲「《書》（經）曰」（《河南程氏遺書》卷二）。〔清〕鄭氏尊《書序》爲「經」，是孔子作（《鄭東父遺書》卷三）。夫《書序》克於《尚書》本經之外增益資料，補明經義，即非孔子作，等同本經估價，其誰曰不值？

——原載《孔孟學報》第七十五期，民國八十七年三月

六　《古文尚書》之壁藏發現獻上及篇卷目次考

一　壁藏者

《古文尚書》者，出孔子壁中（眾皆曰，引詳下），〈僞孔安國尚書序〉（下簡稱〈書大序〉）：「及秦始皇滅先代典籍，焚書坑儒，……我先人用藏其家書于屋壁。……至魯共王好治宮室，壞孔子舊宅以廣其居，於壁中得先人所藏古文虞夏商周之書。」先人，謂孔安國之祖先；或曰此乃安國之曾祖父孔騰字子襄，子襄藏密古文書於壁中，

王肅《孔子家語》〈後序〉：「（孔）子武生子魚名鮒及子襄名騰。……子襄以好經書博學，畏秦灋峻急，乃壁藏其……《尚書》……於夫子之舊堂壁中。」（另（唐）孔穎達《尚書正義》亦節引此文以疏〈書大序〉）

梁玉繩《史記志疑》卷二五：「（《孔子家語》）〈後序〉：子襄名騰，子魚之弟。《唐世系表》、《闕里志》竝名騰也，即藏書壁中者。」

子襄仕歷，

《史記》〈孔子世家〉：「鮒弟子襄，年五十七，嘗爲孝惠皇帝博士。」

《漢書》〈孔光傳〉：「鮒弟子襄爲孝惠博士、長沙太傅。」

或曰弟騰、兄鮒（安國之伯曾祖父）孰藏，疑不能定，

顏師古《漢書注》：「《家語》（〈後序〉）云：『孔騰字子襄，畏秦法峻急，藏《尚書》、《孝經》、《論語》於舊堂壁中。』而《（東觀）漢記》〈尹敏傳〉云『孔鮒所藏』。二說不同，未知孰是。」

或曰乃鮒壁藏者，

《孔叢子》〈獨治〉篇：「陳餘謂子魚曰：『秦將滅先王之籍，而子爲書籍之主，其危矣。』子魚曰：『吾不爲有用之學，知吾者惟友；秦非吾友，吾何危哉！顧有可懼者，必或求天下之書焚之，書不出則有禍，吾將先藏之，以待其求，求至無患矣。』」

鮒仕歷，

《史記》〈孔子世家〉：「鮒年五十七，爲陳王涉博士，死於陳下。」

《史記》〈儒林傳〉：「陳涉之王也，而魯諸儒持孔氏之禮器往歸陳王。於是孔甲（《集解》徐廣曰：「孔子八世孫，名鮒字甲也。」）爲陳涉博士，卒與涉俱死。」（《漢書》〈儒林傳〉事同）

或以爲孔惠藏書，但又備鮒、騰藏隱之說注於其下，

《經典釋文》〈序錄〉：「《書》者，……孔子刪錄，……及秦禁學，孔子之末孫惠壁藏之。（陸氏自注：「《家語》（〈後序〉）云：『孔騰字子襄，畏秦法峻急，藏《尚書》、《孝經》、《論語》於夫子舊堂壁中。』《（東觀）漢紀（記）》〈尹敏傳〉以爲孔鮒藏之。」）（《隋書》〈經籍志〉〈書類敘〉：「初，漢武帝時，魯恭王壞孔子舊宅，得其末孫惠所藏之書，皆古文。」《史通》〈古今正史〉篇：「《古文尚書》者，即孔惠之所藏，科斗之文字

也。」並取《釋文》之正說）

案：漢惠帝四年（西元前一九一）始除挾書之律，時子襄爲惠帝博士，若書爲所藏，則當先已取出珍存，或如顏芝之子顏貞出《孝經》，上獻朝廷，必不俟至景帝初壞壁始出書，今既不然，知藏者非子襄。子襄且亦不知有是藏，沈欽韓謂藏書之事，渠與兄子魚「容得同計」（《漢志補注》引），非實情也。

又案：孔子裔孫，當景帝前無名惠者，惠當忠誤，

《古文尚書冤詞》卷一：「……若《隋書》稱『末孫惠』，則並無其人，此必以子襄之子名忠，忠與惠字形相近而致誤者。」

毛奇齡說合理，唯書亦非忠藏。夫忠，子襄之子，安國之祖父，生當挾書令解除之尤後，不容有而弗出，須待數十年後魯恭王壞宅見書。

三案：孔鮒藏最合理，《尚書古文疏證》卷五下條七八：「鮒爲陳涉博士，持孔子禮器以歸者；孔鮒近是。鮒卒與陳王俱死，死之後藏書遂無傳焉，容事理之所有者。」考陳勝自立爲楚王，在秦二世元、二年間（西元前二〇九、二〇八），上距嬴斯焚禁詩書（西元前二一三）

四、五年，鮒於初禁時將書隱藏於壁中，未幾即抱禮器歸陳王死之，以秦法嚴峻，故藏壁事即在家人亦不知也（上引《孔叢子》謂孔鮒預洩將藏書之事，不可信）。閻度合理。

四案：《尚書通論》頁四三：「頗疑《古文尚書》本孔氏舊藏，出壁中乃後來的訛傳。」陳夢家氏殆見《史記》不載壁藏事，遂作此疑，竟與康有爲同調。孔壁出書，的有厥事，詳下節。

二　得書及獻書年歲

（一）得書年歲

壁中《古文尚書》之發見，

《史記》〈儒林傳〉：「孔氏有《古文尚書》，而安國以今文讀之，因以起其家，《逸書》得十餘篇，蓋《尚書》滋多於是矣。」（《漢書》〈儒林傳〉同，「安國」上多「孔」字、「今文」下多「字」字）

案：《逸書》，《古文尚書》也，相對於得書當日官學博士所有之今文廿九篇多出篇數而言

（說詳下）。馬遷簡記「得」耳，惜未詳得自何所。

《孔叢子》卷七〈連叢子〉載所謂孔臧與從弟（安國）書曰：

舊章潛於壁室，正於紛擾之際，欻爾而見，俗儒結舌。古訓復申，豈非聖祖之靈欲令仁弟讚明其道以闡其業者哉！且曩為今學，亦多所不信。唯聞二十八篇取象二十八宿，謂為至然也，何圖古文乃自百篇邪？

案：云《古文尚書》自壁室「欻爾而見」，但未詳何人何時發見。有四家謂《古文尚書》為漢代魯恭王劉餘壞孔壁而見世，

〈書大序〉：「至魯共（恭）王，好治宮室，壞孔子舊宅以廣其居，於壁中得先人所藏古文〈虞〉〈夏〉〈商〉〈周〉之書，……皆科斗文字。王又升孔子堂，聞金石絲竹之音，乃不壞宅，悉以書還孔氏。」

劉向典校經傳，考集異同，云：「……魯恭王壞孔子宅以廣其宮，得《古文尚書》多十六篇，……武帝時，孔安國家獻之，會巫蠱事，未列於學官。」（荀悅《前漢紀》卷二五〈成帝紀〉載）

許愼《說文解字》〈敘〉：「一曰古文，孔子壁中書也。……壁中書者，魯恭王壞孔子宅，而得《禮記》、《尚書》、《春秋》、《論語》、《孝經》。」

《經典釋文》〈序錄〉：「《古文尚書》者，……魯恭王壞孔子舊宅於壁中得之。」

衆以爲武帝世魯恭王破壁得籍，但不確定年歲，

《論衡》〈佚文〉篇：「孝武皇帝封弟爲魯恭王，恭王壞孔子宅以爲宮，得佚《尚書》百篇、……《春秋》三十篇、……聞絃歌之聲，懼復封塗。上言武帝，武帝遣吏發取。」

又〈案書〉篇：「《春秋左氏傳》者，蓋出孔子壁中。孝武皇帝時，魯恭王壞孔子教授堂以爲宮，得佚《春秋》三十篇，《左氏傳》也。」（敏案：上引〈佚文〉篇得《春秋》三十篇，與此爲同時一事，《春秋》謂《左傳》，《左傳》正是三十篇）

又〈正說〉篇：「孝景皇帝時，始存《尚書》。……至孝景帝時，魯恭王壞孔子教授堂以爲殿，得百篇《尚書》於牆壁中。武帝使使者取視，莫能讀者，遂祕於中；外不得見。至孝成皇帝時，……」（黃暉《校釋》曰：「〈佚文〉篇、〈案書〉篇並謂武帝時，則此作孝景，蓋傳寫之誤。」敏案：此段文敘《尚書》傳本，始曰「孝景皇

帝時」，繼當曰「至孝武帝時」，而末曰「至孝成皇帝時」，秩然有序；訛寫作「孝景」，亂厥次矣。）

衛恆《四體書勢》〈序〉古文曰：「漢武帝時，魯恭王壞孔子宅，得《尚書》，……謂之科斗書，漢世祕藏，希得見之。」（《三國志》〈魏書〉〈劉劭傳〉注引）

或更稽定年歲，謂大致在某某時段也，

劉歆〈移太常博士書〉：「至孝惠之世，……。至孝文皇帝，……。至孝武皇帝，……〈泰誓〉後得，……。及魯恭王壞孔子宅，欲以爲宮，而得古文於壞壁之中，逸……《書》十六篇。天漢之後，孔安國獻之，遭巫蠱倉卒之難，未及施行。」（《漢書》〈楚元王傳〉載，文亦見《文選》卷四三）（敏案：依〈移書〉述事次序，恭王壞壁事在武世，且更在河內〈泰誓〉得獻之後，而〈泰誓〉二劉竝謂當武帝末得（見《別錄》、《七略》），則歆謂《古文尚書》出土在武帝末也，竟同《漢》〈志〉）

《漢書》〈藝文志〉〈書類敘〉：「《古文尚書》者，出孔子壁中。武帝末，魯恭王壞孔子宅欲以廣其宮，而得《古文尚書》及《禮記》、《論語》、《孝經》，凡數十篇，皆古字也。共王往入其宅，聞鼓琴瑟鍾磬之音，於是懼，乃止不壞。孔安國者，孔子後也，悉得其書，以考二十九篇，得多十六篇。安國獻之，遭巫蠱事，未列于學官。」

（袁宏《後漢紀》卷十二章〈帝紀〉：「《古文尚書》者，出孔安國。武世魯恭王壞孔子宅欲廣其宮，得《古文尚書》及《禮》、《論語》、《孝經》數十篇，皆古字也。恭王入其宅，聞琴瑟鐘磬之音，瞿然而止。孔安國者，孔子之後也，盡得其書；《尚書》多於伏生所傳六十篇，安國獻之。」宏據《漢》〈志〉，但文有異）

《孔子家語》〈後序〉：「孔安國字子國，孔子十二世孫也。……天漢後，魯恭王壞夫子故宅，得壁中《詩》、《書》，悉以歸子國。」

據上引文，《古文尚書》後官學廿九篇獲得，諸家無異辭；書由魯恭王餘破壁得之，〈書大序〉以下諸家亦同然；及恭王得書年世，固亦同謂當武帝世，唯或定在末季或定在天漢後耳。雖然，皆非是也；得書當在景帝初，請徵實如下：

魯恭王壞孔壁在受封立國之初，

《漢書》〈景十三王傳〉：「魯恭王……以孝景前三年徙王魯，好治宮室，……季年好音。……二十八年薨。……恭王初好治宮室，壞孔子舊宅以廣其宮，聞鐘磬琴瑟之聲，遂不敢復壞，於其壁中得古文經傳。」

〔後漢〕王延壽〈魯靈光殿賦〉：「魯靈光殿者，蓋景帝程姬之子恭王餘之所立也。初恭王始都下國，好治宮室，遂因魯僖基兆而營焉。」

閻若璩、王鳴盛、周壽昌皆固執「初」字，定壞壁在餘菑王初年，亦即景帝時，

《尚書古文疏證》卷一條一：「《論衡》〈正說〉篇……云『孝景時，魯恭王壞孔子宅』，較《漢》〈志〉『武帝末』三字則確甚，何也？魯恭王以孝景前三年丁亥徙王魯，徙二十七年薨，則薨當於武帝元朔元年癸丑，武帝方即位十三年，安得云『武帝末』乎？且恭王初好治宮室，季年好音，則其壞孔子宅以廣其宮，正初王魯之事，當作『孝景時』三字爲是。」

《尚書後案》卷三十：「〈景十三王傳〉……『恭王初好治宮室，壞孔子宅』云云，玩一『初』字，知壞宅即初王魯事。」

《漢書注校補》卷二八：「……〈共王傳〉云『王初好治宮室，季年則好音』，是其壞孔子宅以廣其宮，當爲景帝時、非武帝時也。王充《論衡》〈正說〉篇云『孝景帝時，魯共王壞孔教授堂以爲殿，得百篇《尚書》於牆壁中』云云；其以爲景帝時，似與傳相合。」

王先謙、邵瑞彭從其所考，亦謂得書當景世，

《漢志補注》：「〈移讓太常博士書〉亦云『武帝末』，〈魯恭王傳〉：以孝景前三年徙王魯，好治宮室，二十八年薨。不得至武帝末，《論衡》以爲『孝景』，是也。」《尚書決疑》〈太誓〉頁三三：「魯共王爲景帝弟，景帝前元三年丁亥徙王魯，其壞孔子宅得古文經傳，當即是年事。」

程廷祚疑毀孔宅得經在景世末，其《晚書訂疑》卷一：

魯恭王以景帝前三年王魯，好治宮室苑囿，時黃老方盛，儒術未興，不知尊孔子，恭王壞孔子宅得古文經傳，疑在景帝之末。〈藝文志〉以爲「武帝末」者，字之譌也。

總之：《家語》〈後序〉謂「天漢後得壁書」，誤劉歆獻書說（「天漢之後，孔安國獻之」）爲得書。《後漢紀》「武世」，當依《漢》〈志〉作「武帝末」，袁氏臆改非是。今本《論衡》〈正說〉篇「孝景帝」景字是武字之訛，閻、二王、周氏及梁玉繩（《史記志疑》卷三五）竝未及詳考其上下文，誤謂依王充作景帝時；夫充言及破壁得書三次，一皆謂當武世。

文景世雖崇黃老，但不致公然毀棄儒術，故《詩》《書》《禮》猶廣立於學官。武帝雖備立五經博士，黜百家獨尊儒術，但國家實尚刑名。是以魯恭王僻於東國壞孔家舊宅，與中朝隆替儒術無關。矧壞宅非即毀孔，恭王亦不需有所顧忌。廷祚求之過深，猥以《漢》〈志〉文訛曲說之，未必是也。邵氏確定得書在景帝前元三年（劉汝霖《漢晉學術編年》亦繫此年），不如定在景帝初但不確定是某年爲安，所以然者，依《史》《漢》也，

《史記》〈孝景本紀〉：「（前元）三年六月乙亥，徙……淮陽王餘爲魯王。」（《正義》：「魯，今兗州曲阜縣。」）

又〈漢興以來諸侯王年表〉：「孝景（前）元三年六月乙亥，淮陽王徙魯元年，是爲恭王。」

又〈五宗世家〉：「魯共王餘，……吳楚反破後，以孝景前三年徙爲魯王。……二十六年卒。」（《漢書》〈景十三王傳〉事同，二十六作二十八，王先謙《補注》：「據〈（諸侯王）表〉，安王元朔元年嗣，是共王止二十六年。《史記》是，此誤。」是，〈諸侯王表〉同作二十八，固亦誤。又〈天文志〉：「孝景（前）三年（吳楚等破後），六月，徙淮陽爲魯王。」）

《漢書》〈武帝紀〉：「元朔元年，魯王餘……薨。」

據此，劉餘果於景帝前元三年（西元前一五四）王魯，在位二十六年（閻作二十七，殆併首尾計之），於武帝元朔元年（前一二八）薨，下距後元二年（前八七，武帝末年）尚有四十一年之多（武帝享國凡五十四年），即使破壁事當恭王薨年行之，亦不合「武帝末」。矧恭王好玩賞（《史》《漢》多有記載），計其擴大宮室必不俟至王魯多年之後，應在初年即景帝初年已行之，王國維《觀堂集林》卷七「恭王得孔壁書，當在景、武之際」、顧實《漢書藝文志講疏》頁二四謂當「武帝初」，恐竝思未及此。

（二）獻書年歲

景帝初葉，魯恭王於壞孔壁時發見《古文尚書》（及其它古文經），書原爲孔家所有，而古書又非王所愛好，因即交與孔氏，以故眾曰：

孔氏有《古文尚書》，……逸書得十餘篇。（《史》、《漢》，已詳上論得書節下引，下倣此）敏案：得，謂得自魯恭王之交還也。

孔安國盡得其書。（《後漢紀》）

魯共王悉以書還孔氏。（〈書大序〉）

魯恭王悉以書歸子國。（《家語》〈後序〉）

《漢》〈志〉〈禮類敘〉：「《禮古經》者出於魯淹中及孔氏。」敏案：魯恭王發壁得古文書籍，其中併有《禮古經》五十六卷，後亦交還孔家，故先言「出魯淹中」，遂即言「及孔氏」也。

唯王充不然，謂係帝命人往取收，

魯恭王得《尚書》，武帝遣吏發取。（《論衡》〈佚文〉篇）

魯恭王得《尚書》，武帝使使者取視，遂祕於中。（又〈正說〉篇）

依王說，孔家未得書，則安國如何能以今文讀古文？又併孔氏獻書之事亦不存在，豈從來載記獻事皆鑿空捏造者乎？王說無據不信。

書既悉以歸還孔氏，安國（據〈書大序〉下文安國獻所謂《尚書傳》知之，待詳下說）乃獻上，〈書大序〉曰：

古文〈虞〉〈夏〉〈商〉〈周〉之書……四十六卷，……悉上送官，藏之書府，以待能者。

似謂送上地方官府，轉呈朝廷，第觀下文承詔爲《古文尚書》作傳云云，則書最終送入朝廷，藏諸中秘。

謂安國直接獻上帝廷，以國難書未及立官，

安國獻之，遭巫蠱事，未列于學官。（《漢》〈志〉）

得《古文尚書》，安國獻之。（《後漢紀》）

武帝即位之初，十餘年中，崇儒興學，而安國適爲博士，其獻書宜在此時。（《晚書訂疑》卷一）

謂獻上武帝者乃安國家人，劉向劉歆父子有說，

向曰：「得《古文尚書》，……武帝時，孔安國家獻之，會巫蠱事，未列於學官。」（《前漢紀》引，已詳上）

歆曰：「……天漢之後，孔安國家據宋本補字，說詳下。獻之，遭巫蠱倉卒之難，未及施行。」（《文選》卷四三〈移書讓太常博士〉）

朱彝尊（一六三六至一七〇四）首先徵之安國卒時，斷今本劉歆〈移書〉缺「家」字，有云：

> （司馬）遷述〈孔子世家〉，稱安國爲「今皇帝博士，至臨淮太守，早卒」；〈自序〉則云「予述黃帝以來，至太初而訖」。是安國之卒，本在太初以前，若巫蠱事發，乃征和二年，距安國之歿，當已久矣。……或曰：「劉歆遺書讓太常博士，其文載於《漢書》、《文選》，稱『《古文書》十六篇，天漢之後，孔安國獻之』，此不足信耶？」曰：「荀悅《漢紀》於孝成帝三年備述劉向典校經傳考集異同，於《古文尚書》……云武帝時孔安國家獻之。……則知安國已逝，而其家獻之。《漢書》、《文選》鋟本流傳，脫去『家』字爾。」（《經義考》卷七六〈孔安國尚書傳〉下）

《尚書後案》卷三十：「宋本《文選》劉歆〈移書〉（「孔安國」下）亦有『家』字。」足徵彝尊識卓。第余檢影南宋紹興三十一年建刊本《文選》、影宋刊本《六臣註文選》、影宋末刊本《六臣註文選》及多家《文選》校證專著，劉歆〈移書〉「孔安國」下均無「家」字，不知王氏所見爲宋刊何本，抑或誤說。謹記於此，以俟考續。

閻氏考安國仕歷年歲，以爲其壽不及巫蠱亂時，《尚書古文疏證》卷二條十七：

司馬遷親與安國遊，記其蚤卒應不誤。然考之《漢書》，又煞有可疑者，〈兒寬傳〉寬「以郡國選詣博士，受業孔安國，補廷尉文學卒史，時張湯爲廷尉」，案：湯爲廷尉在武帝元朔三年乙卯。〈楚元王傳〉「天漢後，孔安國獻古文書，遭巫蠱之難，未施行」，案：巫蠱難在武帝征和元年己丑、二年庚寅，相距凡三十五六年。漢制：擇民年十八以上儀狀端正者補博士弟子，則爲之師者年又長于弟子，安國爲博士時，年最少如賈誼，亦應二十餘歲矣。以二十餘歲之博士，越三十五六年始獻書，即甫獻書而即死，其年已五十七八、且望六矣，安得爲蚤卒乎？況孔氏子孫都無高壽者，不過四十、五十耳，四十、五十俱不謂之蚤卒，何獨於安國而夭之乎？

予嘗疑安國獻書遭巫蠱之難，計其年必高，與馬遷所云蚤卒者不合。信《史記》蚤卒，則《漢書》之獻書必非安國；信《漢書》獻書，則《史記》之安國必非蚤卒。然馬遷親從安國遊者也，記其生卒必不誤者也，竊意天漢後安國死已久，或其家子孫獻之，非必其身，而苦無明證，越數載讀荀悦《漢紀》〈成帝紀〉云「……武帝時，孔安國家獻之，會巫蠱事，未列於學官」，於安國下增一家字，足補《漢書》之漏，益自信此心此理之同。

〈百官公卿表〉「武帝元狩五年，初置諫大夫，秩比八百石」，〈儒林傳〉「安國爲諫大夫，授都尉朝（古文）」，蓋初置此官而安國即爲之，何者？元狩五年癸亥上距博士時乙卯凡九年，後又幾年至臨淮太守遂卒，此安國生平之歷宦也。向云安國爲博士年二十餘，則諫大夫時年三十外，卒於郡太守應亦不滿四十，與孔氏他子孫異，故曰蚤卒，此安國之壽命也。

案：近人蔣善國引《史記》記事有至征和二、三年者五條（朱氏已略見於此），因斷遷〈自序〉「至太初而訖」之太初爲太始之誤，太始值天漢之後，故安國猶及身獻書（《尚書綜述》頁四五至四七），用駁朱氏說。愚謂遷經撰《史記》，述事限斷迄於太初，記安國守臨淮蚤卒正在限斷之前。太初後零星記事，用證馬遷卒年則可，以證安國時猶存生則證據薄弱。

又案：史遷記孔子子孫年壽：鯉五十、伋六十二、白四十七、求四十五、箕四十六、穿五十一、子慎及鮒及子襄及忠均五十七，皆不謂之蚤卒，獨於安國曰蚤卒，則蚤卒當謂壽比求之四十五猶少，則閻氏定安國壽不滿四十，其身不及於天漢（前一〇〇至前九七）後征和二年（前九一，巫蠱事起；西漢巫蠱事兩次，另一在元光五年，與獻書無關）間獻書明甚！第「安國」下有「家」字，係劉向語，當出《別錄》，而《前漢紀》引之，《別錄》出劉歆〈移書〉及班固《漢》〈志〉之前，則是歆、固之文「安國」下脫一「家」字，不得如閻說「荀悅《漢紀》於『安國』下增一『家』字」也。荀悅直引子政原文，曷嘗增字？

三案：朱閻說既出，〔清〕戴熙（日小林信明《古文尚書的研究》頁五三五引其〈尚書沿革表〉：「安國死，其家獻竹簡本，會有巫蠱事，未列學官。」）、王國維（《觀堂集林》卷七：「孔安國家獻《古文尚書》，乃在天漢之後王自注：「《漢書》〈劉歆傳〉及荀悅《漢紀》。」。」）皆從其說。亦頗有人持異議，類多缺乏理據，不需一一辯證，用省翰墨，第邵瑞彭《尚書決疑》〈太誓〉頁四四曰：

> 《史》稱（安國）官至臨淮太守，蚤卒，……蓋謂未至官而卒，非謂短折。……《漢紀》云：「天漢末，安國家獻之。」近儒據為信史，今所不取者，以安國起家為博士即緣古文，史公所誦之古文亦緣問故而得，若延至天漢末始獻，安國無由起家，《史記》無由載古文說：揆之事實，齟齬尤多也。

〈世家〉偏記孔氏子孫，皆及年壽（武、延年及安國之子卬孫驩四人或許時尚健在，故未記），至安國，云蚤卒，與眾孔氏子孫同例，自謂渠最終年壽為夭；云「至臨淮太守」，是已蒞官，非未至官而先卒。又安國年二十餘當元朔三年（前一二六）為《今文尚書》博士，前此十八年已得壁書，安國以今文讀古文，遂興起《古文尚書》學家法，乃於私家教授《古文尚書》（在太學則授《今文尚書》），而史公斯時從問故。起家、受問故，皆在獻書之前：求之事實，不見齟齬。邵說皆失之。

四案：程廷祚怪安國生前何難獻書，而必待身後家人爲之？茲取王國維文應之：

安國雖讀古文以今文，未必不別爲好寫藏之而後獻諸朝；其遲之又久而始獻者，亦未必不因寫書之故。（《觀堂集林》卷七〈漢時古文諸經有轉寫本說〉）

蔣善國申王說曰：

安國得了孔壁《古文尚書》，不見得當時就獻給武帝，必定經過他自己的一番譯寫和考定，甚至也許寫留副本，然後才獻給皇帝。（《尚書綜述》頁四七）

余謂：安國得古文書，先以好寫留副，且便講論，而上原本於朝，其法倣河間獻王求書。元朔五年（前一二四）武帝憫書缺簡脫，勑丞相公孫弘廣開獻書之路（參《漢書》〈武帝紀〉、《七略》佚文、《漢》〈志〉〈序〉），孔家獻書當在此後，竝時（云武帝末）河內獻所謂逸《易》、《禮》、《尚書》（〈泰誓〉篇），皆應國家之求遺書也。

三　《古文尚書》篇卷目次

（一）逸書篇卷目次

壁中得《古文尚書》逸篇目篇數，《史記》〈儒林傳〉：

> ……逸書得十餘篇，蓋《尚書》滋多於是矣。

此所謂逸書，逸《尚書》也，超出當時朝廷所立學官（博士）所有《尚書》篇目篇數之外者也，眾無異辭，

> 《尚書古文疏證》卷一條十六：「鄭注《書》有亡有逸，亡則人間所無，逸則人間雖有而非博士家所讀。杜（預）氏注（《左傳》）統名爲逸，此其微別者。」

> 《古文尚書冤詞》卷二：「賈逵、馬融、鄭玄之徒極尊古文，自稱受孔學者，其註諸經引古文處皆註曰『逸書』，以逸于學官外也（毛自注：「徐仲山《尚書日記》曰：『立學者爲《尚書》，不立學爲逸書，猶之合官寫者曰官書，否則曰野書。』」）。」

《尚書今古文注疏》卷三十：「鄭康成曰：『〈汨作〉、〈九共〉已逸。』……其〈汨作〉、〈典寶〉一十三篇見亡，而云已逸，案：逸者不立學官，逸在祕府也。亡者，竟亡其文，故漢人所云『逸十六篇』，亡于晉永嘉之時也。」

《古文尚書撰異》末卷：「鄭（玄）以有目無書者謂之亡，有書而不立學官者謂之逸，分別甚明。」

《尚書集注述疏》卷首：「逸書得十餘篇，蓋《尚書》滋多於是矣。《史記》言逸書者，以未得立、則謂之逸也。」

〔清〕徐養原《頑石廬經說》卷一〈古文尚書辨〉：「《書》古文比今文篇，絕無師說，謂之逸書。……逸者，非亡失之謂，絕無師說即謂之逸。」（敏案：凡今文篇，學官所立，都有師說；逸篇則無，是亦謂官學以外皆逸書也）

是故多出官本外之《尚書》篇卷為逸書，《史》「滋多於是」云云，謂超溢此博士執掌外之書篇也（《尚書》博士文帝朝已立，武帝依舊）。

博士當世見有止二十九篇，而壁書亦同有；另新得多十六篇，漢史具明文，一而再也，

劉歆〈移太常博士書〉：「……得古文於壞壁之中，逸……《書》十六篇。」（《漢

書》〈楚元王傳〉載：

《漢》〈志〉〈書類敘〉：「秦燔書禁學，濟南伏生獨壁藏之，漢興，亡失，求得二十九篇。……《古文尚書》，……孔安國……悉得其書，以考二十九篇，得多十六篇。」

（《史記索隱》：「〈藝文志〉曰：『二十九篇，得多十六篇。』」則小司馬以《史記》「得十餘篇」即《漢》〈志〉「得多十六篇」）

顏師古注《漢》〈志〉：「壁中書多，以考見行世二十九篇之外，更得十六篇。」

得多十六篇，或稱二十四篇：

《史記志疑》卷三五曰：「魯恭王壞孔子宅，得《古文尚書》。其後孔安國得，以雠二十九篇，多十六篇，亦稱二十四篇；蓋分出〈九共〉八篇數之。」

逸十六（或稱二十四篇）篇目，《史》《漢》咸闕載，幸於鄭玄注《書序》知之，

《尚書》〈虞書下〉《正義》：「二十四篇者，則鄭註《書序》：〈舜典〉一、〈汨作〉二、〈九共〉九篇十一、〈大禹謨〉十二、〈益稷〉（敏案：當依馬鄭本作〈棄稷〉。）十三、〈五子之

歌〉十四、〈胤征〉十五、〈湯誥〉十六、〈咸有一德〉十七、〈典寶〉十八、〈伊訓〉十九、〈肆命〉二十（阮元《校勘記》：「宋本〈肆命〉作〈伊陟〉。按鄭注本無〈伊陟〉，宋板非是。」段氏《古文尚書撰異》：「〈肆命〉二十，山井鼎《考文》曰：宋板作〈伊陟〉二十。」）、〈原命〉二十一、〈武成〉二十二、〈旅獒〉二十三、〈冏命〉二十四。以此二十四爲十六卷，以〈九共〉九篇共卷；除八篇，故爲十六。」

此十六卷二十四篇爲孔壁眞古文（《正義》誤以爲漢張霸之徒僞造），乃超出伏生二十九篇之外者，清儒考之甚切，認定幾無異議，略如：

> 《尚書古文疏證》卷一條三：「十六篇者（原錄篇名篇數即上《正義》所引，茲從省），亦名二十四篇，蓋〈九共〉乃九篇，析其篇而數之，故曰二十四篇也。鄭所註古文篇數，上與馬融合，又上與賈逵合，又上與劉歆合。歆嘗校祕書得古文十六篇，傳問民間，則有安國之再傳弟子膠東庸生者，學與此同。逵父徽實爲安國之六傳弟子，逵受父業，數爲帝言《古文尚書》與經傳《爾雅》詁訓相應，故古文遂行：此皆載在史冊，確然可信者也。」
>
> 惠棟《古文尚書考》卷一：「鄭氏述古文逸書二十四篇（篇目篇數亦從省），〈藝文志〉云『《古文尚書》者，出孔子壁中。孔安國者，孔子後也，悉得其書，以攷二十九

> 篇，得多十六篇』。……所謂十六篇者，即鄭氏所述逸書二十四篇也。《正義》曰『以〈九共〉九篇共卷，除八篇，故爲十六』。」
>
> 《尚書後案》卷三十：「鄭所述二十四篇，即劉歆、班固、賈逵、馬融之所謂十六篇，此正安國所得壁內眞古文。……劉歆在成哀閒領校秘書、班固在顯宗時典其職，于十六篇皆親見其文而載之；鄭析〈九共〉爲九，故二十四。」

賈逵，於章帝朝入講《尚書》，撰《今古文尚書同異》，又與傅毅、班固同典校秘書；馬融，永初中典校秘書東觀。二子亦竝親見中秘《古文尚書》；鄭玄從師馬融，得據中秘《古文尚書》之傳寫本，序百篇次第，即依賈逵所奏劉向《別錄》；向《別錄》所據，固即中秘《古文尚書》原本。馬鄭同據中秘古文五十八篇（其中已加入河內〈泰誓〉）作《尚書注》，只注與伏本相同之廿九篇（析爲三十一），（故《釋文》〈音義上〉：「（伏生裁二十餘篇，）即馬鄭所注二十九篇是也。」）及河內〈泰誓〉三篇，而於逸書十六（或析爲二十四）篇則但傳述而不注（傳述云者，如述解二十四篇《書序》之類，今其逸文猶存，詳王應麟撰集、孫星衍補集本），故《正義》（〈虞書〉題下）亦確指鄭注止及三十四篇。夫中秘所存孔壁五十八篇本，既確知含〈舜典〉等二十四篇，而鄭所注者又止及三十四篇，則二十四篇非孔壁眞古文逸書而何？

(二) 總篇卷總目次

壁中得《古文尚書》總篇數，或謂多達百篇，

《孔叢子》載孔臧〈與從弟書〉曰：「……何圖古文（《尚書》）乃自百篇邪？」

《論衡》〈佚文〉篇：「……得佚《尚書》百篇。」（又〈正說〉篇：「得百篇《尚書》於墻壁中。」同；又云：「東海張霸……空造百兩之篇，獻之成帝。帝出祕百篇以校之。」）

案：張霸分析伏生廿九篇以爲數十，采《左傳》等，依百篇之序造僞書百二篇；中秘《古文尚書》受自魯壁，以考伏本廿九，才多廿四篇，不及百篇，斷斷乎也。王充得自訛傳，《僞孔叢子》作者存心誇虛，云壁書百篇，竝誤也。

壁中得《古文尚書》總目總篇卷數，早期文獻多謂是四十六卷五十八篇，列論如下：——

壁內所得（《古文尚書》）……凡五十八篇，……（《漢書》）〈藝文志〉、劉向《別錄》云：五十八篇，爲四十六卷。（《尚書正義》〈虞書〉題下）

王應麟《漢藝文志考證》卷一：「《尚書》古文經四十六卷，……劉向《別錄》云：五十八篇。」

《孔子家語》〈後序〉：「書悉以歸子國。子國乃……爲……《尚書傳》五十八篇。」

《別錄》明記五十八篇，《家語》〈後序〉從之經傳相應，《書》之傳五十八，《書》之經自亦五十八。；《漢》〈志〉未質言五十八篇，但質言四十六卷。《正義》則併《漢》〈志〉四十六卷及《別錄》五十八篇連言之，乃有「五十八篇，爲四十六卷」云云；當分別言之，而乃籠統言之，《正義》屬文失精密也。

《漢》〈志〉：「《尚書》古文經四十六卷班氏自注：「爲五十七篇。」（註）。」

顏師古注：「鄭玄〈敘贊〉云：『（經五十八篇，）後又亡其一篇，故五十七。』」

（敏案：敘贊即書贊）

是班、鄭所說《尚書》古文經篇數初皆五十八（其中有後得之河內〈太誓〉三篇）；壁經原爲竹書，故初皆稱「篇」（如《史記》曰逸書十餘篇、劉歆〈移書〉曰逸書十六篇、《漢》〈志〉敘曰多十六篇：皆詳前引），或許後來傳寫爲帛本則合爲卷四十六（其中增益《書序》一卷而無河內〈太誓〉）也。

計四十六卷、五十八篇或五十七篇者，自清以來，眾說紛紜，茲考其要，並一一評較其得失，拙見則殿其後焉：

閻若璩首發議論，其

《尚書古文疏證》卷一條四：「《漢書》〈藝文志〉載《尚書》古文經四十六卷，即安國所獻之壁中書也。次載經二十九卷，即伏生所授之今文書也。班固於四十六卷之下自注曰『爲五十七篇』，顏師古又於五十七篇之下引鄭康成〈敘贊〉注曰『本五十八篇，後又亡其一篇，故五十七』。愚嘗疑不知所亡何篇，後見鄭康成有言『〈武成〉，逸書，建武之際亡』，則知所亡者乃〈武成〉篇也。今依此五十七篇敘次之：則〈堯典〉一、〈舜典〉二、〈汩作〉三、〈九共〉九篇十二、〈大禹謨〉十三、〈皋陶謨〉十四、〈益稷〉十五、〈禹貢〉十六、〈甘誓〉十七、〈五子之歌〉十八、〈胤征〉十九，是爲〈虞夏書〉；〈湯誓〉二十、〈典寶〉二十一、〈湯誥〉二十二、〈咸有一德〉二十三、〈伊訓〉二十四、〈肆命〉二十五、〈原命〉二十六、〈盤庚〉三篇二十九、〈高宗肜日〉三十、〈西伯戡黎〉三十一、〈微子〉三十二，是爲〈商書〉；〈僞泰誓〉三篇三十五、〈牧誓〉三十六、〈洪範〉三十七、〈旅獒〉三十八、〈金縢〉三十九、〈大誥〉四十、〈康誥〉四十一、〈酒誥〉四十二、〈梓材〉四十三、〈召誥〉

四十四、〈洛誥〉四十五、〈多士〉四十六、〈無逸〉四十七、〈君奭〉四十八、〈多方〉四十九、〈立政〉五十、〈顧命〉五十一、〈康王之誥〉五十二、〈冏命〉五十三、〈費誓〉五十四、〈呂刑〉五十五、〈文侯之命〉五十六、〈秦誓〉五十七，是爲〈周書〉。

以五十七篇釐爲四十六卷，則〈堯典〉卷一、〈舜典〉卷二、〈汨作〉卷三、〈九共〉九篇卷四、〈大禹謨〉卷五、〈皋陶謨〉卷六、〈益稷〉卷七、〈禹貢〉卷八、〈甘誓〉卷九、〈五子之歌〉卷十、〈胤征〉卷十一、〈湯誓〉卷十二、〈典寶〉卷十三、〈湯誥〉卷十四、〈咸有一德〉卷十五、〈伊訓〉卷十六、〈肆命〉卷十七、〈原命〉卷十八、〈盤庚〉三篇卷十九、〈高宗肜日〉卷二十、〈西伯戡黎〉卷二十一、〈微子〉卷二十二、〈僞泰誓〉三篇卷二十三、〈牧誓〉卷二十四、〈洪範〉卷二十五、〈旅獒〉卷二十六、〈金縢〉卷二十七、〈大誥〉卷二十八、〈康誥〉卷二十九、〈酒誥〉卷三十、〈梓材〉卷三十一、〈召誥〉卷三十二、〈洛誥〉卷三十三、〈多士〉卷三十四、〈無逸〉卷三十五、〈君奭〉卷三十六、〈多方〉卷三十七、〈立政〉卷三十八、〈顧命〉卷三十九、〈康王之誥〉卷四十、〈冏命〉卷四十一、〈費誓〉卷四十二、〈呂刑〉卷四十三、〈文侯之命〉卷四十四、〈秦誓〉卷四十五、百篇序合爲一篇卷四十六。凡此皆按之史傳，參之註疏，反覆推究，以求合乎當日之舊。始之而不得其說，則茫然以疑；既之而忽得其說，則不覺欣然以喜。以爲雖寡昧如予猶得與聞於斯文也，詎不快哉！……四十六卷之分，鄭以同題者同卷，異題者異卷，已釐次之上矣。」又條五：「古文〈武成〉篇，建武之際亡。當建武以前，劉向劉歆父子校理祕書，其篇固具在也，故劉向著《別錄》云『《尚書》五十八篇』、班固志〈藝文〉『《尚書》五十七篇』，則可見矣。劉歆作《三統厤》引〈武成〉篇八十二字。」

閻謂五十八、五十七篇者：伏本廿九（〈顧命〉、〈康王之誥〉作二），加分出〈盤庚〉二、再加逸二十四（〈九共〉作九）、更增河內〈僞泰誓〉三，而無《書序》，建武亡〈武成〉一篇，爲五十七也；四十六卷者：每一題目爲一卷，故爲伏生之廿九卷（以篇爲卷）、加逸十五卷（〈九共〉九篇共一卷）（原爲十六，去亡書〈武成〉一卷不著，剩十五）、更增河內〈僞泰誓〉一卷（三篇共一卷）、末爲百篇《書序》合爲一篇同一卷。而悉同閻說計篇卷者，有惠棟《古文尚書考》卷一。敏案：四十六卷，乃謂孔壁原卷，《漢》〈志〉明言以壁書考二十九篇，得多十六篇，十六中有〈武成〉，〈武成〉後乃亡，不當豫刪；〈僞泰誓〉晚始得，不應先增。餘說閻得之。

毛奇齡謂亡者〈舜典〉一篇，

《古文尚書冤詞》卷一：「顏師古註《漢》〈志〉四十六卷爲五十七篇引〈書大序〉云『定五十八篇』，又引鄭玄〈敘贊〉云『後又亡其一篇，故五十七』。其所亡一篇，指〈舜典〉言。」

毛說失之，「或以孔傳闕〈舜典〉爲亡篇，班〈志〉則在東漢時，豈預知東晉梅頤所上之闕〈舜典〉耶？其不然也明矣。」（王懋竑《白田草堂存稿》）敏案：《釋文》〈序錄〉：「（晉）元帝時，豫章內史枚賾奏上孔傳《古文尚書》，亡〈舜典〉一篇。」《隋》〈志〉〈書類敘〉：「《古文尚書》，……至東晉，豫章內史梅賾始得安國之《傳》奏之，時又闕〈舜典〉一篇。」皆毛說所本，其實皆僞古文，白田非毛是也。

徐養原謂壁書原止四十五卷五十七篇，增益河內〈泰誓〉乃爲四十六卷五十八篇，至東漢亡〈九共〉一篇，四十六及五十八中咸無《書序》，其《頑石廬經說》卷一「《尚書》論」曰：

> 班氏〈藝文志〉爲西京而作也，……「《史籀》十五篇」，注云「建武時亡六篇」矣，然則《史籀》自建武以後僅存九篇，而〈志〉仍大書「《史籀》十五篇」，明爲西京而作也。〈武成〉亡於建武之際，則西京之末猶未嘗亡（徐自注：「〈律厤志〉引〈武成〉。」），烏得豫除其籍

哉！……古文四十六卷爲五十八篇。……此五十八篇（敏案：此下當有缺文）合爲一卷，餘皆以一篇爲一卷，亡其一篇即亡其一卷矣。今云四十六卷爲五十七篇，篇數缺一而卷數無缺，則所亡者非〈武成〉。……然則所亡之篇可知矣，必數篇合爲一卷者；數篇合爲一卷，則不能以一篇之亡遽廢一卷。然〈盤庚〉三篇、〈泰誓〉三篇鄭氏注之，固不亡也，然則亡者其〈九共〉九篇之一歟！

又曰：「然四十六與五十八之數，併〈僞泰誓〉計之也。當初出魯壁時，實止四十五爲五十七篇耳。」

〈泰誓〉後得，壁書四十六中不應有，《書序》併正經同出屋壁，當在四十六內。五十八篇中含河內〈泰誓〉（武帝末得篇，尋加入），東漢建武時亡〈武成〉一篇。班〈志〉雖據劉歆《七略》刪定，然非即全抄，故不能謂之爲西京而作，且班書成明帝之後、鄭注東漢末成書，二人皆知〈武成〉亡，然鄭有明言（僞古文《正義》引鄭玄曰：「〈武成〉，逸書，建武之際亡。」），而班〈志〉似無確說（詳下辨）。徐氏又以爲若依舊說，定篇五十八，缺〈武成〉，則卷四十六不應獨全，故改論缺者爲〈九共〉止一篇，故於五十八損其一爲五十七，而〈九共〉九篇共一卷，餘八篇仍得爲一卷，故卷數則無損仍爲四十六也。所說甚巧，然而非也。夫班氏言四十六卷，據壁中原數言之（中《書序》一卷），語「爲五十七篇」，則據見存言之〈下將詳論〉，矧〈九共〉九篇同書一帛為一卷〈捲〉，亡則一卷全亡，今謂止亡其九分之一，非常情也，且定亡者〈九共〉一，絕無它佐證，徐氏臆度而已。

計四十六卷、五十八篇者，龔自珍謂其中均無《書序》，均有河內〈泰誓〉；五十八，建武亡〈武成〉，剩五十七也，

〈太誓答問〉「論班《史》稱四十六卷之故」：「伏生廿九篇為廿九卷，壁中廿四篇為十六卷，民間〈大誓〉析之則三篇、合之則一卷，是故四十六卷。卷少于篇，篇多于卷，一定之式。廿九卷一事也，十六卷又一事也，一卷又一事也；凡三事四十六卷。非專古文經四十六卷。」

又「論五十八篇之名」：「問：然則五十八篇之名何所始也？答曰：此混同之總數，不知所始，在安國獻祕府之後，其祕府目錄歟？伏生廿九析〈般庚〉為三十一，今文之都數畢矣；古文多十六，析〈九共〉為廿四，合其複重，則五十有五，古文之都數又畢矣；孔安國既上古文五十五篇，而祕府取民間本〈大誓〉合并數之（龔自注：「時析為三。」）：兼三事言，因曰五十八矣。」

又論班〈志〉稱五十七曰：「〈蓺文志〉則曰『古文經四十六卷為五十七篇』，蓋以〈武成〉一篇亡于建武之際，故曰五十七，實亦謂書有五十八。」

《書序》同出孔壁，而河內（民間）〈太誓〉武帝末始得，故四十六中有《書序》無〈太誓〉。龔說失之。但說五十八篇五十七篇是。

康有爲謂《序》與逸十六篇同出，是；餘皆失之，則《序》與十六篇同出無疑。

《新學僞經考》頁五八：「《漢書》〈藝文志〉『《尚書》古文經四十六卷，經二十九卷』，經者，即伏生二十八篇并後得〈泰誓〉之本。古文經四十六卷，二十九卷外并得多十六篇計之，尚缺一卷，必合《序》數之乃足，然謂四十六卷中有《書序》，是。謂伏生本有〈泰誓〉，失之。

顧實以爲四十六無《書序》，而同於伏書之二十九篇析分之，則爲三十篇，《漢書藝文志講疏》頁二四：「於今文同有之二十九篇中，出〈康王之誥〉於〈顧命〉，是爲三十篇，加多出之十六篇，此班〈志〉所以曰四十六卷也。十六篇中〈九共〉爲九，三十篇中〈盤庚〉、〈泰誓〉各爲三，是爲五十八。」

伏書二十九篇，〈顧命〉、〈康王之誥〉已作二篇，壁書與一致，三十之數虛妄也。

王引之《經義述聞》羅十二證，明伏生本原已有〈大誓〉一篇，〈顧命〉〈康王之誥〉爲一篇。則計壁書五十八篇者：同於伏書之廿九加多分〈盤庚〉二、又加多分〈大誓〉二、更加多分〈康王之誥〉一，益以逸書廿四（〈九共〉作九）；建武亡〈武成〉篇，實五十七，故班〈志〉「爲五十七篇」，是也。計四十六卷者：同於伏書之廿九卷（以篇爲卷），加逸書十六（〈九共〉九篇共卷），又多〈後序〉（即《書序》）一卷，是也。敏案：先秦〈眞泰誓〉，伏本之所無，〈顧命〉〈康王之誥〉伏本原爲二篇，引之誤，其餘得之。

王鳴盛著《尚書後案》，其卷三十「後辨」，云以同於伏生之廿九篇（中有〈泰誓〉、〈顧命〉〈康王之誥〉爲一篇）加分出〈盤庚〉及〈泰誓〉各二篇、又加分出〈康王之誥〉一篇，益以孔壁逸書二十四篇（〈九共〉作九篇），得五十八篇，「班作《漢書》在顯宗時，時〈武成〉已亡，故注云五十七篇，紀現存之實」也；逸書十六卷（〈九共〉九篇共爲一卷），加伏生廿九卷（以一篇當一卷）、更加《書序》一卷，除建武中亡〈武成〉一卷（以篇爲卷），當云四十五卷，而仍云四十六卷者，則王氏一再曰：「虛其一存元數」、「其中虛一卷」、「〈武成〉，建武之際亡，班氏作〈志〉，已亡，而虛其卷數，仍劉氏《別錄》之舊，不敢擅改」也。戴震（時代略前於鳴盛）《尚書今文古文考》，大體下同《後案》（唯戴說甚簡，且不作虛一義）。簡朝亮《尚書集注述疏》卷首則全用《後案》說。《史記志疑》

卷三五：「……又分出伏生所合者五篇，爲五十八篇、四十五卷，加《序》爲四十六卷；建武之際亡〈武成〉，止五十七篇。」觀其云多分伏本五篇（〈盤庚〉二、〈泰誓〉二、〈康王之誥〉一），則亦略從《後案》爲說者也。敏案：先秦〈眞泰誓〉，伏廿九篇無有；河內〈僞泰誓〉，伏公不及見。則伏書〈顧〉、〈康〉原爲二篇，而孔壁四十六卷中必無〈泰誓〉，其五十八篇中已入河內〈僞泰誓〉（當時以爲眞，博士集而讀之）。王氏《後案》辨，未盡是也。（其虛一之說，容後辨）

王先謙著《尚書孔傳參正》，論班〈志〉四十六卷，其「序例」曰：

> 云四十六卷者，據〈藝文志〉云「孔安國所得壁中古文，以考伏生敏案：二字，王氏承班〈志〉上文「伏生壁藏得二十九篇」而增。二十九篇王自注：「云伏生二十九篇，則是無〈太誓〉者。」，得多十六篇王自注：「據此，篇爲一卷。」，共四十五卷。《釋文》云「馬鄭之徒，百篇之《序》總爲一卷」，以一加四十五，是四十六卷也。馬鄭《序》總一卷，蓋本孔壁之舊，陸德明但見馬鄭本如此，故據以爲言也。（先謙《漢書補注》稱「百篇之序」爲「孔子序」）

王氏謂：伏本無《書序》、無〈泰誓〉、壁書四十六卷中有《書序》。夫《序》自孔壁出、先秦〈眞泰誓〉伏本原無，而河內〈泰誓〉伏生身後始出，則王說均是也。

早期文獻記孔壁《尚書》篇卷數者，猶有桓譚君山（前二四至五六），其《新論》曰：

《易》，一曰《連山》、二曰《歸藏》、三曰《周易》，《連山》八萬言，《歸藏》四千三百言。《古文尚書》，舊有四十五卷，爲十八篇敏案：清人絕多稱引《新論》作「爲五十八篇」，容後討論。古祑（佚？）《禮記》有五十六卷。《古論語》二十一卷。《古孝經》一卷二十章千八百七十二字，今異者四百餘字。（書久佚，此臺灣商務印書館影印宋刊《四部叢刊三編》本《太平御覽》卷六〇八載）

論者絕多以桓說四十五卷者，去《書序》言之，班書四十六則併《書序》言之，是桓班合；桓五十八（同《別錄》及《家語》〈後序〉等，已詳上引），去亡篇〈武成〉，則爲五十七篇，是班桓又合，持此說者如：

《古文尚書考》卷一：「……實二十九篇，逸書〈九共〉九篇同卷，實十六篇，合四十五卷之數惠自注：「篇即卷也。」，與桓君山說合。」

陳壽祺《左海經辨》卷一：「〈藝文志〉載《尚書》古文經四十六卷，《新論》合二十九卷及逸篇十六卷、除（書）《序》數之；〈藝文志〉併《序》數之，著錄從其實也。」

《尚書後案》卷三十：「……四十五者，除《序》言之；譚在建武前王自注：「卒于世祖時，年七十餘。」，〈武成〉尚存，故曰五十八：其一一印合如此。」（《尚書集注述疏》卷首「大名」說同）

《漢書補注》：「……桓譚……云四十五者，除《序》言之也；後又亡其一篇，《僞〈武成〉疏》引鄭玄『〈武成〉，逸書，建武之際亡』，是也，桓譚沒於世祖時，在建武前，〈武成〉未亡，故云五十八；班氏作《漢書》在顯宗時，〈武成〉已亡，故云五十七也。」（《尚書孔傳參正》「序例」同）

皮錫瑞《經學通論》卷一：「桓譚《新論》云……、《漢書》〈藝文志〉云，……二說不同。桓云四十五卷，蓋不數《序》；五十八篇，兼數〈武成〉。班云四十六卷，則并數《序》；五十七篇，不數〈武成〉。〈武成〉《正義》引鄭云『〈武成〉，逸書，建武之際亡』，故比桓譚時少一篇矣。」

上列諸家計桓班異同，大體得之，然猶有重大疑難，有待解決者：

其一、《書序》爲釋《書經》之作（序，敘也），傳耳，則班〈志〉「《尚書》古文經四十六」中不應有《書序》一卷，故徐養原謂壁書初本止四十五卷，後增〈僞泰誓〉一卷，始足四十六之數（已見前引）。

敏案：漢武帝時，歐陽《尚書》學家以《書序》孔子作，視之爲經，《漢》〈志〉著錄「《尚書》歐陽經三十二卷」，其中一卷即《書序》；漢《石經尚書》底本取小夏侯本，末綴《書序》（序文止及廿九篇）、緯書謂《書序》亦孔子作，當前後漢之際、班固亦謂《書序》孔子作，具明文見《漢》〈志〉〈書類敘〉，則〈藝文志〉將百篇《書序》總爲一卷，入爲經之末卷，在班氏固宜。《書序》百篇（實止八十一目七十七條，今殘存六十七條）千餘字，總爲一卷，《別錄》據孔壁本如此，馬鄭本因之；而條引序文分附各本經之首，自東晉僞孔氏始作，〈書大序〉：「壁中得……書，并序……爲四十六卷。……《書序》，序所以爲作者之意，昭然義見，宜相附引，故引之各冠其篇首。」正是。故閻氏《疏證》以《書序》合爲一卷繫孔壁古文經之末作「卷四十六」、王氏《述聞》謂古文四十五加「後序」一卷，亦以《書序》殿末卷，均得之。

其二、班〈志〉數經四十六卷含《書序》，何以計經五十七篇則摒《序》不算？

《頑石廬經說》卷一「《尚書》論」：「或曰：『漢〈志〉所謂四十六卷，蓋併《書序》計之也；其云五十七篇，則專計經文也。』夫卷數必與篇數相應，今於卷數則併《序》計之，於篇數則專計經文，豈著錄之體乎？」

應之曰：班〈志〉小書自注，或併《序》或止計本經例，別如「《尚書（今文）經》二十九卷」，班自注曰：「大小夏侯二家，歐陽經三十二卷」，經二十九卷及兩夏侯經本皆無《序》，歐陽經本則末卷是《書序》；其於古文卷、篇，一併言《書序》卷，一專計本經篇，添一佐證。

其三、四十六卷內必有〈武成〉，而〈武成〉建武際亡，班既於五十八中計減一篇成五十七，則四十六中亦應減一為四十五如桓譚說，今既不然，職是之故，

或疑班〈志〉有誤字：《白田草堂存稿》：「註云『為五十七篇』，或後人所增，或有誤字，未可知也。」《癸巳類稿》卷一：「〈藝文志〉本注云『五十七篇』者，與眾本皆不應，『七』是誤文也。」

或謂桓譚說四十五卷，去亡篇後言也：《癸巳類稿》卷一：「桓譚《新論》云『《古文尚書》舊有四十五卷』者，建武之際〈武成〉一篇亡也。」

或謂四十六亡一篇，當作四十五，乃仍錄四十六不減者，虛其（四十六）一，用存原數也，王氏《後案》倡之，簡氏《述疏》從之（已詳上引）。

其四、班〈志〉彼〈小學類〉：「《史籀》十五篇（班自注：「周宣王太史作大篆十五篇，建武時亡六篇矣。」）。」明著亡失時際

及篇數；而此《古文尚書》下僅注曰「爲五十七篇」，則不能作爲認定建武亡〈武成〉之依據，故徐氏「《尚書》論」，據謂班〈志〉爲西京而作（引辨已見前），簡氏《尚書集注述疏》則曰：

> 《漢》〈志〉云「《史籀》十五篇」，自注云：「建武時亡六篇矣。」今〈志〉於〈武成〉不言建武時亡者，文未備也。《漢書》實班氏未畢之書。……然《史籀》六篇之亡，〈志〉存原數，則〈武成〉從可推也。」

合其三、其四兩事，元敏以爲：

（一）班〈志〉自注記亡籍，僅見此二處，一作「爲爲字要斟酌若干篇」，一質說亡篇亡時。吾人固得論若果孟堅以爲〈武成〉亡則當明注曰「建武時亡一篇」，如其於《史籀》自注例；但亦得論《史籀》下班當注曰「爲九篇」，如其施於《尚書》古經下注例。夫史文固有「互相備足」一法，故作「爲五十七」，據當時所實見殘存篇數質言之，固非「文未備」，亦非謂五十七數無缺篇；而記亡失六篇，則徑存原篇數，俟讀者直指原數減去亡數，是亦等於注曰「爲九篇」也。

（二）據今刊本班〈志〉下面小書自注本經篇卷，莫不與上面大書本經篇卷翕合，如

「《尚書》（今文）經二十九卷」，自注曰：「大小夏侯二家。」二夏侯本皆二十九卷。又如「《春秋》（今文）經十一卷」，自注曰：「《公羊》、《穀梁》二家。」《公》《穀》經實爲十一卷（十二公應每公一卷，但二家合閔公於莊公卷，故十一），它如《孝經》下自注與被注之篇數亦皆相合。考凡上面正文下面自注無殊者，班皆不加「爲」而作「爲若干篇章」；獨《尚書注》作「爲五十七篇」，則用「爲」必有特殊意義。「爲」者，班據當日見存本經篇數言，明典闕有間也。《別錄》作五十八篇，班固、賈逵、馬融所親見，鄭玄據《別錄》，其《書贊》上記「經五十八篇」（體會文勢知當有此一句），下曰「後亡其一篇，故五十七」，又云建武亡〈武成〉（當亡於更始三年即建武元年赤眉燒長安宮室時）。參稽典籍，考量漢時情勢，通觀經學收藏校錄，反覆推度，竊以「爲五十七篇」者，謂亡失一篇也。

（三）上引桓譚《新論》計《易》《禮》《論》《孝》四經皆記其原具篇卷且當時猶全存之數，獨計《古文尚書》弁以「舊有」云云，與記四經者截然不同。「舊有」云者，謂孔壁原有是篇卷數而今不然也，夫壁書初出原有四十五卷（桓氏此論五古文本經，皆不涉《序》）五十八篇余別又考《玉海》卷四二及《文淵閣四庫全書》本《太平御覽》引桓譚《新論》及《四部備要》據問經堂輯本校刊桓譚《新論》，皆作「爲十八篇」，深疑「爲」乃「五」之誤。清人王鳴盛等絕多稱引《新論》「爲五十八篇」，當是直據《別錄》、《書贊》等稱壁書五十八篇而於「爲」下徑增一「五」字。，「今」則不全。桓氏博學，偏習五經，好古學，從劉歆辨析疑異，光武朝爲議郎給事中，建武末乃卒（《後漢書》〈儒林傳〉），固及知中秘《古文尚書》藏本已有亡篇，則班書記其殘本「爲五十七」正與君山說合。於班〈志〉，白田等誤字、正變定亡一卷說皆非；《後案》虛一說，亦不必要。嘆前賢但斷取桓書中間文，多忽略上、下文，又未能深玩「舊有」二字義，致生齟齬，不亦宜乎？

或謂《古文書序》分爲兩篇，〔清〕陳喬樅《今文尚書經說攷》卷三二下：

> 《尚書》……古文之《敘》，分爲二篇，何以驗之？案鄭君書論據《尚書緯》云『孔子求書，得黃帝玄孫帝魁之書，迄於秦穆公，凡三千二百四十篇，斷遠取近，定可以爲世法者百二十篇，以百二篇爲《尚書》、十八篇爲《中候》，去三千一百二十篇。』……攷《尚書》始〈堯典〉終〈秦誓〉，凡百篇，而《書緯》言百二篇者，併《敘》數之也。……張霸分析二十九篇以爲數十，又采《左氏傳》、《書敘》爲作首尾，凡百兩篇。成帝時求其能通古文者，霸以能爲百兩徵，以中書校之，非是。如《尚書》非有百兩之數，張霸豈能鑿空僞作以售其欺？

霸作僞書，當河平間劉向校書之時，緯書（起哀平際）陰襲霸書，故百二說莫早於張霸。考霸僻處東隅，未見中秘《古文尚書》，亦不知其篇數，但據百篇《書序》，空造百篇本經，又采《左傳》（疑當爲《左傳》引《尚書》之文）爲首、《書序》爲尾。首者，余疑當是全書之首，類全書總序；尾者，全書之末；未嘗分百篇《書序》爲二篇。矧霸即使分《書序》爲上下二篇，亦僅霸之僞本如此，當是劉向以中書校霸本，發其僞，又豈從僞本分《書序》爲二篇乎？劉、賈、馬、鄭古文本始終總《書序》爲一卷，實孔壁之舊也。喬樅說失之。近人黃彰健先生立言：據《漢書》〈儒林傳〉「張霸以百兩徵」，故知中秘本《尚書》經文爲百篇，而《序》文爲兩篇（同喬樅說）。因計班〈志〉五十七篇爲同於伏生之廿八篇，加〈康王之誥〉一篇、又加多分〈盤庚〉二篇、復加逸書二十四篇、更加《書序》二篇；其計四十六卷，則伏二十八卷，加〈康王之誥〉一卷、又加逸書十六卷、更加《書序》一卷（二篇共卷）；至計桓君五十八、四十五，則一概去《序》：綜其說要點爲：《書序》作二篇、不去〈武成〉亡篇、伏本〈顧命〉〈康王之誥〉原爲一篇（見所著《經今古文學問題新論》頁六〇四至六〇七）。敏案：中秘《古文尚書》僅五十餘篇；《書序》七十七條才千餘字，今古文《書序》作一篇或一卷，無分爲二篇者；〈顧〉、〈康〉作二篇，伏本原如此。黃先生說待議，未便即苟從也。

四　結論

將《古文尚書》密藏壁中者，孔安國之伯曾祖父孔鮒也。鮒於嬴斯初令焚禁時，隱書家壁中，尋投陳王死之，藏事終無人知悉。謂藏者孔騰、孔忠（字誤作惠），皆不符實情。

漢景帝初年，魯恭王劉餘壞孔壁得書，以書歸孔家。得書，或以爲當武帝世，或以爲當天漢後，皆失時；劉歆亦以爲當武帝世，在帝末年，余考其〈移書〉上下文、參稽《別錄》及《七略》知之，舊說察未及此；而《論衡》實亦謂孝武帝時得書，余考〈正說〉篇敘事知之，自閻若璩以下皆誤據訛字本《論衡》，定依王充謂景帝朝得書，失考殊甚！

獻書者，孔安國家人也，朱（彝尊）、閻、王（鳴盛）、戴（熙）竝主，余網羅眾家，補引史文，辯駁異端，以充實其誼，證成其說。

計壁中《尚書》者，於推度伏生本二十九篇，或謂伏本有《序》、有〈泰誓〉、〈顧命〉〈康王之誥〉爲一篇，皆失之，故計同於伏本之壁書篇卷，即不能無訛。班〈志〉以《書序》爲《書》經，著錄今古文竝同例，後人未能察確，輕定四十六卷不含《書序》。班〈志〉「爲五十七篇」多「爲」字，特就亡失後殘存之篇數言，與著錄它書時不加「爲」字異例，諸家不察，因滋生異議：或謂五十七爲全；或謂四十六中亦當同亡一卷，仍著四十六者，虛一不數也。不知桓譚《新論》述孔壁《古文尚書》，「舊有」四十五卷五十八篇，明「今」也不足此數，資以證班〈志〉四十六中有《書序》、五十七中有缺篇甚確，惜「舊有」二字前賢每輕易帶過，致滋生疑惑：本文皆一一爲之辨解。

因記孔壁《古文尚書》總目總卷數：同於伏生本二十九卷（伏本一篇目當此一卷；伏本無〈泰誓〉、〈顧命〉〈康王之誥〉爲二篇，此與同；伏本無《書序》，此有；伏本篇名偶與此字異，不煩一一注出，下倣此）、加多於伏生本十六卷（其中〈九共〉九篇合爲一卷）、又加

《書序》一卷，凡四十六卷，列次於下：

〈虞夏書〉：〈堯典〉卷一（伏生本同有一）、〈舜典〉卷二、〈汩作〉卷三、〈九共〉（九篇）卷四、〈大禹謨〉卷五、〈皋陶謨〉卷六（伏同有二）、〈棄稷〉卷七、〈禹貢〉卷八（伏同有三）、〈甘誓〉卷九（伏同有四）、〈五子之歌〉卷十、〈胤征〉卷十一、〈商書〉：〈湯誓〉卷十二（伏同有五）、〈典寶〉卷十三、〈湯誥〉卷十四、〈咸有一德〉卷十五、〈伊訓〉卷十六、〈肆命〉卷十七、〈原命〉卷十八、〈盤庚〉（上中下三篇）卷十九（伏同有六）、〈高宗肜日〉卷二十（伏同有七）、〈西伯戡黎〉卷二十一（伏同有八）、〈微子〉卷二十二（伏同有九）、〈周書〉：〈牧誓〉卷二十三（伏同有十）、〈〈武成〉〉卷二十四（光武建武間始亡失）、〈洪範〉卷二十五（伏同有十一）、〈旅獒〉卷二十六、〈金縢〉卷二十七（伏同有十二）、〈大誥〉卷二十八（伏同有十三）、〈康誥〉卷二十九（伏同有十四）、〈酒誥〉卷三十（伏同有十五）、〈梓材〉卷三十一（伏同有十六）、〈召誥〉卷三十二（伏同有十七）、〈洛誥〉卷三十三（伏同有十八）、〈多士〉卷三十四（伏同有十九）、〈無逸〉卷三十五（伏同有二十）、〈君奭〉卷三十六（伏同有二十一）、〈多方〉卷三十七（伏同有二十二）、〈立政〉卷三十八（伏同有二十三）、〈顧命〉卷三十九（伏同有二十四）、〈康王之誥〉卷四十（伏同有二十五）、〈冏命〉卷四十一、〈粊誓〉卷四十二（伏同有二十六）、〈呂刑〉卷四十三（伏同有二十七）、〈文侯之命〉卷四十四（伏同有二十八）、〈秦誓〉卷四十五（伏同有二十九）、《書序》（百篇總爲一卷）卷四十六。

再記孔壁《古文尚書》及後增入河內〈僞泰誓〉總目總篇數：無《書序》；同於伏生二十九篇目，但其中〈盤庚〉作三篇，多二篇；加河內〈僞泰誓〉一目三篇、又加多於伏生本二十四篇（〈九共〉九篇），凡五十八篇（去建武亡失〈〈武成〉〉一篇，爲五十七篇），列次於下：

〈虞夏書〉：〈堯典〉篇一（伏生本同有一）、〈舜典〉篇二、〈汩作〉篇三、〈九共〉（九篇）篇四至篇十二、〈大禹謨〉篇十三、〈皋陶謨〉篇十四（伏同有二）、〈棄稷〉篇十五、〈禹貢〉篇十六（伏同有三）、〈甘誓〉篇十七（伏同有四）、〈五子之歌〉篇十八、〈胤征〉篇十九、〈商書〉：〈湯誓〉篇二十（伏同有五）、〈典寶〉篇二十一、〈湯誥〉篇二十二、〈咸有一德〉篇二十三、〈伊訓〉篇二十四、〈肆命〉篇二十五、〈原命〉篇二十六、〈盤庚〉（上中下三篇）篇二十七至篇二十九（伏同有六，止作一篇〉、〈高宗肜日〉篇三十（伏同有七）、〈西伯戡黎〉篇三十一（伏同有八）、〈微子〉篇三十二（伏同有九）、〈周書〉：河内〈僞泰誓〉（上中下三篇）篇三十三至三十五、〈牧誓〉篇三十六（伏同有十）、〈〈武成〉〉篇三十七（光武建武間亡失）、〈洪範〉篇三十八（伏同有十一）、〈旅獒〉篇三十九、〈金縢〉篇四十（伏同有十二）、〈大誥〉篇四十一（伏同有十三）、〈康誥〉篇四十二（伏同有十四）、〈酒誥〉篇四十三（伏同有十五）、〈梓材〉篇四十四（伏同有十六）、〈召誥〉篇四十五（伏同有十七）、〈洛誥〉篇四十六（伏同有十八）、〈多士〉篇四十七（伏同有十九）、〈無逸〉篇四十八（伏同有二十）、〈君奭〉篇四十九（伏同有二十一）、〈多方〉篇五十（伏同有二十二）、〈立政〉篇五十一（伏同有二十三）、〈顧命〉篇五十二（伏同有二十四）、〈康王之誥〉篇五十三（伏同有二十五）、〈冏命〉篇五十四、〈粊誓〉篇五十五（伏同有二十六）、〈呂刑〉篇五十六（伏同有二十七）、〈文侯之命〉篇五十七（伏同有二十八）、〈秦誓〉篇五十八（伏同有二十九）。去亡〈〈武成〉〉一篇則「爲五十七篇」也。

註釋

註：邵瑞彭《尚書決疑》〈序目〉頁一〇：「篇卷二字，義本不同，漢以前用簡牘，故曰篇；漢人兼用紙帛，故曰卷。要其範圍廣隘，隨事而定，不能拘泥在《古文尚書》之例。一卷可容數篇，一篇難容數卷，綜核名實，明白易曉，此乃一時特例，非古今通例也。」大抵卷容字量多，篇容字量少，故四十六卷可容五十八篇（並參下引龔自珍《太誓答問》語）。

——原載《孔孟學報》六十六期，民國八十二年九月

七 《尚書》「三科之條五家之教」稽義

一 問題之發生

《尚書注疏》卷第二標目「〈堯典〉第一 〈虞書〉」下，〔唐〕孔穎達《正義》曰：

〈堯典〉雖曰唐事，本以虞史新錄，末言舜登庸由堯，故追堯作典；非唐史所錄，故謂之〈虞書〉也。鄭玄云：「舜之美事在於堯時。」是也。案：馬融、鄭玄、王肅、《別錄》題皆曰「〈虞夏書〉」，以虞、夏同科，雖虞事亦連夏。此直言〈虞書〉，本無《尚書》之題也。案：鄭序以爲「〈虞夏書〉二十篇，〈商書〉四十篇，〈周書〉四十篇」，贊云：「三科之條，五家之教。」是虞夏同科也；其孔於〈禹貢〉註云「禹之王，以是功」，故爲〈夏書〉之首，則虞夏別題也，以上爲〈虞書〉，則十六篇。又〈帝告〉、〈釐沃〉、〈湯征〉、〈汝鳩〉、〈汝方〉，於鄭玄爲〈商書〉；

而孔并於〈胤征〉之下，或以爲夏事、猶〈西伯戡黎〉：則〈夏書〉九篇、〈商書〉三十五篇，此與鄭異也。或孔因〈帝告〉以下五篇亡，并註於〈夏書〉，不廢，猶〈商書〉乎？別文所引皆云「〈虞書〉曰」、「〈夏書〉曰」，無并言「〈虞夏書〉」者；又伏生雖有一〈虞夏傳〉，以外亦有〈虞傳〉、〈夏傳〉，此其所以宜別也。此孔依〈虞〉、〈夏〉各別而存之。〈莊八年〉《左傳》云「〈夏書〉曰：皋陶邁種德」、〈僖二十四年〉《左傳》引〈夏書〉曰「地平天成」、〈二十七年〉引〈夏書〉「賦納以言」、〈襄二十六年〉引〈夏書〉曰「與其殺不辜，寧失不經」，皆在〈大禹謨〉、〈皋陶謨〉，當云「〈虞書〉」，而云「〈夏書〉」者，以事關禹故引爲〈夏書〉，若〈洪範〉以爲〈周書〉，以箕子至周、商人所陳，而《傳》引之即曰「〈商書〉」也。

（〔清〕嘉慶二十年江西南昌府學重栞宋本《尚書注疏》本，下引咸同）

檢點上引，見有下列數事，曰「三科之條，五家之教」義蘊與原委，曰〈堯典〉篇、〈皋陶謨〉篇屬代，曰〈帝告〉以下五篇歸〈夏〉歸〈商〉，曰殷末周初三篇——〈西伯戡黎〉、〈微子〉、〈洪範〉繫〈商〉繫〈周〉，曰《尚書大傳》標目、《說文》引《書》及諸家之說得失，殊堪關切。

二　先秦引目暨伏傳題標

「贊云」，鄭玄「書贊」言也。「三科之條，五家之教」之上下文，都言《尚書》篇前標題，則當緣之以求證解。茲先解「五家之教」義。五家之教意義，多與先秦引《書》及伏生《尚書大傳》攸關。先秦《尚書》編本，今無有存者，彼於篇目之前，曾否依準其時次，分別加題朝代，一若漢代《尚書》傳本題曰「〈虞書〉」、「〈夏書〉」……之類然，則不得確知。第考諸先秦典籍引《尚書》，或舉篇名、或稱「《書》曰」，或作其它方式表示；但亦頗稱明朝代，計云：

〈虞書〉一次（《左傳》〈文公十八年〉），引文「愼徽五典，五典克從。納于百揆，百揆時序。賓于四門，四門穆穆」。見今本〈堯典〉。

〈夏書〉廿一次（《左》〈莊八〉，〈僖二四〉、〈二七〉，〈文七〉，〈成十六〉，〈襄五〉、〈十四〉、〈二一〉、〈二三〉、〈二六〉，〈昭十四〉、〈十七〉，〈哀六〉兩次、〈十八〉；《國語》〈周語上〉，〈周語下〉，〈晉語九〉；《墨子》〈七患〉，〈明鬼下〉；《呂氏春秋》〈諭大〉），其中《左》〈僖二七〉引「賦納以言，明試以功，車服以庸」，出今本〈皋陶謨〉。

《商書》九次（《左》〈隱六〉，〈文五〉，〈成六〉，〈襄三〉；《墨子》〈七患〉作「〈殷書〉曰」，〈明鬼下〉（兩次）；《呂覽》〈諭大〉，〈孝行〉），其中《左傳》四引，一出〈盤庚〉，三出〈洪範〉，皆見今本。

〈周書〉多次（如《左》〈僖五〉、〈二三〉，〈宣六〉；《墨子》〈七患〉；《管子》〈任法〉；《韓非子》〈說林上〉；《呂覽》〈聽言〉，〈適威〉。……不遑備舉），所引多見今本《尚書》諸篇。

據上引計推度，先秦《尚書》墨家本分題〈夏書〉、〈商書〉、〈周書〉，呂氏著《春秋》因之；儒家本（謂《春秋內外傳》引）則分題〈虞書〉、〈夏書〉、〈商書〉、〈周書〉，且已定〈堯典〉爲〈虞書〉，〈盤庚〉（作〈盤庚之誥〉）爲〈商書〉，〈洪範〉等篇爲〈周書〉矣。至題〈堯典〉爲〈唐書〉，及〈虞書〉〈夏書〉連文兼題「〈虞夏書〉」，則無有也。有之，則起乎西漢初季。

故秦博士漢今文家老儒伏生（名勝）傳廿九篇《尚書》至今，曾否科分朝代，題曰某代書、某代書，因原本久逸，不得而知。伏儒後傳大家——二夏侯（勝、建）、本經文久逸，經說，僅殘存；歐陽高本經文，漢《熹平石經》之所參校本，乃石經今衹殘存，而其遺說，亦僅孑餘；欲以偵知三家本於書篇區別朝代否乎，文獻不足，奈之何也（〔民國〕金兆梓〈今文尚書論〉：「《今文尚書》則自歐陽、夏侯皆以〈堯典〉爲〈虞夏書〉。」（《學林》第一輯，民國廿九年十一月）羌無實據。）？幸伏生別著《尚書大傳》（弟子輯錄），自其殘文知《大傳》分有〈唐傳〉（《困學紀聞》卷二：「《大傳》說〈堯典〉，謂之〈唐傳〉。」又《毛詩》〈桃夭序〉《正義》、《毛詩》〈麟趾序〉《正義》、《禮記》〈玉藻〉《正義》竝引〈唐傳〉，統見〔清〕陳壽祺《尚書大傳輯校》卷一。，題於〈堯典〉篇前；又有〈虞傳〉《困學紀聞》卷二：「《書大傳》〈虞傳〉有〈九共〉篇。」《漢藝文志考證》卷一：「《尚書大傳》〈虞傳〉有〈九共〉。」又《禮記》〈樂記〉《正義》引〈虞書傳〉，《公羊》〈桓元年〉《疏》云〈虞傳〉文，竝見《輯校》一。，題於〈九共〉前；又有〈虞夏傳〉《禮記》〈王制〉《正義》：「伏生《書傳》有〈虞夏傳〉。」又《路史》〈發揮〉五，《通鑑前編》帝舜元載、五載、十四載、十五載，《禮記》〈曲禮〉《正義》載《五經異義》，竝引〈虞夏書〉，統見《輯校》一。，題於「堯爲天子，丹朱爲太子，舜爲左右」等文之前（據《輯校》卷一，下倣此）；更有〈夏傳〉《周禮》〈考工記〉〈序官〉《疏》：「故（《尚書大傳》）〈夏傳〉（鄭玄）注云……。」又《輯校》卷一：「司馬在前，《周禮》〈序官〉《疏》引〈夏傳〉。」，題於〈禹貢〉篇及「天子三公」云云前；有〈殷傳〉《困學紀聞》卷二：「《書大傳》……〈殷傳〉有〈帝告〉篇。」又「〈殷傳〉」之稱，亦見《周禮》〈考工記〉〈輿人〉《疏》、《禮記》〈文王世子〉《正義》、《毛詩》〈文王序〉《正義》、《路史》〈後記〉十四及《玉海》卷三七竝引《大傳》，統見《輯校》卷一載記。，題於〈帝告〉篇、〈湯誓〉篇前；〈大誓〉篇前自應依《輯校》所考題曰〈周書〉《輯校》卷二：「（《大傳》）〈洛誥傳〉曰『〈周書〉自〈大誓〉就〈召誥〉而盛於〈洛誥〉。』」。〈唐傳〉、〈虞傳〉、〈虞夏傳〉、〈夏傳〉、〈殷傳〉即〈商傳〉、〈周傳〉，都以解經——《尚書》〈唐書〉、〈虞書〉、〈虞夏書〉、〈商書〉即〈殷書〉，上引《墨子》〈七患〉引「〈殷書〉曰」，同。、〈周書〉者是也。

依《大傳》題分：伏生以〈堯典〉爲〈唐書〉，〈唐書〉僅祇此一篇；〈九共〉（九篇）爲〈虞書〉，〈虞書〉亦祇此一目九篇宜不止此，〈舜典〉彼亦當列入〈虞書〉；惜伏氏說闕，無從考實。；〈皐陶謨〉及雜記舜事者書篇爲〈虞夏書〉；〈禹貢〉、〈甘誓〉爲〈夏書〉；〈帝告〉、〈湯誓〉以下爲〈商書〉；〈大誓〉以下悉爲〈周書〉，以終編焉。其所畫分歸屬，大抵與後來漢古文家本同說詳下；唯增一〈唐書〉，令《尚書》標題由四代之書變標爲五代之書，又立〈虞夏書〉兼名，竝非先秦本嘗有者《墨子》〈非命中〉：「在於商夏之《詩》《書》曰：『命者暴王作之。』」商夏連言，又上商下夏，失辭，有誤。〔民國〕劉起釪《尚書學史》頁五一誤倒作「夏商之《詩》《書》」。。此二事影響後來《尚書》傳本之題分，甚大。

三　「五家之教」索誼

馬融、鄭玄、（魏）王肅、《別錄》題皆曰〈虞夏書〉，虞夏同科，鄭君注《書序》又確以爲〈虞夏書〉二十篇，〈商書〉四十篇，〈周書〉四十篇，而康成論百篇先後，乃「依賈氏逵所奏『《別錄》』爲次」（《尚書》〈堯典〉題下《正義》），則鄭本之題〈虞夏書〉，一若其第篇之先後然，亦從劉向《別錄》，馬、王當亦同所本。則立「三科、五家」說，宜可上溯至劉子政典校中書也。

子政云「五家之教」，王充尋即著文就加議論，

> 《論衡》〈正說〉：「唐、虞、夏、殷、周者，土地之名。堯以唐侯嗣位，舜從虞地得達，禹由夏而起，湯因殷而興，武王階周而伐：皆本所興昌之地，重本不忘始，故以爲號，若人之有姓矣。說《尚書》謂之有天下之代號。唐、虞、夏、殷、周者，功德之名，盛隆之意也。（下引說《尚書》者釋此五號及美二帝三王，文繁，從省）其立義美也，其褒五家大矣！……」

敏案：王仲任結言「五家」，照應首文唐虞夏殷周五朝，乃主評「說《尚書》者」，則顯然以五朝指謂〈唐書〉、〈虞書〉、〈夏書〉、〈殷書〉（即〈商書〉，《墨子》、《大傳》並作〈殷書〉；仲任據《大傳》而言。）、〈周書〉。夫「書者，古之號令；號令於眾」（《漢書》〈藝文志〉〈書類序〉）、「蓋書之所主，本於號令，所以宣王道之正義，發話言於臣下」（《史通》〈六家〉）。君長號令於羣下，是即「教」也。五家之教者，《尚書》〈唐書〉一家、〈虞書〉一家、〈夏書〉一家、〈商書〉一家及〈周書〉一家之教令是也。驗之《尚書》存佚各篇，絕多爲政府公文，亦契「教令」之義。

段玉裁取《論衡》說「五家」義，且質言「五家之教」乃今文家說，出自伏生，其論曰：

> 五家者，今文家說，〈唐書〉、〈虞書〉、〈夏書〉、〈商書〉、〈周書〉是也。……五家——〈堯典〉爲〈唐書〉，〈皐陶謨〉爲〈虞書〉（敏案：《大傳》〈虞書〉有〈九共〉無〈皐陶謨〉，〈皐陶謨〉彼且屬之〈虞夏書〉：說已見前。），〈禹貢〉、〈甘誓〉爲〈夏書〉，〈湯誓〉以下爲〈商書〉（敏案：《大傳》〈湯誓〉之上，更有〈帝告〉居〈商書〉之首，說已見前。），〈大誓〉、〈牧誓〉下爲〈周書〉。……伏生有五家之教，故《尚書大傳》有〈唐傳〉、〈虞傳〉、〈夏傳〉、〈殷傳〉、〈周傳〉之目。（《說文解字》「稘」下注）

五家，……蓋謂唐一家、虞一家、夏一家、商一家、周一家也。五家之教，謂五代之書——〈堯典〉爲〈唐書〉，〈皋陶謨〉爲〈虞書〉敏案：小誤，已詳上。，〈禹貢〉已下爲〈夏書〉，〈湯誓〉、〈盤庚〉已下爲〈商書〉，〈牧誓〉已下爲〈周書〉：《今文尚書》例也。（《古文尚書撰異》卷二）

皮錫瑞說同，其《今文尚書攷證》卷一：

五家者，今文家說，謂唐一家、虞一家、夏一家、商一家、周一家也。據《尚書大傳》〈堯典〉之前題曰〈唐傳〉，以後題曰〈虞傳〉、〈夏傳〉，有『書』而後有『傳』，則伏生所治《尚書》當以〈堯典〉爲〈唐書〉，〈皋陶謨〉爲〈虞書〉敏案：小失，說已屢見前。，〈禹貢〉以下爲〈夏書〉，〈湯誓〉以下爲〈商書〉，〈牧誓〉以下爲〈周書〉矣。

敏案：段、皮說得之。唯《大傳》多一「〈虞夏書〉」題，豈非「六家」？愚謂：此不過併虞、夏而稱之，仍在唐虞夏商周五家內，非別有「虞夏家」也。

四　〈堯典〉屬〈虞書〉非〈唐〉、〈夏〉決疑

漢代以〈堯典〉爲〈唐書〉，伏生《大傳》以外，僅〔東漢〕許慎《說文解字》據今傳本見著，

> 七上〈禾部〉稘下：「稘，復其時也，从禾其聲，〈唐書〉敏案：此小徐本，大徐本〈唐書〉作〈虞書〉。曰：『稘三百有六旬。』」
>
> 十下〈心部〉愻下：「愻，順也，从心孫聲，〈唐書〉曰：『五品不愻。』」

兩引皆出〈堯典〉，段玉裁意謂，

> 段注《說文》稘曰：「稘，今〈堯典〉作期，蓋壁中古文作稘，孔安國以今字讀之，易爲期也。〈唐書〉，大徐作〈虞書〉，故〈心部〉偁〈唐書〉『五品不愻』，大小徐本同。此則小徐作〈唐書〉，大徐作〈虞書〉。他偁〈堯典〉者凡二十五，皆云〈虞書〉，不云〈唐書〉，參差不畫一。……許君云〈唐書〉者，從今文家說也。曷爲從今文家說也？〈堯典〉紀唐事，紀舜皆紀堯也，則謂之〈唐書〉；〈皐陶謨〉紀虞事，則

謂之〈虞書〉；〈禹貢〉紀禹之功，則謂之〈夏書〉：勝於古文家之槩偁〈虞夏書〉、未得其實也。曷爲自言『偁《書》孔氏古文』，而從今文說也？古文、今文家標目，皆非孔子所題，皆學之者爲之說耳。『說』則可擇善而從，無足異也。……凡今本《說文》以〈堯典〉系〈虞書〉者二十五，皆淺人所妄改；許不應自相詭戾如是。」

段注《說文》遜曰：「五品不遜，許所據古文如此。遜者順也，故《尚書大傳》作『五品不訓』、〈五帝本紀〉作『五品不馴』，訓與馴皆順也。」

段氏《古文尚書撰異》卷二：「五家者，則直曰〈唐書〉、〈虞書〉、〈夏書〉、〈商書〉、〈周書〉。許君蓋從五家之說者也，故引〈皋陶謨〉曰〈虞書〉，引〈禹貢〉曰〈夏書〉，引〈堯典〉曰〈唐書〉；所引『假于上下』等句，本皆作〈唐書〉，蓋盡爲淺人轉寫所改，其改之未盡者，獨留此一處耳（敏案：謂《說文》遜下引。）。徐鍇本『〈唐書〉曰「稘三百有六旬」』，則併此尚存二處。」

敏案：段、皮二氏，依據《大傳》，定五家之教乃今文家說，正本執原，卓然不可以易。段謂《說文》稘、遜下引《尚書》爲古文，徵諸其子許沖〈上說文表〉謂慎「本從（賈）逵受古學」，而慎《說文》〈自序〉明云「厥誼不昭，爰明以諭：其偁……《書》孔氏」，《書》孔氏即孔壁古文，則其說亦至確。若夫段氏所論《說文》引經文出古文孔壁，定標目則舍古文

〈虞夏書〉轉從今文作〈唐書〉，〔清〕陳喬樅、劉書年譏焉，

陳氏《今文尚書經說攷》卷一上：「段說未允，《說文》〈心部〉引〈唐書〉曰『五品不悉』，此《古文尚書》也，與今文三家作『訓』者異；又〈禾部〉引〈唐書〉曰『稘三百有六旬』原注：「此据徐鍇本也。」，亦據《古文尚書》也，與今文三家作『期』者異。然則謂『《古文尚書》無〈唐書〉之目，《今文尚書》無〈虞夏書〉之稱』，豈其然與！」

劉氏《貴陽經說》：「段氏此說蓋非，古文標目，原周時舊號，許君『文字』既依古文，何以於標目獨見爲非，而必擇從今文也。」（「周時書分四代」目）

又案：所評良是，然而未能深切。夫《說文》引〈堯典〉經文廿五次皆稱〈虞書〉柴逑鰽試弁虋殂殛鬄僉暘祺（大徐本）侮假㲋錍璧緜懋闢埶垐圮育字下，僅僅另一次引稱〈唐書〉悉字下；引〈皐陶謨〉經文十一次亦皆稱〈虞書〉璪謨牄櫐邶盦㝠川睿繪堋字下，無有例外；引〈禹貢〉經文十六次皆稱〈夏書〉玭蘇蘄沲簬蕩柚杶栞（〈臯陶謨〉同有此文，許君所引非彼篇經文）桔嶧砮濰溢鏤陶字下，僅僅另一次引稱〈虞書〉現字下：「〈虞書〉曰：楊州貢瑤琨。」，此虞字乃夏字之誤〔清〕王筠《說文釋例》：「《說文》引〈禹貢〉皆云〈夏書〉，此虞字誤。」，則亦一律稱〈夏書〉，亦無有例外者也；《說文》又引〈商書〉、引〈周書〉，甚多不煩舉字。段氏見《說文》引書分別虞、夏，與古文馬鄭等本兼稱虞夏者絕異，不合《古文尚書》「三科」之例，因刻意轉求合今文「五家」之例，遂不顧許君廿五引〈堯典〉之稱〈虞書〉，盡指爲淺人妄改

「唐」字爲「虞」字。失之武斷！清人固有疑「唐」誤「虞」正者，

閻若璩曰：「《說文》於引今〈堯典〉、〈舜典〉、〈皐陶謨〉、〈益稷〉之文皆曰〈虞書〉，於引〈禹貢〉、〈甘誓〉之文皆曰〈夏書〉，……惟於今〈舜典〉『五品不愻』作〈唐書〉，與《大傳》說〈堯典〉謂之〈唐傳〉同。……豈愼也自亂其例與，抑有誤？」（〔清〕桂馥《說文義證》愻下引）

劉書年曰：「若稱『五品不愻』作〈唐書〉，『稘三百有六旬』，《繫傳》本亦作〈唐書〉，則傳寫之誤。」（《貴陽經說》「周時書分四代」目）

嚴可均《說文校議》：「此偁〈唐書〉，〈禾部〉稘下，小徐本亦偁〈唐書〉，蓋據《大傳》有〈唐傳〉校改者，欲示博也。」（〈心部〉愻下「〈唐書〉曰：五品不愻」）

閻、劉謂「唐」是誤字，得之，惜未深究致誤之由，而嚴氏謂後人「欲示博」故校改，不當理。夫許叔重嘗習今文學，其《五經異義》稱今《尚書》歐陽、夏侯說，度其於《大傳》亦必涉讀，數見其稱〈唐傳〉，又素知堯爲唐帝，而其書——〈堯典〉宜爲〈唐書〉，於是偶一誤作〈唐書〉而已。劉氏此謂「唐」是後人所增，且認《說文》引但稱「書」或「尚書」，凡其

唐、虞、夏、商、周等字，一皆校者所加。氏不考先秦及西漢典籍引書，稱朝代爲常經，臆說乃爾！

以〈堯典〉爲〈虞書〉，

《左傳》〈文公十八年〉：「是以堯崩而天下如一，同心戴舜，以爲天子，以其舉十六相去四凶也，故〈虞書〉數舜之功曰『慎徽五典，五典克從』，無違教也；曰『納于百揆，百揆時序』，無廢事也；曰『賓于四門，四門穆穆』，無凶人也。」——引〈虞書〉經文「慎徽」六句，竝出〈堯典〉，且皆確指爲舜事。

《尚書正義》：「〈堯典〉雖曰唐事，本以虞史所錄，末言舜登庸由堯，故追堯作典；非唐史所錄，故謂之〈虞書〉也。鄭玄云『舜之美事在於堯時』，是也。此直言〈虞書〉，本無《尚書》之題也。」（出處已見卷首，下倣此）

段氏《古文尚書撰異》卷一：「《左氏傳》以『慎徽五典，五典克從。內于百揆，百揆時序。賓于四門，四門穆穆』繫之〈虞書〉；……是孔子時原以〈堯典〉爲〈虞書〉。」

劉氏《貴陽經說》：「〈堯典〉本紀堯，雖紀及舜之終，仍以紀堯爲主，宜歸之堯而謂之〈虞書〉，蓋出虞史所紀，故篇首加『曰若稽古』。……然則《尚書》古題，猶云

『虞、夏、商、周人所書』云爾，非如後世史紀某代即稱某代書也。」（「周時書分四代」目）

清簡朝亮《尚書集注述疏》卷一：「〈虞書〉，今存者若〈堯典〉。……〈文十八年〉《左傳》云『〈虞書〉數舜之功曰「愼徽五典，五典克從」』，此〈虞書〉專稱也。……今曰〈虞書〉，從古稱也。」

敏案：《僞孔傳》、孔《正義》竝以〈堯典〉爲〈虞書〉。《左傳》作者之認〈堯典〉爲〈虞書〉也，段氏據以論「孔子時以之爲〈虞書〉」；蓋儒家本爲此，段說宜是也。〈堯典〉所記事實，半在帝堯崩前（「帝乃殂落」節以上），半在舜即眞帝位之後（「月正元日，舜格于文祖」以下），雖然，全篇總以禪讓爲中心（故《書序》曰：「昔在帝堯，……將遜于位，讓于虞舜，作〈堯典〉。」），主述舜事（故鄭玄云「舜之美事在於堯時」），而言及堯事，則皆屬烘托旁描，末且記帝舜「陟方乃死」，夫既及記舜崩，自非虞史莫屬（此以理言，其實〈堯典〉乃戰國人述古之作。），《大戴禮》〈誥志〉篇尚存虞史之名——伯夷，孔《正義》、劉貴陽斷出虞史，是也。然段注《說文》稘字「〈堯典〉紀唐事，紀堯皆紀舜也」，貴陽同以斯篇紀堯事爲主，竝有歉深考。堯崩而舜立就帝位，至舜崩才四十二載，歷試、攝政，當虞史所聞世，或所見世，則記其事必不作「稽古」之言，貴陽誤也。《尚書》之篇初作，本無篇名，篇名後人付與，卷首開篇作「曰若稽古帝堯」，遂取「堯」名篇，猶〈皐陶謨〉篇首作「曰若稽古皐陶」，乃取「皐陶」名篇然，並無深意，亦即篇名未必能表示斯篇主要內容，矧《禮記》〈大學〉引作「帝典」帝，安知非指帝舜？集篇而成編，亦後人爲之，名曰「書」；而「書」上加「虞、夏、商、周」，尤晚。貴陽謂「虞人所書撰寫，謂之〈虞書〉」（夏、商、周倣此），則「虞」與「書」竝執筆人自題，失之矣。

以〈堯典〉爲〈夏書〉，

> 顧炎武《日知錄》：「竊疑古時有〈堯典〉無〈舜典〉，有〈夏書〉無〈虞書〉，而〈舜典〉亦〈夏書〉也。……何則？記此書者，必出於夏之史臣，雖傳之自唐，而潤色成文不無待於後人者，故篇首言『曰若稽古』；以『古』爲言，明非當日之記也。世更三聖，事同一家，以夏之臣追記二帝之事，不謂之〈夏書〉而何？夫惟以夏之臣而追記二帝之事，則言堯可以見舜，不若後人之史，每帝立一本紀，而後爲全書也。」
>
> 〔清〕年庭《同文尚書》卷一於〈堯典〉篇題前標「〈夏書〉」目，云：「〈僖二十七年〉《左傳》曰『〈夏書〉曰「賦納以言，明試以功，車服以庸」』，是古周時以〈皐陶謨〉爲〈夏書〉也。典、謨仝代，然則〈堯典〉亦〈夏書〉也。〈文十八年〉《左傳》『故〈虞書〉數舜之功曰「愼徽五典，五典克從」云云，應爲〈夏書〉；記虞事亦得謂之〈虞書〉。……据〈堯典〉云『曰若稽古』、〈皐陶謨〉云『曰若稽古』，皆夏史追記唐、虞事，故於篇首自著『稽古』之文，明典、謨非唐、虞時作也。……今當從

《左氏傳》題曰〈夏書〉。」

敏案：亭林以爲「舜事由堯見」，乃夏史追記，故〈舜典〉不必有。不知眞〈舜典〉，《書序》作者尚及見。亭林見《左》〈莊八〉引「皋陶邁種德」，著皋陶名；又見〈僖二七〉引「賦納以言」四句，出〈皋陶謨〉篇；及它〈僖二四〉、〈文七〉、〈襄五〉、〈襄二一〉、〈襄二三〉、〈襄二六〉、〈哀六〉、〈哀十八〉及《國語》〈周語〉引《尚書》經文，咸稱〈夏書〉（亭林所舉《左》、《國》引〈夏書〉未周），故斷爲夏史追記。不知「《左傳》〈文十八年〉明云〈虞書〉數舜之功曰『愼徽五典』云云，安得謂之有〈夏書〉無〈虞書〉乎？……亭林之言爲失檢！」（〔清〕孫志祖《讀書脞錄》卷一）皋陶者，共夏史同時，虞廷謨議，皋陶與禹談對，夏史尚及接聞，夏史者非後人，書亦非追記，安得著「稽古」字耶（已詳上論）？顧、牟二氏竝失。牟氏欲改〈文十八〉《左傳》引〈虞書〉爲〈夏書〉，又云亦得謂之〈虞書〉，自亂其說。《左傳》作者認〈堯典〉，虞朝事，故稱〈虞書〉；而〈皋陶謨〉爲夏朝事，故謂之〈夏書〉，典、謨不同代，則牟氏索《左傳》「稱書」意，亦未得也。

據上所論，〈堯典〉當繫〈虞書〉，《大傳》始失題，多家從誤，皮錫瑞尊伏過甚，其《今文尚書攷證》，逕題「〈唐書〉」目於〈堯典〉前，失之。

五 「三科之條」求解

伏生書雖已標「〈虞夏書〉」題目，但實是五家各別，洎劉向以後始併合虞與夏，連同〈商〉、〈周書〉，是爲「三科」，不復獨題〈虞書〉、獨題〈夏書〉也矣，孔穎達《正義》曰：

> 馬融、鄭玄、王肅、《別錄》題皆曰〈虞夏書〉，以虞、夏同科，雖虞事亦連夏。……案：鄭《序》（敏案：指玄注《書序》。）以爲「〈虞夏書〉二十篇、〈商書〉四十篇、〈周書〉四十篇」，贊云：「三科之條，五家之教。」是虞夏同科也。

同時代而略晚，揚雄亦同劉向之所題分，

> 《法言》〈問神〉：「虞夏之書渾渾爾，〈商書〉灝灝爾，〈周書〉噩噩爾。」

劉、揚、馬、鄭、王治經，雖兼采今、古文，揆其宗風，寔主古文學，故段玉裁、皮錫瑞

皆以「三科」之說屬「《古文尚書》例」也，

> 《古文尚書撰異》卷一：「三科者，謂虞夏一科、商一科、周一科也。……三科，謂作三書之時代。〈堯典〉、〈皋陶謨〉、〈禹貢〉，是三篇者，或曰虞史記之，或云夏史記之，莫能別異，故相承謂之〈虞夏書〉；商史所記者爲〈商書〉，周史所記者爲〈周書〉：《古文尚書》例也。《左氏傳》以『愼徽五典，五典克從。內于百揆，百揆時序。賓于四門，四門穆穆』繫之〈虞書〉，以『敷內以言，明試以功，車服以庸』繫之〈夏書〉原注：「『敷內以言』三句是〈皋陶謨〉文。」。是孔子時原以〈堯典〉爲〈虞書〉，〈皋陶謨〉及〈禹貢〉爲〈夏書〉。漢初不分別，則謂之〈虞夏書〉，合〈商書〉、〈周書〉而有三科之說。」
>
> 《今文尚書攷證》卷一：「三科者，古文家說，謂虞夏一科、商一科、周一科也。」

「三科」科，與「五家」家有異，五家者唐、虞、夏、商、周五朝書，以五數實稱；三科者虞、夏、商、周四朝書，以四數稱三。四而稱三者，以虞夏共爲一類、商自爲一類、周自爲一類也，故「科」乃品類之義。段氏「三科，謂作三書之時代」，未切「科」義。「三科之條」條，猶言法教《漢書》〈董仲舒傳〉「帝王之道，豈不同條共貫與」、帝王之條貫同」。，誼同「五家之教」教；條、教互文。是知三科之條云者，〈虞夏書〉一、〈商書〉一、〈周書〉一凡三類書之教也：諸家之論，竝未及此。

百篇《書序》之第一至第二十五篇爲〈堯典〉、〈舜典〉、〈汨作〉、〈九共〉（一目，凡九篇。）、〈槀飫〉、〈大禹謨〉、〈皐陶謨〉、〈棄稷〉（僞古文本〈益稷〉）、〈禹貢〉、〈甘誓〉、〈五子之歌〉、〈胤征〉、〈帝告〉、〈釐沃〉、〈湯征〉、〈汝鳩〉、〈汝方〉，鄭玄爲之注，孔氏《正義》云「〈帝告〉、〈釐沃〉、〈湯征〉、〈汝鳩〉、〈汝方〉於鄭玄爲〈商書〉」，則〈胤征〉以上二十篇，鄭以爲〈虞夏書〉，即《正義》所云「鄭《序》以爲〈虞夏書〉二十篇」，是也。

古無〈虞夏書〉兼稱，有則自伏生《大傳》始，且以〈皐陶謨〉屬旃（已詳上說）。〈皐陶謨〉紀皐陶、禹、帝舜在虞廷謀國之言，其中禹言治水，弼成五服，外及四海，伏生蓋謂此篇關涉虞、夏二代事，故兼題〈虞夏書〉。意者，此與劉馬鄭王之題「〈虞夏書〉」云「雖虞事亦連夏」旨要一致。

雖然，〈堯典〉、〈舜典〉（書佚，據《書序》。），記堯舜時事，以舜爲主，〈堯典〉載舜命禹爲司空才五十八字；〈皐陶謨〉、〈大禹謨〉同序，亦記舜朝事，當年禹、皐竝獻猷裕；〈汨作〉、〈九共〉、〈槀飫〉、〈益稷〉：〈汨作〉，《書序》次〈舜典〉後，故〈汨作〉「帝釐下土方」帝，當指舜；益與稷，竝嘗佐禹治水，名竝見於〈堯典〉、〈皐陶謨〉篇、〈益稷〉篇，殆亦記二人謀國言論，是亦虞廷事；〈九共〉佚文「予辯下土，使民平平」，誼近〈汨作序〉

「帝釐下土方，設居方」，《大傳》標目屬〈虞書〉，固亦舜朝事；而〈槀飫〉緊接其後，度亦虞政書之文。據此，所謂〈虞夏書〉二十篇，考其前十六篇皆〈虞書〉，未嘗連逮夏王朝，至多可謂夏王朝始帝禹尚未王天下北面爲臣時之事迹曾見於〈虞書〉中〈堯典〉、〈大禹謨〉、〈皐陶謨〉三篇，時夏國之名號未有，虞事何得與夏相連？而後四篇——〈禹貢〉，記禹治水，治水雖堯時施政，但此特記禹功，追迹祖德，爲專篇，宜置〈夏書〉之首；餘〈甘誓〉、〈五子之歌〉、〈胤征〉純爲夏朝事，則二十篇之稱宜別不宜兼，是以孔氏《正義》曰：

> 別文所引皆云「〈虞書〉曰」、「〈夏書〉曰」，無并言「〈虞夏書〉」者（敏案：《法言》「虞夏之書渾渾爾」，亦指標目，非引經原文。）；又伏生雖有一〈虞夏傳〉，以外亦有〈虞傳〉、〈夏傳〉，此其所以宜「別」也。

是矣。惟又曰：

> 〈莊八年〉《左傳》云「〈夏書〉曰：皐陶邁種德」、〈僖二十四〉《左傳》引〈夏書〉曰「地平天成」、〈二十七年〉引〈夏書〉「賦納以言」、〈襄二十六年〉引〈夏

書〉曰「與其殺不辜，寧失不經」，皆在〈大禹謨〉、〈皐陶謨〉，當云「〈虞書〉」而云「夏書」者，以事關禹，故引爲「〈夏書〉」，若〈洪範〉以爲〈周書〉，以箕子至周、商人所陳，而《傳》引之即曰「〈商書〉」也。

敏案：《左傳》引〈夏書〉廿一次。此《尚書正義》復述止四次；一次出〈皐陶謨〉，三次乃佚文，不過因僞古文采之入「〈夏書〉〈大禹謨〉」，遂偏據〈僖二七〉所引一條論左氏「以事關禹，故引爲〈夏書〉」，則〈堯典〉事亦關禹，《左傳》何不引爲〈夏書〉乎？左氏定書之屬夏屬商，其故莫詳，後人不必臆決！

僞孔安國氏、〔唐〕孔穎達氏竝〈虞〉、〈夏〉、〈商〉、〈周書〉別題，《正義》曰：

> 〈堯典〉……本以虞史所錄，……故謂之〈虞書〉。此（指僞孔本）直言〈虞書〉，本無《尚書》之題也。……其孔（僞孔氏）於〈禹貢〉註云「禹之王，以是功」（敏案：〈禹貢書序〉「任土作貢」下《僞孔傳》曰：「……此堯時事，而在〈夏書〉之首，禹之王，以是功。」），故爲〈夏書〉之首，則虞、夏別題也，以上爲〈虞書〉，則十六篇。又〈帝告〉、〈釐沃〉、〈湯征〉、〈汝鳩〉、〈汝方〉，……孔……或以爲夏事，則〈夏書〉九篇、〈商書〉三十五篇，此與鄭異也。

以〈禹貢〉爲〈夏書〉之第一篇，則其前一篇——〈益稷〉而上至〈堯典〉凡十六篇乃〈虞書〉，故曰「〈虞書〉則十六篇」。〈帝告〉、〈釐沃〉、〈湯征〉、〈汝鳩〉、〈汝方〉，「舊解」是〈夏書〉，僞孔似從之，則爲「〈夏書〉九篇、〈商書〉三十五篇」。元敏謹案：〈帝告〉以下五篇者，宜在〈夏書〉，說詳下節。

閻氏以爲《僞孔傳》以前皆題〈虞夏書〉，無分別〈虞書〉、〈夏書〉者，《尚書古文疏證》卷一：

> 〈虞書〉、〈夏書〉之分，實自安國傳始。馬融、鄭康成、王肅、《別錄》題皆曰〈虞夏書〉，無別而稱之者，孔穎達所謂以「虞夏同科，雖虞事亦連夏」，是也。即伏生〈虞傳〉、〈夏傳〉外，仍有一〈虞夏傳〉。……及余觀揚子《法言》亦曰「虞夏之書渾渾爾，〈商書〉灝灝爾，〈周書〉噩噩爾」，則可證西漢時未有別〈虞書〉、〈夏書〉而爲二者。杜元凱《左傳註》〈僖公二十七年〉引〈夏書〉「賦納以言，明試以功」三句，註曰：「《尚書》〈虞夏書〉也。」則可證西晉時未有別〈虞夏書〉而爲二者。逮〔東晉〕梅氏書出，然後書題、卷數、篇名盡亂其舊矣。（〔清〕王鳴盛《尚書後案》卷三十說同）

敏案：先秦〈虞書〉、〈夏書〉分稱；《大傳》亦分題〈虞書〉、〈夏書〉，合唐、商、周三書為「五家」，雖亦兼題〈虞夏書〉，然實主別分，則偽孔分題虞、夏，於古有所承。矧《史記》〈河渠書〉：「禹抑洪水十三年，過家不入門。陸行乘車，水行載舟，泥行蹈毳，山行即橋。」而稱「〈夏書〉曰」，則西漢亦嘗有別〈虞書〉、〈夏書〉為二者，非自東晉梅氏書而始然也。閻氏檢未周。

六 〈帝告〉、〈釐沃〉、〈湯征〉、〈汝鳩〉、〈汝方〉、〈西伯戡黎〉、〈微子〉、〈洪範〉篇屬代辨

〈帝告〉至〈汝方〉五篇，或屬之〈夏書〉，或屬之〈商書〉，《尚書正義》曰：

> 〈帝告〉、〈釐沃〉、〈湯征〉、〈汝鳩〉、〈汝方〉，於鄭玄為〈商書〉；而孔并於〈胤征〉之下，或以為夏事，猶〈西伯戡黎〉……此與鄭異也。或孔因〈帝告〉以下五篇亡，並註於〈夏書〉，不廢，猶〈商書〉乎？

馬融亦繫之〈商書〉，而「舊解」則謂是〈夏書〉，說見

《經典釋文》〈尚書音義〉卷上：「此五亡篇，舊解是〈夏書〉，馬、鄭之徒以爲〈商書〉。兩義俱通。」

敏案：《尚書大傳》有「〈殷傳〉」，〈帝告〉篇屬焉（見《困學紀聞》卷二，併參看《輯校》卷一），則馬、鄭之徒定爲〈商書〉，從《大傳》也。而孔氏《正義》殆破注以依焉，云：「此〈帝告〉已下皆〈商書〉也。」雖然，〈帝告〉亡篇也，不可作〈商書〉卷首，故《正義》又曰：「此篇經亡序存，文無所託，不可以無經之序爲卷之首，本書在此，故附此卷之末。」

又案：百篇《尚書》始〈堯典〉終〈秦誓〉，依時代排次，觀《書序》可知也。百篇《書序》原本總爲一卷，至僞孔氏乃取各序弁各篇經文之首，其有序存或序亦亡，但存篇目。本經亡逸之篇，則將「徒序或徒目」仍照時代附次於上篇本經之後《僞古文》〈舜典〉篇本經後《正義》曰：「今馬、鄭之徒，百篇之序摠爲一卷，孔以各冠其篇首，而亡篇之序即隨其次篇居見存者之間。」〈胤征〉篇僞經後《正義》曰：「序本別卷，與經不連。孔以經、序宜相附近，引之各冠其篇首。」。〈帝告〉等五亡篇，依時次本應在〈胤征〉之後，經文既亡，因即繫其序或僅其目於其後，故《正義》謂孔氏并此五篇於〈胤征〉之下也。則是僅據繫〈帝告〉於〈夏書〉末篇——〈胤征〉之下，尚難遽定僞孔以此五篇爲〈夏書〉，故《正義》曰「（僞孔）或以爲夏事」，持疑而未定之辭；又疑即僞孔亦以爲五篇是〈商書〉，云「或孔因〈帝告〉以下五篇亡，并註於〈夏書〉，不廢，猶〈商書〉乎」？但《釋文》先云「舊解是〈夏書〉」，繼又云「馬、鄭之徒以爲《尚書》」，知「舊解」者，馬、鄭以前之《尚書》說也。夫在西漢，伏生以〈帝告〉爲〈殷書〉，今文三家當同，三家之外，便無顯學，則「舊解」殆即指僞孔氏之說；陸氏不知《孔傳》乃後人依託，以爲西京孔臨淮《書傳》也。

〈帝告〉，帝湯始居亳，告天下以遷都事，時未有天下（參看《書序》、《史記》〈殷本紀〉及《觀堂集林》卷十二「說自契至於成湯八遷」）；〈湯征〉，湯居亳，鄰國葛不祀，仇餉殺童，湯往征之，時爲諸侯（參看《孟子》〈梁惠王下〉與〈滕文公下〉、《書序》及《史記》〈殷本紀〉）；〈汝鳩〉、〈汝方〉，記伊尹去湯就桀，既而醜之，復歸于亳，入亳邑北門，遇汝鳩、汝方，時夏桀正爲天下共主（參看《孟子》〈告子下〉、《書序》及〈殷本紀〉）；而〈釐沃序〉佚，又無其它文獻可稽，唯其目既介〈帝告〉、〈湯征〉間，則亦記同時事。據上所考，五篇者，舊「以爲夏事」，解爲「〈夏書〉」是也。〈西伯戡黎〉，西伯姬昌周文王受命之五年一作四年伐黎，時牧野之師未興，紂猶王天下，故依舊屬商事，恉近此五篇之仍屬夏政，故《正義》與「猶〈西伯戡黎〉」之言也。

〈西伯戡黎〉、〈微子〉，《書序》次前於〈周書〉之第一篇——〈泰誓〉《大傳》：「〈周書〉自〈大誓〉就〈召誥〉而盛於〈洛誥〉也。」（《輯校》卷二）而《別錄》及馬鄭王《僞孔本尙書》亦皆以〈泰誓〉列〈周書〉首篇。，則二篇者〈商書〉也。《說文》四引〈西伯戡黎〉經文，三稱〈商書〉返、鼇、𢦟下，一稱〈周書〉十二下⿱埶女下：「〈周書〉曰：『大命不⿱埶女。』」，《段注》、《說文句讀》、《說文校錄》皆判爲「〈商書〉」之誤，得之。其三引〈微子〉經文，一稱〈商書〉𧾷齊下，二稱〈周書〉二上咈下：「〈周書〉曰：『咈其耇長。』」二下退下：「周書曰：『我興受其退。』」：《說文校錄》謂兩「〈周書〉」皆「〈商書〉」之誤，固守今本《尚書》之所屬分；《段注》咈曰：「《說文》引〈微子〉篇『咈其耇長』、『我興受其退』，皆系〈周書〉；引『予顛躋』，則曰〈商書〉，未知孰是誤字。」至此，〈微子〉屬〈周〉屬〈商〉，尚未有確說。

季清學者始主張〈戡〉、〈微〉二篇屬〈周〉，著有明文，汪之昌（一八三七至一八九五）《青學齋集》卷三：

「《說文》〈女部〉：〈周書〉曰『大命不摯』，見〈西伯戡黎〉篇；……〈口部〉：〈周書〉曰『咈其耇長』、〈辵部〉：〈周書〉曰『我興受其退』，均見〈微子〉篇。……案〈西伯戡黎〉、〈微子〉二篇，今《尚書》均次……〈商書〉中。據《說文》〈戈部〉𢦟下：〈商書〉曰『西伯既𢦟黎』、〈足部〉躋下：〈商書〉曰『予顛躋』，……明稱〈商書〉，故說者咸以摯下、咈下、退下諸作『〈周書〉』周，當爲商之誤。俞氏（樾，一八二一至一九〇六）《茶香室經說》謂安有三處皆誤？其說甚正。……〈西伯戡黎〉、〈微子〉二篇雖〈商書〉，而文王受命作周改元稱王，依鄭君說入戊午部三十年，歲在己未，爲文王元年，則自己未後已爲周代，此二篇作於周時，即爲〈周書〉。比例精當，足正以《說文》引〈西伯戡黎〉、〈微子〉作〈周書〉

爲誤者之妄。竊謂之，二篇之作〈周書〉，有即本篇敘文而可證者：〈西伯戡黎〉敘『祖伊恐，奔告于受』，……商王咸以十幹爲號，敘所謂太甲、沃丁、太戊皆是，商紀『帝乙崩，子辛立，是爲帝辛，天下謂之紂』，據此，〈西伯戡黎〉敘之受，以〈商書〉敘太甲、沃丁、太戊例之，自當稱辛而乃稱受，與〈周書〉〈洪範敘〉『勝殷殺受』之稱受正同。〈牧誓〉『今商王受』、〈無逸〉『無若殷王受之迷亂』，是〈周書〉以受爲通稱，此其顯據。〈微子敘〉『殷既錯天命』，揆諸〈周書〉〈分器敘〉『武王既勝殷』、〈微子之命敘〉〈周官敘〉均言『既黜殷命』，諸云『既』者，皆就事後而言，則『既錯天命』自是天命錯後之詞，亦可見〈微子〉一篇決非作於商時。參觀二篇〈敘〉之立文，似本係〈周書〉。……〈敘〉爲孔子作，據〈西伯戡黎〉、〈微子敘〉，則孔子固不以二篇爲〈商書〉也。《說文》〈自敘〉『其偁《書》孔氏，皆古文』，此之以〈周書〉目〈西伯戡黎〉、〈微子〉，當本孔壁眞古文舊義。且《左傳》〈文五年〉、〈成六年〉、〈襄三年〉引〈洪範〉作〈商書〉，解者以作〈洪範〉者商人箕子，故稱〈商書〉，而戡黎之西伯則周之文王也、〈微子〉則卒爲周之上公也，此二篇一記周君之事、一記周臣之語，何不可稱〈周書〉，與商人所作爲〈商書〉亦同？是則《說文》引〈西伯戡黎〉、〈微子〉以〈周書〉稱之，不得謂之誤已。」

敏案：今古文本皆繫此二篇於〈商書〉，許氏引〈微子〉一稱〈商書〉，或「商」是「周」之誤，則叔重視〈微子〉爲〈周書〉，此其一時意見（段注《說文》退曰：「〈周書〉者，蓋許所據不系於〈商書〉也。」古本概不作〈周書〉，段說失之。），不必定從，何則？夫周文王受天命之第五年戡黎（據《大傳》），〈微子書序〉「殷既錯天命」，殷家已失天命，意亦謂天改命文王，第時紂猶爲天下共主，文王尙服事殷，俞氏、汪氏謂斯時已爲周代，失之。《書序》稱號商王不唯十干，如大乙稱湯或成湯、武丁稱高宗，尊美之也；〈西伯戡黎〉、〈牧誓〉、〈洪範〉三書序稱帝辛曰受，質書其名，貶惡之耳。周人論眾商王，二分殷先哲王（帝乙以前）與紂，言先王莫不善，惡則集於紂受一身，〈酒誥〉、〈立政〉最可見。而《書序》周人（秦漢之際）作，稱日干呼本名以寓褒貶，於屬商屬周何有？二篇本經皆周代殷遺民述古之作，度其稱西伯不稱文王、稱微子——啓之故殷舊日封國爵位，知視之爲〈商書〉也。

〈洪範〉篇，或謂爲〈商書〉：《左傳》〈文公五年〉：「〈商書〉曰『沈潛剛克，高明柔克』。」〈成六〉：「〈商書〉曰『三人占，從二人』。」〈襄三〉：「〈商書〉曰『無偏無黨，王道蕩蕩』。」《說文》𠧩「〈商書〉曰：曰貞曰𠧩」、殬「〈商書〉曰：彝倫攸殬」、橆「〈商書〉曰：庶草繁橆」、𢽈「〈商書〉曰：無有作𢽈」、堲「〈商書（段改本）〉曰：鯀堲洪水」：共引八節文，悉出〈洪範〉，而皆稱〈商書〉。馬遷詁述〈洪範〉列〈宋世家〉而不入〈周本紀〉，夫宋承殷祀，則《史記》亦以爲〈商書〉，同《左傳》。皮氏《今文攷證》卷十一：「（《漢書》）〈儒林傳〉云：『遷書載〈堯典〉、〈禹貢〉、〈洪範〉、〈微子〉、〈金縢〉諸篇，多古文說。』班氏以〈洪範〉列〈微子〉上，則《今文尚書》次序或以此篇列〈微子〉之前，則此〈商書〉。」是班固亦以〈洪範〉乃〈商書〉。所以然者，《尚書正義》：「若〈洪範〉以爲〈周書〉，以箕子至周、商人所陳，而《傳》引之即曰〈商書〉也。」（已詳上）《左》〈文五〉《正義》：「此文在〈洪範〉，今謂之〈周書〉；箕子商人所說，故《傳》謂之〈商書〉。」〈成六〉《傳》《正義》旨同。《尚書》〈洪範〉《正義》：「箕子稱『祀』，不忘本也。此篇箕子所作，箕子商人，故記傳引此篇者皆云〈商書〉曰。」《困學紀聞》卷二：「《左傳》引〈商書〉曰，……〈洪範〉言『惟十有三祀』，箕子不忘商也，故謂之〈商書〉。陶淵明於義熙後但書甲子，亦箕子之志也。陳咸用漢臘亦然。」段注《說文》畁：「（《說文》）三引〈微子〉，兩云〈周書〉，一云〈商書〉，疑『商』係『周』誤。蓋今文家以〈微子〉系〈周書〉，以〈洪範〉系〈商書〉，豈微子歸周故周之，箕子不臣故商之與？春秋時卿大夫所習〈洪範〉皆〈商書〉，則今文家乃古說也。」敏案：《大傳》、歐陽、夏侯今文皆列本篇入〈周書〉；遷從孔安國問故，班氏今古兼采、或是依據古文，《說文》引《書》主孔氏亦古文，則作〈商書〉者古學也。段、皮說誤。《左傳》作者以箕子者商遺民，周方克殷即陳此大法，當爲商舊獻，且彼時《尚書》傳本，標題未定一，故依己意指爲〈商書〉。孔《疏》是。惟謂箕子稱「祀」不稱「年」，明不忘本，有疵，考記年用語，殷不廢「年」，周亦用「祀」、甲骨文及西周金文可證，舊説殷用祀周稱年，失之（詳拙著〈洪範義證〉），且本篇首「惟十有三祀，王訪于箕子」，則「祀」乃周朝史官記言，非箕子語。孔《疏》此誤。王伯厚，宋遺民也，段若膺、皮鹿門痛異族入主，見箕子遺獻，遂興麥秀之傷，申申〈洪範〉在商之義，借事託懷而已。夫本篇周室史官所錄，而陳言者——箕子又爲周臣，時當殷滅後二年，宜入〈周書〉勿疑。

結論

五家，〈唐書〉一家、〈虞書〉二家、〈夏書〉三家、〈商書〉四家、〈周書〉五家也。教，《尚書》義主號令。五家之教者，唐、虞、夏、商、周五家之號令也。此漢今文家《尚書》例也。先秦儒家本《尚書》，止稱〈虞書〉、〈夏書〉、〈商書〉、〈周書〉，無有稱〈唐書〉，亦無虞夏連文稱〈虞夏書〉者，伏生《尚書大傳》始題〈唐書〉、〈虞夏書〉。

三科，〈虞夏書〉一科、〈商書〉二科、〈周書〉三科也。科，品類、條，法教也。三科之條者，虞夏、商、周三類書之法教也。虞夏兼稱，上承《大傳》。此漢古文家《尚書》例也。劉向、揚雄、馬融、鄭玄及〔魏〕王肅子雍皆持是説。

以〈堯典〉爲〈唐書〉，《大傳》始有説。許慎《説文解字》據古文本，以〈堯典〉爲

〈虞書〉，段玉裁謂《說文》廿五引「〈虞書〉」皆淺人所妄改，非也。〈堯典〉主紀舜事，宜在〈虞書〉，顧炎武等徒見《左傳》多引唐虞事而稱〈夏書〉，遂定〈堯典〉、〈皐陶謨〉竝是〈夏書〉，失之未作詳考。

劉向、鄭玄等以虞夏兼題者，云「雖虞事亦連夏」。今考其所定存逸諸篇，或爲虞朝事，或爲夏朝事，皆不相連。題〈虞夏書〉者，於古固無徵，於事實亦未盡契也。

〈帝告〉、〈釐沃〉、〈湯征〉、〈汝鳩〉、〈汝方〉，記夏、商之際事，〈西伯戡黎〉、〈微子〉之作也，紂方君臨四國，爾時湯、武既未定邦，故分別繫之〈夏書〉、〈商書〉，舊說正若是，後人論當改繫〈商書〉或〈周書〉，移置反非其所矣。

先秦、兩漢傳本，已題〈虞書〉、〈夏書〉，別而非兼，《僞古文尚書》仍舊，乃閻百詩、王鳳喈謂西晉以前未有別〈虞書〉、〈夏書〉而爲二者，自東晉梅氏書出，然後始亂「〈虞夏書〉」兼題之舊，檢索度思竝有未周也。

——原載《孔孟學報》六十一期，民國八十年三月

八　說《僞古文尚書經傳》之流傳

一　前言

言《僞古文尚書》者，自〔宋〕吳棫，至〔清〕閻若璩，覃及晚近，絕多深涉辨別僞迹、考求僞書作者，而於僞書之流傳，特以其渡江而右，復流於河洛一事，則未曾注重。余蒐檢南北朝史籍、經解、子書、〔唐〕孔氏《正義》等，得多資料，纂理斯竟，要在敘明南北朝《尚書》學交流，亦期於僞書作者之推究稍有助益，因作「〈說《僞古文尚書經傳》之流傳〉」，以就教於方家。

本文所稱《僞古文尚書》，〔東晉〕梅頤之所上獻本也。其經五十八篇，中三十三篇爲眞經（中〈舜典〉篇爲後人補入者，篇前「日若稽古帝舜」等共二十八字係後人僞造加入）、二十五篇爲僞經。此書僞爲者，又將〈書小序〉引冠各本篇之前。其五十八篇經、各篇〈書小序〉，彼皆爲之注，而託〔西漢〕孔安國臨淮之名以出，故一向稱之曰《僞孔傳》。僞者又自作〈尚書序〉一篇，弁全書之首，亦託爲孔安國自序。此書收入《十三經注疏》中，今主據〔清〕嘉慶二十年南昌府學重栞宋本爲論。

二　《偽古文尚書經傳》之渡江而左

（一）鄭沖四傳梅頤

此書出鄭沖，下傳至梅頤，自北之南也，茲先將其授受簡表於下：

〔曹魏、西晉〕鄭沖→〔西晉〕蘇愉→〔西晉〕梁柳→〔西晉〕皇甫謐
　　　　　　　　　　　　　　　　　　　　　　→〔西東晉〕臧曹→〔東晉〕梅頤

次記其授受之迹：

〔唐〕孔穎達《尚書正義》卷二〈虞書〉大題下曰：「《晉書》（敏案：非唐修正史《晉書》，下槩稱之爲別本《晉書》）〈皇甫謐傳〉云：『姑子外弟梁柳邊（？）得《古文尚書》，故作《帝王世紀》往往載《孔傳》五十八篇之書。』《晉書》（敏案：亦非正史《晉書》）又云：『〔晉〕太保公鄭沖以古文授扶風蘇愉，愉字休預；預授天水梁柳字洪季，即謐之外弟也；季授城陽臧曹字彥始；始授郡守子汝南梅賾（敏案：疑當正作頤）字仲眞，又爲

豫章內史。遂於前（？）晉奏上其書而施行焉。』」（影宋單疏本豫作預，餘悉同；又今正史《晉書》無此兩段文）

孔穎達〈尚書正義序〉（載原書卷首）亦記皇甫謐得書事，有云：

古文則兩漢亦所不行，安國注之，寔遭巫蠱，遂寢而不用。歷及魏、晉，方始稍興，故馬、鄭諸儒莫覩其學，所注經傳，時或異同。晉世皇甫謐獨得其書，載於《帝紀》，其後傳授乃可詳焉。（影宋單疏本同）

鄭沖得書處所，《太平御覽》（影宋刊本）六百九引《尚書正義》曰：

……《古文尚書》，……至魏、晉之際，滎陽鄭沖私於人間得而傳之，獨未施行。（東晉）汝南梅頤奏上，始列於學官，此則古文矣。（今本孔穎達《尚書正義》未見此段文）

案：鄭沖（西元？至二七四）於魏陳留王曹奐（即常道鄉公）景元四年（二六三）拜太保，晉武帝受禪後拜太傅（參《三國志》〈魏書〉〈三少帝紀〉、《晉書》沖本傳），是「晉太保」當正作「魏太保」。沖「耽玩經史，博究儒術」，治《尚書》鄭玄氏學，以授高貴鄉公曹髦，別本《晉史》及孔氏《尚書正義》謂渠得《僞古文尚書》以授蘇愉，後學頗表懷疑。蘇愉（？至二七〇），〔魏〕咸熙中爲尚書，歷位太常光祿大夫，〔晉〕泰始六年爲叛虜所害（見《三國志》〈魏書〉〈蘇則傳〉及裴《注》引《晉百官名》、《宋書》〈五行志〉），正史不載其受《尚書》於鄭沖。梁柳，《水經注》卷四〈河水〉：「今（石崤）山側附路有石銘云『〔晉〕太康三年（二八二），弘農太守梁柳修復舊道』。」《晉書》〈武帝紀〉「太康十年（二八九）夏四月，陽平太守梁柳有政績」云云，〈皇甫謐傳〉：「城陽太守梁柳，謐從姑子也」（與別本《晉書》「姑子外弟梁柳」少異）。皇甫謐（二一五至二八二），正史有傳（此不具引），作《帝王世紀》及《高士傳》等，謐著有否引載《僞經傳》，迄無確說。蘇授《古文尚書》與梁，梁更授皇甫，正史均不之載。臧曹，正史無傳，亦不見稱說，其受書於梁氏授之梅氏，別本《晉書》外未見有載。

梅頤之父（名不可考）爲城陽郡守，它籍無載。頤字仲眞，汝南西平人，爲豫章內史、豫章太守、領軍司馬（詳下），正史《晉書》不及梅頤一字；其事迹見《世說新語》〈方正第五〉：

> 梅頤嘗有惠於陶公（侃），後爲豫章太守，有事，王丞相遣收之。侃曰：「天子富於春

秋，萬機自諸侯出；王公既得錄，陶公何爲不可放？」乃遣人於江口奪之。頤見陶公拜，陶公止之。頤曰：「梅仲眞膝，明日豈可復屈邪？」（敏案：劉孝標《注》引《晉諸公贊》曰：「頤字仲眞，汝南西平人。少好學隱退，而才實進止。」又引《永嘉流人名》曰：「頤，領軍司馬。頤弟陶，字叔眞。」又引鄧粲《晉記》及王隱《晉書》，云有惠於侃者，是弟陶非兄頤：誌於此待續考）

梅頤獻上《古文尚書》及此書立於學官事，上轉引別本《晉書》及《御覽》引《尚書正義》外，早期文獻，又見《經典釋文》〈序錄〉：

江左中興，（晉）元帝時（三一七至三二二）豫章內史枚賾（原注：「字仲眞，汝南人。」敏案：枚當作梅；賾《世說新語》作頤。《釋文》另於〈舜典音義〉卷枚賾亦作梅頤）奏上《孔傳》《古文尚書》，亡〈舜典〉一篇，購不能得，乃取王肅注〈堯典〉從「眘徽五典」以下分爲〈舜典〉篇以續之，學徒遂盛。齊明帝建武中（四九四至四九八），吳興姚方興采馬（融）、王（肅）之注造《孔傳》〈舜典〉一篇，云於大航頭買得，上之。

《隋書》〈經籍志〉一〈書類敘〉：

晉世祕府所存，有《古文尚書》經文，今無有傳者。及永嘉之亂，歐陽、大小夏侯《尚書》並亡。……至東晉，豫章內史梅賾（《世說》作頤）始得安國之《傳》，奏之；時又闕〈舜典〉一篇，齊（明帝）建武中，吳興姚方興於大桁市得其書，奏上，比馬、鄭所注多二十八字，於是始列國學。

《尚書正義》〈虞書〉大題下：

（《古文尚書》，梅賾奏上，）時已亡失〈舜典〉一篇，……至〔齊〕蕭鸞建武四年（四九七），姚方興於大航頭得而獻之，議者以爲孔安國之所註也。值方興有罪，事亦遂寢。至〔隋〕開皇二年（五八二），購慕（？）遺典，乃得其篇焉（元敏謹案：謂募得姚本〈舜典〉，《正義》本〈舜典〉即是采用姚本）。（影宋單疏本註作注，餘悉同；〈舜典〉「乃命以位」下《正義》亦有說，事同；影宋單疏本《正義》同）

《隋書》〈經籍志〉一：

《古文尚書》十三卷，〔漢〕臨淮太守孔安國傳。（即是梅氏獻本）

（二）南方五代公私學行用《僞古文》

南方諸朝，《僞古文經傳》公私學，大要如下：

於東晉：太興二年（三一九）立博士，鄭（玄）孔（安國）兩家學竝置，孔即梅氏所獻《古文尚書經傳》（參《晉書》〈元帝紀〉及〈荀崧傳〉崧上疏）。「學徒遂盛」；徐邈（三四四至三九七）爲之（梅獻經傳）音、范甯（三三九至四〇一）據之以作《集解》（參《釋文》〈序錄〉、《隋》〈志〉）。

於南朝宋：重玄學、詞章，國學時立旋廢，僅姜道盛（？至四四三）一家「注《古文尚書》，行於世」（見《宋書》〈劉懷肅傳〉，《南史》〈劉傳〉同；參《釋文》〈序錄〉、《隋》〈志〉著錄），其中〈舜典〉經傳殆據後補入之王肅本。

於南齊：武帝永明元年（四八三），國學立博士而尚不及《尚書》學（見《南齊書》〈陸澄傳〉）。三年（四八五）正月，立國學（見《南齊書》〈禮志〉），開庠序之教。五年（四八七），文惠太子（蕭長懋）臨國學，時王儉（四五二至四八九）對問議禮典，引《僞古文》〈太甲中篇〉經本文（見《南齊書》〈文惠太子傳〉）；儉又據《僞古文》作《尚書音義》四卷，《兩唐》〈志〉竝著錄。十一年（四九三）國學暫廢（參見《南齊書》〈禮志〉）。明帝建武四年，詔立學（同上），時已立梅本《古文尚書經傳》，以闕〈舜典〉經傳，故姚方興僞造，上獻之，《尚書正義》一則曰「方興有罪，事亦遂寢」、再則曰「乃表上之，事未施行，方興以罪致戮」，則姚僞本〈舜典〉南齊時未立官；唯未得立原因，《釋文》〈序錄〉不同，云：「梁武帝時爲博士，議曰：『孔序稱伏生誤合五篇，皆文相承接，所以致誤。〈舜典〉首有「曰若稽古」，伏生雖昏耄，何容合之？』遂不行用。」則不行用者僅姚本僞〈舜典〉。餘五十七篇及王肅本〈舜典〉經傳，皆立官施行。

於梁：武帝（四六四至五四九）天監四年（五〇五）設國子學、太學，立五經博士。帝前於蕭齊博士職任，質疑姚本僞〈舜典〉，致其篇不獲行用，故今茲所立《僞古文》本中〈舜典〉乃王肅本。帝論〈泰誓〉篇，主張兼存《僞古文》〈泰誓〉及今文〈泰誓〉（漢河內本）兩本（見《僞古文》〈泰誓〉篇《正義》），所撰《尚書大義》（《隋》〈志〉著錄），必宗梅氏《僞古文》本。又制作《尚書講疏》，其國子助教孔子袪（四九五至五四六）爲蒐檢資料；子袪「尤明《古文尚書》」，自著《尚書義》（見《梁書》〈儒林傳〉），係依據《僞古文》至確。又其國子助教巢猗著《尚書義疏》十卷（《兩唐》〈志〉竝著錄）；元帝國子助教費甝亦著《尚書義疏》十卷（《隋》〈志〉著錄），傳至北方，爲二劉焯炫《義疏》之所本，而〈唐〉孔《正義》之所從出也。

於陳：文帝設國學，置經學博士，《尚書》所講，孔（安國）、鄭（玄）兩家學（《隋》〈志〉〈書類後序〉）。國子博士張譏（五〇六至五八一）講《尚書》，撰《尚書義》十五卷。陸德明從之學（《陳書》〈儒林傳〉），撰《尚書音義》（在其《經典釋文》之中），用梅獻本（其中〈舜典〉經傳用後補入之王肅本，明見《釋文》〈序錄〉），執張師傳本以著作者也。

總上所列述，自東晉以迄梁陳，或設學立官，或公私講疏，或直舉篇名，或稱引本經，或撰爲專著，一皆據梅本《僞古文尚書》。故孔穎達〈尚書正義序〉曰：

> 古文經雖然早出，晚始得行。其辭富而備，其義弘而雅，故復而不厭，久而愈亮。江左學者，咸悉祖焉。（影宋單疏本同）

第《隋書》〈經籍志〉〈書類後敘〉說稍齟齬，有云：

> 《尚書》，梁、陳所講，有孔、鄭二家，（南）齊代唯傳鄭義。

案：梁、陳誠亦講鄭學，然視孔學爲微。南齊時，僞孔《尚書經傳》列國學，姚方興治之，因上僞造「日若稽古帝舜」等字（已詳上引《釋文》〈序錄〉、《隋》〈志〉、《尚書正義》及討論），矧當朝國子祭酒王儉引《僞古文》〈太甲篇〉本經，又依《僞古文》本作《尚書音義》，所據本竝學官之所職，乃云「齊代唯傳鄭義」，誣也。《四庫提要》卷四五〈正史類〉一謂《隋》〈志〉「述經學源流，每多舛誤」，良是，此其一端耳。

鄭注羣經，大行於河朔，《尚書》其一也，《魏書》〈儒林傳序〉：

> 漢世鄭玄並爲衆經注解，……玄《易》、《書》、《詩》、《禮》、《論語》、《孝經》（注）……大行於河北。（《北史》〈儒林傳序〉同，但《書》、《詩》作《詩》、《書》）

誠然；河北《尚書》鄭學，絕多出徐遵明門，《北齊書》〈儒林傳序〉：

> 凡是經學諸生，多出自魏末大儒徐遵明門下。……河北講鄭康成所注《周易》。……（北）齊時，儒士罕傳《尚書》之業，徐遵明兼通之（元敏謹案：徐北方大儒，兼理羣經）。遵明受業於屯留王總（敏案：《北史》作聰），傳授浮陽李周仁及勃海張文敬及李鉉、權會，並鄭康成所注，非古文也。

《北史》〈儒林傳序〉：

（北）齊時，儒士罕傳《尚書》之業，徐遵明兼通之（敏案：謂徐通它多經又通《尚書》）。遵明受業於屯留王聰（敏案：《北齊書》作總），傳浮陽李周仁及勃海張文敬、李鉉、河間權會，並鄭康成所注，非古文也。

余考李周仁、張文敬、李鉉、權會、呂思禮、李業興、樂遜、李郁、盧景裕、熊安生十家《尚書》學，咸自徐氏出，而肇端於康成；別有常爽、刁沖、游雅、崔浩、陳奇、馮景仁亦修鄭學，不知所承師：則河北果行康成《尚書》之學也。

李延壽別南北《尚書》學，以為江左行孔而河洛用鄭，隋史因之，

《北史》〈儒林傳序〉：「大抵南北所為章句，好尚互有不同：江左，……《尚書》則孔安國；……河、洛，……《尚書》……則鄭康成。」（《隋書》〈儒林傳序〉：「南北所治章句，好尚互有不同：江左，……《尚書》則孔安國；……河、洛，……《尚書》……則鄭康成。」事同）

說信而有徵，既屢宣之於上文矣。

三 《偽古文尚書經傳》之還傳於北

（一）唐孔氏《正義》之說

《僞古文尚書經傳》，自魏、晉之際，由北傳南，盛行於江左；既而渡江而右，復還傳於河朔，孔穎達〈尚書正義序〉曰：

> 古文經雖然早出，晚始得行。……江左學者，咸悉祖焉。近至隋初，始流河朔。其爲正義者，蔡大寶、巢猗、費甝、顧彪、劉焯、劉炫等。（影宋單疏本同）

孔《正義》之所謂江左，謂南方宋齊梁陳及後梁；而所謂河朔，實當北魏（拓跋珪建，都平城，今山西大同，後遷都洛）、西魏（北魏孝武帝出奔關中，後元寶炬爲帝，始有是號）、東魏（北魏元善見爲孝靜帝，自洛徙都鄴）、北齊（高洋廢東魏孝靜帝自立，始有號）、北周（宇文泰，史稱爲北周文帝；子宇文覺篡西魏自立，始號）、北齊（後併於北周），乃泛言北朝，非拘拘於國都必在黃河之北也。今從定爲廣義。《正義》謂《僞孔經傳》「隋初」（隋文帝開皇元年）始流傳於河北，則當陳太建十三年、北周大象三年、後梁（蕭巋立）天保二十年（五八一）也。

夫唐修《尚書正義》，執役者廿九人（含撰作、覆審、刊定），由孔穎達領其事。其中確知治《尚書》者，才張行成（五八七至五六三，上書引《僞古文經》）與穎達（五七四至六四八）二人。穎達籍冀州，初爲北齊人（父安，爲北齊青州法曹參軍），年三歲，北齊亡於北周（北齊承光元年、五七七），(註一) 遂爲北周人。在冀，嘗造大劉焯門質學（所質當含《尚書》義）（以上參看《兩唐書》穎達本傳），必亦請益於小劉炫（二劉爲親密學侶，二人閉戶讀書十年不出），其後主修《尚書正義》又刪取二劉《尚書義疏》及《尚書述議》以成，(註二) 則其敘《僞古文經傳》「近至隋初，始流河朔」，應可據信，惜穎達《尚書》學本治鄭氏，於僞孔經初不措意，而二劉又未以《僞古文》淵源相告詳，(註三) 故敘《僞經傳》傳予河朔二劉之時際，未盡精確也。

（二）蔡氏等五家可能先已傳孔學於朔方，推史儒傳序之說亦失

何則？即以上《正義》所序蔡大寶（？至五六四）言之，便知《僞古文》至少蚤先十九年已傳至北周，《周書》〈蔡大寶傳〉：

大寶字敬位，濟陽考城人。祖履，（南）齊尚書祠部郎。父點，梁尚書儀曹郎、南兗州別駕。大寶……初以明經對策第一，解褐武陵王國左常侍，……僕射徐勉……所有墳籍，盡以給之。遂博覽羣書，學無不綜。……（蕭）詧令大寶使江陵，……梁元帝……示所制〈玄覽賦〉，令注解焉，三日而畢。……詧於江陵稱帝，徵爲侍中、尚書令，……從（蕭）巋入朝，領太子少（疑太之誤）傅。巋嗣位，冊授司空、中書監，……巋之三年卒，……贈司徒。……所著文集三十卷及《尚書義疏》，並行於世。

（《北史》本傳同）

大寶初仕梁，往來金陵、江陵間論學服政；次仕後梁兩君，迭膺重寄，副主北上長安，於溝通東西、南北經學，厥功甚偉。《隋》〈志〉著錄「《尚書義疏》三十卷蕭詧司徒蔡大寶撰」，書至唐猶存，孔穎達〈尚書正義序〉：「其爲正義者蔡大寶」等，而《兩唐》〈志〉亦咸著於錄卷同《隋》〈志〉。考之《周書》〈蕭詧傳〉，詧於西魏文帝大統十五年（五四九）遣使稱藩，請爲附庸，次年宇文泰命詧爲梁王，又次年（五五一）梁王自襄陽往長安朝見，自茲襄陽、長安間往來不絕。及蕭巋嗣位（五六二），大寶副從入朝北周，其《尚書義疏》亦即《僞孔經傳》北傳，至遲在此際，則先乎「隋初」至少十九年也。

復即以上《正義》所序費甝言之，茲先記甝事迹如下：費甝，正史未嘗特爲立傳；江夏人，官梁國子助教，撰《尚書義疏》傳世，《經典釋文》〈序錄〉著錄《尚書》專著多家，既而曰：「右《尚書》；梁國子助教江夏費甝作《義疏》行於世。」（《北史》〈儒林傳序〉及孔穎達《尚書正義》亦竝稱費甝作《尚書義疏》）正史志則著其卷數，《隋書》〈經籍志〉：「《尚書義疏》十卷，梁國子助教費甝撰。」（《兩唐》〈志〉：費甝《尚書義疏》十卷）。江夏，地近江陵（元帝都此），則費公豈蕭繹之學官乎？費《疏》等傳至北方，爲二劉《義疏》之所本，而固（唐）孔《正義》所從出也。

第徵之史儒傳，知孔本《僞經傳》，亦蚤先「隋初」六年北傳入二劉之手，《北齊書》〈儒林傳序〉：

> ……下里諸生，略不見孔氏注解。武平末，河間劉光伯（炫）、信都劉士元（焯）始得費甝（尚書）《義疏》，乃留意焉。（錢大昕《廿二史考異》卷三十一《北齊書》〈儒林傳〉：「魏晉以後經學，莫盛於北方，鄭康成《易》《書》《詩》《三禮》，惟河北諸儒篤信而固守之。……僞孔之《尚書》，雖風行江左，不能傳於河朔。」）

劉師培《劉申叔遺書》（一）〈南北經學不同論〉頁四：

> 江左自永嘉搆禍，古學消亡，故說經之徒喜言新理。厥後，王弼《易》學行於青、豫，費甝《書疏》傳入北方。（原注：「北方諸生略不見孔氏註解，自劉光伯、劉士元得費甝《疏》，乃留意焉。」竝據此以說也）

《北史》〈儒林傳序〉：

> ……下里諸生，略不見孔氏注解。武平末，劉光伯（炫）、劉士元（焯）始得費甝（尚書）《義疏》，乃留意焉。

即據此，北齊後主武平末年（五七六），《僞孔經傳》已傳至鄴，二劉時得費甝《尚書》本，則先乎「隋初」亦得六年，是孔〈正義序〉述《僞孔經傳》北傳時代，果失之麄略也。〔唐〕李百藥（《北齊書》作者）大概以北周入滅北齊之年（即北齊武平末，參〔註一一〕）爲《僞孔經傳》入鄴之年，亦即意謂勝國軍政始與學術同時俱入主滅國（李延壽《北史》襲其說）。其實，東魏與江南學術直接交流、《僞古文》化入東河，先前已有行之，李業興（四八四至五四九）著首庸，《魏書》〈儒林傳〉：

李業興，上黨長子人也。少……志學精力，負帙從師，不憚勤苦。耽思章句，好覽異說。晚乃師事徐遵明於趙、魏之間。……後乃博涉百家，圖緯、風角、天文、占候，無不詳練，尤長算曆。……（與張洪、張龍祥等共）成《戊子曆》，正光三年奏行。……（東魏孝靜帝天平）四年，與兼散騎常侍李諧、兼吏部郎盧元明使蕭衍。衍散騎常侍朱异問業興曰：「魏洛中委粟山是南郊邪？」業興曰：「委粟是圓丘，非南郊。」异曰：「北間郊、丘異所，是用鄭義。我此中用王義。」業興曰：「然，洛京郊、丘之處專用鄭解。」异曰：「若然，女子逆降傍親亦從鄭以不？」業興曰：「此之一事，亦不專從。若卿此間用王義，除禫應用二十五月，何以王儉《喪禮》禫用二十七月也？」异遂不答。業興曰：「我昨見明堂四柱方屋，都無五九之室，當是裴頠所制。明堂上圓下方，裴唯除室耳。今此上不圓何也？」异曰：「圓方之說，經典無文，何怪於方？」業興曰：「圓方之言，出處甚明，卿自不見。見卿錄梁主《孝經義》亦云上圓下方，卿言豈非自相矛盾！」异曰：「若然，圓方竟出何經？」業興曰：「出《孝經援神契》。」异曰：「緯候之書，何用信也！」業興曰：「卿若不信，《靈威仰》、《叶光紀》之類經典亦無出者，卿復信不？」异不答。

蕭衍親問業興曰：「聞卿善於經義，儒、玄之中何所通達？」業興曰：「少爲書生，止讀五典，至於深義，不辨通釋。」衍問：「《詩》〈周南〉，王者之風，繫之周公；

〈邵南〉，仁賢之風，繫之邵公。何名爲繫？」業興對曰：「鄭注《儀禮》云：昔大王、王季居于岐陽，躬行邵南之教，以興王業。及文王行今周南之教以受命。作邑於豐，分其故地，屬之二公。名爲繫。」衍又問：「若是故地，應自統攝，何由分封二公？」業興曰：「文王爲諸侯之時所化之本國，今既登九五之尊，不可復守諸侯之地，故分封二公。」……衍又問：「《尚書》『正月上日受終文祖』，此是何正？」業興對：「此是夏正月。」衍言何以得知。業興曰：「案《尚書中候》〈運行〉篇云『日月營始』，故知夏正。」衍又問：「堯時以何月爲正？」業興對：「自堯以上，書典不載，實所不知。」衍又云：「『寅賓出日』，即是正月。『日中星鳥，以殷仲春』，即是二月。此出〈堯典〉，何得云堯時不知用何正也？」業興對：「雖三正不同，言時節者皆據夏時正月。《周禮》：仲春二月會男女之無夫家者。雖自周書，月亦夏時。堯之日月，亦當如此。但所見不深，無以辨析明問。」衍又曰：「《禮》，原壤之母死，孔子助其沐椁。原壤叩木而歌曰：『久矣夫，予之不託於音也。狸首之班然，執女手之卷然。』孔子聖人，而與原壤爲友？」業興對：「孔子即自解，言親者不失其爲親，故者不失其爲故。」又問：「原壤何處人？」業興對曰：「鄭注云：原壤，孔子幼少之舊。故是魯人。」衍又問：「孔子聖人，所存必可法。原壤不孝，有逆人倫，何以存故舊之小節，廢不孝之大罪？」業興對曰：「原壤所行，事自彰著。幼少之交，非是今始，既無大故，何容棄之？孔子深敦故舊之義，於理無失。」衍又問：「孔子聖人，何以書原壤之事，垂法萬代？」業興對曰：「此是後人所錄，非孔子自制。猶合葬於防，如此之類，《禮記》之中動有百數。」……還，……武定元年，除國子祭酒。……七年死……年六十六。（《北史》〈儒林傳〉大同）

業興家藏多書，「五經諸史，殆無遺闕」（《北齊書》〈文苑傳〉、《北史》〈文苑傳〉），其見稱日「碩學通儒」者（本傳）以此。天平四年（五三七）七月出使蕭梁（參〈孝靜帝紀〉、本傳），對梁武帝問曰「止讀五典」，五典即五經。答梁君臣問《詩》、《禮》，均明出鄭玄學。其爭校經義，動引緯候、《周禮》，亦康成宗風，而業興仰承之，豈非得自徐遵明，上從王聰以傳鄭學乎？其答梁帝《尙書》問，以〈堯典〉「正月」爲用夏正，引《書緯》〈中候〉，學當亦本鄭氏。而梁帝《尙書》義專行僞孔，殊異鄭學，與業興往復辯難，度必以《僞孔經傳》示北使，則業興攜之以反國，教太學弟子，遂流傳河朔，時則蚤先武平末三十有九年也。

夫北魏裂爲東西，隨後高氏、宇文氏篡國分立齊、周，軍政雖敵對，雙方學術交流，則無時或已。天和三年（五六八），周人尹公正使齊，還言熊安生深《三禮》，及武帝入鄴，立即親造熊門，可爲切證。職是，江南《僞古文》學傳入北周，自關中轉入鄴下，亦不必俟晚至武平末也。蕭大圜、戚袞（五一九至五八一）有功於其間，《周書》〈蕭大圜傳〉：

> 大圜字仁顯，梁簡文帝之子。……年四歲，能誦〈三都賦〉及《孝經》、《論語》。……恆以讀《詩》《禮》《書》《易》爲事。元帝嘗自問五經要事數十條，大圜辭約指明，應答無滯，元帝甚歎美之。……及于謹軍至，元帝乃令（蕭）大封充使請和，大圜副焉，其實質也。出至軍所，信宿，元帝降。（西）魏恭帝二年（五五五），客長安，太祖以客禮待之。……俄而開麟趾殿，招集學士，大圜預焉。《梁武帝集》四十卷、《簡文集》九十卷，各止一本，江陵平後，竝藏秘閣。大圜既入麟趾，方得見之。乃手寫二集，一年竝畢。識者稱歎之。……隋開皇初，拜內史侍郎，出爲西河郡守，尋卒。大圜性好學，務於著述。撰《梁舊事》三十卷、《寓記》三卷、《士喪儀注》五卷、《要決》兩卷并《文集》二十卷。（《北史》〈儒林傳〉記事同）

大圜以南方大朝帝王之後，家業世傳，少承碩儒教導，貫通五經，而所恆讀之經有《尚書》，且西魏破江陵，梁元帝之藏書，煨燼之餘，或有《僞孔經傳》，于謹擄以歸北，如二梁帝文集入藏周人秘閣然，意者：大圜開講周廷麟趾殿，又滯周年餘，期間必以南方《尚書》學薰陶北儒，援《僞孔經傳》，自亦在所難免。則大圜傳本《僞古文經傳》，先乎武平末二十一年可能已傳北周，復北東傳至北齊矣。

《陳書》〈儒林傳〉：

> 戚袞字公文，吳郡鹽官人也。祖顯，（南）齊給事中。父霸，梁臨賀王府中兵參軍。袞少聰慧，遊學京都，受《三禮》於國子助教劉文紹，一、二年中，大義略備。年十九，梁武帝勑策孔子正言并《周禮》、《禮記義》，袞對高第。……就國子博士宋懷方質《儀禮》義。懷方北人，自魏攜《儀禮》、《禮記疏》，祕惜不傳，及將亡，謂家人曰：「吾死後，戚生若赴，便以《儀禮》、《禮記義》本付之。」……尋兼太學博士。……梁簡文在東宮，召袞講論。……敬帝承制，……隨沈泰鎮南豫州。泰之奔齊也，逼袞俱行，後自鄴下遁還。又隨程文季北伐，呂梁軍敗，袞沒于周，久之得歸，仍兼國子助教。……天建十三年卒，時年六十三。袞於梁代撰《三禮義記》、……《禮記義》。（《南史》〈儒林傳〉略同，袞沒于周作軍敗入周）

《陳書》〈高祖本紀下〉：「永定二年（五五八）二月壬申，南豫州刺史沈泰奔于（北）齊」（《南史》〈陳本紀〉同，《北齊書》〈文宣帝紀〉：「天保九年（五五八）八月乙丑，陳江州刺史沈泰以三千人內附。」），是袞前乎武平末十八年入鄴；隨程文季北伐，在北周天和

三、四年（五六八、五六九）（《周書》〈李遷哲傳〉及〈陸騰傳〉）。則袞留北齊約十年。袞既克精《三禮》，必資《尚書》義（《周禮》官制與僞古文〈周官〉篇有關，《禮記》引《尚書》四十餘條），則其《尚書》學傳於北齊者，必早年所習梅獻本也。

（三）徵房氏等六家引用，明偽書早已流傳於河洛

以上就南北經學交流，舉蔡大寶、費甝（史儒林傳序論稱）、李業興、蕭大圜及戚袞，用明《僞孔經傳》武平末之前可能已傳北方長安及鄴下，唯北士（或晚近始自南入北之士）之稱引《僞經傳》，猶未遑舉說。夫北周呑齊之前，北士講論、著書，直接明確稱引《僞經》或《僞經傳》者，余考得六家，論述如下：

1　房景先（四七六至五一八）

《魏書》卷四三〈房法壽房景先傳〉：

房法壽，……清河繹幕人。……（族子）景先，字光冑。幼孤貧，無資從師，其母自授《毛詩》、〈曲禮〉。……晝則樵蘇，夜誦經史，自是精勤，遂大通贍。……解褐太學博士。時太常劉芳、侍中崔光當世儒宗，歎其精博，光遂奏兼著作佐郎，修國史。尋除

司徒祭酒。……神龜元年，……卒於家，時年四十三。……景先作《五經疑問》百餘篇，其言該典，今行於時，文多，略舉其切於世教者：……問：「《尚書》〈胤征〉，羲和詰其罪，乃季秋月朔，辰弗合於房？」曰：「衡紀不移，日月有度。炎涼啓辰，次舍無代。履端屢臻，歸餘成閏。是以爰命羲和，升準徂節，使晷數應時，火流協運。致望舒後律，耀靈爽次。即官（闕）永，容可爲愆。玄象一差，未成巨戾。且杪秋豈回星之辰，授衣非合璧之月。敍食弗當，積失加誅；律度暫差，便遘殄絕。仁者之兵，義不妄興；王赫斯舉，將有異說。」……符璽郎王神貴答之，名爲《辯疑》，合成十卷，亦有可觀。前廢帝時奏上之。帝親自執卷，與神貴往復，嘉其用心，特除神貴子鴻彥爲奉朝請。（《北史》同，但刪卻「疑問」諸條）

案：《經義考》卷二四○：「《山東通志》：『景先字光宙，山東武城人。』」又曰：「房氏景先《五經疑問》十卷，《冊府元龜》（〈學校部〉〈注釋〉一）：『房景先孝文時爲太學博士，作《五經疑問》百餘篇，（又）符璽郎王神貴答之，名曰《辨（辯）疑》，合成十卷。』葉廷珪曰：『房景先作《五經疑問》百篇，其語典詣（該）。』」皆據此史傳，張鵬一《隋書經籍志補》亦著錄。書久佚，《漢魏遺書鈔》、《黃氏逸書考》竝有輯本。

又案：《僞古文尚書》〈夏書〉〈胤征〉篇：「惟時羲和，顛覆厥德，沈亂于酒，畔宮離次，俶優天紀，遐棄厥司。乃季秋月朔，辰弗集于房。」（內野本、唐石經同）即景先《疑問》之所本。此今存最早評《僞古文經》資料，博洽如閻百詩，《尚書古文疏證》條八十一，亦論僞〈胤征〉「辰弗集于房」，竟未及引用此條。

三案：景先《五經疑問》之作，當在北魏孝文帝（拓跋宏）太和中（四七七，劉宋元徽五年〔四九九〕——齊東昏侯永元元年）爲太學博士時，至遲孝明帝（拓跋詡）神龜元年（五一八）景先卒之間，早於武平末且六十年，下至「隋初」近百年矣。時北魏都洛，學者已據《僞古文經傳》著書；太學講授亦用，度不可免。

四案：此本僞孔書自江南傳來耶？抑晉鄭沖所得本（或傳寫本），原存於洛邑，而另本遞傳於汝南梅氏者耶？洛邑者西晉國都，房博士去鄭太保時代又未遠，訪書非難，房本果鄭沖所傳北一本耶？疑不能決！

2　酈道元（?至五二七）

《北史》卷二七〈酈範傳〉：

> 范陽涿郡人，……子道元。道元字善長，初襲封永寧侯，例降爲伯。……延昌中（五一二至五一五），爲東荊州刺史。……後爲河南尹。……孝昌初（五二五），……後除御

史中尉。……雍州刺史蕭寶夤……遣其行臺郎中郭子帙圍道元於陰盤驛亭，……道元與其弟道（闕）二子俱被害。……道元好學，歷覽奇書，撰《水經注》四十卷、《本志》三十篇，又爲〈七聘〉及諸文，皆行於世。（《魏書》〈道元傳〉文簡）

道元遇害，詳見《魏書》〈蕭寶夤傳〉：

孝昌三年，……朝廷……遣御史中尉酈道元爲關中大使。……道元行達陰盤驛，寶夤密遣其將郭子恢等攻而殺之。（《北史》〈蕭傳〉記事同）

其爲河南尹，在正光五年（五二四）（見《周書》〈趙肅傳〉）。而前於魏孝文帝太和中（四七七至四九九），則已仕於朝爲郎，《魏書》〈酈道元傳〉：

太和中，爲尚書主客郎。

《水經注》卷三頁一一〈河水〉：

余以太和中爲尚書郎從高祖北巡。

道元注《水經》，屢稱北魏高祖（如另一條，《水經注》卷九頁八〈清水〉：「太和中，高祖孝文皇帝南巡。」），曰廟謚，則成書必在太和二十三年（四九九）四月孝文崩稱廟曰「高祖」之後，賀昌羣影印〈水經注疏敘〉定在延昌、正光間（五一五至五二四），以謂値道元任東荆州刺史之後、爲河南尹之前，約十年之中，不知所據；要之，方道元卒前二、三年（五二五、五二四）完卷，經始或當太和末，費力約二十餘年。

道元《水經注》約四十卷，今猶存，多述引《僞孔經傳》，茲據影〔清〕武英殿《聚珍版叢書》本（臺灣商務印書館《四部叢刊正編》本），參以楊、熊《疏》本，類錄並討論如下：

甲、經傳併引例

《水經注》卷四頁九〈河水〉：

《尚書》所謂「釐降二女于嬀汭」也，孔安國曰：「居嬀水之內。」……皇甫謐曰：「納二女于嬀水之汭。」

敏案：經文出〈虞書〉〈堯典〉，內野本、唐石經竝同；孔安國語，見同篇《僞孔傳》

（內野本同），但內彼作汭，熊會貞《補疏》：「酈氏豈以訓詁代本字耶？」是，酈氏改字便讀耳。皇甫語，當出其《帝王世紀》；又酈注既安國、謐語連文併舉，明直據《僞孔傳》，非自《帝王世紀》轉稗、而小改易其字以成者。

又卷五頁六〈河水〉：

孔安國以爲：「再成曰伾。」亦或以爲地名，非也。《尚書》〈禹貢〉曰：「過洛汭，至大伾」者也。

敏案：經文出〈夏書〉〈禹貢〉（酈氏刪一虛字），內野本、唐石經竝同；孔安國語，見同篇《僞孔傳》，內野本同。

又卷七頁六〈濟水〉：

《尚書》曰：「滎波既瀦。」孔安國曰：「滎澤波水已成過瀦。」

敏案：經文出同上（內野本、唐石經本竝同），但瀦彼作豬；孔語，見同篇《僞孔傳》（內野本同），瀦彼亦作豬。楊守敬疏本無澤過二字，已作以。

又卷十頁一三〈濁漳水〉：

《尚書》所謂「覃懷厎績，至於衡漳」者也。孔安國曰：「衡，橫也；言漳水橫流也。」

敏案：經文出同上，內野本、唐石經本竝同；孔語，見同篇《僞孔傳》（內野本同），但酈注增「衡橫也言也」五字，便讀耳。

又卷十六頁二九〈漆水〉：

《尚書》〈禹貢〉、太史公〈禹本紀〉云：「導渭水東北至涇，又東過漆沮入于河。」孔安國曰：「漆沮，一水名矣，亦曰洛水也，出馮翊北。」

敏案：經文上句，出《史記》〈夏本紀〉，小有更易；下句，方出《尚書》〈禹貢〉，內野本、唐石經本竝同。孔語，見《僞孔傳》（原誤作二水，阮元校：「二當作一。」未引《水經注》），但增飾虛字。

又卷四十頁三一〈禹貢山水澤地所在〉：

《尚書》曰：「導漢水，過三澨。」……馬融、鄭玄、王肅、孔安國等咸以爲「三澨，水名」也。

敏案：〈禹貢〉本經：「嶓冢導漾，東流爲漢，……過三澨。」（內野本、唐石經竝同）酈注刪節之以成。「三澨，水名」，文見同篇《僞孔傳》，內野本同。次安國於融、玄、肅之下，豈微見其書晚出乎？

乙、獨引《僞孔傳》例

《水經注》卷十五頁二七〈澗水〉：

孔安國曰：「澗水出澠池山。」今新安縣西北有一水，北出澠池界，東南流逕新安縣，而東南流入于穀水，安國所言，當斯水也。

敏案：孔語，見〈禹貢〉《僞孔傳》，但傳澠作沔（內野本同，沔訛作沔）；又《水經注》卷十六頁一〈穀水〉：「穀水又東，左會北溪，溪水北出澠池山東南，流注于穀，疑即孔安國所謂澗水也。」是謂《孔傳》之所謂出澠池山之澗水即源於其山東南之「北溪」。

又卷二十頁二〈漾水〉：

孔安國曰：「泉始出爲漾。」其猶濛耳。

敏案：孔語，見同篇《僞孔傳》（內野本同），出下傳有山字，酈注刪卻。

又卷四十頁二五〈禹貢山水澤地所在〉「鳥鼠同穴」：

孔安國曰：「共爲雌雄。」

敏案：孔語，見同篇《僞孔傳》。

丙、述參僞篇經傳及僞篇《書序》例

《水經注》卷四頁二三〈河水〉：

水北出虞山，東南逕傳巖，歷傳說隱室前，俗名之爲聖人窟。孔安國傳：「傳說隱于虞、虢之間。」

敏案：《僞古文》〈說命上篇〉《僞孔傳》：「傳氏之巖，在虞、虢之界；通道所經，有澗水壞道，常使胥靡刑人築護此道。說賢而隱，代胥靡築之以供食。」即酈氏引文之所本。

又卷九頁二四〈淇水〉「頓丘」：

《古文尚書》以爲：觀，地矣，蓋太康弟五君之號曰「五觀」者也。

敏案：以觀爲地名，在頓丘，見《左傳》杜注等。以夏太康五弟爲五觀，見《漢書》〈古今人表〉班氏自注等。酈注此稱出《古文尚書》者，因舊頗有牽合「五觀」與「太康五弟須于洛汭」之事者（《潛夫論》〈五德志〉；《帝王世紀》：「（昆弟五人）號五觀也。」），且《僞古文尚書》〈五子之歌〉有「太康尸位以逸豫，……厥弟五人御其母以從，徯于洛之汭，五子咸怨，述大禹之戒以作歌」（內野本、唐石經竝同），遂據說焉。唯楊守敬疏：「酈氏所見《古文尚書》有洛汭而無觀地。余按：《竹書紀年》原注有武觀即五觀之說，此『古文尚書』四字，當爲『汲郡古文』之誤。」恐非是，夫馬鄭王皆主古文，但其「尚書注」皆不題「古文尚書注」（分見三人史本傳），而梅獻本《僞古文尚書》既強調其本乃孔壁出土古文（見〈書大序〉），後世遂從而特稱之爲《古文尚書》（見《釋文》〈序錄〉），著於目錄（《隋》〈志〉：「《古文尚書》十三卷，〔漢〕臨淮太守孔安國傳。」）、爲作注解（〔東晉〕范甯《古文尚書舜典》一卷注、徐邈《古文尚書音》一卷：《隋》〈志〉），而酈注從俗稱。

又卷十五頁一七至一八〈洛水〉：

昔「太康失政，爲羿所逐，其昆弟五人，須于洛汭，作〈五子之歌〉」。于是地矣。

敏案：酈注陰本《僞古文尚書》〈五子之歌書序〉（內野本、唐石經竝同），改邦爲政，加其，又據僞篇本經加「爲羿所逐」四字。

酈氏注明引「孔安國曰」、「孔安國以爲」、甚至確稱「孔安國傳」，取古今本《僞孔傳》以校，一一皆合。《孔傳》既與《僞古文經》相連，即酈君舉《尚書》、或指及篇名、又陰用僞篇經傳以甄夏殷史質、甚至謂是本爲《古文尚書》，故斷是《僞古文》本無疑。《水經注》卷末，通舉漢魏古文書家，次孔於馬鄭王之下，其或已有見於孔書晚出，誌疑於此耶？此一專著，成撰於洛都，出大臣手筆，前乎武平末五十餘年。

3　王神貴、4　北魏前廢帝，即節閔帝元恭（五三一至五三二）

《魏書》卷四三〈房法壽傳〉：

北魏孝明帝神龜元年之前，房景先作《五經疑問》百餘篇，其中質及《尚書》者數事，

「符璽郎王神貴答之，名爲《五經辨疑》，合成十卷，（註四）亦有可觀。前廢帝時奏上之。帝親自執卷，與神貴往復，嘉其用心，特除神貴子鴻彥爲奉朝請。」（《北史》答作益）（竝參看上房景先卷）

案：景先作《疑問》，當在北魏孝明帝神龜元年（五一八）之前，而王神貴《辯疑》則成文於北魏節閔帝（即前廢帝）普泰元、二年（五三一、五三二，節閔帝享祚止兩年），且問答文均奏上朝廷。其中問《尚書》〈胤征〉，既據梅獻本，則《僞古文尚書》斯時已傳至北朝，學官講論之，不必俟遲至四十餘年後之齊武平末年也。

少焉，關中之北周，有人著書引《僞孔經傳》，甄鸞是也。

5 甄鸞

北四史、南五史皆無立傳，亦不載其事迹。《四庫全書總目提要》〈子部〉〈天文算法類〉二記其仕履及著作：

《五經算術》二卷，（北周）甄鸞撰、（唐）李淳風註。鸞精於步算，仕北周爲司隸校尉、漢中郡守，嘗釋《周髀》等算經；不聞其有是書。……今考是書舉《尚書》、《孝經》、《詩》、《易》、《論語》、《三禮》、《春秋》之待算方明者列之，而推算之術，悉加「甄鸞案」三字於上，則是書當即鸞所撰。又考淳風當貞觀初奉詔與算學博士梁述、助教王眞儒等定刊《算經》，立於學官。《唐》〈選舉志〉暨〈百官志〉並列「五經算」爲《算經》十書之一，與《周髀》共限一年習肄，及試士各舉一條爲問。此書註端，悉有「臣淳風等謹案」字，然則唐時算科之五經算，即是書矣。是書世無傳本，惟散見於《永樂大典》中，雖割裂失次，尚屬完書。據淳風註，於《尚書》「推定閏」條，自言其解釋之例，則知造端於此。……其中採摭經史，多唐以前舊本。……蓋是書不特爲算家所不廢，實足以發明經史，覈訂疑義，於考證之學，尤爲有功矣。

鸞，嚴可均《後周文編》曰「（北周武帝）天和中爲司隸大夫」，姚振宗《隋書經籍志考證》（〈雜史類〉《帝王世錄》下）據《法苑珠林》卷一一九〈傳記篇〉「《答道論》一部三卷，周武帝敕前司隸毌極伯甄鸞銓衡佛道二教作」，謂鸞在武帝之前已爲司隸，封無極伯，並斷爲中山無極人。元敏考「張丘建算經」大題下署「漢中郡守前司隸甄鸞注經」（《四庫提要》據之，但妄刪「前」字），則或在北周明帝世（五五七至五五八），鸞已爲司隸校尉。《五經算術》，題（周）甄鸞撰，當作於是期間。

甄氏此一專著，其中兩條與《僞古文尚書》北傳攸關，茲先節錄其第二條「《尚書》《孝經》兆民注數越次法」：

天子曰兆民，諸侯曰萬民。甄鸞按：〈呂刑〉云：「一人有慶，兆民賴之」，注云：「億萬曰兆，天子曰兆民，諸侯曰萬民。」又按：〈周官〉：「乃經土地，而井牧其田野，九夫爲井，四井爲邑，四邑爲丘，四丘爲甸，四甸爲縣，四縣爲都，以任地事而令貢賦。」……王畿者因井田立法，故曰兆民，若言兆井之民也。如以九州地方千里者九言之，則是九兆，其數不越于兆也。諸侯曰萬民者，公地方百里，自乘得一萬井，故曰萬民，所以言侯者，諸侯之通稱也。按：注云「億萬曰兆」者，理或未盡，何者？按：黃帝爲法數有十等，及其用也，乃有三焉。十等者，謂億兆京垓秭壤溝澗正載也；三等者，謂上中下也。……若以下數言之，則十億曰兆；若以中數言之，則萬萬億曰兆；若以上數言之，則億億曰兆。注乃云「億萬曰兆」者，正是萬億也。……三數竝違，有所未詳。按：《尚書》無此注，故從《孝經》注釋之（原注：案今《孝經》亦無此註，考「天子曰兆民，諸侯曰萬民」，本《左氏春秋》閔公元年卜偃之語，鄭康成注〈內則〉：「降德于眾兆民」云「萬億曰兆，天子曰兆民，諸侯曰萬民」，然則此所引《尚書》及《孝經》注皆鄭氏說也。）（《五經算術》卷上，武英殿《聚珍版叢書》本，板本下同）

案：《僞古文尚書》〈五子之歌〉篇「予臨兆民」，《僞孔傳》：「十萬曰億，十億曰兆。」又〈周官〉篇「綏厥兆民」，《僞孔傳》：「十億曰兆。」咸異乎「億萬曰兆」之說。而〈呂刑〉「兆民」，《僞孔傳》無注，故鸞曰「《尚書》無此注」，承第一條（見下引）「孔氏注」，故省略「孔氏」，但作「《尚書》注」也，則所主者《僞孔經傳》本，非鄭玄本。（註五）既明云「從《孝經注》釋之」，當是《孝經》鄭玄注（今已佚，佚文未見「億萬曰兆」云云），非出鄭君《禮記》〈內則〉注，清人「原注」失之；且「今《孝經注》」唐玄宗御撰，北朝人甄氏著書如何得引，「原注」失言！

復更錄列其第一條「《尚書》定閏法」：

「帝曰：咨！汝羲暨和，期三百有六旬有六日，以閏月定四時成歲」，孔氏注云：「咨，嗟、暨，與也。帀四時曰期。一歲十二月，月三十日（原注：案原本脱一月字，今據《書》《孔傳》補），正三百六十日，除小月六爲六日，是爲一歲（原注：案原本作是爲歲，脱一字，今據《書》《孔傳》補）；有餘十二日，未盈三歲，足得一月，則置閏焉以定四時之氣節，成一歲之歷象。」甄鸞按：一歲之閏，惟有十日九百四十分日之八百二十七，而云餘十二日者，理則不然，何者？十九年七閏，今古之通軌，以十九年整得七閏，更無餘分，故以十九年爲一章。今若一年有餘十二日，則十九年二百二十八日；若七月皆小，則賸二十五日；若七月皆大，猶餘十八日。先推日月合宿，以定一年之閏，則十九年七閏可知。（同上，内野本《尚書》「三百六十日」下有「也」字，

敏案：體會文氣，「也」字不宜有）

案：所引「帝曰」以下共廿四字，出《僞古文尚書經》〈虞書〉〈堯典〉，文全同（唐石經同）；所引「孔氏注」，即僞孔安國《尚書傳》，凡六十六字（含補入之二脫字），文亦全同。《僞經》與《僞傳》初本文相連，故合共九十字，同出梅獻本也。

又案：此評《僞孔傳》，乃今存較早資料，閻氏《疏證》多譏僞者曆法不深（條八十一至八十四），竟亦未及引用。

三案：得甄氏此兩條，知《僞古文尚書經傳》前乎北周武帝併北齊時（武平末）已流入北方，斷斷乎無可疑也。

河洛、關西朝廷君臣援用《僞經傳》，確鑿可信，至自蕭梁直傳至鄴下之北齊，亦早有其人，梁元文臣顏之推也。

6　顏之推（五三一至?，壽約六十餘）

《北齊書》〈文苑傳〉：

字介，琅玡臨沂人也。九世祖含，從晉元東度。……父勰，梁湘東王繹鎮西府諮議參軍。世善《周官》、《左氏》。之推早傳家業。……習《禮》傳，博覽羣書，無不該洽。……繹遣世子方諸出鎮郢州，以之推掌管記。值侯景陷郢州，頻欲殺之，……囚送建鄴。景平，還江陵，時繹……以之推爲散騎侍郎。……後爲周軍所破，大將軍李穆重之，薦往弘農，令掌其兄陽平公遠書翰。值河水暴漲，具船將妻子來奔，經砥柱之險，時人稱其勇決。顯祖見而悅之，即除奉朝請。……天保末，從至天池。……河清末，……待詔文林館。……尋除黃門侍郎。及周兵陷晉陽，帝輕騎還鄴，……之推……進奔陳之策。……齊亡，入周，大象末，爲御史上士。隋開皇中，太子召爲學士，……尋以疾終。有文三十卷、撰《家訓》二十篇。（《北史》〈文苑傳〉記事同）

之推經歷四朝：侯景叛、誅（五四八至五五二）之前，至西魏師入江陵（五五四），約七、八年，事梁元帝，多在江陵。因李穆薦客北仕周，便奔北齊至鄴（史本傳載之推〈觀我生賦〉：「……訖變朝而易市，遂留滯於漳濱。」自注：「至鄴，便值陳興而梁滅，故不得還南。」當西元五五六），後三年（齊天保末，五五九）從北齊文宣帝至天池，武平中，官黃門侍郎（《北齊書》〈魏收傳〉）。幼主承光元年（五七七，即後主武平末之次年），北齊亡（參〔註一〕），之推入周（《顏氏家訓》〈勉學篇〉：「鄴平之後，見徙入關。」），計留北齊凡二十二年。旋又仕周四年（五七七至五八〇）。入隋，未幾，爲學士。（註六）昔在齊都，多記鄴下人事，皆親見情實；（註七）論學則常對舉江南、河北。（註八）

之推經學，始治《尚書》，當志學之年（《藝文類聚》卷二六載之推詩〈古意〉二首：「十五好《詩》《書》，二十彈冠仕。」），身在江南，主《僞孔經傳》，觀其多引僞二十五篇中之文可知也。《家訓》〈勉學篇〉：

《書》曰：「好問則裕。」（《僞古文尚書》〈商書〉〈仲虺之誥〉篇經文，內野本、唐石經竝同）

又〈書證篇〉：

《尚書》曰：「惟影響。」（《僞古文尚書》〈夏書〉〈大禹謨〉篇經文，內野本、唐石經竝同）

〈觀我生賦〉：

豈大勛之遐集？（典出《僞古文尚書》〈周書〉〈泰誓上篇〉經文「大勛未集」，內野本、唐石經、阮元影宋本竝勛作勳），……但遺恨於炎崑。（典出《僞古文尚書》〈胤征〉篇經文「火炎崑岡，玉石俱焚」，內野本、唐石經竝同）

之推留齊二十二年，公府文書，多出其手，又博識有才辯，北人慕而與論文學，之推便以《僞古文尚書經傳》喻學士，《家訓》〈音辭篇〉：

夫物體自有精麤，精麤謂之好惡；人心有所去取，去取謂之好惡。此音見於葛洪、徐邈，而河北學士讀《尚書》云「好生惡殺」。是爲一論物體，一就人情，殊不通矣。

案：葛洪無《尚書音》專著，此當謂其《要用字苑》（馬國翰輯本，即收此條）。東晉徐邈仙民「《古文尚書音》一卷，梁有《尚書音》五卷，……徐邈等撰」（《隋書》〈經籍志〉）、《經典釋文》〈音義〉〈舜典〉：「相承云：梅頤上孔氏傳《古文尚書》。……徐仙民亦音此本。」（書久佚，馬國翰有輯本，但漏此條未輯）徐依《僞孔經》音切，而之推主《僞孔經傳》（《僞孔傳》不標反切），故取資徐音。

又案：《家訓》稱「好生惡殺」，明舉《尚書》，諸家注或未昭其出處。考當隱栝《僞古文》〈大禹謨〉篇「與其殺不辜，寧失不經；好生之德，洽于民心」（唐石經同、內野本兩不均作弗）以成者。而確指「河北學士讀之」，則《僞古文》者北齊學者所孳習，劉焯、炫不容外此，而史云北齊時儒士習《尙書》，「並鄭康成所注，非古文也。下里諸生，略不見孔氏注解」，至武平末，二劉始得費《疏》。可乎？

上列房至顏氏六君子，徧及北方三朝——魏、齊、周，渠等或著書、或講辯、或教子孫，皆明引《僞古文經傳》，又或論河北學士讀僞篇，因的知梅本流傳北方，矧曰在武平末上，乃云「隋初」始傳與二劉，何其愈下邪？非也。

四　結論

——《僞古文尚書經傳》，由魏晉間人鄭沖四傳東晉梅頤，本文考此五人生平，記其授受之迹，正補舊說，如明沖乃魏太保，仕晉爲太傅，私於民間得書。

——本文廣徵志傳、專門著述及學官講述，明自東晉歷宋齊梁陳各朝，咸主《僞古文》。

——《僞古文》：北魏房景先在洛著書，引用之（西元五一八）；北魏酈道元注《水經》，多資其經傳（五二三）；北魏節閔帝、王神貴君臣在朝，討論之（五三二）；東魏李業興自鄴使梁，與梁武君臣孳《書》義，傳《僞古文》學反國（五三七）；南人蕭大圜客長安，講經學殿，宣明《僞古文》學（五五五）；顏之推自江陵奔鄴，留北齊二十二年，日與河北學士討治經誼、撰著辭章，多引《僞古文》（五五六）；戚袞以陳士被迫入北齊，滯十年，傳《尚書》南學於鄴下（五五八）；甄鸞，北周明帝世著算書引《僞經傳》（五六〇）；及蔡大寶最晚，隨後梁君主蕭詧降周，以其自撰《尚書義疏》化北士（五六二）：均視正史儒傳「武平末（五七六）河朔始得《僞古文》」，早達五十八年，少亦得十四年；而尤早於孔《正義》「隋初始傳河朔」，更毋煩贅言矣。

——（唐）孔穎達《尚書正義》，據二劉焯炫《義疏》本刪定；二劉得費甝《尚書義疏》，因主《僞孔經傳》，早在武平末之先；費《疏》之入鄴，二劉獲本，度在顏之推奔北齊之後數年攜傳，時焯（五四四至？）既逾志學之年，與炫共肄，更歷十六、七年而齊祚方終。

——房景先及酈道元見《僞古文》，方北魏建號都洛未久，時地皆近典午，疑其所見原爲鄭太保所傳北方一本，非梅獻本之還傳河洛者，則僞書豈眞王肅之徒僞造，密付司馬氏之黨與——鄭沖，於是詭其授受，用對抗鄭玄《尚書》學者乎？

——房景先、酈道元、王神貴、節閔帝、甄鸞及顏之推六士，在北朝明用《僞古文經傳》，前此辨《僞古文》者無有指出，而其中房、甄評僞經傳，乃今存評僞書資料之最早或次早者，閻惠江王等清儒尚不及指出。而酈氏注《水經》，卷末稱引古注，先馬鄭王而後孔安國，殆已微見孔書晚作；此前乎（唐）孔穎達百餘年、（宋）吳棫六百年，而（晚清）丁晏、陳澧二君子察亦不及此也。

註釋

一　北齊後主（高緯）武平末（七年，當北周武帝建德五年，五七六）十月，周師攻齊晉州。十一月，周留偏師守晉州。十二月，周師齊師戰於晉州，齊大敗。齊後主欲奔突厥，安德王高延宗即帝位於晉陽；後主入鄴，延宗旋爲周師所俘虜（《北齊書》〈後主紀〉）。史家或以此年爲北齊亡國之年。然後主尋傳位幼主高恒，改元承光（五七七，當周建德六年），尊後主爲太上皇帝。正月，周陷鄴，齊亡（同上，又參《北周書》〈武帝紀〉）。則北齊亡國，實在武平末之次年也。

二　孔穎達〈尚書正義序〉：「其爲正義者，蔡大寶、巢猗、費甝、顧彪、劉焯、劉炫等。其諸公旨趣，多或因循，怗（帖）釋注文，義皆淺略；惟劉焯、劉炫最爲詳雅。然焯乃織綜經文，穿鑿孔穴，詭其新見，異彼前儒，非險而更爲險，無義而更生義。……炫嫌焯之煩雜，就而刪焉。雖復微稍省要，又好改張前義，義更太略，辭又過華。……此乃炫之所失，未爲得也。今奉明勑，考定是非，謹罄庸愚，竭所聞見，覽古人之傳記，質近代之異同，存其是而去其非，削其煩而增其簡。此亦非敢臆說，必據舊聞。」（影宋單疏本穿作穴，餘悉同）案：排擊四家，獨許二劉詳雅，《四庫提要》卷十一據定謂《尚書正義》「實用二劉」，而以小劉刪省大劉爲勝。潘重規先生〈尚書舊疏新攷〉（《學術季刊》四卷三期）遂云「余嘗反覆全疏，竊謂

《尚書正義》實亦以劉炫爲本」。愚謂：〈序〉評二劉詳雅，而亦皆有失，不分軒輊，卷內二劉義又兼引（焯六條、炫七條：據馬輯本），似當從《提要》。《詩正義》亦兼主二劉，不必專宗一家。矧焯、炫爲學侶，經說相近，故爾兼主之也。

三　《舊唐書》〈孔穎達傳〉：「同郡劉焯名重海內，穎達造其門，焯初不之禮，穎達請質疑滯，多出其意表，焯改容敬之。穎達固辭歸，焯固留不可。」

四　《隋書經籍志補》：「《五經辨疑》十卷，後魏清河房景先撰。」敏案：景先撰「《五經疑問》百餘篇」，神貴針對其《疑問》，普泰元、二年乃作「《五經辨疑》十卷」，張鵬一誤讀史傳，《經義考》分別房、王二撰著錄，是也。

五　鄭玄《尚書注》時猶存全，而「兆民」於鄭本乃第一次出現，應有注說，疑其偶闕，或雖有注但義異（鄭氏羣經注，彼此或有異解），故鸞旁取鄭氏《孝經注》也（鄭氏《孝經注》此條當與其《禮記》〈內則〉注同）。

六　之推遁逃入北齊，北齊亡，乃隨北周武帝之長安，年歲參看繆鉞《顏之推年譜》（周法高先生《顏氏家訓彙注》附錄）。

七　如云：「鄴下風俗，專以婦持門戶」（《家訓》〈治家篇〉）、「鄴下諺云『博士買驢』」（〈勉學篇〉）、「齊朝有一大夫，教其子習鮮卑語」云云（〈教子篇〉）、「齊文宣帝即位數年」（〈慕賢篇〉）、「鄴下紛紛，各有朋黨」（〈文章篇〉）、「吾初入鄴」（同上）。

八　如云「江南則有苦菜，……今河北謂之龍葵」（《家訓》〈書證篇〉論《詩》）、「『也』是語已及助句之辭，文籍備有之矣。河北經傳，悉略此字。……鄴下《詩》本，既無『也』

字。」（論《詩》）

——原載《漢學研究》十一卷二期，民國八十二年十二月，後又收入《古史考》七卷，海南出版社，西元二〇〇三年十二月

九　六二七八號《漢熹平石經》《尚書》殘石字甄僞

提要

語中國經學，必稱漢、宋。漢經學今古文之爭，垂四百年，至《熹平石經》碑樹，七經以有定本，爭於是乎息。宋經學，勇於變古，與前朝義疏之學爭，誠欲破唐《正義》一統局面，深知徒空談無效。於是歐陽脩、劉敞、呂大臨、趙明誠、黃伯思、洪适諸君子，廣蒐器物文獻，俾作學術研究，思補書本材料之不足，而《漢石》特受青睞，資以考訂經籍，匡正史實，闡明大義，經世而致用焉。趙氏《金石錄》立〈漢石經遺字〉卷，勘校今古，異字數百，惜渡江之初盡佚；黃氏《東觀餘論》設篇專討〈記石經與今文不同〉，臨《漢石經》與今文異事多條，幸今具在；洪氏《隸釋》、《隸續》，網羅殘石，周遍七經，彙字數百千言，至今仍爲鑽經考史者所必讀。

宋人遠紹兩京遺風，光大辨僞工程，歐公《易童子問》疑《易傳》、吳棫《書裨傳》首疑古文《書》僞；朱文公辨《詩序》、刊《孝經》，……惜於《熹平石經》眞僞，均未皇甄考。夫《石經》殘石，唐貞觀魏鄭公始行收集；至清，出土漸多。近年洛陽漢太學故址，掘獲尤夥。歷來所出殘石字，或僅具搨片；或既執持元石，搨墨著論以公諸於世。第其間眞贋雜作，昔賢嘗著論揭發，惜未受重視。愚拙淺末如余，猥承中研院文哲所相邀，允於二〇〇二年宋代經學國際研討會報告，請以《漢石經》殘石字甄僞爲題，尊漢揚宋，願碩彥方聞之士，不吝教益。若謂斯講將有裨於宋代經學研究，則吾豈敢望！

關鍵詞：

漢石經　尙書　歐陽、大小夏侯尙書　辨僞

一　《漢石經》概述

漢靈帝熹平四年（西元一七五）創刻《漢石經》，明見朝廷制書，至光和六年（一八三）竣刊，歷歲凡九。於是樹碑京師（洛陽）太學門外，史稱《漢熹平石經》（或簡稱《漢石經》或《熹平石經》，本文或但稱之曰《石經》）。《石經》鐫刊經書凡七部，曰《魯詩》、《尙書》、《儀禮》、《周易》、《春秋經》、《春秋公羊傳》、《論語》（遵今文家排次）是。

計刻四十八石，第一至四十六石爲本經白文與該經之〈校（勘）記〉及《序》（僅《尚書》有，《周易》〈序卦〉不屬）；第四十七、四十八兩石爲〈後記〉（或稱〈石經敘〉、或稱〈進石經表〉等）。石之正面（或稱陽面、或稱碑陽）、背面（或稱反面、或稱陰面、或稱碑陰）皆刻字。其制：各經自爲起訖，從該經第一石正面第一行起刻，由右至左；又接自該經背面第一行起刻，仍是由右至左，終至同經第一碑之背面（即末面）。其次序：首刻經本文，緊接經本文之後，乃刻同經之《序》文；緊繼《序》文之後，乃刻〈校（勘）記〉；《石經》以當時立於學官之今文經某一家板本爲底本，悉準以刊石，而取同經另一家或數家之板本爲參校本，作〈校記〉，度亦以當年立爲太學博士之今文本爲限；古文家當時不在官學，無論選甄底本或參校本，則一槩棄弗錄也。

七部經書中之《尚書》，凡萬八千二百十二字（據顧頡剛編《尚書通檢》之《今文尚書》部分，加入〈泰誓〉一二八五字；〈泰誓〉早佚，今倣照〈盤庚〉字數決定。王國維則計爲一八六五〇字），占刻四碑八面（屈師萬里《漢石經尚書殘字集證》，下簡稱《集證》或稱屈先生云云），或云五碑十面（近人張國淦《漢石經碑圖》）是。《漢石經》早已毀殘佚缺，殘石之集收，歷代學者，不遺餘力。惜所獲《尚書》殘石，列錄甚少；猶不免眞贋雜陳，良可慨也！

二　六二七八號《漢石經》殘石字之發現與著錄

西元一九六二冬，河南省偃師縣太學村出土《漢熹平石經》殘石一塊，由劉松照氏刨地時掘獲；後十六年、當西元一九七八年，送交考古研究所洛陽工作隊收藏。此殘石正、反兩面刻字，驗爲《尚書》〈堯典〉、〈舜典〉元敏謹案：所謂〈舜典〉，其實原包含在〈堯典〉之內；《僞古文尚書》分出爲〈舜典〉，茲爲方便討論，仍依作〈舜典〉，下同。兩篇本經十二行，在正面；背面刻字十六行，爲同書〈舜典〉、〈皋陶謨〉、〈益稷〉又案：〈益稷〉，僞古文自〈皋陶謨〉中分出者；茲仍依作篇題。三篇之〈校（勘）記〉（以上據中國社會科學院考古研究所許景元先生所撰〈新出熹平石經尚書殘石考略〉，載（北京）《考古學報》一九八一年第二期總第六十一期，下槩簡稱「許〈考〉」，或稱許先生云云）。

謹先將此六二七八殘石拓片併文字之楷定引揭如下（拓片自許〈考〉轉影印，楷定亦絕多依許〈考〉；偶有校易，則具說如其下）：

六二七八殘石正面

明·揚（第一行）
典五典（第二行）
以齊七政遂（第三行）
三帛二牲一（第四行）
車服·以庸（第五行）
于羽·山四（第六行）
難任人蠻·（第七行）
后稷（第八行）
帝曰（第九行）
三禮（第十行）
克·諧（第十一行）
庶（第十二行）

註語：明、服、羽、蠻、克五字，字旁加·者，謂字跡不清，顧頡剛藏拓例如此（見其《尚書文字合編》），茲依之，下同。

六二七八殘石背面

□□（第一行）
益伯成（益作朕）（第二行）
夙夜出（第三行）
皐陶大小（第四行）
官人安（第五行）
何畏□（第六行）
震敬六德大（第七行）
斯食大小夏（第八行）
根食大夏侯言艱（第九行）
粉米大夏侯言粉（第十行）
不則威之禹曰俞（第十一行）
是好傲虐是作大廈（第十二行）
時乃工大夏侯言（第十三行）
於予擊石大夏侯無（第十四行）
簫韶九成小夏侯（第十五行）
維□（第十六行）

註語：顧拓作益作朕，是。見下考釋。

次將許〈考〉之〈堯典〉、〈舜典〉本經復原圖（正面）、〈舜典〉、〈皋陶謨〉、〈益稷〉〈校記〉復原圖（背面），依次列於本文全篇之末，標示「許圖一」、「許圖二」，說明考索將具於下文。

考索六二七八號殘石字，知是後人僞作，究其作僞之跡，下請總以九科徵之：

三　六二七八號殘石字《尚書》經文幾全抄今本《尚書》——僞跡之一

殘石正面及背面〈校記〉所出《尚書》經文及校文，共一一四字，幾乎全抄今本《尚書》（即《唐石經》本、清嘉慶二十年南昌府學重栞宋本《尚書注疏》本；亦即《僞孔傳》孔穎達《正義》本：下簡稱今本），異文才遂、牲、震、斯、根（均見下論證）五字，條疏於下：

典五典　（六二七八號殘石字正面第二行）

〈舜典〉：「（愼徽五）典，五典（克從）。」

敏案：全同今本。

車服叺庸　（六二七八號殘石字正面第五行）

〈舜典〉：「車服以庸。」

敏案：全同今本。

于羽山四　（六二七八號殘石字正面第六行）

〈舜典〉：「（殛鯀）于羽山，四（罪而天下咸服）。」

敏案：全同今本。

難任人蠻　（六二七八號殘石字正面第七行）

〈舜典〉：「（而）難任人，蠻（夷率服）。」

敏案：全同今本。敦煌本伯三三一五《經典釋文》〈舜典〉任人作壬人（注：壬人，佞人）。

帝曰　（六二七八號殘石字正面第九行）

〈舜典〉：「帝曰：（俞咨！垂，汝共工）。」

敏案：全同今本。

三禮　（六二七八號殘石字正面第十行）

〈舜典〉：「（帝曰：咨！四岳，有能典朕）三禮？」

敏案：全同今本。

克諧　（六二七八號殘石字正面第十一行）

〈舜典〉：「（八音）克諧。」

敏案：全同今本。

庶　（六二七八號殘石字正面第十二行）

〈舜典〉：「庶（績咸熙）。」

敏案：全同今本。

益作朕　（六二七八號殘石字背面第二行）

〈舜典〉本經：「（帝曰：『俞咨！）益，（汝）作朕（虞）。』」

敏案：此殘石字，許〈考〉楷定作「益伯成」，顧頡剛藏拓定作「益作朕」，諦審拓片，顧定是。請先略論許〈考〉之是非：許〈考〉曰：「益伯成三字，不知何篇。」敏案：此三字次於第三行「夙夜出（納朕命）」之上，當屬〈舜典〉校文。〈舜典〉益字三見——益哉、俞咨益、益拜稽首。益，即伯益，又稱伯（一作柏）翳。成字〈舜典〉無有。益伯成之爲異文，難以理解。作「益作朕」，當是「帝曰：『俞咨！益，汝作朕虞。』」爲後五字之校語，惟作上益下少汝字，不可通。夫舜任九官一皆宣命曰「汝作某職」：命禹，「僉曰：『伯禹作司空。』帝曰：『俞咨！禹，汝平水土，惟時懋哉！』」命棄，「汝后（居）稷」；命契，「汝作司徒」；命皐陶，「汝作士」；命垂，「俞咨！垂，汝共工」；命伯夷，「俞咨！伯，汝作秩宗」；于夔，「命汝典樂」；於龍，「命汝作納言」及此命益，「俞咨！益，汝作朕虞」：都無例外。殘字僞作者，或匆卒之間抄奪「汝」字，或故意刪字，虛擬異文，令人信其句爲校語，而或上、或下尚有大小夏侯類字，乃今殘失之耳！

夙夜出　（六二七八號殘石字背面第三行）

〈舜典〉本經：「（命汝作納言，）夙夜出（納朕命）。」

敏案：全同今本本經。祗照錄今本文，上或下大小夏侯類文「殘失」，無從討論。

官人安　（六二七八號殘石字背面第五行）

〈皐陶謨〉本經：「（知人則哲，能）官人；安（民則惠，黎民懷之）。」

敏案：全同今本本經。

何畏乎　（六二七八號殘石字背面第六行）

〈皐陶謨〉本經：「何畏乎（巧言令色孔壬）？」

敏案：全同今本本經。

四　六二七八號殘石字沿用唐以後本誤改之《尚書》經文——偽跡之二

后稷　（六二七八號殘石字正面第八行）

〈舜典〉：「（帝曰：棄，黎民阻飢。汝）后稷，（播時百穀）。」

敏案：汝后稷二句，《僞孔傳》：「汝后稷布種是百穀以濟之。」等同未注。孔《正義》：「汝君此稷官，布種是百穀以濟救之。」釋后曰君；君動詞，主掌之意。民國吳闓生《尚書大義》：「后，主也，昔我先王世后稷。」近人于省吾語后（后）乃司（司）之反文，后稷，司稷也；司亦動詞，猶司空、司徒之司。說殊牽強。或謂后乃居誤，《列女傳》〈棄母姜嫄傳〉，清梁端注：「《尚書》作『汝后稷』，字之誤也。鄭注云：『汝居稷官。』」皮錫瑞《今文尚書攷證》：「《列女》〈棄母姜嫄傳〉曰：『堯使棄居稷官。』……舜即位，乃命之曰：『棄，黎民阻飢，汝居稷。』……《論衡》〈初稟〉篇曰：『棄事堯爲司馬，居稷官。』……鄭注亦云：『汝居稷官。』又箋《詩》〈魯頌〉〈閟宮〉云：『后稷長大，堯登用之，使居稷官。』……據此，則《今文尚書》本作居稷，於義爲長。……后與居形似。又經傳多言后稷，故因而致誤。」居某官，猶宅某事，同篇上文「使（舜）宅百揆」是。則是《今文尚書》后作居。造殘石字者不知今本乃誤字，刻「后」入石。

皐陶大小　（六二七八號殘石字背面第四行）

〈皐陶謨〉本經：「（日若稽古）皐陶。」

敏案：許〈考〉：「皐陶兩字，擬（？）是〈皐陶謨〉篇的〈校記〉題首。大、小兩字，應指大、小夏侯氏而言。」此後〈校記〉文有「大、小夏」、「大小夏侯言」，則此「大、小」二字下理應有「夏侯」兩字。殘石〈校記〉「皐陶」之皐與次行「官人」

之官平齊，則其間恰爲一行七十三字，今依許圖一行爲七十字，《石經》每行字數非一律，故此〈校記〉之「皐陶」，應爲其本經第一句「曰若稽古皐陶」之皐陶。許〈考〉擬爲該篇篇題「〈皋陶謨〉」之皋陶。考已出土之它經〈校經〉尚未見篇題校語，矧既謂篇題，不應橫刪「謨」字，使不成題？許〈考〉俟商。

又案：「皐陶謨、皐陶」之皐，《大戴禮》〈主言〉：「昔者舜左禹而右皋陶。」（《說苑》〈君道〉載此九字同）《尚書大傳》〈略說〉：「昔者舜左禹而右皋陶。」又：「孔子曰：『……〈皋陶謨〉可以觀治。』」（並據〔清〕陳壽祺《尚書大傳輯校》，《四部叢刊》本）《史記》〈五帝本紀〉：「舜曰：皋陶。」〈夏本紀〉：「皋陶作士以理民。」《白虎通》〈聖人〉（〔清〕盧文弨校，《抱經堂叢書》本，下同）：「何以言皋陶聖人也？以目篇曰『曰若稽古皋陶』。……皋陶馬喙。」又〈姓名〉：「皋陶典型。」又〈壽命〉：「其頸似皋繇。」皆作皋，今文家本如此，《汗簡》：「皋，出《尚書》。」槩不作皐。戰國中期文字有咎繇（見《郭店楚簡》〈窮達以時〉、〈唐虞之道〉篇），《說文》臮下：「〈虞書〉曰：『臮[暨]咎繇。』」段氏《古文尚書撰異》：「《說文》引〈虞書〉作咎繇則壁中元本也。」是孔壁《古文尚書》作咎繇，今文則作皋陶（如上述《大傳》等載）。夫咎繇二字，《尚書》中衹見於〈舜典〉、〈大禹謨〉、〈咎[皐]繇[陶]謨〉、〈益稷〉四篇，敦煌本〈舜典〉《釋文》、敦煌本（斯五七四五、伯三六〇五）、日本內野本、足利本、上圖本（影天正本）、我國〔宋〕薛季宣《書古文訓》本及〔清〕李遇孫《尙書隸古定釋文》本，皆作咎繇：此沿孔壁《古文尙書》而下者。又在昔，《魏正始石經》〈咎繇謨〉殘字：「（禹曰：）何？□繇曰：『寬而栗，……。』……□繇曰：『朕言惠。』」二缺字，均當補「咎」字；自其下用「繇」而非「陶」推知：《魏石經》古文，亦承孔壁之舊也。將咎繇（古文）與皋陶（今文）之咎與皋改作臯者，自《唐石經》《尙書》本乃始有之。討說如下：

皋、臯：甲骨文、金文竝未見臯字；疑亦無皋字。戰國璽印文字、睡虎地秦墓竹簡及馬王堆簡帛文字均有皋字；概不作臯。《爾雅》皋字三見（〈釋天〉、〈釋訓〉）、《說文》十下〈夲部〉：「皋，氣皋白之進也，從白夲。」《廣雅》皋字二見（〈釋言〉、〈釋地〉）、《廣雅音》一見、漢末劉熙《釋名》〈釋親屬〉一見。上記五籍均不見臯字。〔梁〕顧野王《玉篇》卷上頁七一〈夲部〉第一一七：「夲（丑高切，從大從十。）；丯，同上。皋（古刀切，澤也。）；臯，同上。」敏案：《說文》有〈夲部〉，《玉篇》即準之立〈夲部〉；但丯，不同夲，又不成部，此必唐宋人據當時流行之俗字增臯於皋下（《原本玉篇》殘卷惜適缺此部），則蕭梁朝《玉篇》尙無臯字也。

《唐石經》《尙書》臯字十七見（不計《書序》之二見）者，唐玄宗天寶三載，衛包承詔改《尚書》古文爲今文（楷書），代宗大曆中，張參撰《五經文字》，文宗開成間，唐玄度又依張參書撰《九經字樣》，《開成石經》刊刻，玄度任覆定石經字體官。是故《唐石經》字，應受衛包、張參影響。《文淵閣四庫全書》《五經文字》卷下〈幸部〉：「睪，張參原注：音睪。……今人或以爲皐（或當從白）陶字，謬誤尤甚！」是由皋訛變臯，又訛變皐。又〈日部〉暤，偏旁已作皐，可證。刻入《唐石經》是也。厥後，宋刊本依隱雕板，即是今本（如宋刻清刊之《僞孔傳》孔《正義》本）。上方述東瀛諸本，皆自我國唐代早期寫本鈔傳，作咎不作皐，尚存古本之舊。但其中之上圖本（影天正本）已頗有於經文「咎繇」二字上劃線記校改，而於其字右旁注字「皐陶」，故後至其同系板本——上圖本（八行本）寫印時，即將所有「咎繇」二字悉直改爲「皐陶」，亦即變旁注之小字爲正文大字。顯受華夏唐（《石經》）宋諸本之影響。

今此所謂《漢石經》〈校記〉殘字，竟用唐以後《尚書》板本經字，作僞者經學、文獻學淺薄，爾乃輕率如斯！奮筆指斥，予不得已也！

此六二七八殘石隸字「皐陶大小」皐，顧頡剛拓本楷定作此；許〈考〉漫定爲皋，未遑察究隸形。謹茲諦視搨本，是「皐」抑「臯」，尚難以確定。唯許〈考〉又著錄六七八四殘石字（此殘字可疑，不遑具論），亦有「臯」字，搨墨較明晰，見是上白下丰。

商務印書館據上海涵芬樓景印固安劉氏藏明萬曆刊本景印《四部叢刊》本〔宋〕洪适

《隸釋》卷八〈博陵太守孔彪碑〉：「泣踰臯魚。」臺北藝文印書館《石刻史料叢書》本臯作皐（上白下丰），作皐是，明刊本誤看誤改，〔清〕顧藹吉《隸辨》卷二：「皐，〈孔寵碑〉：『泣踰皐魚。』按《說文》作皋，從白從夲；夲即夲字，……變作手。」皐形近六七八四殘石字之皐。又上揭兩本《隸釋》卷七〈沛相楊統碑〉均有「臯司累辟」臯，上白下夲，作皐是誤寫，〔清〕黃丕烈《汪本隸釋刊誤》頁三一：「『皐司累辟』，皐誤作臯；此皐字與《字源》十五海所載合（敏案：婁機《漢隸字源》卷三收皐字）」丕烈據葉氏、袁氏、錢氏抄本（其中有抄宋本）以校錢塘汪氏本，〈序〉云：「乃知文惠（洪适）原書，字體纖悉依碑，而汪本則失之遠也。皐，白下丰，同此兩殘石經之皐字。」

敏案：上述兩碑雖皆鐫記二漢（靈帝初）人仕歷，但未必當時人撰作刻石，或孔楊二家後裔追記建碑勒石（〔清〕嚴可均《全後漢文》題其作者，均為「闕名」），而洪文惠所據為殘碑抑搨本，今存兩碑殘文又絕似楷而非隸，故皐、臯二字，未必是漢隸，亦即漢世恐尚無自皋衍化之皐、臯字。皐、臯字，殆南北朝至唐乃漸形成。羅福頤《漢印文字徵》卷十收「皐，原注：王皐私印。」其〈凡例〉曰：「漢魏官印印文均用篆書，而繆篆只用於私印。」則此印白下丰私印，乃繆篆，非漢隸，且四史不載王皐名，是此亦未必漢印。就使上述皐、臯果係漢代文字，亦屬民間書寫體，自皋衍化而來，《今文尚書》官本太學所講授，刻石經以爲天下範本，在所不採。是《漢石經》當作皋。近人秦公撰《碑別字新編》皋下收「皐」字，原注：〈魏冀州刺史元昭墓誌〉，此〈墓志〉北魏孝明帝正光五年（五二四）三月十一日立（搨片正面一幅今存中研院）。是白下丰之皐字，北朝後期始形成。至唐成爲通用字，顏元孫（玄宗開元二年，七一四卒）《干祿字書》頁二：「睪、皐、皋，上俗、中通、下正。」故「皋」時已被視爲正字。俟後，張參《五經文字》出皋字，乃有《唐石經》《尚書》皋字十七見（方詳上論）。則六二七八殘石無論作皐抑皋，皆取諸南北朝至唐以後人文獻所載字，非東漢當日官本隸《尚書》字也。

是好傲虐是作大夏　（六二七八號殘石字背面第十二行）

〈益稷〉：「（禹曰：……無若丹朱傲，惟慢遊）是好，傲虐是作，（罔晝夜頟頟。）」敏案：阮元《校勘記》：「岳本傲作敖。按傲，倨也，五報反；敖，遊也，五羔反。《傳》釋傲虐云：『傲，戲而爲虐。』《釋文》音五羔反。則當作敖明矣。……岳本得之。」段氏《古文尚書撰異》：「《傳》云：敖，戲。《論衡》〈刺孟〉〈驗符〉篇有遨戲字，此字蓋本作敖。」蒙謂：經上文丹朱慢遊是好，下文又有罔晝夜頟頟，是上下兩傲字皆當作敖平聲遊義，本字當作敖。今文家本固作敖，同古文，孫氏《尚書今古文注疏》：「《漢書》〈楚元王傳〉劉向上奏曰：『臣聞帝舜戒伯禹，毋若丹朱敖。』《論衡》〈譴告〉篇云：『帝戒禹曰：毋若丹朱放。』……案『放當作敖』。又〈問孔〉篇云：『《尚書》「毋若丹朱敖」。』」僞刻者蓋取今之誤本傚字，冒作歐陽及小夏侯本用字，而別造大夏侯本作敖以爲校語。

五　六二七八號殘石字作者不曉《尚書》今、古文字同異——僞跡之三

根食大小夏侯言艱　（六二七八號殘石字背面第九行）

〈益稷〉：「（禹曰：……予……暨稷播奏庶）艱食、（鮮食）。」

敏案：艱，《僞孔傳》：「難也。」《史記》〈夏本紀〉：「（禹）與稷予眾庶難得之食。」鄭玄《尚書注》：「（禹）與稷教人種澤物菜蔬艱（一作難）厄之食。」（孔《書正義》引）馬遷、鄭君、僞孔所見本皆作艱。馬融本作根，《經典釋文》〈尚書音義上〉：「艱，馬本作根，云：『根生之食，謂百穀。』」根（*kə̂n文部）、艱（*kən文部）同音假借。百穀即謂澤物蔬菜，與鮮食（鳥獸魚鼈）對文。惟作艱、作根分別準依《今、古文尚書》，不同，陳氏《今文尚書經說攷》：「馬、鄭皆治《古文尚書》者，而說各不同，蓋參用今文家說也。……艱食作根食，此馬本古文之異於鄭者。……《今文尚書》艱食與鄭本同。」夫馬氏曾校書東觀，得見中秘《古文尚書》本而據之；

鄭先從京兆第五元先受業太學習今文，後從馬習經，故古今文兼采，此用《今文尚書》本。僞刻殘石者，用《釋文》古文馬本根字，作爲《漢石經》底本——所謂今文歐陽本；又取鄭今文本艱字作爲校勘，冒作兩夏侯今文本。不知漢氏刊行《石經》限以十四博士家法（家法即其所用經書板本）作底本及參校本，絕不用古文經本。僞作者於兩京經學茫然無知，淆亂今古文家法，不容不言。言云云，言「根」字兩夏侯本竝作艱也。《漢石經》諸經校語，習用「某言、某言某」，《魯詩》殘字「韓言、齊韓言定」、《儀禮》「戴言」、《周易》「盈諸滿皆言盈」、《論語》「周言王」，此六二七八號殘石字作者，尚知所遵用也。

粉米大夏侯言粉　（六二七八號殘石字背面第十行）

《益稷》：「（帝曰：……予欲……宗彝、藻、火、）粉米（●、黼、黻、絺繡，以五采彰施于五色，作服）。」

敏案：粉米，《說文》〈黹部〉黺下：「黺，畫粉也，从黹从粉省：衛宏說。」又《說文》〈後編〉䊵下：「繡文如聚細米也。」〔東漢〕衛宏敬仲治《古文尚書》。《魏石經》〈益稷〉古文米作絲（孫海波《集錄》）。〔宋〕薛季宣《書古文訓》粉米，作黺䊵。則粉米作黺䊵或粉絲，《古文尚書》也。殘石刻「粉米」，用所謂之底本歐陽本也；下「言粉」之粉下校語當是「粉米」作黺絲，大夏侯本也。誠如所推度，則造僞者又以《古文尚書》字冒今文夏侯勝本以出，用古亂今，此又一證也。「大夏侯言粉」言，諸經〈校記〉皆習用「言」字，說方詳上「根食」條。

六　六二七八號殘石字錄詁訓字、譌誤字，或竟妄改經文，用示異於今本《尚書》——偽跡之四

叺齊七政遂　（六二七八號殘石字正面第三行）

〈舜典〉：「以齊七政，肆（類于上帝）。」

敏案：叺齊七政，同今本。肆作遂者，

《史記》〈五帝本紀〉：「遂類于上帝。」（〈封禪書〉同）

《漢書》〈郊祀志〉：「〈虞書〉曰：『遂類于上帝。』」（〈王莽傳中〉：「莽……復下書曰：『伏念予之皇始祖考虞帝，受終文祖，在璇璣玉衡，以齊七政，遂類于上帝。』」同作遂）

《史》、《漢》以詁訓字遂代肆，

〔清〕孫星衍《尚書今古文注疏》：「史公肆作遂者，《周禮》〈鍾師職〉杜子春引呂叔玉《國語注》云：『肆，遂也。』〈釋詁〉云：『肆，故也。』鄭注《儀禮》云：

『遂，因也。』其義亦相通。」陳喬樅《今文尚書經說攷》：「《史記》、《漢書》引皆作遂者，以詁訓代之也。……（亦引《周禮》杜注引呂說，同上孫疏，略）或《今文尚書》有逕作遂字者，未可知也。」同孫，並以作遂詁訓字。）

段氏《古文尚書撰異》：「《說文》：〈虞書〉曰『䋣類于上帝』，……此壁中故書字也。作肆者，蓋孔安國以今文讀之者也。肆，遂也，見〈夏小正傳〉，故訓也。《周禮》〈大行人〉鄭注《書》曰『遂覲東后』，此蓋肆讀爲遂，故鄭引《書》直作遂。……《尚書大傳》鄭注引經『肆類于上帝』（敏案：見〈唐傳〉），則用其本字也。……《論衡》〈祭意〉篇引《書》作肆，則《今文尚書》亦作肆可知。」

據上說，〈舜典〉「肆類」肆，《今、古文尚書》並作肆（古文原作䋣，孔安國譯改爲今文字肆），作遂是詁訓字，肆訓遂，

《僞孔傳》：「肆，遂也。類謂攝位事類，遂以攝告天及五帝。」（孔《正義》：「見七政皆齊，知己受爲是，遂行爲帝之事，而以告攝事類也。」又釋《傳》曰：「肆是縱緩之言，此因前事而行後事，故以肆爲遂也。」）王莽〈大誥〉倣《尚書》〈大誥〉之「肆予大化誘我友邦君」作「肆予告我諸侯王……」，作肆，此存西漢末年《尚書》板本之舊。又《尚書》肆字，今猶見於《漢石經》者，「肆上帝將復我高祖之德」（〈盤庚〉）、「肆汝小子封，惟命不于常」（〈康誥〉）、「肆高宗之享國，五十有九年」

（〈無逸〉）：《今文尚書》本一皆作肆不作遂。茲殘石字作遂，取詁訓字代本字，豈非故與今本立異，用欺世人歟！

三帛二牲一　（六二七八號殘石字正面第四行）

〈舜典〉：「（修五禮；五玉、）三帛、二生、一（死，贄）。」

敏案：殘石字生作牲者，

阮元《尚書校勘記》：「《儀禮》〈士昏記〉疏引《尚書》云：『三帛二生一死，摯。』宋單疏本生作牲。考《風俗通》〈山澤〉篇及劉昭注補《後漢書》〈祭祀志上〉引此經俱作二牲。是漢世經文如此。孔《傳》古本蓋亦作牲，賈疏所引尚存其舊。今經及賈疏俱作生，古本遂湮矣。」

阮君失校。《風俗通》、劉昭注及《禮》單疏本生作牲，是誤改古本，漢世早期文獻多引作生未改，若：

《史記》〈五帝本紀〉：「五玉、三帛、二生、一死爲摯。」（〈封禪書〉作生，同）

《漢書》〈郊祀志〉：「三帛、二生、一死爲贄。」

《白虎通》絕多用《今文尚書》家本，其〈朝聘〉篇云：「《書》曰：『五玉、三帛、二生、一死，贄。』」作生。

古文家書本亦作生，《史記》〈五帝本紀〉《集解》引馬融曰：「摯：二生，羔、鴈，卿大夫所執：一死，雉，士所執。」

生、死相對，生安得作牲畜字，矧執見者爵祿亦有別邪？《僞孔傳》：「二生，卿執羔、大夫執鴈；一死，士執雉。」同上引馬說。

日本內野本、足利本、上圖本（影天正本）、上圖本（八行本）、《書古文訓》本均作生。僞作此殘字者，棄生用牲，刻意求異，示與今本有別，託古以改經，以欺士也。

震敬六德大　（六二七八號殘石字背面第七行）

〈皐陶謨〉：「（日嚴）祇敬六德。」

敏案：段氏《古文尚書撰異》：「祇，〈夏本紀〉作振。〈般庚〉『震動萬民』，《石經》作『祇動』。〈粊誓〉『祇復之』、〈無逸〉『治民祇懼』，〈魯世家〉作振復、振懼。然則祇、振古通用，合韵最近，又爲雙聲也。〈內則〉『祇見孺子』，注云：『祇，或作振。』」

陳氏《今文尚書經說攷》：「振敬，《古文尚書》作祇敬；振、祇古通用。……〈般庚〉『震動萬民』，《熹平石經》作祇動。」

蒙謂：祇（*t̂ịed），脂部；振及震（*t̂ịen）竝文部，段云二字合韵最近謂此，王國維《觀堂授書記》〈盤庚下〉「曷震動萬民」，云：「今文《石經》作祇（原誤作衹，从氏）動萬民；祇、震爲脂（敏案：脂部。）、諄（敏案：文部。）陰陽對轉字。」（劉盼遂附評其師說，劉評恐誤）是故衹作振或作震，「合韵最近。」但《漢石經》〈盤庚〉「祗敬」之祗作柢（从木不从示）（《隸釋》卷十四作柢（即柢），段、陳、王一皆失檢。柢（*tied）脂部，通祇。故今本〈皐陶謨〉作祗，當是《古文尚書》；《漢石經》〈盤庚〉作柢，以推其〈皐陶謨〉祇亦當作柢。淺人見《史記》（〈夏本紀〉、〈魯世家〉）、《禮》《注》祇作振，遂改爲振，又借用音同義近且見於同經之震，以眩人心目，圖掩其僞跡！「大」下當有「夏侯」云云。

七　六二七八號殘石字誤用漢、清人說，致誤校《尚書》經文，甚至顛倒經文校語次序——偽跡之五

明揚　（六二七八號殘石字正面第一行）

〈堯典〉：「（明）明揚（側陋）。」

許〈考〉：「《今文尚書》作『明揚明側陋』。」許據清人之說也，段玉裁《古文尚書撰異》：「孔《傳》以舉訓揚，在二明字之閒，與經文不合。……是蓋《今文尚書》作明揚明側陋。僞孔用今文說古文，而不知古文倒易二字，其訓不同。」

《僞孔傳》：「明舉明人在側陋者，廣求賢也。」孔《正義》：「汝當明白舉其明德之人於僻隱鄙陋之處。」又釋《傳》曰：「〈文王世子〉論舉賢之法云：『……；或以言

揚。』揚亦舉也；故以舉解揚。經之揚字在於二明之下，《傳》進舉字於兩明之中，經於明中宜有揚字，言明舉明人於側陋之處。明下有揚，故上闕揚文，《傳》進舉明上，互文以足之也。」

敏案：若依兩孔意，句當補足且釋作「明明白也。揚補字；舉揚也。明明哲之人也。揚亦舉揚也。側陋微賤之人也。」所舉爲在僻隱鄙陋之明哲之人也。則下揚字當刪，而側陋上當補「在、於」一字。說不可通矣。段體會今本之經傳疏意，亦曲繞難解。夫明動詞，舉揚也；與下揚字互文同義。第二明，明哲之人也。明明，舉揚明哲之人也。揚側陋，舉揚微賤之人也。今、古文本均當作「明明揚側陋」。淺人蓋見清人如段氏者說，謂《今文尚書》本作「明揚明側陋」，遂從之僞刻句首之「明揚（明側陋）」二字，以示異乎今本，以售其欺！

斯食大小夏　（六二七八號殘石字背面第八行）

〈益稷〉：「（禹曰：……予……暨益奏庶）鮮食。」

敏案：鮮食，《僞孔傳》：「鳥獸新殺曰鮮。」屈師萬里《尚書釋義》：「鮮，生也；謂魚鼈鳥獸也。」是。殘石字鮮作斯，許〈考〉：「斯食應是鮮食，鮮與斯聲近，蓋齊、魯間的方言，將鮮讀作斯。」許本先儒舊有之說，《詩》〈瓠葉〉「有兔斯首」鄭《箋》：「斯，白也。今俗語斯白之字作鮮，齊、魯之間聲近。」孔《正義》：「鮮而變爲斯者，齊、魯之間，其語鮮、斯聲相近，故變而作斯耳。」〔清〕俞樾《羣經平議》卷六申之：「《尚書》〈無逸〉『惠鮮鰥寡』，鮮當讀爲賜，《詩》〈瓠葉〉篇鄭《箋》曰：『今俗語斯白之字作鮮，齊、魯之間聲近斯，是古音鮮與斯近。』」蒙謂：鮮（*sian元部）、斯（賜同）（*sieg佳部），先秦音不相通；兩漢官方（如太學）語音亦不相通，方音乃有之，近人羅常培等《漢魏晉南北朝韻部演變研究》〈漢代的方言〉：「（引鄭《詩》〈瓠葉〉箋，略。）陽聲元部、眞部（文部）有此字，齊魯青徐之間沒有韻尾輔音-n，例如癬讀爲徙、鮮聲近斯、殷讀如衣。」夫太學《今文尚書》教本經字，是否用方言音讀定字，難言也。夷考《漢石經》（均《隸釋》卷十四）殘字今見二鮮字（〈盤庚〉「鮮以不浮于天時」；〈立政〉「以覲文王之鮮光」，今本《尚書》鮮作耿，耿、正是光鮮斯白之義。而〈無逸〉今本「惠鮮鰥寡」，《漢石經》鮮作于者，段氏《古文尚書撰異》〈無逸〉：「《漢書》〈谷永傳〉對災異事，云：『《經》云：「懷保小人，惠于鰥寡。」』與《漢石經》合。《隸釋》云：《石經》：『懷保小人，惠于矜下闕。』谷用《今文尚書》也。惠鮮恐是惠于之誤。于字與羊字略相似，又因下文鰥寡字魚旁誤增之也。」段說恐非是。孫星衍《尚書今古文注疏》：「鮮，善也。」惠鮮，謂愛之善（待）之，二字複詞；與上「懷保」對文。〈立政〉「知恤鮮哉」，鮮亦訓善；〈文侯之命〉「惠康小民」句型句義與此同。故不如因段說，《石經》等于字爲鮮之誤，鮮初壞半爲羊，又誤看爲于。它說皆失之。

《漢石經》鮮從不作斯，《魏石經》〈臯陶謨〉隸字正作鮮（顧拓本）；僞製者取《詩》箋及多家清人意見，改鮮爲斯，既失經「生鮮」本義，又亂《石經》字體，不容不加指斥。夏下當缺侯字。

於予擊石大夏侯無　（六二七八號殘石字背面第十四行）

〈益稷〉：「（夔曰：）於！予擊石（拊石，百獸率舞，庶尹允諧）。」

敏案：此校牽涉兩篇——〈堯典〉（僞古文〈舜典〉）及〈臯陶謨〉（僞古文〈益稷〉）「夔曰」等共十二字及八字經本文，詳徵如下；需先錄兩篇相關經文：

《尚書》〈堯典〉：「帝曰：『夔，命汝典樂，教胄子。直而溫，寬而栗，剛而無虐，簡而無傲。詩言志，歌永言，聲依永，律和聲；八音克諧，無相奪倫：神、人以和。』夔曰：『於！予擊石拊石，百獸率舞。』」

《尚書》〈臯陶謨〉：「夔曰戛擊鳴球，搏拊琴瑟，以詠，祖考來格，虞賓在位，羣后德讓。下管鼗鼓，合止柷敔，笙鏞以間。鳥獸蹌蹌，簫韶九成，鳳皇來儀。夔曰：『於！予擊石拊石，百獸率舞，庶尹允諧。』」

次請出下陳五重點討論之：

（一）兩漢、魏、唐及日本傳抄唐本〈舜典〉本經，有此十二字，如：

《史記》〈五帝本紀〉：「以夔爲典樂，教穉子。直而溫至神、人以和。夔曰：『於！

予擊石拊石，百獸率舞。』」（史公所見本作此）

《漢書》〈禮樂志〉：「《書》云：『擊石拊石，百獸率舞。』」師古曰：「〈虞書〉〈舜典〉也。」（省「夔曰於」，下同）

《論衡》〈感虛〉篇：「《尚書》曰：『擊石拊石，百獸率舞。』」

《風俗通義》〈聲音〉：「《書》曰：『擊石拊石，百獸率舞。』」

《史記》〈五帝本紀〉《集解》引鄭玄（《尚書注》）曰：「百獸，服不氏所養者也。率舞，言音和也。」

夔曰於予擊（顧頡剛《尚書文字合編》〈舜典〉載孫海波《魏三字石經集錄》拓本）

敦煌本伯三三一五有〈舜典〉《釋文》「於予　石拊石」五字（今本〈舜典〉《釋文》祇有於　拊二字）。

日本內野本、足利本、上圖本（影天正本）、上圖本（八行本）〈舜典〉均有此十二字。

（二）兩漢三國魏晉南北朝隋唐五代人，無有指謂〈舜典〉此十二字爲衍文者，至北宋經學變古，劉敞（一〇一九至一〇六八）開風氣之先，始認是簡衍，其《七經小傳》卷上：「（〈舜典〉）『夔曰：於！予擊石拊石，百獸率舞』。〈益稷〉之末又有『夔曰：於！予擊石拊石，百獸率舞』。然則〈舜典〉之末衍一簡也，何以知之邪？方舜之命二十二人，莫不讓者，惟夔、龍爲否，則亦已矣，又自贊其能，夔必不爲也。且夔於爾時始見命典樂，不應已有百獸率舞之事，是今日適越而昔來也。」

從說者當代及元朝人甚眾，至於有刪滅經文不予注說者焉，如：

蘇軾《東坡書傳》〈舜典〉：「此舜命九官之際也，無緣夔於此獨稱其功。此〈益稷〉之文也，簡編脫誤，復見於此。」（朱子《朱文公集》卷六五〈舜典解〉、蔡沈《書集傳》〈舜典〉均引蘇《傳》，且從之說）

林之奇《尚書全解》〈舜典〉：「夔曰：於！予擊石拊石，百獸率舞：薛氏（季宣？）、劉氏（敞）皆以爲〈益稷〉脫簡重出，蓋方命夔典樂，而夔遽言其擊石拊石致百獸率舞之效，非事辭之序也。而〈益稷〉篇又有此文，故二公疑其差誤；以理觀之，義或然也。」

〔元〕金履祥《尚書表注》〈舜典〉：「夔曰十二字，〈益稷〉篇之錯誤。」（金氏另著《書經注》即刪去此十二字，吳澄《書纂言》卷一亦徑刪去此十二字）

顧宋學自有篤守古訓一派，於劉、蘇諸說，不甚謂然，呂祖謙《書》學，出三山林氏之奇門，曾疑其師說，其

《東萊書說》〈舜典〉：「夔曰：於！予擊石拊石，百獸率舞。或者以爲脫簡，亦未可

知。」

後學夏僎，能剋就諸家質夔不應誇功一節駁復，其《尚書詳解》〈舜典〉：「舜命九官其不讓者，考之《孟子》，皆是前此用之已久，至此特因其相遜，重述其所掌以申警之，故自稷、契以下皆不讓。不讓者既爲舊有職任，則夔之典樂蓋已久，舞獸之效，正不可疑，其非一朝一夕之所能致。」

謹總論二派短長如下：

1　此篇舜命九官，分本朝新命與前（帝堯）朝職官續任申命，馬融曰（《史記》〈五帝本紀〉《集解》引）：「稷、契、皋陶皆居官久，有成功，但述而美之，無所復勅。禹及垂以下皆初命。」依說，稷、契、皋陶，皆續任原職，故無所復勅；禹、垂、益、伯夷皆初命，故有復勅——「俞！汝往哉」、「俞！往哉！汝諧」、「俞！往欽哉！」四官遜讓，帝因復勅耳。第夔、龍受命不讓，亦無勅語，故亦非初命：馬說未盡諦。夔既居官久，有成功，夏氏云「不讓者既爲舊有職任，則夔之典樂蓋已久，舞獸之效，正不可疑」似是矣。蒙謂：〈二典〉君臣，上下相讓，友僚遜揖，曰「允恭克讓」、曰「否德忝帝位」、曰「讓于德」及此禹、垂、益、伯夷之讓賢；不讓且自矜其能，獨夔而已。且帝命禹贊其前功，曰：「汝平水土。」禹未曾自誇其治水大功；夔位卑事小，必不於新朝任官大典中獨炫其才也。矧帝方自抒其詩教、樂教理論用戒大司樂如夔者；

夔諾諾而已，豈又露才揚己與君上爭衡乎？此必彼〈益稷〉「夔曰於」以下十六字中之十二字半簡斷散在此（一簡約二十四、五字。），或後人讀〈舜典〉此命夔節，見與下篇〈益稷〉彼鳴球鳥獸節詞事相似，遂裁截其中十二字添注於此「神人以和」下，簡帛傳抄，誤旁註爲正文，至今積非成是耳。

2　此夔曰數句，視彼〈益稷〉少「庶尹允諧」四字（庶，眾；尹，官之長；允，誠然；諧，和也。），若果原爲此篇文，必當具此四字。夫詩禮樂化功之極，厥在國家治平，即「神人以和」也，孔《正義》：「八音能諧相應，……各自守分不相奪道理，……則神、人咸和矣。……〈大司樂〉云『大合樂以致鬼神示，以和邦國，以諧萬民，以安賓客，以說遠人』，是神、人和也。」神，天也，神人和則天人相與，庶績咸熙，故夔結言「庶尹允諧」，道洽禮備樂和，明致治功成，而其殘文脫誤在此，宜刪故也。

3　〔清〕毛奇齡《舜典補亡》：「蔡沈……謂此十二字衍文，係〈益稷謨〉脫簡于此者。今《史記》（〈五帝本紀〉）有此文，至〈益稷謨〉則採入〈夏本紀〉中。……此係兩出，非複出也。劉向校《尚書》，其脫簡者祇〈酒誥〉、〈召誥〉二篇也，他無脫簡。」蒙謂：馬遷前一採誤，後一採入〈夏本紀〉得之。子政以孔壁古文校今文三家本經文，見〈酒誥〉、〈召誥〉脫簡，是時（西漢末期）典謨遺簡脫字早已校補完竣，博士據本授徒，西河何必橫生議論？

（三）兩漢、唐及日本傳抄唐本及宋以來傳本〈益稷〉本經均有此八字：

《史記》〈夏本紀〉：「於是夔行樂，祖考至，羣后相讓，鳥獸翔舞，簫韶九成，鳳皇來儀。百獸率舞，百官信諧。」（敏案：事辨見後）

《經典釋文》〈尚書音義上〉〈益稷〉：「鳥獸，……馬（融）云：鳥獸，筍簴也。蹌，……《說文》作牄。」（敏案：馬本當同有八字，否則陸氏必加釋明）

《周禮》〈大司樂〉鄭注：「……夔又曰：『於！予擊石拊石，百獸率舞，庶尹允諧。』」

日本內野本、足利本、上圖本（影天正本）、上圖本（八行本）均有此八字。

（四）至清，或疑此八字乃〈堯典〉文，錯衍在此者，今之治《石經》者，據所謂《石經》〈校記〉乃夸張其說：

清孫星衍《尚書今古文注疏》〈臯陶謨〉：「夔曰：『於！予擊石拊石，百獸率舞，庶尹允諧。』史遷（敏案：孫謂《史記》〈夏本紀〉）。無『夔曰：於！予擊石拊石』（敏案：八字。）之文。鄭康成曰：『夔說舜云：……予擊大石磬，拊小石磬，則感百獸相率而舞。……庶，眾也；尹，正也；允，信也。言樂之所感，使眾正之官，得其諧和。』夔曰，鄭注《周禮》〈大司樂〉作引『夔又曰』，知古文有此二『夔曰』，蒙上文，故云『又』也。《史記》並此『夔曰』俱無者，或史公節其文，或今文無之。……史公無『夔曰』者，以禹、伯夷、臯陶相與語（舜）帝前，時本無夔，此文又已見〈堯典〉，不應重出也。」

皮氏《今文尚書攷證》：引孫星衍說而申同之，「《漢書》〈宣帝紀〉……詔曰：《書》不云虖？『鳳皇來儀，庶尹允諧』、《後漢書》〈明帝紀〉詔引《書》曰『鳳皇來儀，百獸率舞』，皆無『夔曰』八字。《帝王世紀》曰『簫韶九成，鳳皇來儀，擊石拊石，百獸率舞』，皇甫謐亦從《今文尚書》；蓋《今文尚書》本無此八字也。《左氏》〈莊三十二年傳〉《正義》引服虔曰『虞舜祖考來格，鳳皇來儀，百獸率舞』，子慎習今文，其所引亦以『鳳皇來儀，百獸率舞』連文，無『夔曰』八字。漢修〈西嶽廟記〉亦曰『鳥獸率舞，鳳皇來儀』。若《後漢書》〈崔寔傳〉曰『樂作而鳳皇儀，擊石而百獸舞』，其所引有『擊石』字，乃用〈堯典〉文，非〈皋陶謨〉文也。」

民國張國淦《漢石經碑圖》〈皋繇謨〉：「……簫韶九成，鳳皇來儀，百獸率舞，庶尹允諧。」「來儀」下徑刪卻「夔曰：於！予擊石拊石」八字，而〈堯典〉碑圖則保有「夔曰：於！予擊石拊石，百獸率舞」十二字。又於其下〈尚書說〉曰：「今本『夔曰：於！予擊石拊石』，〈夏紀〉無此八字。皮云：《漢書》〈宣帝紀〉、《後漢書》〈明帝紀〉引《書》皆無『夔曰』八字。蓋《今文尚書》本無此八字也。」

蒙謂：

1　虞廷謨議帝前，無伯夷；有禹、皋陶及夔，孫誤。此文在先；彼〈堯典〉十二字重出在後，後人襲抄此文，孫氏失察。戛刮也擊鳴球孔《正義》：「〈釋器〉云：『球，玉也。』鳴球，謂擊球使鳴。樂器惟磬用玉，故球爲玉磬。」，義同下文「擊石拊石」。此下至「笙鏞以間」皆記夔與樂僚行樂於虞舜廟堂情實《僞孔傳》：「此舜廟堂之樂。」，則冒其上之「夔曰」即本段文之第一夔曰。，不是「夔言曰」下第二「夔曰」方是「夔言曰」也。，云是者：《史記》〈夏本紀〉：「於是夔行樂下文載「祖考、羣后、九成、獸舞、官諧」云云。」，孫氏《疏》：「史公說爲『於是行樂』者，以『夔曰』至『鳳皇來儀』爲虞史之言，故說『曰』爲『於是』。〈釋詁〉云：『爰，曰也。』……又云：『曰，於也。』」是「戛擊」至「來儀」盡史官紀錄文，非直引夔之言語。觀下「祖考來格」，舜之祖若考馬融以爲考是瞽叟，孔《正義》引。也；虞賓，堯子丹朱也；羣臣、搖鼓、鼓鐘、吹笙：語氣均似他人紀錄之詞，非夔自語也。樂奏九成，鳳皇來儀，夔乃曰：「於！予擊石拊石。」即述方之戛擊鳴球也；百獸率舞，即述方之鳥獸蹌蹌也；庶尹允諧，則贊舜致治成功也。鄭《書注》、孔《正義》均謂先是「夔曰」、後夔「又曰」，竝失之。

2　史遷見〈堯典〉「夔曰擊石獸舞」文，已直載之〈五帝紀〉中，此則改將重見之夔語變記言而作成記事體，與上史官所紀貫連，取便通讀，遂省「夔於擊拊」諸字（《史記》錄載《尚書》經文，類此極多，此遷史體也），非所據〈益稷〉本經原無此八字。孫《疏》云「或史公節其文」，允是；但非「今文無之」也。

3　在昔，余讀〈堯典〉至夔擊拊石而百獸舞，深怪夔言突兀，而磬之音感何若是之彊

邪？洎至〈皐謨〉，堂上堂下金石絲竹和鳴，致鳥獸蹌蹌，而磬音最先作，檢兩孔說乃知其所以然，

《僞孔傳》〈益稷〉：「磬，音之清者。拊亦擊也。舉清者和，則其餘皆從矣。樂感百獸，使相率而舞。」《正義》：「八音之音，石磬最清。……擊是大擊，拊是小擊。音聲濁者粗，清者精；精則難和。舉清者和，則其餘皆從矣。〈商頌〉云『依我磬聲』，是言磬聲清，諸音來依之。百獸率舞，即〈大司樂〉云『以作動物』、〈益稷〉云『鳥獸蹌蹌』是也。」

〔宋〕王安石說尤其精要易從，其

《尚書新義》（拙著《尚書新義輯考彙評》頁二六）曰：「堂上之樂，非止于石，特曰『擊石拊石』者，蓋八音惟石難諧，舉石則餘不足道也。《詩》曰『鼗鼓淵淵，嘒嘒管聲，既和且平，依我磬聲』。以此知樂之和由石聲而依之也。」

則擊石拊石猶言磬、琴、瑟、笙、簫、鐘、鼓、柷、敔齊作，故鳥獸舞鳳皇來百僚諧也。則夔曰十六字，在〈益稷〉適上下（下段文舜、皐陶歌曰：百工熙哉、庶事康哉。）經文意；而錯出之在〈舜典〉斷竹十二字，則於文不屬也。

4　皮《攷》所引《帝王世紀》正有「擊石拊石」四字，上下文又連引「簫韶九成，鳳皇來儀」及「百獸率舞」，出〈益稷〉無疑，唯援文寫史，略去「夔曰於予」四字，就

史體也。《後漢》〈崔寔傳〉引「擊石獸舞」上接「鳳皇儀」云云，〈堯典〉無文，寔同《帝王世紀》所引也。其它或引「庶尹允諧」，或「鳳儀百獸」兩句併共連出，皆是〈皋謨〉文，省卻「夔曰」云云而已，文章家用典不拘：皮鹿門誤矣。服虔注《左》、皇甫謐傳《僞古文尚書》，均古文家，范蔚宗南朝宋人，古文《書》家范甯嫡孫，惟班孟堅或許主治小夏侯《書》學，而鹿門一律歸之今文學，鹿門誠晚清今文大家也，其衛護兩漢博士家法，亦云勞矣！

（五）許先生執六二七八及六八七四兩《漢石經》殘石字經文及〈校記〉定（？）〈益稷〉此八字爲錯簡：

許〈考〉曰：「六八七四殘石正面經文第七行『予擊石拊石，百獸率舞，庶尹』十一字，……《尚書》〈益稷〉篇有『夔曰：於！予擊石拊石』一句，《史記》〈夏本紀〉所引無此八字，因此有人認爲是衍文或是錯簡。」

又曰：「六二七八殘石背面，是〈舜典〉、〈皋陶謨〉、〈益稷〉三篇的部份〈校記〉共十六行。……第十四行『於！予擊石，大夏侯無』（元敏謹案：「顧頡剛藏拓本定作『於！予□石，大夏侯無』。」）八字，係〈益稷〉篇的『夔曰：於！予擊石拊石』，這裡明白的說大夏侯氏無此經句；按《史記》〈夏本紀〉也無此一句，因此過去有人疑是衍文或是錯簡。」

元敏謹案：(1)〈夏本紀〉有此一句八字，詳證已如上，許先生不及深讀遷《史》，又誤從清人孫、皮輩說，致有此失。⑵兩漢今文歐陽、大小夏侯學宗任何一家派《尚書》《益稷》板本均有此「夔曰於予擊石拊石」八字。⑶兩漢、唐及日本傳抄唐本及宋以來傳本《益稷》，莫不具此八字。⑷至清，始有人疑此八字今文家板本所無。⑸淺人僞刻石經，前受宋、元人疑《堯典》「夔曰」等十二字爲次篇《皋陶謨》半斷簡之影響，又受清人如孫、皮之誤導，復不暇深考經傳史記，遽爾空造大夏侯本與歐陽、小夏侯本之異同，爲：——

於予擊石大夏侯無

依造僞者意，當補足爲一句校文，乃：

（夔曰：）「於！予擊石」。大夏侯無。

則大夏侯本此全句爲

▲夔曰：「拊石，百獸率舞，庶尹允諧。」十字。

而歐陽及小夏侯板本則竝作

夔曰：「於！予擊石拊石，百獸率舞，庶尹允諧。」十六字。

夫大夏侯一代學宗，苟其《書》本文理不通，何以立教官學與他二家竝立爲參乎？拊石不擊石，其聲可以諧諸器，作動物，興禮樂，成郅治乎？作僞者詞窮乎哉！不僅此也，僞者經籍生疏，性又躁急，本條與下條校語，竟然失次誤倒。說即見下校。

《漢石經》諸經校語，亦慣用「某有、某無」字，如《魯詩》殘字「齊無不」及「有緝御」、《周易》「孟京氏有」、《公羊傳》「顏氏有、無」、《論語》「而在於蕭牆之內盍毛包周無」，此六二七八號殘石字作者，依放之作「大夏侯無」者也。

簫韶九成小夏侯　（六二七八號殘石字背面第十五行）

〈益稷〉：「簫韶九成，（鳳皇來儀）。」

敏案：薛季宣《書古文訓》〈益稷〉簫韶作箾磬。它本未見。薛本，源出宋次道家之古文本也，所著異字多不可信：段氏有說。段《古文尚書撰異》：「《春秋》〈襄二十九年〉《左氏傳》季札『見舞韶箾者』，說者云韶箾即簫韶。《說文》……〈竹部〉箾，……：『虞舜樂曰箾韶。』」僞石者殆以小夏侯本獨作箾磬，欲著以校歐陽、大夏侯本，信如是，則又以古文冒今文以校石矣。

又案：〈益稷〉本經依次爲「簫韶九成」，……「夔曰於予擊石」云云，則此條〈校記〉應準合本經置上條「夔於擊石」之前，乃竟錯置在後，令碑圖無從復原，許〈考〉：「六二七八殘石背面，第十五行『簫韶九成，小夏侯』七字，按〈益稷〉篇的經文，此句應在『擊石拊石』的上文。」

周鳳五教授曰：「（六二七八號殘石背面，）第十五行『簫韶九成小夏侯』，爲〈皐陶謨〉（僞古文〈益稷〉）『簫韶九成』〈校記〉。今僞孔本此四字在『於！予擊石拊石』前，而《石經》出校於此，甚覺可疑！若據〈校記〉次第，則〈皐陶謨〉經文碑圖無法復原。姑記此以俟考。」（〈新出熹平石經尚書殘石研究〉，《幼獅學誌》十九卷三期，民國七十六年五月）

《漢石經》校刻矜愼，似此嚴重錯誤，必不致發生；苟或有之，早經當代或其近世人指出。則此的是僞刻，其人淺薄麤卒，僞跡敗露，而許、周二先生溫柔敦厚，未即指斥，但志厥疑，此鄙陋拙文之不得不作也。

八　摭尋常通用字以校經字，等同未作；其〈校記〉中出「大小夏侯無、言」之校語，全屬杜撰——僞跡之六

不則威之禹曰俞　（六二七八號殘石字背面第十一行）

〈益稷〉：「（格則承之庸之，）否則威之。禹曰：俞（哉！）」

敏案：不、否，古、今字也，音同義通，〈無逸〉「否則侮厥父母曰」，《漢石經》否作不。《僞孔傳》〈益稷〉：「天下人能至于道，則承用之，任以官；不從教則以刑威之。」似孔本否原即作不。又內野本、足利本、上圖本（影天正本）、上圖本（八行本）威概作畏。畏、威音同義一。此條〈校記〉七字迻錄本經而已。

時乃工大小夏侯言　（六二七八號殘石字背面第十三行）

〈益稷〉：「（帝曰：迪朕德，）時乃功（惟敘）。」

敏案：〈舜典〉彼「汝二十有二人，欽哉！惟時亮天功」，《漢石經》功作工；以旁證此篇功作工。工、功通用字，習知。「言」云云，例說見第九行「根食」條下。

維□　（六二七八號殘石字背面第十六行）

〈益稷〉：「（帝庸作歌，曰：『勑天之命，）惟時（惟幾）。』」

敏案：許〈考〉：「維□二字，係〈益稷〉篇末的『維（當作惟，下同）時維幾』一句，未知當否。」茲從其當。作惟，《魏石經》古文（孫海波《集錄》拓本）、敦煌本、內野本、足利本、上圖本（影天正本）、上圖本（八行本），皆同今本。惟作維：《史記》〈夏本紀〉「維時維幾」、〈樂書〉「太史公曰：『余每讀〈虞書〉，至於「君臣相敕，維是幾安」』」，段氏以為《今文尚書》家說，是；《漢石經》殘字今見維字十一（分別出於〈盤庚〉、〈康誥〉、〈多士〉、〈立政〉、〈無逸〉），無作惟者，可證。此六二七八殘石字作者取諸家成說耳。

九　考之六二七八號殘石字行數字數，及其在碑版上部位，證斯殘石字係淺人偽作——偽跡之七

（一）據舊出殘石字，知《尚書》末篇〈秦誓〉與《書序》，及《書序》與〈校記〉首行皆密接，明〈校記〉必在《尚書》全碑之末面

對應許〈考〉及其所作復原圖（併見下許圖一、許圖二），余取屈先生《集證》之〈漢石經碑尚書部分復原圖〉兩圖——第一石陽面與同石陰面，錄列於篇末（標《集證》圖一、《集證》圖二），說明亦將具於下文。

《尚書》本經最末篇曰〈秦誓〉（各本皆如此，絕無異外），緊接〈秦誓〉本經之後爲《書序》（古書之序文皆繫正文之後，說詳拙著《書序通考》、《詩序新考》），此由近人馬衡《漢石經集存》（下簡稱《集存》）所著錄之《漢石經》殘字知之，殘字爲：

人之
殆哉
下將

馬氏《漢石經集存》〈釋文〉：「〈周書〉〈秦誓〉及《書序》，第三行『下將』二字，乃〈堯典序〉『廣度天下將遜于位』之文。」

敏案：人之，〈秦誓〉經文第一「人之有技」句殘字；殆哉，同篇「亦曰殆哉」句殘字，與下〈堯典書序〉「下將」殘字同石相連爲前後行。《集證》著錄同，云：「此（敏案：謂上引殘石字。）〈秦誓〉及《書序》殘文。以此殘石及下一殘石（敏案：即見下引）。覘之，知〈秦誓〉及《書序》間不空；惟《書序》另起行書之耳。」（參看《集證》圖二字旁有・者）誠是；《尚書》經文後緊接爲《書序》，鐵證若此殘石所昞者也。

又案：張國淦《漢石經碑圖》〈尚書說〉：「第廿八面（原注：在第十九面之陰，即《尚書》第十面。）第七行（敏案：謂〈秦誓〉本經之末行。）：據下《石經》《書序》七行，前一行存殘字不可辨。羅云：『此《序》殆在《尚書》之末。』案：據此，似經文與《書序》中間，當有一行。」張所謂《書序》前一行殘字不可辨者，殆是「民、殆哉」二石同行三字；否則，豈《書序》全文之標題，在《序》前占一行，頂格書寫者歟！此暫存疑。

《集存》又著錄殘石字（《集證》著錄殘字同）：

民
廣度
遂與
堪飢·
以其子
使召公
周公作君
甫荆
同異

《集存》〈釋文〉：「〈周書〉〈秦誓〉及《書序》。」

張氏《碑圖》〈尚書說〉：「《石經》『同異』殘字，羅云：『殆〈校記〉語。』」

敏案：馬說是；惟末行「同異」二字，非《書序》文，馬偶失察；而係〈校記〉語，羅振玉說是。《集證》云：

第一行「民」字，乃〈秦誓〉「以不能保我子孫黎民」之民。自「廣度」至「甫刑」七行，乃《書序》殘字。末行「同異」二字，則〈校勘記〉之殘文也。

敏案：廣度，〈堯典書序〉之殘文；今本作光宅。遂與，〈湯誓書序〉之殘文。堪飢，〈西伯戡黎書序〉之殘文；今本作戡黎。「·」，《書序》平均每篇才十餘字，不足各立章節，因施以「·」，用區隔前、後兩序。叺（今本楷作以）其（今本竹頭）子、使召公、周公作君，依次爲〈洪範〉、〈召誥〉、〈君奭書序〉之殘文。甫刑，則〈呂刑書序〉之殘文也；今本作〈呂刑〉。同異，當是「歐陽大小夏侯尚書同異」一行八字之殘文，此八字爲後文〈校記〉之標題；另起一行。

《集存》又著錄殘石字：

不施予
作乃劮
·不昏作
古我先王暨
世萬

羅振玉《漢熹平石經集錄續編》：「右校記，前二行爲〈盤庚〉之文。……『不昏作勞』不，上空格加·，故知爲校語。」

《集存》〈釋文〉：「〈商書〉〈般庚〉〈校記〉，首行『不施』，爲〈般庚上〉『不惕予一人』之校文。《白虎通》〈號〉篇引《尚書》曰『不施予一人』，段玉裁《古文尚書撰異》云：『即〈般庚〉「不惕予一人」也，《古文尚書》作惕，《今文尚書》作施；施與惕同在歌支一類。』施下殘字，似予字。次行『作乃劮』，今本劮作逸。三行『不昏（敏案：今本作昏，唐衛包改，避「民」諱也。）作』三字、四行『古我先王曁』五字，亦皆〈般庚上〉之文。……五行『世篤』（敏案：拓石作篤，草頭）二字，……意當仍爲〈盤庚〉校文，或即下文之『世選爾勞』之異文歟？」

敏案：「不」上刻圓點，屬〈盤庚上篇〉，殆「惰農自安」以上經文之〈校記〉；夫〈校記〉依本經文句作校語，每校文字皆短小，不足立章分節，故祇以「·」區隔上條校文與下條校文。《石經》《書序》分隔前後兩《序》（說方見前文）、《石經》《春秋經》分隔前後兩年、……亦莫不因其文字短小，不便分章立節，而亦均祇以「·」劃分，理同然也。羅說是。世篤，《集證》著錄同，云：「馬氏疑爲『世選爾勞』之異文；其說亦無由徵信。」蒙謂：此二字介〈盤庚上〉與〈酒誥〉（觀生省）間，尋繹《尚書》本經，其間「世」字僅兩見——即此〈盤庚上〉「世選爾勞」與〈康誥〉「汝乃以殷民世享」之世；「篤」字則僅〈盤庚下〉「朕及篤敬」一見。故此「世篤」二字似不外上述三經句之〈校記〉也。

又案：上殘石末行「同異」二字，與此殘石「施予」二字間，《集證》圖二作跳空一行，而其卷二〈校文〉頁三三至頁三五亦未敘明空一行之所依據；張國淦《碑圖》《尚書》第十面（即末面）則於「同異」兩字下跳空三行，作成（註一）：

同異　（第十五行）
（第十六行）
（第十七行）
（第十八行）
・不昏作　（第十九行）
古我先王曁　（第廿行）
世篤　（第廿一行）

張氏於其

《碑圖》〈尚書說〉云：「第廿八面第十六行——《石經》『同異』殘字次行，有餘石，不知〈校記〉分行奚似；姑空行，存以俟考。……第十九至廿一行，……案此〈校記〉不知何行，亦不知在行若干字，姑列於此。」

蒙謂：〈盤庚〉本經一二八五字，〈校記〉約四行，則其上〈堯典〉、〈皋陶謨〉、〈禹貢〉、〈甘誓〉、〈湯誓〉五篇共三六四一字之〈校記〉應非二、三行可容；惟審下殘石〈康誥〉、〈酒誥〉、〈梓材〉三篇一八五〇字之〈校記〉亦才四行，且衡量《石經》《尚書》碑數、全書字數及歐陽、兩夏侯三家本同出一源諸因素（此理詳下），則〈堯典〉等五篇〈校記〉文，亦約共爲四、五行，併它經〈校記〉以碑之末面容之，綽有餘裕，毋需以另刻續焉（詳辨即見下節）。

《集存》又著錄殘石字：

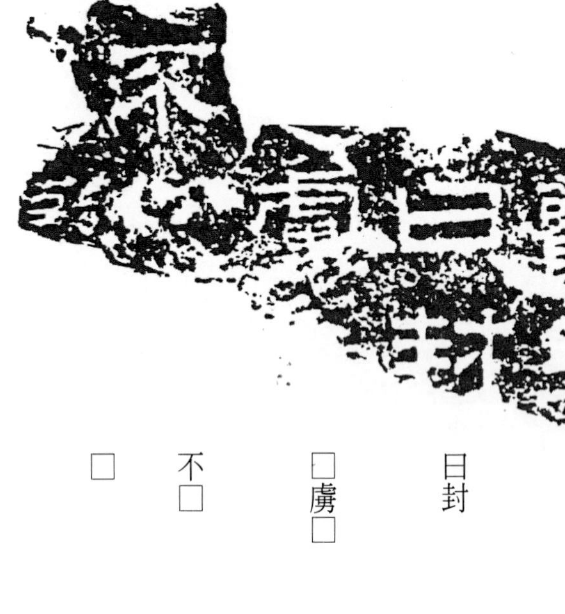

勸生
曰封
□虜□
不□
□

《集存》〈釋文〉：「〈周書〉〈校記〉，次行有『日封』二字，當是〈康誥〉、〈酒誥〉、〈梓材〉三篇之校文。首行『藋◯生』二字，其〈酒誥〉『爾克永觀省』之校文歟？」

《集證》：「右殘字，馬氏《集存》疑爲〈康誥〉、〈酒誥〉、〈梓材〉三篇之校文；且疑首行『藋◯生』二字爲〈酒誥〉『爾克永觀省』之校文，其說似可信。『虜』字則未詳爲何篇何句異文。」

敏案：「觀省」省（*seng）與生（*seng），上古音同在耕部，通用；生，今文，省，古文。馬說得之。「日封」，〈酒誥〉凡五見，皆出同篇「克永觀省」之後，又於下〈梓材〉一見，故此必其中之校文，與上〈康誥〉三「日封」無涉。《尚書》無虜字，殘石上下又缺字，無法考索。

綜上列《石經》四碑殘字，及羅、馬、張、屈諸先生考據，的證《石經》《尚書》末面爲〈秦誓〉之本經，接續本經者爲《書序》廿九篇文，《書序》之次行既接刻《尚書》全經之〈校記〉（《書序》等同傳注，又祗一家板本，故無亦毋庸〈校記〉。）；〈校記〉全在碑之末面上，但當刻在何行何字，殊難考確。

（二）殘石部位不合，殘石與舊出《石經》《尚書》殘文重疊，〈皐陶謨〉、〈益稷〉之〈校記〉文字太多，不成比例，不符漢三家傳本實情，的是淺人偽為

(1)《漢石經》《尚書》全文，無論準《集證》圖、或許圖，〈堯典〉、〈舜典〉本經皆在第一碑陽第一面；而最後一篇〈秦誓〉本經（全部或部分）與《書序》全文及〈校記〉（亦是全文，詳下證）皆在同（第一）碑陰之末面。第一碑陽與碑陰兩兩相對。

(2)六二七八〈堯〉、〈舜典〉殘石十二行卅六字，許〈考〉圖一定位於第一面第七至第十八行（殘字之外，圍以框廓，下同；以阿刺伯字標示行數，係筆者增加：下放此）；惟依《集證》圖一，推當在第一面上方第七至十三行，下方則在第十二、十三至十四及十五至十七共計六行：夫既裂石爲上、下，又碎爲多塊，除非人工故意雕琢，何致如此？《集證》通考全經，製復原圖，勝於許圖。則是此殘石不能復原；僞作昭然！

(3)此殘石正面十二行；反面十六行，在碑末面（見許圖二，下同），多四行。考核正、反在碑上行位，其法：正面順數，得其首行；反面倒數，得其末行。今殘石之正面殘文自第一行順數至第七行，有其首行；而殘石之背面殘文則從碑之末行（即第卅五行）倒數七行，使背面之末行與正面之首行行行相對。但考慮背面字多出四行，故變自末行減四行、倒數五行，以第

卅一行爲其末行。殘石字全向右推移，成位反面第十六至卅一行。

⑷舊已出土之《石經》《尚書》〈校記〉殘文，連〈校記〉標題加空行，共十二行。準《集證》圖二，新出〈校記〉居上方自第十七至二十九行，則必與《書序》及舊〈校記〉全部重疊；而下方亦與《書序》及〈校記〉標題一行重疊框圍內之「校記石地（下方同）」諸字，筆者增加。。若謂〈校記〉標題行與校文「不施」行之間空行至少爲四、五行而非僅二、三行（上文已略及），則增行後，〈校記〉上方殘石仍需與《書序》及舊殘石〈校記〉重疊數行。且又需破〈校記〉石爲兩截，《漢石經》必不如此刊刻；淺人妄作耳。即準許圖二，將舊〈校記〉「不施」以下十行左退至末行，仍有七行（第廿五至卅一行）與此新〈校記〉重疊。淺人計不及此，僞跡於是乎畢現。

⑸依許圖二：〈秦誓〉占二行、《書序》七行、〈校記〉標題一行，凡十行（行一至十），餘廿五行（行十一至卅五）需以納經廿九篇之〈校記〉。今已知舊〈盤庚〉、〈酒誥〉、〈梓材〉三篇〈校記〉占十一行，減去之，餘地只十四行，以納此新〈校記〉〈舜典〉、〈皐陶謨〉、〈益稷〉三篇實止二篇十六行尚不足二行，餘〈禹貢〉、〈甘誓〉、〈湯誓〉、〈高宗肜日〉、〈西伯戡黎〉、〈微子〉、〈泰誓〉、〈牧誓〉、〈洪範〉、〈金縢〉、〈大誥〉、〈康誥〉、〈召誥〉、〈洛誥〉、〈多士〉、〈無逸〉、〈君奭〉、〈多方〉、〈立政〉、〈顧命〉、〈呂刑〉、〈文侯之命〉、〈費誓〉、〈秦誓〉等共廿四篇之〈校記〉將置之何所？觀

許〈考〉曰：「新出〈校記〉只有〈舜典〉〈皋陶謨〉〈益稷〉三篇〈校記〉。今按復原圖推算，其中〈堯典〉〈舜典〉兩篇〈校記〉占約九至十行，〈皋陶謨〉〈益稷〉兩篇占約十三至十四行，其左至碑邊只剩下三至四行，實在不足容納他篇〈校記〉，況且還有〈夏書〉〈商書〉〈周書〉二十多篇的〈校記〉；必須另刻他石。據《漢石經集存》已經收編的第二二五條就是〈商書〉〈盤庚〉『古我先王暨』等五行〈校記〉，又第二二六條是〈周書〉〈酒誥〉的〈校記〉。《尚書》經文歷來聚訟紛紜，新出的經文與今古文本都有很多異文，〈校記〉顯然較多，可以預言《尚書》〈校記〉除此一面碑石外，肯定要有另石書刻，因此，對《尚書》石經『十面五碑』之說，顯然是需要再斟酌的一個問題。」

敏謹案：無論《石經》《尚書》總碑數多寡，其〈校記〉之首行既定在末面，即必將與第一面表裏對應。蓋籌刻之時，先計算字數石數，書丹於楮本，然後上石，鐫刻。一經自爲起訖，陰、陽兩面刻字。夫既確定〈堯典〉、〈皋陶謨〉及〈禹貢〉（部分經文）在第一面（《集證》圖一、許〈考〉圖一同），則全經〈校記〉必集在與其對應之末面；豈有末面不足〈校記〉，又另爲具石兩面側刻〈校記〉之理乎？復考之《石經》它經〈校記〉（最著者爲《魯詩》，校文特多，無有超出末面之後者），絕無此制。許先生誤矣！且若果經《尚書》〈校記〉字多，半面或一面不足容受，則當初籌刻計算字數，即先計算本經、《書序》、〈校記〉總字數，多加碑石，自正面第一面陽始刻經文，預留足夠碑面以容《書序》及〈校記〉，則《書序》與〈校記〉之首行將刻於全碑面之倒數第某面（或倒數第二面、倒數第三面、……視便而定），依次刻至全碑之末面，而非如許圖二所示，《書序》及〈校記〉之首行，皆在末面，使〈校記〉納於該面甚是不足，爾乃別加碑石專刻〈校記〉。覘《魯詩》〈校記〉，據張氏《碑圖》，即自第十四面（即第五面之陰）刻〈校記〉首行，歷第十五面（第四面之陰）、第十六面（第三面之陰）、第十七面（第二面之陰）直至第十八面（即末面，亦即第一面之陰）而已。未嘗因其校文繁多，而別立碑石專刻〈校記〉，令一代大典體制不一也。許先生請更思之。

(6)依許先生意，殘石末面既知有〈舜典〉、〈皋陶謨〉、〈益稷〉之〈校記〉文約廿二、三行，尚餘三、四行（其實祇二、三行。）用以容其它多篇之〈校記〉。蒙謂：〈堯典〉（含〈舜典〉）、〈皋陶謨〉（含〈益稷〉）兩篇經文共二二〇九字，占《尚書》全經字數（一八二一二字）才百分之十二強，而〈校記〉行數竟獨得廿一行，占〈校記〉全行數（廿五行）百分之八十四，無是理也。

(7)〈皋陶謨〉（含〈益稷〉）九七四字，乃六二七八殘石竟出〈校記〉十三行（見許圖二行十九至卅一），以每行七十四字計，得九六二字校文。校字與經字相比，占百分之九十八點八，則幾句句都有校文，荒謬至此！不謂之淺人僞作，斷斷乎不可也。且夫伏生授《尚書》予歐陽容，爲歐陽《尚書》學始師。容授兒寬，寬授蕑卿，蕑卿授大夏侯勝，是勝亦傳歐陽家學也；勝又從族人夏侯都尉、而夏侯始昌上受濟南張生《尚書》學，而張生者伏生弟子，則大夏侯《尚書》學亦得之伏生。小夏侯學始師，夏侯建也，師大夏侯勝，又從歐陽容之曾孫名高字子陽學《書》，上溯其宗師亦是伏生。則歐陽、兩夏侯《書》本，以共出伏生一源，姑名之曰「汎伏本」，「汎伏本」一致性必甚高，故異少同多，何若此殘石〈校記〉之幾乎句句皆異哉？班固《漢書》〈藝文志〉〈書類序〉：「劉向以中古文校歐陽、大、小夏侯三家經文：〈酒誥〉脫簡一、〈召誥〉脫簡二，率簡二十五字者，脫亦二十五字，簡二十二字者，脫亦二十二字；文字異者七百有餘，脫字數十。」《後漢書》〈劉陶傳〉：「劉陶明《尚書》……，爲之訓詁，推三家《尚書》及古文，是正七（一本作三）百餘事，名曰《中文尚書》。」夫以「汎伏本」與孔壁古文元本校，脫簡才三約七十字，另脫字亦不過數十異文僅七百餘字（若以每經字出現四次計，則才約百八十異字），「汎伏本」之間若互校，則異文恐不足百字，豈若六二七八殘石字祗〈皋陶謨〉一篇校文即幾達千字，必不然矣。

十 《漢石經》《尚書》為小夏侯本

東漢《熹平石經》各書之刻校也，以當日學官所立今文某一家博士本爲底本，而以同書另一或數家官學博士本爲校勘本；校比異同，刊在〈校記〉。故〈校記〉中出現某家，即非以其家本爲底本。以此法考定，百不失一。如《詩》〈校記〉中見齊、韓，底本定非齊、韓，而係《魯詩》；《儀禮》〈校記〉中見戴言，知底本用大戴本（「戴言」戴上應是「小」字，此據殘石《儀禮》篇第用大戴本知之。）；《周易》〈校記〉中見施、孟、京，知其底本乃梁丘賀本；《公羊傳》〈校記〉中見顏氏，知係取另家嚴氏博士本作底本；《論語》殘石〈校記〉中具盍、毛、包、周、弜（張），知底本屬五家以外之某家傳本；《春秋經》殘石未出〈校記〉，度亦當有參校本，蓋嚴、顏兩家各據一己之《春秋經》，板本固異，需加校正也。所謂今《尚書》殘石（六二七八號）出「大、小夏侯」字於〈校記〉之中，則用歐陽氏爲底本塙乎其不可移矣，許先生即力據之，

許〈考〉：「新出的〈校記〉，共十六行。前三行是〈舜典〉以前的〈校記〉，從四至十六行全是〈皋陶謨〉、〈益稷〉兩篇〈校記〉，就在這十三行裡提到大小夏侯氏的〈校記〉有九處，其中大夏侯五處、小夏侯一處、大小夏侯三處，如第九行『根食大夏

侯言』、十行『粉米大夏侯言粉』、十三行『時乃工大小夏侯言』，這裡明白地說是以大小夏侯經本來校勘，再如第十四行『於予擊石大夏侯無』，這裡更明確地指出大夏侯無此經句，而六八七四正面第七行有『夔曰於予擊石拊石』一句，足見《尚書》石經絕不是夏侯氏經本，當然是歐陽氏經本，這是確實無疑的事實。」

許〈考〉又云：「漢代傳習伏生《尚書》經的，以歐陽、大小夏侯三家爲代表。對《尚書》石經的文本，一般都認爲以歐陽氏爲本，其他二家的經本對照勘校，但也有人認爲以夏侯氏爲本的。我們從新出的〈校記〉裡多次見到了夏侯氏本的校勘經句，如在〈校記〉中多次見到『大夏侯言』、『大小夏侯言』、『大夏侯無』等校文，這與《易經》、《魯詩》、《春秋公羊傳》、《儀禮》等經所見到的〈校記〉完全一樣。再從其行文和敘述方法看，也是完全相同的，這進一步證實了《尚書》經文採用的是歐陽氏本，已是確鑿無疑的了。」

邱德修教授從申之，其〈漢熹平石經的新發現及其價值上〉（《國立編譯館館刊》十九卷一期，民國七十九年六月）：「我們這次從新出土的〈校記〉殘石裏多次看到了夏侯氏本的校勘經文的句子，例如在（舉例從略）……。這種現象，與《易經》、《魯詩》、《春秋公羊傳》、《儀禮》等《石經》所見到的〈校記〉是完全一樣的。再以其行文體例與敘述方法看來，也可以說是全相同的。這種事實，已可進一步證實了《石經》《尚書》經文所採用的是歐陽氏本，絕非大夏侯本或小夏侯本，已是鐵案如山，確鑿無疑的了。」

今據鄙人上考，既證確六二七八號《漢石經》殘石字經文及〈校記〉皆後代僞作，則許、邱二先生所依恃之最有力證據——所謂〈校記〉中之「大夏（侯）、大夏侯言、大夏侯無、大小夏侯言、小夏侯」諸語，咸屬無效。故論《漢石》《尚書》底本、校勘本，一切仍回歸於零，即西元一九七八年此殘石公開於世之前。

欲考《石經》所援據《尚書》經本，須先明漢一大宗三大家《尚書》經、傳板本，《漢書》〈藝文志〉〈六藝略〉〈書類〉著錄：

《尚書》古文經四十六卷。敏案：此古文家本，置前以顯示後列皆今文家本。（《尚書》今文）經二十九卷。班固自注：「大、小夏侯二家；歐陽經二十二卷。」師古曰：「此二十九卷，伏生傳授者。」王先謙補注：「大、小夏侯本經，與伏生卷同。歐陽分析增多其數；注『二十二』，官本、汪本並作三十二。案：三十（二）是也。」

《傳》四十一篇。

歐陽《章句》三十一卷。

大、小夏侯《章句》各二十九卷。

大、小夏侯《解故》（各）二十九卷。

《今文尚書》經二十九卷，即今傳之伏生《尚書》二十九篇（以一篇當一卷，下同。）；《傳》緊次經後，即伏生《尚書大傳》（今存輯本）：此一大宗之經、傳本也。兩夏侯經篇卷數，全同伏翁，二十九也，但後者增入晚得之〈泰（亦作太、或作大）誓〉一目一篇，而將伏經之〈顧命〉、〈康王之誥〉合爲〈顧命〉一篇，故篇數仍是二十九也。兩夏侯《章句》及《解故》（皆是傳注，體格少異，下放此）均各爲二十九卷者，古經本與傳（去聲）本分別爲帙，但傳卷往往對應經卷，兩兩相照，故亦作二十九也；伏、兩夏侯經、傳注之板本，均無《書序》。歐陽經三十二卷者，承伏生本之二十九，加後得增入之〈泰誓〉一目三篇，再加《書序》一卷，而亦將伏翁本之〈顧命〉、〈康王之誥〉合併爲〈顧命〉一篇：加者四、減者一，成經三十二卷也。歐陽《章句》三十一卷少於其經本一卷者，《書序》亦經之傳注也（說詳拙著《書序通考》），不需爲之章句，故成三十一卷也。

伏生《大傳》雖解〈泰誓〉，殘碎訓說，老儒記憶所及以授徒，徒眾記錄之，不足證伏本二十九中固亦有〈泰誓〉也。〈泰誓〉後得，伏生不及見矣；其出土期日，

〈泰誓〉後得（劉歆〈移太常博士書〉、馬融〈書（傳）序〉、趙岐《孟子》〈滕文公

下〉注；〔魏〕王肅《書傳》云：「近得。」）。

武帝末，得之民間；記云河內女子發老屋得而獻之者也，

> 劉向《別錄》：「武帝末，民有得〈泰誓〉書於壁內者獻之。……」（鄭玄〈書論〉據之）
>
> 子歆《七略》：「孝武皇帝末，有人得〈泰誓〉書於壁中者獻之。……」

當日，人多以爲是先秦眞古文〈泰誓〉，於是朝廷以此所獻書篇

> （下）與博士，使讀說之，數月皆起，傳以教人。（《別錄》）
>
> （下）與博士，使讚說之，因傳以教。（《七略》）
>
> 〈泰誓〉後得，博士集而讀之。（〈移太常博士書〉）

夫《尚書》歐陽學，歐陽高武帝時立爲博士，下傳至漢末始終爲大家；大夏侯勝、小夏侯建學，宣帝時立官太學，並及時見〈泰誓〉，研讀之，受詔傳之以教太學生徒，則三大家《尚

書》官學教本增入〈泰誓〉，乃朝廷制命、學子意願，不容不增篇也。但〈泰誓〉記武王伐紂，大誓天下，自鎬京起發，渡孟津，進朝歌牧野，戒誓軍民多次，所戒重點又不限一、二事，故文長不致少於〈盤庚〉之千二百八十五字，故歐陽家分爲一目三篇；兩夏侯以文雖長但只記伐紂一事，故止計爲一目一篇也。

至於《書序》，孔壁古文本也，素與今文對立，且《書》篇記事本明確，《序》作又庸且陋，非講師必備、生徒願學，矧又非朝廷制命讀本，亦非今文師法所宗，故二夏侯家經、傳本並可無《書序》，果然未收《書序》也。

張國淦以《石經》〈校記〉部分今未出某家學殘字，故不敢斷其《易》、《書》、《禮》所用主本，其

> 《歷代石經考》〈漢石經考〉〈提綱〉頁二〇：「新出《漢石經》殘字，《魯詩》〈校記〉有『齊、韓言』、《公羊傳》〈校記〉有『顏氏』；《易》、《書》、《禮》未見，僅〈後記〉有『《易》梁丘氏、《尚書》小夏侯』字，未知以何一家本爲主，亦無從得諸家異同之說，未敢以臆推斷也。」

案：《易》、《禮》今已考定用梁丘賀、大戴本，張氏不及聞。意者，張氏苟及見六二七八殘

石〈校記〉，以其精識，必能考知此石僞作，不俟下走復獻拙矣。

論《石經》爲用漢歐陽氏本者，錢、馬二氏也，

> 近人錢玄同〈重論經今古文學問題〉（《古史辨》冊五）：「舊說以爲伏生本二十八篇，加後得之〈泰誓〉一篇，故爲二十九篇，實在沒有錯。《漢》〈志〉敘大小夏侯經、《章句》及《解故》皆二十九卷，必是如此。《漢石經》分〈盤庚〉爲三，則三十一；又加《書序》，則三十二。歐陽經的卷數適與《漢石經》相同，故疑《漢石經》所用的是歐陽經。至於歐陽《章句》三十一卷，則因不爲《書序》作訓之故，陳壽祺之說是也。」（馬衡《漢石經集存》〈釋文〉：「亡友錢玄同氏……又據《隸釋》所錄及今出〈般庚〉殘字上中下三篇之間空一格，以爲〈盤庚〉確分三篇，則總數爲三十一篇；益以此《序》，則得三十二篇。《書序》不作訓，故《章句》爲三十一卷，經爲三十二卷。據此以證《漢石經》《尚書》之爲歐陽本。又引陳壽祺之『今文有《序》』十七證中之第十三證（原文引《後漢書》〈楊震傳〉震孫彪引〈般庚序〉事），以爲東漢習歐陽《尚書》者引《書序》，不但可證歐陽本有《序》，更可證有《序》之《漢石經》《尚書》之爲歐陽本。其說誠不可易。」）

元敏謹案：伏生傳本，《漢》〈志〉及《史》、《漢》〈儒林傳〉皆明記二十九篇；〈泰誓〉得年，伏翁早前已辭世，不及增入河內本〈泰誓〉。《漢石經》〈盤庚〉經文「弗可悔」下及「永建乃家」下各空格，所空之格加一圓點「·」以區分上、下。按諸《石經》它經之本經或〈校記〉，或《書序》加點空格常見，如《春秋經》之分年、《魯詩》與《論語》之分章、各經〈校記〉之分條分句，及《書序》之分隔篇《序》，但從無以「·」分經篇者；分經篇則獨立一行、正文前標題。故此〈盤庚〉殘字圓點，等同分章或分段，因此篇文字較多，又所誥對象不同上篇誥貴戚大臣、中篇誥庶民、下篇告一般官員。，故截爲三大段，隔以圓點。伏生、兩夏侯本〈盤庚〉正是如此截分，仍作一篇；歐陽篤守師法，不應立異，故亦沿作一篇。（註二一）《書序》，漢今古文家皆多加引用（詳拙著《書序通考》），如班固習小夏侯《尚書》者，《漢書》、《白虎通義》動引《書序》。（註二二）故陳氏壽祺據楊彪引〈盤庚書序〉即認有《書序》之《石經》本即是歐陽家學，實不足徵也。

> 〔清〕皮錫瑞《今文尚書攷證》《書序》：「陳喬樅曰：『……（孔）《正義》嘗引《石經》，其云「二十九卷而《序》在外」者，必見《石經》《尚書》有百篇之《序》，故爲是言耳。』錫瑞謹案：……孔氏（穎達）所見《石經》爲夏侯《尚書》；蓋歐陽《尚書》亦然，特分〈大誓〉之篇爲三，故較夏侯之合爲一篇者，多出二篇

耳。」

案：《石經》有《書序》，舊出殘字早已證實，但止二十九篇之《序》，陳、皮云百篇，誤也。夫《序》者以輔經講授，經二十九《序》亦二十九，外七十餘篇無所用，故不錄也。皮見《石經》底本二十九篇，符兩夏侯卷數，而歐陽多二篇便不合，故定爲夏侯本，是也。夫後得之〈泰誓〉，歐陽作三篇，兩夏侯皆作一篇，此其大異也，而亦判定《石經》底本之重要依據，下將詳焉。

陳夢家亦認《石經》用夏侯氏本，但未別大、小，說又多失實，其

> 《尚書通論》〈書序篇〉：「《石經》《（書）序》附在二十九卷後，即《尚書序》《正義》所說『伏生二十九卷而《序》在外』。《石經》的《尚書》沒有〈康王之誥序〉，所以必不是歐陽經本。……大小夏侯經二十九卷、歐陽《章句》三十一卷；《石經》《尚書》至少是夏侯氏的。」

《漢石經》殘石〈後記〉出現「大夏」二字（羅振玉《漢熹平石經殘字集錄》、張氏《碑圖》並著錄），「大夏」下如有「侯」字，則《石經》或是用大夏侯本，惜無字證。張氏既於其

《歷代石經考》因《石經》〈後記〉僅有「《尚書》小夏侯」字，故未敢遽定《石經》《尚書》用何家板本（方見前引），但又另於其《碑圖》〈敘例〉參酌同一資料，遂疑係小夏侯本，云：

若《尚書》〈後記〉有「《尚書》小夏侯」字，似係用小夏侯本。

案：屈師萬里作〈漢石經尚書爲小夏侯本〉（載《集證》頁三八至四一）議陳氏說曰：「蓋河內本〈泰誓〉未發現之前，歐陽本《尚書》〈康王之誥〉當獨自爲一篇（承伏生本之舊）。比河內本〈泰誓〉既獻，朝廷下示博士而增入《尚書》之後，則歐陽本與大小夏侯本已同將〈康王之誥〉合於〈顧命〉。故至立《石經》時，即使所用爲歐陽氏本，亦必不能有〈康王之誥序〉。則據此以斷《漢石經》《尚書》非歐陽氏本，自非的論。」師說備矣。陳氏以《章句》〈歐陽氏〉與本經（二夏侯氏）比較，擬於不倫；但認小夏侯二十九合《石經》篇數，而歐陽多二篇不合，故定《石經》爲夏侯氏本，論點甚可取也。

屈先生又曰：

《漢石經尚書殘字集證》〈漢石經尚書爲小夏侯本〉：「又歐陽及大小夏侯《尚書》，

皆以一篇爲一卷。大小夏侯各二十九篇二十九卷；歐陽經則三十二篇三十二卷（併《序》一篇一卷在內）。歐陽《尚書》，所以多於大小夏侯《尚書》三卷（即三篇）者，除《書序》一卷外，其餘則或謂歐陽本分〈盤庚〉爲三篇，或謂其分〈泰誓〉爲三篇。而〈盤庚〉、〈泰誓〉俱在〈酒誥〉之前。二者之一如分爲三篇，則《尚書》篇第至〈酒誥〉當爲第十八篇。而《漢石經》《尚書》殘字，尚存〈酒誥〉篇題，云『〈酒誥〉第十六』，據此知《漢石經》《尚書》〈盤庚〉、〈泰誓〉皆不分篇（〈盤庚〉之不分篇，又可於新出『于厥居』殘石及《隸釋》所著『其或迪』殘石徵之。），即此一事，可知《漢石經》爲二十九篇本，亦即夏侯氏本也。復按：民國十三年洛陽出土三角形殘石一，表裏刻字。審之，碑陽當爲〈奏刻漢石經表〉殘文（存九行七十四字），碑陰則爲〈漢石經敘〉殘文（存十一行八十四字）。〈石經敘〉殘字中，有「《尚書》小夏侯」云云。吳維孝《新出漢魏石經考》（卷一）因謂《漢石經》所刻爲夏侯建《尚書》。以《漢石經》《尚書》篇數及此殘文五字互證之，吳氏之說良信。然則《漢石經》《尚書》所據者爲小夏侯本，蓋斷斷乎無疑矣！」

謹案：馬衡《漢石經集存》〈釋文〉：「〈酒誥〉第十六。……『十』字下一字，雖已磨滅，但『六』字之筆畫，尚依稀可辨。」果若師說，〈酒誥〉第篇十六；則其前逆數〈康誥〉十

五、〈大誥〉十四、〈金縢〉十三、〈洪範〉十二、〈牧誓〉十一、〈泰誓〉十、〈微子〉九、〈西伯戡黎〉八、〈高宗肜日〉七、〈盤庚〉六、〈湯誓〉五、〈甘誓〉四、〈禹貢〉三、〈皋陶謨〉二、〈堯典〉第一也。〈盤庚〉、〈泰誓〉均是一目一篇，的是夏侯廿九卷本也。

又案：同一〈泰誓〉，夷何歐陽分爲三篇，而兩夏侯只作一篇，師未及表示。蒙謂：〈泰誓〉或分三或合一，本無師法可遵，歐陽以其文長，敘事又不止一項，故用己意分爲上中下三篇；二夏侯不然，以其只記伐紂一事，整合易理，故統爲一篇也。或者質疑曰《漢石經》有《書序》，歐陽本固亦有之，而夏侯本則無，《石經》非據夏侯本矣。夫《序》，孔壁所出，藏在官府（孔安國家獻上），流行人間（張霸即依《序》空造百兩篇《尚書》），夏侯本雖無，但未嘗不資之授《書》，且《序》等同古文本經（漢人多以爲孔子作），讀譯爲今文，又無別本可資校勘，況性質乃經解，亦不需校勘，而《石經》選擇底本，以本經板本善否爲取舍首要考量，本經板本既定爲小夏侯本，取別家本（或是歐陽本）或民間或中祕所藏百篇《書序》中之廿九篇，附全經之後，裨益講肄，誠快事也，而爲之甚易。

又案：民國十三年，洛陽出土三角形《漢石經》殘石，其文曰：（十一行，可識者約八十三字）

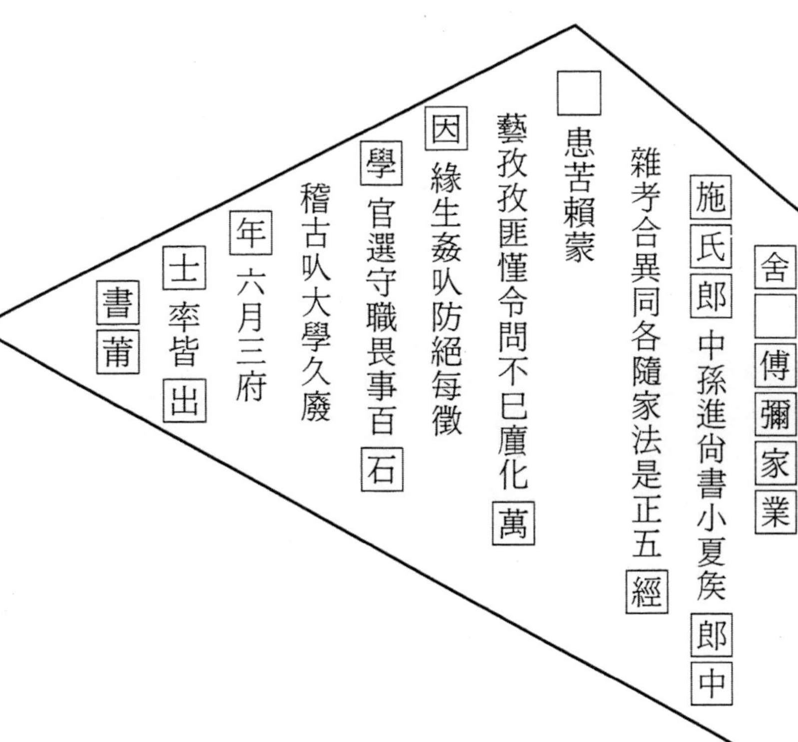
舍□傳彌家業
施氏郎中孫進尚書小夏矦郎中
雜考合異同各隨家法是正五經
□患苦賴蒙
藝孜孜匪慬令問不已庶化萬
因緣生姦叺防絕每徵
學官選守職畏事百石
稽古叺大學久廢
年六月三府
士卒皆出
書莆

吳維孝《新出漢魏石經考》卷一曰：

右〈石經敘〉殘字刻石，……稱「郎中孫原註：人名。進《尚書》小夏矦」，則《石經》《尚書》爲小夏矦氏學，將無疑義。……今於是殘石得邕刻《石經》爲夏矦建《尚書》。石刻所謂「雜考異同，各隨家法，是正」，是猶遵（光武帝）建武制詔——五經十四博士，而經皆今文學也。

郎中，官名；殆郎中孫氏某名進上小夏侯本《尚書》也，以爲刊石底本，其猶清修《四庫全書》，《總目》書下輒記「浙江巡撫採進本」、「陝西巡撫採進本」、「編修吳壽昌家藏本」……是也。則《漢石經》底本，據二十九篇小夏侯本斷斷乎無疑也。夫小夏侯建，自師事大夏侯勝及歐陽高，左右采獲；又從五經諸儒問與《尚書》相關出入者，卒自顓門名經（《漢書》〈夏侯勝傳〉）。是集伏宗兩派之長，又得五經博士《書》學精粹，度其手定經本，優於它家，故當年承詔校鐫《漢石經》司事者，定議爲底本也。

十一　清以來、一九七八年之前出現之《漢熹平石經》三僞本

先是明人引書本文獻，詭稱《石經》以欺世，

張國淦《碑圖》〈敘例〉：「段玉裁云：『明人有爲《九經考異》、《五經考異》者，其所援《石經》多不可信，如云：（下舉例，省）。皆或取諸《說文解字》，或取諸《尚書大傳》，而詭云《石經》以欺世。……凡《漢石經》在《隸釋》之外，多不可信，如（明）楊用修（愼）引《石經》，……本諸《玉篇》，未見《石經》也。』據此，則於前人所引《石經》，亦有不能不審度者矣。」

第一僞本：僞造《漢石經》摹本、搨本，似始於清乾隆朝人錢泳（金匱人，字梅溪），陳漢章光緒十七年（辛卯）作〈僞漢石經跋〉（載其《綴學堂初稾》卷四）：

錢心溪明經幕游於外，得金匱錢梅溪所摹《漢石經》凡五種五百餘字。案《金石萃編》合翁覃溪所摹二種，統稱爲熹平殘字。而金壇段氏云：「翁氏所摹勒，眞《漢石經》，

外此又有無錫人依《隸釋》僞造者。」無錫與金匱鄰，豈即謂錢氏此本歟？梅溪跋云：「乾隆五十年，於舊簏中得雙鈎本勒石；洪景伯《隸釋》皆與符合，惟《公羊》十八字，洪氏所未備也。」而所摹止十三字，又未知依何書造也。

此第一僞本，錢泳所僞造者也；張國淦言之綦詳，其

> 《歷代石經考》〈漢石經考〉：「（清）錢氏泳有《尚書》、《詩》、《儀禮》、《公羊傳》、《論語》，並《論語》末篇識語雙鈎本，合五百餘字，乾隆五十年七月得於舊麓（當作簏，下同）中，不詳何人所摹，曾摹刻於會稽郡學（原注：翁氏合黃易本摹刻於南昌縣學。）。錢氏又得墨本，云是原石搨本，一裱裝爲卷；後歸合肥劉氏體乾，日本博文堂影印，即其本也。一裱裝爲冊。均前有錢氏畫像，後有諸家題跋。此兩本上虞羅氏曾均見之。羅氏後又得墨本，與此兩本同，但無畫像題跋（下記經名行數字數，省）。考錢氏所得，不知其所從來。《公羊》十八字，爲洪氏所未有，其他亦無著述及之者。數百年後，安得有此？且果係原搨，何以同一時發見，又同在錢氏之家？作僞之拙，可以概見。嘗假其墨本校之（下張氏校其本之字畫、行款、體制、字體，證是僞作，省）。近質之羅氏，亦以爲錢氏贋作也。錢氏又有〈學而篇〉三十八字，亦得之敝麓故紙中，有徐樹丕印，徐字武

子，明長州人，翁氏以爲《漢石》摹得，余未得見。然錢氏既能僞此，其〈學而篇〉同在敝麓，亦可想像得之。明人工於作僞，或者非出錢氏與！……錢氏此本，鑒賞者亦風靡，而惜未詳其究竟也，茲故不錄。」（張氏《碑圖》〈敘例〉亦記此僞本，略同）

馬衡《漢石經集存》〈釋文〉：「翁方綱據錢泳摹本，於《隸釋》所錄諸經各段之外，有《公羊》〈隱公四年傳〉十八字，既不合行七十三字之例，與此段文字全不相應，且晉字寫作𣈆，亦與《石經》字體不合，是並張參《五經文字》亦未讀過。……錢泳謂於乾隆五十年七月偶得雙鈎於舊麓中，不知何人所摹。直是欺人之談。知作僞者終有敗露之一日也。」

元敏謹案：錢氏此本，據陳張馬三君子說，其僞跡有五：（一）來歷不明。今六二七八殘石字，劉松照氏自稱掘獲，似他無見證，又遲後十六年，乃送交考古所，此可疑，疑事同錢本。（二）錢本字體，不及眞本遒古。今六二七八殘石字，傳影拓片未盡清晰，應就原石原字，更爲鑒定。（三）錢本殘字字數行數，部位不符，無法排入碑版。六二七八殘石字亦然，拙論已歷詳上文。（四）錢氏不曉《漢石經》體例，如《論語》分章，下加圓點，《魯詩》章下旁注「其一、其二、其三……」，其僞本均無點無旁注。六二七八殘文不涉此情。又案：（五）錢本殘字《春秋公羊》〈隱四年傳〉有「𣈆者何公」之𣈆（見翁方綱《漢石經殘字考》）。張參

《五經文字》卷下〈日部〉：「𣈆、晉：上《說文》，下《（漢）石經》。」《魏石經》篆作𣈆、隸作晉。則錢本𣈆字用篆，不合《漢石經》隸，亦即不識今、古文。馬氏譏其未曾讀張參《五經文字》良是。六二七八殘石字僞造，亦不識今、古文，論已詳上。

張氏《碑圖》〈敘例〉又云：

> 新出殘石，曾屢見有作僞之本，是則言《石經》者所不可不先辨者也。

張氏未遑舉實，蓋經眼僞本頗多，故作警世之言，下兩僞本，渠似未見；若今六二七八殘石字不及見，更勿論矣。

第二僞本：國立中央圖書館典藏《舊雨樓藏漢石經》殘字拓片，剪條裝裱成冊，遍及七經，約一萬二千字。屈先生考證，此物爲方若（藥雨）僞造，拓片曾見載於《河北博物院畫刊》，自民國二十四年八月二十五日第九十五期起，陸續刊登（屈萬里先生〈舊雨樓藏漢石經殘字辨僞〉，《書目季刊》，民國五十六年九月）。方若，清末浙江定海人，住天津，乃名碑刻家及收藏家（註四）。著《校碑隨筆》；近人王壯宏《增補校碑隨筆》載方書全文，增補文各次於原方書條目下，茲錄攸關《漢石經》者一事，方、王書頁一〇九：

《石經》《尚書》、《論語》殘字：隸書，《尚書》〈盤庚〉篇存五行，行五、六、七字；《論語》存〈爲政〉篇八行，六、八字至十字不等；存〈堯曰〉篇四行，六字至九字不等；舊在河南洛陽，已佚；越州石氏（熙明，宋人）重摹本，世多以爲原本。方氏自注：熹平二年十一月。（《校碑隨筆》初印，民國二年（一九一三年），西泠印社木活字排印本，收在《遯盦叢編乙集》）

方氏果碑刻收藏名家，精鑒識；但《漢石經》熹平四年三月創刻，光和六年竣事，方氏注摹本云「熹平二年十一月」，誤甚，其擅長碑鑒而疏於史乘乎？

屈先生揭《舊雨樓藏漢石經》僞跡，論點有四：

之一——字體不合：《漢石經》書寫，非止一人，而舊雨殘字萬二千字左右，字體全出一手，足證全是僞刻。

之二——碑數不合：《漢石經》《尚書》碑數，應爲四石八面，張國淦《碑圖》誤定爲五碑十面，而舊雨殘石碑數行款全襲張氏；據誤爲正，是僞刻無疑。

之三——殘石部位不合：（1）原本分刻於兩碑之字，舊雨殘石竟刻在同一塊石上；（2）一凷殘石，既包括了兩個碑的文字，又能具有碑的頂端和末端的文字，豈有此理！（3）同一塊石頭，正面只刻六行字，背面存了十七行，此石頭無論如何斷裂（除非人工有意雕琢），亦不致有此奇怪現象。

元敏謹案：六二七八漢石殘字正面刻十二行，背面十六行（見許圖一、許圖二），正反面差四行，差距（寬度）四分之一，亦或是人工故意雕琢。又同石正面，竟兼具頂端七行二十四字，又具末端六行十二字，無有此理也！

之四——錯改經文：屈先生曰：「《舊雨樓石經》是根據張氏《碑圖》的經文刻石的，所以二者不同的地方絕少。但如果一字不差，就容易使人懷疑；於是舊雨樓本就改了一些可以通用的字。以《尚書》為例，譬如張氏《碑圖》中的丕、享、格、鰥等字，舊雨樓本都改作不、亨、假、矜；這實際上是等於沒有改的。」另外舊雨樓本因襲張氏《碑圖》妄改而誤，如改〈微子〉之「方」為「旁」、又有舊雨樓本據誤本妄改〈呂刑〉「詰」為「誥」者：造僞之跡顯然！

元敏謹案：六二七八殘石字經文係據今本（即《僞孔傳》孔穎達《正義》本，宋刊清重刊；而宋本源自《唐開成石經》本）抄錄（一若舊雨本抄錄張氏《碑圖》然）；恐人懷疑（作僞心態一若方氏），不敢一字不差，於是取通用字改代，如以不易丕、以遂易肆、以工易功，並等同未改；亦有誤改者，如改祗為震：僞跡昭然。

第三僞本：民國二十一年三月，經學家吳承仕發表〈新出僞熹平石經尚書殘碑〉一文（載北平中國大學《國學叢編》第一期第五冊），臺灣無有，屈先生據論文索引知有是篇，未見原本，因不知其所辨者是否爲舊雨本《石經》。七十三年夏，余赴美國研訪，仰體先師遺意，從哈佛燕京圖書館（或是美國國會圖書館）得影印原篇。

此一僞殘石字，民國二十年某月，洛陽出現，乃《尚書》〈大誥〉、〈康誥〉、〈洛誥〉三篇殘字（茲賦名一九三一號殘石字），殘文共存五百七十五字（爲舊雨外之另一僞本，時或在舊雨僞刻之前）。吳氏曰：

> 此石所列，幾六百名，文句承接，有在三十字以上者。……其有補於經術，爲何如邪？然以余觀之，則此石殆淺人所僞作，藉以欺世牟利者耳。今不指斥，足以疑誤後生，故列其疑事而疏通證明之。若夫方聞成學之士，辨厥眞僞，若數一二而別白黑，固不俟余之辭費矣。

吳氏列此殘石字疑事，重點有三：

疑僞之一——一九三一號石本五百七十五字，與今本（《僞孔傳》本）異事才六，與《隸釋》所錄《漢石經》每六、七字間必有一事與孔本相異，何懸遠若是邪？

> 元敏謹案：六二七八殘石字本經與〈校記〉兩面，凡錄經文及校文一一四字，與今本異者亦才五字，是亦陰據今本錄列，偶爾更易數字示異，用掩其僞跡耳。

疑僞之二——吳氏曰：今更就其異文計之：嗚呼作於戲、殪作壹、丕作不、享作亨、監作鑒、惇作敦：止此數事而已。嗚呼之爲於戲，戶知之，今不具論。此外異文，皆略依形聲而稍變之。蓋漢魏舊文、唐人義疏、《孔傳》沿革之故、近儒輯錄之本，皆非淺人所素習，又他無所據，故依隱衛包改本，且妄易數字以示異。其拙陋如是，斯不學之過也。

元敏謹案：舊雨僞本，妄易張氏《碑圖》數字以示異（見上屈先生論點之四）；六二七八殘石字改僞孔本五字，又略以音近義同二字（功作工、否作不）代今本，用示異同，圖售其欺，盡淺庸拙陋之人所爲也。

疑僞之三——一九三一號僞石不別今、古文義：其〈大誥〉、〈康誥〉邦字七見，皆與僞孔本同。夫作邦，《古文尚書》；《今文尚書》皆作國（非避諱），段玉裁《古文尚書撰異》據《史》、《漢》、《論衡》、《白虎通》所引《尚書》「協和萬邦」邦皆作國，且確說：「《古文尚書》邦字，《今文尚書》皆作國。」

元敏謹案：舊出《漢石經》殘字有〈盤庚〉「安定厥國」、〈康誥〉「越我一二國」，並今文也；今本國皆作邦，古文也。而一九三一號殘石作者，不知今古字別，卒暴僞跡。六二七八殘石僞者亦多蹈此失，說已詳前證。

結論

西元一九六二年發現、一九七八年公布之《漢熹平石經》殘石字，正面經文及背面〈校記〉，都一一四字，出諸《尚書》〈堯典〉、〈舜典〉、〈臯陶謨〉、〈益稷〉四篇，經本文全部抄襲今本《尚書》，僅遂、牲、震、斯、根五字不同；此五異字，或用詁訓字（遂）、或用誤本之字（牲）、或妄改字（震）、或誤以漢人方音定字（斯）、或誤取古文代今文（根）：凡此，皆刻意示人以異，圖掩其僞跡而已。

今本誤字，如「后稷」之后、「傲虐」之傲，乃居、敖之誤，作僞者不知是誤字，承謬不變，甚至空造大夏侯本之經字以爲校語。

僞者又摭取尋常通用字以爲校語，其實等同未校，如不則與丕則、工與功、維與惟，蓋淺人原不解《尚書》各本同異，聊出數字，迷飾僞跡而已。

粉米，古文作黺絉；根，古文也。作僞者不曉今、古文異字，妄以古文絉校米、今文艱校根，淆亂今、古文家法，亦重違《石經》體制。

臯陶之臯，《古文尚書》作咎，戰國楚簡、孔壁《尚書》、中、日古本《尚書》皆然；《今文尚書》則作皋，戰國文字、西漢初帛書，字書若《爾雅》、《說文》、《廣雅》、《釋名》、《玉篇》；及經史子書若《尚書大傳》、《史記》、《大戴記》、《說苑》、《白虎通》，一皆作皋；先秦、漢甚至迄南北朝末，皐尚未成字。至唐刻《開成石經》始從衛包誤改之本，易咎爲流行之俗字皐。而乃《漢石經》〈校記〉竟用唐以後《尚書》板本經字皐，的是後人僞作，決非熹平刊經於石時所有，斷斷乎無疑也。若定此殘石之皐爲皐（上白下丰），《隸釋》誠曾一見，第未必定是漢碑原字形；私印亦曾一見，顧乃繆篆，又未必是漢雕，屬民間書寫體，今文官本太學講授《尚書》所勿用：皆不足證漢代官刻石經已用皐字。元魏人墓志始用皐字，下至唐玄宗朝《干祿字書》收皐，乃爲通用體，則經書作皐的是昉於唐代，非東漢官書所有也。

六二七八號殘石字，部位不合：殘石正面十二行，復原當在第一面上方七至十三行，下方則在十二、十三至十四及十五至十七行，分裂一殘石字爲上、下兩端，人工故意雕琢之跡照然，的是贋物！又背面十六行〈校記〉，復原後竟與四行《書序》及多行舊早出土之眞〈校記〉（〈盤庚〉、〈酒誥〉、〈梓材〉）重疊，當日鐫碑，籌畫周密，計算精確，斷無行字重疊之理，亦根本無法上石雕板，必是妄人僞作。

〈堯典〉、〈皋陶謨〉、〈益稷〉之〈校記〉文字太多，不成比例：此三篇經字，占全《尚書》總經字百分之十二強，而〈校記〉行數竟獨得廿一行，占〈校記〉全行數百分之八十四，無是理也。其尤荒謬者，〈皋〉、〈益〉合才九七四字，乃殘石〈校記〉十三行，需九六二字校文，校字與經字相比，占幾百分之百。眞是豈有此理！不謂之淺人妄作，斷斷乎不可也。

淺人誕妄，兼又浮躁輕率，七十九字校文，竟有脫字一，「益汝作朕虞」，脫「汝」字；顚倒上下兩條一，「簫韶九成」條誤置「於予擊石」條後，不符同石正面本經文序，遂令復原圖不可作，淺人拙疏一至於斯！

〈舜典〉與〈益稷〉均有「夔曰：於！予擊石拊石，百獸率舞」十二字，是〈舜典〉重出當校删，〔宋〕劉敞等早有說，而清人誤解《史》〈夏本紀〉，誤判〈益稷〉十二字中之八字當删。僞者不知考究兩漢歐陽、大、小夏侯《書》學者從無兩篇錯簡衍文之說，亦不知考讀《史》〈紀〉，竟盲從孫、皮輩謬說，鑿空造作大夏侯本無「於！予擊石」校文一條，又因不省經義，令大夏侯本成爲「拊石」而「百獸率舞」云云，厚誣西漢鉅儒夏侯勝。今不予指斥，令續迷誤後學，將何以慰先儒英靈！

《漢石經》《詩》、《儀禮》、《易》、《春秋公羊傳》、《論語》之〈校記〉文已出現參校家派姓氏，斯五經所據經本屬何家，立可認定。獨《春秋經》之〈校記〉殘字未出，或云《春秋經》只遵孔氏一家，原無它本，毋庸校異，故其底本何屬，論者無幾人；《尚書》則大不然！其〈校記〉雖舊已出殘字二十有一，但其中家派姓氏未嘗一見，致《石經》《尚書》底本誰家，爭忿不已，狡黠之徒闚此，於是陰模《詩》、《禮》等〈校記〉語構、款式，杜撰

「大小夏侯、言、（有）無」等二十八字，綴聯經本文，虛稱《尚書》〈校記〉，度其欺必然易售，果然，一時學林競信僞石，據定《尚書》爲歐陽本，天下翕然從之，而不知其僞也。今既知其僞，則一切從新更深討論，回復二十九篇之小夏侯本《尚書》眞是《漢石經》底本之說，服先師屈萬里先生前論，誠斷斷乎不可易也矣！

註釋

一　張氏《碑圖》於殘字「不施予」、「作乃劮」兩行缺錄（《集證》圖二有，不缺），並非所空兩行爲上述殘石所留之位置。

二　馬衡《漢石經集存》〈釋文〉曰：「〈般庚〉，……今本分爲上中下三篇，碑作一篇，而於上篇、中篇之間空格加點。《隸釋》所錄〈般庚〉殘字中、下篇之間，亦空一格，是以一篇分作三章也。」又曰：「〈般庚〉仍作一篇，而於中、下篇不提行，僅空一格加點，如他經之分章然，以示三篇之區分。篇題雖不可見，當爲『〈般庚〉第六』，下書『〈商書〉』，此可推知者也。」夫前日「〈盤庚〉確分三篇」云云，此又止計爲一篇——〈堯典〉一、〈臯陶謨〉二、〈禹貢〉三、〈甘誓〉四、〈湯誓〉五、至〈盤庚〉第六是也。馬氏自我踳駁！

三　班固之從祖班伯，受小夏侯《尚書》於鄭寬中（小夏侯建→張山拊→鄭寬中），通大義（《漢書》〈敘傳〉）。家世相傳，固《尚書》學，當遠紹小夏侯建也。撰《漢書》，所引《書》義，多用小夏侯本（參近人駱文琦《漢書尚書說考徵》，碩士論文）；又多直引《書序》文

〈如〈郊祀〉、〈地理〉、〈溝洫志〉。固又主撰《白虎通義》，其〈誅伐〉篇引《書》〈泰誓〉、〈牧誓〉、〈武成序〉，亦《今文尚書》家說，當本小夏侯家也（見拙著《書序通考》）。

四　方氏《校碑隨筆》〈渠沮安周造像碑釋文〉有「光緒乙巳，……。丁未（三十三年，一九〇七）五月，吾友羅叔蘊借得脫照數葉分贈」。更四歲而清社覆矣。

——原載中央研究院中國文哲研究所《宋代經學國際研討會論文集》，民國九十五年十月

許圖一〈堯典〉、〈舜典〉本經復原圖（正面）

※原圖請參照本卷圖版頁四。

許圖二一〈舜典〉、〈皋陶謨〉、〈益稷〉〈校記〉復原圖（背面）

1 斷斷猗無他伎其心休休焉其如有容人之有技若己有之人之彥聖其心好之不啻若自其口出是能容之以保我子孫黎民亦職有利哉人之有技冒疾以惡之人之彥聖而違之俾不達是

2 不能容以不能保我子孫黎民亦曰殆哉邦之杌隉曰由一人邦之榮懷亦尚一人之慶

3 書序　昔在帝堯聰明文思廣宅天下將遜于位讓于虞舜作堯典。皋陶矢厥謨禹成厥功帝舜申之作大禹皋陶謨益稷。禹別九州隨山濬川任土作貢。啟與有扈戰于甘之野作甘誓

4 。伊尹相湯伐桀升自陑遂與桀戰于鳴條之野作湯誓。盤庚五遷將治亳殷民咨胥怨作盤庚三篇。高宗祭成湯有飛雉升鼎耳而雊祖己訓諸王作高宗肜日。殷始咎周周人乘黎

5 祖伊恐奔告于紂作西伯戡黎。殷既錯天命微子作誥父師少師。惟十有一年武王伐殷一月戊午師渡盟津作泰誓三篇。武王戎車三百兩虎賁三百人與受戰于牧野作牧誓

6 □武王勝殷殺紂立武庚以箕子歸作洪範。武王有疾周公作金縢。武王崩三監及淮夷叛周公相成王將黜殷作大誥。□成王既伐管叔蔡叔以殷餘民封康叔作康誥酒誥梓

7 材。成王在豐欲宅洛邑使召公先相宅作召誥。召公既相宅周公往營成周使來告卜作洛誥。成周既成遷殷頑民周公以王命誥作多士。周公作無逸。召公為保周公為師相

8 。成王為左右召公不說周公作君奭。成王歸自奄在宗周誥庶邦作多方。周公作立政。成王將崩命召公畢公率諸侯相康王作顧命。□魯侯伯禽宅曲阜徐夷並興東郊不開作費

9 ・呂命穆王訓夏贖刑作呂刑・平王錫晉文侯秬鬯圭瓚作文侯之命。秦穆公伐鄭晉襄公率師敗諸崤還歸作秦誓・

10 校記　歐陽大小夏侯尚書同其

16 □□

17 益作朕

18 夙夜出

19 皋陶大小

20 官人安

21 何畏乎

22 震驚六德大

23 斯食大小夏

24 根食大夏侯言艱

25 粉米大夏侯言粉

26 不則威之禹曰俞

27 是好傲虐是作大夏

28 時乃工大小夏侯言

29 於予擊石大夏侯無

30 簫韶九成小夏侯

31 維□

※原圖請參照本卷圖版頁五。

《集證》圖一〈漢石經碑尚書部分復原圖〉第一石陽面

漢石經尚書殘字集證　卷三

漢石經碑尚書部分復原圖　第一葉（第八葉之陽）

※原圖請參照本卷圖版頁六。

《集證》圖二 〈漢石經碑尚書部分復原圖〉第一石陰面

漢石經碑尚書部分復原圖　第八葉（第一葉之陰）

1 有衆惟訊有稽無簡不疑具嚴天威墨罰疑赦其罰百率閱實其罪劓辟疑赦其罰惟倍閱實其罪剕辟疑赦其罰倍差閱實其罪宮辟疑赦其罰六百鍰閱實其罪大辟疑赦其罰千鍰閱實
2 其罪墨罰之屬千劓罰之屬千剕罰之屬五百宮罰之屬三百大辟之罰其屬二百五刑之屬三千上下比罪無僭亂辭勿用不行惟察惟法其審克之上刑適輕下服下刑適重上服輕重諸
3 罰有權刑罰世輕世重維齊非齊有倫有要罰懲非死人極于病非佞折獄惟良折獄罔非在中察辭于差非從惟從哀敬折獄明啟刑書胥占咸庶中正其刑其罰其審克之獄成而孚輸而
4 孚其刑上備有并兩刑王曰於戲敬之哉官伯族姓朕言多懼朕敬于刑有德惟刑今天相民作配在下明清于單辭民之亂罔不中聽獄之兩辭無或私家于獄之兩辭獄貨非寶惟府辜功
5 報以庶訧永畏維罰非天不中維人在命天罰不極庶民罔有令政在于天下王曰嗚呼嗣孫今往何監非德于民之中尚明聽之哉哲人惟刑無疆之辭屬于五極咸中有慶受王嘉師監于
6 茲詳刑
7 文侯之命第廿八
8 王若曰父義和丕顯文武克慎明德昭登于上鋪聞在下維時上帝集厥命于文武亦維先正克左右昭事厥辟越小大謀猷罔不率從肆先祖懷在位嗚呼閔予小子嗣造天丕愆殄資澤于
9 下民侵戎我國家純即我御事罔克耆壽俊在厥服予則罔克曰維祖維父其伊恤朕躬嗚呼有績予一人永綏在位父義和汝克昭乃顯祖汝肇刑文武用會紹乃辟追孝于前文人汝多
10 修扞我于艱若汝予嘉王曰父義和其歸視爾師寧爾邦用賚爾秬鬯一卣彤弓一彤矢百盧弓一盧矢百馬四匹父往哉柔遠能邇惠康小民無荒寧簡恤爾都用成爾顯德
11 秦誓第廿九
12 公曰嗟我士聽無譁予誓告汝羣言之首古人有言曰民訖自若是多盤責人斯無難惟受責俾如流是惟艱哉我心之憂日月逾邁若弗云來惟古之謀人則曰未就予忌惟今之謀人姑將
13 以為親雖則云然尚猷詢茲黃髮則罔所愆番番良士旅力既愆我尚有之仡仡勇夫射御不違我尚不欲惟截截善諞言俾君子易辭我皇多有之昧昧我思之如有一介臣斷斷猗無
14 他技其心休休焉其如有容人之有技若己有之人之彥聖其心好之不啻如自其口出是能容之以保我子孫黎民亦職有利哉人之有技冒疾以惡之人之彥聖而違之俾不達是不能容
15 以不能保我子孫黎民亦曰殆哉邦之杌隉曰由一人邦之榮懷亦尚一人之慶
16 昔在帝堯聰明文思廣•度•天下將遜于位讓于虞舜作堯典●皐陶矢厥謨禹成厥功帝舜申之作大禹皐陶謨益稷●禹別九州隨山濬川任土作貢●啟與有扈戰于甘之野作甘誓●伊
17 尹相湯伐桀升自陑遂•與•桀戰于鳴條之野作湯誓●盤庚五遷將治亳殷民咨胥怨作盤庚三篇●高宗祭成湯有飛雉登鼎耳而雊祖己訓諸王作高宗肜日高宗之訓●殷始咎周周人乘黎祖
18 恐奔告于受作西伯堪•飢•●殷既錯天命微子作誥父師少師●惟十有一年武王伐殷一月戊午師渡孟津作泰誓三篇●武王戎車三百兩虎賁三百人與受戰于牧野作牧誓●武
19 王勝殷殺受立武庚以•箕•子•歸作洪範●武王有疾周公作金縢●武王崩三監及淮夷叛周公相成王將黜殷作大誥●武王既伐管叔蔡叔以殷餘民封康叔作康誥酒誥梓材●
20 武王在豐欲宅洛邑使•召•公•先相宅作召誥●召公既相宅周公往營成周使來告卜作洛誥●成周既成遷殷頑民周公以王命誥作多士●周公作無逸●召公為保周公為師相成王
21 為左右召公不說周•公•作•君奭●成王歸自奄在宗周誥庶邦作多方●周公作立政●成王將崩命召公畢公率諸侯相康王作顧命●魯侯伯禽宅曲阜徐夷並興東郊不開作費誓●呂
22 命穆王訓夏贖刑作甫•刑•●平王錫晉文侯秬鬯圭瓚作文侯之命●秦穆公伐鄭晉襄公帥師敗諸崤還歸作秦誓
23 同•異•
24 25 26 27 28 29 30 31 32 33 34 35 36 37 38 39

校記石地（同下方）

古•救•●•

世•先•不•作•不•

篤•王•皆•乃•施•

暨•作•功•

不•

慶•曰•勸●

封•生•

※原圖請參照本卷圖版頁七。

十　天命禹平治水土

一　引言

禹，《說文解字》〈厹部〉：「禹，蟲也。從厹，象形。」以爲人名，《尚書》〈堯典〉「禹拜稽首」，取動物爲名，一若同僚虎、熊、羆然（亦見〈堯典〉）。詁「禹」字字義爲蟲豸，是；謂禹爲蟲，古本無其人，則非。夫禹，血氣所生，父鯀；或說禹母感天生子，非也。禹，一稱「伯禹」（〈堯典〉「伯禹作司空」，《正義》引賈逵云「崇，國名；伯，爵也。禹代鯀爲崇伯，入爲天子司空，以其伯爵，故稱伯禹」），後世以其治水安天下有大功於生民，稱之「大禹」（《尚書》逸篇有〈大禹謨〉，《書序》存其目，《僞孔傳》曰「禹稱大，大其功」）。郭店楚簡〈成之聞之〉作「大垔」，「禹」字增土作「垔」（亦見叔夷鐘及上海博物館藏戰國楚竹書），殆因禹平治水土之功，又爲聖君，故造「垔」字尊稱之，猶周文王、周武王，「文」加王爲「玟」、「武」加王爲「珷」是也。禹治水當唐、虞之際，時夏朝未立，乃俗稱「夏禹治水」，於世代未適也。「禹治水」，俗說也，正確當稱「禹平治水土」，具見《尚書》等文獻，今茲以「禹平治水土」爲名。禹平治水土事，莫詳於《尚書》〈禹貢〉，是乃禹所自述以告天帝，故以名篇。

二　禹平治水土是信史

禹治水土，自西周初葉歷東周、春秋、戰國、秦，以迄西漢初成書之書本及器物文獻，載筆不絕，擇其切要者記如下（先書本後器物）：

《尚書》〈立政〉：「周公曰：『其克詰爾戎兵，以陟禹之跡。方行天下，至于海表。』」案：陟，履蹈也（〔清〕朱駿聲《尚書古注便讀》）。禹跡，《僞孔傳》「禹治水之舊跡」，謂九州天下。陟禹之跡，意謂領有天下。此記禹治水今存最早文獻，距今約三千年，出周公口，爲當日檔案，其說確切可信。

《詩》〈大雅〉〈文王有聲〉：「豐水東注，維禹之績。」又〈韓奕〉：「奕奕梁山，維禹甸之。」〈小雅〉〈信南山〉：「信彼南山，維禹甸之。」案：〈禹貢〉：「導渭自鳥鼠同穴，東會于灃。」梁山，〈禹貢〉：「冀州，……治梁及岐。」前一詩西周初年（當晚於《尚書》〈立政〉）作，後二詩西周晚年作。

〈魯頌〉〈閟宮〉：「（后稷）奄有下土，纘禹之緒。」〈商頌〉〈長發〉：「洪水芒芒，禹敷下土方。」又〈殷武〉：「天命多辟，設都于禹之績。」《左傳》襄公四年：「芒芒禹跡，畫爲九州。」案：禹之緒，義同禹之績。禹敷下土方，〈禹貢〉稱「禹敷土」，〈長發〉句之所本。三詩均春秋中葉著成。《左傳》則襄公時記引，當春秋晚葉。

《大戴禮記》〈五帝德〉孔子曰：「（帝舜）使禹敷土，主名山川。」《孟子》〈滕文公下〉孟子曰：「當堯之時，水逆行，氾濫於中國。……使禹治之。」《逸周書》〈商誓〉：「在昔后稷，惟上帝之言，克播百穀，登禹之績。」《韓非子》〈顯學〉：「昔禹決江濬河而民聚瓦石。」案：決江濬河，見《尚書》〈皋陶謨〉禹曰：「予決九川，距四海；濬畎澮，距川。」又見〈禹貢〉導水等節。四文皆戰國中晚期著成。

秦公簋：「丕顯朕皇祖，受天命鼏（宓）宅禹賚（蹟），十有二公，在帝之坏。」（春秋秦景公器，約當周簡王、魯成公世，引自郭沫若《兩周金文辭大系釋文》二四七頁）叔夷鐘：「虩虩成湯，有嚴在帝所。尃受天命，……伊小臣惟輔，咸有九州，處禹之堵（土）。」（春秋齊靈公時器，約當周靈王、魯襄公世代，引自《兩周金文辭大系釋文》二〇三頁）

郭店簡《唐虞之道》：「禹治水，益治火，后稷治土，足民養。」又《尊德義》：「禹以人道治其民，桀以人道亂其民。桀不易禹民而後亂之。……禹之行水，水之道也。……后稷之藝地，地之道也。」案：益、稷助禹治水養民，見《尚書》〈皋陶謨〉。

三　禹治水時期

禹受帝命治水，當唐、虞之際，《尚書》〈堯典〉（含僞古文〈舜典〉）記載較爲完整可考，譜略如下：

帝堯即位，年十六，

堯在位約六十載，年約七十六，命鯀治洪水，治九載，績用弗成，

堯在位七十載，年八十六，徵舜入朝，

舜入朝歷試三載，堯帝年八十九，欲禪位於舜，舜讓弗嗣，繼續在朝任官十七年，

堯年百零六退老，舜攝政，

舜殛鯀于羽山，

舜攝政八年，堯崩，享年百十四，

舜即帝位，命禹作司空曰：「俞咨！禹，汝平水土，惟時懋哉！」又命棄、皐陶、益、夔分任司稷、士、虞、典樂。

據此，禹受命於攝政之舜治水，而禹爲司空，及棄、皋陶等共九官之任命，則當新朝——虞帝舜登基之時，在治水成功之後。上引《孟子》謂堯時使禹治洪（《韓詩外傳》卷二、《漢書》〈地理志〉說同），乃就堯雖退老不親政事，但並未遜位更代而言；《戴禮》就政令發自舜，雖未更代，實非舊君發指，故謂「舜使禹敷土」云云。兩說俱不失禮。惟舜命禹爲司空，曰「汝平水土」，乃稱禹此前治水之功，《僞孔傳》：「然其所舉，稱禹前功以命之。」《正義》：「禹平水土，往前之事。」非今始新命禹爲司空，職任平治洪水。亦即禹當舜攝政時已平治洪水，今帝舜即眞，因禹有功且長於治水土，遂命之爲司空，使主國家土地民居之政。史遷誤解《書》義，記禹治水事在堯崩舜即位時，記命禹爲司空，且全錄〈禹貢〉經文於後。

上海博物館藏楚竹書《容成氏》，記禹攝舜政三年政績，禹受舜命爲司空，職任治水，通江淮河蔞注之海，定九（？）州名山川（略依李零先生釋文）：

> 舜乃老，……不以其子爲後，見⿱禹土之賢也，而欲以爲後。⿱禹土乃五讓以天下之賢者，不得已，然後敢受之。⿱禹土聽政三年，……⿱禹土乃因水陵平隰之可封邑者而繁實之，……四海之內及四海之外皆請貢，⿱禹土然後始爲之號旗。……⿱禹土然後始行以儉。……⿱禹土乃建鼓於廷。……撞鼓，⿱禹土必速出。……舜聽政三年，山陵不序，水潦不湝，乃立⿱禹土以爲司工。禹既已（下文殘斷多字）……⿱禹土親執耒耜，以陂明都之澤，決九河之阻。於是乎夾州、

涂（徐）州始可處。壘通淮與沂，東注之海，於是乎競州、莒州始可處也。壘乃通蔞與湯，東注之海，於是乎蓏州始可處也。壘乃通三江五湖，東注之海，於是乎荊州、揚州始可處也。壘乃通伊、洛，并瀍、澗，東注之河，於是乎豫州始可處也。壘乃通涇與渭，北注之河，於是乎虞州始可處也。壘乃從漢以南爲名谷五百，從漢以北爲名谷五百。天下之民居奠，乃⿰飠囗飤。（舜）乃立后稷以爲經。后稷既已受命，乃食於野，宿於野，復穀豢土，五年乃穰。……（舜）乃立咎陶爲李。咎陶既已受命，乃辨陰陽之氣，而聽其訟獄，三年，而天下之人亡訟獄者，天下大和均。舜乃欲會天地之氣，而聽用之，乃立夔（？）以爲樂正。夔既受命，作爲六律六〔呂〕。……壘有子五人，不以其子爲後，見咎陶之賢也，而欲以爲後。咎陶乃五讓以天下之賢者，遂稱疾不出而死。壘於是乎讓益，啓於是乎攻益自取。

案：簡文敘舜、禹事段，時次倒置。第一段，從「舜乃老」至「禹必速出」，記帝舜禪讓，禹即位行政（聽政），致力益生產，儉衣食，立法度，事在禹受命治水成功，夏王朝開國之後。第二段，從「舜聽政」至「乃⿰飠囗飤」，記舜命禹治水，導江河，立九州，事在舜甫即眞未久（三年）之時。敘史顚倒，第一、第二當乙轉。第三段，從「乃立后稷」至「六律六呂」，記帝舜命稷、咎、夔。末第四段，記帝禹傳位。簡文誤命禹治水當舜即眞之時，且與舜命九官同時，蓋亦誤解〈堯典〉「命禹作司空」義（簡文著成時代晚於〈堯典〉成書年代），誤全同《史記》。簡文記禹政績，可略補《史記》之不足：記禹讓賢於咎陶，又讓益，《史記》只有讓益而無讓咎陶，《尚書》記舜命九官，簡文只擇舉棄、咎、夔三人，但言棄、咎典職，可補〈堯典〉之未逮；簡文記九州爲夾、滄、競、荊、揚、敘、虘、莒、蓏，前七州亦見〈禹貢〉，作兗、徐、青、荊、揚、豫、雍，州名字三同四殊；（註一）簡文出蔞、湯二水，〈禹貢〉未見，其餘川澤具見；簡文稱禹於漢南漢北各名谷五百，《尚書》〈呂刑〉：「禹平水土，主名山川。」《大戴禮》〈五帝德〉：「舜使禹敷土，主名山川。」〔清〕郝懿行《爾雅義疏》：「禹敷土釃渠，因而各製以名。……或疑〈祭法〉『黃帝正名百物，以明民共財物』，有定名其來舊矣。然《水經注》言廬山有大禹刻石，無妨舊已有名，禹更新定爾。」是謂諸山川有本無其名而禹新命之者，有仍舊名而禹加以認定者，亦有因陵丘變易、河渠開通，雖有舊名而稱非宜，或因舊名湮滅而禹受詔命之者，經曰「主名」，最能涵蓋此義。《潛夫論》〈五德志〉：「（禹）主平水土，命山川。」「命山川」即名山川。

四 〈禹貢〉係禹自陳之辭

〈禹貢〉開篇「禹敷土，隨山刊木，奠高山大川」，首揭禹名，依常格，明非禹自陳之辭，故《正義》曰：「此篇史述時事，非是應對言語，當是水土既治，史即錄此篇。」又篇末結言「禹錫玄圭，告厥成功」，又揭禹名，故《僞孔傳》曰：「堯賜（禹）以玄圭，以彰顯之。」《正義》：「禹之蒙賜，必是堯賜，故史敘其事。」據傳、疏，〈禹貢〉者，史官記錄之辭，非禹自陳矣。今案：〈禹貢〉全篇千一百九十四字（不含篇題），其首十二字、尾八字乃史官記錄之辭，餘中間千一百七十四字係禹自陳之辭，傳、疏非也。茲述拙意於下。

《尚書》〈禹貢〉中段文有曰：「錫土姓，祗台德先，不距朕行。」《僞孔傳》、《正義》均解「台」、「朕」爲我（領位）；我德、我行，增文爲我天子（堯或舜）之德、我天子（堯或舜）之行。後師絕多從說，不知其義拘滯不可通也。至宋，治《書》者始漸出非議，〔宋〕呂祖謙《東萊書說》：「祗台德先者，歷年之久，涉地之廣，勞役亦多矣，而天下翕然從禹之行而無距之者，禹有德以先之也。」解「台德」、「朕行」爲禹之德、禹之行，定「台」、「我」爲禹自稱之辭。惟猶含渾敷衍，未敢倡言。及乎〔宋〕王炎曰：「曰台、曰朕，皆禹自言，指台、朕爲堯、舜，非經意也。」（〔元〕董鼎《書蔡傳輯錄纂注》卷二引）〔元〕金履祥《書經注》：「台、朕，指禹也，如《春秋》『我，魯也』。禹既任天下之事，則率屬倡牧、儀刑百辟者，固其職，此所以祗敬我德以爲率先，而其所行，諸侯自無所違距也。」明定「台」、「朕」均「指禹也」；祗我德，敬我禹成大功、儀刑百辟之德，而不違我禹之行事也。儼然尊禹爲天子矣。又有直指〈禹貢〉首、尾凡二十字爲史官敘事，中間大段係禹自述文，如〔宋〕陳經《尙書詳解》卷六：「若『祗台德先，不距朕行』，此乃禹之辭。若『禹錫玄圭，告厥成功』，乃作史者之辭。」曾運乾《尙書正讀》卷二：「本篇首末兩節，皆史官記事之文。」又曰：「『不距朕行』者，明此篇爲禹所自述。」中間「台德、朕行」云云二句八字既爲禹自述，則與屬性相同之另千一百六十六字（〈禹貢〉主體文字）必亦爲禹自陳之辭。首、末兩節，史官敘事文，甚是，說詳下。更有二說，尤其明塙，〔宋〕夏僎《融堂書解》卷三：「先儒謂首、尾數語是史氏之文，自『冀州』至『訖于四海』皆禹所自記。今以『祗台德先，不距朕行』觀之，則此書非史氏所作甚明。」吳闓生《尙書大義》頁二〇：「此文『台』字『朕』字，亦此篇爲禹所自述之明證。」又曰：「此（案：吳氏謂全篇末段自『東漸于海』至『告厥成功』）總結全篇，乃史官之詞。『禹錫玄圭』二句，以倒戟之勢作收。所謂『告厥成功』，即上文全篇之所云，自『冀州既載壺口』以下至『二百里流』（案：當下至『訖于四海』），皆禹之所以告成功者也。首尾數語，蓋史官之文；中間全文，決爲禹之所自譔耳。」又曰：「此蓋禹當時治水之簿籍，後因潤色成篇。……殆禹所自作也。」夏氏說最切，首、尾皆著「禹」字，明是他人敘記，他人自是夏史；中間有自稱語「朕」，今既知平水土者禹也，故朕謂禹。治水業績皆禹陳譔。吳氏謂禹自作，原爲檔卷（簿籍）史官取以潤色成篇，蓋是。

上論諸家之說，或未盡正，或義有未明，茲更申鄙說於後。

「祗台德先」之「祗台」，于省吾《雙劍誃尚書新證》卷一：「鄭康成訓祗台爲敬悅，……《僞傳》訓台爲我，並非。……『祗台德先』者，適以德化爲先也。」是「錫土姓，祗台德先」者，言禹賜諸侯以土地而授之民人，止以德化爲優先也（《尚書釋義》）。舊說「云云，敬我德爲先」，重失經義，當棄。

論〈禹貢〉經文主體爲禹自言，又當考《尚書》文體，舊說以謂記言體，但爲例不純，間雜記事之篇，《史通》〈六家〉：「蓋《書》之所主，本於號令，所以宣王道之正義，發話言於臣下，故其所載，皆典謨訓誥誓命之文，至如堯、舜二〈典〉直序人事，〈禹貢〉一篇唯言地理，〈洪範〉總述災祥，〈顧命〉都陳喪禮，茲亦爲例不純者也。」甄詰今存廿九篇〈書〉體，大概可分爲四科：一、全篇純記言，如〈湯誓〉載湯王戒商軍民，不雜記事一言；〈大誥〉、〈無逸〉、〈君奭〉等篇類此。二、事、言雜作，甚至言少事多，然事以導出言語爲務，以主從論，仍爲記言體，〈堯典〉、〈顧命〉等篇屬之。三、僅開篇數語記事，若大段後文之敘，如〈甘誓〉僅首文六字，〈高宗肜日〉僅首文八字，（註二）〈洪範〉僅首「惟十有三祀，王訪于箕子」十字記事，導出下記周武王及箕子之言多達千零三十二字。四、至〈禹貢〉，特爲另類，篇本經之前史官首著「禹敷土，隨山刊木，奠高山大川」十二字爲「本敘」，依常格，當冠「禹曰」於本經之上，惟因此篇爲告天之辭（說即詳下），不同它篇，爲尊天故，乃將「禹曰」變文爲「禹〔錫玄圭，〕告〔厥成功〕」，而署殿本經之後，明前文爲告天正文。其中間〈本經〉著「朕」字，透露告者自稱，（註三）最是鐵證。據此，〈禹貢〉亦記事之篇，非「唯言地理」，劉子玄失考。

五　「禹錫玄圭，告厥成功」義檢討

〈禹貢〉「禹錫」、「告厥」二句，釋爲禹執圭爲贄以告君，此第一說也，如〔宋〕胡士行《尚書詳解》、〔宋〕蔡沈《書集傳》、〔清〕簡朝亮《尚書集注述疏》三家均釋「錫」爲與〈獻上之意〉，得之。告君上用圭，作贄，亦見《周禮》〈典瑞〉及《易》〈益卦〉，禮也，亦是。唯本經「不距朕行」費解，蓋上告君帝（堯、舜），倡言天下無敢違拒我（禹）之行事者，失君臣之分際，越禮也甚。

以此二句爲人帝（堯、舜）以玄圭賜禹，以彰顯其治水績庸，此第二說，如《史記》〈夏本紀〉：「於是帝錫禹玄圭，以告成功於天下。」（註四）又〈秦本紀〉：「大費（疑爲伯益）……與禹平水土已成，帝錫玄圭，禹受曰：『非予能成，亦大費爲輔。』帝舜曰：『咨！爾費，其賜爾皁游』。」〔宋〕蘇軾《東坡書傳》卷五：「禹以治水得天下，故從水而尚黑。……帝錫禹以玄圭，爲水德之瑞，是夏尚黑也。」案：帝，天帝也，非人帝（堯、舜），說詳下。禹錫，禹獻也（已見上胡、蔡、簡三家說）。釋曰賜禹，文倒不可通（詳下）。以鄒衍五德終始說，夏木德色尚青，非黑；以後世三統說，夏黑統。三統、五德相戾，東坡說非。玄，天色，告天故圭用玄。或玄，水色（〈禹貢〉黑水三見），禹成水功，故用玄圭，誌疑於此。

以玄圭爲天錫禹，即禹受圭於天也，此第三說，《尚書中候》：「禹治水，天錫玄珪，告厥成功也。」（〔日〕安居香山等《緯書集成》載）《尚書旋璣鈐》：「禹開龍門，導積石，出玄珪，上刻曰：『延喜玉，受德，天賜佩。』」（《太平御覽》卷八十二引）〔漢〕武梁祠堂石刻畫像《祥瑞圖》銘文：「玄圭，水泉疏通，四海會同則至。」（轉引自〔清〕江聲《尚書集注音疏》）〔晉〕皇甫謐《帝王世紀》：「禹治水畢，天錫玄圭。」案：「禹錫」，釋倒爲「錫禹」，誤同上述諸說。《中候》、《帝王世紀》將「禹錫」改爲「天賜」，謂治水畢，禹執天所賜之圭上告（當是告天）；武梁祠銘文、《旋璣鈐》謂禹治水尚未畢，天賜之玄圭（延喜玉），以其德（治水之功等）。至緯候書作者殆謂禹之治水實天所許，故賜圭瑞爲信，（註五）既爲天與，功成之日當執原賜物以上告所賜者。

然則天命禹平治水土，果更別有文獻確說之乎？

六　天命禹平治水土

《尚書》〈洪範〉：「箕子乃言曰：『我聞在昔，鯀陻洪水，汩陳其五行。帝乃震怒，不畀洪範九疇，彝倫攸斁。鯀則殛死，禹乃嗣興，天乃錫禹洪範九疇，彝倫攸敘。』」案：帝，天也（《史記》〈宋世家〉《集解》引鄭玄《書注》）；畀，與也。上云「帝不畀（鯀）洪範九疇」，下云「天乃錫禹洪範九疇」者，帝、天互文，畀、錫互文，可見帝乃上帝，非人君。

《宋書》〈符瑞志〉：「當堯之世，舜舉之（禹）。禹觀於河，有長人白面魚身，出曰：『吾河精也。』呼禹曰：『文命治淫。』言訖，授禹《河圖》，言治水之事。」案：沈約本《尚書中候》，《藝文類聚》卷十一引文略同。

《尚書》〈呂刑〉：「（周穆王曰：）皇帝哀矜庶戮之不辜，……乃命重、黎，絕地天通。……皇帝清問下民，鰥寡有辭于苗。德威惟畏，德明惟明。（皇帝）乃命三后，恤功于民：伯夷降典，折民惟刑；禹土水土，主名山川；稷降播種，農殖嘉穀。三后成功，惟殷于民。」案：此皇帝，崇高之天帝也，上帝也；且上文「上帝監民」、下文「上帝不蠲」，義均同皇帝。重，少皞（黃帝之子）之後裔也；黎，顓頊（黃帝之孫）之子也（據《左傳》昭公二十九年）。唐堯時羲和即此重、黎之苗裔，故此命重、黎之皇帝絕非命禹治水之帝堯，亦非帝舜，更勿論矣。下文「乃命三后」之皇帝亦是天帝。是命「禹平水土，主名山川」者，天帝也。《墨子》〈尚賢中〉：「天之所使能者誰也？曰：若昔者禹、稷、皐陶是也。……先王之書〈呂刑〉道之曰：『皇帝親問下民，……乃名三后，恤功於民：伯夷降典，哲民維刑；禹平水土，主名山川；稷降播種，農殖嘉穀。三后成功，維假於民。』則此言三聖人者，謹其言，愼其行，精其思慮，索天下之隱事遺利，以上事天，則天鄉其德；下施之萬民，萬民被其利。」

上舉〈洪範〉、〈呂刑〉、〈尚賢中〉及《中候》悉是書本文獻，及天命禹治水，語又未臻直截明確。北京保利藝術博物館新近購藏器物文獻——遂公盨，大約西周晚期鑄成，器上銘文九十八字幾全存，可晰識者九十七字，其述禹治水事（據周鳳五教授〈遂公盨銘初探〉）：「天令（命）禹敷土，墮山，濬川。迺釐方，藝，征。降民，監德，迺自作配。嚮民，成父母，生。我王作臣，……遂公曰：民唯克用茲德，亡悔。」案：「敷土，墮山，濬川」，〈禹貢〉作「禹敷土，隨山刊木，奠高山大川」，兩文大義無殊，唯彝銘弁以「天命」，定禹平治水土，命自皇天，非出人帝（堯、舜）。

七　天工（功）人代之

禹奉人帝之命平治水土，在唐虞之際，已詳上第三節，乃〈洪範〉、緯候、〈呂刑〉及《墨子》並以謂命出自天帝，謂之何哉？請陳鄙見於次。

二帝三王，莫不受命於天。堯薦舜於天而天受之，舜亦薦禹於天，天授而後禹即位。故《孟子》曰：「舜、禹之有天下也，天與之」。湯、武伐桀、紂皆稱奉天命，周文、武亦皆受命稱王，《尙書》〈康誥〉：「天乃大命文王，殪戎殷，誕受厥命。」〈康王之誥〉：「昔君文、武，……用端命于上帝；皇天用訓厥道，付畀四方。」且俱有瑞徵，《論衡》〈初稟〉：「文王得赤雀，武王得白魚赤烏。儒者論之，以爲雀則文王受命，魚烏則武王受命。文、武受命於天，天以雀與魚烏授之也。」受命於天爲天之子，《尙書》〈西伯戡黎〉祖伊告紂曰：「天子。」〈洪範〉：「以近天子之光。」〈康王之誥〉：太保、芮伯告康王曰：「敢敬告天子。」而詩人詠唱，動讚天子（見《詩經》），此誼即君權神（天）授。奚止帝王，即人臣（多爲大臣）亦直自天任命，伯夷爲士師、禹平治水土、稷爲司農，均皇天任命（見〈呂刑〉，已詳上第六節引）。又《尙書》〈君奭〉：「天惟純佑命，則商實百姓王人，罔不秉德明恤；小臣屛（并）侯甸，矧咸奔走。」謂天任命純篤專壹之輔佐之臣，如百官、同姓之臣者，降與商朝，此諸人莫不秉持美德、關切國事；甚至位卑職微之臣與在外之諸侯國國君，亦均勤勉事商。則朝自公卿至於小吏，亦皆天所任命也審矣。

倫禮者，天所制也，〈皐陶謨〉：「天敘有典，勑我五典五惇哉；天秩有禮，自我五禮有庸哉！」刑章者，天所造也，〈呂刑〉：「具嚴天威。」天威，天罰也，《東萊書說》卷三四：「蓋刑乃天之威，非君之私權也。」又曰：「天罰不極庶民，罔有令政于天下。」是刑政爲代天罰懲。職是，人應法天，〈洪範〉皇極（君主治天下之法則）云：「皇極之敷言，是彝是訓，于帝其訓。」帝，天帝也；謂治國大法（猶今憲法）應合天意。君臣協比，順天意治民，〈呂刑〉：「今天相民，作配在下。」共爲天牧養人民，〈呂刑〉：「王曰：嗟！四方司政典獄，非爾惟作天牧？」

人君、人臣既皆天所任命，其行事也又皆依照天所規定禮典刑政法度，往謹順天意，則臣下雖受君上之命治公，亦猶直接受命於天，爲天執役也。爲天執役，〈堯典〉帝舜曰：「咨！汝二十有二人（敏案：謂禹、稷、契、益、伯夷等），欽哉！惟時亮天功。」亮，輔相；天功，符合天意之事功也（《尚書釋義》）。又曰：「四嶽，有能奮庸，熙帝之載，使宅百揆，亮采惠疇？」「亮采」句，依政事種類輔相人君，斯即「無曠庶官，天工（功）人其代之」（〈皐陶謨〉）也。夫堯、舜命禹治水，既上承天意，則一若皇天自命，緯書云河出魚神授禹平水土寶典——《河圖》，與《書》、金銘之定讚天命禹平治水土，從發令之源頭論之，無有歧異，均是正說。至此，水工即是天功，天工人代，正禹行水十三載之事；事成，謂「天功成」、「地平天成」是也。

八 〈禹貢〉「禹錫玄圭，告厥成功」正解

「禹錫」、「告厥」二句，上第五節方論三宗四家之說皆失解。今既已記天直命禹平水土，又方申天功禹代之道，乃知「禹錫」、「告厥」二句之正義，盡棄上引諸說。〔宋〕林之奇《尚書全解》卷十一：「然堯錫圭於禹，而謂禹錫玄圭，其文爲倒置矣。臣以圭而錫君，載籍恐無此理。……此是禹以玄圭告成功於天耳，《周官》〈典瑞〉云『四圭有邸以祀天旅上帝，……』古者交於神明，必用圭璧，如周公之禱於三王，亦曰『植璧秉珪』。禹之治水，至於『九州攸同，四隩既宅，地平天成』，……於是錫玄圭而告成功也。……天色玄，因天事天，猶蒼璧然也。其曰錫者，與『師錫帝曰』、『納錫大龜』同，古者下錫上亦可謂之錫也。」果如上第六、七兩節所論，禹受天命，執天役，則治水畢成之日，將其治水功載具文（即自「冀州」至「訖于四海」千一百七十四字），秉圭以告復皇天，告辭中見「朕」字，明是禹自述之文。

〈禹貢〉之著成非夏代當時，此不煩贅言。其成書年歲，上不越春秋中葉，下不後戰國中

期。殆此期間夏朝後裔（杞國人，夏史官後代）追美其開國聖君之宏業，縷述治水之功，編置〈夏書〉之首者，《僞孔傳》：「此堯時事，而在〈夏書〉之首，禹之王以是功。」《正義》：「此治水是堯末時事，而在〈夏書〉之首，禹之得王天下，以是治水之功，故以爲〈夏書〉之首。」案：〈禹貢〉自來絕多題爲〈夏書〉首篇（《史記》載入〈夏本紀〉），或與〈堯典〉、〈舜典〉、〈大禹謨〉、〈皋陶謨〉等篇共編爲〈虞夏書〉。儻虞、夏分科，則〈禹貢〉仍需歸之〈夏書〉（詳拙著〈尙書三科之條五家之教稽義〉，《孔孟學報》六十一期，一九九一年）。此篇唯言地理，宜作記事體，而夏史特變作記言體，直載大禹口語者，用彰顯其先君勳業耳。

九　餘論：禹行封禪禮，執圭告天

禹之得王天下，厥以治水之功，非漢、唐人創說，先秦典籍蚤作明文，若《國語》〈周語下〉：「其在有虞……，禹……決汩九川，陂障九澤，豐殖九藪，汩越九原，宅居九隩，合通四海。……莫非嘉績，克厭（上）帝心，皇天嘉之，祚以天下。」郭店簡〈成之聞之〉：「天降大常，以理人倫，制爲君臣之義，著爲父子之親，分爲夫婦之辨，是故小人亂天常以逆大道，君子治人倫以順大悳，大壆曰：余才厇天心曷？此言也，言余之此厇於天心也。」（註

六）

禹以功德受天命就帝位，應準古帝王傳位例，舉行禮典，〔宋〕薛季宣以謂〈禹貢〉末「錫圭、告天」乃禹受寶圭之賜，告禹之功於天，舜禪位於禹之事於焉確定（《書古文訓》卷三）。戴師君仁以爲此即封禪，先生作〈禹貢禹錫玄圭告厥成功解〉（收《梅園論學集》，二三至三二頁），其論謂：「玄圭乃天帝所賜，傳達天命，授與王者。故禹錫玄圭，就是說禹受命爲天子。受命天子首要之事爲祭天，告厥成功，即舉行祭天大典告天，祭天告成，應是舉行封禪。……綜合起來，以觀禹事：禹錫玄圭，是獲瑞受命；代舜王天下，是易姓；平治水土，則應告成功。受命易姓告成功而祭天，這就是封禪。」案：夏史但記禹獻玄圭，不言玄圭誰授禹，舊有謂天賜禹，甚至徵以神話（已見上第五節），神話雖不可盡信，但總觀圭瑞之功用，天授予禹爲是。禹執天所授玄圭，行封禪禮，祭告皇天，易姓更代，肇國啓元。古者祭天，多以國家重大功載併作獻禮，表示天工人不敢廢。周成王營建洛邑成，行祀天建元之禮，王命周公曰：「記功宗，以功作元祀。」（《尚書》〈洛誥〉）以營成東都洛邑重大工程，作爲此次祀天建元禮之獻禮也。禹祭天告代，其重大獻禮，即十三載奔走平治水土之功也。戴師云禹行封禪禮，告天受命王天下，其說不可易也。

註釋

一　參看蘇建洲《容成氏柬釋》（二），見簡帛研究網站。

二　金履祥《書經注》卷六：「凡《書》之本敘，多稱其君之名，或曰『王』，未有以廟號稱者，而此曰『高宗肜日』，則似果若追書之云者。」以〈高宗肜日〉篇首「高宗肜日，越有雊雉」八字爲《尚書》該篇本經之敘（記事）而導出本篇主體——記言文，《書》篇類此者不一。

三　《尚書》「朕」字八十一見，「我」字二百二十九見（連僞古文各篇計書），皆爲第一人稱。

四　《史記會注考證》：「〈禹貢〉無『于天下』三字，張照曰：『「下」字當衍，應作以告成功於天。』」案：「于天下」三字，〈禹貢〉本經無有，史遷增字詁經，以就己意，張君妄刪「下」字。

五　《墨子》〈非攻下〉：「昔者三苗大亂，天命殛之。……高陽（？）乃命（禹於）玄宮，禹親把天之瑞令，以征有苗。」《藝文類聚》卷十引《隋巢子》曰：「昔三苗大亂，天命夏禹於玄宮。有大神人面鳥身，降而福之。」亦天賜禹符瑞，可爲旁證。

六　李學勤先生〈郭店楚簡與儒家經籍〉：「〈大禹〉，無疑是佚《書》〈大禹謨〉。……這條佚文不見於今傳〈大禹謨〉。」郭沂先生〈郭店楚簡成之聞之篇疏證〉：「〈大禹〉，原釋文未加書名號。李學勤先生云此乃〈大禹謨〉。其說極是。……當爲（〈大禹謨〉）佚文。此語的文字風格、思想特點皆與〈大禹謨〉一致。……此語云『宅天心』，〈大禹謨〉亦有『宅帝位』之語，十分近似。……此語談『天心』，而〈大禹謨〉亦多言『心』之處。」（兩文均收入《郭店楚簡研究》，刊《中國哲學》第二十輯，遼寧教育出版社版一九九一年）案：《書序》：「皐陶矢厥謨，禹成厥功，帝舜申之，作〈大禹〉、〈皐陶謨〉。」段玉裁《古文尚書撰異》：「『大禹』之下當是脫一『謨』字，鄭云：『〈大禹謨〉，逸。』」是此楚簡「大禹」乃人名非篇名。僞〈大禹謨〉「帝（舜）曰朕宅帝位三十有三載」，抄襲〈堯典〉「帝（堯）曰朕在位七十載」，以「在」爲「宅」，「宅」訓居，與此〈大禹〉云「宅天心」義根本不同。僞〈咸有一德〉伊尹曰：「惟尹躬暨湯咸有一德，克享天心，受天明命。」「享天心」，僞者生造詞語，不成文義。又〈大禹謨〉、〈咸有一德〉其他言「心」之詞，或不通或陰襲《荀子》〈解蔽〉及《論語》〈堯曰〉。又大禹口言「余才（在）度天心」，是王者或攝政者口吻，語如上舉殷中宗、周武王「宅（度）天命」，而眞〈大禹謨〉記舜帝暨大臣禹、稷、咎陶廷議之言（據《書序》），安得臣禹抗言「余在宅天心」於帝前乎？必不然矣。李、郭說恐誤。

——原載《上博館藏戰國楚竹書研究續編》，頁三一三至三二六，西元二〇〇四年七月

十一 〈莽誥〉註譯（上）

惟居攝二年十月甲子，攝皇帝若曰（註一）：「大誥道諸侯王、三公、列侯于汝卿、大夫、元士、御事（註二）。不弔，天降喪于趙、傅、丁、董（註三）。洪惟我幼沖孺子，當承繼嗣無疆大歷服事（註四）。予未遭其明悊，能道民於安，況其能往知天命（註五）？熙！我念孺子，若涉淵水，予惟往求朕所濟度，奔走以傅近奉承高皇帝所受命，予豈敢自比於前人乎（註六）？天降威明，用寧帝室，遺我居攝寶龜（註七）。太皇太后以丹石之符，迺紹天明意，詔予即命居攝踐祚如周公故事（註八）。

反虜故東郡太守翟義擅興師動眾，曰『有大難于西土，西土人亦不靖』（註九）。於是動嚴鄉侯信，誕敢犯祖亂宗之序（註十）。天降威，遺我寶龜，固知我國有呰災，使民不安，是天反復右我漢國也（註一一）。

粵其聞日，宗室之儁有四百人，民獻儀九萬夫，予敬以終於此謀繼嗣圖功（註一二）。我有大事休，予卜并吉，故我出大將告郡太守、諸侯、相、令、長曰（註一三）：『予得吉卜，予惟以汝于伐東郡、嚴鄉逋播臣（註一四）。』

尒國君，或者無不反曰（註一五）：『難大，民亦不靜，亦惟在帝宮、諸侯宗室，於小子族父，敬不可征（註一六）。』帝不違卜（註一七）。故予爲沖人長思厥難，曰（註一八）：烏虖！義、信所犯，誠動鰥寡，哀哉（註一九）！予遭天役，遺大解難於予身（註二〇）：以爲孺子，不身自卹（註二一）。予義彼國君泉陵侯上書曰（註二二）：『成王幼弱，周公踐天子位以治天下，六年，朝諸侯於明堂，制禮樂，班度量，而天下大服（註二三）。太皇太后承順天心，成居攝之義（註二四）。皇太子爲孝平皇帝子，年在繦褓（註二五），宜且爲子，知爲人子道，令皇太后得加慈母恩，畜養成就，加元服，然後復予明辟（註二六）。』

題解

漢哀帝（欣）崩，平帝（衎）年九歲繼位，太皇太后王氏（名政君）臨朝稱制，委政於其內姪王莽，莽遂專威福。元始五年（西元五年）十二月，平帝崩，年才十四，無子，莽徵宣帝玄孫廣戚侯之子劉嬰年二歲，立爲孺子。同月，莽居攝踐祚。次年（西元六年），改爲居攝元年。五月，莽朝見稱假皇帝，其欲篡漢之心，至此已昭然若揭。

翟義者，前宰相翟方進之子也，見莽欲絕漢室，其年九月，乃立嚴鄉侯劉信爲天子，興師討逆，比至山陽，眾十餘萬。

莽聞之，惶懼不能食。遣其親黨將兵迎擊翟義，且於居攝二年（西元七年）十月十五日甲子，依《尚書》〈周書〉〈大誥〉篇作「〈大誥〉」（茲稱之爲「〈莽誥〉」），並遣桓譚等班行，諭告當返位孺子之意。（以上據《漢書》紀傳）

莽以周公自況，謂《尚書》〈大誥〉爲周公之書，故倣〈大誥〉作誥——〈莽誥〉全文一一四六字（載《漢書》卷八四〈翟方進傳附翟義傳〉），遵彼節目，按彼句字。茲備錄〈莽誥〉，詳注語譯，其關涉周、漢故事，多引徵紀傳經籍以通之。〈大誥〉白文據臺北世界書局縮印張氏皕忍堂刻本；〈莽誥〉則據臺北藝文印書館景印〔清〕王先謙《補注漢書》本，而參以重刊〔宋〕淳化本、〔宋〕景祐本、〔明〕汲古閣本、〔清〕武英殿本，偶有校正補苴。

作者

〈莽誥〉撰者，〔清〕孫星衍《尚書今古文注疏》（卷十四）謂「是劉歆等所爲」，趙翼《廿二史箚記》（卷十五）謂「此蓋劉歆等爲之弄筆也」，康有爲《新學僞經考》（頁一四九）〈漢書劉歆王莽傳辨僞〉據王莽使「劉歆典文章」一語，亦以爲歆撰，且說：「莽素重歆，故莽一朝典禮盡皆歆學。」是〈莽誥〉或原出於歆手。唯《漢書》〈翟方進傳〉「莽於是依《周書》作〈大誥〉」，謂是莽作，語至明決，且〈莽誥〉開篇「攝皇帝若曰」，自是王莽；篇中「予」字迭見，一皆攝皇帝莽自謂，絕無外義，則作者誠當題王莽，〔宋〕林之奇（《尚書全解》）、〔清〕惠棟（《九經古義》）、瑞典高本漢（《書經注釋》）皆謂莽著，嚴可均《全漢文》卷五九收〈莽誥〉，作者直題王莽，茲從之。

王莽，字巨君，魏郡元城人，自稱爲黃帝、虞舜之後，爲王曼次子、漢元帝后（王政君）內姪及成帝大司馬大將軍王鳳之姪。少折節恭儉，勤身博學，師事沛郡陳參受《禮經》。永始元年，受封爲新都侯、國南陽新野之都鄉。綏和元年，擢大司馬，輔政。元始元年，賜號安漢公。四年，進女立爲平帝皇后。於是奏設學校，增置博士，廣立諸侯，用收人望。又編造符瑞，欺罔天下。元始五年，平帝既崩，故選立孺子嬰年二歲入嗣，且風謝囂、孟通獻白石丹書「告安漢公莽爲皇帝」，因脅太皇太后詔「安漢公居攝踐祚」，次年改爲居攝元年。洎破翟義、劉信軍，謀篡漢祚益亟，初改居攝三年爲初始元年，繼藉梓潼人哀章妖書「天帝行璽金匱圖」、「赤帝行璽某傳予黃帝金策書」，即眞天子位，國號「新」，改元「建國」。歷十五年，至地皇四年（西元二三年）十月，漢兵破京，莽旋席隨斗柄而坐，猶作語欺人曰：「天生德於予，漢兵其如予何！」尋就戮，得壽六十八（漢元帝初元四年，西元前四五至漢更始帝元年，西元二三）。

註釋

一　惟居攝二年十月甲子，攝皇帝若曰：惟，句首語助詞，是虛字，無意義。居攝：居位攝政。漢平帝崩，無子，王莽徵漢宣帝之玄孫劉嬰（廣戚侯顯之子，時年二歲），立爲孺子，由王莽居攝踐阼。次年（西元六年），改爲「居攝元年」。甲子，干支紀日；二年十月甲子，爲十月十五日。攝皇帝，代理皇帝，是王莽自稱。皇帝若曰：若，如此；若曰，如此說，是史官記錄之辭。

二　大誥道諸侯王、三公、列侯、于汝卿、大夫、元士、御事：此句模倣《尚書》〈大誥〉篇（以下一律簡稱「〈大誥〉」，而王莽〈大誥〉則稱爲「〈莽誥〉」。）「猷大誥爾多邦越爾御事」。大，普徧。誥，告；道，言。誥道，同義複詞，意爲告戒或告訴。諸侯王：《漢書》卷十九上〈百官公卿表〉：「諸侯王，（漢）高帝初置，金璽盭綬，掌治其國，有太傅輔王。」顏師古注：「蔡邕云：漢制：皇子封爲王，其實諸侯也。……漢天子自以『皇帝』爲稱，故以『王』號加之、總名『諸侯王』也。」《漢書》卷十四〈諸侯王表〉可參看。三公，《漢書》〈百官公卿表〉：「或說，司馬主天，司徒主人，司空主土，是爲三公。」此前漢之三公，《通典》卷十九〈職官一〉〈三公〉：「後漢又以太尉、司徒、司空爲三公。」據沈展如《新莽全史》（頁四五三），始建國元年，莽置大司馬、大司徒、大司空，爲三公。三公，下文簡稱公，詳（註五一）。列侯，《漢書》卷一下〈高帝紀〉：「高帝十二年三月詔曰：『……其有功者，上致之王，次爲列侯，下乃食邑；而重臣之親，或爲列侯，皆令自置吏。』」同諸侯。于，擬〈大誥〉「越」，于、越義同爲「與」，王引之《經義述聞》（《皇清經解》卷一一八二）：「于猶越也，與也，連及之詞。」引之自注：「〈夏小正〉傳曰：『越，于也。』……〈大誥〉曰『……越爾御事』，王莽倣〈大誥〉作『……于汝卿大夫、元士、御事』，是連及之詞曰『越』亦曰『于』也。」卿，官名，位在大夫之上，漢有九卿。大夫，官名，位在卿之下士之上。元士：善士，《禮記》〈王制〉「天子之元士視附庸」，鄭玄注：「元，善也；善士，謂命士也。」一說上士，《荀子》〈正論〉「小侯、元士次之」，楊倞注：「元士，上士也。」《漢書》卷九九中〈王莽傳〉：「始建國元年，……一大夫置元士三人，凡二十七大夫、八十一元士。……更名秩百石曰庶士，三百石曰下士，四百石曰中士，五百石曰命士，六百石曰元士。」是莽嘗以元士為上士。御事：擬〈大誥〉「御事」，蔡沈《書集傳》：「御事，治事者。」（見〈泰誓上〉）即泛稱眾官員。

三　不弔，天降喪于趙、傅、丁、董：不弔，倣〈大誥〉「弗弔」，謂不為天所憫恤，意即不幸。喪，滅亡，謂亡身滅家之禍。趙，趙飛燕；傅，傅太后；丁，丁太后；董，董賢家族。四家族事迹，詳下（註二八）。

四　洪惟我幼沖孺子，當承繼嗣無疆大歷服事：擬〈大誥〉「洪惟我幼沖人，嗣無疆大歷服」。洪惟我幼沖孺子，顏注：「洪，大也；惟，思也；沖，稚也。」王莽謂我大思幼稚孺子——劉嬰也。當承，理應承接。嗣，繼；繼、嗣，同義複詞。無疆，無窮盡。大，重大。歷，數；歷數，義為「天命註定的」。服，事；服、事，同義複詞。大歷服事，上天命定的帝位。

五　予未遭其明悊，能道民於安，況其能往知天命：倣〈大誥〉「弗造哲，迪民康，矧曰其有能格知天命」。予，王莽自稱；下全同。遭，遇。悊，同哲（見《說文》〈口部〉「哲」下），智也。未遭其明悊，顏注：「言不遭遇明智之人。」道，同導。「道」承上省略「未」字。其，同豈。往，去；此處有「今後」、「將來」之意。

六　熙！我念孺子，若涉淵水，予惟往求朕所濟度，奔走以傳近奉承高皇帝所受命，予豈敢自比於前人乎：由「熙」至「受命」，倣〈大誥〉「已！予惟小子，若涉淵水，予惟往求朕攸濟。敷賁敷前人受命」。熙，顏注：「嘆辭。」孫星衍《尚書今古文注疏》卷十四：「《漢書》作『熙』，……以『已』爲『熙』，聲相近。」段玉裁《古文尚書撰異》（《皇清經解》卷五八二）：「已，莽作『熙』，……皆即今之『嘻』字。」我念孺子：譯〈大誥〉「予惟小子」。念，思。孺子，謂劉嬰。參看（註四）。淵水，深水。惟，句中語助詞，猶「啊！」往，去，參看（註五）。所，釋〈大誥〉「攸」；《爾雅》〈釋言〉：「攸，所也。」度同渡；濟，渡。濟、渡，同義複詞。奔走，釋〈大誥〉「賁」，意謂勤勞。傅，釋〈大誥〉下一「傅」字，傅近（猶附近），親近之意。奉承，言敬受。高皇帝，即漢高祖劉邦，《史記》卷八〈高祖本紀〉：「四月甲辰，高祖崩。……（五月）己巳，立太子，至太上皇廟，羣臣皆曰：『高祖起微細，撥亂世反之正，平定天下，爲漢太祖，功最高。』上尊號爲高皇帝。」命，天命。所受命，謂受天命建立漢國。前人，謂漢高祖。

七　天降威明，用寧帝室，遺我居攝寶龜：倣〈大誥〉「天降威，用寧王遺我大寶龜」。明，昭顯。威明，顏注：「猶言明威也。」明威，言天威顯赫。用，以。寧，安。帝室：王室；周之天子稱「王」，漢家天子稱「帝」，故莽擬〈大誥〉之「王」不作「王室」而作「帝室」。遺，留傳。以龜卜問吉凶；龜能知吉凶，故曰「寶龜」。

八　太皇太后以丹石之符，迺紹天明意，詔予即命居攝踐祚如周公故事：太皇太后，姓王名政君，爲漢元帝皇后，漢成帝生母，王禁次女，與王莽父王曼同父異母，是即王莽之姑母。漢宣帝本始三年（西元前七一）——新莽始建國五年（西元十三），享年八十四。丹石，白石丹（紅色）書（字）。符，符命或符瑞。迺紹天明意，倣〈大誥〉「紹天明」：紹，顏注：「承也」；謂受天命而奉行之。明意，明白之旨意。即命，倣〈大誥〉「即命」。居攝，已詳（註一）。踐，履。祚，同阼；堂階之在左者名阼階或東階，主人自東階升堂，故又名主階。踐阼：履主階而登堂；古代謂就天子之位爲踐阼，《禮記》〈文王世子〉：「成王幼不能涖阼，周公相踐阼而治。」如周公故事，謂令王莽居攝踐阼，如周公旦之於周成王時攝政之舊事——周武王克殷，未幾而崩，時天下未安，成王幼少，周公旦相成王，攝行政事，見《尙書》〈周誥〉、《書序》、《尙書大傳》、《史記》（〈周本紀〉、〈魯世家〉）等文。「太皇太后」至「居攝踐祚」三小句，謂太后秉承天意，詔莽居攝，事詳史傳，《漢書》卷九九上〈王莽傳〉：「（元始五年十二月，）……前煇光謝囂奏武功長孟通浚井得白石，上圓下方，有丹書著石，文曰『告安漢公莽爲皇帝』。符命之起，自此始矣。莽使羣公以白太后，太后曰：『此誣罔天下，不可施行！』……太保舜謂太后曰：『……莽非敢有它，但欲稱攝以重其權，塡服天下耳。』太后聽許。舜等即共令太后下詔曰：『……今前煇光囂、武功長通上言丹石之符，朕深思厥意，云「爲皇帝」者，乃攝行皇帝之事也。……其令安漢公居攝踐祚，如周公故事。』」

九

反虜故東郡太守翟義擅興師動衆，曰『有大難于西土，西土人亦不靖』：大致因〈大誥〉「有大艱于西土，西土人亦不靜」而作。反，叛。虜，敵人。莽詆翟義、劉信爲「反虜」或「逆賊」，如《漢書》卷八四〈翟義傳〉：「迺者反虜劉信、翟義」、「反虜逆賊不得旋踵，應時殄滅」。故，舊、以前。東郡，秦置，《史記》〈魏世家〉：「景湣王元年，秦拔我二十城，以爲秦東郡。」漢因之，轄縣二十二，郡治濮陽（莽稱治亭，今河北省濮陽縣），包有今河北省南部及山東省西北部之地。太守，一郡之首長，《漢書》卷十九上〈百官公卿表〉：「郡守，秦官，掌治其郡，秩二千石。……（漢）景帝中二年，更名太守。」翟義仕履及舉兵討逆事，〈翟義傳〉：「（翟方進之）少子曰義，義字文仲，……有父風烈。徙爲東郡太守。數歲，平帝崩，王莽居攝，義心惡之，迺謂姊子上蔡陳豐曰：『新都侯攝天子位，號令天下，故擇宗室幼稚者以爲孺子，依託周公輔成王之義，且以觀望，必代漢家，其漸可見。吾……義當爲國討賊，以安社稷。欲舉兵西誅不當攝者，選宗室子孫輔而立之。……今欲發之，乃肯從我乎？』豐年十八，勇壯，許諾。義遂與東郡都尉劉宇、嚴鄉侯劉信、信弟武平侯劉璜謀結。及東郡王孫慶素有勇略，以明兵法，徵在京師，義乃詐移書以重罪傳逮慶。於是以九月都試日斬觀令，因勒其車騎材官士，募郡中勇敢，部署將帥。嚴鄉侯信者，東平王雲子也。雲誅死，信兄開明嗣爲王，薨，無子，而信子匡復立爲王，故義舉兵并東平，立信爲天子。義自號大司馬柱天大將軍，以東平王傅蘇隆爲丞相，中尉皋丹爲御史大夫，移檄郡國，言莽鴆殺孝平皇帝，矯攝尊號，今天子已立，共行天罰。郡國皆震，比至山陽，眾十餘萬。」曰，顏注：「『曰』者，述翟義之言云爾。」難，災殃。西土（西方之土地），顏注：「西土，謂西京（長安）也，言在東郡之西也。」靖，〈大誥〉作「靜」；靖、靜，意皆爲安。亦，語助詞。此三小句，莽意翟義於東土散播流言云「王莽在京將篡位，京都臣民將不安」，以鼓動羣眾，一如周代管叔、蔡叔流言，謂「周公將不利於孺子（周成王）」。

一〇　於是動嚴鄉侯信，誕敢犯祖亂宗之序：擬〈大誥〉「越茲蠢，殷小腆，誕敢紀其敘」：動，鼓動。嚴鄉侯劉信世系爵封：東平思王宇，宣帝子，甘露二年立，立三十三年薨。子煬王雲鴻嘉元年嗣立，立十七年建平三年自殺，國除。「元始元年，王莽欲反哀帝政，白太皇太后，立雲太子開明爲東平王。……開明立三年，薨，無子。復立開明兄嚴鄉侯信子匡爲東平王，奉開明後。王莽居攝，東郡太守翟義與嚴鄉侯信謀舉兵誅莽，立爲天子。兵敗，皆爲莽所滅。」（《漢書》卷八十〈宣元六王傳〉，又參看卷十四〈諸侯王表〉。）劉信立爲天子，故莽比信爲「殷小腆」——武庚。誕，語助詞，《尚書》習用字。莽以「犯祖亂宗之序」勉強擬〈大誥〉「誕敢紀其敘」，致文理失暢，然則大意謂劉信竟敢上犯祖先，變亂統緒，實行叛逆。

二一 天降威，遺我寶龜，固知我國有呰災，使民不安，是天反復右我漢國也：倣〈大誥〉「天降威，知我國有疵、民不康。曰：『予復。』反鄙我周邦」。威，威靈。呰與疵同，病。反復，猶言一再。右同佑，助。前三小句大意，顏注：「言天所以降威遺龜者，知國有災病，義、信當反，天下不安之故也。」

二二 粵其聞日，宗室之儁有四百人，民獻儀九萬夫，予敬以終於此謀繼嗣圖功：粵，顏注：「粵，發語辭也。」其，指事，謂翟劉舉義兵。粵其聞日，《尚書集注音疏》（《皇清經解》卷三九五）：「翟義起承事聞之日也。」宗室：即漢家帝室，謂諸劉氏子孫之見在者，如劉歆、劉慶等人。儁同俊，才智之士。民獻儀九萬夫，倣〈大誥〉「民獻有十夫」。獻，賢也；儀，賢也；獻、儀同義複詞。夫，男子之總名。九萬夫，謂孫建、王邑、竇兄、甄邯、桓譚之徒。予敬以終於此謀繼嗣圖功：倣〈大誥〉「予翼，以于敉寧武圖功」。終，完成。嗣，繼；繼、嗣爲同義複詞。功，謂國事。

一三　我有大事休，予卜并吉，故我出大將告郡太守、諸侯、相、令、長曰：擬〈大誥〉「我有大事休，朕卜并吉，肆予告我友邦君，越尹氏、庶士、御事，曰」：我，我漢國。大事，戰爭，《左傳》〈成公十三年〉：「劉子曰：『……國之大事，在祀與戎。』」莽今論伐叛，故知其所謂大事爲戎（戰）事。休，美善。朕：王莽自稱，義同「予」；因係襲用〈大誥〉「朕」字，故不作「予」。卜，以龜甲稽問吉凶曰卜（下卜字義皆同），上文「遺我居攝寶龜」可爲佐證。并吉，皆祥善；龜卜多次皆吉，故云并吉。出，謂從朝廷宣佈（或頒佈）出去。將，意義不明。郡：地方行政區域，漢分天下爲若干郡與國，郡直屬天子，郡下設若干縣。郡太守，詳（註九）「東郡太守」。諸侯：倣〈大誥〉「邦君」，謂諸侯國君主；漢行封建制度，分封親戚、功勳爲諸侯，有國。相：謂「國相」——諸侯國之「相」，瞿蛻園〈歷代職官簡釋〉（在黃本驥《歷代職官表》後）：「國相，漢代采郡、國並置之制，……分封於諸王者爲國。但王國亦自有其職官，重要職官有傅及相。……相管王國內之民事，……由朝廷任命。……王國所轄亦有縣與侯國。……王國相之職位與郡守亦相等，而侯國相又與縣令相等。」令長，縣令、縣長；《漢書》卷十九上〈百官公卿表〉：「縣令、長，皆秦官，掌治其縣。萬戶以上爲令，秩千石至六百石；減萬戶爲長，秩五百石至三百石。」

一四　予得吉卜，予惟以汝于伐東郡、嚴鄉逋播臣：倣〈大誥〉「予得吉卜，予惟以爾庶邦于伐殷逋播臣」。惟，句中語助詞。以，率領；註六三「故予大以爾東征」之「以」，義同。于，往。東郡，「故東郡太守翟義」之省文，已詳（註九）。嚴鄉，「嚴鄉侯劉信」之省文，亦已詳（註九）、（註一〇）。逋，逃亡。播，流散。逋播臣：屈萬里先生《尙書釋義》（頁七二）：「凡犯罪者每逃亡；逋播臣，猶言犯罪之臣也。」莽比翟、劉忠臣宗親爲亡國罪民——殷逋播臣。

一五 尒國君，或者無不反曰：倣〈大誥〉「爾庶邦君，越庶士、御事，罔不反曰」。尒同「爾」，汝也；〈莽誥〉原作「爾」（下「爾汝」之「爾」凡五見，概不作「尒」。），此「尒」字乃後人據《古文尙書》之字改。國：〈大誥〉作「邦」，〈莽誥〉因避漢高祖劉邦之諱改作「國」，施改者凡六字。國君，謂諸侯國君主。或者，或許有人。無不，沒有人不。「或者」與「無不」意義衝突，不可用於一句之內，故「或者無不反曰」句，不通（〈大誥〉原作「罔（無）不反曰」，莽加「或者」，致意不可通。）。反，復；回復（即「反脣相譏」之意）。

一六 難大，民亦不靜，亦惟在帝宮、諸侯宗室，於小子族父，敬不可征：依〈大誥〉「艱大，民不靜，亦惟在王宮、邦君室。越予小子，考翼，不可征」而作。難大，艱鉅。民亦不靜，已詳（註九）。亦惟，且爲了。帝宮（即帝室）、諸侯宗室：皆謂漢家王室，言劉信。於，對於。小子：即孺子，謂劉嬰。族父，從堂伯叔父。於小子（爲）族父，謂劉信爲劉嬰之族父，考漢宣帝詢生宇，宇生雲，雲生信，信爲宣帝之曾孫（據《漢書》〈諸侯王表〉二、〈王子侯表〉三下及〈宣元六王傳〉，又參看〔註一〇〕。），而孺子爲宣帝之玄孫，故稱信爲族父。「亦惟在」至「敬不可征」三小句，顏注：「又劉信，國之宗室，於孺子爲族父，當加禮敬，不可征討。」莽意以比周代事，如管蔡亦成王之族父，基於禮敬，不可征。

一七　帝不違卜：倣〈大誥〉「王害不違卜」。作「帝」不作「王」者，參看（註七）「帝室」。此句，謂攝皇帝不違背龜卜。

一八　故予爲沖人長思厥難，曰：倣〈大誥〉「肆予沖人永思艱曰」。爲沖（幼稚，已詳〔註四〕）人，爲了孺子。厥，其。厥難，國家之困難。

一九　烏虖！義、信所犯，誠動鰥寡，哀哉：因〈大誥〉「嗚呼！允蠢鰥寡，哀哉」而有。烏虖：同「嗚呼」，感嘆詞。〈莽誥〉三倣〈大誥〉之「嗚呼」，原皆作「於戲」，後人據《古文尚書》本悉改字爲「烏虖」。義、信所犯，謂翟義、劉信之所犯亂。誠，確實。動，騷擾。鰥寡，孤苦無依之人（不必拘泥於「老而無妻曰鰥、老而無夫曰寡」之說）。

二〇　予遭天役，遺大解難於予身：倣〈大誥〉「予造天役，遺大投艱于朕身」。兩「予」字，皆王莽自稱。遭，受到。役，差使、支配。遺，加（將任務加在某人肩頭，如《詩經》〈邶風〉〈北門〉「政事一埤遺我」，《毛傳》：「遺，加也。」）。解，落（事務落在某人身上；解有「落」意，《呂氏春秋》〈古樂〉篇：「萬有散解，果實不成。」高誘注：「解，落也。」）。遺、解二字是互文，義同（〈大誥〉作「遺、投」；投，把政事投在某人身上，義與「解」同。）。大、難二字是互文，義爲艱鉅。

二一　以爲孺子，不身自卹：倣〈大誥〉「越予沖人，不卬自恤」。孺子，劉嬰（已見〔註一〕）。身，我；王莽自謂。卹，或作「恤」，憂也。此二小句，顏注近是，云：「故我征伐，以爲孺子除亂，非自憂己身也。」

二二　予義彼國君泉陵侯上書曰：義，宜、合理；謂以泉陵侯所上之書爲適當。泉陵侯：泉陵，侯國，屬零陵郡（《漢書》卷二十八上〈地理志〉）。泉陵侯，顏注：「應劭曰：劉慶也，上書令莽行天子事。」據《漢書》卷五十三〈景十三王傳〉、卷十五上〈王子侯表〉，漢景帝啓生長沙定王發，發生泉（原誤作眾）陵節侯賢，賢薨，戴侯貞定嗣，貞定薨，頃侯慶嗣於黃龍元年。劉慶曾於元始五年上書勸莽行天子事（見《漢書》卷九九上〈王莽傳〉），平帝崩後，慶又上書論莽居攝踐阼日後將還政於孺子，書凡九十字見下自「成王」至「明辟」。

二三　成王幼弱，周公踐天子位以治天下，六年，朝諸侯於明堂；制禮樂，班度量，而天下大服：成王：即周成王，名誦（《史記》〈周本紀〉）。武王崩時，成王幼少（大約十三歲：《古文尚書》說，近是。），周公攝政，《史記》〈周本紀〉：「（武王崩，）太子誦代立，是爲成王。成王少，……周公乃攝行政當國。」〈魯周公世家〉：「武王既崩，成王少，……周公乃踐阼，代成王攝行政當國。」六年，謂周成王即天子位之第六年，亦即周公攝政之第六年。明堂：古代建築物，天子在此宣明政教，《周禮》〈考工記〉〈匠人〉鄭玄注「明堂者，明政教之堂。」亦在堂內接受諸侯朝見，鄭玄《禮記》〈明堂位〉又注：「朝（諸侯）於此（明堂），所以正儀辨等也。」六年周公朝諸侯於明堂：「周公攝政，……六年而天下大治，乃會方國諸侯于宗周，大朝諸侯明堂之位。」《禮記》〈明堂位〉篇：「昔者周公朝諸侯于明堂之位」，而元始五年十二月羣臣奏太皇太后時解釋此文曰：「周公踐天子位，六年朝諸侯，……而天下大服也。」（《漢書》卷九九上〈王莽傳〉）周公制禮作樂，《尚書大傳》（《尚書大傳輯校》二）：「周公攝政，……六年制禮作樂。」又《左傳》〈文公十八年〉史克言「周公制周禮」、〈哀公十一年〉《左傳》仲尼云「周公之典在」，文皆與周公制禮有關。班，公佈施行。度，計算長短之器具，如丈尺。量，計算容積之器具，如斛斗。周公佈行度量，經史皆無有明文，劉慶臆增。

二四　太皇太后承順天心，成居攝之義：承順天心：承順，秉承遵從。天心，天之心意，謂白石丹書「告安漢公莽爲皇帝」。此二小句，謂太皇太后遵從白石丹書之符命，遂下詔令安漢公莽居攝踐祚，如周公故事。（參看〔註八〕）

二五　皇太子爲孝平皇帝子，年在襁褓：皇太子爲孝平皇帝子：顏注：「皇太子即謂孺子（劉嬰）。」孝平皇帝（宣帝曾孫）九歲嗣位，在位五年年十四而崩，無子，太后使有司徵宣帝玄孫二十三人，差度宜者，以嗣平帝之後，莽乃擇廣戚侯之子嬰年二歲奉平帝後，平帝爲嬰之諸父輩。年在襁褓：背負小兒所用之布縷曰襁褓，時劉嬰年約三歲，故云「年在襁褓」。

二六　宜且爲子，知爲人子道，令皇太后得加慈母恩，畜養成就，加元服，然後復予明辟：且，姑且。子：太子；爲平帝之太子，《呂氏春秋》〈愼行〉篇：「王曰：已爲我子矣，又尚奚求？」高誘注：「子，太子也。」太子即嗣君，《禮記》〈曾子問〉篇：「孔子曰：遂既封而歸，不俟子。」鄭玄注：「子，嗣君也。」孺子嬰絕未登天子位，《漢書補注》引何焯曰：「（莽）先爲攝皇帝而後立嬰，不復令有君臣之分也。已止立爲皇太子，不正其君之名，則予奪惟莽也。」考平帝崩年之當月，莽居攝。次年改爲居攝元年，同年「三月己丑，立宣帝玄孫嬰爲皇太子，號曰孺子。」（《漢書》卷九九上〈王莽傳〉）新莽始建國元年，莽策封孺子爲定安公（《漢書》卷九九中〈王莽傳〉）。是嬰果無君號。皇太后：

平帝皇后、王莽之女也。莽以女配平帝，事見《漢書》卷九九上〈王莽傳〉。平帝王皇后事迹，《漢書》卷九七下〈外戚傳〉：「孝平王皇后，安漢公太傅大司馬莽女也。平帝即位，……而莽秉政。莽欲依霍光故事，以女配帝，……設變詐，令女必入。……后立歲餘，平帝崩。莽立孝宣皇帝玄孫嬰為孺子，莽攝帝位，尊皇后為皇太后。三年，莽即眞，以嬰為定安公，改皇太后號為定安公太后。太后時年十八矣，為人婉瘱有節操。自劉氏廢，常稱疾不朝會。……及漢兵誅莽，燔燒未央宮，后曰：『何面目以見漢家！』自投火中而死。」（《續列女傳》入〈貞順傳〉）加，施。畜、養，二字同義。元服：冠也，《儀禮》〈士冠禮〉：「始加，祝曰：『令月吉日，始加元服。』」鄭玄注：「元，首也。」加元服，謂成年加冠。平帝崩，有司議曰：「皇帝年十有四歲，宜以禮斂，加元服。」（《漢書》卷十二〈平帝紀〉）復予明辟：復，還。予，是錯字，當作「子」，重刊淳化本、景祐本、武英殿本皆作「子」。明辟，明哲之君王。復子明辟，全襲《尚書》〈洛誥〉篇文，在〈洛誥〉義為「向您這明哲的君王稟白」，在此，莽意是「還政於明君——孺子」。

語譯

居攝二年十月十五日，代理皇帝這麼說：「我普徧地向諸侯王、司馬司徒司空三公、列侯以及你們諸位卿、大夫、元士、治事之臣宣告。不幸！上天降下了災禍，教趙太后、傅太后、丁太后、董賢四家為害漢國，以致亡身滅家。我多方面思慮這年幼的小孩子——劉嬰，他應該繼承這無窮盡的天命註定的帝位。我沒有遭遇到明智之人，就連領導民眾去享受安定的生活尚且辦不到，何況哪有能力去知曉天命呢？唉！我思慮劉嬰這小孩子的處境，就好像要渡深水一般，我啊辛勤不懈、所要追求的就是渡過這條深水，以親近並且恭受高皇帝當初自天接受肇建漢國的命令，但我怎麼能拿自己跟高皇帝相比呢？現在，上天降下威靈、昭著顯赫，由於祂要安定漢家帝室，所以把大靈龜留傳給我們（以便讓我們能知道吉凶）。太皇太后依據白石丹書——告安漢公莽爲皇帝——的符命，承行上天明白的旨意，就降頒詔書命我代理朝政、登上了皇帝的位子，如同周公在周成王幼年時攝政登王位一般。

叛徒前東郡太守翟義，狂妄地起兵鼓動羣眾，與朝廷作對，他藉口說：『在西方的京城，會發生重大的災難；因爲安漢公王莽將要篡位，京都的臣民將不得安寧！』於是他就煽動嚴鄉侯劉信，那劉信膽敢冒犯他的祖先、變亂政統，實行叛逆。上天之所以降下了威靈、留傳給我們大靈龜，這是因爲祂（天）固已知道我們漢國就要有災殃，會使民眾不得安寧的緣故。這樣看來，上天是在一再幫助我們漢國啊！

當翟、劉舉兵造反的事情傳遍全國的時候，漢家帝室的才俊像劉慶、劉歆等四百人，還有非屬於宗室劉姓的臣民像孫建、王邑、竇兄、甄邯、桓譚等賢士九萬人，我要恭謹地和他們完成這一任務、也就是繼承漢家祖宗來完成他們過去所圖謀的平治天下的大業。我們國家將有戰事——吉祥的戰事，我龜卜了好幾次，問戰事是吉是凶，結果都是吉兆，所以我現在普徧地向郡太守、諸侯、國相、縣令、縣長宣告：『我稽問戰事的休咎，結果我獲得了祥兆，所以我啊要帶領你們去討伐前東郡太守翟義和嚴鄉侯劉信這兩個罪臣！』

你們諸侯國的君主當中，有一部分人異口同聲的反問我說：『戰事艱鉅，民眾不得安靜；又因爲嚴鄉侯信是帝室宗親及諸侯國君長，對於嗣天子——年輕人嬰來說，還是伯叔父呢，基於尊敬的理由，所以不可去征伐他。攝皇帝呀！您爲何不違背龜卜打消討劉之戰的計畫呢？』所以我爲了稚子嬰，曾深長地考慮事情的艱難，我這就回答您們吧：哎呀！翟義、劉信所幹的叛亂，的確騷擾了孤苦無依之人，實在可憐哪！但是我受上天的差使；天硬把重責大任加在我身上，我是爲了稚子嬰（的天子位）、並非爲憂慮自身的榮辱，才揮師東伐的。我認爲那位國君泉陵侯呈上給太皇太后的奏章說得對極了，奏章說：『從前周成王誦幼稚弱小，周公旦登上天子的位子代他治理天下。到了攝政的第六年，周公在明堂內接受諸侯的朝覲，制定禮和樂，頒布標準的丈尺斛斗，令全國人遵行，於是天下臣民普徧地服從治理。如今，太皇太后順從天意，完成了帝位代理的規範（已經命我居攝踐祚）。皇太子嬰是孝平皇帝的兒子，幼小到褓姆用布縷包著背在背上的年齡，理應暫且當嗣君，（眼前不該就帝位，）一直等到他懂得做兒子的道理；其間叫皇太后施與慈母的恩愛，養育他到成年，給他穿戴上冠服，然後才把帝位交還給他。』」

——原載《國語日報》〈古今文選〉新五三四期，民國七十一年九月

十一 〈莽誥〉註譯（下）

熙！爲我孺子之故（註二七），予惟趙、傅、丁、董之亂，遏絕繼嗣，變剝適庶，危亂漢朝，以成三陒，隊極厥命（註二八）。烏虖！害其可不旅力同心戒之哉（註二九）！予不敢僭上帝命（註三〇）。天休於安帝室，興我漢國（註三一）；惟卜用，克綏受茲命（註三二）。今天其相民，況亦惟卜用（註三三）。

太皇太后肇有元城沙鹿之右，陰精女主聖明之祥，配元生成，以興我天下之符，遂獲西王母之應，神靈之徵，以祐我帝室，以安我大宗，以紹我後嗣，上繼我漢功（註三四）。厥害適統不宗元緒者，辟不違親，辜不避戚（註三五）；夫豈不愛？亦惟帝室（註三六）。是以廣立王侯，並建曾玄，俾屏我京師，綏撫宇內（註三七）；博徵儒生，講道於廷，論序乖繆（註三八），制禮作樂，同律度量，混壹風俗（註三九）；正天地之位，昭郊宗之禮，定五時廟祧，咸秩亡文（註四〇）；建靈臺，立明堂，設辟雍，張太學（註四一）。尊中宗、高宗之號（註四二）。昔我高宗崇德建武，克綏西域，以受白虎威勝之瑞（註四三）。天地判合，乾坤序德（註四四）。太皇太后臨政，有龜龍麟鳳之應，五德嘉符，相因而備（註四五）。《河圖》《雒書》

遠自昆侖，出於重壄。古讖著言，肆今享實（註四六）。此迺皇天上帝所以安我帝室，俾我成就洪烈也（註四七）。烏虖！天用威，輔漢始而大大矣（註四八）。

爾有惟舊人，泉陵侯之言，爾不克遠省，爾豈知太皇太后若此勤哉（註四九）？天毖勞我成功所，予不敢不極卒安皇帝之所圖事（註五〇）。肆予告我諸侯王、公、列侯、卿、大夫、元士、御事：天輔誠辭，天其累我以民，予害敢不於祖宗安人圖功所終（註五一）？天亦惟勞我民，若有疾，予害敢不於祖宗所受休輔（註五二）？

予聞孝子善繼人之意，忠臣善成人之事（註五三）。予思（註五四）：若考作室，厥子堂而構之；厥父菑，厥子播而穫之（註五五）。予害敢不於身撫祖宗之所受大命（註五六）？若祖宗，迺有效湯武伐厥子，民長其勸弗救（註五七）。

烏虖！肆哉！諸侯王、公、列侯、卿、大夫、元士、御事，其勉助國道明（註五八）！亦惟宗室之俊、民之表儀，迪知上帝命（註五九）。粵天輔誠，爾不得易定，況今天降定于漢國（註六〇）？惟大譆人翟義、劉信大逆，欲相伐於厥室，豈亦知命之不易乎（註六一）？予永念曰：天惟喪翟義、劉信；若嗇夫，予害敢不終予晦（註六二）？天亦惟休於祖宗，予害其極卜？害敢不卜從、率寧人有旨疆土？況今卜并吉（註六三）？故予大以爾東征；命不僭差，卜陳惟若此（註六四）。」」

二七　熙！爲我孺子之故：倣〈大誥〉「已！予惟小子」。熙，歎辭，義同嘻（已詳〔註六〕）。孺子，劉嬰（已詳〔註一〕）。

二八　予惟趙傅丁董之亂，遏絕繼嗣，變剝適庶，危亂漢朝，以成三阸，隊極厥命：予惟，我（王莽）念。遏，斷絕。繼嗣，謂繼承漢室帝位之後代。變，更改。剝，奪。適，同嫡，此謂后所生。庶，此謂后以外妃嬪之所出。趙飛燕姊妹殺滅漢家皇子皇孫經過：趙飛燕，初入宮，與女弟俱爲漢成帝倢伃。及許皇后廢，飛燕立爲皇后。姊妹專寵十餘年，皆無子。許美人及中宮史曹宮產子，悉爲趙皇后姊妹所殺。故哀帝立數月，司隸解光奏曰：「趙昭儀（飛燕妹）傾亂聖朝，親滅繼嗣。」而哀帝崩，王莽白太后詔有司曰：「前皇太后與昭儀……姊弟專寵錮寢，執賊亂之謀，殘滅繼嗣以危宗廟。」（《漢書》〈外戚傳〉）傅、丁二太后變亂嫡庶經過：「孝哀皇帝（欣），元帝庶孫，定陶恭王（康）子也，母曰丁姬，年三歲嗣立爲王。……元延四年入朝，……時王祖母傅太后隨王來朝，私賂遺上所幸趙昭儀及帝舅驃騎將軍曲陽侯王根。昭儀及根……皆更稱定陶王（欣），勸帝以爲嗣。……明年，……立爲皇太子。……（綏和二年四月，）太子（欣）即皇帝位。」（《漢書》〈哀帝紀〉）董賢危害漢室經過：董賢字聖訓，雲陽人也。美姿容，便辟善媚。以是得哀帝寵尊，官至大司馬衛將軍，權侔人主，富可敵國。父子兄弟妻族並貴，受上厚賜（據《漢書》卷九三〈佞幸傳〉）。以成三阸：顏注：「晉灼曰：（阸，）古『厄』字。服虔曰：厄，會也；（三厄，）謂三七二百一十歲。」厄、會，皆謂災劫。以成三厄，承上面四小句文，總結謂四家族爲禍漢室，造成自漢高祖建國以來至漢平帝末二百一十年時期漢國甚衰之劫難。三七之厄，又見——《漢書》卷九九上〈王莽傳〉：莽於初始元年（亦即居攝三年）十一月甲子奏太后曰：「陛下至聖，遭家不造，遇漢十二世三七之阸，承天威命，詔臣莽居攝，受孺子之託。」漢自高祖（元年，西元前二〇六）歷惠帝、文帝、景帝、武帝、昭帝、昌邑王賀、宣帝、元帝、成帝、哀帝、平帝崩（元始五年、西元五年，此年十二月莽居攝，不應計入。），恰爲十二世二百一十年。隊同墜，失掉。極，窮盡。厥，其。命，命運；謂家運。墜極厥命，謂趙傅丁董四家家滅身亡；四家敗亡，事略如下——成帝崩，趙昭儀自殺。哀帝立，未幾，免趙皇太后弟新成侯趙欽、欽兄子成陽侯訢皆爲庶人，將家屬徙遼西郡。哀帝崩，王莽專政，貶趙皇太后爲孝成皇后，徙居北宮，後又廢爲庶人。趙自殺。莽又使有司舉奏丁、傅罪惡，皆免官爵，丁氏徙歸故郡，後貶傅太后號爲定陶共王母、丁太后號曰丁姬，既而伐兩后冢，破棺槨（併見〈外戚傳〉）。莽亦使謁者以王太后詔收董賢大司馬印綬，罷歸第，賢與其妻皆自殺，賢父恭、賢弟寬信與家屬徙合浦，母別歸故郡鉅鹿，家財入官（〈佞幸傳〉）。上文云「天降喪于趙傅丁董」（已詳〔註三〕），此言四家「隊極厥命」，可以互證。

二九　烏虖！害其可不旅力同心戒之哉：烏虖，感歎詞，同「嗚呼」（已詳〔註一九〕）。害其：害同曷，疑問詞，何也；其，疑問語助詞。旅力：同力，《詩經》〈大雅〉〈桑柔〉「靡有旅力以念穹蒼」，鄭玄箋：「（旅力，）同力。」

三〇 予不敢僭上帝命：倣〈大誥〉「不敢替上帝命」。僭，差失。上帝命，天命。此句，顏注：「言順天命而征討（翟、劉）。」

三一 天休於安帝室，興我漢國：倣〈大誥〉「天休于寧王，興我小邦周」。休，福祥；在此作動詞用，謂降福祉。安，莽用以譯〈大誥〉「寧」（〈大誥〉「寧」原爲「文」字之誤，莽不知。）。此小句：天降福於安寧之帝家，文意不暢。

三二 惟卜用，克綏受茲命：襲〈大誥〉「寧王惟卜用，克綏受茲命」。惟，只有。用，行；遵行。卜用即用卜，遵從占卜之結果以行事。克，能夠。綏，安。茲命，此命；謂此天命（天命謂天賜奄有國家主權之命令）。

三三 今天其相民，況亦惟卜用：襲〈大誥〉「今天其相民，矧亦惟卜用」。其，將要。相民，助漢國民眾。況，語助詞；不作「何況」解。亦，也；上文作「惟卜用」，此作「也（亦）惟卜用」。

三四 太皇太后肇有元城沙鹿之右，陰精女主聖明之祥，配元生成，以興我天下之符，遂獲西王母之應，神靈之徵，以祐我帝室，以安我大宗，以紹我後嗣，以繼我漢功：肇，開始。元城，即元城縣，漢屬魏郡，在今河北省大名縣東。沙鹿（鹿一作麓）：地在元城縣東，《左傳》〈僖公十四年〉杜預注：「沙鹿，山名，陽平元城縣東有沙鹿土山。」右：同「天祐」之祐，引申義爲「福祥」，與下小句「祥」爲互文。太皇太后肇有元城沙鹿之右，《漢書》卷九八〈元后傳〉：「（王）賀字翁孺，……徙魏郡元城，……元城建公曰：『昔春秋沙麓崩，晉史卜之，曰：「陰爲陽雄，土火相承，故有沙麓崩。後六百四十五年，宜有聖女興。」其齊田乎！今王翁孺徙，正直其地，日月當之。元城郭東有五鹿之虛，即沙鹿地也。後八十年，當有貴女興天下云。』」聖女、貴女、陰，皆謂元后王政君，陰（王政君）爲陽（漢）之君主，故曰「陰爲陽雄」，至「土火相承」則暗示日後土德（新莽）將繼火德（漢）而有天下，顏注：「李奇曰：陰，元后也；陽，漢也；王氏，舜後、土也；漢，火也。故曰『土火相乘』，陰盛而沙麓崩。」又僖公十四年（西元前六四六）《春秋經》：「秋八月辛卯，沙鹿崩。」下數至元后攝政，恰爲六百四十五年，〈元后傳〉顏注：「張晏曰：陰數八，八八六十四；土數五，故六百四十五歲也。《春秋》〈僖十四年〉沙麓崩，歲在乙亥，至哀帝崩（元壽二年六月，西元前一年。）元后始攝政（在帝崩之當年臨朝），歲在庚申，沙麓崩後六百四十五歲。」又自王賀徙元城（大約在漢武帝末，西元前八七年。），下至哀帝崩，凡八十六年，取其成數稱爲八十年。女主，女君主，太皇太后臨朝稱制爲女君。陰精：月亮，《顏氏家訓》〈歸心〉篇：「日爲陽精，月爲陰精。」此指元后，揚雄承莽詔誄太皇太后亦曰：「太陰之精，沙麓之靈；作合於漢，配元生成。」（〈元后傳〉）〈元后傳〉：「太陰精者，謂月也。」故顏注：「李奇曰：李親懷元后，夢月入懷——陰精女主之祥。」配元生成：配，匹偶；匹配漢元帝劉奭，生漢成帝劉驁，〈元后傳〉：「宣帝……令皇后擇後宮家人子可以虞侍太子者，（王）政君與在其中。……皇后使……送政君太子宮，……得御幸，有身。……甘露三年，生成帝。……元帝立太孫（成帝字）爲太子，以母王妃爲婕妤。……後三日，婕妤立爲皇后。」五小句五「我」字，皆謂我漢朝。符，符瑞、符命。西王母：相傳爲古仙人，虎齒，蓬髮戴首飾，居崑崙山，周穆王西征，往見之（據《穆天子傳》卷三及郭璞注）。西王母之應，謂漢哀帝時民間傳祀西王母，應驗在日後太皇太后王政君之身，《漢書》〈哀帝紀〉：「建平四年（西元前三年）春，大旱，關東民傳行西王母籌，經歷郡國，西入關，至京師，民又會聚祠西王母。」《漢書》〈五行志〉下之上：「哀帝建平四年正月，民驚走，持槀或棷一枚，傳相付與，曰『行詔籌』，道中相過逢，多至千數，……以置驛傳行，……至京師。其夏，京師郡國民聚會里巷阡陌，設祭張博具，歌舞祠西王母。……一曰：……此異乃王太后、莽之應云。」徵，證驗。祐，保佑。帝室，漢帝室。大宗：此指天子，《詩經》〈大雅〉〈板〉《疏》：「王者天下之大宗，以禮有大宗、小宗，爲其族人所尊，故稱宗子；天子則天下所尊，故謂之大宗也。」紹，繼續。後嗣，謂漢帝室子孫。漢功，漢家統治天下之事業。

三五 厥，其，指任何人。害，傷。適統，正統。宗，尊重。元緒，大統（上「統」與此「緒」爲互文）。適統元緒，謂漢國帝位授受之常軌。辟不違親、辜不避戚：辟同⿱辟廾，懲罰；辜即罪，此謂治某人之罪。違，避開；避，違離。親、戚同義，謂漢宗室。辟與辜、違與避、親與戚各皆同義，是互文。辟不違親、辜不避戚兩小句義同，謂不因犯罪者爲漢宗室而迴護不加誅罰。

三六 夫豈不愛，亦惟帝室：夫，語助詞。惟，爲了。帝室，漢帝室。此二小句，《漢書補注》：「王文彬曰：《左》〈昭元年傳〉『周公殺管叔而蔡蔡叔；夫豈不愛？王室故也。』此襲用其文。」又：自上文「厥害」至此「故也」，莽意劉信欲行武力奪權，爲害政統，雖彼爲漢室宗親，亦不能曲祖弗誅。

三七　是以廣立王侯，並建曾玄，俾屏我京師，綏撫宇內：建，立。並：同竝；竝，普偏也，《尚書》〈立政〉篇：「以竝受此丕丕基。」《經義述聞》：竝，普也。「並」與上文「廣」是互文。曾玄，謂曾孫玄孫。當太皇太后臨朝、即莽專權之時，莽嘗大事封建，用收人望，如〈平帝紀〉：「元始元年……立故東平王雲太子開明爲王，故桃鄉頃侯子成都爲中山王。封宣帝耳孫信等三十六人皆爲列侯。……又令諸侯王、公、列侯、關內侯亡子而有孫若子同產子者，皆得以爲嗣。公、列侯嗣子有罪，耐以上先請。宗室屬未盡而以罪絕者，復其屬。」〈莽傳〉：「元始五年正月，祫祭明堂，諸侯王二十八人、列侯百二十人、宗室子九百餘人，徵助祭。禮畢，封孝宣曾孫信等三十六人爲列侯，餘皆益戶賜爵，金帛之賞各有數。」俾，使。屏，藩衛。京師：師，眾（謂民眾聚居之處）；京師謂西漢首都長安。綏，安；撫，存恤。宇內，天下、國境之中。

三八　博徵儒生，講道於廷，論序乖繆：廷，朝廷。序：同敘，謂合理的述說，論、序義同。乖繆（同謬），差錯。莽擅政時求儒生講論於京，《漢書》卷九九上〈王莽傳〉：「元始四年，徵天下通一藝教授十一人以上，及有《逸禮》、《古書》、《毛詩》、《周官》、《爾雅》、天文、圖讖、鍾律、月令、兵法、史篇文字，通知其意者，皆詣公車。網羅天下異能之士，至者前後千數，皆令記說廷中，將令正乖繆、壹異說云。」

三九　制禮作樂，同律度量，混壹風俗：莽倣周公制禮作樂（參看〔註二三二〕），見〈莽傳〉——元始五年五月，太皇太后加莽九錫之命，策曰：「（公）輔朕五年，……制禮作樂，有綏靖宗廟社稷之大勳。」劉歆等亦謂：「太皇太后……詔安漢公居攝踐祚，……攝皇帝遂開秘府，會羣儒，制禮作樂。」（並見《漢書》卷九九上）同律度量：倣《尙書》〈堯典〉「同律度量衡」。同，整齊、統一。律，法制。度量，已詳（註二三）。混壹即混一，同一、統一之意。

四〇 正天地之位，昭郊宗之禮，定五畤廟祧，咸秩亡文：正天地之位：正，定；《漢書》卷九九上〈王莽傳〉太后策莽曰「天地之位定」，顏注：「張晏曰：『徙南北之郊也。』」（參看下定五畤）昭郊宗之禮：昭，宣明。郊：即郊祀（於近郊之祭祀），每年冬至，天子親至南郊祭天，夏至，親至北郊祀地。宗，祖宗廟宇之祭祀。元始五年，太皇太后策莽又曰：「（公）昭章先帝之元功，明著祖宗之令德，推顯嚴父配天之義，修立郊禘宗祀之禮。」五畤：畤，祭天地五帝之場所。《史記》〈封禪書〉：秦襄公作西畤祀白帝、秦文公作鄜畤祀白帝、秦宣公作密畤祀青帝、秦靈公作上畤祀黃帝又作下畤祀炎帝、秦獻公作畦畤祀白帝、漢高祖祠黑帝作北畤，是爲五畤。莽定五畤等，據《漢書》卷二五下〈郊祀志〉：「莽又奏言：……〈周官〉『兆五帝於四郊』，……今五帝兆居在雍五畤，不合於古。……今稱天神曰皇天上帝泰一，兆曰泰畤；而稱地祇曰后土與中央黃靈同，……宜令地祇稱皇墬后祇，兆曰廣畤。……分羣神以類相從爲五部，兆天墬之別神：中央帝黃靈后土畤及日廟、北辰、北斗、塡星、中宿中宮於長安城之未墬兆；東方帝太昊青靈勾芒畤及靁公、風伯廟、歲星、東宿東宮於東郊兆；南方炎帝赤靈祝融畤及熒惑星、南宿南宮於南郊兆；西方帝少皞白靈蓐收畤及太白星、西宿西宮於西郊兆；北方帝顓頊黑靈玄冥畤及月廟、雨師廟、辰星、北宿北宮於北郊兆。奏可。」廟：漢室祖先之廟。在此或謂羣神之廟（如風伯廟、雨師廟），疑不能定。祧，似即祧廟；祧廟：遷廟也，將遠祖之神主牌遷出其本廟，藏於某特定之廟以奉祀之，此廟曰祧廟。咸秩亡文：襲《尚書》〈洛誥〉篇文。咸，皆。秩，合乎條理。亡，同「無」。文：同「紊」，亂也。

四一

建靈臺，立明堂，設辟雍，張太學：建、立、設、張四字互文，義皆爲設置。靈臺：古有靈臺，本以觀察天文氣象，如周文王之靈臺，《詩經》〈大雅〉〈靈臺〉篇小序鄭玄注：「天子有靈臺者，所以觀祲象察氣之妖祥也。」至漢亦有，《三輔黃圖》卷五：「漢靈臺，在長安西北八里。漢始曰清臺，本爲候者觀陰陽天文之變，更名曰靈臺。」明堂，已詳（註二三）。辟雍（或作「辟廱」、「壁廱」）：《詩經》〈大雅〉〈靈臺〉「於樂辟廱」朱子《集傳》：「辟廱，天子之學，大射行禮之處也。水旋丘如璧，以節觀者，故曰辟廱。」太學：漢武帝興立太學，置博士弟子，其後諸漢帝仍之立學，惟太學之建築校舍，至平帝朝王莽擅政時乃有。王莽奏立靈臺、築校舍，茲證以紀傳，《漢書》〈平帝紀〉：「元始四年，安漢公奏立明堂、辟廱。」《漢書》卷九九上〈王莽傳〉：「是歲（元始四年），莽奏起明堂、辟雍、靈臺，爲學者築舍萬區。」

四二

尊中宗、高宗之號：顏注：「服虔曰：宣帝、元帝也。」號，廟號。〈平帝紀〉：「元始四年，安漢公……尊孝宣廟爲中宗，孝元廟爲高宗，天子世世獻祭。」此莽欲諂太后故也，《漢書》〈陳湯甘延壽傳〉又云：「王莽爲安漢公秉政，既內德（陳）湯舊恩，又欲諂皇太后，以討郅支功尊元帝廟稱高宗。」《漢紀》：「莽欲悅太后意，乃以致（郅）支功尊孝元廟爲高宗。」

四三　昔我高宗，崇德建武，克綏西域，以受白虎威勝之瑞：克綏，能平定。威勝，謂揚威遠方戰勝強敵。顏注：「應劭曰：『元帝誅滅郅支單于，懷輯西域，時有獻白虎者，所以威遠勝猛也。』」注者案：郅支單于既殺漢使谷吉，又數困辱漢使求谷吉等死者，元帝建昭三年秋，使護西域騎都尉甘延壽、副校尉陳湯撟發戊己校尉屯田吏士及西域胡兵，冬斬其首，傳詣京師（詳〈元帝紀〉、《漢書》〈匈奴傳〉及〈甘陳本傳〉）。獻白虎事，見議郎耿育上書：「延壽、湯爲聖漢揚鉤深致遠之威，雪國家累年之恥，討絕域不羈之君，係萬里難制之虜。……應是，南郡獻白虎，邊陲無警備。」（〈甘陳本傳〉）

四四　天地判合，乾坤序德：判：半；謂天、地各爲一「半」，兩個一「半」合成全體，猶夫、婦各爲一體之「半」，相合而成全（《周禮》〈地官〉〈媒氏〉：「媒氏掌萬民之判」，鄭玄注：「判，半也；得耦爲合，主合其半，成夫婦也。《喪服傳》曰：『夫妻判合。』」）。乾坤：天地，謂夫婦。此二小句，顏注：「言元帝既有威德，太后又兆符應，則是天地乾坤、夫妻之義相配合也。」

四五　太皇太后臨政，有龜龍麟鳳之應，五德嘉符，相因而備：臨政：蒞臨朝廷處理國家大事，《漢書》〈平帝紀〉：「帝年九歲，太皇太后臨朝。」〈元后傳〉：「哀帝崩，無子，……徵立中山王奉哀帝後，是爲平帝。帝年九歲，常年被疾，太后臨朝。」龜龍麟鳳，四種靈異之物。應，驗；謂適時出現。元始五年五月太后策莽曰：「（公）輔朕五年，……光耀顯章，天符仍臻，元氣大同。麟鳳龜龍，眾祥之瑞，七百有餘。」又其秋中郎將平憲等奏言：

「安漢公至仁，天下太平。……鳳凰來儀，神爵降集。」五德：疑謂終始五德，一代帝王之興，必占五德中之一德，及其衰，另一德代之而起。此陰指漢祚將盡，新朝將起，故符命迭見。嘉符，祥瑞。因，連接。備，備來。上文太后策莽云「眾瑞之祥，七百有餘」，其詳不可知，《新莽全史》（頁一五二至一五六）載莽所編符命四十二篇，可參看。

四六　河圖雒書遠自昆侖，出於重壄。古讖著言，肆今享實：《河圖》《雒（洛）書》，舊說黃河出「圖」，雒（洛）水出「書」，圖、書皆天降之神物，《周易》〈繫辭上傳〉：「……是故天生神物，聖人則之；……河出『圖』、洛（雒）出『書』，聖人則之。」圖、書亦皆符瑞。昆侖即崑崙，山名，舊說黃河源出於此（《爾雅》〈釋水〉：「（黃）河水出崐崘虛。」）；重壄（壄同野），地名，舊說洛水源出於此（疑在陝西省境）。此二小句，顏注：「昆侖，河所出；重壄，洛所出，皆有圖、書，故本言之。」讖：立言於前，有徵於後，即預先作隱語，以決定將來之吉凶謂之讖。《河圖》《洛書》亦讖書類，試舉一事例，《漢書》卷九九中：天鳳三年五月戊辰，「長平館西岸崩，邕（壅）涇水不流，毀而北行。……羣臣上壽，以為《河圖》所謂『以土填水』，匈奴滅亡之祥也。」肆，《尚書》〈盤〉〈誥〉習用字，此作語詞。享，當，《小爾雅》〈廣言〉：「享，當也。」此二小句：顏注：「言有其讖，故當其實。」莽陰指王氏今已代劉氏有國。

四七　此迺皇天上帝所以安我帝室，俾我成就洪烈也：皇天，偉大的天。俾，使。洪烈：大業，謂統治天下。

四八　烏虖！天用威，輔漢始而大大矣：倣〈大誥〉「嗚呼！天明畏，弼我丕丕基」。「用」是

「明」字之形誤，重刊淳化本、景祐本、北監本、殿本《漢書》皆作「明」不誤。天明威，天顯示其懲罰（謂懲治惡者——翟、劉）。始，自此開始。始而大大矣：謂從今以後，統治天下之大業更爲光大，莽意大概迎合當時流行漢祚應更始再受命思想。

四九　爾有惟舊人，泉陵侯之言，爾不克遠省，爾豈知太皇太后若此勤哉：倣〈大誥〉「爾惟舊人，爾丕克遠省，爾知寧王若勤哉」。有，又。有惟，又爲、又是。舊人，在位年久之臣、即老臣。泉陵侯劉慶上書言太后勤勞朝政，詔莽居攝，已見（註二三）。省，記憶。

五〇　天毖勞我成功所，予不敢不極卒安皇帝之所圖事：倣〈大誥〉「天閟毖我成功所，予不敢不極卒寧王圖事」。毖，勞也，慰撫之義。毖、勞同義複詞。所，句末語助詞。極同亟，疾速。卒，終竟、完成。所圖事，所圖謀之事——治天下之事。

五一　肆予告我諸侯王、公、列侯、卿、大夫、元士、御事：天輔誠辭，天其累我以民，予害敢不於祖宗安人圖功所終：倣〈大誥〉「肆予大化誘我友邦君：天棐忱辭，其考我民，予曷其不于前寧人圖功攸終」。肆，故（已見〔註四六〕）。「諸侯王」至「御事」，已詳（註二）。誠，誠實。辭：句末語助詞，《詩經》〈大雅〉〈大明〉篇「天難忱斯」之「斯」，義同此「辭」字。天輔誠辭，莽意天輔助誠信之人。天累我以民，顏注：「累，託也；言天以百姓託我。」（「累」可釋爲「託」，詳吳汝綸《尚書故》。）害：疑問詞，〈莽誥〉概作曷；何也。圖功，義同（註五〇）之「圖事」；功、事互文。所，句中語助詞。終，終竟、完成。

五二　天亦惟勞我民，若有疾，予害敢不於祖宗所受休輔：倣〈大誥〉「天亦惟用勤毖我民，若有疾，予曷敢不于前寧人攸受休畢」。亦，也。惟，句中語助詞。勞，慰撫（已見〔註五〇〕）。若，好像。若有疾，義如《孟子》〈離婁下〉「文王視民如傷」。此二小句，謂天愛護我漢國民眾，如看護病者一般，無微不至。休：美，謂美命（即國運）。輔：輔助也。王莽所據《今文尚書》原作「弼」（為「畢」之借字），「弼」與「輔」意義相近，故莽以「輔」解「弼」，惟與〈大誥〉原意不合。

五三　予聞孝子善繼人之意，忠臣善成人之事：此二句因〈大誥〉「若昔，朕其逝」而作，但非字字依循，故不可立見，說詳拙著〈莽誥、大誥比辭證義〉，文字則襲《禮記》〈中庸〉篇「夫孝者，善繼人之志，善述人之事者也」。

五四　予思：倣〈大誥〉「朕言艱日思」而製句。

五五　若考作室，厥子堂而構之；厥父菑，厥子播而穫之：檃栝〈大誥〉「若考作室，既底法，厥子乃弗肯堂，矧肯構？厥父菑，厥子乃弗肯播，矧肯穫」而成。考，父（舊說父死曰考，在此處不適用。）。厥，其；下同。堂，封土為臺，四方形。構，造屋宇架設材木。菑，新開墾田地。播，布種。穫，收割。

五六　予害敢不於身撫祖宗之所受大命：倣〈大誥〉「肆予曷敢不越卬敉寧王大命」。害，曷、何也。於身：在自己的身上，即當自己（王莽）有生之年。撫：敉也、終竟（完成）也，《說文》〈攴部〉：「改，撫也。」又云：「敉，撫也。」大命，國家之命運。

五七　若祖宗，迺有效湯武伐厥子，民長其勸弗救：倣〈大誥〉「若兄考，乃有友伐厥子，民養其勸弗救」。迺，竟然。效，取法。厥，其。民：同敃，勉勵也。長，助。其，將會。勸，勉。此三小句甚難解，顏注近是，曰：「譬有人來伐其子，而長養彼心，反勸助之弗救其子者，正以子惡故也。言湯武疾惡，其（王莽）心亦然；今所征討，不得避親，當以公義。」

五八 烏虖！肆哉！諸侯王、公、列侯、卿、大夫、元士、御事，其勉助國道明：倣〈大誥〉「嗚呼！肆哉！爾庶邦君越爾御事，爽邦由哲」。肆，力也；肆哉，努力啊！「諸侯王」至「御事」，已詳（註二）。其勉助國道明：其，希冀之詞，義爲「盼大家要……」。道，由也；由，以也。明，哲智。希冀諸侯以明智勉力國事。

五九 亦惟宗室之俊、民之表儀，迪知上帝命：增飾〈大誥〉「亦惟十人，迪知上帝命」而成。亦，也。惟，只。俊，才智之士。宗室之俊，謂劉慶、劉歆等人，檢《新莽全史》（頁五〇七），劉氏之媚莽者，尚有佟、嘉、立、京、殷、宏、成都、閔、龔，其皆莽心目中宗室之俊乎？表，儀範。儀，賢（已見〔註一二〕）。迪，語助詞。迪知上帝命，莽陰指只有某些人知天命歸於王氏。

六〇 粵天輔誠，爾不得易定（注者謹案：此九字據重刊淳化本、景祐本、南監本、北監本、閩本及殿本補。），況今天降定于漢國：倣〈大誥〉「越天棐忱，爾時罔敢易法，矧今天降戾于周邦」。粵，發語辭（已見〔註一二〕）。輔誠，輔助誠信之人（已見〔註五一〕）。粵天輔誠，義同上文「天輔誠辭」。爾，汝也；謂受誥者。易定：變更天意決定之事。注者謹案：〈大誥〉作「易法」，古「法」字作「𠓛」與古「定」字作「佱」形近，〈莽誥〉作「定」乃「法」之誤字，姑依莽意注解。天降定：依莽意，是「天降定命」。

六一 惟大囏人翟義、劉信大逆，欲相伐於厥室，豈亦知命之不易乎：倣〈大誥〉「惟大艱人，誕鄰胥伐于厥室；爾亦不知天命不易」。惟，語助詞。大囏人：囏，同艱，發動大兵難之人。大逆，大叛徒；莽稱翟、劉曰「謀反大逆」、「反逆大惡」、「反虜逆賊」（均見〈翟義傳〉），及〈莽誥〉前文稱之爲「反虜」、「逋播臣」，皆視忠臣、宗親爲叛徒。厥室：其帝室，謂漢室。命之不易，天之定命不可改變。

六二　予永念曰，天惟喪翟義、劉信；若嗇夫，予害敢不終予晦：倣〈大誥〉「予永念曰：天惟喪殷；若穡夫，予曷敢不終朕畝」。永念，長思也；〈莽誥〉上文擬〈大誥〉「永思」作「長思」（已見〔註一八〕）——皆釋「永」爲「長」，且以「思」、「念」同解。曰，爲、是。天惟喪翟義、劉信：惟，語助詞。喪，義同前文「天降喪」之「喪」（已見〔註三〕），滅亡也，莽嘗數翟、劉之罪亦云：「今積惡二家，迷惑相得，此時命當殄，天所滅也。」（〈翟義傳〉）天命殄滅，即「天喪」。嗇：同「穡」，即「稼穡」義；嗇夫，農夫也。害，何。終：終竟、完成，與上文「卒」（〔註五〇〕）、「終」（〔註五一〕）、「撫」（〔註五六〕）同解。晦，同畝。若嗇夫終予晦，比喻略同上文「若厥父菑，厥子播而穫之」。

六三　天亦惟休於祖宗，予害其極卜？害敢不卜從、率寧人是旨疆土？況今卜并吉：倣〈大誥〉「天亦惟休于前寧人，予曷其極卜？敢弗于從、率寧人有指疆土？矧今卜并吉」。天亦惟休於祖宗：句型句義幾乎全同上文「天休於安帝室」；亦惟，也爲了。休，義爲「福祥」（皆參見〔註三二〕）。予，王莽自稱。害其：同曷其、何其，是疑問詞。極：同「亟」，屢次。極卜：卜不只一次，故云屢卜，下文「況今卜并吉」可證。害敢不卜從：害，何。

卜從，等於「從卜」，遵從卜問之結果也；因爲是疑問句，照例將賓語「卜」提升在動詞「從」之上。率，循順。寧人，祖先（〈莽誥〉習作「安人」）。有，保有；謂繼續保有之。旨，此也（「旨」同「只」，「只」同「是」，「是」義爲「此」，乃指事詞。）。疆土，謂漢國疆土。卜并吉，已詳（註一三）「予卜并吉」。

六四　故予大以爾東征；命不僭差，卜陳惟若此：倣〈大誥〉「肆朕誕以爾東征；天命不僭，卜陳惟若茲」。予：莽自稱；倣〈大誥〉「朕」，但〈大誥〉「朕」爲成王，莽欲以己比周公，故意曲說「朕」爲周公，以售其詐。以，率領，參看（註一四）「予惟以汝于伐東郡、嚴鄉逋播臣」。東征：翟、劉起義於東郡，莽軍自西往擊，故曰東征（《新莽全史》頁一三四製有〈兩軍交戰地簡圖〉，可觀。）；然用詞亦倣周公東征。命，天命；天命由「卜并吉」而知，故下文曰「卜陳惟若此」。僭，差錯；僭、差爲同義複詞（參看〔註三〇〕「予不敢僭上帝命」）。卜，謂吉卜。陳，列。惟，語助詞。

語譯

唉！爲了我們這位小孩子嬰的緣故，我想起不久以前的事了。那就是趙太后、傅太后、丁太后、董賢四家的禍亂國家。他們斷滅了漢室的皇子皇孫，改變擾亂了嫡親與枝庶的序位，使漢朝阽危，因而釀成了自高皇帝立國以來三七二百一十年的大劫難；幸好最後，這四個家族都敗亡了。哎呀！教我們怎能不合力同心以前事爲鑒戒呢？對於上天的命令，我忠實地執行，不敢有一點兒差錯。上天要降福祉給這安固的漢家皇室，興立我們漢國；我們只要遵行龜卜的結果，就能夠安安穩穩地承受天命、維持國家的統治了。現在上天將要幫助老百姓，吾人也只有按照卜兆行事。

遠在春秋魯僖公十四年八月，元城東郊沙麓山崩塌，龜卜預示，日後將有聖女興起：這是說王賀老先生將遷居元城，其孫女政君，將為太皇太后、六百四十五年後攝政，而老早就顯現了徵祥；加上太皇太后之母夢月入懷而孕，這朕兆表示這位新生女嬰是太陰的精華，將為聖明的女君主。日後她匹配漢元帝，生育漢成帝，興起我們天下的符命，於是就得到西王母傳詔籌和民眾奉祠西王母的感應、神靈的證驗，就以此保佑我們漢室，安定我們漢天子，延續我們漢室子孫君位的傳承，並且繼成我們漢家統治天下的事業。凡是傷害正統、不尊重君權授受大法的人，一定要受到誅罰；即使是帝室的親戚，也不會避開不加懲治。難道不疼愛他們嗎？不！為了維護漢家帝室，不得不如此。因此我們擴大封建王侯，普徧為漢家曾孫、玄孫立國，使他們藩衛京都，安撫天下；多方徵召儒者到朝廷來講明學理，研討而別白錯誤的論說；制定禮度，譜作音樂，整齊法律丈尺斛斗，同一風俗；正定皇天上帝、皇墜后祇在長安郊外的壇域的位置，宣明郊祭天地和祠祀祖宗廟室的儀節，確定五時——后土時、勾芒時、祝融時、蓐收時和玄冥時在長安的兆域和神廟、祧廟的禮法，使天地羣神人鬼的祭禮，都有條而不紊；構築了觀察氣象的靈臺，建立了宣明政治教化的明堂，設置了天子之學——辟雍，又舉辦了太學。尊崇漢宣帝和漢元帝，把他們的廟號分別敬稱爲『中宗』、『高宗』。從前我們漢高宗元帝，敦崇美德建立武功，力能誅滅郅支單于，平定西方胡國，揚威遠方，戰勝強虜，因而得到民人呈獻白虎的瑞徵。元帝和元后的婚配，就好像天與地兩造的結合；高宗和太皇太后這對嘉耦，不正是乾德與坤德適當的締結嗎？太皇太后臨朝聽政期間，有四靈——龜龍麟鳳出現的祥証，新朝代應運而興的美好的徵候，一個接一個的都來現了。《河圖》遠從崑崙山黃河源頭浮出，《雒書》近在重壄山雒水的上源顯現。古代的讖書寫下的文字，預告將有聖主興起，如今落實了。這就是偉大的上天爲了要穩定我們漢室，使我們成就莊嚴的功業的緣故啊！哎呀！天顯示祂的懲罰，誅責翟、劉諸逆；輔佐漢家，使統治天下的大業從今以後愈加光大了啊！

諸位又都是在職年久的老臣，對於泉陵侯劉慶上書中的話語，你們竟然記不得了，那你們怎能知道太皇太后如此的勤勞國事呢？上天慰撫我們的成功，我不敢不疾速完成漢家先皇帝所圖謀的治天下之事。所以在此我誥戒我們漢家的諸侯王、三公、列侯、卿、大夫、元士、治事之臣們：天佐助誠實的人哪，天將要把民眾託付給吾人，我怎麼敢不完成漢室先皇帝所圖謀的大業呢？上天也顧恤我們民眾，就好像看護病人一般，無微不至，我怎麼敢不助成漢家祖先從上天那裏所膺受的美命——國運呢？

我聽到有人說——那就載在《禮記》〈中庸〉篇：孝子的特長，是能繼承父母祖宗的意志；忠臣的本色，是能紹成先帝所經營的國事。我考慮過這些：好像作父親的要蓋一幢房屋，他的兒子就應該砌土堂並且架設材木；又如父親開墾了一方田地，他的兒子就該去布種並且收割。依據這種理論和事證，我怎麼能不在今生今世完成漢室先帝所承受於上天的國運？就如同作祖先的，當別人攻打他的兒子，他應效法湯武的疾惡，怎會反而去助長勸勉別人的攻擊？而我（王莽）現在秉持公義，發兵征討宗親，也是出於伐罪的心意。

哎！努力呀！諸侯王、三公、列侯、卿、大夫、元士、治事之臣們，希望你們以智慧勉力國家大事！也只有你們漢家帝室的才俊像劉慶劉歆等，還有非屬於宗室劉姓的臣民如孫建、王邑、竇兄、甄邯、桓譚等民眾的楷模，才知曉天命的歸向。天佐助誠信的人，你們無法改變上天的定命，何況現在上天決定降福於漢國？只有那些製造大災難的人——翟義、劉信兩個叛逆，要來攻打他們自己的帝室，他們那裏知道上天的定命是不可改變的呢？我深長地思慮的是：上天眞的要滅亡翟義、劉信；好像作一個農夫一樣，我怎麼敢不完成我田地裏的工作呢？上天也是降福給我們的祖先的，但我爲甚麼還要屢次卜問呢？（那是爲了反復的求證。）我怎麼敢不遵從兆象、循順祖先的遺規繼續保有這疆土？況且現在屢次卜問屢次呈現吉兆呢？所以我要率領你們大舉東征；上天的命令不會有差錯，卜兆所顯現的就是這樣的。」

——原載《國語日報》〈古今文選〉新五三五期，民國七十一年九月

十二 〈莽誥〉商價

漢哀帝（欣）崩，平帝（衎）年九歲繼位，太皇太后王氏（名政君）臨朝稱制，委政於其內姪王莽，莽遂專威福。元始五年（西元五年）十二月，平帝崩，年才十四，無子，莽徵宣帝玄孫廣戚侯之子劉嬰年二歲，立爲孺子。同月，莽居攝踐祚。次年（西元六年），改爲居攝元年。五月，莽朝見稱假皇帝，其欲篡漢之心，至此已昭然若揭。

翟義者，前宰相翟方進之子也，見莽欲絕漢室，其年九月，乃立嚴鄉侯劉信爲天子，興師討逆，比至山陽，眾十餘萬。

莽聞之，惶懼不能食。遣其親黨將兵迎擊翟義，且於居攝二年（西元七年）十月十五日甲子，依《尚書》〈周書〉〈大誥〉篇作「〈大誥〉」（茲稱之爲「〈莽誥〉」），並遣桓譚等班行，諭告當返位孺子之意。（以上據《漢書》紀傳）

莽以周公自況，謂《尚書》〈大誥〉爲周公之書，故倣〈大誥〉作誥——〈莽誥〉全文一一四六字（載《漢書》卷八四〈翟方進傳附翟義傳〉），遵彼節目，按彼句字，咸秩無紊。兼其時《尚書》今文學仍盛，孔壁《古文尚書》未亡，故無論其錄今古文書舊字、或同訓相代，近古逼眞，殆無疑問。惜清以前學者，多未加重視。清人復古求西漢今文學，又重校勘，經師知資〈莽誥〉校正經字，罕討經義，惜止於片斷，未及全體，論據復多疎略，故茲篇短長，仍未獲學林認同。

今余以史誥爲主，援經誥以證；經字史文，備舉咸列，比較異同，別白疑似。事有未明，引徵紀傳以疏通之；義有蔀曖，稽考全經以顯發之。用〔清〕王先謙《漢書補注》本爲底本（《補注》本實以〔明〕汲古閣本爲主），參以重刊淳化本、景祐本、殿本等，〈大誥〉（凡六四九字）據唐石經本，作〈莽誥、大誥比辭證義〉。文成，更因證比所見，覈〈莽誥〉價值。大抵自〈莽誥〉文體、經史互正、擬經通例（詁訓字、增減〈大誥〉文字、避諱、誤讀及篡改經義）、〈莽誥〉據《今文尚書》、後人改今從古及匡扶近世學者偏失諸事，多舉實例，獻以求正於大雅。

〈大誥〉六百餘字，記「王若曰」一、「王曰」三；〈莽誥〉千一百餘字，僅篇首倣〈大誥〉一作「攝皇帝若曰」，以至終篇，不復記「攝皇帝曰」。「王若曰」者，王如此說，乃史臣記錄之辭。《尚書》，記言體也，其中〈周誥〉，尤爲斯體之極則。周臣廷錄王言，務期實紀，若王更端爲言，或言未已異時更言，均冒以「王曰」或「王若曰」，故一篇之中數出「王曰」或「王若曰」也。〈莽誥〉極力模倣〈周誥〉，全篇所載雖皆莽言，似記言體矣，實乃記事體，故祇以「攝皇帝若曰」總起，而於〈大誥〉中更端之處，別設詞語以貫通上下，儼然論說文也。斯文體流變，歆莽不能復古，後世蘇綽倣誥一篇，雖數出「皇帝若曰」，形似〈大誥〉，然西周文體之舊。卒亦不能復也已矣！

以〈莽誥〉勘今本〈大誥〉，見今本文字頗誤，是誠史之舊本可正經之今本也：如〈大誥〉「予曷其不于前寧人圖功攸終」，「曷其」下連「不」，語意難通。觀下文「予曷敢不于前寧人攸受休畢」、「予曷敢不越卬敉寧王大命」、「予曷敢不終朕畝」，句構及立意均應與此句一致，而竝作「曷敢不」，則知此「曷其不」之「其」為「敢」之誤；而〈莽誥〉果作「敢」、擬作「予曷敢不於祖宗安人圖功所終」也。又如〈大誥〉「敉寧王大命」，內野本「寧王」作「寧人」；何本字正，殊難論定。考〈莽誥〉擬〈大誥〉「寧王」另有四次，其中一作「安帝室」、一作「安皇帝」、一作「寧帝室」、一作「太皇太后」，而絕不作「祖宗」；而擬此句作「撫祖宗之所受大命」，以「祖宗」代「前寧人」（義同「寧人」），在〈莽誥〉另三見，而決不以「祖宗」代「寧王」，是莽所據《今文尚書》本，原亦作「寧人」，今古文本均作「寧人」，內野古文本字正，而今本抄誤、或後人誤改也。又如〈大誥〉「不卬自恤」之「恤」，〈莽誥〉作「卹」，《書古文訓》、魏石經亦竝作「卹」，《說文》引《尚書》作「卹」，金文無「恤」而有「卹」、汗簡亦有「卹」而無「恤」。知〈大誥〉及今本《尚書》另十七「恤」字皆誤、後人所改，改字者其唐人乎？今本《尚書》經文亦因得〈莽誥〉比勘，知其脫字衍文：如〈莽誥〉「民亦不靜」，今本《尚書》〈大誥〉作「民不靜」少「亦」字，莽據今文本原有「亦」字，以〈大誥〉上文「西土人亦不靜」例之，「亦」字信有，內野本正作「民亦不靜」；又如〈大誥〉「肆予告我友邦君」，〈莽誥〉擬作「故我出大將告郡太守諸侯」，莽以「大」訓「誕」（如〈大誥〉「誕以爾東征」，〈莽誥〉訓「大𢀷爾東征」。）則經文「告」上原應有「誕」，「誕」字〈周誥〉習用，「誕告」連文，《尚書》〈盤庚〉一見——此證經之脫文也。今本〈大誥〉「敷賁敷前人受命」，義不可解，昔賢（王念孫、孫星衍、段玉裁、皮錫瑞、劉節）多疑有衍文，據〈莽誥〉疑也。細繹此句，〈莽誥〉擬作「奔走𢀷傅近奉承高皇帝所受命」，以「奔」詁「賁」、「傅近」詁下「敷」字，則上一「敷」字，莽所據今文本原無，今本《尚書》多一「敷」字，衍文也。得〈莽誥〉而此句義明辭暢，舊本之可貴在此。——此證經之衍文也。

雖然，漢史文字亦因得《尚書》經文比勘而返正：如〈大誥〉「若涉淵水」，〈莽誥〉全襲〈大誥〉，景祐本、汲古本、殿本作「若涉淵水」一致，唯重刊淳化本作「君涉淵水」，「君」爲「若」之形誤；又如〈大誥〉「民亦不靜」之「靜」，〈莽誥〉應襲作「靜」或詁以意義相近之字，夷考各本《漢書》均作「靜」，獨汲古本作「諍」（「諫諍」之「諍」與「安靜」之「靜」殊解），作「諍」形誤；又如《尚書》〈洛誥〉篇「復子明辟」，〈莽誥〉襲作「復子明辟」，重刊淳化本、景祐本、殿本咸同，《漢書》〈王莽傳〉釋爲「復子明君」，亦與〈莽誥〉相合，唯汲古本「子」作「予」，形誤，致誥義不明；又如汲古本〈莽誥〉「天用威」，倣〈大誥〉「天明威」也，第「用」義異「明」、非其詁訓字，重刊淳化本、景祐本、北監本、殿本「用」均作「明」，合〈大誥〉，是正字。又如〈大誥〉末句「卜陳惟若此」，〈莽誥〉末句殿本作「兆陳惟若此」，而各本「兆」皆作「卜」，「卜」、「兆」義近，且師古注此句云「卜兆陳列惟如此」，莽原襲〈大誥〉作「卜」抑因詁字而易作「兆」，遽難肯定，第檢今本廿九篇《尚書》全文，僅一「兆」字——「兆民賴之」義為十億，且〈莽誥〉擬〈大誥〉其它「卜」字無一作「兆」者，有《尚書》全經佐證，殿本此「兆」字涉師古注誤作，而眾論同歸於是矣。檢討以上所揭五例，或曰《漢書》某本字有不誤者，可據以正譌，雖無《尚書》，史文猶得以勘正。應之曰：唯唯！否否！因有經文參證而結論益確，《尚書》佐證之功不可闕也審矣；況又尚有《漢書》各本皆誤，非賴《尚書》則史文不獲正定者乎！如〈莽誥〉擬〈大誥〉「越天棐忱，爾時罔敢易法」作「粵天輔成，爾不得易定」（汲古本脫此九字，它本不脫。），倣「法」作「定」，殊不可解。考「法」古文作「⿱亼正」，「定」篆文作「⿱宀正」、隸古定作「⿱亼正」，〈莽誥〉原作「⿱亼正」，形誤作「⿱亼正」改為「定」，觀師古注「爾不得改易天之定命」，知唐代傳本《漢書》已誤抄。又介詞「于」，〈莽誥〉「於」、「于」雜作，其中擬〈大誥〉「于」字者十，重刊淳化本、景祐本、殿本並六作「于」、四作「於」，汲古本則作「于」者三，作「於」者七。余謂《尚書》介詞「于」，概不作「於」（今本作「於」悉誤），〈莽誥〉擬「于」不當作「於」，作「於」者，盡後人改字。是今傳本《漢書》非孟堅之舊，由《尚書》〈大誥〉而知。

〈莽誥〉誥文通俗便讀，擬字常以淺易深，所謂「同訓相代」、「詁訓字代經文」。陳喬樅《今文尚書經說攷》（卷十五）曰：「（〈大誥〉）『朕卜』莽作『予卜』、『肆予』莽作『故我』，皆以訓詁字代經文也。」是矣。揆其法度，不外二端：以一字替一字，如用「造」、「攸」、「敬」、「長」、「況」分別替「遭」、「所」、「翼」、「永」、「矧」是也；又有加字以釋經字者，《今文尚書經說攷》又舉例曰：〈莽誥〉以「我國有呰災」擬〈大誥〉「我國有疵」，乃以訓詁申說，取其明暢易於曉人，故云有「呰災」也。它如添「事」「服」下、加「獻」「儀」上之類。唯兩本字殊，究爲異文抑詁代，卒難論定，苟無它本參顧，或其它憑證，寧信〈莽誥〉爲同訓字。

綜觀〈莽誥〉與今本〈大誥〉文異，陳夢家論曰：「《漢書》〈翟義傳〉王莽依〈周書〉作〈大誥〉，其文與今本有不同者：(1)今本有誤；(2)〈莽誥〉以詁訓代經文，如《史記》之例；(3)〈莽誥〉有節略。」（《尚書通論》第三部〈尚書講義〉第四篇〈大誥〉講義）(1)(2)兩類，陳氏未引實例，余已舉述如上，第(3)類，謂〈莽誥〉節略，檢陳氏〈講義〉，得二條：曰「不少延，〈莽誥〉無此三字。」曰「據〈莽誥〉無『今蠢今』等字。」敏案：〈莽誥〉擬字，謹依〈大誥〉，不輕易刪略經文，若事減略，多爲遷就漢家史實，不容不爾。〈大誥〉「天降割于我家，不少延」，謂「武王崩，天禍周室」，莽擬爲「天隆喪于趙傅丁董」，彼意此四凶爲害於漢而天滅其身已非一日，故不得言「不少延」，而陳氏議論未及。〈大誥〉「今蠢，今翼日，民獻有十夫」，謂武庚等現已舉兵動亂，即於次日，有十賢……，考〈莽誥〉上段已云「翟義興師動眾」，此段若再著「今蠢」云云，則出語犯複，故去「今蠢今」不倣，而陳氏考亦不及此。

〈莽誥〉視〈大誥〉多四百九十七字，是於經文大有增益也。第考其增文，多記漢事，如「太皇太后㠯丹石之符」、「太皇太后肇有元城沙鹿之右」「至俾我成就洪烈也」即已三百言。餘以〈大誥〉簡質，而疏通之，不得不增耳。皮錫瑞於〈莽誥〉增字，謂亦欲使人易曉，如「天其累我㠯民」代〈大誥〉「其考我民」，皮氏曰：「〈莽誥〉多增字，使人易曉：『天』字、『以』字，疑莽以意增之。」（《今文尚書攷證》卷十二）更檢〈莽誥〉，如皮氏所言者類例甚多：如「當承繼嗣」，「當承」字增；「予未遭其明悊」，「予、其」字增；「若此勤哉」，「此」字後增；而「右我漢國也」，考《尚書》萬八千字，無一「也」，「也」字決是莽增，尤確切不疑之事。

書誥少用句末語氣詞，古奧弘深，頗讀匪易。〈莽誥〉句讀，有視注疏優越、足匡舊失者，如「予不敢閉于天降威用，寧王遺我大寶龜」，此《僞孔傳》之句讀，「用」字屬上；〈莽誥〉作「……天降威明，用寧帝室，遺我居攝寶龜」，則「用」字從下。王安石或受〈莽誥〉啓發，始正僞孔子之誤，「用寧王遺我大寶龜」爲一句，朱子極稱之（詳拙著《尚書新義輯考彙評》），唯王、朱均未嘗稱引〈莽誥〉，豈以其人奸僞，竝其文亦隱昧不言乎？《尚書今古文攷證》、《群經平議》均取〈莽誥〉句讀。

〈大誥〉「天棐忱辭」，《僞孔傳》：「言我周家有大化誠辭，爲天所輔。」《經》又曰：「越天棐忱」，傳：「於天輔誠」。是傳訓「棐」皆爲「輔」、「忱」皆爲「誠」也。西漢著成之文獻，比〈莽誥〉略早者，《漢書》〈孔光傳〉元壽元年正月光上書引《尚書》「天棐諶辭」，自解之曰：「言有誠道，天輔之也」，釋「棐諶」爲「輔誠」，但非《僞傳》所本（光所據《尚書》作「諶」，《僞孔傳》本作「忱」，兩本異；又光之釋文與《僞孔傳》亦非盡合。）。考〈莽誥〉倣《經》前句曰「天輔誠辭」，正《僞傳》「大化誠辭，爲天所輔」之所據；而倣後句曰「粵天輔誠」，《僞傳》作「於天輔誠」，則《僞傳》傍之迹尤著。題孔氏而及襲〈莽誥〉，其非漢初安國何疑？由〈莽誥〉而確認此孔氏非西漢孔臨淮，閻、惠等攷僞古文，似未注意及此。

唐玄宗天寶初，衛包奉敕改《尚書》古文（即隸書）爲今文（當時通行文字），而先此九十年（高宗永徽四年），《五經正義》已初頒；傳疏依經而存，理論之，改經勢必併改傳疏。事實則不盡然，如〈大誥〉「有指疆土」之指，傳訓「指意」，《經》、《傳》兩「指」原皆作「旨」，衛包增「手」作「指」，段玉裁《古文尚書撰異》（《皇清經解》卷五八二）：「今《經》、《傳》『旨』作『指』，而《正義》中三云『旨意』皆作『旨』，知《經》、

《傳》爲衛包所改，《正義》則其所未改者也。莽〈大誥〉正作『有旨疆土』，……蓋《今文尚書》與《古文尚書》同也。」莽所據今文本「指」作「旨」，王肅亦訓「旨」爲「旨意」（見《尚書疏》），是唐以前未改本無作「指」者。原〈莽誥〉所本，知《尚書正義》衛氏所未改。〈莽誥〉幸存，於經疏板本之考定，厥功甚偉，不可沒也。

二千歲之下，求今文〈大誥〉本眞，不緣擬誥，不獲今文〈大誥〉本眞矣；知緣擬誥，不察其擬經之蔽，失所緣矣。〈莽誥〉擬經，其蔽有四：曰倣經大意作文，曰誤讀失擬，曰用今律古淆亂本原，曰矯飾經意以文奸言。——〈莽誥〉「予聞孝子善繼人之意，忠臣善成人之事」，語本《禮》〈中庸〉，辭異〈大誥〉，王氏《尚書孔傳參正》斷非擬經，《尚書通論》謂與〈大誥〉全異，而此二句當經某文，則諸家靡有確認者。考〈大誥〉「若昔，朕其逝」，正莽句之所本（謂今往討義、信，終竟先人事業，效忠盡孝，猶昔日周公之伐管蔡武庚。），顧學者未之察耳！及淺士若妄測有無、改經從史，豈不害道！類此，其蔽一也。——〈大誥〉「寧王」、「寧人」等，莽不知「寧」爲誤字，所擬失正，且不一致，而皮錫瑞曲爲廻護，滋疑增惑。類此，其蔽二也，——〈大誥〉「朕畝」，莽作「予畝」。其在〈周誥〉，「朕」用於領位，而「予」則否；其在西漢末，「予」可施於領位。莽以今律古，無分主領，概以「予」代「朕」。使校讀經籍者求正字於歆、莽之門，何所適從乎？類此，其蔽三也。——王莽善僞，一時詔告盡飾僞之作，爲期混淆邪正，迷惑元元，擬誥竄亂經義，略無忌憚。〈大誥〉「天降威，知我國有疵，民不康，曰『予復』，反鄙我周邦」，謂武庚利武王崩、群叔流言，舉兵復國，意圖顛覆周室；〈莽誥〉擬爲「天降威，遺我寶龜，固知我國有呰災，使民不安，是天反復右我漢國也」，意謂天知我國危不安，故遺我寶龜，是乃反復佑助我漢國也。大亂經義！江聲《尚書集注音疏》（《皇清經解》卷三九五）曰：「王莽誥云：『嚴鄉侯信』至『反復佑我漢國也』，與此經絕異。案：莽擬此經作誥，而此條異者，蓋莽心懷姦詐，假託周公，實與周公相反。翟義、劉信爲漢起義兵，與管蔡、武庚之叛逆亦異。若謂劉信『敢紀其敘』，則是興復漢室，名正言順，不可誅矣，故變言『犯祖亂宗』之敘。又翟義、劉信實扶漢室，不得謂其『圖我漢國』，故變文言『是天反復右我漢國也』。此莽窮于詞詰，故支吾其說，正竊此經之字而意實乖違，此則不可據以推求經誼者也。」艮庭暴斯人改經圖篡之私情，深獲我心！又〈大誥〉「已！予惟小子」兩見，「惟」，句中語詞，全句，乃成王自謙之語。〈莽誥〉一作「熙！我念孺子」，以「念」詁「惟」，是「莽念在孺子劉嬰」；一作「熙！爲我孺子之故」，以「爲（去聲）」詁「惟」，是「爲孺子劉嬰計，故……」：經同文同義，而所擬不齊；又皆失經本義。吳汝綸曰：「予惟小子，……莽作『念』者，改其詁以飾姦言也。」（《尚書故》，〈經說〉二之二）是也。略舉兩例，餘可推知。其蔽四也。班固史贊，論莽誦六藝以文姦言，比罪秦政燔詩書以立私議，誠篤論也。唯〈大誥〉「爾丕克遠省，爾知寧王若勤哉」，丕，語詞。二句，成王謂「邦君等能省記久遠之往事，知悉周文王如彼勤勉」。〈莽誥〉作「爾不克遠省，爾知太皇太后若此勤哉」，是責人失記、竟不知太后臨朝之勤。莽竄亂經義，以就私志，段氏《古文尚書撰異》謂今文原作「不」、皮氏《今文尚書攷證》謂今文作「不」於義爲優。噫！皆不精考經義，致爲莽所欺。

知解擬誥之所蔽，然後可與論今古文本優劣。清人或者計不及此，又患過崇今文，遂謂〈莽誥〉既悉依今文本，則凡出其本無有不善者矣。於是有曲徇莽本，巧辭爲之迴護者，皮錫瑞是也；有直取莽本，改易今本經字者數家，陳喬樅最是橫決，著《今文尚書經說攷》，從莽改經「猷大誥」爲「大誥猷」、「弗造哲」爲「弗遭悊」、「敷賁敷前人受命」爲「敷賁傅前人受命」、「敢弗于從」爲「敢不卜從」。陳氏又改「于」爲「於」，不考《尚書》介詞概不作「於」；凡〈莽誥〉擬「于」作「於」，乃後人妄改，固不得取以代經本字。莽於〈大誥〉「邦」字悉數更爲「國」字者，因高帝諱改，而喬樅弗顧但依〈莽誥〉，盡改《尚書》「邦」爲「國」，以爲眞今文、眞古本字宜如此也。喬樅橫決，信然！

持今本〈大誥〉與〈莽誥〉照對，有謂後誥兼采今古文，

> 江聲曰：「漢賊王莽，因翟義起兵而愳，乃依此作〈大誥〉一篇，以自比于周公，其文具于《漢書》〈翟方進傳〉。莽雖矯詐，然其時《尚書》今文古文具在，其所依者，乃〈大誥〉之舊文，是可以援以究〈大誥〉之文誼矣。」又云：「王莽雖篡漢之賊，其所

僞者，乃西漢時之《尚書》，伏、孔二家之舊文也，故寧从之焉。」（竝見《尚書集注音疏》）

孫星衍曰：「莽依〈周書〉作〈大誥〉，……多用今文說。」（《尚書今古文注疏》卷十四）

二家見〈莽誥〉文字雖頗異今本〈大誥〉，說經義（多從詁訓字考見）固與《僞孔傳》參差，但有時文與馬鄭本尙合，而解經協古文義，故曰「所擬乃西漢伏孔二家之舊文」，故曰「多用今文說」（意謂間亦用古文說）。謹案：今文與古文本《尙書》非字字殊異（劉向以中古文校歐陽大小夏侯三家經文，文字異者才七百有餘。），猶多同者（二十九篇《尙書》萬八千字，是同者占百分之九十六強。），而其解義亦必多諧合。職是之故，充江、孫之議，云〈莽誥〉兼具古今文（莊述祖《尙書今古文攷證》卷三：「彼文（〈莽誥〉）亦古今文兼有。」近是；謂兩本無異者曰「今文與古文同」（王先謙《尙書孔傳參正》如此）最宜，而遽斷〈莽誥〉兼依今古文，則不確。矧〈莽誥〉雖依《今文尙書》本，但其間有後人據《古文尙書》本妄改字，如〈莽誥〉三擬〈大誥〉「嗚呼」皆作「烏虖」，同《古文尙書》（據內野本《尙書》、《書古文訓》、《魏石經》殘字），與《今文尙書》概作「於戲」者異，可爲明據。《漢石經尙書》各篇殘字（據《漢石經尙書殘字集證》）「爾汝」之「爾」概不作「尒」，此今文本也；內野本、《書古文訓》〈大誥〉十四「爾」則概作「尒」（內野本僅一作「爾」，當是鈔誤，當正作「尒」。），此古文本也。〈莽誥〉「爾汝」之「爾」凡六見，皆擬〈大誥〉，一作「尒」，重刊淳化本、景祐本竝同，殿本則作「爾」；餘四竝作「爾」，各本悉同。案：甲骨文無「尒」與「爾」（據《甲骨文字集釋》）、金文有「爾」無「尒」（據《金文詁林》）。《說文》「尒」：「詞之必然也」，又爲「爾」所从之聲；爾，《說文》：「麗爾，猶靡麗也。」「爾」借爲「爾汝」字，〈莽誥〉一「尒」，當據《今文尚書》原作「爾」，後人據《古文尚書》本改作「尒」（《魏石經》「爾」古文正作「尒」），借爲「爾汝」字，殿本作「爾」，字正。

校讀兩誥，判後誥乃據今文本擬具者甚多，王念孫、段玉裁、陳喬樅、許鴻磐、皮錫瑞、王先謙、簡朝亮、楊筠如是也，而義勝者，段說而已，

> 段玉裁曰：「……故莽用其（今文家）說。漢時疇人子弟皆習歐陽、夏侯《尚書》，莽多用其訓故語，使一時易明曉。」（《古文尚書撰異》）

元敏案：西漢至哀帝，《尚書》唯今文立於學官，至哀帝建平、元壽間，劉歆移書太常博士，議立《古文尚書》學不獲。《漢書》（卷五八）〈儒林傳〉贊「……平帝時，又立《左氏春

秋》、《毛詩》、《逸禮》、《古文尚書》，所以罔羅遺失，兼而存之。」（〈平帝紀〉：「元始三年夏，立官稷及學官。」記以備考。）是《古文尚書》與今文竝立，至居攝二年，不過三數歲；秘府藏本流傳未廣，學校習者未眾，即歆莽等所宿受，亦皆今文，故成帝綏和二年劉歆議事，兼引今文（《禮記》〈王制〉）、古文（《左傳》）經，而新莽初始元年莽上奏，亦兼取〈王制〉（今文）與《周禮》（古文）（均據〈劉向歆父子年譜〉，見《兩漢經學今古文平議》頁六〇、一〇七。）。〈莽誥〉據今文本，用今文義，亦莽歆「君臣」等所夙學，非獨欲「使一時易明曉」而已。段說近理而未周；其《古文尚書撰異》〈大誥〉篇，雖隨經文分辨今古，未嘗別爲議論，則其說不徵難信。今略爲補苴如下：

（〔漢〕伏勝《尚書大傳》曰：「〈大誥〉曰：『民儀有十夫。』」（〔宋〕王應麟《困學紀聞》卷二總頁一〇五引，〔清〕陳壽祺《尚書大傳輯校》卷二頁一七據以輯收，惟「〈大誥〉曰」作「《書》曰」。）

案：伏勝爲漢今文書家大宗師，門人輯錄之《大傳》爲今文本。〈莽誥〉倣〈大誥〉「民獻儀九萬夫」，「獻」字乃莽增釋經文「儀」之字。是莽所據以擬作者今文本，非古文本也。古文本（如今本）作「民獻有十夫」。

《尚書大傳》：「交阯之南有越裳國，周公居攝六年，制禮作樂，天下和平。越裳以三象重譯而獻白雉。道路悠遠，山川阻深，音使不通，故重譯而朝成王，以歸周公。公曰：『德不加焉，則君子不饗其質；政不施焉，則君子不臣其人。吾何以獲此賜也？』其使請曰：『吾受命，吾國之黃耇曰：久矣，天之無烈風澍雨。意者：中國有聖人乎？有則盍往朝之？』周公乃歸之於王，稱先王之神致，以薦於宗廟。周德既衰，於是稍絕。」（《尚書大傳輯校》卷二）

案：王莽黠慧，倣《大傳》故事，陰使西南夷獻白雉，謂千載同符，太后用朝議詔莽號「安漢公」，媲動周旦，居攝踐祚之勢於焉形成，據下引紀傳二條竝可見：

〈平帝紀〉：「（平）帝年九歲，太皇太后臨朝，大司馬莽秉政，百官總己㠯聽於莽。……元始元年春正月，越裳氏重譯獻白雉一、黑雉二，詔使三公以薦宗廟。群臣奏言大司馬莽功德比周公，賜號『安漢公』。」

〈莽傳〉：「始，風益州令塞外蠻夷獻白雉，元始元年正月，莽白太后下詔，㠯白雉薦宗廟。……於是群臣乃盛陳『莽功德致周成白雉之瑞，千載同符。聖王之法，臣有大功則生有美號，故周公及身在而託號於「周」；莽有定國安漢家之大功，宜賜號曰「安漢公」』……太后乃下詔曰：『大司馬新都侯莽，……典周公之職，建萬世策，功德爲忠臣宗，化流海內，遠人慕義，越裳氏重譯獻白雉。……㠯莽爲太傅，幹四輔之事，號曰「安漢公」。』」

案：歆莽諸人習伏生《尚書》，承其義、複製其故事以竊尊位。洎倣作〈大誥〉，歷記太皇太后臨政七年之中四方瑞應，所謂「五德嘉符，相因而備」，度必不外越裳獻雉之類事，則爲〈莽誥〉依傍今文，又添一要證。

今本《尚書》〈大誥〉：「若兄考，乃有友伐厥子，民養其勸弗救？」〈莽誥〉倣作：「若祖宗，迺有效湯武伐厥子，民長其勸弗救？」

案：「兄」與「父」連文，且在「父」上，經籍彝銘未有，矧下文又以「厥子」應，尤悖乎倫常。莽擬作「祖宗」，讀「兄」爲「皇」，「皇」訓「大」；皇考，猶「昭考」、「顯考」之類。《漢石經尚書》殘字〈無逸〉篇「皇」均作「兄」，莽受今文義，故以「祖宗」代「皇考」，詁「考」爲「亡父」，意謂「亡父」即「祖宗」，是〈莽誥〉誠據今文本擬具。夫西漢今文《書》學，歐陽、大小夏侯共出於伏生，武、宣時立爲博士。《漢熹平石經》用小夏侯本劉碑，莽讀「兄考」之「兄」爲「皇」，固合《漢石經》，同屬今文義。此又一證也。

——原載《書目季刊》第十七卷第三期，民國七十二年十二月

十三　《尚書》〈洪範〉（註一）註譯（上）

惟（註二）十有三祀（註三），王訪于箕子（註四）。王乃言曰（註五）：「嗚呼（註六）！箕子。惟天陰騭下民（註七），相協厥居（註八），我不知其彝倫攸敘（註九）。」箕子乃言曰：「我聞在昔（註一〇），鯀陻洪水（註一一），汩陳其五行（註一二）；帝乃震怒（註一三），不畀洪範九疇（註一四），彝倫攸斁（註一五），鯀則殛死（註一六）。禹乃嗣興（註一七）。天乃錫禹洪範九疇（註一八），彝倫攸敘（註一九）。

初一（註二〇）、曰五行（註二一）次二（註二二）、曰敬用五事（註二三）次三、曰農用八政（註二四），次四、曰協用五紀（註二五），次五、曰建用皇極（註二六），次六、曰乂用三德（註二七），次七、曰明用稽疑（註二八），次八、曰念用庶徵（註二九），次九、曰嚮用五福，威用六極（註三〇）。

一　五行：一曰水（註三一），二曰火，三曰木，四曰金，五曰土（註三二）。水曰潤下（註三三），火曰炎上（註三四），木曰曲直（註三五），金曰從革（註三六），土爰稼穡（註三七）。潤下作鹹（註三八），炎上作苦（註三九），曲直作酸（註四〇），從革作辛（註四一），稼穡作甘

（註四二）。

二　五事（註四三）：一曰貌，二曰言，三曰視，四曰聽，五曰思（註四四）。貌曰（註四五）恭，言曰從（註四六），視曰明，聽曰聰（註四七），思曰睿（註四八）。恭作肅（註四九），從作乂（註五〇），明作晢（註五一），聰作謀（註五二），睿作聖（註五三）。

三　八政（註五四）：一曰食（註五五），二曰貨（註五六），三曰祀（註五七），四曰司空（註五八），五曰司徒（註五九），六曰司寇，七曰賓，八曰師（註六〇）。

四　五紀（註六一）：一曰歲，二曰月，三曰日，四曰星辰（註六二），五曰厤數（註六三）。

五　皇極（註六四）：皇建其有極（註六五）。斂時五福（註六六），用敷錫厥庶民（註六七）。惟時厥庶民于汝極（註六八），錫汝保極（註六九）。凡厥庶民，無有淫朋（註七〇）；人，無有比德（註七一）：惟皇作極（註七二）。凡厥庶民，有猷有爲有守（註七三），汝則念之（註七四）。不協（註七五）于極，不罹于咎（註七六），皇則受之（註七七）。而（註七八）康而色（註七九），曰：『予攸好德（註八〇）。』汝則錫之福（註八一）；時人斯其惟皇之極（註八二）。無虐煢獨（註八三）；而畏高明（註八四）。人之有能有爲，使羞其行（註八五），而邦其昌（註八六）。凡厥正人（註八七），既富方穀（註八八），汝弗能使有好于而家（註八九），時人斯其辜（註九〇）。于其無好德（註九一），汝雖（註九二）錫之福，其作汝用咎（註九三）。無偏無陂（註九四），遵王之義（註九五）；無有作好，遵王之道；無有作惡，遵王之路（註九六）。

無偏無黨（註九七），王道蕩蕩（註九八）；無黨無偏，王道平平（註九九）；無反無側（註一○○），王道正直。會其有極，歸其有極（註一○一）。（未完，待下篇續。）

題解

《尚書》是我國古代的典籍，它包含唐、虞、夏、商、周五個朝代的一部分文獻。本來有百多篇的，由於屢次散失，現在只剩下幾十篇了。在《十三經注疏》《尚書注疏》本當中，僅收存了五十八篇。裏面還有二十五篇是東晉人雜採已經遺佚的《尚書》篇殘文及其它經籍的語句連綴而成的假古董，冒充孔子屋壁中發現的《古文尚書》，應該不算數；其餘三十三篇，原來爲二十八篇（有人分爲二十九篇），被上述那位假《尚書》的作者把它們拆開，所以篇數便無端地增加了五（或四）篇。原本二十九篇，是漢代伏勝（通常稱他「伏生」）傳下來的，稱爲《今文尚書》。這篇〈洪範〉，就是伏生傳本的第十一篇；《十三經注疏》《尚書注疏》本，列爲第三十二篇。這篇選文，就用臺北藝文印書館影印清嘉慶二十年江西南昌府學重刻宋刊本《十三經注疏》的本子。

〈洪範〉篇本文既有「不畀洪範九疇」，又有「天乃錫禹洪範九疇」，所以古人就摘「洪範」二字做了篇題。既說「天錫禹洪範九疇」接著又說「彝倫攸敘」，似乎認爲這本治天下大法（參看〔註一一〕）是禹傳下來的；但這兩句話出於箕子之口，即使得諸禹傳，文章該還是箕子撰寫的。箕子是商代的遺老（參看〔註四〕），因此《左傳》和許愼《說文解字》引〈洪範〉的文句時稱爲「〈商書〉」，而〔漢〕司馬遷作《史記》也把這篇文字編在〈宋世家〉裏；這大約因爲宋是商的後裔的封國吧。不過〈洪範〉篇開頭敘述王和箕子的對話，稱「武王」爲「王」，顯然是周朝臣下的口氣，這樣看來，〈洪範〉全文的著作權該判歸周人。所以學者多把〈洪範〉歸在〈周書〉，比較近情理。

古代的學術在中央政府，《尙書》諸篇大致爲王朝的檔案；〈洪範〉自然不會例外，也是當代史官作的。由於它開頭就寫「惟十有三祀」，好像正是周武王克商後二年的作品（參看〔註三〕），其實不然。這從下面的幾點可以看出來：第一，八庶徵下「王省惟歲，卿士惟月，師尹惟日」，師尹地位次於卿士。但根據西周作成的文獻，周初師尹位在卿士之上，〈洪範〉所說的師尹，與西周的師尹職位不同；第二，〈洪範〉「五皇極」、「皇建其有極」……的「皇」字，作「王」解釋，「皇」作「王」解是春秋以來的後起之義，此前只作「大」解，有《詩經》〈雅〉〈頌〉和鐘鼎文字可資證明；第三、〈洪範〉文字多用韻，如七稽疑下「同、彊、逢」協韻，及八庶徵下「成、明、章、康、寧」協韻：這都跟《詩經》協韻情形不合，而與戰國時作成的典籍用韻情形相符。（上三說參考近人劉節氏〈洪範疏證〉，原載民國十七年一月二十五日《東方雜誌》二十五卷二號，後收入《古史辨》第五冊。）由上三證可見本篇大概是戰國時作品。

大約戰國前期成書的《左傳》，在它的襄公三年、文公五年、成公六年都引述了〈洪範〉原文，足證〈洪範〉的作成不得晚於戰國前期；〈洪範〉已說五行，但較鄒衍（戰國時人，大約西元前三四五年生，大約西元前二七五年卒）的陰陽五行說，簡約的多，它的著成時代，早於鄒衍，殆無疑問。大概是戰國初期周王朝的史官依據舊檔案或傳說，又雜取當時流行的韻語（如「無偏無黨，王道蕩蕩」之類。），寫了這篇文章。我們拿它同《尚書》〈大誥〉、〈康誥〉、〈洛誥〉……（它們都是周初的作品）一比，就知道後者文字古奧艱澀，而〈洪範〉淺易多了。

註釋

一 洪範：洪，《今文尚書》寫作「鴻」；洪和鴻，都是大的意思。範，法；現在我們時常把「法範」連稱。

二 惟，發語詞，往往用在句首，沒有意思。又和「維」字意義相通，《今文尚書》就寫作「維」的。

三 十有三祀：有，讀爲「又」，意爲「更加上」。祀，《爾雅》〈釋天〉：商代稱「年」爲「祀」，周代稱「年」，〔清〕郝懿行以爲商代人崇尚鬼，以祀爲重，所以稱一年爲一祀。今考證周代銅器銘文也有稱「年」爲「祀」的，如盂鼎：「惟王二十有三祀。」或許是沿用商人的慣稱。周武王即位第十一年正月甲子克殷，克殷後二年，也就是他即位的第十三年，訪問箕子。（參看題解。）

四　王，周武王姬發，文王姬昌之次子。下面「王乃言曰」的王，也是武王。箕子，名胥餘。箕是他的封地名，子是他的爵位。〔漢〕馬融、鄭玄說他是商紂王的叔父或伯父，〔漢〕服虔及〔晉〕杜預又說他是紂的同父異母的哥哥，而司馬遷作《史記》〈宋世家〉則說他是紂的親戚。《論語》〈微子〉篇：箕子佯狂爲奴。孔子稱他爲殷的仁人。〔漢〕伏勝《尚書大傳》說武王用朝鮮封他，武王十三年來鎬京朝見武王，武王向他請教洪範。《史記》〈宋世家〉則記箕子陳述洪範完畢，說：「於是武王乃封箕子於朝鮮。」訪，謀，商量。

五　乃，又寫作「迺」：於是。言曰，說道。下「箕子乃言曰」同。

六　烏呼，嘆辭。多用在句首。或者寫作「於乎」、「烏嘑」。

七　惟，仍舊是發語辭，參看（註二）。陰，庇覆，讀爲蔭；騭（或譌爲隲），定。陰騭，保護。下民，地下的老百姓，相對「（上）天」而說的。

八　相，互。協，和（睦）。厥，其。居，住，用現代話說就是生活。

九　其，那（個），是指示形容詞。彝，（經）常。倫，（道）理。攸，所。如《周易》〈坤卦〉卦辭：「君子有攸往。」「有攸往」就是「有所往」。敘，原意是次第，作動詞用，引申爲「（規）定」，《尚書》〈皐陶謨〉：「天敘有典，」敘典就是定倫次。

一〇　從「我聞」直到本篇終了，都是箕子所陳述的大法。

一一　鯀，禹的父親，伯爵，封於崇國。堯時洪水爲害，四方諸侯推薦鯀治水，九年，沒有績效。

一二　陻，堵塞。洪（大）水，《孟子》〈告子〉篇：水逆行，叫做洚水，洚水就是洪水。

一二　汩，亂，字疑當寫作汨，音鼓。陳，列。五行，五種材料，五種元素，就是下面所說的水、火、木、金、土。

一三　帝，指上帝（老天），不是指人王。震，雷動叫做震；震怒，大動威怒。

一四　畀，給與（予）。疇，本字作𠷎，或加田作疇，象分劃田畝的溝，彎彎曲曲，引申為部分類別之意。九疇就是下面所說的「一、五行」至「九、五福」九段。

一五　攸，以，所以；下「攸敘」的「攸」同義。斁，敗壞。

一六　則，就，於是。殛，誅罰，（不是殺。）。〈堯典〉記舜代堯行政時，把鯀放逐到羽山。死，謂直到死也沒有被赦歸。

一七　禹，鯀子，用疏導的方法治洪水八年，功成。嗣，繼承。興，起（來）作；謂治水。

一八　錫，賜與。天錫禹範疇：漢代根據《周易》〈繫辭〉「河出圖，洛出書，聖人則之」，以為天賜給禹的就是《洛書》，宋代人又畫出四十五個黑白點子，龜象，附會為《洛書》：都不可信（參看下期附文。）。應該解釋為老天賜給禹制定範疇的智慧，（宋）林之奇、（明）王禕都這樣說。

一九　敘，條理；與上「有斁」意義相反。以上為第一段記武王和箕子問答之辭，好像本篇的序言。

二〇　初，（開）始。

二一　曰，為，是。下面八個「曰」字都作「是」解。

二二　次，第。下面八個「次」字都作「第」解。

二三　敬，《漢書》〈五行志〉寫作「羞」，解作「進」。敬和下面「農用」、「協用」的「農」、「協」詞性同（都是限制詞。），宜作「謹」解說。用，于。下面兩個「用」字義同。五事，說見（註四三）。

二四　農，努（力），農、努讀音接近，意義相通。《左傳》〈襄公十三年〉：「小人農力以事其上。」農力就是努力。八政，說見（註五四）。

二五　協，和（合），調和。五紀，說見（註六一）。

二六　建，樹立，建立。用，使用。下面四個「用」字都作「使用」解。皇極見（註六四）。

二七　乂，治；指治理民眾。三德，見（註一〇九）。

二八　明，辨別（迷惑）。稽疑，見（註三三）。

二九　念，考慮；指國君及臣下考慮。庶徵，見（註一五〇）。

三〇　嚮，養，和「饗」義同；《漢書》〈谷永傳〉引〈洪範〉文就作「饗用五福」。威，威脅，和「畏」義近；《漢書》〈五行志〉及〈谷永傳〉引作「畏」，有「使（他人）畏懼」之義。五福、六極，說見（註一八一）及（註一八六）。以上六十五字爲第二段，《漢書》〈五行志〉以爲就是《洛書》本文，不可信（參看下篇附文。）。

三一　曰，爲，叫做。下面的四個「曰」字義同。又本段「一、五行」的「一」，及下面各段的首字「二」、「三」、「四」一直到「九」，它們的上頭都省略一個「第」字。又「一曰水」至「五曰土」的「一」、「二」、「三」、「四」、「五」，也各省寫一個「第」字。

三二　先水火，後木金土，朱子以爲這是它們發生的次序。他大概以爲水火的質地輕，所以先生；而木金土的質地重，所以後生。

三三　曰，爲，是。下面三個「曰」，義同。潤（濕）而（向）下（流），指水的特性。下面「炎上」、「曲直」、「從革」、「稼穡」，也分別指其它四種元素的特性。

三四　炎，焚燒。《三國志》：「火炎崑岡。」炎就是燒，所以下文說「玉石俱焚」。上，向上。

三五　曲直，謂容易使木（彎）曲或直。

三六　金，泛指一切金屬，非特指黃金或黃銅。從革，隨人的意志而改變它的形狀；意謂鍛冶。

三七　「爰」等於「曰」，和上面四個「曰」字同義。〈洪範〉作者不過換用一個字罷了。稼，種植莊稼；穡，莊稼的收穫。這裏的「稼穡」，只有「種植」一樣意思。

三八　潤下，指上面所說的水。下面的「炎上」、「曲直」、「從革」、「稼穡」也依次指上面所說的火、木、金、土。作，甲骨文及鐘鼎文寫「乍」，而甲骨文該用「則」字的地方都用「乍」，所以「作（即乍）」和「則」通用。《尚書》〈皐陶謨〉：「萬邦作乂」，「作」等於「則」。下面四個「作」字也都當「則」講。水鹹；水源不鹹，匯流成大海，久經凝結，才有鹹味。所以水味鹹是就海水說的。

三九　火初燃不苦，燒焦了東西味道就苦。

四〇　木曲直味道就酸，不知道爲什麼。或者說樹的果實酸。

四一　辛，辣。金從革而味辣，也不知道它的含義。

四二　甘，甜。五穀味道甜美，所以說「稼穡則甘」。本段記五行和它們的性與味，用來解釋第二段的「初一、曰五行」，就好像它的「傳」。所以有人把〈洪範〉一篇劃分經和傳兩部分。本段跟下面各段，大概都被看作第二段（經）的傳。

四三　五事，指下面的貌、言、視、聽、思。

四四　貌，容儀；指態度，而不是相貌美醜。言，談吐；指議論。視，視力；指對事理透視的程度，與現在醫學上所說的視力不同。聽，聽覺；仍著重在對物情審辨的能力。思，思考。

四五　曰，要，須要，也就是「應該」下面「從」、「明」、「聰」、「睿」上的「曰」字同義。

四六　從，出語正當叫做「從」。

四七　看的清楚叫「明」，聽的明白叫「聰」：兩者有分別。

四八　睿，通（達）。（睿，《尚書大傳》作「容」，〔清〕吳汝綸《尚書故》以為「乃容之誤；睿、容同字。」按：《說文》〈谷部〉：「容，深通川也。」又〈𣦼部〉：「睿，通也。」是「容」、「睿」都有「通」義，吳氏說兩字同，未必是。（參考〔清〕段玉裁《古文尚書撰異》。）

四九　此「作」和下面四「作」字，都解為「則」；參看（註三八）。肅，敬。

五〇　乂，治；已見（註二七）。

五一　哲，本義為「昭明」，引申義為「智」。有的板本作「明作哲」，「哲」義也是「智」。

五二　謀，謂能策劃。

五三　聖，通；聖者於理無不曉。本段文字要是照「一曰貌，貌曰恭，恭作肅」（言、視、聽、思，同例。）一貫讀下，則意義更加明白。

五四　八政，八種政事，就是下文的「食」至「師」。

五五　主管全國民食的官，好像糧食部長。

五六　貨，主管全民財物的官，相當於現在財政、經濟兩部的職掌。

五七　祀，主管國家祭祀的官。在古代，祭祀是「國之大事」，所以特設官員主辦。現在則由內政部執掌。

五八　司，掌管，是動詞。和下「司徒」的「司」義同。司空，主管百姓土地居住事宜的官，大約房屋的營建、溝渠的疏通等事屬之。鐘鼎文司空通作「司工」。

五九　徒，眾人。司徒，主管教民的事宜的官，相當現今教育部全部和內政部一部分的職掌。

六〇　司寇：主管防備、緝拿、審判盜匪的官，如現今的司法機關。空、徒、寇（宼）上面都加「司」字，因爲不加則意義晦昧，但古書簡質，所以其它五官都沒有加。又上面的五行和五事，以及下面的三德、稽疑、庶徵各疇，大致都再有兩層推演闡發的文字，惟八政、五紀、福極三疇或沒有、或雖有而不如其它六疇的完備，因此有人懷疑這三疇有缺文。於是八政「八曰師」以下，〔清〕孫承澤竟然僞造了五十二個字，詭稱朝鮮保存的《尚書》古本有。賓，主管接待賓客（指諸侯）的官。師，掌軍旅的官。

六一　紀，識，和「記」字意義接近。五紀，紀五種天象時令，就是下文的「歲」至「歷數」。

六二　星，指二十八宿。辰，指十二辰。二十八宿迭見，以敘節氣；十二辰以紀日月所會（參閱《尚書》傳及疏。）。

六三　麻，通常寫爲「歷」，又作「曆」：曆法。數，算數；曆法離不開推算。有人以爲下「八庶徵」疇，自「王省惟歲」至「則以風雨」共八十七字，因爲說到歲月日星辰，應該是本段的錯簡，當接於「五曰厤數」之下。參考（註六〇）。（又參看下篇附文。）

六四 皇極：舊解皇爲大，極爲中。朱子作「皇極辨」，解皇爲君王，極爲標準、法則。（見《朱子大全集》卷七二。）朱子說的好。本段所有的皇字和極字，都採用朱子的說解。

六五 皇建，指君權的建立。其，要，應該，是將然之詞。

六六 斂，聚集。（斂，欲；與「斂」音同義不同。）時，是（二字音近義通）；「是」就是「此」，《尚書》〈湯誓〉篇：「時日曷喪」，即「此（這個）日曷喪」。五福，指末疇的壽、富、康寧、攸好德、考終命。因此有人以爲本段自「斂時五福」至「其作汝用咎」一段原爲末疇「六曰弱」以後文字，錯簡在此。（參看下篇附文。）

六七 「用」下省略「之」字，「之」指「五福」。敷，施。錫，（賜）與，參看（註一八）。厥，其，那些，指示形容詞複數。庶民，眾老百姓。

六八 惟時，意爲「於是」或「因此」。于，爲；指取法。汝，指君王。下面的「汝」字，所指相同。

六九 錫，原義「賜與」，此用「與」義，就是和。保，守。

七〇 無，和「毋」音近義通。毋，勿，不要如何如何。本段的「無」字，除「于其無好德」的「無」作「沒有」解以外，其它都作「勿」解。淫，邪，如〈離騷〉：「謠諑謂予以善淫。」朋，黨。

七一 人，宋蔡沈《書經集傳》：「有位之人。」人即臣，也就是官吏，《詩經》〈大雅〉〈假樂〉：「假樂君子，顯顯令德，宜民宜人，受祿于天。」《毛傳》：「宜安民，宜官人。」本段的後一「時人」、「正人」及「人之有能有爲」的「人」都作「官吏」解。比，阿附黨私叫比。德，行爲。

七二　作極，作爲（他們的）標準。

七三　猷，謀劃。爲，作爲。守，操守。

七四　念，常常想著。之，指那些民眾和官員。

七五　協，合。「不協」上省略「若」（「假如」），古書崇尚簡質，假設關係的子句，多省略關係詞的。

七六　罹，（或作「離」）遭逢，陷（入）。「不罹」上省略「但」字。

七七　受，（寬容而）接受，這種人爲什麼要寬待他們呢？蔡沈《書經集傳》：「……所謂中人也，進之則可與爲善，棄之則流于惡，（故）君之所當受也。」

七八　而，古音與能近，義通。上省略「（假）若」。

七九　康，安和。而，其，他們的。色，臉上的顏色。

八〇　予，同「余」，我。攸，句中語助詞，沒有意義。好，喜好。德，指美德。

八一　「福」，是補詞，上省略「以」，古書這樣的句型很多。

八二　時，是，此。參看（註六六），又下「時人斯其辜」之「時」同義。斯，此，這。其，就會，是將然之詞。之，是。

八三　煢，單無兄弟。獨，無子叫獨。煢獨，指孤單無依靠的人。

八四　畏，敬畏。高明，高大光明；指才智之士。

八五　羞，進獻。行：爲；又作「用」解。

八六　邦，國。其，將會。昌，隆盛。

八七　正，長，指主管。正人，即機關首長。《尙書》〈康誥〉：「惟厥正人、越小臣」，正人也指官長。

八八　富，豐富。方，常（經常的）。穀，俸祿。

八九　「使」下省略「之」字，「之」指「正人」。好，善，益處。而，爾，汝，就是「你」。家，君王的家。

九〇　辜，罪過。

九一　于，（假）如。其，還是指「正人」，爲指示代名詞。「無好德」，司馬遷及鄭玄看到的另一種板本的《尙書》都沒有「德」字，（日本）內野本《尙書》亦無「德」字。（清）王念孫以爲「無好」的「好」和下面「其作汝用咎」的「咎」協韻，「德」字不該有。愚按：上文說「汝弗能使（正人）有『好』于而家」，下面應爲「于其無『好』」跟它呼應。所以「德」字確是衍文。

九二　「雖」跟「惟」意義往往相通。如《尙書》〈皐陶謨〉「咸（即誠）若是，惟帝其難之。」此「惟」作「雖」解。這裏的「雖」解爲「惟」，義即「只是」。

九三　其，那；指正人的，是指示代名詞所有格。作（做名詞用），作爲，指後果或事實。用，行，造成（的）。《周禮》〈夏官〉〈司爟〉：「司爟掌行火之政令。」鄭玄注：「行，猶用也。」

九四 陂，原來是「頗」。唐玄宗以爲：此段由「無有作好」至「王道正直」都是兩句一協韻，而「無偏無頗，遵王之義（「義」或作「誼」）」的「頗」跟「義」不協；「頗」是前人傳寫的錯誤，因此下詔改「頗」爲「陂」：《新唐書》〈經籍志〉說在開元十四年（西元七二六）、（宋）王欽若《冊府元龜》說在天寶四載（一說三載。）（西元七四五）。愚案：頗，古音魚何切；義（或「誼」），古讀普多切。頗、義古音協韻。後來「義」的讀音變到唐代，已不和「頗」協韻了，玄宗不知此理，故改「頗」爲「陂」。殊不知「頗」頭偏，〈洪範〉用它的「偏」義；「陂」，「阪」義，放在這裏不恰當。《呂氏春秋》〈貴公〉篇，《史記》〈宋世家〉、《北堂書鈔》及內野本《尚書》都保持舊字作「頗」。

九五 遵，循，下二「遵」字同。義（或作誼），法則。「王之義」，意指「皇極」。下「王之道」、「王之路」所指同。

九六 好，偏私的喜好，即好所不當好。惡，偏私的厭惡，即惡所不應惡。

九七 黨，朋類；此作動詞用，有「相助匿非」之義。

九八 蕩，平正；重疊一個「蕩」字，以加強文意。下面「平平」用疊字，也是爲了加強文意。

九九 平，大概是「釆」的誤寫。釆的古文作「[illegible]」，跟「平」字形近。「釆」有「辨」義。平平，分明。

一〇〇 反，指違反常道。側，傾倒。以上十二句六韻語，有人以爲是古代相傳的格言由〈洪範〉作者採入，大概是的。

〔一〇〕會，聚集，指君王聚會（召見）臣。歸，歸附，謂臣歸附（朝覲）君。兩「有」字都作「于」解，指「依據」。（未完，待下期續。）

語譯

在（周武王）十三年，武王去請教箕子。武王於是說道：「哎呀！箕子。上天保護地下的老百姓，（使他們）互相和睦地生活在一起，（可是）我不知道那種（治理他們）的經常的道理是怎樣規定的。」

箕子於是答道：「我聽說在以往，鯀堵塞（泛濫成災的）大水，胡亂地處理（水、火、木、金、土）五種元素；上天於是大動威怒，便不把（五行至福極）九類大法授給他，那經常的道理因此也就敗壞了。鯀於是受到流放的懲罰以至於死，禹這就跟著起來，上天便把（五行至福極）九類大法賜給他，經常的道理這纔規定了下來。

開始第一是五種元素，第二是敬謹地從事五件事，第三是努力推行八項政務，第四是調和五樣天象時令，第五是樹立皇權君王應有的法則，第六治理天下要使用三種作爲，第七是想辨別迷惑就當以卜筮考問疑難，第八是考慮（政教的得失）須依據老天的許多徵象，第九是（老天）拿五種幸福來長養（世人），也拿六種困苦來折磨（我們）。

（說到）第一的五種元素：一是水，二是火，三是木，四是金屬，五是土壤。水（的特性）是潤濕而向下流浸的，火（的特性）是焚燒而向上燃發的，木（的特性）是容易彎折或伸直的，金屬（的特性）是隨人旨意來變更它的形狀的，土壤（的特性）適宜於生長莊稼的。潤濕而向下流浸的東西（味道）就鹹，焚燒而向上燃發的東西（味道）就苦，容易彎折或伸直的東西（味道）就酸，形狀隨人旨意變更的東西（味道）就辣，適宜種植莊稼的東西（味道）就甜。

（談到）第二的五件事：一是容儀，二是議論，三是眼光，四是聽覺，五是思想。容儀應該敬謹，議論應該正當，眼光應該明亮，聽覺應該清晰，思想應該通達。容儀敬謹的話，就能嚴肅；議論正當的話，就可以治事；能看得分明，就明智了；能聽得清楚，就善於策劃了；要是思想通達，那就聖明了。

（再講到）第三的八項政務：第一是主管國民糧食的官員，第二是經辦國民財物的官員，第三是負責國家祭祀的官員，第四是掌管百姓土地居住事宜的官員，第五是綜理人民教育的官員，第六是執行防備緝捕審治盜匪的官員，第七是擔任接待諸侯的官員，和第八的主持國防軍事的官員。

（還有）第四的五樣天象時令：一是年歲，二是（每年的）月數，三是（每月的）日數，四是（對於）星辰（的觀測），五是歷法和算數（的推勘）。

（再就是）第五的君王的法則了。君權的建立，應該有它的法則。聚集這壽、富、康寧、攸好德、考終命五種福澤，拿它來賜給那些民眾。因此那些民眾就效法你的法則，（進而）跟你君王共同保守這個法則了。所有的民眾，不許（他們）結立邪惡的黨派；（所有的）官吏，不准（他們）有營私阿黨的行爲：（大家）都只以君王爲法則。凡是善謀劃、有作爲、謹操守的民眾，你君王就要常常把他們記在心裏。假如有人不翕合法制，但還不至於觸陷刑網，（你）君王審度情理就應該寬容他。倘使有人能夠和顏悅色，並且表示：『我喜愛美好的德行。』你君王就應該把福澤賜給他。這種人這就會以君王爲法則了。（君王）不要苛虐孤苦無依的人們；而應該敬重、畏懼才智之士。（對待）一位富才幹、有作爲的官吏，就讓（他）貢獻他的智能，那麼你的國家就會興盛起來。那些主管官員們，（國家）既用經常的俸祿使他們富足，但你君王卻沒有辦法受到他們對你的國家的貢獻，這就是這些主管官員們的罪過啦。假如他們（主管官員）沒有成績表現，而你君王一味地把幸福賜給他們，那樣的惡果就是你造成的了。（臣民）不要頗斜不要歪側，應該遵守君王的法則；（臣民）不要徇私而偏好，應該奉行君王的正道；（臣民）不要徧吝以曲惡，應該循順君王的軌度。（君王）不生邪心不結淫朋，君王的大道纔能坦整；（君王）淫朋不結邪心不生，君王的大道纔能分明；（君王）不反常不畸傾，君王的大道就會既公且平。天子召見臣民要有法規，臣民朝覲天子也應有準則的。

（未完，待下期續。）

——原載《國語日報》〈古今文選〉新二八三期，民國六十一年十二月

十三　《尚書》〈洪範〉註譯（下）

（續上篇。）曰（註一〇二），皇極之敷（註一〇三）言，是彝是訓（註一〇四），于帝其訓（註一〇五）。凡厥庶民，極之敷言，是訓是行（註一〇六），以近天子之光（註一〇七）。曰，天子作民父母，以爲天下王（註一〇八）。

六　三德（註一〇九）：一曰正直（註一一〇），二曰剛克，三曰柔克（註一一一）。平康正直（註一一二），彊弗友（註一一三）剛克，燮友（註一一四）柔克。沈潛剛克，高明柔克（註一一五）。惟辟作福，惟辟作威（註一一六），惟辟玉食（註一一七）。臣無有作福作威玉食（註一一八）。臣之有（註一一九）作福作威玉食，其害于而家，凶于而國（註一二〇）。人用側頗僻（註一二一），民用僭忒（註一二二）。

七　稽疑（註一二三）：擇建立卜筮人（註一二四）。乃命卜筮（註一二五）：曰雨（註一二六），曰霽（註一二七），曰蒙（註一二八），曰驛（註一二九），曰克（註一三〇）；曰貞，曰悔（註一三一）。凡七，卜五（註一三二），占用二（註一三三），衍忒（註一三四）。立時人作卜筮（註一三五），三人占（註一三六），則從二人之言。汝則（註一三七）有大疑，謀及乃心（註一三八），謀及卿士（註一三九），謀及庶人，謀及卜筮（註一四〇）。汝則從（註一四一），龜從，筮從，卿士從，庶民從，是之謂大同（註一四二）；身其康彊（註一四三），子孫其逢（註一四四）：吉（註一四五）。汝則從，龜從，筮從，卿士逆（註一四六），庶民逆：吉。卿士從，龜從，筮從，汝則逆，庶民逆：吉。庶民從，龜從，筮從，汝則逆，卿士逆：吉。汝則從，龜從，筮逆，卿士逆，庶民逆，作內，吉；作外，凶（註一四七）。龜、筮共違于人（註一四八）：用靜，吉；用作，凶（註一四九）。

八　庶徵（註一五〇）：曰雨，曰暘（註一五一），曰燠（註一五二），曰寒，曰風。曰，時五者來備（註一五三），各以其敘（註一五四），庶草蕃廡（註一五五）。一極備，凶；一極無，凶（註一五六）。曰休（註一五七）徵：曰肅，時雨若（註一五八）；曰乂，時暘若；曰晢，時燠若；曰謀，時寒若；曰聖，時風若。曰咎（註一五九）徵：曰狂（註一六〇），恆雨若；曰僭（註一六一），恆暘若；曰豫（註一六二），恆燠若；曰急（註一六三），恆寒若；曰蒙（註一六四），恆風若。曰（註一六五），王省惟歲（註一六六），卿士惟月（註一六七），師尹惟日（註一六八）。歲月日時無易（註一六九），百穀用（註一七〇）成，乂（註一七一）用明，俊民用章（註一七二），家用平康（註一七三）。日月歲時既（註一七四）易，百穀用不成，乂用昏（註一七五）不明，俊民用微（註一七六），家用不寧。庶民惟星（註一七七）；星有好風，星有好雨（註一七八）。日月之行，則有冬有夏（註一七九）；月之從星，則以風雨（註一八〇）。

九　五福（註一八一）：一曰壽（註一八二），二曰富，三曰康寧（註一八三），四曰攸好德（註一八四），五曰考終命（註一八五）。六極（註一八六）：一曰凶短折（註一八七），二曰疾（註一八八），三曰憂（註一八九），四曰貧（註一九〇），五曰惡（註一九一），六曰弱（註一九二）。」

註釋（續上篇）

一〇二　曰：和下「曰，天子作民父母」的「曰」，都是更端（換爲另外一種話頭。）之詞，相當白話的「這樣」或「這就是」。

一〇三　敷，陳述。

一〇四　彝，常法。訓，教（訓）。

一〇五　于帝，依據于上天（帝）的（標準）。其，那。訓，順（見《廣雅》〈釋詁〉。），指「符合」。

一〇六　是，應該。訓，順，此處指「順從」。行，指「遵行」。

一〇七　天子，君王；天子承天命治天下，故稱天子。光，光明。順從實踐合乎天意的法教，就是服從代天立教的天子；服從天子，就不致被他絕遠而自然接近他的光明了。

一〇八　朱子《皇極辨》：「夫人君能立至極，所以能作億兆之父母，而爲天下之王也。不然，則有其位無其德，不足以首出庶物，統御人羣，而履天下之極尊矣。」愚按：皇極當九疇之中疇，陳君王治天下之道，比它疇更受學者重視。

一〇九　德，德性，作爲。三德即正直、剛克和柔克。

一一〇　正，中正，無邪。直，不曲。

一一一　兩「克」字，勝，佔優勢。剛克，以剛強見勝，偏剛。柔克，以柔怯見勝，偏柔。正直，得性情之中。剛克、柔克，一過一不及。

一一二　平，正；康，和：這是解說「正直」的特質的。下「強弗友」、「燮友」分別解說「剛克」、「柔克」的特質。

一一三　彊，同強，強梗。弗，不。友，馴順。瑞典學者高本漢（Bernhard Karlgren）以爲「友」是牽涉下文「燮友柔克」的「友」的衍字；「彊弗」等於「彊咈」，正是個複詞。按：此說可取。

一一四　燮，溫和。友，見（註一一三）。

一一五　沈，制抑。潛，抑伏。高，使高明，使明揚：相對「沈潛」而說。對這兩句話，〔宋〕林之奇發揮它的義理，說：「剛克，……患其過而爲亢也，於是從而沈潛之；蓋抑其過而歸之於中也。柔克，……患其不及而爲懦也，於是行而高明之；蓋引其不及而歸之於中也。」說的很合理。

一一六　惟，只（有）。辟，君王。作，造。福，福祉，指爵賞；威，畏，指刑罰：兩句說只有君王才有權賞罰。又本段自「惟辟作福」至末「民用僭忒」四十八字，說君王可作威福，臣庶不可，與「三德」關係小，宋、明兩代有人疑爲「皇極」疇之文。

一一七　玉食，極精美的食物。但《周禮》〈天官〉〈玉府〉：「王齋則共（供）王食玉。」鄭眾以爲「食玉」即吃玉屑。

一一八　無，勿；無有，不許可有。

一一九　臣有作福作威玉食，是完備的句子；臣之有作福作威玉食，是片語，它表示：在「臣作福作威玉食」的情況下，會發生什麼事（——即下句「其害于而家，……」）。

一二〇　而家、而國，參看（註八九）。凶，災禍，作動詞用。

一二一　人，指官吏，見（註七一）。人與下面的民（民眾）對舉。用，行，做。側，傾斜。頗，偏，見（註九四）。僻，奸邪。

一二二　僭，踰越（本分）。忒，過惡。愚按：本段自「六、三德」至「高明柔克」共衍說三重，與「一、五行」及「二、五事」結構同，前人疑「惟辟」以下爲羨文，是。

一二三　稽，考。稽疑，用卜筮考問疑難。

一二四　建，立。建立，謂任官；合義複詞。卜，灼炙龜甲使它生出裂紋據以考問吉凶。筮，用蓍草考問吉凶。人，官員。

一二五　命卜、命筮：指掌管卜筮的官員持某種疑難去考問靈龜和蓍草；下面的雨至悔就是七類要問的疑難。

一二六　雨，謂卜問雨不雨。《周禮》〈春官〉〈大卜〉記八種國家大事須用龜卜，其第七種就是雨。

一二七　霽，雨止雲氣在上，〔漢〕褚少孫補《史記》〈龜策列傳〉：「卜天雨霽不霽。霽，呈兆足開首仰；不霽，橫吉安。」

一二八 蒙，霧。（蒙，或作霧或雺〔亡遇切〕。）

一二九 驛，或作圛（夷益切），升雲半有半無。（驛或作涕或作洟，高本漢以爲當作「流淚」解。）

一三〇 克，凶惡之氣相犯。《左傳》〈襄公二十八年〉：「盧蒲癸、王何卜攻慶氏，示子之兆，曰：『或卜攻讎，敢獻其兆。』子之曰：『克見血。』」按：此解「克」爲「得勝」。

一三一 《周易》六十四個六畫卦，每卦下三畫稱爲內卦，內卦叫「貞」；每卦上三畫卦稱爲外卦，外卦叫「悔」。如〈頤卦〉䷚的☳叫貞，而其☶叫悔。貞，正；靜而正。悔，過；動而悔。所以貞悔是考問動靜的。

一三二 卜五，謂由雨至克五事用龜卜。

一三三 卜，本義爲用龜卜，《說文》：「視兆問也。从卜口。」後世多專用爲占卦。占用二，謂貞、悔。

一三四 衍，通演；推演。忒，變（化）。

一三五 時，是，複數，意爲「這些」。作，爲。卜筮，謂卜官、筮官。

一三六 占，判斷。一作「議」。兼指龜卜和易占而說。

一三七 汝，謂武王。則，若，假如。《戰國策》〈趙策〉：「彼則肆然而爲帝，過而遂正於天下，則連有赴東海而死矣。」「彼則肆然而爲帝」，謂秦假如肆然爲帝。下面「汝則從」的「則」義同。「則」在本段只用於「汝」下，表示特別強調「汝」的重要性。

一三八 謀，慮。乃心，你（武王）的心。

一三九 卿士，卿和士都是官名。

一四〇 卜筮，謂龜卜和易占。不是指卜官和筮官，下面「龜從」、「筮從」可證。

一四一 從，順。汝從，謂你心裏贊成。下面「卿士從」、「庶民從」……的「從」字義同。

一四二 之，句中語助詞，沒有意義。同，合。大同，謂意見完全一致。

一四三 其，將會。彊同強。逢，大，盛；古音讀若龐，和上面的「同」、「彊」協韻（參看題解。）

一四四 逢吉，鄭玄云：「遇吉」。馬融云：「大也。」

一四五 吉，善。下同。

一四六 逆，不順；謂反對。

一四七 內，國境內事，如祭祀、冠、婚。外，國境外事，如征伐。凶，惡。

一四八 違，反。人，指君王、卿士及庶民。

一四九 靜，安守，指沒有作爲。動，動作，舉事。本段論決疑難，以龜筮爲主，它代表天（上帝）意；假如龜筮都從，則沒有不吉的。而以人（王、卿士、庶民）爲輔，故龜筮有一不從，僅作內吉。若龜筮共違于人，勉有所作爲，等於逆天行事，故必凶。

一五〇 庶，眾（多）。徵，徵象。庶徵：下面的雨至風五者。

一五一 暘，出太陽：謂晴天。暘通陽。

一五二 燠，暖。

一五三　曰，更端之詞，參看（註一〇二）。時，是，參看（註六六）。備，完全具有。來備，就是備來。

一五四　敘，次序，謂合節候。敘或作序。

一五五　庶草，眾草；說草則木在其中。蕃，繁茂。廡，豐盛。

一五六　兩「一」字，都謂雨暘燠寒風五者之一。極備，謂過多。極無，謂太少。

一五七　休，美善；指君王的作為。

一五八　時，合乎時宜（的）。若，句末語助詞，沒有多大意義。《周易》〈豐卦〉六二：「有孚發若」，「若」也是句末語助詞。下面「時暘若」、「恆燠若」……的「若」同義。「曰肅，時雨若」：謂假如天子的態度能肅敬，就會有及時雨的徵驗。下面「曰乂，時暘若」、「曰狂，恆雨若」……等同類型的句子，都指因天子行為，而老天所顯現的徵象。所以漢儒根據〈洪範〉來解釋當代政治上措施的得失，以為某一事得，則應某一徵休；某一事失，則應某一徵咎：詳見班固《漢書》〈五行志〉。

一五九　咎，過惡。參看（註一五七）。

一六〇　狂，狂妄。恆，常，久。

一六一　僭，差錯。

一六二　豫，逸樂。

一六三　急，嚴苛。

一六四　蒙，昏昧。

一六五　日，更端之詞。參看（註一〇二）及（註一五三）。

一六六　省，察視。惟，語詞。君王行事的得失於全年上徵驗，所以要拿十二個月的情形來觀察。

一六七　卿士，官名，職位高。「卿士」下承上省略「省」字。月，一個月。

一六八　師，眾。尹，治事者。師尹，謂百官（參看《尚書》〈顧命〉，〈顧命〉有百尹，即百官），職位低。「師尹」下亦省略「省」字。日，謂一日。

一六九　時，指春夏秋冬四時。易，變；謂反常。

一七〇　用，以，因此而……。下「用明」、「用平康」、「用寧」……的「用」義同。

一七一　乂，治，政治。參看第二段「乂用三德」注。

一七二　俊，才智。（舊說才德超過千人的叫俊。）章，昭顯；謂得到國家的重用。

一七三　家，指天子之家，即國家。平，太平。康，安寧。

一七四　既，在此作「若」解。

一七五　昏，同昏，黑暗。

一七六　微，不顯著；謂不得重用。

一七七　星繁多，用來象徵民眾。「庶民惟星」，句型和上面的「卿士惟月」、「師尹惟日」同，也略去一個「省」字。

一七八　舊說箕星好風，《周禮》〈春官〉〈大宗伯〉所說的風師就是指的箕星，因爲箕主簸揚，能致風。《詩經》〈小雅〉〈大東〉篇：「維南有箕，不可以簸揚。」舊又以爲畢星好雨，《周禮》〈春官〉〈大宗伯〉所說的雨師就是指的畢星。《詩經》〈小雅〉〈漸漸之石〉：「月離于畢，俾滂沱矣。」

一七九　日月，隱指天子及卿士與師尹。這兩句話，謂君王及朝臣的政教措施，就好像日月運行一般；日月運行形成四季（說冬夏就包含了春秋。）就如同君臣的政教成就國家大事一樣。

一八〇　《漢書》〈天文志〉：月去中道，移而東北入箕，若東南入軫則多風。月失中道，移而西入畢，則多雨。「從星」，謂月失去正常軌道，偏向走而較近箕星和畢星，《詩經》〈小雅〉〈漸漸之石〉篇：「月離（離，遭遇，下同。）于畢，俾滂沱矣。」而《春秋緯》也說：「月離于箕，則風揚沙。」上面說「日月之行」，此句只說「月之從星」而不提「日」，鄭玄以為：「不言日者，日之從星不可見也。」「以」，古音近「有」，義通。這兩句謂君臣的政教，關係國家的興衰固然重大，然而那好像眾星一樣微賤的百姓，如果政教（日月）失常道，他們也能夠影響到國家的禍福，如同月亮接近箕畢二星，使天候多風多雨一般。

一八一　五福即下面的壽至考終命。

一八二　壽，長壽。蔡沈《書經集傳》以為：人必須長壽然後才能安享後述的四福，故以壽居五福之首。

一八三　康，形體康強；寧，心安寧。

一八四　攸，本有「修長」的意思，《說文》：「攸，行水也。」〔清〕段玉裁注：「唐本作『水行攸攸也。』按：當作『行水攸攸也。』」《漢張彪碑》：「令德攸兮。」此「攸」是「修」的假借字。「令德攸」和「攸好德」義同。又《婁壽碑》：「不攸廉隅」即「不修

一八五　廉隅」。皇極疇「予攸好德」的「攸」義與此迥異，參看（註八〇）。

一八六　考，成（就）；謂「得到」。考終命：古人以爲人的壽命是天賦的，順受天命之正，而終盡其應享的壽就是。（按：與今人所謂得享天年意思有分別。）簡單的說，考終命即得善終；與下「凶（死）」相反。

一八七　六極，六種困厄：即下文凶短折至弱。

一八八　折，死，《禮記》〈祭法〉：「萬物（按：物包括人。）死皆曰折。」「凶短折」即凶折、短折。凶折，橫死，與上「考終命」相反。短折，夭死，與上「（長）壽」相反。

一八九　疾，病；謂身不健，與上「康寧」之「康」相反。

一九〇　憂，愁；謂心不寧，與上「康寧」之「寧」相反。

一九一　貧，與上「富」相反。

一九二　惡，敗壞；謂品德。林之奇《尚書全解》：人情惡則凶無所不至，故惡爲滅德之道。惡與上「攸好德」相反。

　　弱，怯懦；也指品德。鄭玄說：「愚懦不毅曰弱；言其志氣弱也。」林之奇又說：弱者，懦弱之謂，弱則懦而無立，故弱爲滅德之道。弱亦與上「攸好德」相反。五福和六極，都兼天子、朝臣和民眾的福極而言，或以爲單指君王一人之福極，恐怕未必對。

語譯

（續上篇。）這麼說來，上面所陳述的關於君權建立的話語，是常法是教訓，而且即使就上帝的意旨來衡量，也會若合符節的。所有的民眾，對於上述的話語，應該順從應該遵行，以接近天子的光明，這就是因爲天子是人民的父母，做天下的君王的緣故。

（至於）第六的三種作爲：一是中正不曲，二是以剛強見勝，三是以柔怯見勝。平易康和是中正不曲的特質，強梗不馴順是以剛強見勝的特質，溫和馴順是以柔怯見勝的特質。對於以剛強見勝的人，要制抑壓伏他；對於以柔怯見勝的人，要使他高昂明揚。只有君王能掌握賜給臣民爵賞的權力，也只有君王纔具備施加刑罰給臣民的權力，更只有君王獨可以享用極精美的食物。（至於）官員不許可有賜與爵賞、施加刑罰和享用極精美食物的權力，官員一旦也取得賞、罰和吃極美食物的權力，那將會爲害你的政府，同時也爲你的國家招致災禍。官員要是這樣，固然奸邪不正；即使民眾這樣的話，也會不守本分而鑄成過惡的。

（下面是）第七的考問疑難：簡選懂得龜卜蓍占的人任命他們爲卜官筮官。這些官員就奉著靈龜和蓍草考問疑難：如下雨，如雨止而雲氣停留在上面，如起霧，如若有若無的浮雲，如凶惡的氣色互相侵犯；如靜貞，如動悔。一共七類，屬於龜卜的有五類，用易卦占的只有兩類，（根據上述的類別）推演它們的變化。任命這些人做卜官筮官，三位官員來判斷龜兆或卦象，應該服從兩位的意見。你君王假如有重大的疑難，先自己仔細的考慮一番，其次找卿士們討論，再去跟民眾酌量，最後就龜卜和易占來商兌。假如你君王贊同，龜卜贊同，易占贊同，卿士們贊同，民眾也贊同，這就是全體意見一致：（得到這種結果）那你君王的身體就會健壯，你的子孫也會昌盛：這自然是吉祥的。假如你君王贊同，龜卜贊同，易占也贊同了，可是卿士們反對，民眾也反對：（在這種情形下）還是吉祥的。假如卿士們贊同，龜卜贊同，易占也贊同，雖則你君王反對，庶民也反對：（在這種情形下）還算是吉祥的。假如庶民贊同，龜卜贊同，易占贊同，雖則你君王反對，卿士們也反對：（和上面情形彷彿）也算是吉祥的。假如祇有你君王和龜卜贊成，而易占反對，卿士們反對，民眾也反對：（處在這樣的局面下）與辦祭祀、冠、婚等邦家內的小事，是吉利的；而發動征伐等國境外的大事，就有災禍了。至於當寶龜和神卦都跟人們的意見不同時，那末，安守無作爲，就吉利；假如蠢動舉事，便凶險。

（再下面是）第八的許多徵象：就是下雨、晴天、暖和、寒冷、刮風。依照上面所述，要是這五種徵象（在一年當中）全有了，而且各種徵象吻合節候照著合理的次序發生，那麼草木就繁茂豐盛了。其中任何一種徵象過多了，那就凶險；其中任何一種徵象太少了，也是凶險的。（先講）美善的徵象：（天子如果）嚴肅，就會及時降雨；（天子如果）能理事，就會及時晴朗；（天子如果）明智，就會按時暖和；（天子如果）善謀劃，就會依時寒冷；（天子如果）思想通達，就會適時刮風。（再論）過惡的徵象：（天子假若）狂妄，那就久雨不晴；

〔天子假若〕有過錯，那就長旱不雨；〔天子假若〕耽好逸樂，那就經常暖和；〔天子假若〕嚴苛，那就老是寒冷；〔天子假若〕愚昧，那就一個勁兒地刮風。這樣看來，君王應當以一年之間的徵象來觀省，大臣僅須用一個月的徵象來觀省，而一般官員只消拿一天的光景來觀省。全年、全月、整日和春夏秋冬四季的氣象都沒有反常，農作物因而成熟，政治以此清明，才智之士得以昭顯，國家也就太平安寧了，〔相反地，假使〕全日全月整年和冬秋夏春四季的氣象都反常，莊稼因而不能成熟，政治以此昏暗不清明，才智之士不得昭顯，國家也就動亂不安了。〔至於〕眾多的黎民，他們是照著繁星的徵象去觀省的；星中有箕、喜好風，星中又有畢、偏愛雨。太陽月亮行轉，造成〔秋季〕冬季、〔春季〕夏季；但月亮運旋失常，移往東北接近箕星，就多刮風；偏向西接近畢星，就有霪雨。

〔最後討論〕第九的五種幸福——一是長壽，二是富裕，三是身體康強、心緒安寧，四是修養美德，五是得善終；與六種困厄——一是橫死短命，二是身體有病，三是憂愁，四是窮乏，五是操行敗壞，六是怯懦。」

幾個跟〈洪範〉有關的問題

〈洪範〉篇是研究我國思想史必讀的文獻，先是〔漢〕劉向集合上古、周、秦到漢代有關符瑞災異的記載，推闡〈洪範〉義理，作《洪範五行傳》，他的兒子歆也依傍〈洪範〉作了

《五行傳》，而班固把他們父子和漢代其它學者的有關說法收在他著的《漢書》〈五行志〉裏，〈洪範〉篇便成了討論陰陽災變乃至探索天人合一之學的根據，地位更加重要了。

《漢書》〈五行志〉序言首先引《易》〈繫辭〉「河出圖，雒出書，聖人則之」，緊接著引劉歆的話：「禹治洪水，（天）賜雒書，法而陳之，〈洪範〉是也」。劉歆是最早把《雒書》明白的附會〈洪範〉立說的人。此後，學者多相信他的說法：班固以為〈洪範〉「初一曰五行」至「威用六極」全段六十五字就是神龜負出的《雒書》上的本文，馬融以為僅「五行」、「敬用五事」及「威用六極」等三十八字是《雒書》本文，而「初一曰」、「次二曰」及「次九曰」等二十七字是禹後加的。又有人以為連「敬用」、「農用」及「嚮用」等十八字也是大禹所增添；《雒書》原只二十個字（參看《尚書疏》。）。到了宋代，愈益穿鑿附會，有人仿照龜的形象，畫出四十五個黑白點子，說這就是禹所「法」的《雒書》，連朱子都相信了。這種說法，前人多表懷疑，但直到清代毛奇齡的《河圖洛書原舛編》、胡渭的《易圖明辨》撰成，人們纔把原委弄清楚，知道《雒書》與〈洪範〉本來沒有關係。

漢人以為陰陽錯繆、風雨不時，表示國家的政教必有錯失，所以天現凶象，君王及執政大臣應該及時恐懼修省。這種思想，淵源於〈洪範〉。〈洪範〉五事（貌、言、視、聽、思）得正，則（雨、暘、燠、寒、風）五氣調和；五事失正，則五氣不和：這顯然已以五種徵象（即庶徵）條配五事了。〈五行志〉則舉了許多實例，說明某項人事之差失，應驗某種災變的發生；不僅五事、庶徵的條配比〈洪範〉尤爲細密，而且他又把五福、六極拿來分別配對五事，再加上五行，九疇就有四疇可以整整齊齊的配合了。

但六極有六種「極」，它跟五行、五事、庶徵（五種）相配，還多出一「極」。漢儒解決的辦法是：以六極的「弱」爲皇極不建之應，又杜撰了咎徵「眊」與「恆陰」和它相配。這種作法在經書上沒有根據，而且無法添造一行，使五行變成六行，去跟六極配合。所以到了宋代，學者便努力就〈洪範〉本文分析歸併，以濟漢儒之窮。他們首先把六極歸併成短折（對壽）、凶折（對考終）、貧（對富）、憂疾（對康寧）、惡弱（對好德）五類，又將三德析爲剛善、柔善、剛惡、柔惡、中五類，再將八政分爲食、貨、祀、賓、師五種政事，以司空、司徒、司寇三官分別管理這五政。稽疑卜有五種，而以陰（悔）、陽（貞）總之。分合以後，加上五行、五事、五紀、庶徵（本來就是五類），於是九疇除皇極外（皇極不須配，見下段宋儒說。）全得以「五五」相配了——論〈洪範〉事類感應以至於諸疇事目條配的，《漢書》〈五行志〉之外，看〔宋〕蘇洵的〈洪範論〉（收在《嘉祐集》）、林之奇的《尚書全解》、《朱子語類》和王柏的《書疑》，可以知道它的梗概。

《尚書》遭到秦始皇的焚禁，再經漢儒的編抄，又由於〔唐〕衛包改隸字本爲楷書本，自然不免脫誤或錯簡。〔北宋〕龔鼎臣（撰《東原錄》）、余燾都主張今本庶徵疇「王省惟歲」以下爲五紀的錯簡（余氏之說見《中吳紀聞》。），蘇軾贊同他們的意見（見《東坡書傳》）。〔南宋〕洪邁又以爲皇極疇的「斂時五福」等文，原屬福極疇，錯亂在前（說見《容齋續筆》。）。於是王柏便把皇極疇一部分文句移到福極疇，只留六十四個字，以其爲「皇極經」，且指「初一日五行」至「威用六極」爲〈洪範〉經。範經和極經，都各有它的傳，而不和其他八疇配對（其說亦見《書疑》。）。

所謂正錯簡和分經傳，後代緣這條路線治〈洪範〉學的人很多。如〔元〕金履祥的《書經注》，吳澄的《書纂言》，胡一中的《定正洪範集說》、〔明〕陳第的《尙書疏衍》，而以黃道周的《洪範明義》更定最多，並且他以新定本奏上朝廷呢。雖然有些清儒認爲〈洪範〉本無錯簡，更無論分經傳，撰文駁斥宋明人亂經（如胡渭的《洪範正論》。），但近代人用新的眼光分析比較的結果，反倒覺得宋明人的意見較爲可取呢（如劉節的《洪範疏證》。）。

——原載《國語日報》〈古今文選〉新二八四期，民國六一年十二月

十四　漢代第一位經學大師伏生

伏生，名勝，字子賤，前漢濟南人（說詳後，畫像見卷一冊，圖版頁一）；孔子弟子有姓宓名不齊者，其先祖也，茲證次於下，《史記》〈仲尼弟子列傳〉：

宓不齊，字子賤，少孔子三十歲（《孔子家語》〈七十二弟子解〉作少四十九歲）。孔子謂：「子賤君子哉！魯無君子，斯焉取斯？」子賤爲單父宰，反命於孔子曰：「此國有賢不齊者五人，教不齊所以治者。」孔子曰：「惜哉！不齊所治者小；所治者大，則庶幾矣。」

《孔子家語》：「宓不齊，魯人。」

《呂氏春秋》〈察賢〉篇載其宰單父「垂拱鳴琴」而治。考孔子雅言《詩》、《書》，以《詩》、《書》爲教本，《書》主政事，凡弟子出仕者，必先修習《尚書》，學號令，宓子宜同，故知師法大舜之任禹、皐陶等而「垂拱而治」。則不齊傳夫子《尚書》學，世世相傳至秦、漢初而有虙孫伏生，明矣。

「宓不齊」，宓，亦作虙，字通作伏，宓不齊即伏生之先祖，〔北齊〕顏之推《顏氏家訓》〈書證〉篇：

> 〔三國魏〕張揖云：「虙，今伏羲氏也。」〔三國魏〕孟康《漢書古文注》亦云：「虙，今伏。」而〔晉〕皇甫謐云：「伏羲或謂之宓羲。」按諸經史緯候，遂無宓羲之號。虙字從虍，宓字從宀，下俱爲必，末世傳寫，遂誤以虙爲宓，而《帝王世紀》因更立名耳。何以驗之？孔子弟子虙子賤爲單父宰，即虙羲之後，俗字亦爲宓，或復加山。今兗州永昌郡城，舊單父地也，東門有《子賤碑》，漢世所立，乃曰：「濟南伏生，即子賤之後。」是知虙之與伏，古來通字，誤以爲宓，較可知矣。（〔宋〕王觀國《學林》卷四：「虙、伏、服三字通用，而世俗多變虙爲宓者，誤也。《字書》：宓，彌畢切，……與虙音不相通，蓋虙、宓二字相類，故多誤書者。」大抵承用顏氏此說）

案：宓、虙竝从必聲；密，从宓聲（以上竝見《說文》），則三字音近。而伏，古音*bʼiwək，與宓聲韻母非遠，古代人名常傳寫異字，《說文》虙，段注：「顏語謂『虙』音房六切，與『伏』音同，而『宓』音綿一切，與『虙』音殊，故謂『宓羲』、『宓子賤』（之宓）皆誤字，不知虙、宓古音正同，故虙羲或作宓羲，其爲伏羲者，如《毛詩》苾字，《韓詩》作馥，語之轉也。……若論其（宓、虙）同从必聲，則作虙子賤亦無不可。」是誠宓姓後世傳寫爲伏姓，漢人姓無作宓、虙者（據《史記》、《漢書》、《後漢書》），而作伏姓則經見。〔清〕孫星衍編撰《建立伏博士始末》卷下譜伏生世系即據此引《東門子賤碑》（碑今佚），以爲宓不齊之胤嗣，洵是也。

伏生，猶賈生（誼）、歐陽生（容），生皆謂儒生；勝，其名也，

〔三國〕〔魏〕張晏曰：「伏生名勝，《伏氏碑》云。」（《史記》〈儒林傳〉《集解》引；《漢書》〈儒林傳〉《注》引同，氏作生）

《史記》〈儒林傳〉序：「言《尚書》自濟南伏生。」《索隱》：「按：張華云名勝，《漢紀》云字子賤。」

《後漢書》〈伏湛傳〉：「伏湛，……九世祖勝，字子賤，所謂『濟南伏生』者也。」

《經典釋文》〈序錄〉：「伏生，名勝，故秦博士。」

《伏氏碑》，今佚；云字子賤，或者疑焉，

王觀國《學林》卷四：「……《史記》〈仲尼弟子列傳〉：『宓不齊，字子賤，為單父宰』，又《史記》〈儒林傳〉：『伏生，濟南人，故為秦博士。孝文帝時，求治《尚書》者，聞伏生能治，伏生年九十餘，老不能行，詔使掌故鼂錯往受之』，張晏注曰：『伏生名勝。』然則名勝者，濟南伏生也；字子賤者，宓不齊也。〈伏湛傳〉：『九世祖勝，字子賤』，范蔚宗誤矣。」〔清〕簡朝亮《尚書集注述疏》卷首：「伏生名字，《史記》闕焉，《漢書》亦同。《後漢書》〈伏湛傳〉云：『九世祖勝，字子賤，所謂「濟南伏生」者也』。此足以補之矣。或曰：伏與虙通，伏生為虙子賤之後，而與其祖字同，亦可疑也。」黃慶萱先生《史記、漢書儒林列傳疏證》頁六七、一五八：「（上引〈仲尼弟子列傳〉及《顏氏家訓》）然則子賤為伏生遠祖可知，荀悅《漢紀》（敏案：見《史記》〈儒林傳序〉《索隱》引）、范曄《後漢書》〈伏湛傳〉言伏勝字子賤，皆誤也。……子賤者為伏生之祖宓不齊，非伏勝也。詳見陳祟聲《伏乘》一書。」

案：「伏乘」，未見。勝，乘也（《詩》〈小雅〉〈正月〉《毛傳》）；乘陵之也（《正義》）。賤，卑也（《廣雅》〈釋言〉）。是陵上（勝）為名，卑下（賤）為字，字取義反乎名，此法習見，是勝字賤允宜。又或伏勝以其顯祖不齊傳孔門《尚書》學，家世遞傳至今，慕而取與遠祖同字，一若荀況令蘭陵，號卿，漢世蘭陵人慕之，多取「卿」為名，如孟卿其一例也。則祖、孫同字子賤，范書此未必誤。

伏生之《尚書》學師承，十三經、正史無明文，然有得而說者凡三源：

一　自其先祖宓不齊，世家相傳，貽祖於孔子：方見上說。此可信。

二　傳自李克，題〔漢〕郭憲《洞冥記》（據馬宗霍《中國經學史》頁二二引；余檢數本，未見此條）：「有李克者，自言三百歲。少而好學，爲秦博士，門徒萬人。伏生時十歲，就克石壁山中受《尚書》，乃以口傳授伏子，四代之事，略無遺脫，伏子因而誦之。」黃復山教授補正曰：「〔清〕朱彝尊《經義考》卷七六引《洞冥記》。視馬氏引爲詳。又云：〔清〕翁方綱《復初齋文稿》卷十五〈書伏生授經圖後〉亦引《洞冥記》。」《傳經表》「一、伏勝」下，既自注「未詳所受」，又引此記，疑未定也。

三　傳自荀況，近人蔣善國《尚書綜述》頁一六：「《史記》〈孟荀列傳〉說：『荀卿，趙人，年五十始來游學于齊。……田駢之屬皆已死，齊襄王時，荀卿最爲老師。齊尚修列大夫之缺，而荀卿三爲祭酒焉。齊人或讒荀卿，荀卿乃適楚，而春申君以爲蘭陵令。』又〈儒林傳〉說：『孝文時欲求能治《尚書》者，天下無有，乃聞伏生能治，欲召之。是時伏生年九十餘，不能行。』考荀子做蘭陵令，在東周亡後一年，下離秦始皇即位十年、離漢文帝元年七十餘年。文帝時伏生已經九十多歲了，那麼荀子游齊的時候，伏生已生了約二十年。伏生本濟南人，《漢》〈志〉說他以《尚書》教于齊、魯之間。可能他見到荀子。我們雖不能據以此斷定伏生治《書》受過荀子的傳授，可是伏生既然是齊國人，而荀子在齊國做了三次祭酒，自難免有此淵源。如果這個推測不錯，那麼荀子不但與《書》的編纂有關，並且與《書》的傳授也有影響。」案：〔三國〕〔吳〕陸璣《毛詩草木鳥獸蟲魚疏》：「孔子刪《詩》授卜商，商爲之〈序〉以授曾申，申授魏人李克，克授魯人孟仲子，仲子授根牟子，根牟子授趙人荀卿。」陸璣說或有所本。則李克爲子夏再傳弟子，而荀卿《詩》學出焉。《洞冥記》蓋以子夏傳群經，《詩》既知出子夏，《尙書》亦應不殊，卜商於居西河時授李克（魏文侯重臣）耳；彼又欲抗尊伏生經學地位，故不顧其世代差遠，虛稱大年，牽合時次，令伏爲李徒。殊不知既云爲秦博士，弟子且萬人，不在官署授業，而竟在山壁，其妄顯然。夫荀卿治《尙書》，《荀子》引十六次，而西漢經師，多傳自荀卿，如齊人浮丘伯傳《詩》予申公，伯、荀卿門人也（《漢書》〈楚元王傳〉、《鹽鐵論》〈毀學〉篇），蔣氏度伏生或許見到荀卿，伏學或淵源於荀，時次既協，理事亦無礙，茲從之。

伏勝里貫、仕履、教授暨《尙書》傳本，

《史記》〈儒林傳〉：「伏生者，濟南人也，故爲秦博士。孝文帝時，欲求能治《尚書》者，天下無有，乃聞伏生能治，欲召之。是時伏生年九十餘，老不能行，於是乃詔太常使掌故朝錯往受之。秦時焚書，伏生壁藏之。其後兵大起，流亡。漢定，伏生求其書，亡數十篇，獨得二十九篇，即以教于齊魯之間。學者由是頗能言《尚書》，諸山東大師無不涉《尚書》以教矣。」（《漢書》〈儒林傳〉幾全同）

又〈鼂錯傳〉：「孝文帝時，天下無治《尚書》者，獨聞濟南伏生，故秦博士，治《尚書》，年九十餘，老不可徵，乃詔太常使人往受之。太常遣（鼂）錯受《尚書》伏生所。」（《漢書》〈鼂錯傳〉幾全同）

〔漢〕劉歆〈移太常博士書〉：「至孝文皇帝，始使掌故朝錯從伏生受《尚書》。」（《漢書》〈楚元王傳附劉歆傳〉載）

《三國志》〈魏書〉〈高堂隆傳〉載明帝詔曰：「昔伏生將老，漢文帝嗣以鼂錯。」

濟南，《漢書》〈地理志〉：「濟南郡（班固原注：『故齊。文帝十六年別爲濟南國。景帝二年爲郡。』），縣十四……鄒平、……朝陽、……。」

〔後漢〕衛宏〈定古文官書序〉謂伏生之女言語爲「齊人語」（引文詳下），以此。伏生之祠、墓，即在鄒平縣境，《建立伏博士始末》卷下：

《水經》〈漯水注〉：「漯水東北逕東朝陽縣故城南，漯水又東逕漢徵君伏生墓南，碑碣尚存。」

《明一統志》：「伏生墓在鄒平縣東北一十八里，伏生祠在鄒平縣東北一十八里。」（《山東通志》：「祀秦博士伏勝，即墓建祠。」）《山東通志》：「鄒平縣伏勝墓，在縣東十八里，《水經》〈漯水〉『又東逕伏生墓前』是也。」

即其所居邑葬墓，近墓爲祠奉，是伏生西漢濟南郡鄒平縣（今山東省鄒平縣）人；所居鄉命曰「伏生」，《縣志》：「今縣治東北十八里，舊口鎮東南，曰伏生鄉是也。」

鼂錯爲太常掌故往受《尙書》伏生所，確年不可考，《史》、《漢》云「文帝時」，假定爲文帝即位初未久——前元三年（西元前一七七），時伏生年九十餘（作九十二計），逆推至秦始皇焚書之年——始皇三十四年（西元前二一三），則時伏生五十六歲，爲始皇《尙書》學博士，失官東歸故里，

（民國）錢穆先生《國史大綱》頁一〇一：「秦廷以博士議政興大獄，伏生之徒抱書而逃（錢氏原注：伏生亦東方學者，治《尙書》，焚書案中，殆與淳于越諸人同失官而去。）。」

案：當日議政力主師古博士淳于越者，齊人也；而伏生亦齊人，爲《尚書》博士，政見與同。尋禁私人藏《詩》、《書》，伏生雖爲博士官，僅得於朝廷官府研讀，家私不得持有，故抱書逃東。孔穎達《尚書正義》謂伏生是秦二世博士，夫焚坑之後，《書》博士伏生必不見容於李斯、趙高之徒，《正義》靡所據，肊必之言，非也。

始皇焚《尚書》，伏生壁藏之，亦見《漢書》〈藝文志〉，《論衡》〈正說〉篇則謂伏生抱書藏山中。及秦楚、楚漢兵燹，伏生本亡佚數十篇，漢定僅存二十九篇，《漢志》〈六藝略〉〈書類〉：「《尚書》……經二十九卷」，即謂伏生本，亦即今傳自〈堯典〉至〈秦誓〉二十九篇是也（無《書序》、〈泰誓〉，〈顧命〉、〈康王之誥〉各爲一篇）。昔賢推崇伏生傳經有功，謂保存本經不滅尤大，豈但講業授徒而已？

漢《尚書》之學，伏生爲今文學派大宗師，傳授系統列爲「一」（《傳經表》即如此），其伏氏子孫相傳，衛宏〈定古文官（原誤作尙）書序〉云：

> 伏生老，不能正言，言不可曉也，使其女傳言教（鼂）錯。齊人語多與潁川異，錯所不知者凡十二三，略以其意屬讀而已。（《漢書》〈儒林傳〉顏注引）

是伏生之女嘗受《尚書》於乃父，〔清〕陳喬樅〈今文尚書敘錄〉（在其《今文尚書經說攷》

卷首）列「伏生女」爲二傳，有據；更於其下譜「伏生孫」，則明據《史》、《漢》兩〈儒林傳〉「伏生孫以治《尚書》徵」，是也。

第考諸典籍，伏生之後裔，於漢，二、三、四、六、七世闕名。五世名孺，客授東武，不知授何經；八世理，受《詩》於匡衡，以授成帝，《齊詩》也；九世湛，傳父業，教授《齊詩》，湛弟黯、黯繼子恭，亦均治《齊詩》；十三世無忌，校定中書五經；十五世完，傳經學，不知何經。其餘九世鳳、十世翕、十一世光、十二世晨、十四世質、十六世典、十七世儼，經學竝不詳（以上據《後漢書》列傳，參《建立伏博士始末》〈世系〉）。三國以下伏氏嗣孫，亦無治《尚書》學而有成者。乃《傳經表》伏生《尚書》學下列六傳伏孺、八理、九湛、十翕、十一光、十二晨、十三無忌、十四質、十五完，又於二、四、五、七傳自注「伏氏家學」，類此皆斷父祖專治某經，子孫必承其業，無驗而必之，徒亂經學傳統而已。考漢伏氏經學，自伏生之孫「以治《尚書》徵，不能明也」（《史記》〈儒林傳〉），《尚書》家世之學寖微，陵遲至八世理以下，轉主《齊詩》，而輔習它經，惟素以經學傳家，至漢末葉而宗風未沫，故《後漢書》〈伏翕傳〉述翕至完傳家學既已，乃曰：「初，自伏生已後，世傳經學，清靜無競，故東州號爲『伏不鬭』云」，足徵矣！

至非伏本姓而傳伏生《尚書》學者，視伏氏裔孫爲顯，有若：

鼂錯，已見前引《史》、《漢》、《三國志》六條。錯傳何比干，《後漢書》〈何敞傳〉：「何敞……六世祖比干，學《尚書》於朝錯，武帝時爲廷尉正，與張湯同時。」

何比干《尚書》學，下無傳，則鼂氏《尚書》學宗，一傳而絕，未爲特顯也。

又有張生、歐陽生、二夏侯，則世之甚顯學也，

《史記》〈儒林傳〉：「伏生教濟南張生及歐陽生，歐陽生教千乘兒寬。兒寬既通《尚書》，以文學應郡舉，詣博士受業，受業孔安國。兒寬……行常帶經，止息則誦習之。以試第次，補廷尉史，……位至御史大夫。……張生亦爲博士。」

《漢書》〈儒林傳〉：「歐陽生字和伯，千乘人也。事伏生，授倪寬。……寬……初見武帝，語經學。上曰：『吾始以《尚書》爲樸學，弗好，及聞寬說，可觀。』乃從寬問一篇。歐陽、大小夏侯氏學皆出於寬。寬授歐陽生子，世世相傳，至曾孫高子陽，爲博士。高孫地餘長賓以太子中庶子授太子，後爲博士，論石渠。……地餘少子政爲王莽講學大夫。由是《尚書》世有歐陽氏學。」

又〈夏侯勝傳〉：「夏侯勝……東平人。……從（夏侯）始昌受《尚書》及《洪範五行傳》，說災異。後事蕳卿，又從歐陽氏問，爲學精孰，所問非一師也。善說禮服，徵爲

博士、光祿大夫。……昌邑王嗣立，數出。勝當乘輿前諫曰：『天久陰不雨，臣下有謀上者，陛下出欲何之？』……（勝）言：『在《洪範傳》曰「皇之不極，厥罰常陰，時則下人有伐上者」；惡察察言，故云臣下有謀。』……勝用《尚書》授太后。」

又〈儒林傳〉：「夏侯勝，其先夏侯都尉，從濟南張生受《尚書》，以傳族子始昌。始昌傳勝，勝又事同郡蕳卿。……勝傳從兄子建，建又事歐陽高。勝至長信少府，建太子太傅。……由是《尚書》有大小夏侯之學。」

又〈夏侯勝傳〉：「勝從父（兄之誤）子建，……自師事勝及歐陽高，左右采獲。又從五經諸儒問與《尚書》相出入者。牽引以次章句，具文飾説。……卒自顓門名經，爲議郎、博士，至太子少傅。」

濟南張生，名不詳，文帝時立爲《尚書》學博士，及身而顯。

千乘歐陽生名容（據歐陽脩《歐陽氏譜圖跋》，《歐陽文忠公外集》卷二一），傳曾孫歐陽高，武帝時爲博士，自茲，學派日顯，裔孫亦頗爲博士；傳異姓林尊（亦見《漢書》〈儒林傳〉），尊三傳桓榮、榮傳子郁、郁傳子焉，「三桓」分別次第爲明、章、和、安、桓五位帝王之師，皆歐陽派大家。靈帝刻漢石經，厥以歐陽爲參校本，期間歐陽學之受重視可知。大夏侯勝之學，一傳孔霸爲元帝師，再傳子光爲成帝博士，官至丞相。小夏侯建最能光大伏學，博問五經諸儒，增廣章句，其後傳有秦恭者，增師法至百萬言。兩夏侯宣帝時竝立於學官。漢自宣帝以後，言伏生派《今文尚書》學者，非歐陽即夏侯，顓家之學斯盛極矣！

伏生傳《書經》於齊魯間，據己私藏二十九篇本，徒以口授經誼，而無章解句釋之專著，僅弟子（張生、歐陽容）輯錄其講義而成一書——《尚書大傳》四十一篇（《漢》〈志〉著錄）。歐陽、夏侯承其指，著《歐陽章句》三十一卷、《歐陽說義》二篇、《大、小夏侯章句》各二十九卷、《大、小夏侯解故》各二十九篇（亦均《漢》〈志〉著錄）。夫《尚書》古奧難曉，初，「能治《尚書》者，天下無有」，伏生師徒始講明大義，通訓故，「學者由是頗能言《尚書》」，故兩漢無論今古文家莫不說此二十九篇，固以有伏氏師徒著作在上得據，增益補苴，厥功易爲耳。觀孔壁後出《古文尚書》四十六卷（其中含〈序〉一卷），非不多矣，中與伏生本同有者二十九篇，漢儒皆講之解之者，亦有伏氏師徒著作可比讀故也；至伏本無而孔本獨有之所謂逸書十六篇，則雖馬（融）、鄭（玄）大儒，不過傳述而無章解句釋。於戲！創始誠難而因承爲易，此後儒之所以大伏生傳經之功也。

大宗師授《尚書》，有藝人繪爲圖像，老儒神采，宛然可見，一九五二年四川省出土漢代畫像磚，今歸重慶市博物館，中有「伏生授經畫像磚」一方，影圖見卷一冊，圖版頁二（據〔日〕貝塚茂樹〈漢伏生授經畫像磚考〉，載《吉川博士退休記念中國文學論集》，昭和四十三年三月）。案：蜀地處西陲，風氣否閉，學術未興。自文翁涖守，修起學官，選徒詣京師受業博士，張寬、司馬相如與焉，州人始知伏生、歐陽、夏侯《尚書》之學，若前漢楊仲續及裔孫廣、統、厚等代修儒學，以大夏侯《尚書》相傳，從習者甚眾，咸謂雖云宗本夏侯，肇端則爲伏生，故有此授經圖之作，則阜比之上，一祖——伏師，而函丈之次，殆六宗——鼂錯、張生、歐陽容、兒寬、夏侯勝、夏侯之徒（敏案：兒寬以下，未嘗親炙，藝人或不必拘拘時次），而成器於西漢宣、元以後。

詩畫大家唐、王維摩詰，「寫濟南伏生像一」，《宣和畫譜》卷十妙上品著錄，今藏日本大阪市博物館者，當即卷一冊，圖版頁三。

詞人、經學家兼收藏家清朱彝尊竹垞舊於中土得見，殆即此圖，彝尊賞玩之餘，感慨系之矣：

右王維所畫伏生，上有宋思陵題字。庚戌十月，覯于退谷孫侍郎齋。生、濟南人也。予游濟南于長白山之陰，拜生墓，見其祠宇庳隘，至不容筵几，有司牲醪、歲時之饗，或闕焉不修，因歎世人無知重生者。蓋經學之不明久矣，思秦之時，諸生訟言封禪，致有坑儒之禍，生爲秦博士得免，其明哲有過人者。及漢興，隱士負一時之望莫若商山四皓，初未聞講習經義，傳之弟子……生獨能于微言既絕之時，教學齊魯，老而益勤，卒

> 傳之鼂錯，斯文未喪，天若有意于生而錫之年者。百世之後，宜師其人而識其貌焉。維之所畫，特想像爲之而已，然藝事既神，其精思所感，如或見之，觀是圖者不問知其爲生。（《曝書亭集》卷五四〈王維伏生圖跋〉）
>
> 是圖庚戌冬觀于北平孫侍郎蟄室，因跋其尾。既而歸于棠村梁相國，今爲漫堂宋公所藏。主雖三易，不墮秦會之、賈師憲、嚴惟中之手；濟南生亦幸矣。按《中興館閣續錄》維所畫〈濟南伏生圖〉，曾歸祕閣儲藏，故宋元以來題跋獨少。宋公定爲眞蹟，知孫、梁二公賞鑒略同也。（同上〈再題《王維伏生圖》〉）

天之未喪斯文，憖遺一老，俾守聖經，伻獨講授於齊魯之間，「由是學者頗能言《尚書》」，諸山東大師無不涉《尚書》以教，卒致天下莫不知《書經》，更歷二千餘年而不墜於地，權奸若秦檜、賈似道、嚴嵩者，其如濟南生何？

經學家、大文士、辨僞鉅子〔元〕吳澄〈草廬見生授書圖〉，歌詠之，一編之中，三致意焉，其：

> 〈題伏生授書圖〉（有跋）：「先漢今文古，後晉古文今；若論傳經功，遺像當鑄金。嗚呼！……《書》二十八後析爲三十三，奇倔難讀，……奇倔，古書體也，……晉隨

（隋）間古文二十五篇出，從順如今人語，非若伏生書奇倔矣，識者議其功罪於錯，爲何如哉！嗚呼！是固未易爲淺見寡聞者道也，安得起吳材老、朱仲晦于九原？」（《吳文正公集》卷四五）

又：「後死寧非數，能言豈必男？如何掌故耳，未了異方談！篇簡僅四七，語音囧二三，可嗤千載下，孔傳苦研覃。」（同上卷四六）

〈題伏生授經圖〉：「伏生所授二十八篇，眞上世遺書也。東晉後以增多之書雜之，今之儒者或莫辨別，闇亦甚哉！」（同上卷三一）

此繼漢圖後又一「伏生授經圖」；生傳經之功大，故人爭形而頌之。夫疑後晉獻上之《古文尚書》者，宋、元先儒有人，顧解說全經而摒此二十五篇晚書不注解，別以附見於後，其解僅及伏生所傳之古倔二十八篇（〈顧命〉、〈康王之誥〉合爲一）者，草廬《書纂言》四卷是（原本《書纂言》如此，今《通志堂經解》本削去「別附」未刊），前此無有也。解其可信，棄其可疑，譔專著行世，其禮敬伏大宗師，豈僅麗詞虛贊而已。伏學之功臣，孰有大於草廬者耶？

劇作家（清）石韞玉執如，謂但憑圖像、歎詠尚不足以廣伏儒傳經功，因特作《伏生授經》劇本（載所撰《花間樂府》，見民國鄭振鐸輯《清人雜劇初集四十種》）。劇中角色，曰旦——伏生女、外——伏生、生——晁錯、末——公差。經由三角唱、白，記《尙書》爲伏家世學，自周至漢；始皇焚坑，伏生逃入山中，未攜家藏之《尙書》篇簡；生年老智昏，《書》忘十之八九，命女背誦《尙書》殘經文，由晁受抄，伏生唱：

〔簇御林〕我守殘年，似隙駒，抱遺經，學蠹魚，這回釋了千金負。指授他章和句，他轉皇都。想鴻都門外，觀者塞街衢！

全劇本多違史實；文人弄筆，慢忽考徵，毋庸深辨。唯劇情言章句傳承，強調女子口授，且傳經者止晁氏一家，不考伏老親自傳授《尙書》，遠在漢高祖五、六年，《史記》〈儒林傳〉云「漢定，伏生求其書，……獨得二十九篇，即以教于齊魯之間」，謂滅項籍（漢五年）定天下，伏老即于齊魯間授徒，下距文帝詔晁錯來學，二十五年，彼時張生、歐陽生等殆已成學，或尋立爲博士（張生），或別爲顓家開門授徒，故〈儒林傳〉又云「學者由是頗能言《尙書》，諸山東大師無不涉《尙書》以教矣」。且晁氏轉都復命，並未獲立爲經學博士（後乃立爲諸子學博士），其《尙書》學一傳何比干而絕，則《尙書》學所以不墜，晁氏功微；劇人獨顯之，非也。又伏老講學山東，視《易》田何、《禮》高堂生、《春秋左氏》張蒼爲蚤，而年又最高，影響又最深遠，尊之爲漢代第一位經學大宗師，夫誰曰不宜？

清三百年經學，考證之功最著；考證羣經，成就最大爲斷案晚出《古文尚書》僞作，其間一面翊贊閻氏《疏證》，揭昭僞迹，一面於力考古史之餘，猶不忘操翰爲文專「論伏生傳經之功」，用表章眞古《尚書》者，崔述東壁是也，氏云：

漢儒之功孰爲大乎？世未嘗有言之者也。雖然，吾嘗思之，萬古之所由開，道統之所由始，曰堯舜而已。……欲求堯舜之道，非《尚書》無由知之也。《尚書》誰傳之？伏生傳之也。自秦焚書以後，世不復有見《尚書》者矣。獨伏生壁藏之，以教於齊魯之間，由是《尚書》得行於世。使無伏生，則二十八篇之書不傳；二十八篇之書不傳，則「地平天成」之業不著於世，而禹湯文武之事亦莫得其詳；雖有《論語》、《孟子》稱述之，而見知聞知之實，皆無由考而知之，聖道幾何而不晦也！由是言之，伏生之功大矣。

曰：伏生所傳者今文耳，永嘉之亂，今文已亡，今所行者古文也；傳經之功，孔安國、杜林爲最，何爲歸之於伏生也？曰：安國與林誠大有功於《尚書》，然科斗之書漢世不行已久，安國何由辨之，正以先有伏生所傳今文之書，就其文字推之，而後知某爲某字，某爲某篇耳。故《史記》云：「安國以今文讀之，因以起其家，逸書得十餘篇。」使無伏生今文，又安能有安國古文！不然，《尚書》凡百篇，何以其餘皆不傳於世，即所得多十六篇者，又何以缺略不全，絕無師說？由是言之，傳《尚書》之功以伏生爲最，其次乃安國，次乃杜林，又次乃賈逵耳。

夫傳《詩》者四家，傳《春秋》者五家，《論語》有《齊》、《魯》之別，《易》於田何之外，復有費，高二氏；《書》獨有伏生耳。無伏生則無《尚書》；無《尚書》則堯舜之道不傳於後世，雖韓朱之大儒，且無由深悉之。吾故表而出之。（《崔東壁遺書》〈考古續說〉卷二；少後，孫星衍推言伏生功，說大同，見《建立伏博士始末》卷上頁二）

案：推崇伏儒之功，歎觀止矣！夫吾國道統亦即學術傳統，斷自堯舜；堯舜以上邈遠，無徵不信。堯舜事迹，先秦經典多載，第或失之零散，或失之誣妄，若論其記述較備，而著成較早，有徵堪信者，莫《尚書》〈虞夏書〉若也；其下〈商〉〈周〉二十餘篇，或西周初已成撰，或出豐鎬檔案，記二代政教，極爲珍貴，咸賴伏儒之力傳至今不滅，功孰大乎此哉！

又案：凡事開創之功難爲，講經亦然；較之它經，講《尚書》尤難；《尚書》古奧，多師累世說而後義乃明。伏生者，師承孔子、子夏、宓子賤、荀卿之下，窮竭心力，卒成顓家，爲秦學科博士，以授漢諸生，義大昌明「可觀」，故本經亦賴以傳世勿絕。而《逸書》十六篇本經之所以速亡者，主要以「有書無師」，經義不能明；觀壁經同出者猶有《禮古經》五十六篇，其中《逸禮》三十有九篇，亦以「絕無師說」而速亡。夫《儀禮》十七篇，魯高生所傳講，遞傳后蒼，撰《后氏曲臺記》；而二戴、慶氏出焉，凡所解僅及十七篇，逸三十九篇概不及，夫無師說則義不明，本《禮經》亦隨手亡失，與《逸書》之亡理同。此崔說之未及，用補證於其下。

伏勝，唐代從祀文廟，列兩廡，稱先儒；宋代追封乘氏伯（〔明〕陳鎬《闕里志》卷十三）。〔清〕孫星衍以為但血食孔廡泛同諸儒，不足以示尊經功伏，因請立伏氏六十五世孫敬祖，襲五經博士，嘉慶七年制可。孫氏云：

> 伏生傳《書》，……其功尤在絕續之際，壁藏其文，而口授其義，使五帝三王之訓典不墜於地，非後世諸儒說經立行，列身兩廡者可比。（〈建立伏博士始末序〉）

宜升大成殿，次四配下，尊同十二哲，顧亦無慚也。

——原載《國文天地》七卷八期，民國八十一年八月

十五　兩漢《洪範五行傳》作者索隱

提要

本篇考兩漢〈洪範〉陰陽五行學者著書，文分五科十四目段。論伏生著《洪範五行傳》，伏生原書今佚，西漢至宋末元初人尙及見原典而引之，今存數家輯本。伏生之三傳弟子夏侯始昌推伏生之《洪範五行傳》另自撰《洪範五行傳》，今尙存佚文。始昌三傳許商，商著《五行傳記》，亦遠紹伏〈傳〉。劉向集古今事實，證〈洪範〉災異，著爲占驗，作《洪範五行傳論》，後人引稱其書名多歧異；向子歆踵武父後，同著《洪範五行傳》，《兩漢書》〈五行志〉多引其說，往往直題其書名。父子〈洪範〉災變說，均自伏〈傳〉流出。董仲舒緣《公羊春秋》義言古今災應，非自《書》〈範〉，所著《春秋災異記》，固亦伏〈傳〉之支與流裔。班固《漢書》〈五行志〉、司馬彪《續漢書》〈五行志〉，均載伏生《洪範五行傳》十餘事，未明題伏生作，後世疑惑，今爲考正。其餘谷永等兩漢多士，但出五行災異言論，無著專書。〔清〕程廷祚、近繆鳳林、徐復觀三氏，著論謂《洪範五行傳》非出於伏生，謹一一辭而辨之。

關鍵詞：

《尚書》　《洪範五行傳》　《尚書大傳》　伏生　董仲舒　夏侯始昌　夏侯勝　劉向　劉歆　〈五行志〉

考兩漢〈洪範〉陰陽五行學，難解者七事：伏生著有《洪範五行傳》否乎，其難一；《兩漢書》〈五行志〉載〈五行傳〉，書誰作，其難二；自漢至宋人引〈洪範五行傳〉佚文，題〈五行傳〉或題〈尚書大傳〉，果伏生作乎，其難三；創作《洪範五行傳》言陰陽五行災異，造端於夏侯始昌乎，其難四；史亟稱推陰陽言災異，肇於董仲舒爲儒者宗，是歟，仲舒所著何書，其難五；劉向集古今災異，推迹行事，著其占驗，彼所著書書名又多歧、向子歆亦暢言五行災異，與前人殊，有無專書，古志闕載者何，其難六；諸家異說，學者或不遑深究，遽爾信執，不辨不可，其難七也。不揣淺庸，試解七難事，請釐爲五科十四目段言之。

一　伏生作《洪範五行傳》

（一）伏生《尚書大傳》之著成及著錄

漢興，初傳《尚書》者，伏生也（西元前二六一？至？），其傳本廿九篇，《史記》〈儒林傳〉：「伏生者（名勝，見《續漢書》〈伏湛傳〉；生，儒生也。），濟南人也，故爲秦博士。孝文帝時，欲求能治《尚書》者，天下無有，乃聞伏生能治，欲召之。是時伏生年九十餘，老不能行，於是乃詔太常使掌故朝錯往受之。秦時焚書，伏生壁藏之。其後兵大起，流亡。漢定，伏生求其書，亡數十篇，獨得二十九篇，即以教于齊魯之閒。……伏生教濟南張生（名不詳）及歐陽生（名容）。」（《漢書》同）

伏生《尚書》傳本廿九篇（今存）、伏生《尚書傳》（即《尚書大傳》，詳下）之著錄，《漢書》〈藝文志〉〈六藝略〉〈書類〉：「《尚書古文經》四十六卷；《（今文）經》二十九卷（均以卷當篇）、《（尚書）傳》四十一篇。」

《漢》〈志〉著錄今文經，例不著「今文」二字；「《傳》四十一篇」之「《傳》」，上冒「《尚書古文經》」之「《尚書》」，因從省，則此《傳》四十一篇，《（今文）

尚書傳》也。四十一篇《傳》，即《尚書大傳》，班固已予認定，《漢書》〈劉向傳贊〉曰：「劉氏《鴻範論》發明《大傳》，著天人之應。」《尚書大傳》鄭玄《注》，《後漢書》〈鄭玄傳〉：「凡玄所《注》，……《尚書大傳》。」〈孝經序疏〉（引）《鄭志》〈目錄〉記鄭之所《注》，五經之外，有《中候、大傳》。（〔清〕陳壽祺《尚書大傳定本》〈序錄〉；別參王利器《鄭康成著述考、鄭康成年譜》〈著述〉）

而康成《尚書大傳注序》亦云然，

〔宋〕王應麟《玉海》卷三七〈藝文〉著錄《尚書大傳》，引《中興書目》曰：「按鄭康成〈序〉云：『（《尚書大傳》）蓋自伏生也。伏生爲秦博士，至孝文時，年且百歲，張生、歐陽生從其學而授之，音聲猶有訛誤，先後猶有差舛，重以篆隸之殊，不能無失，生終後，數子各論所聞，以己意彌縫其闕，別作《章句》；又特撰大義，因經屬指，名之曰《傳》。劉向校書，得而上之，凡四十一篇。』」

《尚書大傳》，原爲伏師授課講義，生卒後，經高第弟子張生、歐陽生編定命名，云「特撰大義，名之曰《傳》」，良可確知。此後，〔北魏〕酈道元《水經注》〈河水〉云「伏生撰五經《尚書大傳》」、〔梁〕沈約《宋書》〈五行志〉一及〔唐〕房玄齡《晉書》〈五行志〉云「虙生創紀《大傳》」，竝仞伏生四十一篇《傳》名《尚書大傳》矣。

唐至宋著錄伏生《尚書大傳》者，另有：《經典釋文》〈序錄〉、《隋書》〈經籍志〉、《兩唐》〈志〉、《冊府元龜》、《崇文總目》、《中興書目》、《郡齋讀書志》、《直齋書錄解題》、《遂初堂書目》、《通志》〈藝文略〉、《宋史》〈藝文志〉（參《尚書大傳定本》〈序錄〉），《太平御覽》卷首列〈經史圖書綱目〉錄《尚書大傳》（卷內甚多引《大傳》本文）。〔元〕金履祥（一二三二至一三〇三）《通鑑前編》、馬端臨（一二五四至？）《文獻通考》竝猶及見原書而引之，殆佚於元中葉以後。

（二）漢、梁、唐人論伏生始作《洪範五行傳》

伏生本《尚書》有〈洪範〉篇（各本《尚書》，不分今、古文本，亦莫不有〈洪範〉篇。）。〈洪範〉九疇言五行，其「初一、曰五行」云云、「一、五行：水火木金土」云云、「二、五事：貌言視聽思」云云、「八、庶徵：雨暘燠寒風」云云、「九、福極：壽富康寧凶短折疾憂」云云，皆具五行說理要。《尚書大傳》撰論《書》義，周徧廿九篇，分爲〈唐書〉、〈虞書〉、〈虞夏書〉、〈夏書〉、〈殷書〉（〈商書〉）及〈周書〉。其於〈周書〉〈洪範〉釐爲子卷二：一〈洪範〉通義，二〈洪範五行傳〉（即詳下引載），則伏之〈五行傳〉固本爲《尚書大傳》之一篇。〈五行傳〉獨立爲一篇仍繫屬〈周書〉內，李昉所見尚如此，別分甚明確，

《御覽》卷五二四〈禮儀部〉三：「《尚書大傳》〈周傳〉曰：『祭之爲言察也，察

者，至也，至者，人事也；人事至，然後祭。祭者，薦也，薦之爲言在也。在也者，在其道也。』鄭玄《注》：『《禮志》曰：君子生則敬養，死則敬饗也。』」

此引乃〈周傳〉〈洛誥〉及《注》文。接下連續二引〈周傳〉〈洪範五行傳〉文，簡錄如下，以爲實證，

又：「〈五行傳〉曰：『簡宗廟，不禱祠，廢祭祀，逆天時，則水不潤下。』《注》：『君行此四者爲逆天。……』」

又：「〈五行傳〉曰：『六瀰之禮，散齋七日至上下王祀。』《注》：『《禮志》：致齊三日。……』」

兩「又」字，緊承上文，謂亦「《尚書大傳》〈周傳〉」文，而〈五行傳〉特其（〈周傳〉）子篇耳！

謂伏生作〈洪範五行傳〉，載在《尚書大傳》一書內，志傳具明文，兩漢暨梁、唐人先已有論，具文確說，如：

漢武帝時，夏侯始昌推伏生之〈洪範五行傳〉，自撰《洪範五行傳》，佚文今存，詳下彼卷。

昭帝元平元年（前七四），夏侯勝據伏生之〈洪範五行傳〉論極之不建，厥罰恒陰云云，說亦詳下彼卷。

《漢書》〈谷永傳〉：建始三年（西元前三〇）冬，日食地震同日俱發。……谷永對曰：明王即位，正五事，建大中，以承天心，則庶徵序於下，日月理於上。……五事失於躬，大中之道不立，則咎徵降而六極至。凡災異之發，各象過失，以類告人。……〈經〉曰：「皇極，皇建其有極。」〈傳〉曰：「皇之不極，是謂不建，時則有日月亂行。」……災異，皇天所以譴告人君過失，……畏懼敬改，則禍銷福降；忽然簡易，則咎罰不除。〈經〉曰：「饗用五福，畏用六極。」〈傳〉曰：「六沴作見，若不共御，六罰既侵，六極其下。」

六沴句，師古《注》：「此〈洪範〉之傳也。」顏氏竟不考其爲伏生〈五行傳〉，失注。兩「〈傳〉曰」，伏生〈洪範五行傳〉也；其所引七句，竝見《儀禮經傳通解續》引，詳下《輯本》佚文併鄭《注》。

《漢書》〈五行志〉七中之下：「哀帝建平二年（前五）四月乙亥朔，御史大夫朱博爲丞相，少府趙玄爲御史大夫，臨延登受策，有大聲如鍾鳴，……上以問黃門侍郎揚雄、李尋，尋對曰：『〈洪範〉所謂「鼓妖」者也。師法以爲人君不聰，爲眾所惑，空名得進，則有聲無形，不知所從生。其〈傳〉曰：「歲月日之中，則正卿受之。」……宜退丞相、御史，以應天變。』揚雄亦以爲『鼓妖』，聽受之象也。」

此所稱〈洪範〉，伏生〈洪範五行傳〉之簡稱；下〈傳〉，亦是〈洪範五行傳〉之簡稱，伏生所著書也。鼓妖，在伏〈傳〉〈聽傳〉，云：「聽之不聽，是謂不謀，……時則鼓妖。」歲月日二句，亦在伏〈傳〉，繫皇極辟沴消救節，云：「凡六沴之作，……歲之中、月之中、日之中，則正卿受之。」（竝見《儀禮經傳通解續》引，亦詳下《輯本》佚文併鄭《注》）

> 《漢書》〈孔光傳〉：「孔光，孔子十四世之孫也。……霸生光。……霸亦治《尚書》，事太傅夏侯勝，昭帝末年爲博士。……光經學尤明。……元壽元年（前二）正月，徵光詣公車，問日蝕事，光對曰：『……君德衰微，陰道盛彊，侵蔽陽明，則日蝕應之。《書》曰「羞用五事，建用皇極」，如貌言視聽思失，大中之道不立，則咎徵薦臻，六極屢降。皇之不極，是爲大中不立，其〈傳〉曰「時則有日月亂行」，謂「朓」、「側匿」，甚則薄蝕是也。又曰「六沴之作」，「歲之朝」曰「三朝」，其應至重。乃正月辛丑朔日有蝕之，變見「三朝」之會。上天聰明，苟無其事，變不虛生。……臣聞師曰：天左與王者，故災異數見，以譴告之，欲其改更。若不畏懼，有以塞除，而輕忽簡誣，則凶罰加焉，其至可必。』」

時則有日月亂行，見伏生〈五行傳〉皇極〈傳〉（錄亦見下《輯本》佚文併鄭《注》）；朓、側匿，亦同據伏〈傳〉（《文選》李《注》、《周禮》賈《疏》、《穀梁傳》楊《疏》竝引伏生〈五行傳〉，詳引見下）。六沴之作，歲之朝曰三朝，師古《注》：「歲之朝、月之朝、日之朝，故曰三朝。」伏〈五行傳〉皇極言辟沴消救之道，云：「凡六沴之作，歲之朝、月之朝、日之朝，則后王受之。」（並見《儀禮經傳通解續》引，詳《輯本》佚文併鄭《注》）。

《後漢書》〈尹敏傳〉：「尹敏……初習《歐陽尚書》，後受《古文》。……建武二年（二六），上疏陳〈洪範〉消灾之術。」《續漢書》〈五行志〉一劉昭《注》：「建武二年，尹敏上疏曰：『六沴作見，若是供御，帝用不差，神則大喜，五福乃降，用章于下。若不供御，六罰既侵，六極其下。』」

引文九句，並見《輯本》佚文及鄭《注》，尹氏暗用伏生〈五行傳〉文也。

《續漢書》〈五行志〉五《注》：順帝永建元年（一二六）張衡上封事云：「〈五行傳〉曰：『六沴作見，若時共禦，帝用不差，神則不怒，五福乃降，用章于下。』臣愚以爲可使公卿處議，所以陳術改過，取媚神祇，自求多福也。」

明引稱〈五行傳〉，伏生作也，亦見《儀禮經傳通解續》引《尚書大傳》，併鄭《注》，詳下。

《宋書》〈五行志〉一：「仲尼作〈春秋〉，具書祥眚，以驗行事。是則九疇陳其義於前，《春秋》列其效於後也。逮至伏生創紀《大傳》，五行之體始詳。」

《晉書》〈五行志〉上：「孔子述《春秋》，奉乾坤之陰陽，效〈洪範〉之休咎。……漢興，……文帝時，虙生創紀《大傳》，其言五行、庶徵備矣。」

〔唐〕孔穎達《尚書》〈洪範〉《正義》，屢引「《書傳》」，即《尚書大傳》之簡稱；又數稱引〈五行傳〉，即〈洪範五行傳〉，且明言作者伏生，計：「〈五行傳〉云：『皇之不極，厥罰常陰。』」「〈五行傳〉曰：『貌屬木，言屬金，視屬火，聽屬水，思屬土。』」〈五行傳〉，伏生之書也。〈五行傳〉說五事致此五氣，云：「貌之不恭，是謂不肅，厥罰恒雨，惟金沴木；言之不從，是謂不乂，厥罰恒暘，惟木沴金；視之不明，是謂不哲，厥罰恒燠，惟水沴火；聽之不聰，是謂不謀，厥罰恒寒，惟火沴水；思之不睿，是謂不聖，厥罰恒風，惟木金水火沴土。」如彼〈五行傳〉言。是……。〈五行傳〉又曰：「皇之不極，厥罰常陰。」是……。〈五行傳〉有致極之文，無致福之事。

敏案：孔此所引〈五行傳〉文，與《輯本》所收伏生〈洪範五行傳〉文同，即詳下。

（三）漢班固《漢書》〈五行志〉載〈傳〉曰及晉司馬彪《續漢書》〈五行志〉載〈五行傳〉曰，咸屬伏生〈洪範五行傳〉文

《漢書》〈五行志〉解「經曰」因而載引「〈傳〉曰」十一次，不明言〈傳〉爲何〈傳〉者，因所解者爲〈洪範〉五行之經，此經又載具於本書〈五行〉之〈志〉，故當卷渻略「〈五行〉」二字，亦可的知其爲〈五行傳〉，《續漢書》〈五行志〉未渻文，則作〈五行傳〉可爲

佐證，且班氏述西漢陰陽五行學，云：

（漢）景、武之世，董仲舒治《公羊春秋》，始推陰陽，爲儒者宗。宣、元之後，劉向治《穀梁春秋》，數其旤福，《傳》以〈洪範〉，與仲舒錯。至向子歆治《左氏傳》，其《春秋》意亦已乖矣；言〈五行傳〉，又頗不同。是以攬仲舒，別向、歆，傳載眭孟、夏侯勝、京房、谷永、李尋之徒所陳行事，訖于王莽，舉十二世，以傳《春秋》，著於篇。（《漢書》〈五行志〉七上）

子歆言〈五行傳〉，不同於父向之言同書——〈五行傳〉；〈五行傳〉，即《尚書大傳》中之〈洪範五行傳〉，伏生舊撰，故班氏〈贊向歆傳〉曰：「劉氏（向）〈洪範論〉發明《大傳》，著天人之應。」（《漢書》卷三六）父子之論〈五行傳〉，具於《漢書》〈五行志〉「〈說〉」之部分。後人仍班氏〈五行志〉據伏生《大傳》（〈五行傳〉）者，略如：

《宋書》〈五行志〉一：「伏生創紀《大傳》，五行之體始詳。……班固斟酌〈經〉、〈傳〉，詳紀條流，誠以一王之典，不可獨闕故也。」

《晉書》〈五行志〉上：「班固據《大傳》，采仲舒、劉向、劉歆著〈五行志〉。」

《宋》〈志〉「〈經〉」謂《尚書》〈洪範〉本經，「〈傳〉」謂《大傳》，《晉》〈志〉不湝，作《大傳》。〔清〕王謨《漢魏遺書鈔》劉向〈洪範五行傳序錄〉：「班固《前漢書》〈五行志〉原本伏生《尚書大傳》，兼采劉向、向子歆……諸家之說。」又引呂東萊曰：「劉向灾異五行，學博而未純，其原出於伏生《大傳》。」余取〈五行志〉所載〈傳〉文，與《輯本》〈五行傳〉校比，一一相同，則〈傳〉果是伏生〈五行傳〉也。

《漢書》〈五行志〉之爲書，其構成也，先引〈經〉、次〈傳〉、次〈說〉，〔清〕王鳴盛《十七史商榷》卷十三曰：

〈五行志〉先引〈經〉曰一段，是《尚書》〈洪範〉文；次引〈傳〉曰一段，是伏生〈洪範五行傳〉文；又次引〈說〉曰一段，是歐陽、大小夏侯等〈說〉，乃當時列於學官、博士所習者。以下則歷引《春秋》及漢事以證之。所采皆董仲舒、劉向歆父子說也。而歆說與〈傳〉說或不同，〈志〉亦或舍〈傳〉說而從歆。……

其說甚諦。

凡《前漢書》〈五行志〉「〈傳〉曰」，《續漢書》〈五行志〉槩改爲「〈五行傳〉曰十次」，司馬彪固亦以爲《前書》之〈傳〉，即伏〈五行傳〉，故徑改不渻文，且遂述中興以來陰陽五行學（即在其〈五行志〉一），云：

〈五行傳〉〈說〉及其占應，《漢書》〈五行志〉錄之詳矣。故泰山太守應劭、給事中董巴、散騎常侍譙周並撰建武以來災異。今合而論之，以續〈前志〉云。

《續》〈志〉引〈五行傳〉文，謹考之，見其與〈前志〉悉合，又得鄭君爲之《注》，則此必是《尚書大傳》〈五行傳〉文（《續漢書》〈五行志〉一劉昭《注》：「《注五行》稱『鄭玄曰』，皆出〈注大傳〉也。」），茲舉陳四例考之：

《續漢書》〈五行志〉一：「〈五行傳〉曰：『田獵不宿，飲食不享，出入不節，奪民農時，及有姦謀，則木不曲直。』」此全錄〈前志〉〈傳〉曰，故彼〈傳〉曰即〈五行傳〉曰。劉昭此〈注〉：「鄭玄《注尚書大傳》曰：『不宿，不宿禽也。（下湝不錄）』」

又曰：「〈五行傳〉曰：『好攻戰，輕百姓，飾城郭，侵邊境，則金不從革。』」此亦全錄〈前志〉〈傳〉曰。劉昭此《注》：「鄭玄《注》曰：『參、伐爲武府，攻戰之象。（下湝）』」

《續漢書》〈五行志〉二：「〈五行傳〉曰：『棄法律，逐功臣，殺太子，以妾爲妻，則火不炎上。』」（亦見《開元占經》卷一〇〇〈火不炎上篇〉引《尚書大傳》同）此亦全錄〈前志〉〈傳〉曰。劉昭此《注》：「鄭玄《注尚書大傳》曰：『東井主法令也，功臣制法律者也。（下湝）』」

《續漢書》〈五行志〉三：「〈五行傳〉曰：『簡宗廟，不禱祠，廢祭祀，逆天時，則水不潤下。』」此亦全錄〈前志〉〈傳〉曰。劉昭此《注》：「鄭玄《注》曰：『虛、危爲宗廟，牽牛主祭祀之牲。（下湝）』」

案：自「田獵不宿至水不潤下」，亦統見《御覽》卷八七四〈咎徵部〉一引《尚書大傳》曰，足徵《續》〈志〉所載〈五行傳〉文，悉出伏《尚書大傳》〈洪範五行傳〉也。

（四）伏生〈洪範五行傳〉之確認

《尚書大傳輯本》，清人創輯，有六本較爲顯著：

一　孫之騄《尚書大傳》三卷補遺一卷，併鄭玄《尚書大傳注》。

二　王謨《尚書大傳》二卷，亦併鄭《注》。

三　陳壽祺《尚書大傳定本》五卷（壽祺別著《尚書大傳輯校》三卷，略同）亦併鄭《注》。

四　王闓運《補注尚書大傳》七卷，亦併鄭《注》。

五　皮錫瑞《尚書大傳疏證》七卷，亦併鄭《注》。

六　黃奭《尚書大傳注》未分卷，亦併鄭《注》。

前五種於其〈周傳〉內分列〈洪範〉佚文、〈洪範五行傳〉佚文兩篇，第六種但列〈洪範〉篇佚文。陳本最善，謹據以抄錄伏生〈洪範五行傳〉佚文（《注》文渻不錄），爲便討說，需釐爲兩段：

唯王后元祀，帝令大禹步于上帝。維時洪祀六沴，用咎于下，是用知不畏而神之怒。若六沴作見，若是共禦，帝用不差，神則不怒，五福乃降，用章于下。若六沴作見，若不共禦，六伐既侵，六極其下。禹乃共辟，厥德受命休令。爰用五事，建用王極。長事：一曰貌，貌之不恭，是謂不肅，厥咎狂，厥罰恆雨，厥極惡，時則有服妖，時則有龜孽，時則有雞禍，時則有下體生于上之痾，時則有青眚青祥，維金沴木。次二事曰言，言之不從，是謂不艾，厥咎僭，厥罰恆陽，厥極憂，時則有詩妖，時則有介蟲之孽，時則有犬禍，時則有口舌之痾，時則有白眚白祥，維木沴金。次三事曰視，視之不明，是謂不悊，厥咎荼，厥罰恆奧，厥極疾，時則有草妖，時則有倮蟲之孽，時則有羊禍，時則有目痾，時則有赤眚赤祥，維水沴火。次四事曰聽，聽之不聰，是謂不謀，厥咎急，厥罰恆寒，厥極貧，時則有鼓妖，時則有魚孽，時則有豕禍，時則有耳痾，時則有黑眚黑祥，維火沴水。次五事曰思心，思心之不容，是謂不聖，厥咎霿，厥罰恆風，厥極凶短折，時則有脂夜之妖，時則有華孽，時則有牛禍，時則有心腹之痾，時則有黃眚黃祥，維木金水火沴土。王之不極，是謂不建，厥咎瞀，厥罰恆陰，厥極弱，時則有射妖，時則有龍虵之孽，時則有馬禍，時則有下人伐上之痾，時則有日月亂行、星辰逆行。維五位復建，辟厥沴。曰二月三月，維貌是司。四月五月，維視是司。六月七月，維言是司。八月九月，維聰是司。十月十一月，爲思心是司。十二月與正月，維王極是司。凡六沴之作，歲之朝，月之朝，日之朝，則后王受之。歲之中，月之中，日之中，則正（原誤公，據多本校改）卿受之。歲之夕，月之夕，日之夕，則庶民受之。其二辰以次相將，其次受之。星辰莫同，是離逢非沴，維鮮之功。禦貌于喬忿，以其月從其禮祭之，參乃從。禦言于訖衆，以其月從其禮祭之，參乃從。禦視于忽似，以其月從其禮祭之，參乃從。禦聽于怴攸，以其月從其禮祭之，參乃從。禦思心于有尤，以其月從其禮祭之，參乃從。禦王極于宗始，以其月從其禮祭之，參乃從。六沴之禮，散齊七日，致齊新器，絜祀用赤黍，三日之朝于中庭。祀四方，從東方始，卒于北方。其祀禮曰格祀，曰某也方祀，曰播國率相行祀，其祝也，曰若爾神靈洪祀，六沴是合，無差無傾，無有不正。若民有不敬事，則會批之于六沴。六事之機，以縣示我，我民人無敢不敬事上下王祀。

敏案：以上第一段，並見〔宋〕楊復《儀禮經傳通解續》卷二六下、《文獻通考》卷八八〈郊社考〉二一（文字間有詳略），皆佚文《注》文兼引，皆云出《尚書大傳》；亦見《玉海》卷五〈天文〉，但頗有刪消，亦稱出《尚書大傳》。〔漢〕谷永、李尋、孔光、張衡等分別引「鼓妖、歲月日之中」、「日月亂行」、「若時共禦」云云，且或明言出〈五行傳〉（已詳上列一一），乃較早文籍，諸家《輯本》未予注校。夫既明言引自《尚書大傳》，又兼錄鄭《注》，則全文爲伏氏《大傳》中之〈洪範五行傳〉無疑：此可以確認者一。

又案：盧植、鄭玄同列馬師季長門習《書》，盧援伏翁〈五行傳〉言事，

《後漢書》〈盧植傳〉植上封事曰：「臣聞〈五行傳〉『日晦而月見謂之朓，王侯其舒』。此謂君政舒緩，故日食晦也。」

鄭《大傳注》，本或作〈五行傳注〉，隨意檢索，便得四事，

《昭明文選》卷五六陸倕〈石闕銘〉「民怨神怒」李善《注》：「鄭玄《尚書五行傳注》曰：『民怨神怒。』」

《周禮》〈天官〉〈疾醫〉：「四時皆有癘疾」，鄭玄《注》：「〈五行傳〉曰『六癘作見』。」賈公彥《疏》：「引〈五行傳〉曰『六癘作見』，案〈五行傳〉云：『五福乃降，用彰於下，六沴作見。一曰貌之不恭，是謂不肅，惟金沴木。言之不從，是謂不乂，惟火一作木沴金。眡之不明，是謂不哲，惟水沴火。聽之不聰，是謂不謀，惟土沴水。思之不睿，是謂不聖，惟木金水火沴土。』此其五沴也。言六沴者，天雖無沴，案〈洪範〉六極。」

《周禮》〈夏官〉〈羊人序官〉賈《疏》：「〈五行傳〉云：『視之不明，則有羊禍。』《注》云：『羊，畜之遠視者，屬視。』」

《禮記》〈月令〉〈孟春〉孔《疏》：「〈尚書五行傳〉曰：『貌之不恭，則有雞禍。言之不從，則有犬禍。視之不明，則有羊禍。聽之不聰，則有豕禍。思之不睿，則有牛禍。』鄭玄《注》：『雞，畜之有冠翼者，屬貌。犬，畜之以口吠守者，屬言。羊，畜

之遠視者，屬視。豕，畜之居閑衛而聽者，屬聽。地厚德載物，牛，畜之任重者，屬思。』」

所言說、所注釋、所引證，文皆直依伏公〈五行傳〉，且一一與上引《輯本》佚文合，則佚文全文爲伏《大傳》中之〈洪範五行傳〉勿疑：此可以確認者二。

三案：陳《輯本》將「晦而月見西方」四句輯入《尚書大傳》〈洪範〉篇而不入其〈洪範五行傳〉篇（皮《疏證》因之），因唐宋人之書於此引稱之爲《尚書大傳》而不謂之〈洪範五行傳〉也，先引相同（文有詳略）之三條佚文：

《藝文類聚》卷一〈天部〉〈月〉：「《尚書太〔大之誤〕傳》曰：『晦而月見西方謂之朓，朔而月見東方謂之側匿。』」（鄭玄）《注》：「朓，條也；條，健行疾貌也。側匿，猶縮儒也，行遲貌也。」

《後漢書》〈蔡邕傳〉「舒朓側匿」云云李賢《注》：「《尚書大傳》曰：『晦而月見西方謂之朓，朔而月見東方謂之側匿。側匿則侯王肅，朓則侯王舒。』（鄭玄）《注》：『肅，急也。舒，緩也。』」

《御覽》卷四〈天部〉：「《尚書大傳》曰：『晦而月見西方謂之朓，朔而月見東方謂之側匿，側匿則侯王其肅。』（鄭玄）《注》：『朓，條也；條達，行疾貌。側匿，猶行遲貌。肅，急也。日，君象也。月，臣象也。君政急，則日行疾，月行徐，臣逡巡不進。朓則侯王其徐。徐，緩也。君政緩，日行徐，月行疾，臣放恣也。』」當改輯入〈洪範五行傳〉，因下列諸家引同文皆稱〈五行傳〉故也，

《文選》卷十三謝莊〈月賦〉「朒朓警闕」李善《注》：「〈尚書五行傳〉曰：『晦而月見西方謂之朓，朓則王侯奢也。朔而月見東方謂之側匿，側匿則王侯肅。』鄭玄曰：『朓，條達行疾貌也。』」（卷五八顏延年〈宋文皇帝元皇后哀策文〉「上清朓側」李《注》引〈尚書五行傳〉略同，有刪減，同引鄭玄曰：「朓猶條達也。條達，行疾貌。側匿，猶縮懦行遲貌。」）

又卷十七傅毅〈舞賦〉「闇跳獨絕」李善《注》：「鄭玄〈尚書五行傳注〉徑補一字曰：『闇，跳行疾貌。』」

《周禮》〈春官〉〈保章氏〉賈《疏》：「〈尚書五行傳〉云：『晦而月見西方謂之朓，朔而月見東方謂之側匿，側匿則侯王其肅，朓則侯王其舒。』」

（唐）楊士勛〈春秋穀梁傳序〉「七曜盈縮」《疏》：「〈五行傳〉云：『晦而月見西方謂之朓，朔而見東方謂之側匿。朓則侯王其荼，側匿則侯王其肅。』是由君行使之然也。」

是稱其全書總名，曰《尚書大傳》，若指其子目而記之，則非作〈五行傳〉不洽，則無論稱總名或稱篇小名，皆出伏公《大傳》中之〈五行傳〉：此可確認者三。

田獵不宿，飲食不享，出入不節，奪民農時，及有姦謀，則木不曲直。棄法律，逐功臣，殺太子，以妾爲妻，則火不炎上。治宮室，飾臺榭，內淫亂，犯親戚，侮父兄，則稼穡不成。好攻戰，輕百姓，飾城郭，侵邊境，則金不從革。簡宗廟，不禱祠，廢祭祀，逆天時，則水不潤下。

四案：以上第二段，全文自首至尾，《御覽》（卷八七四〈咎徵部〉一）作一段全部引用，題《尚書大傳》曰；《續漢書》〈五行志〉析作四條載用，均題〈五行傳〉曰，劉昭《注》且均引鄭玄《尚書大傳注》以釋之。則《御覽》所引、鄭君所《注》皆《尚書大傳》中之〈五行傳〉，而《續》〈志〉所題〈五行傳〉同是伏生〈五行傳〉也奚疑？又〔唐〕瞿曇悉達《開元占經》卷一〇〇〈河壅篇〉引《尚書大傳》「簡宗廟」以下五句，及〈火不炎上篇〉引《尚書大傳》「棄法律」五句，文並同此「御覽」所收。《占經》又引鄭《注》「棄法律」五句，文亦略同。集《續》〈志〉、《御覽》及《占經》引或題《大傳》、或題〈五行傳〉，又連引鄭《大傳注》，參互成證，遂的知陳《輯本》所輯佚文果屬伏氏《大傳》中之〈五行傳〉：此可以確認者四也。

二　董仲舒暨眭孟、京房、翼奉、谷永、李尋、田終術均未曾撰著《洪範五行傳》

言漢陰陽五行之學，當代以班固《漢書》〈志〉、〈傳〉所揭兩條資料最便稽討，先備引如下：

《漢書》〈五行志〉七上：「漢興，承秦滅學之後，景、武之世，董仲舒治《公羊春秋》，始推陰陽，爲儒者宗。宣、元之後，劉向治《穀梁春秋》，《傳》以〈洪範〉，與仲舒錯。至向子歆治《左氏傳》，其《春秋》意亦已乖矣；言〈五行傳〉，又頗不同。是以擥仲舒、別向歆，傳載眭孟、夏侯勝、京房、谷永、李尋之徒所陳行事，訖於王莽，舉十二世，以傅《春秋》，著於篇。」

又〈眭兩夏侯京翼李傳贊〉：「漢興，推陰陽言災異者，孝武時有董仲舒、夏侯始昌，昭、宣則眭孟、夏侯勝，元、成則京房、翼奉、劉向、谷永，哀、平則李尋、田終術。……仲舒下吏，夏侯囚執，眭孟誅戮，李尋流放，此學者之大戒也。京房區區，不量淺深，危言刺譏，構怨彊臣，罪辜不旋踵，亦不密以失身，悲夫！」

（一）董仲舒言陰陽災異，撰作《春秋災異記》；未曾撰作《洪範五行傳》

董仲舒（景帝、武帝時人）治《公羊春秋》，本之以推陰陽災異，故上引〈五行志〉及〈眭等傳贊〉竝言仲舒推陰陽云爾，更徵之《史》、《漢》〈董傳〉亦云然，

《史記》〈儒林傳〉：「董仲舒以《春秋》災異之變推陰陽所以錯行，故求雨閉諸陽，縱諸陰；其止雨反是。……著《災異之記》。是時遼東高廟災，主父偃疾之，取其書奏之天子。天子召諸生示其書，有刺譏。董仲舒弟子呂步舒，不知其師書，以爲下愚。於是下董仲舒吏，當死，詔赦之。於是董仲舒竟不敢復言災異。」

《漢書》〈董仲舒傳〉：「董仲舒，少治《春秋》，孝景時爲博士。……仲舒對策：冊曰『善言天者必有徵於人，善言古者必有驗於今』，臣聞：天……建日月風雨以和之，經陰陽寒暑以成之。……天人之徵，古今之道也。……《春秋》之所譏，災害之所加也；《春秋》之所惡，怪異之所施也。書邦家之過，兼災異之變，以此見人之所爲，其美惡之極，乃與天地流通而往來相應，此亦言天之一端也。……仲舒所著，皆明經術之意，及上疏條教，凡百二十三篇。而說《春秋》事得失，〈聞舉〉、〈玉杯〉、〈蕃露〉、〈清明〉、〈竹林〉之屬，復數十篇，十餘萬言，皆傳於後世。」

仲舒說《春秋》災異之文，後當已編入《董仲舒百二十三篇》（本傳、《漢書》〈藝文

志〉〈儒家〉）、《春秋災異記》（〈儒傳〉；〔清〕姚振宗《漢書藝文志拾補》：「董仲舒《春秋災異占》一卷，《論衡》：『董仲舒作道術之書，頗言災異。』《日本國見在書目》著錄。」殆即此書。）、〈聞舉、玉杯、蕃露〉等篇。

〈五行志〉擥引取「仲舒」之說，考當多采自《春秋災異記》一書，例如〈儒林傳〉載武帝建元六年遼東高廟災，主父偃取其「書」奏帝（已詳上引），仲舒上對之文具〈五行志〉七上，云：「《春秋》之道，舉往以明來。……今高廟不當居遼東，……與魯所災同。……故天災若語陛下：……皋在外者天災外，皋在內者天災內。……」正可證確其出處爲仲舒之《春秋災異記》一書。

漢興，文帝時，伏生授書山東，傳〈洪範〉，論陰陽五行災異，影響漢朝後儒，王應麟《漢藝文志考證》卷一：「漢儒〈五行傳〉，其原自《大傳》，其流爲災異之說。」則景、武世董仲舒記災異，原出伏生，孟堅志〈五行〉，論仲舒「始推陰陽」，非也。

班固〈五行志〉謂劉向《洪範五行傳》之說，義與「董仲舒錯」，於是引取董、劉兩家說，著於篇（已詳上引）。錯，師古《注》：「互不同也。」詳徵班〈志〉本卷，董、劉互異者最多（不煩舉述）。夫董治《春秋公羊》學，劉治《春秋穀梁》學，所根師法不一，承說不同宜然。然董之《春秋災異記》，亦有略同或全同劉之《洪範五行傳》者。

先舉略同者：〈志〉稱「指略同」或「說略同」（均謂旨意大略相同），共八條，茲擇錄四事：

〈襄公二十八年〉：「春，無冰。」劉向以爲：「先是公作三軍，有侵陵用武之意，於是鄰國不和，伐其三鄙，被兵十有餘年，因之以饑饉，百姓怨望，臣下心離，公懼而弛緩，不敢行誅罰。楚有夷狄行，公有從楚心：董仲舒指略同。」（〈五行志〉七中之下）

〈襄公二十七年〉：「十二月乙亥朔，日有食之。」劉向以爲：「自二十年至此歲，八年間日食七作，禍亂將重起，故天仍見戒也。後齊崔杼弒君，宋殺世子，北燕伯出奔，鄭大夫自外入而篡位：指略如董仲舒。」（七下之下）

〈成公五年〉：「夏，梁山崩。」《穀梁傳》曰：「廱河三日不流。晉君帥羣臣而哭之，乃流。」劉向以爲：「山，陽，君也；水，陰，民也。天戒若曰：君道崩壞，下亂，百姓將失其所矣。哭然後流，喪亡象也。」……董仲舒說略同。（七下之上）

〈文公九年〉：「九月癸酉，地震。」劉向以爲：「先是時，齊桓、晉文、魯僖二伯、賢君新沒，周襄王失道，楚穆王殺父，諸侯皆不肖，權傾於下，天戒若曰：臣下彊盛者將動爲害。」……諸震，略皆從董仲舒說也。（七下之上）

次舉相同者；相同者二十七條，例三如下：

〈定公二年〉：「五月，雉門及兩觀災。」董仲舒、劉向以爲：「此皆奢僭過度者

也。」（〈五行志〉七上）

〈隱公五年〉：「秋，螟。」董仲舒、劉向以爲：「時公觀漁于棠，貪利之應也。」（七下之上）

〈僖公十六年〉：「正月戊申朔，隕石于宋五，是月，六鷁退飛過宋都。」董仲舒、劉向以爲：「象宋襄公欲行伯道將自敗之戒也。」

「指略同、相同」之外，董、劉說咸異，見〈五行志〉所明引兩家文。

仲舒依《春秋公羊》說災異，非據〈洪範五行〉，（清）趙翼《廿二史劄記》卷二〈漢儒言災異〉條云：「仲舒之陰陽，本之《春秋》，不出於〈洪範〉。」夫仲舒本傳、對策及班〈五行志〉所引仲舒說，俱祇說陰陽而不說五行，戴師君仁〈董仲舒不說五行考〉（《梅園論學集》頁三一九至）有論詳之。至《春秋繁露》，後人依託，非全出仲舒手，卷內攸關「五行」多篇，非仲舒作，不得援爲仲舒亦說五行之證也。

（二）眭、京、翼、谷、李、田未曾著作《洪範五行傳》

眭孟傳董仲舒《春秋》學於嬴公：

《漢書》〈眭弘傳〉：「眭弘字孟，……從嬴公受《春秋》，以明經爲議郎。……上林苑中，……有蟲食樹葉成文字，曰『公孫病已立』。孟推《春秋》之意，以爲……，即說曰：『先師董仲舒有言：雖有繼體守文之君，不害聖人之受命。』」

蟲食葉成文「公孫病已」事，亦具〈五行志〉七中之下；另昭帝時，有大石自立，白烏集其旁，眭孟以爲象庶人當爲天子者，見同書七中之上，合其師祖董子素所作之言論。眭君災異學固亦非自〈洪範〉出。

《易》、《春秋》，漢人說災異，多援爲說，京君明其佼佼者，

《漢書》〈京房傳〉：京房治《易》，事焦贛。「贛說長於災變，分六十四卦，更直日用事，以風雨寒溫爲候，各有占驗，房用之尤精。」

〈五行志〉甚多引京房《易傳》，京君災變亦非自〈洪範〉出，最是明塙。

翼奉受《齊詩》學，爲夏侯始昌之再傳（始昌治〈洪範五行傳〉），但言災變主要根據齊家《詩》學，而不出於〈洪範〉，

《漢書》〈翼奉傳〉：「奉奏封事曰：《易》有陰陽，《詩》有五際，《春秋》有災異，皆列終始，推得失，考天心，以言王道之安危。」

谷永，承師不明，甚早明引伏公〈洪範五行傳〉（已見前引文）者，〈五行志〉（七中之上、七下之下）四引其說。

李尋，見下大夏侯節。

田終術，《漢書》〈翟方進傳〉：「方進……好《左氏傳》，天文星曆，其《左氏》則

國師劉歆，星曆則長安令田終術師也。」《注》引如淳曰：「劉歆及田終術二人皆受學於方進。」言陰陽災變，極多資取星占，終術所擅也，惜其說盡佚。

三　《尚書》夏侯學家之〈洪範〉五行說

（一）夏侯始昌自著《洪範五行傳》，今存佚文

夏侯家《尚書》〈洪範〉學之受授也，

《史記》〈儒林傳〉：「伏生教濟南張生及歐陽生。……張生亦為博士。」（《漢書》同；鄭玄〈尚書大傳注序〉：「張生、歐陽生從其伏生學。」）

張生傳夏侯都尉（都尉，官名；本名不詳。），都尉傳夏侯始昌，始昌傳大夏侯勝，勝傳小夏侯建，

《漢書》〈儒林傳〉：「夏侯勝，其先夏侯都尉，從濟南張生受《尚書》，以傳族子始昌。始昌傳勝。……勝傳從兄子建。」（《後漢書》〈儒林傳〉述《前書》云：「張生授夏侯都尉，都尉授族子始昌。」《釋文》〈序錄〉：「張生授夏侯都尉。」）

又勝本傳：「夏侯勝少孤，好學，從（夏侯）始昌受《尚書》及〈洪範五行傳〉，說災異。後事蕳卿，又從歐陽氏問。為學精孰，所問非一師也。」

夏侯勝再傳弟子許商，

《漢書》〈儒林傳〉：「周堪事大夏侯勝。……堪授長安許商。」

夏侯建再傳弟子李尋，

《漢書》〈李傳〉：「李尋……治《尙書》，與張孺（即張無故）、鄭寬中同師（夏侯建）。」

據上史傳，伏生傳張生，而夏侯都尉，而夏侯始昌，而夏侯勝，而再傳許商；另夏侯勝傳夏侯建，而再傳李尋。

張生共歐陽生編定伏生《尙書大傳》，故必以其中之〈洪範五行傳〉授夏侯都尉，而都尉復以之傳夏侯始昌，《漢書》兩記此事甚塙。惜都尉〈洪範〉說盡佚，無可考。

夏侯始昌《尙書》學，《漢書》本傳：

夏侯始昌，魯人也。通五經，以《齊詩》、《尙書》學教授。自董仲舒、韓嬰死後，武帝始得始昌，甚重之。始昌明於陰陽。先言柏梁臺災日，至期日果災。時昌邑王以少子愛，上爲選師，始昌爲太傅。年老，以壽終。族子勝亦以儒顯名。（《漢書》〈儒林〉〈后蒼傳〉：「始昌通五經。」）

云夏侯勝從叔父始昌受《尙書》及〈洪範五行傳〉者，《尙書》廿九篇，伏生傳本也；〈洪範五行傳〉，伏生講義，弟子張生（勝之師曾祖）等所編定《尙書大傳》中之一篇也。余立此說，《漢書》〈五行志〉七中之上一條可據爲鐵證，彼〈志〉云：「孝武時，夏侯始昌通五經，善『推』〈五行傳〉，以傳族子夏侯勝下及許商，皆以教所賢弟子，其『〈傳〉』與劉向同，唯劉歆〈傳〉獨異。」始昌所「善推」之陰陽五行學之「〈五行傳〉」，其師曾祖伏生之〈洪範五行傳〉也；始昌自又撰一「〈傳〉」，亦名〈洪範五行傳〉，持與二劉之〈洪範五行傳〉校義，或同或異。始昌自撰之〈洪範五行傳〉佚文，緊接載於〈五行志〉七中之上「其『〈傳〉』與劉向同，唯劉歆〈傳〉獨異」之後一條，全錄於下（注史家不知，輯佚者亦不知收輯）：

> 貌之不恭，是謂不肅。肅，敬也。內曰恭，外曰敬。人君行己，體貌不恭，怠慢驕蹇，則不能敬萬事，失在狂易，故其咎狂也。上嫚下暴，則陰氣勝，故其罰常雨也。水傷百穀，衣食不足，則姦軌並作，故其極惡也。一曰，民多被刑，或形貌醜惡，亦是也。風俗狂慢，變節易度，則爲剽輕奇怪之服，故有服妖。水類動，故有龜孽。於《易》，〈巽〉爲雞，雞有冠距文武之貌。不爲威儀，貌氣毀，故有雞旤。一曰，水歲雞多死及爲怪，亦是也。上失威儀，則下有彊臣害君上者，故有下體生於上之痾。木色青，故有青眚青祥。凡貌傷者病木氣，木氣病則金沴之，衝氣相通也。於《易》，〈震〉在東方，爲春爲木也；〈兌〉在西方，爲秋爲金也；〈離〉在南方，爲夏爲火也；〈坎〉在

北方，爲冬爲水也。春與秋，日夜分，寒暑平，是以金木之氣易以相變，故貌傷則致秋陰常雨，言傷則致春陽常旱也。至於冬夏，日夜相反，寒暑殊絕，水火之氣不得相併，故視傷常奧，聽傷常寒者，其氣然也。逆之，其極曰惡；順之，其福曰攸好德。

其下〈志〉復引劉歆之〈傳〉文，以見兩家異同（歆異說詳引見下歆節），益知其前文爲始昌〈洪範五行傳〉文無疑。乃後世不細察史文，誤謂勝從始昌所受以推度災異之說之〈五行傳〉乃始昌自撰，重非是也，不容不辯。又勝於昌邑王賀時，上〈洪範五行傳〉曰：「皇之不極，厥罰恆陰，時則有下人伐上。」（詳下勝節）正是伏生〈洪範五行傳〉，而先前受之於其師始昌者，尤其鐵證如山。

始昌預言柏梁臺災，亦具〈五行志〉七上：「太初元年十一月乙酉，未央宮柏梁臺災。先是，大風發其屋，夏侯始昌先言其災日，後有江充巫蠱衛太子事。」

另又有疑爲始昌〈洪範五行傳〉之佚文一條：

《開元占經》卷四頁三：「《尚書夏侯說》曰：『地動，大臣盛將有爲下不靜，兵數動也。』」陳壽祺劉向《洪範五行傳輯本》卷下：「此疑夏侯始昌〈五行傳〉之說。」敏案：鄭玄《注》伏生〈洪範五行傳〉〈心傳〉曰：「〈志〉、〈論〉皆言君不寬容則地動。……以爲『不寬容』，亦皆爲陰勝陽、臣強君之異。」始昌說正同此。

（二）夏侯勝依伏生〈洪範五行傳〉預言災異

夏侯勝，魯東平人，從族叔父始昌受《尚書》及〈洪範五行傳〉，以教所賢弟子，善說災異，已具上引史傳。《漢》〈志〉著錄大夏侯《尚書章句》二十九卷、大夏侯《尚書解故》二十九篇，竝佚。勝說〈洪範〉五行，僅得佚文一條，人多稱道之，競謂勝以「〈洪範〉察變」者也，

> 《漢書》〈五行志〉七下之上：「〈傳〉伏生〈五行傳〉也曰：『皇之不極，是謂不建，……厥罰恆陰。……時則有下人伐上之痾。……』昭帝元平元年（前七四）四月崩，……立昌邑王賀。賀即位，天陰，晝夜不見日月。賀欲出，光祿大夫夏侯勝當車諫曰：『天久陰而不雨，臣下有謀上者，陛下欲何之？』賀怒，縛勝以屬吏，吏白大將軍霍光。光時與車騎將軍張安世謀欲廢賀。光讓安世，以爲泄語，安世實不泄，召問勝。勝上〈洪範五行傳〉曰：『皇之不極，厥罰常（恆）陰，時則有下人伐上。』不敢察察言，故云臣下有謀。光、安世讀之，大驚，以此益重經術士。後數日卒共廢賀，此『常（恆）陰』之明效也。」（又七中之上：「賀即位，狂亂無道，縛戮諫者夏侯勝等。」又勝本傳：「勝當乘輿前諫曰：『天久陰而不雨，臣下有謀上者，陛下出欲何之？』（光、安世）乃召問勝，勝對言：『在〈洪範傳〉曰：「皇之不極，厥罰恆陰，時則下人有伐上

者。」……』」）

案：勝所上〈洪範五行傳〉，伏生所著也，引文亦見《輯本》（《儀禮經傳通解續》引）同。鄭君注《大傳》亦稱述勝此說：

《續漢書》〈五行志〉五：「〈五行傳〉曰：『皇之不極，是謂不建。厥咎眊，厥罰恆陰，厥極弱。……時則有下人伐上之痾。』」劉昭《注》：「鄭玄《尚書大傳注》曰：『夏侯勝說「伐」宜爲「代」，書亦或作「代」。陰陽之神曰精氣，情性之神曰魂魄，君行不由常，侜張無度，則是魂魄傷也，王極氣失之病也。天於不中之人，恆耆其味，厚其毒，增以爲病，將以開賢代之也，《春秋傳》所謂「奪伯有魄」是也。不名病者，病不著於身體也。』」

則勝所引《大傳》〈洪範五行傳〉，鄭君已予確認。

（三）許商著《五行傳記》等專書，光大伏生〈洪範五行傳〉義

許商，師事周堪，再傳大夏侯《尚書》學（已見上），《漢書》〈溝洫志〉：「博士許商治《尚書》。」許商所著書：

《五行論》《曆（歷）》《漢書》本傳，《玉海》卷五〈天文類〉引〈儒林傳〉：「許商善爲算，著《五行論》。」王氏以「歷」字連下讀，恐失。

《五行傳記》一篇《漢》〈志〉〈書類〉、《通志》〈藝文略〉。

《算術》二十六卷《漢》〈志〉〈曆譜類〉，《漢書》〈溝洫志〉：「成帝初，馮逡奏治河，事下丞相、御史，白：博士許商，善爲算，能度功用，遣行視。」

案：《五行傳記》，應即《洪範五行傳記》，許承師法，言五行災變，著爲此書，記，釋說也，釋伏生〈五行傳〉者也，今猶見逸文一條，班〈五行志〉〈視傳〉：「《記》曰：『不當華而華，易大夫；不當實而實，易相室。』」引十六字，繆鳳林以爲或即許《五行傳記》之說（詳下引）：從之誌於此。夫陰陽五行，需推度古昔，言方來，必資曆算，故〈洪範〉五紀舉歲月日星辰，而曆數終焉。《五行論》與《曆》乃兩書，性質相近且通，均攸關數學，故班書合而言之曰「商善爲算，著《五行論》《曆》」也。其「《曆》」，殆即許之「《算術》二十六卷」，揆《漢》〈志〉〈曆譜〉十八家，曰《星曆》、曰《世譜》，既而錄商與杜忠《算術》二家，《漢書藝文志條理》卷五謂斯乃「步天測景諸儒法」，是也。

李尋師祖小夏侯建，小夏侯師事大夏侯，則尋轉從習大夏侯陰陽五行學，《漢書》本傳：「鄭寬中等守師法小夏侯師法教授，尋獨好〈洪範〉災異，又學天文月令陰陽。事丞相翟方進，方進亦善爲星曆。」尋對帝問引伏生〈洪範五行傳〉，詳已見前記。

四　劉向、歆父子之〈洪範〉五行學

（一）劉向部分，向著《洪範五行傳論》

《漢書》〈劉向傳〉：「向字子政，本名更生。……會初立《穀梁春秋》，徵更生受《穀梁》，講論五經於石渠。……向上封事諫曰：『……臣幸得託肺附，誠見陰陽不調，不敢不通所聞。竊推《春秋》災異，以救今事一二，條其所以。』……向領校中五經祕書，向見《尚書》〈洪範〉箕子爲武王陳五行陰陽休咎之應，向乃集合上古以來歷春秋六國至秦漢符瑞災異之記，推迹行事，連傳禍福，著其占驗，比類相從，各有條目，凡十一篇，號曰《洪範五行傳論》，奏之。」

向〈洪範〉五行學著作：

《洪範五行傳論》　十一篇《漢書》〈劉向傳〉、《新唐書》〈藝文志〉〈書類〉、《通志》〈藝文略〉〈書類〉均十一卷（以卷當篇）；《隋》〈志〉〈書類〉：「《尚書洪範五行傳論》十一卷。」《日本國見在書目》：「《尚書鴻範五行傳論》十二卷」，姚振宗《隋書經籍志考證》：「此十二篇，或別出《稽疑論》一卷在內。」多《尚書》二字，不必有。向書有「《記》」，集古今災異也；又有「《論》」，推迹行事，著其占驗之論議也。鄭玄《注》伏生〈洪範五行傳〉〈心傳〉曰：「〈志〉《論》皆言君不寬容則地動，玄或疑焉，今四行來沴土，地乃動，臣下之相帥爲畔逆之象，君不通於事所致也。以爲不『寬容』，亦皆爲陰勝陽，臣強君之異。」（《文獻通考》卷八八〈郊社考〉二一）敏案：〈志〉，謂《漢書》〈五行志〉；《論》，劉向等《五行傳論》也（陳壽祺《尚書大傳定本》卷三）。是向書名原有「《論》」字。

《洪範論》　《漢書》〈劉向傳贊〉：「劉氏《洪範論》發明《大傳》，著天人之應。」敏案：敘事渻文，渻「五行傳」三字。

《洪範傳》　《漢書》〈五行志〉七上：「劉向治《穀梁春秋》、《傳》以〈洪範〉，與仲舒錯。」（師古《注》：「以〈洪範〉義《傳》而說之。」）《續漢書》〈五行志〉一劉昭《注》引《洪範傳》曰：「妖者，敗胎也，少小之類，言其事之尚微也。至孽，則牙孽也，至乎禍則著矣。」《集解》引惠棟曰：「《注》『《洪範傳》』，其稱《洪範傳》，則劉向所撰也。」《晉書》〈天文志〉上：「《鴻範傳》曰：『清而明者，天之體也。天忽變色，是謂易常。天裂，陽不足，是謂臣彊。天裂見人，兵起國亡。天鳴有聲，至尊憂且驚：皆亂國之所生也。』」（《隋書》〈天文志〉中引作《鴻範五行傳》）《開元占經》卷三：「《洪範傳》曰：『君無道暴虐，天雨肉；天雨肉，天不享其德，將易其君。』」又卷九：「劉向《洪範傳》曰：『日之爲異，莫重於蝕，故《春秋》日蝕則書之也。日蝕者，下淩上臣侵君之象也。日蝕數者，其亂眾；稀者，亂亦稀。』」《御覽》卷首列引用書「〈經史圖書綱目〉」，目有劉向《洪範傳》。敏案：《洪範五行傳論》渻作《洪範傳》。

《五行傳記》　十一卷《漢》〈志〉〈書類〉著錄，於類末班氏復自注曰：「劉向《稽疑》一篇。」《補注》王先謙曰：「《稽疑》書目無名，蓋入《五行傳記》中。」姚振宗《漢書藝文志條理》：「〈洪範〉卜稽疑，即《稽疑》論也，班氏當併入此書十一卷中。」敏案：班〈志〉殆本劉歆《七略》著錄此書，未作改變。

《洪範五行傳》　《隋書》〈五行志〉載引「《洪範五行傳》」四十條，又引明題劉向《洪範五行傳》一條，茲錄此條：〈志〉下：「劉向《洪範五行傳》曰：『山者，君之象，水者，陰之表，人之類也。天戒若曰，君人擁威重，將崩壞，百姓不得其所。』」《開元占經》卷八六：「《洪範五行傳》曰：『漢昭帝始元元年，鋒星出西方，出天市東門，河鼓入營室中，占曰：有亂臣戮死，後左將軍上官桀子驃騎將軍安與燕王謀反死。』」又引書名逕題劉向，《占經》卷十二：「劉向《洪範五行傳》曰：『月蝕，熒惑在角亢，憂在中宮，非賊而盜也。有內亂，一曰有死相，若戮者貴人兵死，讒臣在旁。』」《御覽》卷八七四〈咎徵部〉一：「《洪範五行傳》曰：『凡有所害謂之災，

無所害而異於常謂之異。故災爲已至，異爲方來。』」（王謨《漢魏遺書鈔》輯入劉向《洪範五行傳》）

《尚書洪範五行傳》　十一卷　《舊唐書》〈經籍志〉〈書類〉著錄，《尚書》二字羨文。

《五行傳》　《隋書》〈五行志〉下：「劉向《五行傳》曰：『視不明，用近習，賢者不進，不肖不退，百職廢壞，庶事不從，其過在政教舒緩。』」《文選》卷三十〈擬古詩〉「彌天」李善《注》：「《尚書五行傳》曰：『雲起於山，彌於天。』」（卷六十〈弔魏武帝文〉「彌天」李善《注》引同）《尚書》二字，衍。

《尚書五行說》　《文選》卷三五〈七命〉「金郊」李善《注》：「劉向《尚書五行說》：『金，西方，萬物既成，殺氣之始也，故立秋出軍行師，西方爲金，故曰金郊。』」

《洪範記》　《後漢書》〈郎顗傳〉：顗奏事曰：「《洪範記》曰：『月行中道，移節應期，德厚受福，重華留之。』」《集解》引惠棟云即劉向《五行傳記》。

《皇極論》　《晉書》〈天文志〉上：「中壘校尉劉向廣〈鴻範〉災條，作《皇極論》。」

一書題十名者，後世稱引者或欲渻減文字，或徇己意改題，或由於誤解因致異也。第書皆子政手著，史傳載記，籍志著錄，目錄記存，典獻引述，皆據見存原書，可知也。時而明題作者名諱，曰劉向著某書；若有但記書名、未題著者姓名引文條，或有它書引同條文具題劉向著者比看，證實其亦出劉手。又按各條引文，持與伏生〈洪範五行傳〉佚文比勘，無一相合者，則伏、劉書雖同題，無虞相淆也，審矣哉！

又有**《五紀論》** 《漢》〈志〉不著錄，王應麟《漢藝文志考證》：「《〈漢書〉》〈律曆志〉（一上）：『劉向總六曆，列是非，作《五紀論》。』《後漢》〈曆志〉〈五紀論〉：『……』。」《續漢書》〈天文志〉上：「成帝時，中壘校尉劉向廣〈洪範〉災條，作《五紀皇極》之《論》，以參往行之事。」《漢書律曆志補注》引沈欽韓曰：「〈天文志、續志〉並引之，《大衍曆議》亦稱《洪範傳》。」敏案：〈洪範〉本經：「五紀：一曰歲，二曰月，三曰日，四曰星辰，五曰歷數。」向論五紀基此；兼言災異，必資星占，故書名或作《皇極論》，或作《洪範傳》也。

伏生、劉向俱撰《洪範五行傳》，伏爲創體先，劉爲推演後，

《漢書》〈劉向傳贊〉：「劉氏《洪範論》發明《大傳》，著天人之應。」

《宋書》〈五行志〉：「伏生創紀《大傳》，五行之體始詳。劉向廣演〈洪範〉，休咎之文益備。」

班孟堅〈五行志〉之構建也，每篇先錄〈範經〉文，次列伏生〈洪範五行傳〉文，復次羅諸家之說於「〈說〉」目下，爲伏〈傳〉所立理論集錄事證，其宗本伏〈傳〉之意甚確，或誤以爲班〈志〉乃出劉向《範傳》，

王謨《漢魏遺書鈔》劉向〈洪範五行傳序錄〉：「《漢書》〈五行志〉……兼采劉向之說，……劉知幾《史通》乃云『班史〈五行志〉出劉向《洪範》』：趙樞生亦云。」

姚振宗《漢書藝文志條理》：「趙樞生曰：劉向遂著爲《五行傳論》，其書不可見，而見于班固《漢書》〈五行志〉者，皆其遺法也。」

劉子玄、趙樞生說失之。

劉向《洪範五行傳輯本》，常見者有三：〔清〕王謨《漢魏遺書鈔》劉向《洪範五行傳》二卷、陳壽祺《左海全集》收劉向《洪範五行傳》三卷、黃奭《黃氏逸書考》劉向《洪範五行傳》一卷；陳本最善。

（二）劉歆部分，歆撰《洪範五行傳》，古志不知著錄

《漢書》〈劉歆傳〉：「歆字子駿，……河平中，受詔與父向領校祕書，講六藝傳記，諸子、詩賦、數術、方技，無所不究。……復領五經，卒父前業。……歆校祕書，見《古文春秋左氏傳》，歆大好之。……歆略從（尹）咸及丞相翟方進受，質問大

義。……歆治《左氏》，引傳文以解經，轉相發明，由是章句義理備焉。」

劉歆著有《洪範五行傳》，班固著文確說之，

《漢書》〈五行志〉七中之上：「孝武時，夏侯始昌通五經，善推〈五行傳〉，……其《傳》與劉向同，唯劉歆《傳》獨異。」

「劉歆《傳》」，歆手著之《洪範五行傳》也；父子說異，考詳下。

同上七上：「宣、元之後，劉向治《穀梁春秋》，數其旤福，《傳》以〈洪範〉，與仲舒錯。至向子歆治《左氏傳》，其《春秋》意亦已乖矣；言《五行傳》，又頗不同。」

歆解說伏生之〈（洪範）五行傳〉，自著《洪範五行傳》；頗不同於向解，即詳下。

鄭玄親據歆《洪範五行傳》引其文以解伏生之書，

《續漢書》〈五行志〉五：「〈五行傳〉曰：『皇之不極，是謂不建。……厥咎眊。』」眊，劉昭《注》：「《尚書大傳》作瞀。鄭玄（《尚書大傳注》）曰：『瞀與思心之咎同耳。故子駿《傳》曰：「眊，眊亂也。君臣不立，則上下亂矣。」《字林》曰：「目少精曰眊。」』」（《文獻通考》卷八八〈郊社考〉二一：「劉子駿《傳》曰：『眊，亂也。君臣不立，則上下亂也。』」）

案：「劉子駿《傳》」，陳壽祺《定本》曰：「鄭《注》引劉子駿『《五行傳》』，以眊釋瞀，是也。」不刊之論也。

子駿《洪範五行傳》，大抵分篇爲《傳》，曰〈貌傳〉、〈言傳〉、〈視傳〉、〈聽傳〉、〈思心傳〉、〈皇極傳〉，悉〈洪範〉五事、皇極是依也，班書簡引其目文耳；司馬彪書每援歆《傳》以證，合條記於下：

〈五行志〉七中之上：「劉歆〈貌傳〉曰：『有鱗蟲之孽，羊旤，鼻痾。』」

又七中之上：「劉歆〈言傳〉曰：『時有毛蟲之孽。』」（《續漢書》〈五行志〉一〈言傳〉：「介蟲，劉歆《傳》以爲毛蟲。」）

敏案：歆說與伏生及夏侯始昌《洪範五行傳》「時有雞禍」大異。

又七中之下：「劉歆〈視傳〉曰：『有羽蟲之孽，雞旤。』」（《續漢書》〈五行志〉二：「劉歆《傳》以爲羽蟲。」）

又七中之下：「劉歆〈聽傳〉曰：『有介蟲孽也，庶徵之恆寒。』」（《續漢書》〈五行志〉三：「劉歆《傳》以爲介蟲之孽，謂蝗屬也。」《注》：「臣昭案：劉歆《傳》：『皆逆天時，聽不聰之禍也。』」）

又七下之上：「劉歆〈思心傳〉曰：『時則有蠃蟲之孽，謂螟螣之屬也。』」（《續漢書》〈五行志〉四：「劉歆《傳》爲蠃蟲之孽，謂螟屬也。」）

又七下之上：「劉歆〈皇極傳〉曰：『有下體生上之痾。』」

案：〈貌〉〈言〉〈視〉〈聽〉〈思心〉〈皇極〉六〈傳〉，歆《洪範五行傳》之篇目名也，《續書》則直稱此書之大名——《傳》。《漢書注》家予此六〈傳〉之爲書，均無解，《續書》劉《注》於劉歆《傳》亦不遑深說，致歆此重要著作，幾及湮沒無聞。

《漢書》〈五行志〉引歆說，未標稱其「《傳》」之處猶多，茲出三事例，以見一斑：

伏生《洪範五行傳》：「……則木不曲直。」劉歆以爲：「上陽施不下通，下陰施不上達，故雨，而木爲之冰，雰氣寒，木不曲直也。」（七上）

又：「簡宗廟，……逆天時，則水不潤下。」莊公二十四年「大水」，明年仍大水。劉歆以爲：「先是莊飾宗廟，刻桷丹楹，以夸夫人，簡宗廟之罰也。」（同）

又：「……時則有草妖，時則有蠃蟲之孽。」劉歆以爲：「庶徵皆以蟲爲孽，思心蠃蟲孽也。李梅實，屬草妖。」（七中之下）

凡此「劉歆以爲」，均歆《洪範五行傳》文也。

《漢》〈志〉云向、歆父子言《五行傳》頗異（已屢詳上引），茲舉異者三事，其說分出二劉各自撰作之《洪範五行傳》耳，例如下：

伏生〈洪範五行傳〉：「……厥罰恒雨。」庶徵之恆雨，劉歆以爲：「《春秋》（隱九）大雨也。」，劉向以爲：「大水。」（七中之上）

又：「視之不明，……時則有蠃蟲之孽。……聽之不聽，……時則有魚孽。」〈昭公二十五年〉「夏，有鸜鵒來巢」，劉歆以爲：「羽蟲之孽，其色黑，又黑祥也，視不明、聽不聰之罰也。」劉向以爲：「有蜚有蜮不言『來』者，氣所生，所謂眚也。鸜鵒言『來』者，氣所致，所謂祥也。」（七中之下）又：「皇之不極，……厥罰恆陰。」皇極之常陰，劉向以爲：「《春秋》亡其應。」一曰久陰不雨是也（久陰不雨是夏侯勝說，已詳上）。劉歆以爲：「自屬常陰。」（七下之上）

二劉各撰《洪範五行傳》，悉本伏翁《大傳》也，

　　《隋》〈志〉〈書類後序〉：「濟南伏生之《傳》，唯劉向父子所著《五行傳》，是其本法。」

姚振宗《漢書藝文志拾補》據《五行志》等藉著錄劉歆《洪範五行傳記》（《記》字不當有），早期它書志則忽略而未予著錄。爲〈洪範〉五行作〈傳〉，伏翁書最早而誼正，劉向、歆父子以下論之者不免謬舛，〔宋〕羅泌如此說：

　　《路史》卷二一〈後記〉十二：「《大傳》云：『王后元祀，禹攝之元年也。』知〈五行傳〉不自後世，歆、向以來，訛而繆之爾。《大傳》得正步推也。」

五　程、繆、徐三家論《洪範五行傳》之作者抉異

言伏生未曾撰著〈洪範五行傳〉者，頗有其人，第特作專篇討論者非多，謹檢得三家，未敢曲徇厥意，因抉異於下，按人物分爲三段，於下。

〔清〕程廷祚〈洪範五行傳考〉（載《青溪文集》卷五）：

〈洪範五行傳〉，漢代未有以爲伏生之書者也。〈五行志〉云：「漢興，承秦滅學之後，景武之世，董仲舒治《公羊春秋》，始推陰陽爲儒者宗」；而眭孟諸人〈贊〉云：「孝武時，推陰陽，言災異者，有董仲舒、夏侯始昌」；〈夏侯勝傳〉則云：「勝從始昌受《尚書》及〈洪範五行傳〉，說災異」。然則漢初之儒固無以陰陽災異爲學者，而仲舒以《春秋》倡之于前，始昌以〈洪範〉繼之於後。〈五行傳〉至始昌方顯，而謂爲伏生所創，其誤蓋自《晉》〈志〉始也（原注：《晉》〈五行志〉云：伏生創紀《大傳》。孔穎達亦云：〈五行傳〉，伏生之書。）。或曰爲此書者，其始昌乎？曰：其書甚古，非漢以後所能爲，蓋周人之遺書，而肄業者以備〈洪範〉之義疏者也。始昌得之，而其後誤入於伏氏之書。《漢》〈志〉云：「始昌善推〈五行傳〉，不言其所自來也。至若伏生，方壁藏其書以避暴秦之亂，而敢言休咎乎？

秦亡禁弛，年已大耋，又何暇爲此？故言陰陽災異者，漢初無之也。然則何以知其爲周人之遺書耶？〈劉向傳〉云：「成帝初，詔向領校中五經秘書，向見《尚書》〈洪範〉，箕子爲武王陳五行陰陽休咎之應。向乃集合古今所言符瑞災異，推迹行事，著其占驗，作《洪範五行傳論》原注：《五行傳論》，〈藝文志〉有劉向、許商二家。。」夫人間之〈洪範〉，何至不爲向之所見？中秘之〈洪範〉，何獨異於人間？向必至是而後有撰述，何哉？史謂箕子所陳，非指〈洪範〉本經，正謂周人作《五行傳》而託之於箕子也。然則向之得見《五行傳》，不由於始昌師弟，而得之于領校中秘之日，亦甚明矣。乃學者竟不之考，且謂《傳》爲向之所著，豈不謬乎！漢史云：「劉氏《洪範傳論》發明《大傳》，著天人之應。」雖於劉氏無溢美，而傳之藏於中秘，及其所自來，與夏侯氏授受之恪愼原注：〈五行志〉云：「始昌以傳族子勝，下及許商，皆以教所賢弟子。」又云：「其《傳》與劉向同。」，劉氏見《傳》之晚，蓋皆未之詳也，詳則能言之矣。嗟乎！良史如是，而茫茫千載之後，又何論哉！

伏生著《尚書大傳》，《漢書》〈藝文志〉著錄、〈劉向傳贊〉稱說「《大傳》」，鄭玄爲《尚書大傳》作《注》；〈洪範五行傳〉，《大傳》之一篇也，故鄭《注尚書大傳》或題《注洪範五行傳》。今所輯〈洪範五行傳〉佚文，原引其文者，或題出《尚書大傳》，或題出〈（洪範）五行傳〉，明〈洪範五行傳〉伏生所作，原屬《大傳》之一篇也。自成帝時谷永以下，有李尋、孔光、尹敏、張衡者，上封事皆稱道〈五行傳〉且引其原文，一一與今輯《尚書大傳》〈洪範五行傳〉文契同。廷祚云「〈洪範五行傳〉，漢代未有以爲伏生書者」，未深考也。

夏侯始昌，由張生、夏侯都尉遞傳伏生之《尚書》〈洪範〉學，言災異，而董仲舒言災異，則另本《春秋公羊》，所根原典不同，家法殊異，則始昌〈洪範〉五行陰陽災異學，繼自伏公、非由董子也。

始昌善於推衍伏生〈洪範五行傳〉，論說五行災異，佚文今尚存二條，勘皆推衍伏〈傳〉，明始昌自撰《洪範五行傳》，非周人之遺書、後誤入伏生之書者，廷祚考之未周也。

伏生故秦《尚書》博士，入漢文帝時授學濟南，漢廷命鼂錯往受《書》，當惠帝四年既解挾書令之後，伏公講義得暢言陰陽五行休咎，且伏〈傳〉但論天人相感、災變及消救之道，絕不發古（含嬴秦）今事例，無犯時忌，曷爲不敢言乎？廷祚置疑，不當疑也。

成帝河平中，劉向校書，所見中秘〈古文洪範〉，與當時博士所用教本〈今文洪範〉相同，僅古、今異字，箕子所陳九疇（自一、五行至篇末。）及序（初一、曰五行至威用六極。），即其全文，皆〈洪範〉本經，具言五行陰陽休咎之應。向於是集古今符瑞災異之文，推其行事，著爲占驗，並非另有「周人所作〈五行傳〉，託名箕子以出」，向見而據之者也。成哀朝，政教失經，災變頻見，向感世亂日亟著《洪範五行傳論》，欲即時以感動庸君權臣，匡濟時弊，會校書中秘，適見〈古文洪範〉，故史本傳特言其造作《五行傳論》時際，非謂中書〈洪範〉獨異於人間本也。廷祚鑿說，非也。

繆鳳林作〈洪範五行傳出伏生辨〉（《史學雜志》二卷一期）：

> 五行之說尚矣，……降至戰國，附以陰陽。……漢儒遂以之解經義，言災異。然始作俑者，董仲舒也。（下引〈五行志〉、〈眭孟傳贊〉，方見上程氏引）……〈五行志〉「孝武時，夏侯始昌通五經，善推〈五行傳〉，以傳族子夏侯勝」。……據〈儒林傳〉，始昌受《尚書》族叔夏侯都尉，都尉則受自伏生弟子張生，時代較仲舒略後。孟堅稱其善推〈五行傳〉，不言其所自出。蓋以五行解釋災異，……孟堅認其爲合理，則稱之曰『善推』。伏生張生時既無是說，夏侯都尉史亦惟言其傳《書》，則首爲〈五行傳〉者，舍始昌莫屬，故孟堅〈眭孟等傳贊〉言漢興推陰陽言災異，以仲舒與始昌並舉。……〈五行志〉「始昌傳夏侯勝，下及許商，皆以教所賢弟子」。……〈藝文志〉〈書類〉有許商《五行傳記》一篇。〈五行志〉〈視傳〉下引「〈記〉曰」云云，或即其說。

伏生〈洪範〉陰陽五行災異說，遠早於董仲舒，兩家書遺文具在，不容置疑。即夏侯始昌，成學於景、武朝，亦不必仞其晚於仲舒。繆氏謂援經以言災異，自董氏俑始，非也。始昌、夏侯勝師徒，皆受伏生五行災異學。云「始昌善推〈五行傳〉」者。推他人（伏生）所著之〈五行傳〉誼，非謂自作〈五行傳〉；勝亦善推伏生〈洪範五行傳〉，且奉上伏氏原書；兩家〈洪範〉災異說佚文尚略具，可與伏書佚文勘比，繆氏言始昌首為《洪範五行傳》，必不可從。然而先乎繆氏，清人已有疑是《洪範五行傳》始昌首作者，上引程廷祚考載或曰，又趙翼則質言始昌作，《廿二史箚記》卷二：「夏侯始昌以《尚書》教授，明於陰陽，先言柏梁臺災日，至期果然。……然則勝所引《洪範五行傳》，蓋即始昌所作也。」非是，辨并見上。

徐復觀《中國經學史的基礎》頁一二三至四（徐另著《兩漢思想史》卷二說略同）：

> 《漢》〈志〉錄有劉向《五行傳記》。……先有《五行傳》，然後有發揮《五行傳》之「《記》」。……《五行傳》之與《尚書傳》，內容的廣狹既殊，名稱亦較然各異，何可渾為一談？……據上引資料（敏案：《漢書》〈夏侯始昌傳〉、〈夏侯勝傳〉、〈五行志〉文。），可以斷言《洪範五行傳》、或簡稱《五行傳》，乃出於夏侯始昌，為他這一系統的《尚書》家所傳承。……他（始昌）的《洪範五行傳》，為張生及夏侯都尉所未聞，……更何能推及伏生？……《尚書大傳》……所言五行的性質是「水火者，百姓之所飲食也。金木者，百姓之所興作也。土者，萬物之所資生也；是為人用」。這正與〈洪範〉中五行的原義相合；未嘗以五行為氣，自無

由緣之以言災異。

《漢》〈志〉之〈五行傳〉，原爲伏生《尚書大傳》之一篇，其內容，〈五行傳〉狹，《大傳》廣，固然。〈五行傳〉正確全名，當作〈洪範五行傳（簡作〈五行傳〉）〉，但西漢至宋人引其文，或題之曰《尚書大傳（多簡作《大傳》）》，或題之曰〈五行傳（亦有稱其全名作〈洪範五行傳〉者）〉。無論稱其全書名或一篇之名，所引其陰陽五行災異說，俱是伏生原創。《漢》〈志〉條引〈五行傳〉於上（計十一條），槩簡作「〈傳〉曰」（《續漢》〈志〉槩易作「〈五行傳〉曰」，不渻文。），緊承之，下錄「〈說〉曰」，說此「〈五行傳〉曰」之文也，眾家與夏侯始昌、夏侯勝、許商、劉向歆之說俱繫錄在此「〈說〉曰」之內。〈五行志七中之上〉明言其（始昌）之《傳》與劉向之《洪範五行傳論》同，又云「始昌善推〈五行傳〉以傳夏侯勝下及許商，則始昌誠自撰有《洪範五行傳》。始昌此《傳》，善推度其師曾祖之〈洪範五行傳〉誼，佚文尚存二條，覘確爲解說伏生〈洪範五行傳〉者，可以覆按一一。不寧惟是，夏侯勝陳上〈洪範五行傳〉且據以言昌邑王時災變、及許商《五行傳記》（《記》，發揮〈五行傳〉之《記》，徐氏言此得之。），均爲解說伏生〈洪範五行傳〉之作。徐氏乃謂伏生之〈五行傳〉出於其徒曾孫始昌，必是錯誤！

張生編定伏生《尚書大傳》，以《大傳》傳夏侯都尉，都尉傳從子始昌。張生、都尉雖無陰陽五行災異專著，然曾以伏原書及其各自意見下傳，始昌兩得之，故能發皇伏書之誼，卓然大家，且以下授，徐氏緣何質疑？

〈洪範〉五行水火木金土原有二義，一宇宙五種物質，即伏生《尚書大傳》〈周傳〉〈洪範〉篇文所揭五物「是爲人用」徐氏引（見《大傳》《輯本》多家）。一爲五氣（漢、宋多家如此解），五氣流行，天道也；各以類相感，爲貌言視聽思，人道也。天人相與，若貌肅、言乂、視晢、聽謀、思睿，則天以休徵應，時雨、時暘、時燠、時寒、時風矣；若貌狂、言僭、視豫、聽急、思蒙，則天以咎徵應，恆雨、恆暘、恆燠、恆寒、恆風矣。伏翁〈洪範五行傳〉言休咎徵應，具推陰陽五行，詳論天降災異人謀消救之道，載入《大傳》爲一篇，今殘存佚文猶得千二百言，徐氏及見而故舍弗用，其所論斷，余寔不敢聞。

先有伏生〈五行傳〉，下乃有董仲舒之《春秋災異記》、夏侯始昌之《洪範五行傳》、許商之《五行傳記》、劉向之《洪範五行傳論》、向子歆之《洪範五行傳》，此五子者皆依循伏《傳》理論，汲取古（上古至周秦）今（前漢）故事，以爲應證，著爲占驗。王伯厚《漢藝文志考證》云「漢儒《五行傳》，其原自《大傳》，其流爲災異之作」，說不可易也矣！

結論

本文考伏生、董仲舒、夏侯始昌、夏侯勝、許商、眭孟、京房、翼奉、谷永、李尋、田終術、劉向歆父子十三家之〈洪範〉陰陽五行學及諸人之著作。見其中眭翼谷李田災異言論，散見於典籍，但無〈洪範〉五行學專著；京房著〈易傳〉，溥涉災占，但非爲〈洪範〉特作。

自外，伏生、夏侯始昌、劉向歆父子，均著《洪範五行傳》；許商著《五行傳記》，性質相同。五家書佚文今猶存。董仲舒不說五行，而主據《春秋公羊》成《春秋災異記》，《漢》〈志〉見引。仲舒災異說，原自伏〈傳〉，學林多不省此。

伏生〈洪範五行傳〉原爲其《尚書大傳》之一篇，後人或注斯，或稱引斯，亦題曰〈大傳〉，亦題曰〈五行傳〉，《漢書》〈五行志〉簡作〈傳〉，《續漢》〈志〉作〈五行傳〉不渻，亦有題稱全名——〈洪範五行傳〉者，如夏侯勝是。

好新嗜異之士或倡言伏生未曾撰作〈洪範五行傳〉，而謂是書見今稱引者，乃其徒曾孫夏侯始昌創作；前所未有。今考始昌推度伏生〈五行傳〉誼，另自作〈洪範五行傳〉，而伏〈傳〉原典，始昌之弟子夏侯勝尚直據以言災應。或者之說誣也。

伏〈傳〉至宋末元初猶存。於漢自西徂東，兩夏侯外，爲文直引其書者，猶有谷永、李尋、孔光、尹敏、張衡、盧植，而鄭玄爲之《注》，〔梁〕沈約、〔唐〕房玄齡著史及孔穎達《疏書》〈洪範〉，或謂伏〈傳〉創紀五行災異，孔且明言「〈五行傳〉，伏生之書也」，斯據伏氏《大傳》原典，故決言如此！《兩漢書》〈五行志〉，各俱迻錄伏〈傳〉災異說原文於卷，攏眾說以集證之。則伏生確著〈洪範五行傳〉，昭然可信！

劉向集古今災異事，發明伏《傳》義蘊，向書之名當正作《洪範五行傳論》，後世歧題，作《洪範論》、《洪範傳》、《五行傳記》、《洪範五行傳》、《尚書洪範五行傳》、《五行傳》、《尚書五行說》、《洪範記》、《皇極論》，多至十名，今一一爲討原疏證。子歆亦有《洪範五行傳》專書，指多異父，古書志均略而未錄，今考諸《漢書》〈五行志〉，表而出之。

——原載《孔孟學報》八十五期，民國九十六年九月

十六 〈蚕叢啟國誓蜀碑〉考釋

提要

〈蚕叢啓國誓蜀碑〉，碑鐫濁歜燭觸斶五字，（後蜀）相范賢以碑字分別主蜀有水患、饑饉、火災、兵凶、稼穰解之。考碑字及釋文殆皆一手（或即范賢）空造，乃依陰陽五行學說，參以星象占歲，以五行配五星、合干支，生造隱語，豫決方來，體系大抵脗合《呂》〈紀〉、《淮南》〈天文〉、《禮》〈月令〉、《史記》〈天官書〉、《詩緯》等籍及古占星書相關之說，而與《史記》〈貨殖列傳〉、《越絕書》所載計然之觀歲星而知豐歉之義不盡同。

關鍵詞

蚕叢啓國誓蜀碑　三國蜀經學　杜詩石笋行　金石文字　唐開元占經　全蜀藝文志

〔唐〕杜甫「〈石笋行〉」詩題下，〔宋〕郭知達孝宗淳熙八年（一一八一）撰《九家集注杜詩》卷七爲《集注》曰（下簡稱「郭《注》」）：

〔唐〕杜光庭（西元八五〇至九三三）〈石笋記〉云：「成都子城西曰興義門金容坊有通衢，幾百五十步，有石二株，挺然聳峭，高丈餘，圍八、九尺，（〔晉〕陳壽）《益都耆舊傳》云：『其名有六：曰石笋、曰蜀妃闕、曰沈犀石、曰魚鳬仙壇、曰西海之眼、曰五丁石門。』皆非；《圖經》云：『石笋街乃前秦寺之遺址，殿宇樓臺盛（咸之誤）以金寶飾之，爲一代之勝，槩後遭兵火而廢，或遇夏秋霖雨，里人猶拾珠玉異物。前蜀丞相諸葛亮命掘之，俯觀方驗，測隱其象，有篆字曰「〈蚕叢氏啓國誓蜀之碑〉」——以二石柱横埋連接，鐵貫其中，歷代故不可毀，復鐫五字：濁、歜、燭、觸、斸，時人莫能曉察，惟孔明默悟斯旨，令左右瘗之。後蜀主李雄召丞相范賢詰其所自，再掘而詳之，賢議曰：「然！厥字五，其理各有所主：亥子歲『濁』字，可記主其水災；寅卯歲『歜』字，可記主其饑饉；巳午歲『燭』字，可記主其火災；申酉歲『觸』字，可記主其兵革；辰戌（原誤寫作戍）丑未歲『斸』字，可記主稼穡充益、民物富贍（原誤寫作瞻）。」悉以年事推之，應驗符響。』」（〔清〕《文淵閣四庫全書》本，併參《四庫全書總目提要》；敏案：《四庫》本係據宋理宗寶慶元年（一二二五）廣東漕司新刊校定《集註杜詩》著錄，爲〔宋〕曾噩重刊本，曾氏重刊本非盡據郭知達《集注》原本，而爲採舊本重爲校定者：據昌瑞卿先生《增訂蟫菴羣書題識》（頁二三五至二四〇）

據郭《注》）曰：

〔明〕楊慎撰《全蜀秇文志》，其卷十八收杜甫「〈石筍行〉」詩，詩題下愼亦自注（略

成都子城西金容坊有石二株，挺然聳峭，高丈餘，《耆舊傳》云：「其名有六：曰石筍、曰蜀妃闕、曰沈犀石、曰魚鳧仙壇、曰四（西）海之眼、曰五丁石門。」皆非也。《圖經》云：「乃前（秦）寺之遺址，諸葛武侯掘之，方驗，有篆字曰『蠶叢啓國誓蜀之碑』——以二石柱橫埋連接，鐵其中，一南一北，無所偏邪。又五字：濁、歜、燭、觸、斶，時人莫曉，蜀相范賢議曰：『亥子歲濁字，可記主水災；寅卯歲歜字，可記主饑饉；巳午歲燭字，可記主火災；申酉歲斶字，可記主稼穡富贍；辰戌（戍）歲觸字，可記主兵災。』悉以年事推，應符響。」（〔清〕嘉慶二年（一七九七）讀月草堂刊本，二十二年（一八一七）張汝杰重刊本同）

〔清〕彭洵《續刊青城山記》卷下頁二節引上文，題楊升庵《藝文志》，文爲：

成都金容坊有石筍，武侯掘之，得篆書「〈蠶叢啓國誓蜀碑〉」，有「濁歜燭蠲觸」五字，衆莫解。范賢云：「亥子歲記濁字，主水災；寅卯歲記歜字，主饑饉；巳午歲記燭字，主火災；辰戌歲記觸字，主兵災；申酉歲記蠲字，主稼穡富贍。」以年事推之，其應如響。

〔宋〕某氏撰《分門集注杜工部詩》，其卷十四亦收杜甫此「〈石筍行〉」詩，亦於詩題下《集注》曰：

田（敏案：杜田，字時可，著《杜詩補遺正謬》。）曰：杜光庭〈石筍記〉云：「（自「成都子城」至「故不可毀」，幾全同郭《注》，故茲渻不復錄）（《圖經》云：）復鐫四字曰：『濁、歜、燭、蠲，時人莫能曉察，惟孔明默悟斯旨，令左右瘞之。後蜀主李雄召丞相范賢詰其所自，再掘而詳之，賢議曰：「然！厥字四，其理各有所主：亥子歲『濁』字，可記主其水災；寅卯年『歜』字，可記主其飢（當正作饑）饉；巳午年『燭』字，可記主其火災；申酉年『蠲』字，可記主稼穡充益、民物富贍。」悉以年事推之，應驗符響。』」（臺灣商務印書館影宋刊《四部叢刊》本；敏案：此原刊宋本，寧宗時（一一九五至一二二四）建安坊刻，亦見昌先生《增訂蟫菴羣書題識》，頁二四四）

《杜詩》郭《注》、楊《蜀志》、彭引楊《蜀志》及宋代某氏《杜詩注》四本引碑字，表要如下：

郭注本		楊蜀志本		彭引楊蜀志本		宋代某氏注本	
碑字序	**范賢解讀**	**碑字序**	**范賢解讀**	**碑字序**	**范賢解讀**	**碑字序**	**范賢解讀**
濁	亥子濁水災	同郭	同郭	同郭	同郭	同郭	同郭
歜	寅卯歜饑饉	同郭	同郭	同郭	同郭	同郭	同郭
燭	巳午燭火災	同郭	同郭	同郭	同郭	同郭	同郭
觸	申酉觸兵革	同郭	辰戌觸兵災	蠲	辰戌觸兵災	（無觸字）	（無解讀）
蠲	辰戌蠲稼贍	同郭	申酉蠲稼贍	觸	申酉蠲稼贍	同郭	申酉稼贍
	丑未						

稽申如後。首先，「『篆書〈蚕叢氏啓國誓蜀碑〉』」，〔西漢〕末楊雄《蜀王本紀》兩條（此從〔清〕嚴可均《全漢文》卷五三頁四一五錄，原注雙行小字一槩消略，以免支蔓）

曰：

蜀之先稱王者，有蠶叢、柏濩、魚鳧、開明，是時人萌，椎髻左衽，不曉文字，未有禮樂。從開明已上至蠶叢，積三萬四千歲。（第一條）

蜀王之先名蠶叢，後代名曰柏濩，後者名曰魚鳧。此後三代各數百歲，皆神化不死，其民亦頗隨王化去。魚鳧田于湔山得仙，今廟祀之于湔。時蜀民稀少。（第二條）

是蚕叢人名，相傳爲蜀開國（啓國）先王，時在上古三萬四千歲，《太平御覽》引作四千歲，見嚴可均自注；即四千歲，仍是上古。渺遠不徵難信。誓，告戒（誡），此謂上古蜀先王預先告誡蜀國臣民，尤難據信。夫三國蜀至劉先主即皇帝位於當地，即以漢家正統自居，不與漢賊（曹乃至吳）兩立，蓋以此號召天下，圖恢復漢室，其後用諸葛亮爲丞相卒贈封武鄉侯，而碑文竟干犯大忌，稱國曰「蜀」，且蚕叢氏時蜀人「不曉文字」，立碑文以戒何益？矧篆文至早起於姬周，三萬四千年（或四千年）之前安得有篆體？職是，此碑及字五必後人僞造，僞造者當在楊雄（西漢末）後、杜光庭（晚唐）前（《圖經》不知誰作，不便據以考文），豈范長生（？至三一八）乎？長生擅術數，同時自作釋文，以神己術，用欺當世。疑僞則棄收，有其人矣，如〔宋〕黃希及子黃鶴《補注杜詩》（寧宗嘉定十五年（一二二二）刊）卷七〈石筍行〉《注》引《圖經》，止「一代之勝概」，下即削去「〈蚕叢氏啓國誓蜀碑〉」碑字及范氏釋碑字之文云云不錄。良是。

上兩本楊升庵《藝文志》引「蠶、蠶」二字，竝當謹依郭《注》本作「蚕」，下悉倣此。又均以「申酉歲」屬「蠲」、「辰戌歲」屬「觸」，咸誤，固當以郭本爲正；又彭引《蜀志》本移碑字序令「蠲」先「觸」後，亦誤（學理竝即詳下）。斯兩本與郭本引不盡同者，或依據別本，或由傳寫舛誤，未可的知也。

上某氏《集注》本，與上述郭《集注》曾噩重刊本刻書時期接近，但視郭原刻本則甚晚，曾重刊本此條，當依郭原本未改，則郭本固以早而勝。杜田，大概爲北宋人，郭《注》、某氏《集注》兩本均嘗引其《杜詩補遺正謬》之說；但郭《注》此條（杜光庭〈石笋記〉）轉引杜田所引而滅其所自，是兩本之注所載〈石笋記〉咸出杜田《補遺正謬》。同出一源而錄「《圖經》」所載〈蚕叢氏啓國誓蜀碑〉文殊異，某氏《集注》少一「觸」，失誤。夫碑文之形成，以陰陽五行學說爲根荄，故其字必五，「缺一不可」，表列前三本五字全，獨末後一本無「觸」字及其范解，上文亦竝記「鐫四字」，的是少一字，亦當正補。某氏本又以「申酉年」屬「蠲」，異乎郭本之「辰戌丑未歲」屬「蠲」。亦當正補（學理亦待下詳）。

試以傳統陰陽五行學說，用碑文爲基幹，取五行、五星、四五時、五方、五色以就之，爲綜表配如下：

五行	五星	四五時	五色	碑字序	范賢解讀
水	辰	冬	黑	濁	亥子水災
木	歲	春	青	歜	寅卯饑饉
火	熒惑	夏	赤	燭	巳午火災
金	太白	秋	白	觸	申酉兵革
土	塡	季夏	黃	蠲	辰戌丑未稼穡

碑序五行次第，以水木火金土者，舊說無有（註一），惟《白虎通義》〈五行〉篇開篇述「五行者，何謂也？謂金木水火土也」方已，乃又曰：

《尚書》曰：「一曰水、二曰火、三曰木、四曰金、五曰土。」水，位在北方；……木，在東方；……火，在南方；……金，在西方；……土，在中央。……

是碑之五行次第據《白虎通義》，殆漢今文家說也。

以五行、五時、十干、五色、五方相配（節要引），《呂氏春秋》〈紀〉：「孟春之月，……其日甲乙，……天子居青陽左个，……盛德在木，……迎春於東郊。……；孟夏，……丙丁，……朱，……火，……南。季夏，丙丁、朱、中央土、其日戊己。……孟秋，庚辛、白、金、西。……孟冬，壬癸、玄、水、北。」（《禮記》〈月令〉同）

復益以五星與配，

《淮南子》〈天文訓〉：「何謂五星？東方木也。……治春。其神爲歲星，其獸蒼龍，……其日甲乙。南方火也。……治夏。其神爲熒惑，其獸朱鳥，……其日丙丁。中央土地。……制四方。其神爲鎭星，其獸黃龍，……其日戊己。西方金也，……治秋。其神爲太白，……其日庚辛。北方水也。……治冬。其神爲辰星，其獸玄武，……其日壬癸。」

《漢書》〈律曆志〉一上：「五星之合於五行，水合於辰星，火合於熒惑，金合於太白，木合於歲星，土合於塡星。」

碑文及范解言水災、饑、火災、兵災、稼贍，性格隱然依五行，又以星象占歲，隱然又以五星合五行。故其思想體系自《呂覽》、《禮》、《淮南》、《漢書》而下。十干合十二支紀日，殷甲骨文已習見，干支用以紀年，見《爾雅》〈釋天〉（註二）。碑亥子、寅卯、巳午、申酉、辰戌丑未諸歲災祥，受《爾雅》啓發。以亥屬水（北）、寅屬木（東）、巳屬火（南）、申屬金（西），

《詩緯》〈汎歷樞〉（《詩》〈關雎〉《正義》引）：「大明在亥，水始也；四牡在寅，木始也；嘉魚在巳，火始也；鴻鴈在申，金始也。」

缺「辰戌、丑未屬土」者，《詩》舊說衹「四始」，故此《詩緯》以四支合四行，若《詩》有「五始」，則亦必及第五行第五支合配於末矣。則是《詩緯》說略爲碑文之所本——五行方位、五行次序二者均合。

碑文及范解源於《淮南子》，

《淮南子》〈天文訓〉：「甲乙、寅卯，木也；丙丁、巳午，火也；戊己四季，土也；庚辛、申酉，金也；壬癸、亥子，水也。水生木，木生火，火生土，土生金，金生水。」

案：碑文省略甲乙、丙丁、戊己、庚辛、壬癸十干，但用十二支。《淮南》土配戊己，空「辰未、戌丑」不著，《白虎通義》論陰陽盛衰因之，亦戊己屬土，而變將「辰未、戌丑」派入四季（註三），可證。《淮南》前文依五行相生次序，爲木（春、東）、火（夏、南）、土（季夏、央）、金（秋、西）、水（冬、北），同書同篇後文蓋承五德終始學，以謂終（水、冬）而復始，故移水次木上，爲水、木、火，與碑文同。金，屬西，本當次南後，但土屬中央，置南後則其次不順，專家舊有取殿五行之末以槩前四季之法（如上方引《白虎通義》〈五行〉），則碑文地支合五行、五星，基本理論不外《白虎通義》、《詩緯》、《淮南子》也。

濁歜燭觸蠲各字字義：濁，水名，从水蜀聲（《說文》，下倣此）；原無水災義。歜，盛氣怒也，从欠蜀聲；原無饑饉義。但以从欠義，欠借爲歉，則歜得有荒歉饑饉義矣。燭，庭燎大燭也，从火蜀聲；原無火災義。觸，牴也，从角蜀聲；本無兵革義。顧牴觸以角，因生兵戰義矣。《易》〈大壯〉九三：「羝羊觸藩，羸其角。」《荀子》〈議兵〉：「觸之者角摧。」是也。蠲，馬蠲也，从虫，罒象形，益聲；本亦無稼贍義。因从益，《說文》：「饒也。」段《注》：「饒，飽也，凡有餘曰饒。」乃生稼贍義矣。造此五碑字者，術士之淺妄者也，固不足語字之本義，其意不過謂：濁，離爲水、蜀，蜀（國）有水災也；歜，析爲蜀、欠，蜀有荒歉矣；燭，判爲火、蜀，蜀有火災焉；觸，分爲角、蜀，如牡羊觸樊籬而摧角，指爲蜀有兵凶之象云；蠲，破割爲益、蜀，於是蜀國饒富之徵具見已夫！

生造字義，構合五行學說，更酌以古占星術，遂成碑文及所謂范解，先引〔唐〕瞿曇悉達《唐開元占經》卷十八「〈五星所主〉」一：「甘氏曰：五星主兵，太白爲主；五星主穀，歲星爲主；五星主旱，熒惑爲主；五星主土，塡星爲主；五星主水，辰星爲主。」

案：「五星各有所主」，即范解「其濁歡燭觸蠲五字，五字分屬五星。理各有所主」：「太白金、西、主兵」，故范解下倣此「申酉歲『觸』字，可記主其兵革」；「歲星木、東、主穀」，故曰「寅卯歲『歡』字，可記主其饑饉」；「熒惑火、南、主旱」，故云「巳午歲『燭』字，可記主其火災」；「塡星土、央、主土敏案：《尚書》〈洪範〉「土爰稼穡」，於土稼穡也；主土即主稼穡，與歲星主穀似而異。」，故言「辰戌丑未歲『蠲』字，可記主其稼穡充益、民物富贍」；「辰星主水水、北」，故言「亥子歲『濁』字，可記主其水災」之論焉。亦即謂：歲星木星在申酉，是年有兵戰；在寅卯，是年有饑荒；在巳午，是年有火災；在丑未，是年豐穰；在亥子，是年有水患。故結曰「悉以年事推之，應驗符響」也。碑解自《占經》來，彰彰明也。

余曩撰〈蜀才及其易注〉（《臺大中文學報》第二期，民國七十一年十一月）唯據《續刊青城山記》錄引此文方已詳上引，以命題爲論蜀才（即范賢、亦即范長生）《周易》學，爲減少支蔓、免模糊焦點，故僅泛論之曰：「（此）亦術數也。夫《易》學自漢以下，有術數一派，史謂長生（即范長生、范賢或蜀才）善推步、天文、術數，逆知將然，其長於《易》理、注書（注《周易》十卷），自有可能。」又疑碑文「蠲觸」當乙作「觸蠲」，而所主之事亦當從正。而均未遑詳論。洎撰《三國蜀經學》成書（臺灣學生書局排印本，民國八十六年八月初版），即將此單篇論文大體容入篇章（頁九一至一一八），於此碑文亦未遑證補說詳。書既行，同學弟文學博士淡江大學教授黃復山君馳函相示，爲此「〈蠶叢氏啓國誓蜀碑〉」文設解曰：

> 解碑文之語，襲取《史記》〈貨殖列傳〉計然之意：「故歲在金，穰；水，毀；木，饑；火，旱。」碑文「亥子，屬水，故水災，濁字，偏旁水」、「寅卯，屬木，故饑饉，歎字，偏旁欠」、「巳午，屬火，故火災，燭字，偏旁火」、「辰戌，屬土，故兵災，觸字，偏旁角」、「申酉，屬金，故稼穰，蠲字，偏旁益」。

黃君沈潛讖緯星曆、陰陽五行（兩者關聯密切，二之或非是。），有年，溯碑文淵源，闡明碑文意義，用心深刻，啓予多方。

顧以愚拙見，不盡與君說同，雖在師友之間，亦不敢嘿，既爲徵碑文源委於上，又欲簡申己意於下：

黃君以爲范賢解碑文之語（即自「亥子」至「富贍」）襲取《史記》〈貨殖列傳〉所載計然之意。請先徵引

《史記》卷一二九〈貨殖列傳〉相關之文字如下（瀧川資言《史記會注考證》本，台北藝文印書館影印）：

昔者越王句踐困於會稽之上，乃用范蠡、計然。計然曰：「知鬭則修備，時用則知物。二者形，則萬貨之情可得而觀已。故歲在金，穰；水，毀；木，饑；火，旱。旱則資舟，水則資車，物之理也。六歲穰，六歲旱，十二歲一大饑。夫糶，二十病農，九十病末。末病則財不出，農病則草不辟矣。上不過八十，下不減三十，則農末俱利，平糶齊物，關市不乏，治國之道也。」

《史記》〈天官書〉記年歲豐歉同，云：「……月所離列宿，日、風、雲占其國，然必察太歲所在。（太歲）在金，穰；水，毀；木，饑；火，旱，此其大經也。」（註四）（《漢書》〈天文志〉同《史記》）

〔東漢〕袁康（？）撰《越絕書》，其卷四計倪〈內經〉篇，載文類似方引之《史記》〈貨殖列傳〉，有云：

昔者越王句踐既得反國，欲陰圖吳，乃召計倪（即計然）而問焉。……計倪對曰：「太陰三（原刻誤，缺上一橫；徑正。）歲處金，則穰；三歲處水，則毀；三歲處木，則康；三歲處火，則旱。故散有時積，糴有時領（頒？），則決萬物不過三歲而發矣。以智論之，以決斷之，以道佐之，斷長續短。一歲再倍，其次一倍，其次而反。水則資車，旱則資舟，物之理也。天下六歲一穰，六歲一康，凡十二歲一飢（當正作饑，下同），是以民相離也。故聖人知天地之反，爲之預備，故湯之時比七年旱而民不飢，禹之時比九年水而民不流。」

綜覈上引三條資料，知其以十二年（一紀，亦即歲星繞天一周，實爲十一點八六年）爲一個週期，其間穰、饑各居半（六年），六年饑之中含大饑一年。太陰（即歲星）處金，即歲在金，處水、處木、處火，咸同，「處」皆訓「在」。五行之金、水、木、火，合五星之太白、辰、歲、熒惑。觀歲星之所處，逆知年歲之豐穰水旱之有時，此固占星術也。先簡表如下（以十二年爲一大週期）：

五行	太陰所處星次	占驗
金	太白（第一回）	穰
水	辰（第一回）	毀
木	歲（第一回）	饑（一作康，義同（註五）。）

火　熒惑　（第一回）　旱
金　太白　（第二回）　穰
水　辰　（第二回）　毀
木　歲　（第二回）　饑（康）
火　熒惑　（第二回）　旱
金　太白　（第三回）　穰
水　辰　（第三回）　毀
木　歲　（第三回）　饑（康）
火　熒惑　（第三回）　旱

……………………

十二年間：「穰」纔三回，而曰「六歲穰」者，蓋併「三歲饑」言，殆以所言皆穡事，又「旱」亦祗三回，而曰「六歲旱」者，蓋併「三歲毀」言，殆以水、旱莫非災變故也。《越絕書》作「六歲一穰，六歲一康」，兩「一」字不當著，又以「康」概括「毀、旱」，殆以饑荒生於水旱故也。

更取碑文與計然說較比，其異同有若：

——碑文體系悉依五行（水木火金土），計氏說五行則缺「土、塡及其占驗」，爲不備

〔註六〕；

——計氏、碑文雖皆依五行立義，但前者以十二年爲一大週期，分配四行，而後者以十年爲一大週期，分屬五行（參〔註五〕），觀星以占禍福；

——計氏序五行次第，始金次水木終火，不合碑之始水次木火金（終土），亦戾舊說（如《尚書》〈洪範〉等，已詳〔註一一〕）；

——計氏祗以太歲在金水木火四星紀年，不及申酉、亥子、寅卯、巳午地支；

——碑以「申酉、金」主兵革，《唐開元占經》亦是「太白主兵」，但計氏以「歲在金，穰」，大異碑文；

——碑、計氏說偶合者，僅「水，毀；木，饑（康）；火，旱」耳；

——碑文根柢傳統陰陽五行學，植基於古星曆說，詭爲隱語，豫決將來，方術之流，哲學興趣殊少。而計公然，特財經專家，尤善計算，又博學淹通，曉知天官〔註七〕，善治生產，察深天道循環，水旱兵戰無常，物力豐歉有時，爲國家備禦策，故發六穰六饑十二年一大饑，欲人明時用知物，大槩之論也，經國理財興趣多，而術數意味甚少。二家根本差異，非在此乎？

則是碑及范解非襲取《史記》〈貨殖列傳〉計然意也。又黃君錄碑文「辰戌，屬土，故兵災，觸字，偏旁角」、「申酉，屬金，故稼穰，蠲字，偏旁益」：用諞本（即彭引楊《蜀志》

本），拙著《三國蜀經學》失考於前，當依郭《注》本正作「申酉，屬金，故兵災，觸字，偏旁角」、「辰戌，屬土，故稼穰，蠲字，偏旁益」，謹誌端末於此。

餘論

又先秦又有周人白圭，善治生產，爲時工商業鉅子（註八），占星有術，以決來年饑穰，《史記》〈貨殖列傳〉：「白圭樂觀時變，故人弃我取，人取我與。……太陰在卯，穰；明歲衰惡。至午，旱；明歲美。至酉，穰；明歲衰惡。至子，大旱；明歲美，有水。至卯。積著率歲倍。」始云「太陰在卯」，迨述年之穰歉美惡既終，周而復始，乃著「至卯」，是顯以初卯終寅十二支爲一大週期（註九），恰是十二年，與上述計氏說歲星歷一紀爲大週期同，唯以地支不以五星紀年，異耳。茲衡酌舊說，試簡表如下（亦以十二年爲一大週期），用觀其占星決歲：

十二支	五行	太陰所處星次	占驗
卯	木	歲	穰
辰	土	填	衰惡
巳	火	熒惑	衰惡
午	火	熒惑	旱
未	土	填	美
申	金	太白	美
酉	金	太白	穰
戌	土	填	衰惡
亥	水	辰	衰惡
子	水	辰	大旱
丑	土	填	美
寅	木	歲	美，有水。
（卯）	（木）	（歲）	（復穰）

……………………

案：用地支紀年，分別配屬五星，依次寅卯屬木、巳午火，申酉金、亥子水、辰未戌丑土，悉合《淮南子》〈天文訓〉及碑文。其占驗也，大抵穰（含美）、惡（旱、大旱）二分，十二年穰、惡各六，惡中有大旱大惡一回，與碑文及舊占星迥異，而竟吻合六歲穰六歲饑（康）饑中有一大饑計然之說。白、計二氏竝治產業，考鑒往故，知中國自來乾潦不時，聖君禹湯不免比九年之水，比七年之旱，此自然之常也，樂歲、凶年代作，明乎天地之反，故蚤爲之備預，經濟學家所重在此，若夫占星預決以示氓庶，神道設教而已，苟以與碑文之張皇陰陽五行占星術校比，枘鑿自是難免。

註釋

一　《尚書》〈洪範〉：水火木金土（《逸周書》〈小開武〉同）；《呂氏春秋》〈紀〉（《禮記》〈月令〉同）、《淮南子》〈天文訓〉、《史記》〈天官書〉、《春秋繁露》（多篇）均是：木火土金水；《左傳》〈昭公二十九年〉：木火金水土。

二　《爾雅》〈釋天〉：「太歲在甲曰閼逢，在乙曰旃蒙，在丙曰柔兆，在丁曰強圉，在戊曰著雍，在己曰屠維，在庚曰上章，在辛曰重光，在壬曰玄黓，在癸曰昭陽。」此十干紀年。《爾雅》〈釋天〉己：「太歲在寅曰攝提格，在卯曰單閼，在辰曰執徐，在巳曰大荒落，在午曰敦牂，在未曰協洽，在申曰涒灘，在酉曰作噩，在戌曰閹茂，在亥曰大淵獻，在子曰困敦，在丑曰赤奮若。」此十二支紀年也。

三　《白虎通義》〈五行〉篇：「少陽見於寅，……盛於卯……，……衰於辰……其日甲乙。……

太陽見於巳，……壯盛於午，……衰於未，……其日丙丁。……少陰見於申，……壯於酉，……衰於戌，……其日庚辛。……太陰見於亥，……壯於子，……衰於丑，……其日壬癸。……土爲中宮，其日戊己，戊者茂也，己者抑屈起；其音宮，宮者中也。」

四 《會注考證》：「王元啓曰：『此所謂金水木火，蓋以歲陰言之，申酉戌爲金、亥子丑爲水，卯辰爲木，巳午未爲火，又必緯之以風、雲、日、雨，而後其占乃驗，故曰「此其大經」。』」案：「卯」上當奪「寅」字。四行與十二支不匀配，從未如此，王氏妄派戌丑辰未分入金水木火，失考甚。

五 《穀梁傳》〈襄公二十四年〉：「（《春秋經》「大饑」，）五穀不升爲大饑。……四穀不升謂之康。」范《注》：「康，虛（也）。」楊《疏》：「康是虛荒之名。」

六 《史記索隱》：「五行不說土者，土、穰也。」小司馬以謂上既有「金，穰」，避重出，故不復著「土，穰」。《史記正義》：「此不說土者，四季不得爲主故也。」張守節以謂春夏秋冬四季分主木火金水四行，而土無爲之主者（舊土配季夏，此一說也，已見上引《呂覽》〈紀〉）。不知計氏祇取四行，使三度重見，總共十二年爲一大週期，本與碑文以五行，每行兩年，總共十年爲一大週期，基礎不同。兩家注失之。

七 《漢書》〈貨殖傳〉「計然」，師古《注》：「……博學無所不通，尤善計算。……其書有《萬物錄》，著五方所出，皆直述之。」越王句踐用其策十年，國富；范蠡師其法治產，遂至鉅萬。

八 《史記》〈貨殖列傳〉：「白圭樂觀時變，故人弃我取，人取我與。……（白圭）曰：『吾治生產，猶伊尹、呂尚之謀，孫、吳用兵，商鞅行法是也。』」《會注考證》：「觀時變者，商之事也。」

九

《會注考證》：「岡白駒曰：至卯，終而復始。愚按：是；承上文『太陰在卯，穰』而言，『有水。至卯』猶言既而有水，以至卯復穰也。」

——原載《書目季刊》第三十三卷第四期，民國八十九年三月

十七　歐陽容夏侯勝未曾身為《尚書》博士考

提要

漢《尚書》歐陽學宗始師歐陽和伯，考諸〈歐陽譜圖序〉，名容。〈譜圖序〉載容爲漢《尚書》博士，乃家乘溢美之辭，容未曾身爲博士；東漢以後人不知，多爲所誤。同時代《尚書》大夏侯學宗始師夏侯勝，嘗受徵爲《禮》博士昭帝初，後世人皆不知，亦誤仞勝嘗爲《尚書》博士。夫漢代經學顯學派，其始師不必立爲該學宗博士，諸家昧於此理，因誤定容、勝爲《尚書》博士，余徵之前獻，正其註謬。

復考諸兩宗之立學，兩宗竝出伏生，初無所謂歐陽、夏侯學之分，其分宗別家，肇自宣帝朝石渠會議後，此前所立《尚書》博士若張生、歐陽高等皆不需判分家派以稱之，而容、勝兩人之學早顯，亦不及爲歐陽、大夏侯兩宗《尚書》初成宗派之首任博士。

漢制：每經之某一學宗，但立博士一人，無同日竝任兩人例。故文帝朝張生爲《尚書》博士，其同門學弟歐陽容即不得同時爲博士；而武帝元狩至宣帝甘露間，爲《尚書》博士知名者至少有六人，其間不容夏侯勝亦爲博士。彰彰明也。

歐陽容與夏侯勝授《尚書》家塾。倪寬初從歐陽受，後又膺選入官學太學師事孔安國仍習《尚書》，若曩從受於歐陽者亦爲博士，則不得復受郡選，則容的非博士。而夏侯建、孔霸等受《尚書》業於夏侯家，事亦在勝入仕前，勝時非《尚書》博士，至碻。

夏侯勝以「善說禮服」徵爲博士（當昭帝朝），《史》《漢》見載同類文例事例可證，諸家習知勝《尚書》學成就，但不知彼亦《禮》學大家，其在太學，以《儀禮》授蕭望之，爲宣帝之師祖，仕至太傅中二千石，必無左遷爲《尚書》博士之理事。

漢四百年《尚書》學，歐陽容、夏侯勝分別爲歐陽、大夏侯兩學宗之始師。或謂此兩始師嘗自身受朝廷任命爲太學《尚書》博士，余不能無疑，不敢沈默，請作〈歐陽容夏侯勝未曾身爲尚書博士考〉，用討其說。

一　歐陽容未嘗身為《尚書》博士

（一）歐陽生傳伏生《尚書》學

漢代《尚書》學，經學大師伏生（名勝）始傳之，

《史記》〈儒林傳〉：「伏生者，濟南人也。故爲秦博士。孝文帝時，欲求能治《尚書》者，天下無有，乃聞伏生能治，欲召之。是時伏生年九十餘，老不能行，於是乃詔太常使掌故朝錯往受之。秦時焚書，伏生壁藏之。其後兵大起，流亡，漢定，伏生求其書，亡數十篇，獨得二十九篇，即以教于齊魯之閒。學者由是頗能言《尚書》，諸山東大師無不涉《尚書》以教矣。」（《漢書》〈儒林傳〉幾全同）

又〈鼂錯傳〉：「孝文帝時，天下無治《尚書》者，獨聞濟南伏生故秦博士，治《尚書》。年九十餘，老不可徵，乃詔太常使人往受之；太常遣錯受《尚書》伏生所。」（《漢書》〈鼂錯傳〉幾全同）

西漢哀帝建平、元壽年間，劉歆移書讓太常博士曰：「至孝文皇帝，始使掌故朝錯從伏生受《尚書》。」（《漢書》〈楚元王傳〉附歆傳載）

《經典釋文》〈序錄〉：「漢興，欲立《尚書》，無能通者，聞濟南伏生傳之，文帝欲徵，時年已九十餘，不能行，於是詔太常使掌故鼂錯受焉。」

伏生未嘗爲漢博士；文帝世，朝廷亦未遑設太學，伏老時但以私家設科，授書於齊魯間，鼂君銜命往受當此際。鼂氏下傳何比干一而絕（見《後漢書》〈何敞傳〉），《論衡》〈正說〉篇謂景帝遣錯往受，下傳倪寬，夫錯，景帝即位爲內史，寵幸傾九卿，權貴不應屈尊遠適山東受書，亦不暇，且景帝前元三年錯即受誅，至倪寬則僅師事歐陽生及孔安國，安事鼂（詳下）？王充說誤。

惠帝四年（西元前一九一）始除挾書之律，臣民始紛紛獻書，講經之風亦隨興，伏翁時年約七十八歲，教二十九篇於家——濟南郡鄒平縣（今山東省鄒平縣）（註一），同郡張生與千乘歐陽生於是就近執卷西面。伏生講書，歷十餘年而教聲蜚天下，西聞於帝庭，故詔鼂君往受焉。張、歐從伏公學《書》，當惠帝四年以下十餘年間，視錯入伏門受業爲蚤甚。

歐陽生（與張生）師事伏生受《尚書》，

> 《史記》〈儒林傳〉論《尚書》，云：「伏生教濟南張生及歐陽生。」
>
> 《漢書》〈儒林傳〉論《尚書》，亦云：「……伏生教濟南張生及歐陽生。……歐陽生字和伯（註二），千乘人也。事伏生。」（《後漢書》〈儒林傳〉：「《前（漢）書》云：濟南伏生傳《尚書》，授濟南張生及千乘歐陽生。」同）
>
> 《東觀漢記》〈歐陽歙傳〉：「其先和伯，從伏生受《尚書》。」
>
> 鄭玄《尚書大傳》〈敘〉：「伏生，……張生、歐陽生從其學。」（《玉海》卷三七載《中興書目》引）
>
> 《經典釋文》〈序錄〉論《尚書》，云：「伏生授濟南張生、千乘歐陽生德明自注：「字和伯，千乘人。」。」

元敏謹案：兩漢、劉宋、隋末唐初人，皆謂伏生直傳張、歐二生以《尚書》，無異辭，乃《隋書》〈經籍志〉〈書類敘〉：「伏生作《尚書傳》四十一篇，以授同郡張生，張生授千乘歐陽生。」謂歐陽生乃伏師再傳。《隋》〈志〉述經學源委多舛（註二），此其尤也。

（二）歐陽《尚書》學宗之成立

兩漢《尚書》學宗，堪稱顯者歐陽、大、小夏侯三家，而前一者尤顯。歐陽學宗自歐陽生傳下，

《史記》〈儒林傳〉：「……歐陽生教千乘兒寬，寬既通《尚書》，……。」

《漢書》〈兒寬傳〉：「兒寬，千乘人也。治《尚書》，事歐陽生。」

又〈儒林傳〉：「歐陽生，……授倪寬。……歐陽、大、小夏侯氏學皆出於寬。寬授歐陽生子，世世相傳，至曾孫高子陽。……高孫地餘長賓以太子中庶子授太子。……地餘少子政爲王莽講學大夫，由是《尚書》世有歐陽氏學。」

《後漢書》〈儒林傳〉：「光武中興，愛好經術，……於是立五經博士，各以家法教授，……《尚書》歐陽。……《前（漢）書》云：……歐陽生授同郡兒寬，寬授歐陽生之子，世世相傳，至曾孫歐陽高，爲《尚書》歐陽氏學。……歐陽歙，……自歐陽生傳

伏生《尚書》，至歆八世。」

《經典釋文》〈序錄〉：「歐陽生……授同郡兒寬。寬……授歐陽生之子。歐陽氏世傳業至曾孫高，作《尚書章句》，爲歐陽氏學。高孫地餘以《書》授元帝，傳至歐陽歙。……濟南林尊受《尚書》於歐陽高，以授平當及陳翁生。翁生授殷崇及龔勝。當授朱普及鮑宣。後漢濟陰曹曾受業於歐陽歙，傳其子祉。又陳留陳弇、樂安牟長，竝傳歐陽《尚書》。沛國桓榮受《尚書》於朱普，以授漢明帝。遂世相傳，東京最盛。」

《隋書》〈經籍志〉〈書類敘〉：「歐陽生授同郡兒寬，寬授歐陽生之子，世世傳之，至曾孫高，謂之《尚書》歐陽之學。……訖漢東京，相傳不絕，而歐陽最盛。」

《漢書》〈藝文志〉〈今文〉《尚書經》二十九卷，班固自注：「《歐陽經》三十二卷。」班〈志〉又著錄《歐陽章句》三十一卷、《歐陽說義》二篇。案：《經》、《章句》及《說義》三書，乃歐陽學宗之《尚書》經本或專著，後二者班氏不題誰作，《釋文》定《章句》高作，王國維證其是，其

《漢魏博士題名考》頁一一、一二曰：「《說文解字》〈內部〉离下引歐陽喬說『离，猛獸也』，段氏玉裁注云：『〈西都賦〉「拕熊螭」，李《注》引歐陽《尚書》說

「螭，猛獸也」。《漢書》〈儒林傳〉「歐陽生事伏生，世世相傳至歐陽高子陽」，許云「歐陽喬」者，蓋即高，古喬、高通用。』此乃歐陽高作《歐陽章句》之一證。」

吳承仕謂歐陽生作始，後有增益，其

> 《經典釋文序錄疏證》曰：「〈藝文志〉著錄，……不云《章句》、《說義》誰所作，鄭敘云：『伏生終後，數子各論所聞，別作《章句》。』吳氏自注：「《玉海》三十七。」是以《章句》爲歐陽伯和敏案：各書各本皆作和伯，作伯和定是誤倒，下同誤。所作。而《漢書》乃謂三家之學，皆出兒寬，寬固伯和弟子也。蓋漢世博士章句之學，作始也簡，而將畢也鉅，師資相襲，代有增益。……故推其本始，則以《章句》爲歐陽生所爲；及其末流，則後師所補苴牽飾者多矣。」

敏案：歐陽生以《尚書》授兒寬，宜有《章句》（註四）；其家人又世世相傳至高爲武帝博士。夫立國學不得無專門章句，《說文》引歐陽喬《書說》，許氏所見《章句》或即題高作；但後有增益，如〈泰誓〉後出，及孔壁《書序》天漢乃獻，歐陽生皆不及見，則爲高或此宗學者增入無疑。

又案：歐陽學宗派，以生爲始師，以迄東京明帝朝，其傳受之迹，大抵若是。其間，歐陽地餘先爲元帝師，既而桓榮爲明帝師、榮子郁爲和章二帝師、郁子焉又爲順安兩君師；遞傳及楊賜，又爲靈帝師。故熹平四年詔刻石經，即用歐陽學本爲參校本，天下所共遵。則云《書》學傳至東京，歐陽最盛，洵是也。

（三）〈譜圖序〉載歐陽容家世及身為漢《尚書》博士

「歐陽生字和伯」生，儒生也（說例詳下）。《史記》《漢書》《後漢書》三〈儒林傳〉、《漢書》〈兒寬傳〉、鄭玄《尚書大傳》〈敘〉、《釋文》〈序錄〉、《隋》〈志〉敘，都祇稱「歐陽生」，不及其名（咸詳上引，下倣此）。《漢書》〈儒林傳〉、《釋文》〈序錄〉竝稱「字和伯」，亦不知其名。《東觀漢記》「其（歐陽歙）先和伯」、應劭《漢官儀》云「光武中興，《書》有歐陽和伯、夏侯勝、建」（引文詳下大夏侯章）、《尚書正義》〈虞書〉題下云「夏侯勝、夏侯建、歐陽和伯等三家」，又似竝誤以「和伯」爲其本名。至清，胡秉虔撰《漢西京博士考》卷二歐陽高：「……其先歐陽生，史失其名，字和伯，從伏生受《尚書》。」但據正史，猶不知生之名。生名今始見於〈歐陽氏譜圖序〉，引論即詳下。歐陽生里貫、家世，傳記所載僅曰千乘人，甚簡略，〈譜圖序〉則較詳，引論亦見下。謂歐陽生自身受朝廷任用爲《尚書》學博士，《史記》、《漢書》竝無明文。《東觀漢記》等謂生曾身爲《尚書》博士，而莫詳其所本；當係依據歐陽家乘。茲先節列「譜圖序」於下：

〔宋〕歐陽脩（一〇〇七至一〇七二）《歐陽文忠公集外集》卷二一石本〈歐陽氏譜圖序〉曰：「歐陽氏之先，本出於夏禹之苗裔。……於楚，而無疆之子蹄封於烏程歐餘山之陽，爲歐陽亭侯，其後子孫遂以爲氏。當漢之初，有仕爲涿郡太守者，子孫遂居于北：或居青州之千乘，或居冀州之渤海。千乘之顯者，曰生字和伯，爲漢博士，以經名家，所謂歐陽《尚書》者是也。……蓋自亭侯蹄……因封命氏，自別於越，其後子孫散亡，不可悉紀。其可紀者，千乘、渤海而已。千乘之族，自生傳八世至歙，子復無後，世絕經不傳家，其他子孫亦皆微弱，遂不復見。……脩當皇祐、至和之間，以其家之舊譜問于族人，各得其所藏諸本，以考正其同異，列其世次，爲〈譜圖〉一篇。（下〈譜圖〉，省）」

同上集本〈歐陽氏譜圖序〉曰：「歐陽氏之先，本出於夏禹之苗裔。……於楚，有封於歐陽亭者，爲歐陽亭侯。歐陽亭在今湖州烏程歐餘山之陽，其後子孫遂以爲氏。歐陽亭侯之後，有仕漢爲涿郡太守者，子孫遂居于北：一居冀州之渤海，一居青州之千乘。其居千乘者，曰一有「生字」二字和伯，仕于漢世，爲博士，以經名家，所謂歐陽《尚書》者是也。……故圖其世次，傳于族人，又志于其石以待。自八祖以來遷徙婚嫁官封名謚與其行事，則具于譜。（下〈譜圖〉，亦從省）亭侯蹄，因封命氏，自別於越，其後子孫散亡，不可悉記。其不敏案：衍文，石本無不。可紀者，千乘、渤海之後。……千乘之族，以《尚書》顯于漢，自生傳歆八世，歆子復無後，世絕經不傳家，其他子孫亦遂微弱，不復見。……脩當皇祐、至和之間，以其家之舊譜問于族人，各得其所藏諸本，以考正其同異，大抵文字殘闕，其言又不純雅，然取其所同多者，并列其世次，爲〈譜圖〉一篇，而略存其舊譜所載。舊譜前列魏司空清河崔林、宋太保王弘、齊太尉王儉、梁御史中丞王僧孺、尚書兵部馬將臣賈贄等、上又列唐吏部尚書高士廉、中書舍人徐令言等重定其譜，多載千乘之族，至歆而止。魏晉已後，無復次序，疑其脫亂不眞；其尤可疑者，《漢書》曰『生子和』敏案：生子和三字，當作生子和伯四字，而譜自涿郡太守而下，列其十世，而無生。太守亡其名、字，有其夫人曰楚春申君之女也，生子曰睦字公安；睦夫人陳氏生子曰欽字子敬；欽夫人張氏生三子曰容、曰述、曰興，皆不著其字，而云同受業於濟南伏生，容爲博士。其夫人夏侯氏，生子曰巨字孝仁；巨夫人戴德之女，生子曰遠字叔遊；遠夫人倪寬之女，生子曰高字彥士；高夫人，孔安國之女，生子而亡其名，有其字曰仲仁；仲仁夫人趙氏，生子曰地餘字長賓；地餘夫人戴氏，生二子曰崇、曰政；政字少翁，夫人孫氏，生子曰歆字正思。漢氏以歆爲和伯八世孫，然今譜無生而有容；又云容受《尚書》於伏生，自容至歆八世。疑漢所謂歐陽生者，以其經師謂之生，如伏生之類，而其實名容，容字和伯，於義爲通，此其可疑者也。《漢書》曰高字陽，而譜字彥士，小不同，此不足怪，其夫人世家無可考證。」

歐陽脩〈譜圖序〉之作也，據氏家多本舊藏族譜，而舊譜本，自曹魏、劉宋、南齊、蕭梁歷唐至宋，重臣遞相傳受重定，有徵足信；所譜列世系視它史傳爲備，理固然也。職是，史傳歐陽生和伯闕名，而〈譜圖〉備之誠宜。〈譜圖序〉（集本）云歐陽欽有子三人——容、述、興，又曰生字和伯，爲歐陽《尚書》家（石本同），又曰受業於伏生；參諸史傳（已詳上引），則〈譜圖序〉誠以歐陽容即歐陽生字和伯者。〈譜圖序〉又載自生傳歙八世，以《尚書》顯于漢（石本略同），復參以上引范書及《釋文》〈序錄〉，則和伯固係娶夏侯氏女乃生巨、巨生遠、……政生歙凡八世之歐陽容也。漢代一字爲名二字爲字，其常經，名容字和伯，數之宜也。

西漢世習稱儒者曰「生」，如傳《易》者田王孫（稱田生）、《書》者伏勝（伏生）及庸譚（庸生）、《詩》者韓嬰（韓生）、《春秋》者董仲舒（董生）、《禮》者高堂生，故《史記》〈儒林傳〉《索隱》曰：「謝承云：『秦氏季代，有魯人高堂伯，則伯是其字，云「生」者，自漢已來，儒者皆號「生」，亦「先生」省字呼之耳。』」是歐陽生（同時同門更有張生）儒生之謂，永叔云「歐陽生者，以其經師謂之生」，良是也。

永叔又云「容字和伯，於義爲通」，亦是確說，請徵之禮籍及其注，

《周禮》〈地官〉〈鄉大夫〉：「退而以鄉射之禮五物詢眾庶：一曰和、二曰容、三曰

主皮、四曰和容、五曰興舞。」鄭玄注：「鄭司農云：『……和，謂閨門之內行也；容，謂容貌也。』……杜子春讀和容爲和頌，謂能爲樂也。……玄謂：和載六德，容包六行也。主皮、和容、興舞，則六藝之射與禮樂與，當射之時，民必觀焉，因詢之也。」

容與和均各爲鄉射儀五物之一，和、德之充於內，容、德之表於外，凡皆爲禮典時民所觀瞻，故和、容「於義爲通」，容爲欽之長子，故加伯和下，合字和伯，永叔說是，參諸史傳，固亦無悖也。

容爲千乘人，《漢書》〈儒林傳〉：「歐陽生字和伯，千乘人也」；（《史》、《後漢》〈儒林傳〉、《釋文》〈序錄〉竝同，云是千乘人）、兩本〈圖譜序〉，一則譜容爲「千乘之族」（文屢見），再則謂容族「居青州之千乘」；考《漢書》〈地理志〉：「千乘郡。」班固自注：「高帝置，屬青州。」縣十五，千乘其一（亦〈地理志〉），則容當爲漢青州千乘郡千乘縣人（《漢書》〈兒寬傳〉：「兒寬，千乘人也」，顏注：「千乘郡千乘人也。」可參比）。郡名後改，應劭曰：「和帝更名爲樂安。」故八世孫歙，《後漢書》〈儒林傳〉：「歐陽歙，……樂安千乘人也。」范書小誤，《集解》引錢大昕曰：「和帝永元七年始置樂安國，歙卒於光武之世，當稱千乘人（原注：「《前（漢）書》：歐陽和伯，千乘人。」）。」是歙與其八世祖容字和伯都爲漢青州千乘郡千乘縣人（千乘縣故城，今山東省高苑縣北），〈譜圖〉得其正，且都與史傳略合。《論衡》〈書解〉篇：「世傳《詩》家魯申公、《書》家千乘歐陽公孫，不遭太史公，世人不聞。」黃暉《校釋》：「孫曰：公孫疑指公孫弘。弘傳《春秋》，非《尚書》。且本書多《詩》《書》《春秋》連用，公孫上當有脫文。」敏案：公孫弘《春秋公羊》學，受自胡母生，「不如董仲舒」（《史記》〈儒林傳〉），非當世顯學，不合與申公、歐陽竝稱，疑「千乘歐陽公」連讀，稱歐陽爲「公」如上文「申公」文例，「公」下及「孫」下俱有闕文。楊樹達《漢書窺管》卷九疑「公孫」爲歐陽生之子曰巨之字，據〈歐陽譜圖序〉「巨字孝仁」，楊君未及檢，以致論誤！

合《漢書》、《後漢書》、《釋文》所列《尚書》歐陽氏學家庭之傳授，補入〈譜圖序〉子孫，表爲（非歐陽氏者，離本文主題，不列；虛一傳爲兒寬）：

歐陽容——……歐陽巨——歐陽遠——歐陽高——歐陽仲仁（失名）——歐陽地餘

├歐陽崇

└歐陽政—歐陽歙（八世九傳，傳九人）

（四）《漢記》等載歐陽容以下八世均為《尚書》博士

〈譜圖序〉一則曰「千乘之族，自歐陽生傳八世至歙，世絕經不傳家」（石本），再則曰

「千乘之族，以《尚書》顯于漢，自生傳歙八世，世絕經不傳家」（集本）（敏案：光武建武間，歙封夜侯，爲大司徒，坐於汝南郡守臟罪下獄當死，其弟子禮震上書求代死，曰：「臣師……歙，門單子幼，未能傳學，身死之後，永爲廢絕。」「歙子復，無子，國除。」竝見《後漢書》〈儒林傳〉，與此〈譜圖序〉完全吻合）。既而又曰「歐陽和伯爲漢博士，所謂歐陽《尚書》」（石本）、曰「歐陽和伯仕于漢世，爲博士，以經名家，所謂歐陽《尚書》」，而絕不言容、巨、遠、高、仲仁、地餘、政、歙八人俱爲博士，第

後漢初禮震（二三年至？）建武十五年曰：「伏見臣師大司徒歐陽歙，學爲儒宗，八世博士，而以臧咎當伏重辜。」（《後漢書》〈儒林歐陽歙傳〉載）

〔東漢〕劉珍（？至一二六頃）《東觀漢記》卷十三〈歐陽歙傳〉：「其先和伯，從伏生受《尚書》，至歙七世，皆爲博士。」

《後漢書》〈儒林歐陽歙傳〉曰：「……自歐陽生傳伏生《尚書》，至歙八世，皆爲博士。」（《後漢書》〈儒林傳敍〉云：「《前（漢）書》云：濟南伏生傳《尚書》，授濟南張生及千乘歐陽生，歐陽生授同郡兒寬，寬授歐陽生之子，世世相傳至曾孫歐陽高，爲《尚書》歐陽氏學。張生授夏侯都尉，都尉授族子始昌，始昌傳族子勝，爲大夏侯氏學；勝傳從兄子建，建別爲小夏侯氏學：三家皆立博士。」蔚宗以爲歐陽學宗之始

師應爲歐陽本姓之最早治斯學者歐陽生大夏侯同理推始，說詳下。，則首立博士者歐陽生也，故去《前漢書》「張生爲博士」文不著，代以歐陽生，與此〈歙傳〉契合；《隋》〈志〉〈書類序〉陰用范書說，但有刪省）

《釋文》〈序錄〉：「……歐陽生……授同郡兒寬，寬……以授歐陽生之子。歐陽氏世傳業至曾孫高，……高孫地餘以《書》授元帝，傳至歐陽歙，歙以上八世皆爲博士。」

竟定此歐陽八世（劉珍從下一傳巨起數，故計爲七世，惠棟《後漢書補注》謂「與《傳》異」，存商）均爲漢《尚書》博士。余考高、地餘、歙三人爲博士，自外五人則未嘗爲博士（註五），疑禮震之誤，在聽受師歙溢美之言，劉珍之誤，在誤讀家譜，范書、《釋文》竝從之誤耳（註六）。

（五）歐陽容未曾身為漢《尚書》博士事甄

〈歐陽氏舊譜圖〉（註七）始記千乘族支之顯者容爲漢《尚書》博士，禮震上書、《漢記》、范書、《釋文》從之（均已詳上引），後世治經學史者多不遑甄其情實，遽用後三家之說，定容身爲《尚書》博士，如

〔清〕張金吾《兩漢五經博士考》卷二：「《尚書》歐陽氏，《漢書》〈儒林傳贊〉曰：『武帝立五經博士，《書》唯有歐陽。』《後漢書》〈儒林傳〉曰：『光武立五經博士，《尚書》歐陽。』《漢書》〈儒林傳〉曰：『……伏生教濟南張生及歐陽生，歐陽生授兒寬。歐陽、大、小夏侯氏之學，皆出于寬。寬授歐陽生子，世世相傳，繇是《尚書》世有歐陽氏學。』」

金吾謂《尚書》有歐陽氏學宗，歐陽生爲其始師，此宗於西漢武世及東漢光武世均立博士，其後立無間；且指述武帝建元之前始師和伯先已身立爲博士，亦見金吾書，

《兩漢五經博士考》卷三〈建元以前博士〉：「歐陽生，《漢書》〈儒林傳〉曰：『歐陽生字和伯，千乘人，事伏生。』」

其他肇經治史家，謂歐陽生和伯曾身爲《尚書》博士者，不煩盡舉。

考漢經學宗傳，並不以《尚書》歐陽學始師曾身爲博士者，得三家，

〔清〕萬斯同（一六三八至一七〇二）《儒林宗派卷》二於千乘歐陽和伯（敏案：二字原誤倒。）下不

注「立學官」，而於曾孫歐陽高下則注「立學官」三字。《漢魏博士題名考》頁一一至一五「歐陽《尚書》博士」節，不列歐陽生；但列有歐陽高、歐陽地餘及歐陽歙。

案：萬王二氏見《史》《漢》兩儒林之傳歐陽生竝不明言渠爲博士，故不以之列博士班疇，均未暇參看《東觀漢記》，無論〈歐陽譜圖序〉。唯王氏尙及據史傳，知其同門張生爾時爲博士（註八），萬則疏漏未及此。〔清〕全祖望（一七〇五至一七五五）論歐陽生未爲博士，首先粗出理據，有云：

據〈儒林傳〉，則張生、歐陽生竝受業於伏生，而張生爲博士，歐陽生未得爲博士也。歐陽生之曾孫高始爲博士。（《困學紀聞》翁元圻注載）

其後，胡秉虔（嘉慶進士）立說同而稍詳，其《漢西京博士考》卷二：「《後漢書》〈儒林傳〉〈歐陽歙傳〉云：『自歐陽生傳伏生《尚書》，至歙八世，皆爲博士。』《釋文》〈敘錄〉同。是歐陽氏之爲博士，不始於高矣。然《漢書》明云『伏生教濟南張生及歐陽生，張生爲博士』，則歐陽生未爲博士可知。又云『兒寬授歐陽生子，世世相傳至曾孫高爲博士』，則高以上皆未爲博士可知。范氏之言，不知何據，陸德明蓋仍其誤。」

案：《范書》、陸《釋文》當據《漢記》，而《漢記》則上本歐陽家譜，胡氏缺考失討。胡氏據孟堅語「張生及歐陽生，張生爲博士」云云，斷歐陽生不爲博士：張生爲博士具明文是矣，歐陽生不爲博士尚無明文，可疑，且僅憑一二語，不足令疑者信；氏又據孟堅「兒寬授歐陽生子，世世相傳至曾孫高爲博士」語，定歐陽自高以上皆未爲博士，竊謂下既云「曾孫高」，則上從曾祖歐陽生起計，未總以「爲博士」，或可寬解班氏意，謂自生至高四世皆爲博士，矧旁參以〈家譜〉、《漢記》、范書及陸《釋文》固亦無悖：胡氏此說，證據不足，勢難成立，必須詳加考覈，用了此公案，綜其要點有四：

第一、張生爲《尚書》博士；同時，歐陽容即不獲立爲《尚書》博士

張生爲《尚書》博士：

《史記》〈儒林傳〉：「伏生教濟南張生及歐陽生。歐陽生教千乘兒寬，寬既通《尚書》，以文學應郡舉，詣博士受業，受業孔安國。……張生亦爲博士；而伏生孫以治

《尚書》徵，不能明也。」

《漢書》〈儒林傳〉：「伏生教濟南張生及歐陽生，張生爲博士，而伏生孫以《尚書》徵，弗能明定。」

案：先是伏生私家授《尚書》於齊魯間，山東弟子之顯者曰歐陽容、張生及伏生之孫伏某。伏某與張生同時或先後往京師應《尚書》博士之徵，伏孫以《尚書》學「不能明」（班《書》明作明定，失辭）落選，張中選，爲《尚書》博士（范《書》、《釋文》、《隋志》竝不記張生爲博士，蓋以張非漢世《尚書》顯學（就與歐二夏侯三家比匹言），故不記），自是今文學，時當在文帝前元十四、五年（前一六六、五）鼂錯自伏生所學成反後、爲太子家令得親近之際（註九）。

歐陽容在文帝世不獲爲《尚書》博士：

文帝時博士七十餘人（應劭《漢官儀》卷上），「蓋猶襲秦時諸子百家各立博士之制」（王國維《觀堂集林》卷四〈漢魏博士考〉），非盡專經之士（故《孟子》學亦立博士，見趙岐〈題辭〉）。十五年，詔舉賢良直言，或以祥異故（是春黃龍見於成紀），文皇非眞右儒之君。夫博士之職有二，曰課生徒，曰議政。但時太學尚未設立，博士無徒可授，帝與竇皇后所好者又唯黃老刑名，故經學博士不爲所重，恐亦祇備員不用，一若下景帝朝然，馬遷述漢初七

十年經學可概見也，

《史記》〈儒林傳〉：「高皇帝……於是喟然歎興於學，然尚有干戈，平定四海，亦未暇遑庠序之事也。孝惠、呂后時，公卿皆武力有功之臣。孝文時頗徵用；然孝文帝本好刑名之言。至孝景，不任儒者，而竇太后又好黃老之術，故諸博士具官待問，未有進者。」（《漢書》〈儒林傳〉記事同）

文帝既不重視經博士言論，經博士又不獲學校授徒（註一〇），則《尚書》立一博士——張生，求略合舊制可矣，必不竝立其同門弟歐陽容。且張生受立後，約八周年至後元七年（前一五七）六月而帝崩，其間並無增立《尚書》博士之因素，史亦不載張博士罷職、遷官或亡故出缺，是其間亦無以歐陽容補缺之理由。則歐陽容於文帝朝未嘗受立爲博士，確鑿無疑也。

第二、景帝在位十六年間（前一五六至前一四一），於《魯》、《韓》外增立《齊詩》轅固生博士、又增《公羊春秋》胡母生、董仲舒兩博士（均見《漢書》〈儒林傳〉）者，《齊詩》宗學異於《魯》、《韓》兩宗，《魯》與《韓》固亦不相同；同一《公羊》學，似不必分立胡、董，當是先立胡，胡罷歸後立董補缺（註一一），則《詩》、《春秋》彼時非於同一學宗之內增立，故不得以推歐陽《尚書》於景帝朝被增立以與張生宗竝列也。且景帝與其父同，儒非所好，不得已而立經博士，虛應故事備員而已，必不於伏生一大宗之下分立兩宗也明甚！

第三、兒寬膺選詣京師從太學博士孔安國學《尚書》，曩所師事之歐陽容非博士

1 兒寬詣太學受《《今文尚書》》學於孔安國

（1）寬受《《今文尚書》》

孔子十一世裔孫（若併孔子本身計則爲十二世）西漢孔安國（字子國《家語》〈後序〉、《釋文》〈序錄〉自注竝云是。），仕至臨淮太守），《史記》〈儒林傳〉述《尚書》授受，先伏生《今文》傳鼂錯，教張生、歐陽生，既已，遂續述其伏生學之後傳曰：

自此之後，魯周霸、（魯）孔安國、雒陽賈嘉頗能言《尚書》事。（下文「孔氏有《古文尚書》，……」）

明此周、孔、賈三子同習伏生書（註一二），均爲今文學，下文「孔氏有《古文尚書》」，而安國以今文讀之，因以起其家，逸書得十餘篇」，方述《古文尚書》學，〔清〕閻若璩《尚書古文疏證》卷一條七：

《史記》〈儒林傳〉敘伏生今文，末云「自此之後，魯周霸、（魯）孔安國、雒陽賈嘉

頗能言《尚書》事」，此指安國通今文；下另敘孔氏有古文起自安國：頗爲明白。班固於三人省去孔安國專歸古文敏案：《漢書》〈儒林傳〉：「是後魯周霸、雒陽賈嘉頗能言《尚書》云。」删卻《史記》「孔安國」三字，而緊於周賈之下接敘歐陽生至張山拊，皆係今文家。是班氏定周、賈竝爲今文；今文張山拊敘已，方接敘「孔氏有《古文尚書》」云云：誠別以安國專屬古文也。，則安國非伏生一派而史及之爲贅甚，失卻遷之意。（〔日〕）瀧川資言《史記會注考證》卷一二一：「此謂周霸、孔安國、賈嘉三人通今文，下別敘孔氏有古文起自安國，《漢書》〈儒林傳〉削『孔安國』三字，失史遷原意。」殆陰取閻說）

安國爲武帝世《尚書》博士，漢史記載、《釋文》稱說，至明至確，

《史記》〈孔子世家〉：「安國爲今皇帝博士，至臨淮太守。」

又〈儒林傳〉：「兒寬……詣博士受業，受業孔安國。……張生亦爲博士。」（敏案：觀下文「張生『亦』爲博士」，表示上文孔安國爲兒寬之授業博士）

又〈儒林傳〉：「（申公之）弟子爲博士者十餘人：孔安國至臨淮太守。」（《漢書》〈儒林傳〉事同；安國未嘗爲《魯詩》博士，申公弟子十餘人爲博士者，其中亦有它經（如《尚書》）博士）

《漢書》〈孔光傳〉：「（孔）安國、（孔）延年皆以治《尚書》爲武帝博士；安國至

臨淮太守。」

《釋文》〈序錄〉：「博士孔安國以校伏生所誦」云云。

兩漢四百餘年，除平帝時王莽劉歆當權及新朝十餘年曾短暫建置《古文尚書》博士外，餘一律爲今文（註一三）。故上記孔安國爲《尚書》博士，今文也，約當武帝元朔三年（前一二六）（註一四）。後二年，元朔五年（前一二四），丞相公孫弘因同年六月武帝制意，與太常孔臧、博士平等上議太學法，帝可，《史記》〈儒林傳〉：

聞三代之道，鄉里有教，夏曰校，殷曰序，周曰庠。……故教化之行也，建首善自京師始，由內及外。……請因舊官而興焉。爲博士官置弟子五十人，復其身。太常擇民年十八已上，儀狀端正者，補博士弟子。郡國縣道邑有好文學，敬長上，肅政教，順鄉里，出入不悖所聞者，令相長丞上屬所二千石，二千石謹察可者，當與計偕，詣太常，得受業如弟子。一歲皆輒試，能通一藝以上，補文學掌故缺；其高弟可以爲郎中者，太常籍奏。即有秀才異等，輒以名聞。其不事學若下材及不能通一蓺，輒罷之，而請諸不稱者罰。請著功令。佗如律令。制曰：「可。」自此以來，則公卿大夫士吏斌斌多文學之士矣。（《漢書》〈儒林傳〉略同）

時兒寬（?至前一〇二）即以郡國選入京師受《尚書》學於博士孔安國，

《史記》〈儒林傳〉：「歐陽生教千乘兒寬。兒寬既通《尚書》，以文學應郡舉，詣博士受業，受業孔安國。兒寬貧無資用，常爲弟子都養，及時時閒行傭賃，以給衣食。行常帶經，止息則誦習之。以試第次，補廷尉史。是時張湯方鄉學，以爲奏讞掾，以古法議決疑大獄，而愛幸寬。寬爲人溫良，有廉智，自持，而善著書、書奏，敏於文，口不能發明也。湯以爲長者，數稱譽之。及湯爲御史大夫，以兒寬爲掾，薦之天子。天子見問，說之。張湯死後六年，兒寬位至御史大夫。九年而以官卒。」

《漢書》〈兒寬傳〉：「兒寬，千乘人也。治《尚書》，事歐陽生。以郡國選詣博士，受業孔安國。貧無資用，嘗爲弟子都養。時行賃作，帶經而鉏，休息輒讀誦，其精如此。以射策爲掌故，功次，輔廷尉文學卒史。……善屬文，然懦於武，口弗能發明也。時張湯爲廷尉，廷尉府盡用文史法律之吏，而寬以儒生在其間，見謂不習事，不署曹，除爲從史。……會廷尉時有疑奏，已再見卻矣，掾史莫知所爲。寬爲言其意，掾史因使寬爲奏。奏成，讀之皆服，以白廷尉湯。湯大驚，召寬與語，乃奇其材，以爲掾。上寬所作奏，即時得可。異日，湯見上。問曰：『前奏非俗吏所及，誰爲之者？』湯言兒寬。上曰：『吾固聞之久矣。』湯由是鄉學，以寬爲奏讞掾，以古法義決疑獄，甚重之。及湯爲御史大夫，以寬爲掾，舉侍御史。見上，語經學。上説之，從問《尚書》一篇。擢爲中大夫，遷左內史。……爲御史大夫。……上詔寬與（司馬）遷等共定《太初曆》。……初梁相褚大通五經，爲博士，時寬爲弟子。……寬爲御史大夫，……居位九歲，以官卒。」

又〈儒林傳〉：「歐陽生……授倪寬。寬又受業孔安國。……寬有俊材，初見武帝，語經學。上曰：『吾始以《尚書》爲樸學，弗好，及聞寬説，可觀。』乃從寬問一篇。」

《釋文》〈序錄〉：「歐陽生……授同郡兒寬，寬又從孔安國受業。」

依新頒之功令（太學法），地方政府——郡國縣道邑選好文學之士上屬所二千石，二千石察可，使與計吏偕詣太常，得受業如太常直接遴選之博士弟子，《史記》云「寬以文學（即經學）應郡舉，詣博士受業」、《漢書》云「寬以郡國選詣博士」，竝符合法令：是實情。且寬本傳明文「褚大爲博士，時寬爲弟子」云云。寬爲博士弟子，貧無資用，嘗爲同學羣炊爨。是寬的爲博士弟子。又依新功令，入太學一歲，試通一藝以上者補官，則寬之「以射策爲掌故」（合功令「一歲試通一藝補文學掌故」）。其後，「功次，補廷尉文學卒史」（史記省掌故，廷尉文學卒史簡作廷尉史）。是時，張湯爲廷尉，「上方鄉文學，湯決大獄，欲傅古義，乃請博士弟子治《尚書》、《春秋》者補廷尉史，亭疑法」（《史記》〈湯本傳〉，《漢書》〈湯傳〉事同），載與《史記》〈儒林傳〉「湯以古法議決疑大獄，而愛幸寬」云云、《漢書》〈寬傳〉「湯以寬爲奏讞獄，以古法義決疑獄，甚重之」，大體合。則寬郡選入太學，爲博士弟子員，試通補官，亦確有之事。湯元朔三年（前一二六）止元狩二年（前一二一）三月間任廷尉（註一五），則倪生入太學不致早至元朔二年（前一二七）之前（以次年試通方得補官推定），亦不致遲至元狩二年三月（湯卸廷尉）之後，而寬之《尙書》業師孔安國在此時期內正爲博士（註一六）。寬因從受《書經》，乃必有之事；唯王充說少異，誤（註一七）。

兒寬親炙於孔安國臨淮，當束髮之年，班固曰：「兒生亹亹，束髮修學，偕列名臣，從政輔治。」（《漢書》卷一百下〈敘傳〉）《大戴禮》〈保傳〉篇「古者束髮而就大學」，古義今事若契龜合符。倪生時年約十八（註一八），正副「擇民年十八已上，補博士弟子」之功令。時孔博士所授，爲朝廷官學《今文尙書》，

> 《漢書》〈儒林傳補注〉引何焯曰：「倪寬受今文於安國，……。」
>
> 《漢西京博士考》卷一：「兒寬受業孔安國者，《今文尙書》也。故歐陽、夏侯之學皆出於寬。蓋安國本傳《今文尙書》者，《家語》〈後序〉云：『子國少學《詩》於申公，受《尙書》於伏生，長則博士，覽經傳，問無常師。』」（敏案：以安國爲伏生親自傳授之弟子，《經義考》、《傳經表》竝同，第以安國元朔三年爲博士年二十餘享年

四十度之，尚不及親炙於文帝初年年已九十餘之伏生）

《漢魏博士題名考》卷上：「（孔）安國之學再傳，而復爲歐陽，此又其傳《今文尚書》之證也。」（敏案：觀堂此考，實同《漢西京博士考》，但義更明）

案：兒寬授歐陽容之子——巨，巨傳子遠，遠傳子高，高爲武帝朝歐陽《尚書》博士；寬又授蕑卿，蕑授夏侯勝，爲大夏侯《尚書》學；勝傳從兄子建，建又事寬之三傳弟子歐陽高，爲小夏侯學：是歐陽、兩夏侯學都自寬出，而皆祖述今文伏生學。故檢以家法傳授統緒，寬所受之於孔博士者亦是今文伏學，遞傳之予歐陽大小夏侯者，亦皆伏生今文。所受所授一致，都爲伏學，篤守師法，純壹無雜者如此。

（2）安國非以《古文尚書》授寬

孔安國亦治《古文尚書》，別有承師，而倪寬不與承傳，

《史記》〈儒林傳〉：「孔氏有《古文尚書》，而安國以今文（敏案：《漢書》〈儒林傳〉此下有「字」字。）讀之，因以起其家，逸書得十餘篇，蓋《尚書》滋多於是矣。」

《古文尚書》得之孔壁，發壁者魯恭王劉餘，當景帝前元三年（前一五四），書歸孔家

（註一九），時安國尙未出生。安國先治今文伏學，既通曉，始立爲博士；後讀家藏之古文，以是興起《古文尙書》家法，即謂於早先已盛行且立諸學官之今文家法外別起古文家法（註二一○），更於私家教授生徒以《古文尙書》（註二一），

《漢書》〈儒林傳補注〉引何焯曰：「……其安國古文之學，自授都尉朝也。」

《漢魏博士題名考》卷上：「……其安國所得《古文尙書》，自傳於家，非博士職所當授也。」

案：漢重師法，官學立伏書今文，博士依官本授徒，考謂亦一依是，安國無權官學私授，故其《古文尙書》私家學之下傳也，必在其卸博士職後，知者，

孔氏有《古文尙書》，孔安國以今文字讀之，因以起其家。……安國爲諫大夫，授都尉朝，而司馬遷亦從安國問故。（《漢書》〈儒林傳〉）

果然，明是先治今文通曉爲博士，後乃以今文（漢隸）校讀古文（先秦文字），班書敘《尙書》今古學之次第，可見也。安國於武帝元狩五年（前一一八）任諫大夫（註二三），自茲乃

以《古文尚書》於私家授人（註二三）。

安國《古文尚書》私家學之下傳，於漢爲三大支：一都尉朝——庸譚——胡常——徐敖——〔王璜、塗惲〕——桑欽；二司馬遷，絕下無傳；三爲家世相傳，傳孔延年——霸——光——僖等。何、王說得之，謂倪寬兼從孔氏受，所受爲《古文尚書》，失之矣（註二四）。又凡後世謂兒寬於太學受「《古文尚書》」於孔博士者，皆因安國創起漢《古文尚書》學爲始師又爲巨儒，意其所授必皆古文學，而不知其學之先後不盡同也。

2　歐陽容於私家授業，未嘗爲中央官學《尚書》博士

兒寬受《尚書》學，先（約當志學之年）登歐陽容之門；既而束髮，膺郡舉詣京城太學孔博士。從師後先，由記傳敘事次第確知之，

《史記》〈儒林傳〉：「歐陽生教千乘兒寬；兒寬既通《尚書》，以文學應郡舉，詣博士受業，受業孔安國。」

《漢書》〈兒寬傳〉：「兒寬……治《尚書》，事歐陽生。以郡國選，詣博士（敏案：《史記》〈儒林傳〉此下更有「受業」二字，語意爲明確。），受業孔安國。」（又〈儒林傳〉：「歐陽生……授倪寬，寬又受業孔安國。……；自有傳。」）

《釋文》〈序錄〉：「歐陽生……授同郡兒寬，寬又從孔安國受業。」

云兒氏「既」通《尚書》，乃受業孔君；云「又」從孔博士受，表示此前曾有所師事——歐陽家，審矣。

兒寬依據太學功令，經郡選詣太常從朝廷官學博士孔君受官學，則向所承師之歐陽容必非中央政府官學學官——博士，否則，倪生兩度應選，先後從兩博士習同一經課於短短二、三年間，慢學令，背情實，官府複許渠補博士弟子，則重爲違法，且時功令甫頒，而謂生員及學官即弁髦敝之，斷斷乎無有乎爾，則亦無有乎也。

歐陽容治《尚書》，學望重東州，倪生係就其家塾習二十九篇（時〈泰誓〉尚未現獻），史傳可推知也，

> 《史記》〈儒林傳〉：「伏生……二十九篇，即以教于齊魯之閒。學者由是頗能言《尚書》，諸山東大師無不涉《尚書》以教矣。」
>
> 《漢書》〈儒林傳〉：「（伏生至之閒，同《史記》）齊[敏案：衍文，或下當脫魯字：見補注。]學者由此頗能言《尚書》，山東大師亡不涉《尚書》以教。」

歐陽容及張生均是山東人，共享《尚書》學盛名，自皆大師；各於其家塾「涉《尚書》以教」，夏侯都尉奉束脩於張生講堂，兒寬則執伏生傳本於歐陽家肄業而決非於博士公署，復何

疑哉！

先受大師經業於私塾，後依功令詣博士續習同經，效倪氏所爲者亦有其人，

《漢書》〈蕭望之傳〉：「蕭望之……好學，治《齊詩》，事同縣后倉（敏案：后氏未嘗爲《詩》博士，詳下夏侯勝卷。）且十年，以令詣太常受業，復事同學博士白奇。」（顏注引如淳曰：「令郡國官有好文學、敬長、肅政教者，二千石奏上，與計偕詣太常，受業如弟子也。」敏案：此乃據元朔五年公孫弘等所奏太學功令，詳引已見前）

此其比也，亦可爲重要佐證。

第四、兒寬先後從受私學官學之故

然而倪生曷爲既受通伏生《書》學於大師歐陽之私門，尋又求肄業於同派《書》學博士孔安國之官學學舍？此一重大疑難，如無合理解釋，則蔑以服相質者，余敢抒管見以應：

其一，轉益多師，問學之道也：孔安國者，孔子嫡裔，經學世家，家藏文獻豐富，壁破得《古文尚書》，寬當有所聞，故亟謀郡選以就教。且當世經師求廣道藝，學業不限一師，蔚成風氣（註二五），寬兼從二師，物議未嘗以爲禁也。

其二，祿利誘使：漢自武帝用董仲舒對策，罷黜百家，獨尊儒術，俟後制定教育功令，設

立大學，招選經生爲博士弟子員，復其身，通經得補官，仕途始開通。倪生囊師歐陽，爲求學問，今茲謀選爲太學生，則意厥在利祿。卒業後，遂自廷尉史而侍御史，而中大夫，而左內史，終拜御史大夫，位列三公者九歲，卒遂其平生之志。儒者以太學生顯貴，於《尚書》科，莫上於千乘兒寬。少後，蕭望之（前一〇六至前四七）初從后倉習《齊詩》於后氏家塾十年，既而爲求仕進，以功令由郡選入太學竟事同門白奇博士爲徒。然後仕途始通，亦至御史大夫，儒者於《齊詩》科貴達，望之其顯者。此其比也。

（六）章結

至此，歐陽容未嘗身爲《尚書》博士，確然勿疑矣！則是〈歐陽譜圖〉載、禮震上書言容爲漢博士，溢美之過；而漢記、范《書》、陸《釋文》所以致誤者，或謬從失察，雷同是非之咎。又無論作俑於前，附和於後者，皆不免臆度經學某學宗始師必嘗爲太學博士，於是輕定容和伯身爲歐陽學宗博士；於大夏侯固亦然，後世臆定勝長公身爲大夏侯學宗博士，請詳陳其說、正其謬於次章焉。

二　夏侯勝未嘗身為《尚書》博士

（一）夏侯勝生平大略

夏侯勝（漢武帝至宣帝世人），受經業於其諸父始昌，始昌傳連帶述及勝，

夏侯始昌，魯人也。通五經，以《齊詩》、《尚書》教授。自董仲舒、韓嬰死後，武帝得始昌，甚重之。始昌明於陰陽，先言柏梁臺災日，到期日果災。時昌邑王以少子愛，上爲選師，始昌爲太傅。年老，以壽終。族子勝亦以儒顯名。（《漢書》卷七五〈夏侯始昌傳〉）

勝事迹，《漢書》卷七五本傳載述爲詳，

夏侯勝字長公。……（魯）東平人。……少孤，好學，從始昌受《尚書》及〈洪範五行傳〉，説災異。後事蕑卿，又從歐陽氏問。爲學精孰，所問非一師也。善説禮服，徵爲

博士、光祿大夫。會昭帝崩，昌邑王嗣立，數出。勝當乘輿前諫曰：「天久陰而不雨，臣下有謀上者，陛下出欲何之？」王怒，謂勝爲祅言，縛以屬吏。吏白大將軍霍光，光不舉法。是時，光與車騎將軍張安世謀欲廢昌邑王。光讓安世以爲泄語，安世實不言。乃召問勝，勝對言：「在〈洪範傳〉曰『皇之不極，厥罰常陰，時則下人有伐上者』，惡察察言，故云臣下有謀。」光、安世大驚，以此益重經術士。後十餘日，光卒與安世白太后，廢昌邑王，尊立宣帝。光以爲羣臣奏事東宮，太后省政，宜知經術，白令勝用《尚書》授太后。遷長信少府，賜爵關内侯，以與謀廢立、定策安宗廟，益千户。宣帝初即位，欲褒先帝，詔丞相御史曰：「……孝武皇帝躬仁誼，厲威武，北征匈奴，單于遠遁，南平氐羌、昆明、甌駱兩越，東定薉、貉、朝鮮，廓地斥境，立郡縣，百蠻率服，款塞自至，珍貢陳於宗朝；……功德茂盛，不能盡宣，而廟樂未稱，朕甚悼焉。其與列侯、二千石、博士議。」於是羣臣大議廷中，皆曰：「宜如詔書。」長信少府勝獨曰：「武帝雖有攘四夷廣土斥境之功，然多殺士眾，竭民財力，奢泰亡度，天下虛耗，百姓流離，物故者半。蝗蟲大起，赤地數千里，或人民相食，畜積至今未復。亡德澤於民，不宜爲立廟樂。」公卿共難勝曰：「此詔書也。」勝曰：「詔書不可用也。人臣之誼，宜直言正論，非苟阿意順指。議已出口，雖死不悔。」於是丞相（蔡）義、御史大夫（田）廣明劾奏勝非議詔書，毀先帝，不道，及丞相長史黃霸阿縱勝，不舉劾，俱下獄。……勝、霸既久繫，霸欲從勝受經，勝辭以罪死。霸曰：「朝聞道，夕死可矣。」勝賢其言，遂授之。繫再更冬，講論不怠。至四年夏，關東四十九郡同日地動，或山崩，壞城郭室屋，殺六千餘人。上乃素服，避正殿，遣使者弔問吏民，賜死者棺錢。……因大赦，勝出爲諫大夫給事中，霸爲揚州刺史。勝爲人質樸守正，簡易亡威儀。見時謂上爲君，誤相字於前，上亦以是親信之。嘗見，出道上語，上聞而讓勝，勝曰：「陛下所言善，臣故揚之。堯言布於天下，至今見誦。臣以爲可傳，故傳耳。」朝廷每有大議，上知勝素直，謂曰：「先生通正言，無懲前事。」勝復爲長信少府，遷太子太傅。受詔撰《尚書》、《論語說》，賜黃金百斤。年九十卒官，賜冢塋，葬平陵。太后賜錢二百萬，爲勝素服五日，以報師傅之恩，儒者以爲榮。始，勝每講授，常謂諸生曰：「士病不明經術；經術茍明，其取青紫如俛拾地芥耳。學經不明，不如歸耕。」

（二）夏侯勝之師承

勝《尚書》學師承，一得自家世相傳，夏侯都尉——夏侯始昌——夏侯勝，而都尉受自張生，上源出於伏生；二得自蕑卿，上而兒寬，上而歐陽容，胎源亦出於伏生；三又從歐陽氏以時代推比，當是博士高。問有得，固亦濟南伏翁之嫡傳也，

《漢書》〈儒林傳〉：「夏侯勝，其先夏侯都尉，從濟南張生受《尚書》，以傳族子始昌。始昌傳勝，勝又事同郡蕳卿。蕳卿者，倪寬門人。」（又〈夏侯始昌列傳〉「族子勝亦以儒顯名」，以勝爲諸父始昌之傳人，故附末特稱之）

又〈五行志〉：「孝武時，夏侯始昌通五經，善推〈五行傳〉，以傳族子夏侯勝。」

《後漢書》〈儒林傳〉述《前漢書》云：「《尚書》，……張生授夏侯都尉，都尉授族子始昌，始昌傳族子勝。」

《釋文》〈序錄〉：「張生授夏侯都尉，都尉傳族子始昌，始昌傳族子勝，勝從始昌受《尚書》及〈洪範五行傳〉，說災異，又事同郡簡卿，卿者，兒寬門人，又從歐陽氏問，爲學精熟。」

案：勝武帝時受業於諸父始昌，當始昌爲昌邑太傅頃；後師事蕳卿，當在武帝元狩二年（前一二一）蕳之師兒寬爲博士弟子之後；爾後又問《書》於歐陽高，則必在元狩五年（前一一八）孔安國罷博士遷諫大夫而高繼缺爲博士之後（註二六）。

（二）大夏侯《尚書》學宗之成立（連帶論及小夏侯建）

勝從學多師，學既成後數年，私家設《尚書》科授徒，遂爲大師（註二七），夏侯建、周堪、孔霸之受勝業，當在武帝元鼎初（前一一六）至昭帝中世（元鳳初，前八〇）間（霸昭帝末已爲博士，可資推度）。太后及黃霸之受業則在宣帝初：

宣帝元平元年（前七四），霍光白令勝用《尚書》授太后；勝卒，太后爲素服，以報師傅恩。（已見上引《漢書》〈勝本傳〉，太后即昭帝后上官氏）

勝從父（敏案：〈儒林傳〉作兄，疑是。）子建字長卿，自師事勝及歐陽高，左右采獲，又從五經諸儒問與《尚書》相出入者，牽引以次章句，具文飾說。……建卒自顓門名經，爲議郎、博士，至太子少傅。（亦見《漢書》〈勝本傳〉，連帶述載）

周堪字少卿，齊人也。與孔霸俱事大夏侯勝。霸爲博士。堪譯官令，論於石渠，經爲最高，後爲太子少傅。而孔霸以太中大夫授太子。及元帝即位，堪爲光祿大夫，與蕭望之並領尚書事，爲石顯等所譖，皆免官。望之自殺，上愍之，乃擢堪爲光祿勳。（《漢書》〈儒林傳〉）

（孔）霸亦治《尚書》，事太傅夏侯勝，昭帝末年爲博士，宣帝時爲太中大夫，以選授皇太子經，遷詹事、高密相。元帝即位，徵霸，以師賜爵關內侯。（《漢書》〈孔光傳〉）

勝……傳齊人周堪及魯國孔霸。（《釋文》〈序錄〉）

黃霸於宣帝本始二年至四年（前七二至前七〇）在獄中從勝受《尚書》（已見上引〈勝本傳〉，猶待詳參下文）。

《尚書》之今文官學，初立唯一家單傳——張生爲文帝博士、孔安國及歐陽高爲武帝博士、夏侯建殆爲昭帝博士、孔霸爲昭帝末博士……皆傳伏學，並無分立或同時竝立二人，故當宣帝前《尚書》官學無張氏學（註二八）、歐陽學、大夏侯學、小夏侯學之分，蓋不需分名（註二九）；或只稱「《尚書》博士」而不題某氏學（註三〇）；其分稱歐陽、大夏侯、小夏侯學，自宣帝末季，請逐事討說於下。

大、小夏侯《尚書》學立官，皆在歐陽學宗立官之後，

劉歆《七略》：「《尚書》，……始歐陽氏先君名之，大夏侯、小夏侯（建）復列於學官。三家之學，於今爲尤詳。」（《初學記》卷二一載，《漢書》〈儒林傳〉：「（張生遞傳至勝：方見上引）勝傳從兄子建，建又事歐陽高。勝至長信少府，建（敏案：遷之誤，詳下）太子太傅。……由是《尚書》有大、小夏侯之學。」《後漢書》〈儒林傳〉述《前漢書》云：「（《尚書》歐陽氏學；張生遞傳至勝：方見上引）爲大夏侯氏學。勝傳從兄子建，建別爲小夏侯氏學。（歐陽、兩夏侯）三家皆立

博士。」《釋文》〈序錄〉：「（「張生授夏侯都尉」至「爲學精熟」）……號爲大夏侯氏學。……夏侯建師事夏侯勝及歐陽高，左右采獲，又從五經諸儒問與《尚書》相出入者，牽引以次章句，爲小夏侯氏學。」

《隋》〈志〉〈書類後敘〉：「……又有夏侯都尉，受業於張生，以授族子始昌，始昌傳族子勝，爲大夏侯之學。勝傳從子建，別爲小夏侯之學。故有歐陽、大、小夏侯，三家並立。訖漢東京，相傳不絕，而歐陽最盛。」

《尚書正義》〈虞書〉題下：「伏生所傳，……謂之今文，則夏侯勝、夏侯建、歐陽和伯等三家所傳，及後漢末蔡邕所勒石經是也。」

案：云「由是《尚書》有大、小夏侯之學」（《漢》〈儒林傳〉），謂自是官學歐陽《尚書》之外更立兩夏侯學，班書於〈儒林贊傳〉及〈藝文志〉敘具明文確然，即詳下引。云「號爲大、小夏侯氏學」（《釋文》〈序錄〉），亦就立官言。云「……三家所傳及蔡勒石經」（《書正義》），乃謂依今文本刻校之《熹平石經》與歐陽夏侯三家皆立官之書本也。

兩夏侯《尚書》學宗之立官，上引劉、班、范、陸、魏、孔俱未及明言其時世；考當宣皇朝也，劉、班、范於是乃著言，劉歆〈移太常博士書〉（《漢書》卷三六〈劉歆傳〉載）：「往者博士，《書》有歐陽，……然孝宣皇帝猶復廣立……大、小夏侯《尚書》；義雖相反，猶竝置之。」

《漢書》〈藝文志〉〈書類敘〉：「……迄孝宣世，有歐陽、大、小夏侯氏立於學官。」

又〈儒林傳贊〉：「初，《書》唯有歐陽……而已。至孝宣世，復立大、小夏侯《尚書》。」

《後漢書》〈章帝紀〉：「建初四年（七九）十一月壬戌（十一日）詔曰：『……孝宣皇帝以爲去聖久遠，學不厭博，故遂立大、小夏侯《尚書》。』」

宣皇增立兩夏侯《尚書》博士，當甘露三年（前五一）三月初六日後、同年冬之前，

《漢書》〈宣帝紀〉：「甘露三年（前五一）三月己丑，丞相（黃）霸薨（註三一）。詔諸儒講五經同異，太子太傅蕭望之等平奏其議。乃立梁丘《易》、大、小夏侯《尚書》、《穀梁春秋》博士。冬，烏孫公主來歸。」（又〈百官公卿表〉七上：「武帝……初置五經博士，宣帝黃龍元年（前四九）稍增員十二人。」敏案：增立《易》《書》《穀》四宗博士在石渠會當年（甘露三年）；兩年後，乃增博士人數視武朝多、

共爲十二人，非謂四宗遲至黃龍始立學官，故〈紀〉、〈表〉説並無牾犯）

此即石渠閣經學大會（註三二）。史稱大夏侯《尚書》學宗，於焉初成立，朝廷正式承認，前此則不能有；謂之有，則出於追付，或不明經學發展迹實者，厎生妄說。自後，《尚書》大夏侯氏宗，遂爲顯學，

《七略》「三家之學，於今敏案：成帝河平間。爲尤詳」、《隋》〈志〉「三家訖漢東京，相傳不絕」、《書正義》「三家所傳，及後漢末蔡邕所勒石經是也」：均已詳上引。

應劭《漢官儀》卷上：「光武中興，恢宏稽古，《易》有施、孟、梁邱賀、京房，《書》有歐陽和伯、夏侯勝、建，《詩》有申公、轅固、韓嬰，《春秋》有嚴彭祖、顏安樂，《禮》有戴德、戴聖，凡十四博士。」

〔晉〕司馬彪《後漢書》〈百官志〉二：「博士十四人，……本注曰：《易》四，施、孟、梁丘、京氏；《尚書》三，歐陽、大、小夏侯氏；《詩》三，魯、齊、韓氏；《禮》二，大、小戴氏；《春秋》二，公羊嚴、顏氏。」

《後漢書》〈儒林傳〉：「光武中興，……立五經博士：……《易》有施、孟、梁丘、京氏，《尚書》歐陽、大、小夏侯，《詩》齊、魯、韓，《禮》大、小戴，《春秋》

嚴、顏，凡十四博士。」

勝《尚書》學，長於說陰陽五行災異，多得自其家始昌（註二二二）。其說災異語，見上引本傳所載輿諫昌邑王及對霍光輷（同一事亦見〈五行志〉七下之上及《後漢書》〈儒林謝該傳〉孔融曰：「雋不疑定北闕之前，夏侯勝辯常陰之驗，然後朝士益重儒術。」），〈兩夏侯傳贊〉亦論勝推陰陽言災異，又〈楊惲傳〉：「（惲）又語（戴）長樂曰：『正月以來，天陰不雨，此《春秋》所記，夏侯君所言，行必不至河東矣。』」夫言災異陰陽五行，必祖始《尚書》〈洪範〉，則勝必通《尚書》全經。果然，《漢書》〈藝文志〉著錄「《尚書》（今文）經二十九卷」，以一篇當一卷，爲二十九篇，此大夏侯氏《尚書》本經之板本。又著錄《大夏侯章句》二十九卷、《大夏侯解故》二十九篇，則大夏侯氏《尚書》之說義也（勝又受詔撰《尚書說》，蓋亦說義之類）；初撰當成於勝（克資以課授），其徒代有增潤，一若歐陽氏《章句》、《說義》（理據參詳歐陽卷）然。原典久佚，馬國翰有輯本一卷多條。

（四）大夏侯學宗之始師不必身為博士之理據

勝爲漢夏侯氏《尚書》學宗之始師，古今無異辭（註二二四）。通常謂始師必爲博士，故勝身爲博士，亦古今同辭。第考其所據切者不過兩大端：

第一、大夏侯學立官，既號「大夏侯氏」，而勝正是大夏侯，又爲始師，故首立者必係勝字長公本身：

敏謂不然：歐陽容爲《尚書》歐陽氏學宗始師，但容未曾爲《書》博士（證已詳歐卷）；孟喜、梁丘賀、京房（君明）分別爲《易》孟、《易》梁丘、《易》京氏三學宗之始師，但喜、賀、房三人均未嘗爲《易》博士（註三五），且全漢竟無孟姓、梁丘姓、京姓人士爲孟、梁丘、京《易》學博士者；《儀禮》，戴德，大戴氏學宗也，仕信都太傅（《漢書》〈儒林傳〉），亦未身任爲《禮》博士。

第二、所謂依據下列資料（極爲重要，茲再錄引一次）爲：

《漢書》〈兩夏侯列傳〉中之〈夏侯勝傳〉：「……勝少孤，從（夏侯）始昌受《尚書》及〈洪範五行傳〉，說災異。後事蕑卿，又從歐陽氏問。爲學精孰，所問非一師也。善說禮服，徵爲博士、光祿大夫。會昭帝崩，……」

又卷八八〈儒林夏侯勝傳〉：「夏侯勝，其先夏侯都尉，從濟南張生受《尚書》，以傳族子始昌。始昌傳勝，勝又事同郡蕑卿。蕑卿者，兒寬門人。勝傳從兄子建，建又事歐陽高。勝至長信少府、建（註三六）太子太傅，自有傳。由是《尚書》有大、小夏侯之學。」

兩傳——〈列傳〉及〈儒林〉，均以勝爲主，〈儒林〉因勝爲《尚書》顯家，故敘次於《易》後《詩》前使與伏歐孔等竝陳，而記勝仕歷，不言渠爲博士（既不於《尚書》類傳中稱說，自表示未曾爲《尚書》博士），則勝未曾爲《尚書》博士明甚！〈列傳〉記勝生平，諸端雜陳，非以《尚書》學爲主，故雖記渠「徵爲博士」，此博士非《尚書》博士，乃它經博士。至於建，〈儒林〉僅記其學授受，略附於勝下，不及其仕歷；仕歷則附於勝〈列傳〉末敘《尚書》學時連帶言之，曰建爲「議郎、博士，至太子少傅」，既敘稱於《尚書》學下，則此小夏侯所任之博士自是《尚書》科。諸家慮未及此，漫據「勝徵爲博士」，又見〈列傳〉「所問非一師」以上皆主記勝《尚書》學，遂以此「徵爲博士」之博士爲《尚書》科，而不顧其上連文有「善說禮服」四字。

（五）儒林宗派等五家明記夏侯勝身為《尚書》博士甄誤

專治經學宗傳，記夏侯勝身爲《尚書》博士，具明文者，此記五家五文：

《儒林宗派》卷二《書經》：「夏侯勝——大夏侯，立學官。」

《漢西京博士考》卷一「漢立博士」：「……《尚書》有大、小夏侯之學，案：（夏侯）勝、（夏侯）建皆爲博士。」又卷二《尚書》博士類，下亦列夏侯勝。

《漢魏博士題名考》卷上「大夏侯《尚書》博士」節，首列夏侯勝。

蔣善國《《尚書》綜述》頁八四「兩漢《尚書》立學表」，列夏侯勝。

此四家不過見勝爲此學宗始師，又見漢唐文獻多記大夏侯《尚書》學立官，復持與勝本傳「徵爲博士」語證對，未及詳考，遽爾定錄。

別有一家，爲

《兩漢五經博士考》卷三「五經博士」云：「夏侯勝，《漢書》〈夏侯勝傳〉曰：『勝字長公，東平人，從夏侯始昌受《尚書》，後事簡卿，又從歐陽氏問，爲學精孰，徵爲博士。』」

張氏據〈勝本傳〉「所問非一師」以上言《尚書》學部分，刪卻「善說禮服」四文，遂使勝以精熟《尚書》學受「徵爲博士」。妄刪史文，變原不相連之兩番文義連成一氣，錯亂史實！

（六）夏侯勝以善禮徵為博士

朝廷以夏侯勝「善說禮服」故「徵爲博士」，旁考之，以某學徵者，皆上言「某學」，緊

接下文即言徵爲博士或某官，文例事例別頗見於馬班書，

> 賈誼「頗通諸子百家之書，文帝召以爲博士」。（《史記》〈賈誼傳〉）
>
> 轅固生以治《詩》孝景時爲博士；今上初即位，復以賢良徵固。（《史記》〈儒林傳〉，《漢書》〈儒林傳〉事同；下文「復以……徵」則上文「初以《詩》徵」也）
>
> 楊何以《易》元光元年徵，官至中大夫。（《史記》〈儒林傳〉；《漢書》〈儒林傳〉：「楊何元光中徵爲太中大夫。」）
>
> 孝宣時，韓生（嬰裔）以《易》徵，待詔殿中。（《漢書》〈儒林傳〉）
>
> 胡常以明《穀梁》爲博士。（同上）
>
> 疏廣明《春秋》，徵爲博士、太中大夫。（《漢書》〈疏本傳〉）
>
> 伏生孫以治《尚書》徵，不能明也。（《史記》〈儒林傳〉，《漢書》〈儒林傳〉事同。敏案：徵，徵試博士也，「不能明」，故落選。孟喜以《易》徵試博士，不見錄用。後漢戴憑，郡舉明經，徵試博士，降取爲郎中。孟、戴落選例，略同伏孫）

以某學爲某官，或以某學教授者，文例同上，亦皆上言某學下言爲某職事，

梁丘賀說《易》，宣帝善之，「以賀爲郎」。（《漢書》〈儒林傳〉）

費直治《易》爲郎。（同上）

高康以明《易》爲郎。（同上）

京房以明災異得幸（爲郎）。（同上）

孟卿善爲《禮》、《春秋》，授后蒼、疏廣。（同上）

陳欽以《左氏》授王莽。（同上）

張馴以大夏侯《尚書》教授。（《後漢書》〈儒林傳〉）

方引「明某學」，即「善某學」，善某學試中爲官；不明、未善則落選，求諸《史》《漢》，竟得一例，可與勝本傳「善說禮服」云云證映相切者，

《史記》〈儒林傳〉：「魯徐生善爲容。孝文帝時，徐生以容爲禮官大夫。傳子至孫徐延、徐襄。襄，其天姿善爲容；……延頗能，未善也。襄以容爲漢禮官大夫。……延……嘗爲漢禮官大夫。」（《漢書》〈儒林傳〉事同，容概作頌，頌讀爲容）

察上引眾例，用與勝傳比，知「善說禮服，徵爲博士」，是徵爲禮服博士。所謂禮服，師古

注：「《禮》之〈喪服〉也。」〈喪服〉爲《儀禮》（今文本）中之一篇，勝既善說，亦必通它十六篇，則勝果以善說《儀禮》身爲太學禮博士也。

勝《禮》學師承，自家始昌，因始昌「通五經」（《漢書》，已見上引），《儀禮》在其中，固以教習。始昌另一弟子后蒼，爲《儀禮》大家，《禮》學亦頗得自始昌（註三七），可資旁證。勝在太常，《禮》學之下傳，必繁有生徒，今猶知其名者，太學生蕭望之也，「望之以令詣太常受業，……從夏侯勝問《論語》、《禮》〈服〉（註三八）。……（洎）爲太傅，以《論語》、《禮》〈服〉授皇太子」（《漢書》蕭本傳）。取爲勝任太學《禮》博士證，尤爲明切！夫漢家名以孝治天下，喪服者孝道之表徵，爲太子不可不曉，且遠有禮據（註三九），勝特以善《禮》服徵爲禮博士者或以此故。

勝《尚書》、《儀禮》二學竝深，記傳但盛載其《書說》，而忽略其《禮》學（註四〇）。其《禮》學無專著，僅見於《《尚書》章句》、《解故》中往往發皇《禮》義，見清人輯考（註四一）。故專治經學宗派者，於《禮》學師承下，向不列勝，僅畢沅《傳經表》中之〈通經表〉記通四經者錄「夏侯勝，……《尚書》、《禮》、《穀梁》、《論語》」；勝身實爲《禮》學博士，經史家竟誤爲《尚書》博士。后蒼兼善《詩》、《禮》，僅爲《禮》博士，但〈儒林傳〉才說「蒼亦通《詩》、《禮》，爲博士」，後世不察，遽於《詩》、《禮》兩經博士譜竝出后蒼（註四二）。不思漢重家法，孟喜《易》改其師田王孫法，朝廷拒用渠爲博士

（《漢書》〈儒林傳〉）；張玄《春秋》學，旁說嚴氏，光武從諸生議，罷遣其顏氏博士職（《後漢書》〈儒林傳〉）。夫治一經不純守一師猶見議斥，而謂后氏兼爲兩經博士，此西漢絕對無有之事。諸家漫讀史傳，前誤大夏侯《禮》博士爲《書》博士，後誤后氏兼受二經學官之職。類此舛訛，諒不止一二，可不慎哉！

（七）夏侯勝為《禮》博士在后蒼前

〈勝傳〉有云「又從歐陽氏問，……徵爲博士、光祿大夫，會昭帝崩，昌邑王嗣立」。夫歐陽高繼孔安國爲《尚書》博士，在元狩五年之後，勝乃從之問。後數年勝學成、授徒、望顯。洎昭帝初踐尊（前八七），即以名儒選入授帝《禮經》（註四三），爲博士當值此頃。居數年，至遲在昭帝元平元年（前七四）七月之前已遷升爲文學光祿大夫（註四四）。是勝受徵立爲《禮》博士，當在其同門后蒼（註四五）受立爲《禮》博士之先也。

何則？蓋《儀禮》自魯高堂生傳《士禮》十七篇（註四六），大約景帝初立渠爲博士（註四七）傳至后蒼亦爲博士（詳下）；自外，紀傳不載其他任《禮》博士者名，而其間武帝建元五年（前一三六）始備立五經博士（《漢書》〈武帝紀〉），則其中必有《禮》科，或以后蒼屬之，謂蒼當時已爲《禮》博士，茲討正於下：

《漢書》〈儒林后蒼傳〉：「后蒼字近君，東海郯人也。事夏侯始昌。始昌通五經，蒼亦通《詩》、《禮》，爲博士，至少府。授翼奉、蕭望之、匡衡。」

敏案：此主要論述蒼《齊詩》學源（夏侯始昌）委（翼蕭匡三徒），唯「通《禮》，爲博士，至少府」堪注意。

《漢書》〈儒林孟喜傳〉：「孟卿善爲《禮》、《春秋》，授后蒼、疏廣。世所傳后氏《禮》、疏氏《春秋》，皆出孟卿。」

又〈儒林孟喜傳〉：「孟卿，……事蕭奮，以授后倉。……倉說《禮》數萬言，號曰《后氏曲臺記》。授……梁戴德延君、戴聖次君、沛慶普孝公。」

敏案：此二文主要取其論述蒼《禮》學宗（孟卿）、傳（二戴慶三徒）。「蒼爲博士」，孟堅指是「《禮》博士」，於此猶無明文，而另於《漢書》〈儒林傳贊〉則著之，

自武帝立五經博士，開弟子員，……訖於（平帝）元始，……傳業者寖盛。……初，《書》唯有歐陽、《禮》后、《易》楊、《春秋》公羊而已。至孝宣世，……平帝

時，……」

「武帝初、《禮》后」云云，斯認定后氏建元五年身爲《儀禮》博士之主要依據（註四八），第張氏云不盡然，

《兩漢五經博士考》卷二：「《漢書》〈儒林傳贊〉曰『武帝立五經博士，《禮》后』。金吾案：『后倉事宣帝爲博士，則后氏《禮》非武帝所立可知』。《經典釋文》曰：『漢初，立高堂生《禮》博士。』后倉傳高堂生《禮》者，後人遂以高堂生《禮》爲后氏《禮》；班氏云云，蓋亦從後追稱耳。」

近人陳漢章又不盡然張說，反以班書爲得正，云：

……（《史記》）《索隱》引謝承曰「秦氏季代有魯人高堂伯，（則）伯是其字」，……據此，則高堂生在秦季世，與叔孫通同時，未必老壽逮漢武帝初年，當仍作「后蒼」爲是。蒼爲武帝博士，無妨逮事宣帝也。（范文瀾《羣經概論》頁二一引）

元敏謹案：故秦經師《易》田生何、《書》伏生勝、《禮》叔孫通及高堂生字伯，壽恐俱不至逮事武帝建元五年爲博士；高堂生爲博士至遲在景帝世，陳氏說此得之，但謂后氏爲博士，逮仕武昭宣三帝，則大可訾議。

謹又案：后蒼《禮》學，在宣帝世方最明，

《漢書》〈藝文志〉〈禮類敘〉：「漢興，魯高堂生傳《士禮》十七篇，訖孝宣世，后倉最明。戴德、戴聖、慶普皆其弟子，三家立於學官。」

《隋》〈志〉〈禮類敘〉：「漢初，有高堂生傳十七篇，……至宣帝時，后蒼最明其業，乃爲《曲臺記》。蒼授……戴德、……（戴）聖、沛人慶普，於是有大戴、小戴、慶氏，三家並立。」

蒼學大顯，因身受立爲《禮》禮士，至少府，咸當宣帝朝，下引文可與〈儒林傳贊〉（已詳上引）相資，

劉歆《七略》曰：「宣皇帝時，行射禮，博士后倉爲之辭，至今記之，曰『曲臺記』（《文選》卷六十任彥昇〈齊晉陵文宣王行狀〉「若曲臺之禮」李善注引）

《漢書》〈百官公卿表〉七下：「宣帝本始二年，博士后倉爲少府，二年。」（蒼仕少府，亦見《漢書》〈藝文志〉〈孝經類敘〉：「漢興，……少府后倉……自名家。」）

據此，本始二年（前七二）蒼罷《禮》博士；遷升少府，在職兩年（其後復有仕歷，或竟物故，不詳），上距建元五年凡六十五禩，計后氏年近期頤矣。后翁而壽耇，吾誠不敢置異，壽而又爲博士授徒議政者六十五年，竟沈頓不遷，則吾不敢不疑。疑而不得不考正，茲先列

《漢書》〈蕭望之傳〉：「東海蘭陵人也，徙杜陵。家世以田爲業，至望之，好學，治《齊詩》，事同縣后倉且十年（《補注》錢大昭曰：「后倉，東海郯人，見〈儒林傳〉，與望之同郡，非同縣也，縣疑當作郡。」）。以令詣太常受業，復事同學博士白奇（師古曰：「常同於后倉受業，而奇後爲博士。」王先謙補注：「官本注於作與。」敏案：常通嘗，謂蕭曾同白奇受《詩》業於后倉所。官本注於作與，非。），又從夏侯勝問《論語》、《禮服》，京師諸儒稱述焉。……爲太傅，以《論語》、《禮服》授皇太子。」

勝昭帝初爲《禮》博士，時望之詣太學受業、從問《禮》、《論》，前此，望之則師事同郡后蒼受《詩》於后家私塾將近十年，明武、昭二帝之世，后蒼尚是布衣。且當武、昭世，蒼方以《齊詩》名，私家設科授徒，逮宣帝世，始以治《禮經》顯最（上引《漢》〈志〉、《隋》

〈志〉），立爲《禮》博士，「《禮》后氏學」於焉成立；以授二戴、慶普三家，後亦皆立官。班書誤將晚立之后氏《禮》學，置早於武帝初年，是錯誤（註四九），非追稱；后氏未嘗於武昭兩朝爲博士。張陳二家均有所失。

至此，知漢《儀禮》之學，始高堂生景帝初立爲博士；武帝蒞阼五十四年（前一四〇至前八七）中，繼立不輟，惜所立者皆失其名氏（註五〇），至昭帝初，徵立夏侯勝，勝任《禮》博士數年，遷升爲文學光祿大夫，遺缺始選由其同門后蒼補焉。

（八）夏侯勝未嘗兩度為太學博士徵仕

夏侯勝畢生，僅一度爲博士，即《禮》博士，此後未曾再次爲任何經學博士，考次其生平官歷可知也（均參據前引〈勝本傳〉，毋煩一一贅出），

昭帝初（前八七）勝解褐爲《禮》博士，在職約十餘歲；

至遲於昭帝末年（元平元年，前七四）四月十七日之前，遷升爲文學光祿大夫（參〈註四四〉），以同職於六月與諫昌邑王（註五一），七月，與霍光等議立病已；

元平元年七月（宣帝即尊），同月少後，遷升爲長信少府，賜爵關內侯（註五二）；

次年，續爲長信少府，益封邑户，《漢書》〈宣帝紀〉：「本始元年（前七三）春正月

詔曰：『……其益封……長信少府關内侯勝，邑户各有差。』」

本始二年（前七二）五月，仍爲長信少府，諫不應爲武帝立廟樂，坐非毀詔書罪，下獄（參〈宣帝紀〉），後免爲庶人（註五三）。獄中授黃霸《尚書》（參看《史記》〈建元以來侯者年表〉及《漢書》〈黃霸傳〉）。於是韋賢代勝爲長信少府（《漢書》〈百官公卿表〉七下）；四年（前七〇）夏四月壬寅（二十九日）地動（〈宣紀〉），遇赦出獄（亦參看《史》〈年表〉及《漢》〈黃霸傳〉），爲諫大夫給事中；大約次年（前六九）至地節三年（前六七）間，復爲長信少府（註五四）；其後，遷升爲太子太傅，以卒官（註五五）。

通檢勝之官歷，第一階段：自筮仕爲《禮》博士，而光祿大夫，而少府，俱是遷升；第二階段：免爲庶人後爲諫大夫，復遷升爲少府，累遷升至太子太傅。其間無再度爲博士之事實，亦無左遷復爲博士之理（註五六）。職是，勝之一生，僅一於初度任爲《禮》博士，斷無再次爲專經《尚書》博士之理據。

（九）武昭宣三朝《尚書》博士無同日竝立二人之情事

武帝設太學，招選博士弟子員初總共才五十人，平均每經生徒十人，以迄末年，無增額，故一經徵聘博士一位足矣。昭帝倍增弟子員滿百人；宣帝又加倍，總爲二百人，每經平均亦祇四十人，以一博士授之則可。故武昭宣三世，每經博士現職僅需一人，遇缺乃同額補選（註五七）。考自武帝元狩五年至宣帝甘露三年六十七歲之間，爲《尚書》博士者，至少有六人：

歐陽高　元狩五年繼孔安國爲博士。

林　尊　師事歐陽高，爲博士，約當武帝世，後論石渠。

夏侯建　師事叔父勝及歐陽高，爲博士，約當昭帝時。

孔　霸　師事夏侯勝，昭帝末年爲博士（《漢書》〈孔光傳〉）。

歐陽地餘　高孫，世家傳業，爲博士當在宣帝世，後論石渠。

張山拊　夏侯建弟子，宣帝朝爲博士，論石渠。

每一博士平均在職約十年許，尚合情實，其間不必有夏侯勝則可；勝徵爲《禮》博士，任職至多十三年（前八七至前七四），而竝時可能有林尊、夏侯建、孔霸爲《尚書》博士，其不能容勝於同期間亦嘗爲《尚書》博士，證據尤切。則勝徵任者，《禮》博士也；蓋受徵當時已有他人正在擔任《尚書》博士，以不容一經竝立兩人（參看〔註五七〕），亦渠不被選爲《尚書》博士之另一因也。

（十）大夏侯私家授《尚書》、以《禮》博士兼授《尚書》或以其他官職而論授《尚書》廣證

勝私家設科授《尚書》，約當武元鼎初（前一一六）至昭始元初（前八六）。夫兩漢經師家設經塾授徒，習見：如田何以《易》授王同、丁寬、周王孫等；如伏生以《書》授張生、歐陽生、晁錯等；如申公以《詩》教人，弟子千餘人；如歐陽歙在汝南教授數百人以《尚書》。（以上分據《兩漢書》〈儒林傳〉）大夏侯家有作，亦其疇也。

勝爲太學《禮》博士期間，授《禮》其本職，蕭望之嘗從學（說已詳上），宣帝其再傳也；別以《尚書》教人。夫以甲經博士兼授乙經，兩漢亦習見：如韓嬰，文帝《詩》博士也，兼以《易》授人；如後漢不立慶氏《禮》，而曹充、褒父子及董均受立爲它經博士以授慶氏《禮》學；如賈逵，《古文尚書》及《左傳》家也，章帝令渠自選今文《公羊》嚴、顏諸生從受《左氏》，逵時僅爲郎，帝後又詔諸儒（當多爲今文博士）各選高材生授以《左氏》、《古文尚書》、《毛詩》，而逵所選弟子及門生爲千乘王國郎。（以上均據《兩漢書》〈儒林傳〉或列傳）大夏侯既兼善《書》、《禮》，有教無類，其法前有所承，早已垂爲定式，後竟以定著於朝章，若有執拘專經博士不容旁授它經因疑大夏侯非徵以《禮》立官者，庶幾可以釋疑。

西漢經師因災變上封事引《尚書》〈洪範〉及其相關文典者，劉向、谷永其顯者也，向、

永竝非博士（分見二〈本傳〉），故勝以光祿大夫輿諫引〈洪範傳〉以察變，時論亟許之，未嘗以爲越職。又非博士授帝室經，漢家向無禁忌，宣帝時孔霸以太中大夫授太子《尚書》，元帝時張游卿以諫大夫教元帝《詩》（竝見《漢書》〈儒林傳〉），孔、張時均非博士，則勝於光祿大夫及長信少府任內授太后《尚書》、獄中（爲長信少府時入獄，後免爲庶人）授黃霸《尚書》，及爲太子太傅時奉詔撰《尚書說》，亦均無悖漢氏法度。

（十一）章結

至此，夏侯勝受徵爲《禮》博士昭帝初，自茲授《禮》、《尚書》，累仕至太傅卒（註五八），未嘗身爲《尚書》博士，亦確然無疑！後之治經擘史者，不顧史傳「善說《禮服》」語，又未考大夏侯學宗少晚乃成立，誤謂大夏侯學家法早已成立，其始師必爲博士，不敢不辨正於上。

三　總結論

漢《尚書》歐陽學始師歐陽生字和伯，史失其名，或誤字爲名，余考諸〈歐陽譜圖序〉，知其名容；徵諸《禮經》，名與字意義相通，字的是和伯。又有大夏侯學，其始師名勝字長公。

舊本〈歐陽譜圖序〉載容身爲漢《尚書》博士，家乘溢美之辭耳，詎東漢禮震申之，而《東觀漢記》、《後漢書》、《經典釋文》從之誤，後世復蹈其謬。至言夏侯勝身爲漢《尚書》博士者，則古今無異辭，其實亦非也。

漢代經學重大宗派，其始師均不必爲經學博士，如《易》之始師孟喜梁丘賀京房、《書》之始師伏生、《禮》之始師戴德，俱不曾身爲博士，此今文也；《古文尚書》始師孔安國，但爲《今文尚書》博士，未嘗身爲《古文尚書》博士。後世人昧於此理，但見歐陽大夏侯兩學宗立於學官，不及考實，遽定歐陽容、夏侯勝均身爲《尚書》博士。

歐陽及大、小夏侯《尚書》學，皆出伏生。兩夏侯學，宣帝甘露三年石渠會後方立學官，於是三家並顯。前此，《尚書》學止一家，無所謂歐陽、夏侯。歐陽學武帝世立官，初立容曾孫高博士，時容早已亡故；大夏侯學初與歐陽、小夏侯竝立者勝弟子輩，時勝已耄耋。後世人依準某學宗初立於太學之博士必是該宗始師之曲理，不復考稽始師年齒仕歷，遽定歐陽容、夏侯勝皆曾身爲《尚書》博士，誤也。

漢自文帝至宣帝，每經之某一學宗，但立博士一人，遇缺同額選補，無一宗同日竝任兩人爲博士例，此考之五朝學政、時君治道、博士弟子員人數及截至宣帝末博士人數而知之。則文朝張生爲《尚書》博士，其同門學弟歐陽容即不得同時亦爲《尚書》博士；而考自武元狩五年至宣甘露三年，至少有六人爲《尙書》博士，夫既同日無竝立兩人理，職是夏侯勝於此期間不容廁身《尙書》博士之林。

歐陽容與夏侯勝俱是山東《書經》學大師，設科——《尙書》授徒於家塾。倪寬初從歐陽家講堂受通《尙書》，既而以求祿利、廣問學，乃應郡選入太學爲弟子，從博士孔安國仍習《今文尙書》學。若曩所從受業者爲官學博士，則今不得膺郡選復爲同一學科博士弟子。夏侯勝入仕前（昭帝初）已於家塾教弟子，姪建及孔霸時執卷受業，說者誤寬受《古文尙書》於孔博士，而勝任《尙書》博士時始授建、霸，因佐證容、勝竝身爲《今文尙書》博士，失之，今皆提出理據種種，用證其失。

夏侯勝以善《禮》受徵爲朝廷《禮》學博士，後世咸忽略其本傳「徵爲博士」文之上有「善說《禮服》」，徒據本傳開篇述其《尙書》學淵源及後爲光祿大夫、少府時或議政引〈洪範傳〉或授人以《尙書》，遽定勝身爲《尙書》博士。余於此予以深切指出，別舉《史》《漢》所載同類文例事例多宗資爲證映，且考后蒼受立《儀禮》博士適繼勝後，已當宣帝朝，亦足亭《漢書》〈儒林贊〉「禮后」之疑案。

《禮》博士夏侯勝之在太學也，以本《儀禮》教蕭望之，望之以授太子（宣帝），言漢經學師承者，絕多未予重視；勝以《禮》博士別授它經——《尙書》，余考兩漢經學，以甲經博士兼授乙經者，習見；至勝以學職外之官職授經，兩漢亦經見；且歷徵勝仕途，初爲《禮》博士六百石，終至太傅中二千石，級級遷升，其間無左遷復爲博士之理事。凡此，一一予以考出。勝未嘗身爲《尚書》博士，至此可以確定。

註釋

一　劉汝霖《漢晉學術編年》卷一漢高祖五年（前二〇二）：「伏生講學齊魯之間，原非一年之事。以是歲大亂方定，故誌之於此。」蓋有見史傳「漢定，得書，即以教」云云立說，而不慮時書禁未除，王官張蒼猶不敢獻《左傳》，伏生必不敢公然語《詩》《書》於東國齊。劉說誠可議。

二　〔清〕萬斯同《儒林宗派》卷二：歐陽和伯作歐陽伯和。誤倒，下吳承仕疏證《經典釋文》〈序錄〉亦同誤倒。

三　《四庫全書總目提要》卷四五《隋書》：「（《隋書》）〈經籍志〉編次無法，述經學源流每多舛誤。」

四　鄭玄《尚書大傳》〈序〉曰：「伏生爲秦博士，……張生、歐陽生從其學，而授之音聲猶有譌誤，先後猶有差舛，重以篆隸之殊，不能無失。生終後，數子各論所聞，以己意彌縫其闕。別作《章句》，又特撰大義。因經屬指，名之曰『傳』；劉向校書，得而上之，凡四十一篇。」（《玉海》卷三七載《中興書目》引）別作《章句》、特撰大義，謂張生（曾爲《尚書》博士，至少私家嘗以《尚書》教夏侯都尉）、歐陽生於整理編次其師講義名「《尚書大傳》」

外，各又自撰《尚書章句》、《尚書說義》，爲課授底本。錢賓四先生《兩漢博士家法考》謂《歐陽章句》三十一卷，猶在歐陽高之後，歐陽生無有是作。殆未見鄭玄此序，失周。

五　《漢書》〈儒林傳〉：「（兒）寬授歐陽生子，世世相傳至曾孫高子陽爲博士。」又：「高孫地餘長賓以太子中庶子授太子，後爲博士。」是高、地餘確爲博士。《後漢書》〈儒林〉既特於〈歙傳〉云「自歐陽生至歙八世，皆爲博士」，又云「歙既傳業」，而歙徒禮震上書，稱至其師爲博士於今上之前，必不敢夸大，則歙受立爲博士，大致可信（王國維《漢魏博士題名考》即祗據此序定歙爲博士）。巨、遠、仲仁、政事迹，〈譜圖序〉之外，早期史傳未見直接稱述，未嘗爲博士。容未身爲博士，爲本文主體，辨須詳下。

六　《漢魏博士題名考》「兩漢博士書歐陽氏博士歐陽歙」下評《後漢書》〈儒林傳〉云：「……至云歐陽生至歙八世爲博士，則夸大之辭，不足信也。」觀堂未見〈歐陽氏譜圖序〉、《東觀漢記》及禮震上書等相關記載，故不克探范書之舛原。

七　謂其譜之西漢、新莽及東漢建武十六年（歐陽歙卒）前部分，歷傳至歐陽脩，脩依以作〈譜圖序〉，是也。

八　《漢魏博士題名考》卷上：「張生，《史記》〈儒林傳〉：伏生教濟南張生及歐陽生，張生爲博士。」

九　《漢晉學術編年》卷一：「張生、歐陽生之受教伏生，不知何時，以情理揆之，當在鼂錯受書之前，然當時何不即徵二人，反需其女傳言乎？意者，鼂錯還朝之後，張生之名始聞於朝廷，然後與伏生之孫共被徵，而伏生孫以不能明定《尚書》，張生遂獨爲博士矣。」敏案：劉測度張、伏被徵，由於鼂錯上薦，可取。考漢文帝時，詔太常使鼂錯往濟南伏生所受《尚書》（《史》《漢》兩〈儒林傳〉、……等）。還，因上書稱說（想必稱及同門高第），詔以爲太子舍人、門大夫，遷博士。又上書言事，帝善之，乃拜爲太子家令。時匈奴數寇邊，上發兵以禦之，錯上言兵事，而文帝嘉之，賜錯璽書寵答曰：「皇帝問太子家令，上書言兵體三章，聞之。」考諸〈文帝紀〉，元年（前一七九）正月立太子啓，則鼂受《尚書》還爲太子舍人當在此後；匈奴寇邊，事一在三年（前一七七）五月、二在十四年（前一六六）冬，至後元二年（前一六二）漢與匈奴又和親（竝參《史》《漢》〈文帝紀〉及同二書〈匈奴傳〉），則鼂上書言禦邊事，宜在十四年頃。鼂既得親近，又既知伏宗《尚書》顯學，因建言徵伏生之長弟子張生（史傳連敘張生、歐陽生，張先歐後，知張可能年長於歐）與伏生之孫來試，當在此頃，即或不爾，亦不致遲於十五年（前一六五）九月文帝詔舉賢良直言者親策之當時（《漢書》〈文帝紀〉）。

一〇　《漢書》〈儒林傳〉：「夏侯都尉從濟南張生受《尚書》。」《釋文》〈序錄〉：「張生授夏侯都尉。」是於私家傳學耳。

一一　《漢書》〈儒林傳〉：「胡母生……治《公羊春秋》，爲景帝博士，與董仲舒同業，仲舒著書稱其德。年老，歸教於齊。」則董齒少於胡母，渠「以治《春秋》，孝景時爲博士」，當是補胡母之缺。

一二　周霸，魯人，治《今文易》田何學；兼習《今文詩》，申公弟子，爲《魯詩》博士，仕至膠西內史；又習《書》伏生學，亦是今文（據《史》《漢》兩〈儒林傳〉）。賈嘉，誼孫也，友司馬遷，治伏生《書》學（據《史記》〈賈誼傳〉、《史》《漢》兩〈儒林傳〉）。

一三　此久已成定論，姑仍舉三例以申之明之，劉歆〈移太常博士書〉（載《漢書》〈劉歆傳〉）：「及魯恭王……得古文於壞壁之中——《逸禮》有三十九、《書》十六篇，天漢之後，孔安國（家）獻之，遭巫蠱倉卒之難，未及施行；及《春秋左氏》，丘明所修，皆古文舊書。……傳問民間，則有魯國桓公（敏案：傳《古文禮》。）、趙國貫公（傳《左氏春秋》）、膠東庸生（傳《古文尚書》）之遺學，與此（敏案：謂藏於中祕之《古文書》、《禮》、《左氏》三書。）同抑而未施。……往者綴學之士（敏案：謂今文博士。）……抑此三學。」是《古文尚書》西漢直至哀帝絕未得立官。又《漢書》〈儒林傳〉謂《古文尚書》遭巫蠱未立學官（同劉歆說），安國家私相傳，遞至「王莽時，（王璜、塗惲）論學皆立」，明平帝朝（時莽柄政、歆權重學術）以迄新莽朝末始立官學，爲時短暫（約二十三年）。又《後漢書》〈儒林傳〉：「《前（漢）書》云：……三家皆立博士。又魯人孔安國傳《古文尚書》，……爲《尚書》古文學，未得立。」述班書大意，亦與班原書無悖；且范書記光武立十四博士，於《書》止有歐陽兩夏侯三家，終漢之世並無革增。

一四　孔安國仕歷，參閻若璩《尚書古文疏證》卷二條十七考定。

一五　《漢書》〈百官公卿表〉七下：「元朔三年，中大夫張湯爲廷尉。」《史記》〈漢興以來將相名臣年表〉：元狩二年（《漢書》〈百官公卿表〉誤入三年，辨正見《補注》王念孫曰），湯（遷）爲御史大夫。

一六　安國爲博士，與張湯爲廷尉一時，而罷博士遷爲諫大夫，當元狩五年（前一一八）（王國維

〈太史公行年考〉謂「安國爲博士，當在元光、元朔間」，考未精）（參閻氏《疏證》），
則安國於湯爲廷尉時期始終爲博士，寬得從受業無疑。又褚大始爲博士不知何年，但知元狩
六年（前一一七）仍爲博士，據以定寬前此數年受業安國，尤切近。

一七 寬非鼂弟子，第（一）節已略論，茲更詳說於此：《論衡》〈正說〉：「伏生已出山中，景帝遣鼂錯往從受二十餘篇。伏生老死，書殘不竟。鼂錯傳於兒寬。」錯從伏受業在文帝世，其《書》學僅一傳何比干。錯受學伏生，返爲諸子學博士，非經學博士，王充誤會，以爲兒寬入京所從受者爲《書》學博士鼂錯。

一八 《大戴禮》〈保傅〉篇盧辯注：「《尚書大傳》又曰『十五年入小學，十八入大學』者，謂諸子姓既成者，至十五入小學；其早成者，十八入大學。」取參於此。

一九 事詳拙著〈古文尚書之壁藏發現獻上及篇卷目次考〉，《孔孟學報》六十六期，民國八十二年九月二十八日。

二〇 《漢書》〈儒林傳補注〉引何焯曰：「起其家，似謂別起家法。」是矣，但語焉未詳。

二一 漢官學極少立《古文尚書》（僅平帝及新莽朝約二十三年間暫立），安國止於私家傳之，竝參看（註一三）。

二二 閻氏《尚書古文疏證》卷二條十七：「〈百官公卿表〉（敏案：見《漢書》卷十九上）『武帝元狩五年，初置諫大夫』，蓋初置此官而安國即爲之，何者？元狩五年癸亥上距（安國爲）博士時乙卯凡九年，後又幾年至臨淮太守遂卒。」從其判斷。

二三 諫大夫地位視博士爲高，其職務不掌教授生徒，故都尉朝、司馬遷從之學《古文尚書》，皆

於孔家私學。王國維〈太史公行年考〉（《觀堂集林》卷十一）定馬遷從安國問《古文尚書》當元朔三年安國正爲博士時，失考！

二四　〔清〕焦袁熹《儒林譜》頁四：「兒寬受業（歐陽）和伯，……又受業孔安國。歐陽氏之《尚書》，宜兼古今治之。」即是以兒寬爲歐陽氏學，兼治古今文，古文從安國、今文從歐陽容受業。

二五　如丁寬學《易》，先從田何，復師事周王孫受古義。如韋賢學《詩》，事瑕丘江公及許生，而江許竝申公弟子。如后蒼習《儀禮》，孟卿所授，又師事通五經之夏侯始昌；五經中必有《儀禮》（西漢世大、小戴《禮記》皆不在五經列），則后氏《儀禮》學受諸孟、夏侯兩師矣。如治《春秋穀梁》者蔡千秋，初從榮廣受，又事皓星公，榮皓學俱瑕丘江公之嫡傳。若治《書》者，轉益多師，尤經見，如大夏侯勝，初受業於族人始昌，旋又事同郡蕑卿，既而從歐陽氏問學，「爲學精孰，所問非一師也」；勝從兄子建，「自師事（叔父）勝及歐陽高，又從五經諸儒問與五經相出入者」（以上均據《漢書》〈儒林傳〉及各人本傳）。

二六　安國爲博士期間、倪生入太學受業及卒業補官，事已見上歐陽卷，高當是繼安國爲《尚書》博士者。

二七　此即《史記》「……學者由是頗能言《尚書》，諸山東大師無不涉《尚書》以教矣」（《漢書》記事同），勝籍山東，爲《尚書》學大師無愧。

二八　王國維《漢魏博士題名考》，將西漢《尚書》博士類爲甲歐陽氏、乙大夏侯氏、丙小夏侯氏三科；而張生錄外，不稱「《尚書》張氏博士」，但稱「《書》博士」。其實張氏亦大家，有師法，有傳人，備家法，兩夏侯學亦遠受自張，宜如大夏侯後學孔霸、許商稱孔、許之學及如《魯詩》韋玄成稱韋氏之學（竝見《漢書》），……不當因張學後世之顯不如三家，遂削去學號。

二九　後漢乃至宋人視兩夏侯爲歐陽學，討原之論也，如王應麟《漢藝文志考證》卷一：「初，《書》唯有歐陽，孝宣世立大、小夏侯。……葉氏曰：『自漢至西晉，言《書》惟祖歐陽氏。』鄭康成云：『歐陽氏失其本義。』〈郊祀志〉引歐陽、大、小夏侯三家說六宗，皆曰『上不及天，下不及墬，旁不及四方，在六者之間，助陰陽變化，實一而名六』。《後漢》〈輿服志〉：永平二年乘輿服，從歐陽氏說，公卿以下從大、小夏侯氏說。……夏侯勝從歐陽氏問。建自師事勝及歐陽高，左右采獲；又從五經諸儒問與《尚書》相出入者，牽引以次章句。然則大、小夏侯皆歐陽之學。」

三〇　錢穆《兩漢博士家法考》：「今考漢武立五經博士，一經初似不限於一人。如歐陽地餘爲歐陽高孫，林尊師事歐陽高，同爲博士議石渠。則歐陽《尚書》同時有兩博士也。又如博士張山拊，事小夏侯建，其與議石渠時，先已爲博士。然漢廷增立大、小夏侯博士在石渠議後，則山拊爲博士時，猶未稱小夏侯《尚書》博士，慮亦不當稱歐陽《尚書》博士。所以稱歐陽《尚書》者，乃以示異於大、小夏侯。今既無大、小夏侯，說《尚書》者僅於一家，則特爲《尚書》博士耳；即歐陽地餘、林尊亦然。」

三一　霸爲丞相歲月，《史記》〈漢興以來將相名臣年表〉：「（宣帝）五鳳三年（前五五）三（二？）月壬申，御史大夫黃霸爲丞相。」其薨，《漢書》〈外戚恩澤侯表〉：「建成定侯黃霸，五鳳三年二月壬申（二十五日）封，四年薨。」（敏案：四年，謂受封歷四年（前五五至前五一））又〈百官公卿表〉：「甘露三年三月己丑（初六日），丞相霸薨。」又〈循吏黃霸傳〉：「霸，……甘露三年薨。」均與〈宣紀〉合。

三二　上引周堪以譯官令論經於石渠，施讎以博士論《易》於石渠，韋玄成以淮陽中尉論《詩》於石渠，戴聖以博士論《儀禮》於石渠，嚴彭祖以博士論《春秋公羊》於石渠會議，即確指此事（以上均據《漢書》〈儒林傳〉）。

三三　《漢書》〈兩夏侯傳贊〉：漢興推陰陽言災異者，孝武時有夏侯始昌、昭宣則夏侯勝。又〈夏侯始昌傳〉：「始昌……以……《尚書》教授。……始昌明於陰陽，先言柏梁臺災日，至期日果然。」又〈五行志〉：「太初元年十一月乙酉（二十八日），未央宮柏梁臺災。先是大風發其屋，夏侯始昌先言其災日。」始昌長於說陰陽災異，勝從受〈洪範五行傳〉，亦善說災異。

三四　若以「夏侯姓氏」計較，夏侯都尉受張生授家始昌，始昌以教勝及昌邑王，第都尉及始昌二人均非《尚書》大家，故不得推爲始師。

三五　孟喜，《漢書》〈儒林傳〉：「博士缺，眾人薦喜，上聞喜改師法，遂不用喜。」梁丘賀，仕都司空令、黃門郎、太中大夫、少府：亦見《漢書》〈儒林傳〉。京房，爲小黃令、郎、魏郡太守（《漢書》卷七五〈本傳〉）：三子亦皆學宗，竝未嘗身爲博士。

三六　《補注》引錢大昭曰：「建當作遷，〈勝本傳〉云『（復）爲長信少府，遷太子太傅』，〈劉向傳〉同（敏案：彼〈劉向傳〉曰：「宣帝復用勝，至長信少府、太子太傅。」）。

若建官至太子少傅，非太子太傅也。且建事附〈勝傳〉，不得云『自有傳』。」元敏謹案：〈儒林傳〉主敘大夏侯勝，連帶及其族子建，故首題「夏侯勝」，下文云「勝從兄子建、建又事歐陽高」，「建」上不復著「夏侯」，明爲附夏侯勝下也。又卷七五列傳「〈兩夏侯傳〉」，兩謂始昌、勝，建亦附勝者，王先謙《補注》曰：「……下文『勝』上冠以『夏侯』，『建』上不冠『夏侯』，明本書〈勝傳〉提行，與始昌別傳，而建係帶敘，不當謂兩夏侯爲勝、建也。」是建於〈列傳〉、〈儒林〉兩皆無獨立之傳，則「自有傳」自指勝言。《漢書窺管》卷九謂建誠自有傳，誤；又謂長信少府當作太子太傅，而太子太傅當作太子少傅，建下當有至字，蒙上省，舉所更字增文，一皆失之。

三七　《漢書》〈儒林孟卿傳〉：「孟卿……授后倉，……倉說《禮》數萬言，號曰《后氏曲臺記》。」是蒼《禮》學主要受自孟氏。又〈后蒼傳〉：「后蒼……事夏侯始昌。始昌通五經，蒼亦通《詩》、《禮》。」是亦頗得自夏侯家，故始昌以《齊詩》及《禮》授徒，而蒼得爲《齊詩》及《儀禮》大家；《禮》傳二戴、慶普，《詩》授匡衡、翼奉。

三八　太學生在學，習一藝以上試通，可補文學掌故（《漢書》〈儒林傳〉，已詳上歐陽卷引），故博士弟子專從一師通一經外，可從它經博士問學，小夏侯建自師事叔父勝及《尚書》博士歐陽高，又從五經諸儒問（《漢書》〈勝傳〉，已詳上引），略同蕭之問學於勝例。當時更從他師問經之例，猶有若梁丘賀遣子臨別從施讎問《易》，司馬遷別從孔安國問《古文尚書》，蓋寬饒本受孟《易》，更從韓嬰之子受《易》（以上咸具《漢書》〈儒林傳〉），均是也。

三九　《禮記》〈文王世子〉篇：「教世子：凡三王之教世子，必以禮樂；樂所以脩內也，禮所以脩外也。禮樂交錯於中，發形於外，是故其成也，懌恭敬而溫文。立大傅少傅以養之（鄭注：養猶教也；言養成，積浸成長之。）。」

四〇　韓嬰（字子夏）兼深《詩》、《易》，爲《詩》博士；但燕趙間好《詩》，故其《易》微。嬰著「《子夏易傳》」，後世竟誤爲卜商子夏撰。勝之《禮》學遭忽略，亦類韓生《易》學。

四一　馬國翰《玉函山房輯佚書》〈《尚書》大夏侯章句〉一卷、陳壽祺《五經異義疏證》及子喬樅《今文尚書經說攷》頗引大夏侯《尚書說》牽涉《禮》經義之文。

四二　《漢西京博士考》卷二〈齊詩類〉博士列后蒼，〈禮博士類〉亦首列后蒼，云「已見《詩》」。《漢魏博士題名考》卷上〈齊詩博士〉錄后蒼，而〈禮博士〉又錄后蒼，云「見前」：皆誤。

四三　《後漢書》〈桓郁傳〉：「孝昭皇帝八歲即位，大臣輔政，亦選名儒韋賢、蔡義、夏侯勝等入授於前，平成聖德。」敏案：三儒分授《詩》、《禮》——韋《詩》魯、蔡《詩》韓、勝《儀禮》；幼君宜蚤通《禮》，參見《記》〈文王世子〉，已詳（註三九）引。

四四　元平元年四月癸未（十七日），昭帝崩。六月，立昌邑王賀，在位二十七日，淫亂，見廢。七月，丞相楊敞、大司馬大將軍霍光與長信少府（傅）嘉、文學光祿大夫夏侯勝等奏議，廢昌邑，立病已（是爲宣帝）（《漢書》〈昭帝紀〉、〈宣帝紀〉及〈霍光傳〉）。奏議之文又曰：「（昌邑王）受璽以來二十七日，……文學光祿大夫夏侯勝等及侍中傅嘉數進諫以過失，使人簿責勝，縛嘉繫獄。」（〈霍光傳〉）時長信少府（漢官制止一人）爲傳嘉、光祿大夫乃勝，奏文署銜如此。參看下（註五二）。

四五　《漢書》〈儒林后蒼傳〉：「蒼……事夏侯始昌。」又〈夏侯勝傳〉：「勝……從始昌受《尚書》及〈洪範五行傳〉。」蒼勝二人同出夏侯始昌之門。

四六　《史記》〈儒林傳〉：「諸學者多言《禮》，而魯高堂生最本。……於今獨有《士禮》，高堂生能言之。」又：「及今上及位，……言《禮》自魯高堂生。」（《漢書》〈儒林傳〉：「漢興，……言《禮》則魯高堂生。」）《漢書》〈儒林傳〉：「漢興，魯高堂生傳《士禮》十七篇。」《釋文》〈序錄〉：「漢興，有魯高堂生，傳《士禮》十七篇，即今之《儀禮》也。」

四七　《儀禮》〈士冠禮〉「布席于門中」句賈公彥疏：「今文，《漢書》云：『魯人高堂生爲漢博士，傳《儀禮》十七篇。』是今文也。」敏案：今本班固《漢書》無此文。《釋文》〈序錄〉：「漢初，立高堂生《禮》博士。」

四八　如《漢西京博士考》卷二。

四九　班贊同條文多疏誤，余將別爲文以論之。

五〇　蕭奮與奮徒孟卿，可能曾爲武帝《禮》博士。唯《漢書》〈儒林傳〉「瑕丘蕭奮以《禮》至淮陽太守」、又「孟卿善爲《禮》、《春秋》，授后蒼、疏廣」又「孟卿爲符節令」：記蕭、孟仕歷病簡。

五一　《漢書》〈五行志〉：「（昭）帝崩，無子，漢大臣徵賀爲嗣。即位，狂亂無道，縛戮諫者夏侯勝等。」爲旁資。

五二　元平元年七月霍光領羣臣奏請立病已，時長信少府爲傅嘉（少府，卿一人，詳下），而勝爲文學光祿大夫（亦詳〔註四四〕）；旋令勝授太后（即昭帝皇后上官氏，時年十五六）《尚書》，乃「遷長信少府，賜爵關內侯」（已見上引〈勝本傳〉），《漢書》〈百官公卿表〉七上：「長信詹事，掌皇太后宮，景帝中六年更名長信少府。」又〈韋賢傳〉顏注：「長信者，太后宮名，爲太后官屬也。」

五三　《漢書》〈劉向傳〉向上疏：「孝宣皇帝時，夏侯勝坐誹謗繫獄，三年免爲庶人。」爲旁資。

五四　勝再次爲長信少府，當韋賢爲丞相時，《漢書》〈儒林傳〉：「宣帝即位，聞衛太子好《穀梁春秋》，以問丞相韋賢、長信少府夏侯勝，……言《穀梁》子本魯學，《公羊》乃齊學也，宜興《穀梁》。」韋始爲相，《漢書》〈韋賢傳〉：「本始三年，（韋賢）代蔡義爲丞相。」（〈百官公卿表〉七下同）其罷相，同〈傳〉：「地節三年，（韋賢）以老病乞骸骨，賜黃金百斤，罷歸。」〈百官公卿表〉七下：「地節三年正月甲申（二十七日），丞相賢賜金免。」

五五　〈劉向傳〉向上疏又曰：「宣帝復用勝，至長信少府、太子太傅。」爲旁資。

五六　初仕博士，秩卑，《漢書》〈百官公卿表〉七上：「博士……秩比六百石。」《漢官儀》卷上：「孝武建元五年，初置五經博士，秩六百石。」《後漢書》〈百官志〉二：「博士……，比六百石；……本四百石，宣帝增秩。」遷爲光祿大夫，升秩，〈公卿表〉七上：

「……武帝太初元年，更名中大夫爲光祿大夫，秩比二千石。」《漢官儀》卷上：「光祿大夫秩比二千石。」〈百官志〉二同。更升秩，至少府，〈百官志〉三：「少府，卿一人，中二千石。」由庶人復仕，初爲諫大夫，武帝元狩五年初置諫大夫，秩比八百石（〈公卿表〉七上）。又復職少府。極至太子太傅，〈公卿表〉七上：「太傅，古官，高后元年初置，金印紫綬。……後省，哀帝元壽二年復置，位在三公上。」〈百官志〉四：「太子太傅一人，中二千石。」惟宣帝時，小戴聖先爲《禮》博士（《漢書》〈儒林傳〉），後右遷九江太守，有罪懼自免，後復爲博士，降秩（《漢書》〈何武傳〉），此特例，罕見。

五七

錢先生謂武帝立五經博士，一經初似不限於一人，因《尚書》博士議石渠時，即不止人（引文已詳〔註三〇〕）。王國維《觀堂集林》卷四〈漢魏博士考〉曰：「〈儒林傳〉言歐陽高孫地餘爲博士論石渠，又林尊事歐陽高爲博士論石渠，張山拊事小夏侯建爲博士論石渠，則論石渠時似歐陽有二博士，小夏侯亦已有博士，與紀傳均不合，蓋所紀歷官時代有錯誤也。」敏案：宣帝甘露三年詔集石渠會議，意在廣集諸家派意見，故代表每經與議者均有多人，班書〈儒林傳〉追記之，稱博士某、博士某，其中必有曾任博士時已罷或遷官者，現職一經僅止一博士，且石渠會當時，兩夏侯學尚未立官（此意前文已一再申詳），亦無所謂歐陽、夏侯之分，統是伏公之學。矧宣帝末年（黃龍元年）博士總共才十二人（〈公卿表〉，已詳上引），而所立經學凡十四學宗，則一宗不及一人（當是每宗一人；缺二人待補，〈公卿表〉但計其見在人數），可爲塙證。

五八

玩〈勝本傳〉「勝受詔撰《尚書說》，賜金，年九十卒官」云云，勝卒於宣帝朝；即或不爾，亦不致遲於上官太后卒年（元帝建昭二年，前三七，見〈外戚傳〉），因太后得見勝卒，賜其家錢，爲素服，亦見〈勝本傳〉。

——原載《國立編譯館館刊》第二十三卷第二期，民國八十三年十二月

十八　朱熹蔡沈師弟子《書序辨說》版本徵孚

一　《書序》原自為一編

（一）由各〈序〉相顧為文知之

《書序》八十一目一百篇，始終有度，各篇之間文氣連貫，原本自爲一編（亦即自爲一篇——一大篇）。孔穎達已有見於此，指出其前後相顧爲文，其《尚書正義》於〈洪範書序〉「武王勝殷殺受，立武庚，以箕子歸，作〈洪範〉」云：

此惟當言「箕子歸」耳，乃言「殺受立武庚」者，〈序〉自相顧爲文。上〈武成序〉云「武王伐紂」，故此言「勝之」；下〈微子之命序〉云「黜殷命，殺武庚」，故此言「立之」；敘言此，以順上下也。

〔宋〕林之奇遵孔說，悉引而申之（《尚書全解》卷二四），且多舉它篇以證成之，

> 昔在者，篇首起語之辭，《書序》自爲一篇，故以「昔在帝堯」起於篇首、如〈孔氏序〉云「古者伏羲氏之王天下也」。鄭氏云「昔在者，使若無先之」者，〔唐〕孔氏云：「……代有先之，而書無所先，故云昔也。」〈堯典〉云「昔在帝堯」、……〈冏命〉言「在昔文武」，……（《史記》）〈五帝（本紀）序〉云「惟昔黃帝，法天則地」，正與此同。（《尚書全解》卷一〈堯典書序〉）

> 如此篇之〈序〉曰：……。篇內全無此意，蓋以上篇之〈序〉曰「伊尹去亳適夏，既醜有夏，復歸于亳」，故此〈序〉與上文相接。……是史官載記一時之事迹，首尾相因之辭，皆是史官序事之體。（同上卷十四〈湯誓書序〉）

> 《書序》……有出於史官一時之意，但述其所作之由，而不及篇中之義者，如〈周官〉之〈序〉曰「成王既黜殷命，滅淮夷，還歸在豐，作〈周官〉」，黜殷滅夷，初無與於作〈周官〉之〈序〉，此亦是與〈大誥〉、〈微子之命〉等篇之〈序〉首尾相接，若此之類，在五十八篇之中自爲一體。（同上卷二四〈洪範書序〉）

〔宋〕馬廷鸞復遵林說，引申之，益舉篇目以證廣之，

今案：〈堯典〉之後接〈舜典〉，則曰「虞舜側微」云云；接〈禹謨〉，則曰「皐陶矢厥謨，禹成厥功」云云，益足證古〈序〉自爲一篇，而相續之辭如此。……又案：「維昔黃帝，法天則地，四聖遵序，各成法度，唐堯遜位，虞舜不台，厥美帝功，萬世載之，作〈五帝本紀〉第一」，此太史公〈五帝本紀序傳〉之文，與今《書序》〈堯典〉之說一也。是皆古策書史官之序語如此，今《史記》〈序傳〉亦自爲一篇。（〔元〕董鼎《書蔡傳輯錄纂註》《書序》引）

案：謂《書序》史官作，非，評另見《書序》作者專文。謂《書序》敘事體裁爲《史記》所本，是。鄭玄云：「《書》以堯爲始，獨云『昔在』，使若無先之典然也。」（〈堯典書序正義〉引）鄭意作〈序〉者以〈堯典〉爲百篇之首篇，最早之典籍，以說之，非僅釋昔在二字而已。《尚書》始〈堯典〉終〈秦誓〉，渾然一篇，鄭說是也。

又案：孔林馬三氏舉《書序》文〈洪範〉上與〈武成〉下與〈微子之命〉、〈湯誓〉上與〈汝鳩〉及〈汝方〉、〈周官〉上與〈大誥〉及〈微子之命〉篇相顧爲文；〈堯典〉下接〈舜典〉，〈序〉文相承接，而〈三謨序〉文亦與〈舜典〉緊相承續：均是也。余別考《書序》，類此者猶有〈帝告序〉「自契至于成湯八遷，湯始居亳」，後之〈序〉有「仲丁遷囂」（〈仲丁〉篇）、繼曰「河亶甲居相」（〈河亶甲〉篇）、再曰「祖乙圮于耿」（〈祖乙〉篇）、末曰「盤庚五遷，將始宅殷」（〈盤庚〉篇），記殷帝遷都，竝與〈帝告序〉文連貫，且四篇之〈序〉記遷，文亦相貫。又〈伊訓序〉「成湯既沒，太甲元年」，下〈太甲序〉承其文氣曰「太甲既立」。〈泰誓〉、〈牧誓〉、〈武成〉三篇〈序〉統記武王伐紂，年月已在〈泰誓〉，〈牧〉、〈武〉即承省歲時。〈金縢序〉「武王有疾，……」，次〈大誥序〉「……武王崩」；〈成王政序〉「成王東伐淮夷，遂踐奄，……」，次〈將蒲姑序〉「……成王既踐奄」：〈序〉文前後相照，終始有度，眞渾然一片文章也。

（二）由逸篇亡篇〈序〉文因合編而獲存知之

《尚書》有逸篇十六目二十四篇、亡篇三十六目四十五篇（亡逸目篇詳另專文），賴與其它眾篇〈序〉合編而獲保存，

《經典釋文》〈尚書音義〉上〈舜典〉篇後逸亡篇〈汨作〉、〈九共〉、〈槀飫〉下：「〈汨作〉等十一篇同此〈序〉（敏案：謂三目十一篇共〈序〉），其文皆亡，而〈序〉與百篇之〈序〉（敏案：謂此〈序〉以外之篇之〈序〉，必不足百篇）同編，故存。」

以《詩序》之亡失六篇因與它篇合編故爾目存方之，同然，

〔清〕汪之昌《青學齋集》卷五〈詩序書序孰爲可信說〉：「鄭〈箋〉：『子夏序《詩》，篇義合編。』……鄭所謂合編，或以〈序〉依次自爲一卷言之。攷《釋文》〈汨作〉等篇，『其文皆亡，而〈序〉與百篇之〈序〉同編，故存』，吾謂《詩序》亦然，故〈南陔〉六詩亡，而其〈序〉不與俱亡。」

否則篇目竝盡亡矣，

題〔宋〕鄭樵《六經奧論》卷二《書序》：「《詩》、《書》之〈序〉同出一處，不與本篇相聯，故逸書之名可得而見者；若各冠其篇首，則亡矣。」

〔清〕邵瑞彭《尚書決疑》〈書目決疑〉頁三：「蓋孔壁《書序》別爲一卷，故存篇、逸篇之〈序〉皆在簡策，後人得知百篇全目並亡篇作意者，賴有此耳。」

案：《尙書》本經今存〈堯典〉等共二十九目，《僞古文經》十九目（爲二十五篇），而《書序》載《尙書》八十一目於同一卷，其中逸亡目賴〈序〉而今得見；若〈序〉原本分附本經各

篇之首，則本經逸亡〈序〉目亦隨之而逸。據逸亡目今倖存，知百篇《書序》總爲一卷也。

（三）古人著書序文皆殿全書末

古書之序皆在全書之後（今本或不然者，是後人妄改），一若《書序》然，

《朱子語類》卷八十：「問《詩》、《書序》，曰：『古本自是別作一處，如《易大傳》、班固〈序傳〉並在後，京師舊本《楊子注》，其〈序〉亦總在後。』」《法言》〈序〉，舊在卷後；司馬公《集注》，始寘之篇首，……《書》之〈序〉亦然。（〔宋〕王應麟《困學紀聞》卷十）

案：古人著作，〈序錄〉統綴編末，經別如《周易》〈序卦傳〉（朱子此稱爲《易大傳》），〈序卦〉序六十四卦，正在《易經》之末，〈雜卦傳〉後出，更列其下），史如《逸周書》〈序〉、《史記》〈太史公自序〉、班固《漢書》〈敘傳〉，子如《莊子》〈天下〉篇、《淮南子》〈要略篇〉，咸然；豈獨子雲序《法言》（《法言》十三篇，其下爲〈序〉，舊編如此，亦見《四庫全書總目提要》卷九一）？夫《書序》綴經末，請更由古注本證述之如下。

（四）先秦兩漢本《書序》總為一編置全經末

孔壁本《古文尚書》本經四十五篇、本經之後《書序》一篇（篇或作卷，以一篇當一卷，參詳拙著〈古文尚書之壁藏發現獻上及篇卷目次考〉，《孔孟學報》六十六期，民國八十二年九月）。

〔漢〕歐陽本《尚書》，《漢書》〈藝文志〉著錄「經三十二卷」，其中《書序》總爲一卷，《漢石經》即據爲底本，總《書序》（祇二十九篇目）爲一篇，附全經之後，主要用爲教學之需。

馬融、鄭玄古文家本，《書序》總爲一卷，

> 《經典釋文》〈尚書音義〉上：「今馬、鄭之徒百篇之〈序〉，總爲一卷。」

陸氏「今馬、鄭」云云，寔親見二家本而爲言，極可信據。唯二家古本〈序〉卷總弁全經之前，抑總附全經之後，陸氏無辭。唐貞觀時，馬、鄭本猶未逸，孔穎達得見，似謂之附後：

> 作〈序〉者不敢廁於正經，故謙而聚於下。（〈書大序〉下《正義》）

「聚於下」，自是言總集之於全經後。〔清〕江聲、王鳴盛亦主馬、鄭本「附後」說，且所著書即遵舊度，合百篇《書序》於經文末篇——〈秦誓〉之後以解之，

《尚書集注音疏》卷十一：「……然則古《尚書》百篇之〈敘〉本別爲一卷，總列于後，故此亦總錄于經後，从古也。」

《尚書後案》卷三十：「……然則鄭、馬等以〈序〉總爲一卷，附經後，是孔氏之舊也。《疏》又云『〈序〉者，緒述其事，鄭康成謂之〈贊〉者，以〈序〉不分散，避其〈序〉名，故謂之〈贊〉。〈贊〉者，明也、佐也，佐成〈序〉義。《詩譜》〈序〉《疏》亦云「《書》有孔子作〈序〉，故鄭避之謂之〈贊〉」。』大約古書序目皆在後，今《說文》猶然。孔子〈序〉既在後，鄭〈贊〉必又在其後。」

鄭注《書序》，依賈逵所奏劉向《別錄》爲次，《別錄》據孔壁本，則《書序》寘經後，果西漢孔安國之舊本也。又均之每篇〈序〉尚不足十七字，不便各獨成篇（卷），則必是合爲一篇（卷），併繫全經之末，故總列於後云者，非各篇〈序〉分立，《漢石經》《書序》廿九篇併爲一篇，僅〈序〉與〈序〉間各空一格作「·」，可爲顯證也。

二　《僞孔傳》本《尚書》始引《書序》冠各篇上

至東晉僞古文本乃變易古度，〔清〕段玉裁考僞孔氏注《書序》失例，因斷分〈序〉篇弁經篇僞孔偭始，其《古文尚書撰異》卷三三曰：

馬、鄭本百篇之〈序〉別爲一篇，則「受」字始見於〈大誓〉（敏案：僞古文〈泰誓上〉本經「今商王受」），孔氏散百篇之〈序〉冠其篇首，則「受」字始見於此〈序〉，故孔（僞孔）於此爲之傳。（〈西伯戡黎序〉「……奔告于受」下）

案：段《撰》極精審，馬鄭注《尚書》「受」字，必署於第一次出現之〈牧誓〉本經「今商王受」下，而僞孔析《書序》於各本經，故亦必署其注於第一次出現之〈西伯戡黎書序〉「祖伊奔告于受」下。則馬鄭古本果總百篇之〈序〉附經末也。

而散析各篇《書序》弁諸各篇經首，誠僞孔氏初作，〈書大序〉自承曰：

此篇并〈序〉凡五十九篇，爲四十六卷。……承詔爲五十九篇作傳。……《書序》，序所以爲作者之意，昭然義見；宜相附近，故引之各冠其篇首，定五十八篇。

陸德明、孔穎達發其義，有：

《經典釋文》卷三〈尚書音義〉上〈書大序〉、〈舜典篇〉：「凡五十九篇，即今所行五十八篇，其一是百篇之〈序〉。……百篇之〈序〉同編，……孔以各冠其篇首，而亡篇之〈序〉即隨其次第居見存者之間。」

《正義》〈書大序〉：「……五十八，加〈序〉一篇爲五十九篇……《書序》，雖名爲序，不是摠陳《書》意，汎論；乃篇篇各序作意。但作〈序〉者不敢廁於正經，故謙而聚於下；而注述者不可代作者之謙，須從利益而欲分之從便云。〈序〉，序所以當篇爲作此書之意，則是當篇作意觀〈序〉而昭然，意義顯見。既義見由〈序〉，宜各與其本篇相從附近，不宜聚於一處，故每篇引而分之，各冠加於篇首，令意昭見。〈序〉既分散，損其一篇，故定五十八篇。」

《正義》別又於〈汨作〉、〈九共〉、〈槀飫書序〉下曰：「此〈序〉也。孔以『《書序》，序所以爲作者之意，宜相附近，故引之各冠其篇首』；其經亡者，以〈序〉附於本篇次而爲之傳，故此〈序〉在此也。」

案：僞孔析伏生原廿九篇爲卅三篇（析〈堯典〉爲〈堯典〉、〈舜典〉，〈皐陶謨〉爲〈皐陶謨〉、〈益稷〉，〈盤庚〉一篇爲三篇，篇文仍是廿九不變），僞造〈大禹謨〉等共廿五篇、百篇《書序》合爲一篇，即所謂「并〈序〉凡五十九篇」，《釋文》云「凡五十九篇，即今所行五十八篇，其一是百篇之〈序〉」，亦即所云「爲五十九篇作傳」是也。既「引〈序〉各冠其篇首」，〈序〉一卷遭拆散分置，原卷即不存，故云「定五十八篇」，即《正義》所云「〈序〉既分散，損其一篇，故定五十八篇」是也。

又案：云爲四十六卷，僞孔無明說，《正義》曰：

> 此云「爲四十六卷」者，謂除〈序〉也。……蓋以同〈序〉者同卷（〈堯典序〉下《正義》曰：「安國……以同〈序〉爲卷。」），異〈序〉者異卷，故五十八篇爲四十六卷。何者？五十篇內有〈太甲〉、〈盤庚〉、〈說命〉、〈泰誓〉，皆三篇共卷，減其八；又〈大禹謨〉、〈皐陶謨〉、〈益稷〉，又三篇同〈序〉共卷，其〈康誥〉、〈酒誥〉、〈梓材〉，亦三篇同〈序〉共卷，則又減四；通前十二，以五十八減十二，非四十六卷而何？其〈康王之誥〉乃與〈顧命〉別卷，以別〈序〉故也。

僞孔以一〈序〉當一卷，非一篇當一卷，故〈太甲〉、〈盤庚〉、〈說命〉、〈泰誓〉等共十二篇實只四〈序〉，即當四卷；〈大禹謨〉、〈皐陶謨〉、〈益稷〉與〈康誥〉、〈酒誥〉、〈梓材〉各實止一〈序〉共止二〈序〉，即當二卷。餘四十目四十〈序〉，共當四十卷。通計四十六卷。是也。

〔清〕閻若璩、王鳴盛竝謂僞孔者爲求合《漢》〈志〉著錄之「《古文尚書》四十六卷」之數，不得已乃引〈序〉冠篇，

《尚書古文疏證》卷一條四：「四十六卷之分，鄭以同題者同卷，異題者異卷。……孔則以同〈序〉者同卷，異〈序〉者異卷。……；然鄭註四十六卷，原無〈武成〉，而以百篇〈序〉寘爲末卷；孔則有〈武成〉一篇，篇自爲〈序〉，已足四十六卷之數，故不便以百篇〈序〉復爲一卷，只得引之各冠其篇首，曰『宜相附近』，此則遷就之辭云。」

《尚書後案》卷三十後〈附辨〉〈孔安國序〉：「眞古文五十八篇，爲四十五卷，加〈序〉一卷，爲四十六卷。僞古文則五十八篇，已足四十六卷之數矣。若再加〈序〉一卷，則爲四十七卷，與《漢》〈志〉不合，不得已遷就其辭，引〈序〉各冠篇首，而不知伏、孔之書皆無此例也。」

案：序，敘也，敘本經之作意，同於注釋、解故，古經、傳不相雜廁，意或在尊經，《正

義》「作〈序〉者不敢廁于正經」，或然。漢逮馬融注《周禮》，始以經、注連文，用省兩檢之煩（《尚書全解》卷三三：「引〈序〉而冠之，使後人便於稽考。」此之謂也），此解經體制一大進步，鄭玄、王弼引《易傳》附經、杜預集解《春秋經》、《傳》皆基於此理念。僞孔經、傳殆東晉人作，言〈序〉、經「宜相附近」，當屬實情，閻氏（王陰用之）推度僞孔因湊合卷數乃引冠篇首之說，雖合，但顧小遺大，非的論也。

綜上所論，《書序》分冠經篇，及逸亡篇〈序〉則分別附於現存之篇之後，如逸亡篇〈夏社〉、〈疑至〉、〈臣扈〉、〈典寶〉次居〈湯誓〉後，〈分器〉次居〈洪範〉後，是也，皆僞孔氏始爲。第近人蔣善國《尚書綜述》頁六六、六七既曰：「秦季儒家所整編的《尚書》共一百篇，當時應有百篇《書序》分冠各篇之首。」既而又曰：「最初的百篇《書序》當在秦季儒家整編《尚書》的時候編成的，附在百篇《尚書》之末。」一云冠首，一云附末，牴牾：附末得之。

〔唐〕《尚書正義》主《僞孔傳》本，分《書序》弁各篇經文之首，高宗永徽四年頒行，以訖〔宋〕朱子、蔡《傳》，其間，《尚書》全注本除永嘉薛季宣（一一三四至一一七三）行復古典之舊，集百篇《書序》總爲一卷，置本經之後（在其《書古文訓》卷十六）說解外，它皆謹依《正義》本冠《書序》於經篇上。林之奇（一一一二至一一七六）雖深知古本體製，今本得失，然撰《尚書全解》仍謹依今本置《書序》經上；而主朱蔡學者王天與，竟亦不依師法，轉從《正義》加《書序》於本經之篇上，其《尚書纂傳》卷一：

（朱子）又云：「（《書序》）相承已久，未敢輕議，且附經後。」今是編姑從〔漢〕孔氏，引之各冠其篇首云。

僞孔、唐本影響深遠至此！

三　朱子《尚書》論著

〔宋〕朱熹（一一三〇至一二〇〇，下概尊稱朱子、朱文公）無《尚書》全經注解本專著，故門人黃榦撰〈行狀〉（《勉齋集》卷三六）、《宋史》〈道學〉本傳竝不載記渠有《尚書》全解。朱子單篇論著、零散說解、刊書跋文、書信，攸關《尚書》，舉其犖犖大者，計有：

（一）朱子《尚書》散篇論著

(1)〈書大序解〉　（在朱子所撰《朱文公文集》卷六五「〈雜著〉」）

(2)〈虞書堯典解〉（同上）

(3)〈舜典解〉（同上）

(4)〈大禹謨解〉（未完卷）（同上）

(5)〈金縢說〉（說要義，非全篇注）（同上）

(6)〈召誥序解〉（全錄〈召誥篇書序〉而全解之）（同上）

(7)〈召誥解〉（同上）

(8)〈洛誥解〉（〈洛誥書序〉，朱子置本經之上，解之，但不分行立標題；雖解本經，亦未完卷）（同上）

(9)〈康誥說〉（說僅及篇首四十八字與零星句辭）（同上）

(10)〈考定武成日月及經文次第〉（同上）

(11)〈舜典象刑說〉（在《朱文公文集》卷六七「〈雜著〉」）

(12)〈記尚書三義〉（〈堯典〉卒章、〈舜典〉「肆覲東后」及〈大誥〉「天畏匪忱」等三事）（在《朱文公文集》卷七一「〈雜著〉」）

(13)（〈禹貢〉）〈九江彭蠡辨〉（在《朱文公文集》卷七二「〈雜著〉」）

(14)（〈洪範〉）〈皇極辨〉（同上）

(15)〈書臨漳所刊四經後〉（其中多攸關《書序》，在《朱文公文集》卷八二

「〈跋〉」）

(16)〈刊四經成告先聖文〉（與(15)併看，在《朱文公文集》卷八六「〈祝文〉」）

(17)《朱子語類》卷七八、卷七九集編朱子《書》說多條　（〔清〕程川編《朱子五經語類》卷四一至四九）及散見《語類》它卷者數條。

(18)《朱熹問答》一卷　（蔡抗「〈上書經集傳表〉」載，文即〈朱子答蔡仲默帖〉，亦略見〈朱文公續集〉卷三）

(19)〈朱子說書綱領〉　（〔元〕董鼎《書蔡傳輯錄纂註》）、〈讀尚書綱領〉（〔元〕陳櫟《書蔡傳纂疏》）

案：(2)、(3)、(4)：朱子弟子陳淳曰：「《書》無文公解，固無可依據，然有〈典〉〈謨〉二篇，說得已甚明白。」（《經義考》卷八二引，余粗檢《北溪大全集》，卷二七，視(1)〈堯典〉、(2)〈舜典〉爲一篇及(3)〈大禹謨〉，共二篇；或「二」當作「三」，淳〈答郭子從〉曰：「《書》之爲經，最爲切于人事日用之常，惜先師只解得三篇，不及全解。」（《北溪大全集》卷二五）〈堯〉〈舜〉二〈典〉、〈大禹謨〉恰是三篇，朱子弟子蔡沈《書集傳》〈序〉：「慶元己未冬，先生文公令沈作《書集傳》，明年，先生歿。……〈二典〉、〈禹謨〉先生蓋嘗是正，手澤尚新。」（載董鼎《書蔡傳輯錄纂註》卷首，陳櫟《書蔡傳纂疏》卷首載同、〔明〕蔡有鵾輯《蔡氏九儒書》《九峰集》載《書集傳》〈序〉亦同，新陸書局仿宋影印本前載蔡氏〈序〉亦同，宋本《書集傳》卷首蔡〈序〉亦作「〈二典〉、〈禹謨〉」云云，見下〔清〕陳鱣〈宋本書集傳跋〉，《經義考》卷八二引〔明〕都穆節引《書集傳》〈序〉亦作「〈二典〉、〈禹謨〉」云云），今通行本（如世界書局影印《五經讀本》本）則作「〈二典〉、〈三謨〉」，是淺人妄改；〈三謨〉者，〈大禹謨〉、〈皋陶謨〉、〈益稷〉是也。考朱子於〈皐〉、〈益〉二〈謨〉無解，則作「〈三謨〉」，誤也。

又案：(4)：朱子解〈大禹謨〉止於經文「若帝之初」，下猶有「帝曰咨禹」至「七旬有苗格」等共百八十字尚未解，故董鼎於「若帝之初」下曰：「朱子親集《書傳》，自孔〈序〉止此。」則蔡、陳言朱子解《尚書》全篇及〈禹謨〉，概略言之耳。(8)：〈洛誥〉只解至第二「周公拜手稽首曰」，其下兩段經文亦未完解。

三案：(1)：〈書大序〉非經文，且朱子斷爲僞篇，故蔡、陳二氏皆不視之爲文公《書》篇解。惟(7)：〈召誥〉錄經全文，已完解，頗詳，蔡沈不於〈序〉文稱述，陳氏記朱子《書》解亦不之及，此不可曉。

四案：(15)、(16)：〔宋〕陳振孫《直齋書錄解題》卷二：「《書古經》四卷，〈序〉一卷。」即朱子於臨漳所刊四經之一，此僅《尚書》白文及「《書序辨說》」，非解《書》經本文之作。說詳下。

五案：(18)：亦題「〈書傳問答〉」（宋理宗淳祐十年呂遇龍上饒郡學刻本，原本存大陸北京圖書館〉、或題「〈書傳問答拾遺〉」（國立中央圖書館藏南宋刊八行本《書集傳》）、又題「〈文公問答〉」（同館藏元建刊初印本《書集傳》），吳其昌〈朱子著述考〉（北平清華學校研究院《國學論叢》一卷二號，民國十六年九月）曰：「宋本《書集傳》卷首刊〈朱子與（蔡）九峰手帖眞蹟〉六道，豈所謂『〈問答〉』者乎？然語氣不似。」驗之上述南宋刊八行本《書集傳》，即其所稱「〈晦菴先生與先君手帖〉」，元建陽刊初印本題作「〈文公先生與蔡九峰親帖四帖〉」：蔡抗輯錄於此也，見載《朱文公續集》者書簡文六段，標題才一。

六案：⒆：前者，共三十一條，董氏輯自朱子《文集》、《語類》、《書》說（一條，見下）、（宋）葉紹翁《四朝聞見錄》（一條）及蔡抗〈進書表〉所錄「〈朱熹問答〉」（董書「凡例」曰：「久軒蔡氏抗湻祐經進本錄〈朱子與蔡仲默帖〉及〈語錄〉數段在前，今各類入『〈綱領〉』、『〈輯錄〉』內。」可證）；（清）伊樂堯撰《五經補綱》（咸豐四年晉江黃漢刊本）收此書作一卷，臺灣未見。後者，陳氏自注：「朱子說，外附以他說。」朱子說部分，咸自《文集》、《語錄》中摘集，二十二條；它說四條，爲柴中行說一條，程氏說二條，滕和叔說一條。

七案：近人束景南《朱子大傳》頁一〇八一謂朱子〈堯典〉解、〈舜典〉解、〈大禹謨〉解、〈金縢〉說、〈召誥〉解、〈洛誥〉解及〈考定武成〉⑵至⑸、⑺、⑻、⑽），皆慶元四至五年作。其考徵粗略，不信。

（二）朱子門人編集朱子《書》說四種

後世著錄朱子《書》解，盡它人編集，或出記錄，考如下：

《晦庵書說》七卷（或題《朱熹書說》、《朱子書說》及《文公書說》）〔宋〕黃士毅集

書佚

陳振孫《直齋書錄解題》卷二〈書類〉：「朱熹門人黃士毅集其師說之遺，以爲此書。晦庵於《書》一經，獨無訓傳，每以爲：錯簡脱文處多不可彊通，呂伯恭《書》解不可彊通者彊欲通之。……又嘗疑孔安國《傳》恐是假書，〈小序〉決非孔門之舊，安國〈序〉決非西漢文章，至謂與《孔叢子》《文中子》相似。則豈以其書出於東晉之世故耶？……至言今文多艱澁，古文多平易，伏生倍文暗誦，乃偏得其所難，而安國攷定於科斗古書錯亂磨滅之餘，反專得其所易，此誠有不可曉者。今惟〈二典〉、〈禹謨〉、〈召誥〉、〈洛誥〉、〈金縢〉有解及「九江彭蠡」、〈皇極〉有辨，其他皆《文集》、《語錄》中摘出。」

《宋史》〈藝文志〉卷一〈書類〉：「《朱熹書說》七卷，黃士毅集。」

董鼎《書蔡傳輯錄纂註》（元至正十四年建安翠巖精舍刊本（下簡稱元刊本）、日本文

化十一年刊《昌平叢書》本（下簡稱日刊本）卷首〈引用諸書〉：「黄氏士毅集《書說》。」〔元〕陳師凱《書蔡傳旁通》載「《書蔡傳輯錄》引用諸書」同。

士毅事迹，

〔明〕朱衡《道南源委》卷三：「黄公士毅字子洪，莆田人，……以壺山爲號，……師事朱子，……嘗譔次《朱子書說》七卷。」

《宋元學案》卷六九〈滄州諸儒學案上〉：「黄士毅，……莆田人。……師朱文公。……著述甚富，……譔次《文公書說》七卷。……又因《語錄》成言，分門序次，爲《語類》一百三十八卷。」

明人猶或及見全帙，或止得闕本，

陳第《世善堂書目》卷上：「《晦菴書說》七卷。」

楊士奇《文淵閣書目》卷二：「《書晦菴說》，一部三册，闕。」

元刊《書蔡傳輯錄纂註》〈引用諸書〉，目列黃士毅集《書說》、湯巾（一作中，詳下）集《書說》，而卷內引朱子說頗輯自「《書說》」之書（如〈大禹謨〉「黎民敏德」及「惟帝時克」下各一條，不煩多舉），出諸黃本抑湯本，未作分析。又牛繼昌〈朱熹著述分類考略〉（《國立北平師範大學月刊》六期，民國二十二年九月）及吳其昌〈朱子著述考〉均著錄，書名皆作《書傳緝說》。

《文公書說》　〔宋〕湯巾集　書佚

元刊《書蔡傳輯錄纂註》卷首〈引用諸書〉：「湯氏巾集《書說》。」（日刊本同，《書蔡傳旁通》載巾作中）

《經義考》卷八二黃士毅集本之後，朱彝尊曰：「按文公《書說》，黃氏所錄外，又有湯氏中所輯，今不傳。」

敏案：湯巾，字仲能，嘉定進士；湯中，字季庸，寶慶進士：二人竝出眞德秀之門（《宋元學案》卷八四）。孰編文公《書說》，難定。牛氏〈考略〉、吳氏〈考〉亦竝著錄。

《武夷經說》（其中有《武夷尚書說》）　〔宋〕黃大昌、〔宋〕王迂集　書佚

元刊《書蔡傳輯錄纂註》〈引用諸書〉「黃氏大昌、王氏迂集《武夷經說》」（日刊本及

《書蔡傳旁通》載同）。如卷一〈堯典〉「日若稽古」至「格于上下」下載一條，卷二「岷山導江」段載一條。此書亦後人編集《文集》、《語類》之文以成者。黃、王二氏生平，參《閩中理學淵源考》，其書，《郡齋讀書附志》著錄。

《尚書集義》　〔宋〕董琮集　書佚

元刊本《書蔡傳輯錄纂註》〈引用諸書〉「董氏琮《尚書集義》」（日刊本及《書蔡傳旁通》載同），卷內數見「復齋《集義》」（如〈禹貢〉題下、「治梁及岐」下〈輯錄〉即是）。《宋元學案》卷八九〈介軒學案〉董復齋先生琮，「字玉振，德興人。……有《書傳疏義》、《復齋集》。」《宋元學案補遺》卷八九：「《萬姓統譜》言先生號復齋，慶元間進士。」疑此書蓋集朱子《書說》之著作。

（三）朱子作「《書序辨說》」

1　合《書序》為一編綴全經後

朱子先作《詩集傳》（〈自序〉淳熙四年，一一七七，〔清〕王懋竑《朱子年譜》依以定繫此年）；疑《詩序》，遂作《詩序辨說》，總為一編附經傳之末（卷首敘言不記年月，但去《詩集傳》成書必不甚久）。而其《書說》，僅成數篇（已詳上），晚乃命弟子蔡沈續成。故以常理推度，朱子之疑《書序》，作「《書序辨說》」，集百篇〈序〉爲一總，附《尚書》本經之後，時當在後。下合論朱子《詩》、《書序辨說》（但以後者爲主體），先《詩》後《書》，比事證義，且以明朱子進學之有序。

朱子重疑《詩序》，作專書以辨甚得失，《朱子語類》卷八十：

問：「《詩傳》多不解《詩序》，何也？」曰：「某自二十歲時讀《詩》，便覺〈小序〉無意義；及去了〈小序〉，只玩味《詩》詞，卻又覺得道理貫徹。……三十歲斷然知〈小序〉之出於漢儒所作，其爲繆戾，有不可勝言。……因作《詩傳》，遂成『《詩序辨說》』一冊，其他繆戾，辨之頗詳。」

朱子重疑〈詩小序〉，係因〈小序〉繆戾，吾人已知之；疑之而必集諸〈序〉爲一編，不復令弁各經篇之首，淵源何自，則吾人尚不知，洎觀其「《詩序辨說》」乃知之，

朱子《詩序辨說》卷首：「……鄭氏（玄）又以爲諸〈序〉本自合爲一編，毛公始分以寘諸篇之首。」

後作「〈書臨漳所刊四經後——詩〉」，亦申其從鄭說復漢本之舊深意，

> 鄭康成說〈南陔〉等篇遭秦而亡，其義則與眾篇之義合編故存，至毛公爲《詁訓傳》，乃分眾篇之義各置於其篇端（敏案：朱子引鄭《詩序》注，有節略）。愚按鄭氏「三篇之義本與眾篇之義合編」者，是也。……〈序〉之本不冠於篇端，則因鄭氏此說而可見。

案：《漢書》〈藝文志〉〈六藝略〉〈書類〉：「《詩》，經二十八卷，魯齊韓三家。」而《詩》毛氏獨爲二十九卷（同見《漢》〈志〉著錄）；多一卷者，清王先謙《補注》曰：「此蓋〈序〉別爲一卷，故合全經爲二十九卷。」則《毛詩序》原合爲一卷，後人（敏案：未必毛公）分置各經篇之首也。

朱子繼疑《書序》（余反覆省看朱子辨《書序》意見，知渠疑《書序》輕於疑《詩序》），主張除去《書序》讀《尚書》，

> 《朱子語類》卷七九：「伏生以〈康王之誥〉合於〈顧命〉，今除著〈序〉文讀著，則文勢自相連接。」（敏案：伏生本以〈顧〉、〈康〉爲二篇，朱子誤會）

朱子視〈顧命〉及〈康王之誥〉渾然爲一篇，通記成王康王君位傳受大典，若經上各弁《書序》，文氣隔越，至破碎一事爲二事，故爾去〈序〉但玩本經。若令《書序》各冠篇首不除，則無以掙脫〈序〉文桎梏，故朱子論作《書》解，囑李生去〈序〉另置，

答李時可（《朱文公文集》卷五五）：「所寄〈堯典〉，以目視頗艱，又有他冗，未暇討究，已付諸朋友看，俟其看了卻商量也。《書序》不須引冠篇首，但諸家所解卻有相接續處，恐當作注字附于篇目之下，或低一字作傳寫，而於首篇明著其繆，亦可。但恐諸家元無此說，即且闕之，以俟書成，別加訂正也。」

諸家所解，謂各篇首諸家所作《書序》解也。要一總於篇首明著諸家《書序》解之謬，正類朱子日後自撰《書序辨說》也。

朱子始疑《書序》說經本事錯謬，因除卻不復令冠篇首，語甚堅確，

《朱子語類》卷七八：「徐彥章問：『先生卻除《書序》不以冠篇首者，豈非有所疑於其間耶？』曰：『誠有可疑。且如〈康誥〉，第述文王，不曾說及武王，只有『乃寡

兄』是說武王，又是自稱之詞，然則〈康誥〉是武王誥康叔明矣。但緣其中有錯說『周公初基』處，遂使〈序〉者以爲成王時事，此豈可信？』徐曰：「然則殷地武王既以封武庚，而使三叔監之矣，又以何處封康叔？」曰：『既言以殷餘民封康叔，豈非封武康（庚？）之外將以封之乎？又曾見吳才老辨〈梓材〉一篇云：後半截不是〈梓材〉，緣其中多是勉君，乃臣告君之詞，未嘗如前一截稱王曰，又稱汝，爲上告下之詞。亦自有理。」

今本〈康誥〉篇首有「惟三月，哉生魄，周公初基作新大邑」云云四十八字，《書序》作者不知是錯簡，因誤〈康誥〉本經爲成王命康叔之書，且今本《書序》下連〈梓材〉篇目，而〈梓材〉後半截乃臣告君之詞，顯非君（成王）告臣（周公）文，故爾朱子疑之。

朱子自《詩》篇除去《詩序》併爲一編，既而綴之本經之後以辨說之，

《詩序辨說》卷首又曰：「近世諸儒多以〈序〉之首句爲毛公所分，而其下推說云云者，爲後人所益，理或有之。但今考其首句，則已有不得詩人之本意而肆爲妄說者矣，況沿襲云云之誤哉？然計其初，猶必自謂出於臆度之私，非經本文，故且自爲一編，別附經後。……愚之病此（《詩序》）久矣，然猶以其所從來也遠，其間容或眞有傳授

證驗而不可廢者，故既頗采以附《傳》中，而復并爲一編，以還其舊，因以論其得失云。」

朱子以爲《詩序》漢原本，「自爲一編，別附經後」，後人裁弁經首，故當復還其舊，復漢本之舊也。漢本《詩序》在經末，朱子別舉經史子古本爲旁證，《朱子語類》卷八十：

敬之問《詩》、《書序》。曰：「古本自是別作一處，如《易大傳》、班固〈序傳〉，並在後；京師舊本《楊子注》，其〈序〉亦總在後。」

宋刊二十卷本《詩集傳》（藝文印書館影印本）後，無附《詩序》，殆遭刻書者削去。元刊十一行本《詩集傳》二十卷附〈圖〉一卷、〈詩傳綱領〉一卷、《詩序辨說》一卷及〔清〕《欽定詩經傳說彙纂》猶用朱子《詩集傳》原本法度，《詩序辨說》置全體之後。（別有〔清〕光緒十三年刊賀瑞麟輯《西京清麓叢書》《詩集傳》八卷、卷首一卷、《詩序辨說》一卷，光緒十三年刊劉毓英輯《劉氏傳經堂叢書》《詩集傳》八卷、《詩序辨說》一卷，竝未見原書，此據《中國叢書綜錄》），或亦置《詩序》於《集傳》之末也。

2 朱子刊《尚書古經》卷末繫「《書序辨說》」

〈書大序〉一則曰：「（《尚書》五十八篇，）并〈序〉凡五十九篇。」再則曰：《書序》，序所以爲作者之意，……宜相附近，故引之各冠其篇首。」朱子據以得知《尚書》漢本綴《書序》經後，因集合八十一目一百篇《書序》於一編，綴附五十八篇本《尚書》之後，亦因漢本之舊如此，故爾復之，其〈書大序〉解（即前舉朱子論著(1)）兩則曰：

百篇之〈序〉，……非孔子所作明甚。然相承已久，今亦未敢輕議，且據安國此〈序〉（謂〈書大序〉）復合爲一，以附經後。

諸〈序〉之本不先經，則賴安國之〈序〉（亦謂〈書大序〉）而可見，故今別定此本，壹以諸篇本文爲經，而復合〈序〉篇於後，使覽者得見聖經之舊而不亂乎諸儒之說。又論其所以不可知者如此，使學者姑務沈潛反復乎其所易而不必穿鑿傅會於其難者云。（亦見《朱文公文集》卷八二「〈書臨漳所刊四經後——書〉」，僅一異文）（〔宋〕王柏《書疑》卷一「〈書大序疑〉」曰：「朱子雖取此〈序〉（謂〈書大序〉）於《書》傳之首，謂其言本末之頗詳，且取其掃〈小序〉自爲一篇，而不殽雜於經文之上，亦未嘗不言其非西京文字。」敏案：王氏「且取其掃〈小序〉自爲一篇」，謂朱子取〈書大序〉之言《書序》原總在經後，（僞）孔氏始各引冠篇端，非謂（僞）孔氏將〈書小序〉自各篇端除下集於一所也。王氏屬文欠密）

案：朱子合《書序》爲一編殿全經之後，援所謂孔安國〈書大序〉之述《尚書》及《書序》舊板本爲其歷史依據，而絕不及《漢》〈志〉著錄孔壁古文四十六卷本、《漢石經》本及馬鄭本皆總置《書序》全經後（已詳上《書序》原自爲一編節）者，蓋以孔安國此之說板本，視《漢》〈志〉爲早，治學貴討源，源既廓清，流派不必一一論矣。又朱子疑〈書大序〉疑古文經傳，於檢討孔氏不應變置《書序》古板本之餘，得無寓辨別僞書之深意乎？

又案：或謂：朱子併《書序》於經末，集中言論用辨其非，既聞命矣，然渠全錄〈召誥書序〉十七字於〈召誥〉篇本經之首，詳解之達三百二十三言，且明標題目「〈召誥序〉」；又全錄〈洛誥書序〉十八字於〈洛誥〉篇本經之首，詳解之亦至百十九字，謂之何哉？應之曰：此殆朱子稍早之作，爾時疑〈序〉猶未甚堅，故偶作依違兩存之論，且〈召〉〈洛〉二〈誥〉並非五十八篇全經，不便將兩篇《書序》分附篇末，故暫依僞孔板本分置篇首爲解。洎知漳州，開郡學，刻《尚書古經》板本成，則不復曲從僞孔，而教弟子遵古本察《書序》之失矣，

《朱文公文集》卷六十〈答潘子善〉：「（潘問：）某讀《書》至〈盤庚〉及〈五誥〉

諸篇，其疑不可數舉，若以諸家之說勉強解去，亦說得行，但恐當時指意未必如此耳。如此等處，只得姑存之，如何？（朱子答：）漳州所刻四經書〈序〉有此說。」

其漳州刻《尚書古經》及它三經庸意，請於下文次第言之。

朱子以《詩經》、《尚書》爲教本，本亦《詩序》、《書序》總置經後，

《朱子語類》卷八十：「《詩》、《書序》當開在後面。」

又卷八四：「問：『聞郡中近已開六經。』曰：『已開《詩》、《書》、《易》、《春秋》，惟二《禮》未暇及。《詩》、《書序》各置於後，以還其舊。』」

郡，當指臨漳郡，開，謂開授，郡中開《詩》、《書》、《易》、《春秋》四經課，專刻四經，板本遵古舊，

朱子〈書臨漳所刊四經後〉（四文均見《朱文公文集》卷八二）——書〉：「（伏生二十八篇，增多二十五篇，又增多分出伏生五篇，）并〈序〉一篇，合之凡五十九篇，及安國作傳，遂引〈序〉以冠其篇首，而定爲五十八篇，今世所行公私版本是也。……諸

〈序〉之本不先經，則賴安國之〈序〉（〈書大序〉）而可見，故今別定此本，一以諸篇本文爲經，而復合〈序〉篇於後，使覽者得見聖經之舊，而不亂乎諸儒之說，又論其所以不可知者如此。……紹熙庚戌（元年，一一九〇）冬十月壬辰（十一日）新安朱熹識。」

〈又——《詩》〉：「……然〈序〉之本不冠於篇端，則因鄭氏（玄）此說而可見。……故因其說而更定此本，以復于其初。猶懼覽之者惑也，又備論於其後云。紹熙庚戌冬十月壬辰新安朱熹識。」

〈又——《易》〉：「《古文周易》經傳十二篇，亡友東萊呂祖謙伯恭父之所定。……《易》……言雖約而所包甚廣，夫子作傳，亦略舉其一端以見凡例而已。然自諸儒分經合傳之後，學者便文取義，往往未及玩心全經而遽執傳之一端以爲定說。……熹蓋病之，是以三復伯恭父之書而有發焉，非特爲其章句之近古而已也。……淳熙九年（一一八二）夏六月庚子朔旦新安朱熹謹書。」（《朱子語類》卷八四：郡中開授四經，「《易》用伯恭所定本」。同）

〈又——《春秋》〉：「近刻《易》《詩》《書》於郡帑，《易》用呂氏本古經傳十二篇，而絀《詩》、《書》之序置之經後，以曉當世，使得復見古書之舊，而不錮於後世諸儒之說。……《春秋》大訓，聖筆所刊，不敢廢塞，……乃復出《左氏》經文別爲一書，以踵三經之後。……紹熙庚戌冬十月壬辰新安朱熹謹書。」〈刊四經成告先聖文〉（在《朱文公文集》卷八六）：「熹……又嘗考之《書》、《詩》，而得其〈小序〉之失，參稽本末，皆有明驗。私竊以爲不當引之以冠本經聖言之上，是以不量鄙淺，輒加緒正，刊刻布流，以曉當世。」

案：古本《周易》，《經》（〈卦〉、〈卦辭〉、〈爻辭〉）與《傳》（〈彖上下〉、〈象上下〉、〈繫辭上下〉、〈文言〉、〈說卦〉、〈序卦〉、〈雜卦〉，凡七種十篇，稱《十翼》）不相雜廁，鄭玄始割取〈彖〉〈象〉條附經內，王弼繼抽取〈文言〉入〈乾〉〈坤〉二〈卦〉中，大亂古本。宋人恢復《周易》古本，本甚多，朱子用呂氏定十二篇本，爲《經上下》二篇、《十翼》十篇。《詩》會合《詩序》於一所，又「備論其後」，即《詩序辨說》（方見上文議論）。《春秋古文經》十二篇、《左傳》三十卷，《經》、《傳》原各自爲帙，自〔晉〕杜預分《經》之年附《傳》之年，遂令《經》《傳》廁雜，朱子將杜本附在《左傳》內之《春秋經》文移出，刻成一書。此三經之刊，旨皆在復古書之舊。《尚書》亦然。朱子此《尚書》刊本，前刻五十八篇本經白文，故曰「故今別定此本，一以諸篇本文爲經」；後盡合《書序》爲一編繫經後，故又曰「復合〈序〉篇於後」，再則曰「絀《詩》、《書》之〈序〉置之經後」，三則曰「竊以爲不當引〈序〉以冠本經之上，不量鄙淺，輒加緒正」；既絀之後矣，「又論其所以不可知者如此」，斯即謂《書序辨說》之著作也。不然朱子四傳弟子金履祥何以肯定其師祖確有著作耶？其《尚書表注》〈自序〉曰：

> 〈小序〉事意多繆經文，而上誣孔子。朱子傳注諸經略備，獨《書》未及，嘗別出《小序辨》，正疑誤，指其要領，以授蔡氏而爲《集傳》。諸說至此，有所折衷矣。（〔明〕朱升《尚書旁註》〈自序〉暗引金氏此文略同，見《經義考》卷八七引）

朱子受命知漳州，光宗紹熙元年（一一九〇，朱子年六十一）四月到郡（《年譜》），遂即以公帑刻四經以爲教本，觀其「〈刊四經成告先聖文〉」曰「刊刻流布，以曉當世」，則此板五十八篇《尚書》本經白文及附刊「《書序辨說》」（姑倣其《詩序辨說》命名），確已梓行。

果然，朱子朋友尤氏得其書而著於其私家藏書目，

> 尤袤《遂初堂書目》〈經總類〉：「朱氏新定《易》、《書》、《詩》、《春秋》古經。」

四經皆復古本之舊，故尤目稱古經。

晚宋、元初人陳、馬氏，親見《書古經》及〈序〉而著錄之，

陳振孫《直齋書錄解題》卷二〈書類〉：「《書古經》四卷、〈序〉一卷，侍講朱熹晦庵所錄，分《經》與〈序〉，仍爲五十九篇，以存古也。」

馬端臨《文獻通考》〈經籍考〉卷四〈書類〉：「《書古經》及〈序〉，共五卷。陳氏（振孫）曰：『晦庵所錄，分《經》與〈序〉，仍爲五十九篇，以存古也。』」

朱子此刊本，《經》、〈序〉分編，先《經》而後〈序〉，陳、馬憑所見爲說，與朱子刊四經跋文契符。

至明晚葉，此書猶存，陳氏獲見著於目錄，

陳第（一五四一至一六一七）《世善堂書目》卷上：「《書古經》及〈序〉五卷（原自注「朱文公。」）。」

古經，五十八篇《尚書》本文；〈序〉，《書序》也：析卷，則《經》四卷、〈序〉一卷，是

果合八十一目一百篇《書序》爲一卷附《經》後也。

〔清〕初朱彝尊《經義考》卷八二著錄，不敢定存佚，但云「未見」，豈原書猶在天壤之間乎？

〔元〕吳澄作《書纂言》參酌〔宋〕吳棫、朱子疑《僞古文尚書》及朱子併〈序〉爲一編總置《經》後意見，別僞二十五篇爲帙，而合〈書小序〉併置其後（古本《書纂言》如此，通志堂本將僞篇經文及《書序》盡皆削去），其《書纂言》「〈目錄〉」云：

夫以吳氏及朱子之所疑者如此，顧澄何敢質斯疑，而斷斷然不敢信此二十五篇之爲古書，則是非之心不可得而昧也。故今以此二十五篇自爲卷袠，以別於伏氏之書，而〈小序〉各冠篇首者復合爲一，以寘諸後，〈孔氏序〉并附焉。而因及其所可疑，非澄之私言也，聞之先儒云耳。

〔清〕同治十三年進士孫葆田佩南，輯「《孫氏山淵閣叢刊》」（光緒十九年榮成孫氏問經精舍刊本），收「《古文尚書》一卷」，題「〔宋〕朱熹輯」（臺灣未見，此據《中國叢書綜錄》）。《清儒學案》卷一九四〈東甫學案〉載葆田〈古文尚書跋〉曰：

《書錄解題》……載有「《書古經》四卷、〈序〉一卷」，……蓋即臨漳刻本，而元書則今不可復見，其篇不知與《僞孔傳》有異否也。茲用趙氏（敏案：謂〔宋〕趙孟頫）分編今古文例，仍附《書序》於後，而一題曰「《古文尚書》」，其義實不悖於朱子。

案：孫氏將《僞古文尚書》五十八篇分別今文（同乎伏生本者二十九篇）、古文（純僞造者二十五篇）而編之，此〔宋〕趙孟頫（著《書今古文集注》，《經義考》卷八五錄其〈自序〉）、吳澄以下始有是作，朱子臨漳刊本無是；唯合《書序》附全經，則得朱子恢復原典之意也。

四　朱子命門人編撰《書集傳》

（一）朱子先分命門人──李陳謝編撰《書集傳》

承朱子之命作《尙書傳》者，先乎蔡沈，即有衆弟子，王懋竑《朱子年譜》〈考異〉卷四「慶元四年戊午」：「按《文集》〈答潘子善書〉，論《書》解甚詳（敏案：余檢《文集》卷六十〈答潘子善書〉十一通，中誠多論《尙書》義，但無一字論及編撰《書傳》一書之事，白田失引〉，而李時可亦有《書說》，亦朱子所命，其書不傳，當是戊午（慶元四年）已命門人分爲之，至己未（五年）冬，乃專屬之仲默耳。」李受師命著書，考略於下：

《書說》三十卷　〔宋〕李相祖集　書佚

《宋元學案》卷六九〈滄州諸儒學案上〉：「李相祖字時可，……在朱門辨質詳明，用心精切，嘗以朱子之命編《書說》三十卷。」（《閩書》：「李相祖從朱文公學，嘗以文公命，編《書說》三十卷。」（《朱子大傳》頁一〇一六引）牛〈考略〉據以著錄。吳〈考〉著錄云：「朱衡《道南源委》：『李相祖……，光澤人，爲晦庵高弟。辨質詳明，用心精切，嘗以晦庵命，編《書說》三十餘卷。』（自注：《宋元學案》作三十卷，近是）其昌按：此書奉師命而編，則亦蔡《傳》之類也。」

敏案：《朱文公文集》卷五五有〈答李時可書〉七通，朱子覆書與論《尚書》〈堯典〉、去《書序》不冠經篇首，攸關命編《書傳》事（引文已詳上），又有曰：「王氏《書義》中，明言是王雱說，然荆公奏議卻云『一一皆經臣手』，但以〈序〉爲正可也。」此論集《書傳》錄收王安石《尙書新義》事。更有：「緣此間《禮》書未了，日逐更無餘功可及他事，只略看得〈禹貢〉，如冀州分爲三段，頗有條理，易照管，而諸州皆只作一段，則太闊遠而叢雜矣。恐皆合依冀州例，而逐句之下夾注某人曰、某地在某州某縣，其古今州縣名不同有復見者，亦並存之，以備參考。段後低一字，大書右某州第幾節，以圈隔斷，而先儒有辨論通說處，即亦大字附於其下。若今日自有所疑有所斷，則更低一字寫之。如無此兩項，則各留一二行空紙，以俟恐後有補入者。其導山處須以四列為四段，導水則一水為一段。段後亦如前例云，右導山第幾節、右導水第幾節，其通論疑斷亦如之。如此則庶幾易看矣。所寄冊子，今卻封還。請依此格目作一草卷，便中寄及也。」相祖編《書傳》〈禹貢〉篇注解體例未盡當，師為之訂正，封還原冊，囑遵所訂格目，另作寄審。是相祖承命作《書傳》至確，惜著錄諸賢未及引。

當時分任《尚書傳》之門人，又得謝成之（成一作誠）、陳埴兩人，朱子〈答蔡仲默〉（《朱文公文續集》卷三）：「謝誠之《書說》六卷、陳器之《書說》二卷，今謾附去，想未暇看，且煩為收起，鄉後商量也。漳州陳安卿在此，其學甚進。」證次如下：

《書說》二卷　〔宋〕陳埴撰　書佚

《宋元學案》卷六五〈木鐘學案〉：「陳埴字器之，永嘉人，舉進士，少師水心，後從文公學。……著〈禹貢辯〉、〈洪範解〉。……學者稱潛室先生。」

《經義考》卷九四著錄其〈禹貢辨〉一卷、卷九六著錄其〈洪範解〉一卷，竝云未見。

《書說》六卷　〔宋〕謝誠之撰書佚

朱子〈答謝成之〉（《朱文公文集》卷五八）：「熹病老益衰，今年尤甚，亦理之常，無足怪者；況身外之悠悠，又可復置胸中耶？所恨聞道既晚，而行之不力，上無以悟主聽，下無以變時習，而使斯文蒙其黮闇，是則不能無愧於古人耳！所示〈二典說〉，大槩近似，目昏尚未及細看。此中今年絕無來學者，只邵武一朋友，見編《書說》未備，近又遭喪，俟其稍定，當招來講究。亦放《詩傳》作一書，彼編所看，後篇得接續寄來，尤幸，恐當有所助耳。但三山林少穎說亦多可取，乃不見編入，何耶？李氏說爲誰，其論『放勛』字義，與林說正相似；又以『欽哉』爲戒飭二女之詞，則正與鄙意合也。蓋『女于時，觀厥刑于二女』，皆堯語，其下云『釐降二女于嬀汭，嬪于虞』，乃是史記其下嫁二女於嬀水而爲婦於虞氏。於是堯戒以『欽哉』，正如所謂『必敬必戒』者，乃敘事之體也。自《孔傳》便以『女于時』以下爲史官所記，故失其指耳。」

案：誠之寄奉所編《書傳》〈堯、舜〉二〈典〉部分，故文公〈答書〉稱其「〈二典說〉，大槩近似」，又詢以林之奇《尚書全解》爲何未予編入。〈堯典〉末章（僞古文本）「女于時」云云，《孔傳》誤解（朱子以爲），答書亦提示於此，更囑誠之倣《詩集傳》將

《書說》編成一書，佐證以朱子答蔡沈書，是謝承師命編《書傳》一如其後蔡九峰所爲，甚顯。

朱子答書「今年絕無來學者，只邵武一朋友，見編《書說》未備，近又遭喪」云云。考朱子門人籍邵武者至少有五人——李閎祖、李壯祖、何鎬、吳壽昌及李方子（據《朱子語類》卷首記錄姓氏），中確知渠嘗編《書說》者，末一人是也，《宋史》卷四三〇本傳：「李方子字公晦，昭（邵）武人。……初見朱熹，（朱熹）語曰『觀公爲人，自是寡過，但寬大中要規矩，和緩中要果決』，遂以『果』名齋。」編《尙書》一篇，朱子答黃榦（《朱文公續集》卷一）：「李公晦〈禹貢集解〉編得稍詳，今附去試看，如可用，令人抄下一本，別發此冊回來。」《經義考》卷九四：「李氏方子〈禹貢解〉，未見，《邵武府志》：『李方子，……眞德秀、袁甫取所著〈禹貢解〉以進，特授朝奉郎。』」《宋元學案》卷六九〈滄州諸儒學案上〉〈李方子傳〉馮雲濠案曰：「一本云先生有《傳道精語》等書行世，眞西山、袁蒙齋嘗進其〈禹貢解〉，授朝奉郎。」疑此「邵武一朋友見編《書》」云云，謂李方子，惜「近又遭喪」無從考實（《朱子大傳》頁一〇七一謂「此邵武一朋友，便應是指李方子」，遭喪一點慮未及），姑志疑於此。

（二）朱子未命門人蔡沈編撰《書集傳》

朱子晚年共門人修《禮》書（《儀禮經傳通解》），欲早成編，而《書傳》雖已先後分命門人李相祖、陳埴、謝誠之、李方子（？）等編撰，然彼時都尚無成書（已詳上考）。逮卒前一年，見蔡沈仲默研習《尚書》有成，堪託付，乃專屬諸蔡（詳下）。蔡沈早先治《尚書》，欲成集注，

《朱子語類》卷七八：「仲默集注《尚書》，至『肇十有二州』，因云：『禹即位後又并作九州。』（朱子）曰：『也不見得。但後面皆只說「帝命式于九圍，以有九有之師」，不知甚時又復并作九州』。」

又卷七九：「仲默論五刑不贖之意，曰：『是穆王方有贖刑，嘗見蕭望之言古不贖刑。某甚疑之，後來方省得贖刑不是古，因取望之傳看畢。』（朱子）曰：『說得也無引證。』因論望之云：想見望之也是拗。」

以上二條皆黃義剛錄，癸丑（一一九三）以後所聞也，當先蔡受師命作《書集傳》有年，時蔡氏此二說，朱子未表贊同，體其語氣，時亦尚未屬意蔡氏編撰《書集傳》。逮玩朱子後作

之〈答蔡仲默帖〉，知至此乃有意命編《書集傳》，擇要引說之如下：

「〈洪範傳〉已領，俟更詳看，然不敢率易改動如餘子，書一面寫（敏案：絕句難定），後日早來取。」——蔡撰《尚書》〈洪範傳〉成，呈師審看。

朱子將謝誠之與陳埴所編撰《書傳》附送蔡氏參酌，待日後商量去取。蔡將〈堯典〉呈室說呈師，師不盡同意。蔡草成〈禹貢冀州傳〉，師教以岐梁二山當兼存眾說，而以晁氏說爲斷。又云「〈禹貢〉有程尚書說，冊大難送（敏案：程吏部尚書大昌撰〈禹貢論〉，有山川地理圖，圖冊巨大），俟到此可見，稍暇能早下來爲佳」：囑蔡速來商定編《書集傳》之事；與下一帖文云「《禮》書大段未了，最是《書說》未有分付處，……千萬便撥置此來，議定綱領，早與下手爲佳」，亦促蔡速來共謀編事者也。

指出蘇軾《東坡書傳》、林之奇《尚書全解》及呂祖謙《東萊書說》之短長，且云制度祇當以唐《孔疏》爲本。——檢今《蔡傳》，頗引四家書。

教蔡氏注《書》毋強解，疑則當闕，如〈康誥〉文義數處是。《朱文公文集續集、別集》〈答蔡沈書〉，止此帖，政以其爲父沈受朱子命撰《書集傳》之重要文獻，故蔡抗經進本錄入卷冊也。

《書集傳》待蔡生沈來便可面商綱領節目，且以命編，朱子答陳淳語至明至確，

《朱子語類》卷一一七：「臨行拜別，先生曰：『安卿今年已許人書，會冬間更須出行一遭。』李丈稟曰：『《書》解乞且放緩，願早成《禮》書，以幸萬世。』（朱子）曰：『《書》解甚易，只等蔡三哥來便了。《禮》書大段未也。』」（陳淳錄，云在庚戌（一一九〇）或己未（一一九九）。敏案：決是己未，己未冬，仲默正式奉師命編撰《書集傳》，詳下蔡〈自序〉）

蔡三哥，元定第三子沈仲默也，（宋）呂遇龍紹定五年〈跋宋饒刊本書集傳〉及《書蔡傳輯錄纂註》卷首「〈朱子說書綱領〉」竝轉錄此條，「蔡三哥」皆徑更作「蔡仲默」，是呂氏及董鼎竝以爲蔡三哥即蔡沈也。考沈原行三，故稱三哥，上有二兄，（宋）劉爚〈西山先生蔡公墓誌銘〉（附見《西山集》）：「（蔡元定）娶崇安江氏，男四人：長淵，次知方，次沈；次沆，早亡。」其仲兄原名沆，出與人爲嗣，「蔡沆，字復之，……西山先生之次子也，西山憐外表兄虞英無子，與之爲嗣，更名知方。從母命歸宗，入則受教家庭，出則從文公學。」（《宋元學案》卷六二〈西山蔡氏學案〉）故沈升列行二，字仲默（朱子字之，見後；《五經讀本》本《書集傳》蔡沈〈自序〉某氏注見字仲默遂謂沈爲元定仲子，失之）。其季弟沆早

亡，若棄卻不計，則沈行居季，〔明〕郭子章《蔡子傳》（載《九峰集》）：「蔡沈，……西山先生季子。」《宋元學案》卷六七〈九峰學案〉：「蔡沈，西山先生季子也。」（近人李致忠〈北京圖書館藏宋版書敘錄〉（九），《文獻》一九九二年四期：「蔡沈，是蔡元定的小兒子。」據《宋元學案》，未加考實）雖然，〔宋〕杜範仍以元定季子稱沆，《宋元學案補遺》卷六二〈西山蔡氏學案〉：「（《杜清獻集》曰：）蔡沆，西山季子也。」馮梓材曰：「劉雲莊爲〈西山墓志〉云『男四人：長淵，次知方，次沈；次沆，早亡。』蓋先西山而卒，而清獻云爾，則亦嘗講學者矣。」記此以備義）

是歲（己未）冬，蔡沈（一一六七至一二三〇）面受師命編《書集傳》，〔宋〕眞德秀〈九峰先生蔡君墓表〉（《眞西山文集》卷四二）：

> 君名沈，字仲默，姓蔡氏，西山先生子也。……師事朱文公。……入則服膺父教，出則從文公游。文公晚年，訓傳諸經略備，獨《書》未及爲，環眂門下生，求可付者，遂以屬君。〈洪範〉之數，學者久失其傳，聘君獨心得之，然未及論著，亦曰「成吾書者沈也」。君既受父師之託，廩廩焉常若有負，蓋沈潛反復者數十年，然後克就。其於《書》也，攷〈序〉文之誤，訂諸儒之說，以發明二帝三王群聖賢用心。〈洪範〉、〈洛誥〉、〈秦誓〉諸篇，往往有先儒所未及者。……君於二書闡幽發微，至於如此，

眞不媿父師之託哉！……君之沒，實紹定三年五月壬辰（初一日），年六十有四。……始君之名若字，文公寔命之。

又《宋史》卷四三四〈儒林〉〈蔡沉傳〉：

沉字仲默，少從朱熹游。熹晚欲著《書傳》，未及爲，遂以屬沉。〈洪範〉之數，學者久失其傳，元定獨心得之，然未及論著，曰：「成吾書者沉也。」沉受父師之託，沈潛反復者數十年，然後成書，發明先儒之所未及。

沈經子著僅二書，一爲《洪範皇極內篇》五卷，清《四庫全書》著錄〈子部〉〈術數類〉，此受父遺命而作，非本文所主，今置勿論；二爲《書集傳》，全解《尙書》五十八篇及辨說《書序》，今但論此書。

沈《書集傳》之作，承師朱子之命，其《書集傳》〈自序〉（載《書蔡傳輯錄纂註》卷首；亦載《九峰集》，字有異；各本《書集傳》本書例有附載）：

慶元己未（一一九九）冬，先生文公令沈作《書集傳》，明年先生歿，又十年，始克成編，總若干萬言。……沈自受讀以來，沈潛其義，參考眾說，融會貫通，迺敢折衷，微辭奧旨多述舊聞。〈二典〉、〈禹謨〉，先生蓋嘗正是（敏案：本或作是正），手澤尚新。嗚呼，惜哉！（原蔡沈自注：「先生改本，已附《文集》中，其間亦有經承先生口授指畫而未及盡改者，今悉更定，見本篇。」）《集傳》本先生所命，故凡引用師說，不復識別。四代之書，分爲六卷。文以時異，治以道同，聖人之心，見於書，猶化工之妙著於物，非精深不能識也。是傳也，於堯舜禹湯文武周公之心，雖未必能造其微；於堯舜禹湯文武周公之書，因是訓詁亦可得其指意之大略矣。嘉定己巳（二年，一二〇九）三月既望，武夷蔡沈序。

沈受師命作《書傳》，亦見其子抗〈上書經集傳表〉（載《久軒集》）：

暨皇圖赤伏之中興，有大儒朱熹之特出，經皆爲之訓傳，義理洞明，《書》尤切于討論；工夫未逮，謂先臣沈從遊最久，見道已深，俾加探索之功，以遂發揮之志。微辭奧旨，既得於講貫之餘；大要宏綱，盡授以述作之意。往復之緘具在，删潤之墨猶新，半生殫採摭之勞，六卷著研覃之思。帝王之制，坦然明白；聖賢之言，炳若丹青。使澄徹于九重，亦熙緝之一助。……學臣誤蒙拔擢，獲玷班行，……抱父書而永歎，望宸闕以

> 冒陳。倘獲清閑一覽之俯臨，先但疇昔辛勤之不朽（敏案：句恐有誤字），置之座右，常聞無怠無荒之規；措之海隅，咸仰克寬克仁之治。所有先臣沈《書集傳》六卷、〈小序〉一卷、〈朱熹問答〉一卷，繕寫成十二冊，用黃羅裝褙護封，謹隨表上進以聞。

又見抗淳祐七年八月二十六日〈面聖表〉（載淳祐十年呂遇龍上饒郡學刻本《蔡沈書集傳》，下簡稱宋饒刊本），有云：

> 朱熹晚年訓傳，諸經略備，獨《書》未有訓解。以先臣從游最久，遂以大意令具藁而自訂之，今朱熹刪改親筆，一一具存。

其後，董鼎《書蔡傳輯錄纂註》〈序〉亦云：

> 文公朱子，《集傳》之功未竟，而委之門人九峰蔡氏。

仲默受命撰傳，當慶元己未，而王懋竑《朱子年譜》卷四下據〔明〕李古沖本《朱子年譜》繫前一年戊午，殆誤！

仲默〈自序〉「先生文公令沈作《書集傳》」、又曰「《集傳》本先生所命」，眞氏表墓云「文公……獨《書》未及爲（訓傳），……遂以屬君」，子抗〈上表〉「朱熹……授（先臣）以述作之意，往復之緘具在」（即〈朱子答仲默書〉）及董〈序〉朱子以《集傳》「委之門人九峰蔡氏」，並參考上述引《語類》三條及手帖擇要，則朱師命蔡子受命撰《書集傳》，皆確有之事矣。

(三) 蔡沈承撰《書集傳》成書

仲默既受命己未，至己巳而書成，歷正十年，故〈自序〉「又十年始克成編」；乃〈墓表〉（《史》〈傳〉用其說）「沈潛反復者數十年，然後克就」，通其上文讀之，「數」字誠不當有（《四庫提要》：「蓋誤衍一『數』字」，說存參），自是家乘誇美之過。第若溯自仲默舊從遊朱子，早得師說於講論之間（子抗〈表〉云「先臣沈從遊最久，微辭奧旨，既得於講貫之餘；大要宏綱，盡授以述作之意」云云），斯即受命著述以惠方來之伊始，則果沈潛數十年乃就，故子抗〈面聖表〉有云「臣先臣沉辛勤三十年，著成此書也。」

蔡沈撰《書集傳》，受朱師《書》說手稿數篇，自序「〈二典〉、〈禹謨〉，先生蓋嘗是正，手澤尙新」，當指朱子〈堯典〉解、〈舜典〉解、〈大禹謨〉解，見載《文集》中（已詳上述朱子單篇論著(2)、(3)、(4)），故〈自序〉又云「先生改本，已附《文集》中」，蔡抗兩

〈表〉亦云「（朱熹）刪潤之墨猶新」、「今朱熹刪改親筆，一一具存」，而董鼎曰：

> 朱子親集《書傳》，自〈孔序〉止此（〈大禹謨〉「若帝之初」）；其他大義，悉口授蔡氏，并親藁百餘段，俾足成之。（《書蔡傳輯錄纂註》卷一）

親藁百餘段，或即〈金縢說〉至〈皇極辨〉（亦見上述朱子論著(5)至(14)）及〈書序辨說〉共十一文。王懋竑《朱子年譜》卷四下：「〔《年譜》〕按《大全集》，〈二典〉、〈禹謨〉、〈金縢〉、〈召誥〉、〈武成〉諸說數篇，及親稿百餘段具在，其他悉口授蔡沈，俾足成之。」（原註：李本）李古沖湊合《文集》及董說，判分〈金〉〈召〉〈武〉等與親稿百餘段爲二，檢覈二蔡氏〈自序〉及〈上表〉，恐止是同一文獻，即朱子手稿是也。懋竑《朱子年譜》〈考異〉卷四，以《文集》無朱子親藁百餘段，且蔡〈自序〉亦不言別有親藁，致疑云「凡此皆所未詳」，殆未察董書，遂疑其出處。夫董鼎族兄夢程，黃榦、董銖之弟子也，於晦庵爲再傳，鼎因夢程而私淑朱學，可謂淵源有自，時代又甚近，朱子予蔡之親藁，或嘗寓目，乃記於此也。

蔡秉命撰集《書集傳》，一部分補朱師之所未完篇，如〈大禹謨〉、〈洛誥〉等，《蔡傳》足成之，其間亦有頗異乎朱師原解者，〈自序〉並不諱言：「先生改本，……其間亦有經先生口授指畫而未盡改者，今悉更定，見本篇。」如〔元〕陳櫟曰（《書蔡傳輯錄纂註》卷一〈大禹謨〉引）：

朱子訂傳，元本有曰「正月，次年正月也。神宗，說者以爲舜祖顓頊而宗堯，因以神宗爲堯廟，未知是否，如帝之初」等事，蓋未嘗質言爲堯廟。今本云云，其朱子後自改乎？抑蔡所改乎？《語錄》嘗云「堯廟當立於丹朱之國」，又云「〈祭法〉之說，伊川以爲可疑，更當博考」。

陳氏所引「正月」至「如帝之初」，是朱子原自撰集之本，今具見於《文集》卷六五，第今蔡本注神宗是堯廟，引《禮記》〈祭法〉爲佐證，而削去師說，凡此《蔡傳》之所謂的確，皆曩朱師所深疑者，蔡氏改師說也。〔元〕吳澄甚至因此疑《蔡傳》有它人竄筆，其

《吳文正公集》卷十九〈書傳輯錄纂註後序〉曰：「（朱子）訂定蔡氏《書傳》，僅至『百官若帝之初』而止，它篇文義，雖承師授，而〈周書〉〈洪範〉以後，浸覺踈脫，師說甚明而不用者有焉，豈著述未竟而人爲增補與？抑草稿粗成而未及修改與？〈金縢〉『弗辟』，鄭非孔是，昭昭也，既迷於自擇，而與朱子《詩傳》、《文集》不

相同。……〈召〉、〈洛〉二〈誥〉，朱子之說具在，而《傳》不祖襲之，放切（故竊？）疑〈洪範〉以後殆非蔡氏之手筆也。」

夫經學貴在發展，師說未精，弟子轉密，若暖暖姝姝謹守一先生言，則二千五百年上下一孔子足矣，伏生、董子、鄭君、朱文公皆不必生，《大傳》、《繁露》、《詩箋》、《易義》，皆不必作矣。《蔡傳》訂諸儒，述師說，又多創發，光大考亭《書》學，「〈洪範〉、〈洛誥〉、〈秦誓〉諸篇，往往有先儒所未及者」（〈墓表〉），吳草廬以其解異師，遽疑非九峰手筆，亦過矣。

蔡沈同門學弟陳淳，先已不肯仍朱子嘗命人作《書集傳》，反而評論其《書》解爲蔡氏一家書，藉陰責其破壞師法，且恨先師不及全解《尚書》，致令眾說雜出，戕害義理，淳曰：

> 《書》無文公解，然有〈典〉〈謨〉二篇，說得已甚明白，親切精當，非博物洽聞、理明義精不及此。（《經義考》卷八二引）
>
> 前年道間遇潮人，說及謝教有《書》解自刻，往未委，是自著是編集。因一書求之，未蒙回答，更仗吾友求本，示及爲幸。蓋《書》之爲經，最爲切于人事日用之常，惜先師只解得三篇，不及全解，竟爲千古之恨。自先師去後，學者又多專門，蔡仲默、林子武

皆有《書》解，聞皆各自爲一家。昨過建陽，亦見子武《中庸解》，以《書》相參爲說，中間分章有改易文公舊處。（《北溪大全集》卷二五〈答郭子從〉）

案：林夔孫字子武，著《中庸章句》、《書本義》（《宋元學案》卷六九〈滄州諸儒學案上〉、《朱子大傳》頁一〇一六引《福州府志》），後者，《經義考》卷八二云佚。陳淳不滿蔡林二氏違師《書》說，故併林氏《中庸章句》之改易朱子舊章句言之，評以各自爲一家，明是不遵師說，後世如黃景昌、金履祥輩，於《蔡傳》齗齗有辭（據《四庫全書總目》卷十一〈書類一〉《書集傳》下），人皆知之，而於陳淳先已質難，則至今無人特筆表述。

宋人多謂九峰《書集傳》，朱子訂正，蔡抗〈面聖表〉云「朱熹……以大意令（蔡沈）具藁而自訂之」，黃震《黃氏日抄》卷五〈讀尚書〉曰：

> 經解惟《書》最多，至蔡九峰，參合諸儒要說，嘗經朱文公訂正，其釋文義既視漢唐爲精，其發指趣，又視諸家爲的。《書經》至是而大明，如揭日月矣。

蔡稿嘗承朱師親筆改訂，蔡沈於〈夢奠記〉（《朱子年譜》卷四下引）自陳曰：

慶元（六年）庚申三月初二日丁巳，先生簡附葉味道，來約沈下考亭。……是夜，先生看沈《書集傳》，說數十條，及時事，甚悉，精舍諸生皆在。四更方退，只沈宿樓下書院。初三日戊午（敏案：越七日而朱子卒），先生在樓下改《書傳》兩章。……是夜，說書數十條。

考諸善本蔡沈《書集傳》，卷內題有「朱子訂定蔡氏《集傳》」字（如《書蔡傳輯錄纂註》〈書序〉正文前、〈書大序〉正文前、本經各卷大題前，及如《書蔡傳纂疏》卷一大題前），或於卷一題「晦庵先生訂定門人蔡沈《集傳》」（宋刻八行本，見下引陳鱣〈跋〉），或書名徑題「朱文公訂正門人蔡九峰《書集傳》」（宋饒刊本）：既明蔡氏《書》學宗承（《書蔡傳纂疏》〈凡例〉曰：「標題此書云『《尚書》蔡氏《傳》』，……卷首有『朱子訂定』四字，不忘本也。」），又確示師徒共作此書。然而蔡氏去冬才受命撰書，次春朱子即歸道山，而蔡書後九年方成，則朱子不獲篇篇爲之訂定，故說者疑焉（陳櫟又曰：「自二卷起，去（朱子訂定）四字，紀實也。」李致忠《宋版書敘錄》曰：「慶元五年的冬天，朱子始命蔡沈作《書集傳》，翌年，朱熹便與世長辭了。中間不過一年的時間，要訂正十年後始克成編的《書集傳》，豈不滑稽！」）愚謂：朱子以述作之意教九峰蔡氏，準則通貫《尚書》全書可用，毋庸篇篇爲之訂正；口授指畫，耳提面命，數月已足。竊意朱子與蔡氏議定者，大要六事：

一、撰作綱領，

二、撰作體例，

三、采用諸家書，

四、分別今文、古文《書》篇，

五、講明此四代之書，所重者義理，須直探二帝三王之心，得其心則得道，得道則國得治：朱子曰：「向日喻及，《尚書》文義通貫，猶是第二義；直須見得二帝三王之心，而通其所可通，毋強通其所難通。」（《朱文公文續集》卷三〈答蔡仲默〉）蔡氏恪遵師旨，〈自序〉揭撰作旨要曰：「二帝三王之治本於道，二帝三王之道本於心；得其心，則道與治固可得而言矣。何者？精一執中，堯舜禹相傳之心法也；建中建極，商湯周武相傳之心法也。……後世人主，有志於二帝三王之治，不可不求其道；有志於二帝三王之道，不可不求其心；求其心之要，舍是書何以哉！」眞氏表其墓曰：「其於書也，……發明二帝三王群聖賢用心。」則蔡撰《傳》要旨，重在講明古聖君心法者，朱子師法也。

六《書序》可疑，一一自經篇之首除去，會爲一編，置殿經末，辨其是非。（詳下論）

上六事爲全經撰解規範，朱子爲訂定，蔡氏準以述作，益以朱子親稿、散篇論文、平日講貫及經由朱子指導成撰之同門學侶前所撰集（如李相祖、謝誠之、陳埴《書》說等），且《蔡傳》凡引用師說，不加識別（〈自序〉），故《傳》內固多朱師之說：職是之故，昔賢謂朱子訂定《蔡傳》全書，固其宜也。「朱子既嘗親訂之，猶其自著也」（董鼎《書蔡傳輯錄纂註》〈自序〉）。而其中去《書序》言經，總置經後而譏短之，唐《正義》頒行（西元六五三）以來五百六十年無有是作，其影響近八百年《尚書》之學不爲不大，請次第論之可也。

五　蔡沈撰《書序辨說》總附《尚書》全經卷末

蔡沈《書集傳》，宋寧宗嘉定二年完卷，當時即有寫本，原寫本今佚。坊間亦遂有刊本，至理宗淳祐十年（一二五〇）蔡抗面聖上表時，云「坊中板行已久，蜀中亦曾板行」，歷三十餘年，刻本已甚多。元、明兩朝，科舉崇朱學，《尚書》用《蔡傳》，「家誦戶習之」（蔡有鵾語，見《九峰集》），傳刻本尤多。近三百年來，《尚書》朱蔡氏學，世爲顯學，印本益繁。

（一）俗刻《書集傳》或刪削或前移〈書序辨說〉

各本《蔡傳》，處理八十一目一百篇〈書序〉，體製可分五大類：

1　〈書序〉（蔡沈〈辨說〉，全部署於《書序》本文之下，下全同）遭全部削去

〔清〕乾隆《文淵閣四庫全書》本《書集傳》六卷（云據通行本）

《四庫提要》卷十一：「……〈小序〉一卷，（蔡）沈亦逐條辨駁，……今其文猶存，而書肆本皆削去。」吳哲夫先生〈故宮善本書志〉「《書集傳》六卷」（《故宮季刊》九卷三期，民國六十四年春季號）曰：「……至於今世傳本（原注：如《四庫全書》據以著錄之本）……刪去……〈書小序〉。」

世界書局影印《五經讀本》——《尚書讀本》——本《書經集傳》六卷

新陸書局民國五十二年仿宋影印本《書經集註》六卷

日本享保九年甲辰（一七二四）刊本《書經集註》六卷

日本慶應二年丙寅（一八五五）三刻本《書集傳》六卷

附辨：《四庫提要》卷十一曰：「朱升《尚書旁注》稱：古文《書序》自爲一篇，孔注移之各冠篇首，蔡氏刪之而置於後，以存其舊。是元末明初刊本尚連〈小序〉。然《宋史》〈藝文志〉所著錄者亦止六卷，則似自宋以來即惟以《集傳》單行矣。」敏案：近人余嘉錫《四庫提要辨證》卷一：「宋時刻本，已合〈序〉于《集傳》後，《宋》

〈志〉僅著錄六卷，當由于此，非以《集傳》單行也。」余氏論《宋》〈志〉著錄止云六卷之故，大致得之；合《書序》《集傳》後，蔡君原典即已如此，不俟後刻，余氏之說未盡。夫蔡氏〈自序〉：「四代之書，分爲六卷」，但又於辨說《書序》之前自敘曰：「今姑依安國壁中之舊，復合（《書序》）爲一篇，以附卷末。」是《蔡傳》末原附《書序》，唯《書序》不入計卷數，而《宋》〈志〉著錄亦只計正經六卷，附編雖竝在同書，則不煩特爲表說。目錄家著錄尚簡明，往往不標附編資料，如宋刊八行本、元建刊初印本等之列目均是（詳下），宋元明本未見單行本《蔡傳》，《提要》者思偶未周，失議！

2 《書序》總冠全《經》之前

《書蔡傳輯錄纂註》六卷（〔元〕董鼎撰，主《蔡傳》，元至正十四年（一三五四）建安翠巖精舍刊本，《通志堂經解》本、日本文化十一年（一八一一）刊《昌平叢書》本竝同。敏案：董此書，據〈自序〉，至大元年（一三〇八）成撰，初本當綴《書序》於經末，知者，明初《書經大全》如此，《大全》抄襲董書，則初本董書《書序》在經末，後刻移置卷首，竝失蔡董原典之舊矣）。

元至正二十六年梅隱精舍刊本《書集傳》六卷（詳吳哲夫先生〈故宮善本書志〉，出處已見上）

《書蔡傳纂疏》六卷（〔元〕陳櫟撰，亦主《蔡傳》，《通志堂經解》本）

《書集傳音釋》七卷（〔元〕鄒季友撰，亦主《蔡傳》，明初刊黑口本）

明正統十二年司禮監刊本《書集傳》六卷、《書序》一卷（《書序》一卷在正經六卷之前）

案：原本《蔡傳》將《書序》總置全經之後（詳下），上述二類或削去《書序》，或移《書序》弁全經之前，均失蔡意。

（二）善本《書集傳》附《書序》於卷末存蔡氏原典之舊

1　《書序》總殿全經之末

影響蔡沈變唐《正義》法度置《書序》殿正經全文之末者曰一〔南宋〕薛季宣（一一三四至一一七三）《書古文訓》，總集《書序》於全經之後以解之，但並未通編辨正其失，影響甚小；二朱師文公，影響極大！朱子疑《書序》非孔子作，乃周秦間低手人作（非本文所主，不遑詳說），先則除〈序〉即《書經》求義，掙脫《書序》桎梏；既而附置《書序》經後；於是郡學經課教本，亦命《書序》萃置經後；洎於臨漳刻《尚書》，復古制，掃〈小序〉爲一編繫經後以辨其失，作〈書序辨說〉（諸事已具上文），凡此，承教數十年者蔡沈，奉編《書集傳》，不容不受。

辨正《書序》者，蔡氏秉命編《書集傳》之要務也，故眞氏表其墓論蔡君於《尚書》也，「攷〈序〉文之誤」（〔明〕郭子章〈蔡子傳〉同，《經義考》卷八二引〔明〕何喬新曰：「至蔡氏《集傳》出，……辨〈大序〉、《小序》之訛舛，而後二帝三王之大經大法粲然於世焉。」），而〔元〕金履祥、〔明〕朱升均斷朱子確以專書——〈書序辨說〉授蔡沈，

> 金氏《尚書表注》〈序〉：「〈小序〉事意，多繆經文，而上誣孔子。朱子傳注諸經略備，獨《書》未及，嘗別出〈小序〉，辨正疑誤，指其要領，以授蔡氏而爲《集傳》，諸說至此有所折衷矣。」（《經義考》卷八七引朱升《尚書旁注》〈自序〉從「朱子傳注」至「而爲《集傳》」，陰用金氏此文）
>
> 朱升《尚書旁注》曰：「古文《書序》，自爲一篇，孔注移之各冠篇首，〈序〉文與《書》本旨往往不協；蔡氏刪之而置於後，以存其舊，蓋朱子所授之旨也。」（《經義考》卷八二引）（《經義考》卷八七著錄朱升《尚書旁注》六卷，云存。今臺灣未見此書。《四庫全書總目》卷十一曰：「《書錄解題》載朱子《書古經》四卷、〈序〉一

卷。則此本乃朱子所定，先有成書，（朱）升以爲所授之旨，蓋偶未考。」敏案：升已考知朱子先撰〈書序辨說〉授蔡氏（方見上條引文），此言朱子所授之旨者，兼指既授成書，又教以要旨，相通無礙。館臣之說拘矣）

蔡氏謹守師法，《書序》置經後，元人特記之，

何異孫《十一經問對》卷三：「問：〈小序〉之文，孔安國以附於各篇之首，《蔡傳》欲以存古，聚爲一篇於終者何？……」

陳師凱《書蔡傳旁通》者，爲通證《蔡傳》而作也，元英宗至治元年（一三二一）作，陳氏語學者曰：

〈小序〉雖出孔壁，然非孔子所作，蔡氏固不取之，猶存於卷末者，以其具百篇之目故爾。（《書蔡傳旁通》卷六下「《書序》」）

〔清〕高宗弘曆親見善本《書蔡傳》，其〈書序辨說〉猶置經後，觀其《御製文二集》卷

二二〈書小序考〉曰：

《書序》……相傳已久，未可擯棄。……蔡沈作《書傳》，疏其可疑者附於卷末，可稱具卓識。而王天與《尚書纂傳》及監本《尚書注疏》仍列於前，雖姑從漢孔氏之例，然未免有擇焉不精之疵矣。

是《蔡傳》誠將《書序》總存經卷之末。

清人謂《蔡傳》末編爲《書序》，誠是；但謂仿例朱子《詩序辨說》，則不知朱子亦撰《書序辨說》，蔡氏徑仿之亦次《書序》經編之末，而非別仿《詩序辨說》也，

崔應榴《吾亦廬稿》卷一：「（《書序》）朱子以爲非孔子作，蔡氏《集傳》因之，如〈康誥〉、〈君奭〉諸篇，皆不用〈序〉說，又別爲一編，論其得失，以附《集傳》之後，蓋仿朱子〈詩小序〉之例。」

蔡沈恪遵朱子辨正《書序》旨要，論《書序》淺陋，至戾經義，知非孔子作，因自經篇之首悉除之下（〔明〕郝敬《尚書辨解》卷九：「（《書序》，）蔡仲默註《書》絀之，是

也。」），并爲一編置全經後，並論其可疑，作《書序辨說》，爲朱子向所爲者，而於此書前〈敘〉曰：

〔漢〕劉歆曰「孔子修《易》序《書》」，班固曰「孔子纂《書》，凡百篇，而爲之〈序〉，言其作意」。今考〈序〉文於見存之篇，雖頗依文立義，而識見淺陋，無所發明，其間至有與經相戾者；於已亡之篇，則依阿簡略，尤無所補，其非孔子所作明甚。顧世代久遠，不可復知，然孔安國雖云得之壁中，而亦未嘗以爲孔子所作，但謂「《書序》，序所以爲作者之意」，與「討論墳典」等語隔越不屬，意亦可見。今姑依安國壁中之舊，復合〈序〉爲一篇，以附卷末，而疏其可疑者於下云。（見《書蔡傳輯錄纂註》卷首「《書序》」）

蔡此持論，全用朱子〈書大序〉解之說，復合《書序》爲一篇，總附卷末；疏其疑，即著《書序辨說》，則《書序辨說》，蔡果置於其《書集傳》之末也。

復求之古本（宋元明清本）《書集傳》，其板本猶存蔡氏初本之舊，合一百篇八十一目《書序》於全經之末者，有：

宋理宗淳祐七年（一二四七）蔡抗經進家寫本《書集傳》六卷，抗〈進表〉曰：「……所有先臣沈《書集傳》六卷、〈小序〉一卷、〈朱熹問答〉一卷（即〈朱子答蔡仲默書〉），亦載《朱文公文續集》卷三），繕寫成十二冊，用黃羅裝褙護封，謹隨表上進以聞。」先正經之《傳》六卷，次〈書小序〉一卷附後。原書佚。

北京圖書館藏宋理宗淳祐十年（一二五〇）呂遇龍上饒郡學刊《書集傳》六卷，每半葉十行，行十八字，存（北京中華書局影印《古逸叢書三編》本），首淳祐七年八月蔡抗〈進書集傳表〉，次同年同月二十六日蔡抗〈面對延和殿所得聖語〉，……次〈書傳問答〉，次蔡沈〈書集傳自序〉，次〈書大序〉、五十八篇《尚書》本文，正文之後爲《書序》（板心作〈書後序〉），終焉。

國立中央圖書館藏南宋刊八行本《書集傳》，每半葉八行，行十五字，存一卷，內容爲〈書傳問答拾遺〉（即〈晦菴先生與先君手帖〉，帖亦見《朱文公文續集》卷三），〈拾遺〉之後爲「《書序》」（板心刻作「〈後序〉」），《書序》既了，爲蔡沈〈自序〉，終焉。敏案：此本爲殘卷，板心不刻卷第幾，當係附編性質，不計入正卷，觀「〈後序〉」，知以《書序》總綴正經卷之後也（稱「〈後序〉」，併參考下錄三明刻本）。

宋刻八行本，每半葉八行，行十七字，〔清〕陳鱣《經籍跋文》〈宋本書集傳跋〉曰：「《書集傳》六卷，宋刻本，每葉十六行、行十七字。首題《書》卷第一，晦庵先生訂定、門人蔡沈《集傳》，餘卷止題蔡沈《集傳》四字，與〈前序〉云『〈二典〉、〈禹謨〉，先生蓋嘗是正』之言合，此其原式。……宋本（蔡沈〈自序〉）後有眞西山〈題跋〉、又載〈孔安國序〉一篇、《漢書》〈埶文志〉一條、孔穎達《疏》說一條，皆有注。後載《書序》，亦有注。蓋《集傳》於《書序》，亦如朱文公之攻《詩序》，逐條辨駁。」敏案：所謂「〈前序〉」，蔡沈〈自序〉弁《書集傳》卷首者也。「後載」，謂全經之後所載也。是此宋本，《書序》繫全經之末，合蔡氏初本體製。朱文公《詩序辨說》及《書序辨說》咸退〈小序〉於經末，條駁之，陳仲魚所見此本《集書傳》，〈序〉亦退居經後，故引朱子《詩序辨說》以映證之也。

國立中央圖書館藏元建陽刊初印本《書集傳》六卷，首蔡沈〈自序〉，次〈書大序〉，次卷一〈堯典〉至卷六〈秦誓〉，卷六末以後爲〈書小序〉，〈書小序〉既終，復附〈文公問答〉（即「〈文公先生與蔡九峰親帖〉四帖，〈帖〉亦載《朱文公文續集》卷三」），既而有門人記文公語數則。

《通志堂經解》本〔元〕陳師凱《書蔡旁通》（英宗至治元年（一三二一）撰成，據〈自序〉）卷首「〈卷目〉」曰：

《蔡傳》本六卷

一卷上　（蔡〈自序〉）　〈堯典〉

一卷中　〈舜典〉

一卷下　〈大禹謨〉至〈益稷〉
二卷　〈禹貢〉至〈胤征〉
三卷　〈湯誓〉至〈微子〉
四卷上　〈泰誓〉至〈武成〉
四卷中　〈洪範〉
四卷下　〈旅獒〉至〈梓材〉
五卷　〈召誥〉至〈立政〉
六卷上　〈周官〉至〈顧命〉
六卷下　〈康王之誥〉至〈秦誓〉
　〈小序〉（即《書序》）

敏案：師凱所據爲宋或元刊本《書集傳》，正經六卷，《書序》總聚一所，殿經後，不入計卷。蔡本分卷，入目，附序體式，得此資料而至明至確，無疑義矣！

國立中央圖書館藏明初葉建陽刊黑口本《書經集註》十卷，開卷爲蔡沈〈自序〉，卷一起至卷十終爲〈堯典〉至〈秦誓〉，其後爲「〈書經集註後序〉」，即〈書小序〉各篇〈序〉說之合編，板心刊作「〈後序〉一卷」。

國立臺灣大學藏明刻本《書經大全》，卷首〈書說綱領〉、卷一至卷十本經，其後爲各篇

《書序》之合編，板心作「〈後序〉」。敏案：《大全》抄襲董氏鼎書，必所據董本亦如此，參詳上文。

國立中央圖書館藏明嘉靖間贛州清獻堂刊《巾箱本書經集註》十卷、《書序》一卷。前十卷正經，正經後爲《書序》——共卷，題「〈書經集註後序〉」。

《欽定書經傳說彙纂》二十一卷、卷首二卷、《書序》一卷，清雍正八年刊本，主《蔡傳》，將蔡氏《書序辨說》綴總正經（卷二一）之後，合爲一卷。

（三）論〈書序辨說〉其它板本

1　單行本

《書序說》一卷、《書序註》一卷，〔宋〕蔡沈撰，收〔清〕伊樂堯「《五經補綱》」，清咸豐四年（一八五四）晉江黃宗漢刊本。敏案：臺灣未見，此據《中國叢書綜錄》。伊氏分立《書序說》、《書序註》二名，不詳其故；豈將蔡君辨《書序》之失之文屬「《說》」，訓解《書序》之文別屬之「《註》」歟！

2　取《蔡傳》「〈書序辨說〉」中之《書序》散置各篇經文之前

宋吉州刊本，〔元〕何異孫《十一經問對》：「問：『〈小序〉之文，孔安國以附於各篇之首，《蔡傳》欲以存古，聚爲一篇於終者何？』對曰：『不若附於各篇之首，會讀書人自有見趣。如朱氏《詩傳》將〈序〉并作一處，讀書者深爲不便。近見吉本，某人將《書序》寘之各篇，初不害其爲蔡氏《書傳》也。』」敏案：異孫，元初人，所稱吉本，當係宋刊。

元人主張《書序》仍分冠經篇之首者，何氏之外，金履祥、王天與是也。金氏，朱子之四傳弟子，晚年作《尚書表注》二卷，分置《書序》於各經篇之上使與篇名、正經之文密接，加（　）號於〈書序〉本文每字之上下，而時於板框外辨《書序》之失（金氏深疑《書序》者）。王氏《書》學主朱學，今背師法以《書序》分置經篇之首，其《尚書纂傳》卷一曰：

按〔唐〕孔氏謂：《書序》，馬融、王肅並云孔子所作。至朱子則以爲非，（朱子）又云：「相承已久，未敢輕議，且附經後。」今是編姑從〔漢〕孔氏，引之各冠其篇首云。

謹案：〈序〉者，所以序作者之意，猶經解也。古者經、傳各自爲書，不相廁雜，自〔東漢〕馬融注《周禮》，移傳於經下，用省兩檢之煩，後世注經體製爭倣之，遂成通例。吉刊本、何氏、金氏、王氏復分冠《書序》於經篇，利其便文取義，雖云遵漢唐經注常例，亦朱子、《蔡傳》有以啓之，蓋朱蔡雖疑《書序》辨其失（朱子亦有取於〈詩小序〉），但二家《書》說亦有時采取〈序〉義，未嘗盡廢之。夫既有所取，與其合置卷末，檢閱費思，不如依舊一一條弁經首，比辭求義之爲愈也。後世《書》解，多列〈序〉經首，此潮流所趨，無如之何也。

結論

《書序》八十一目一百篇，各〈序〉前後相顧爲文，原自爲一編，繫綴《尚書》全經文末，孔壁本、歐陽本（《漢石經》以之爲參校本，同）、劉向《別錄》本、馬（融）鄭（玄）本均是。自僞孔氏欲《書序》與本經之篇文相附近便檢，始條引《書序》使各冠經篇之首，而〔唐〕陸德明《經典釋文》、孔穎達《尚書正義》主《僞孔傳》守其法度，弁〈序〉經耑，《尚書》古板本體式，遂尠爲人知用矣。

朱子訓解諸經略備，獨《尚書》僅有散篇論著今存，門人黃士毅、湯巾、黃大昌與王迂、董琮編集師說《書》義，原書又佚。朱子言論，疑《書序》，謂乃周秦間低手人作，去《書序》讀《尚書》，因據〈書大序〉所稱《書序》原自爲編及古籍序文例總繫全書之末，力主掃《書序》合爲一編置之全經之後，渠於朋友講習、學堂開課，歷申此義，而其臨漳所刊《書經》，即復古本之舊，《書序》板卷總殿本經之後，且條辨其得失，作《書序辨說》，猶其早年所作《詩序辨說》，原書至明晚葉猶存未佚。

朱子晚年分命門人李相祖、陳埴、謝誠之及李方子（？）編撰《書集傳》，自訂定之，惜皆未完卷；末乃命蔡沈仲默撰集。朱子親與仲默討論經義，口授指畫，與議定綱領體式，決定采用眾家，誨以《書》解重在探見古帝王之心，以成治道，而章句文義次焉，又教以《書序》不可信，須自經篇之首除去，統歸經末，且授之以所撰《書序辨說》。

蔡沈既受命，用功十年，書成六卷，遵師法末總附《書序》，逐序辨正，成書「《書序辨說》」一卷。宋淳祐七年蔡氏家寫本、十年上饒郡學刊八行本、南宋刊八行本、元建陽刊本、元刊本、明初葉建陽刊黑口本、明刊《書經大全》本、明嘉靖贛州刊《巾箱》本，乃至清《欽定書經傳說彙纂》本，都以〈書序辨說〉板殿諸經後。

俗刻本《書蔡傳》，將《書序辨說》或予刪削，以爲無用、爲節省工本費也；或移置卷首，茫然不知朱子蔡沈師弟子之學的也；或取便比看文義，明知蔡原本體式，亦竟仍遵僞孔孔沖遠餘意，復散《書序》於各經篇之首，如宋吉州刊本，又如金履祥《尚書表注》、王天與《尚書纂傳》等解《尚書》，皆務反朱蔡復古本之意者也。

朱蔡疑《書序》識見淺陋、與經相戾，非孔子作，因變置之經末，復聖經原典之舊，亦使諸儒之《書序》解說不再淆亂本經，直疑其書僞作當黜如僞古文廿五篇矣。顧卒以僞〈大禹謨〉篇等篇記古帝王傳心傳道語，不敢遽將僞古文經移置今文經廿九篇之後，如變置《書序》於經末然，而但各於篇題下分別注明「今古文有無」字，以爲區別而已。至〔元〕吳草廬澄，大申朱蔡意，倣二家將《書序》改殿經後之表示疑僞作法，將僞經及《書序》亦悉總置今文經後，但註今文眞經，於僞經及《書序》竝不爲解說。自來辨《僞古文尚書》者，於吳氏受朱蔡〈書序辨說〉板本影響，並無人指出，特表述之於此。

附記：

本文承東吳大學中國文學研究所研究生游均晶同學提供大陸文獻，及惠示意見，謹誌謝忱於此。程元敏記，民國八十四年四月。

——原載《經學研究論叢》第三輯，民國八十四年四月

十九　讀鄭端簡批本《書纂言》

鄭曉（明孝宗宏治十二年，一四九九至世宗嘉靖四十五年，一五六六），明季禦倭功臣，官至刑部尚書，嘗攝行兵部事。《明史》本傳曰：

鄭曉字窒甫，海鹽人，嘉靖元年舉鄉試第一，明年成進士。授職方主事，日披故牘，盡知天下阨塞，士馬虛實強弱之數。……總督漕運，破倭於通州，連敗之如皋、海門，襲其軍呂、泗，圍之狼山，前後斬首九百餘。……卒……謚端簡。

曉所撰《九邊圖志》，人爭傳習；別有著述百餘卷，本傳未及備載；然稱其「通經術，習國家典故」，蓋指所著《吾學編》、《古》《今言》諸書也。計所撰《文集》十二卷、《古言》二卷、《今言》四卷、《吾學編》六十九卷、《奏議》十四卷，至今猶存。《古言》多說《五經》、《四書》，略及子、史，於「經術」最深。後之學者編為十二類，分屬上下卷。上卷五類，說《書經》文字最多；其言〈禹貢〉地理諸條，可補窒甫它作「《禹貢圖說》、《禹貢說》」（二書《四庫》存目。）之不足；而論今《古文尚書》，於所批吳澄《書纂言》一書，益暢其旨意矣！

鄭端簡批本《書纂言》，係據嘉靖二十八年刻於雲南之本。是本吳興顧應祥〈序〉曰：

《書纂言》者，元儒草廬吳文正公之所著也。應祥按察江右，過臨川得之；藏之篋笥久矣。乃嘉靖戊申（二十七年）起度，再撫南中，偶攜以隨，……命郡文學偕治書諸生正其譌舛，屬雲南守陳君光華刻以傳焉。

雲南知府陳光華亦記其事，曰：

中丞公箬翁撫臨滇臺，出其所得《纂言輯》四卷，自爲序，命光華鋟以傳，表章之意至矣。（原書後附。）

是本每半葉九行，行二十字，白口，雙魚尾。上魚尾上題《書經纂言》，下魚尾下題卷數。〔清〕朱彝尊謂通志堂刻《經解》即據此批本（惟去批語未刻）。竹垞於原書護頁手題云：

是書購之海鹽鄭氏簡端所書猶是端簡公手蹟也會通志堂刊經苑以此畀之既而索還存之篋笥中藏歸田檢櫝中覆本半已散失本此書僅存又七年曝書于亭南窗識竹垞七十一翁

但通志堂本變更嘉靖本款式，爲半葉十一行，行二十字耳。

鄭批本復有〔清〕李富孫題記，言其流傳之緒，曰：（原書另一冊護頁。）

艸廬吳氏經說在元儒中稱爲該洽多所發明第好逞臆見改竄經文所著易禮記纂言皆然書纂言四卷專釋今文二十八篇不爲無識自叙云晉晚出書別見於後明正德中十世孫埋後跋言不知何時始脫去此爲嘉靖間梁本舉閩謨有庸哉獨以馬融本改作五庸在治忽內指班固律歷志改作七始詠洪範四五紀以下多出後方二篇其前後移綴顛到錯簡皆以意自爲之不免蹈王柏諸人師心肊斷之病是書前有吾鄉金風亭長跋謂得於海鹽鄭氏有端簡公手評語後畀通志堂錄入經苑仍索還未幾散佚歸於吳兔牀氏今爲馬君二槎歸尋二槎好古嗜書藏弆宋元槧善本頗多此書有鄭端簡手蹟復爲金風亭長藏本跋語數行甚爲可愛亦彌足珍惜已道光甲申九月梅會里李富孫跋

現爲中央圖書館所藏，而兩家題記，確各爲其本人手跡。嘉靖本末附正德十六年辛巳吳文正公十世孫理〈後序〉（案：此滇刻所存之舊序。），又有無名氏嘉靖二十八年〈後序〉，竝上述顧、陳二〈序〉，通志堂本悉削去，而代以納蘭成德一〈序〉。至端簡批語，則悉未刻入。

批語彌足珍貴，然已非端簡手跡，而由他人過錄者。意竹垞誤認爲親筆，不然則恐其託古炫珍，適蹈清季藏書家之習。其未安者有二：一曰批字書法甚差，端簡進士出身，歷官刑部侍郎、吏部尚書之職，似不致如此。二曰習用字錯繆，畢舉如下：

此叚失考

此叚考據精

此叚亦宜與上文接

以上段誤爲叚。

蔡沉之忘其口澤

蔡沉引作陳氏言

蔡沉所不及

以上沈誤爲沉。蔡沈，人名；字不可更易。

誤信纂漢新法

以上篡位字誤爲纂編字。

此以下數語數當

以上第二「數」字應作「精」。「數當」不成詞，疑過錄者涉上誤抄。

此非「通經術，習國家典故」、「時望蔚然」之鄭氏所宜有者也。

矧就所批諸條諦視之，傍有劃痕者，凡十六處，此乃據端簡手批原本《纂言》過錄時，因批語必須對齊被批詞句，故先以銳器（似鋮尾、筆帽之類。）畫出記號，然後謄錄，茲舉三例以明之：

一　〈堯典〉「舜讓于德，弗嗣」上，鄭批曰：「嗣字當作怡。」（案：右傍有劃痕。）

二　〈堯典〉「欽哉！欽哉！惟刑之恤哉！」上，鄭批曰：「恤字當作謐。」（案：右傍亦有劃痕。）

三　〈皐陶謨〉：「予欲聞六律五聲八音，七始詠，以出納五言，汝聽。」上，鄭批曰：「七始詠固有《漢書》可據，然當依伏生作采政忽。」（案：傍亦先置劃痕。）

端簡隨讀隨批，何煩先作記號？此非鄭氏原批明矣。

批語既經傳抄，已不免失眞；又恐所據以傳抄者，本非端簡經說，故此以古言參較批語，定其誠僞：

顧應祥〈序〉曰：「伏生書二十九篇，內〈泰誓〉一篇，或以爲後人所增。」

鄭批曰：「此句失考。」

《古言類編》（《鹽邑志林》本卷上頁三）曰：「《今文尚書》二十九篇，出秦博士，所謂虞夏商周四代之書也。」

敏案：端簡以為伏生書本二十九篇，中〈泰誓〉一篇不偽，故批「內〈泰誓〉一篇，或以為後人所增」為失考。批語與《古言》合（參下條）。

吳澄《書纂言》曰：「漢儒所治，不過伏生書及〈偽泰誓〉共二十九篇爾。張霸偽古文雖在，而辭義蕪鄙，不足取重於世，以售其欺。」

鄭批曰：「歐陽、夏侯傳伏生書者，幾曾治〈偽泰誓〉？」

《古言類編》（卷上頁一九、二〇）曰：「先儒皆信今〈太誓〉（敏案：謂偽古文〈泰誓〉。）非偽書，以為《孟子》引〈太誓〉『我武惟揚，侵于之疆。取彼凶殘，殺伐用張，于湯有光』等語，《春秋傳》引『民之所欲，天必從之』，《國語》引『朕夢協朕卜，襲于休祥，戎商必克』，孫卿引『獨夫受』，《禮記》引『予克受，非予武；惟朕文考無罪。受克予，非朕文考有罪；惟予小子無良』，此皆偽〈太誓〉（敏案：謂馬融所見者。）所無，遂信以為此眞〈太誓〉。焉知好事者不以偽〈太誓〉無此文，人不之信，故用《孟子》諸書所引〈太誓〉文竄入所造〈太誓〉中以圖取信於人乎？」

《古言類編》（卷上頁二〇）又曰：「今〈太誓〉與僞〈太誓〉皆可疑。詳玩今〈太誓〉，亦不似武王、太公、周公、召公文法詞意，比之〈牧誓〉，相去遠甚，豈可即據以爲當時信書？」

敏案：其意：伏生、二夏侯、歐陽一脈傳承之〈泰誓〉不僞，（參考後條）馬融所見《古文尚書》〈泰誓〉，及今梅賾進本〈太誓〉則不眞，故端簡之批反詰草廬「歐陽夏侯幾曾治僞〈太誓〉？」是批語與《古言》兩條合。

《書纂言》曰：「伏生故爲秦博士，焚書時，生壁藏之。其後，兵起流亡。漢定，生求其書，亡數十篇，獨得二十八篇，以教授于齊魯之間。」

鄭批曰：「八字非，當改作九字。」

《古言類編》（卷上頁三）曰：「《今文尚書》二十九篇，出秦博士伏生。……《尚書》本不止此，遭秦焚坑之禍，藏於壁中，多遺失耳。」

敏案：端簡蓋以伏書今文二十九篇含〈太誓〉一篇在內，其後歐陽、夏侯所治者即此書也。

《書纂言》曰：「漢伏生所口授者，所謂今文書也。」

鄭批曰：「此句非是。」

敏案：伏生老不能正言，傳言其女教鼂錯一節，出衛宏〈定古文官書序〉，諸儒多辨其說不足憑信，端簡謂口授之句非是，蓋亦有所本也。竝參下條。

《書纂言》又曰：「孝文時，求能治《尚書》者，天下無有。欲召生，時年九十餘矣，不能行，詔太常遣掌故鼂錯往受之。生老，言不可曉，使其女傳言教錯。齊人語多與潁川異，錯所不知凡十二、三，略以其意屬讀而已。」

鄭批曰：「此段失考。」

《古言類編》（卷上頁三）曰：「《今文尚書》二十九篇，……伏生以此教於齊魯間爲《大傳》三篇，漢文時求治《尚書》者，無過伏生，使太常掌故晁錯往受之。」

敏案：古言但據《史》、《漢》，信錯受《書》於伏生，而傳言教錯，以意屬讀之說則不取，亦與批語吻合。

《書纂言》曰：「吳才老曰：『增多之書，皆文從字順；非若伏生之書，詰曲聱牙。夫四代之書，作者不一，乃至一人之手，而定爲二體，其亦難言矣。』朱仲晦曰：『《書》凡易讀者皆古文，豈有數百年壁中之物，不訛損一字者？』又曰：『伏生所傳皆難讀。如何伏生偏記其所難，而易者全不能記也？』……。」

鄭批曰：「吳才老、朱仲晦議論極精，可見蔡氏之忘其口澤，改其手澤。嗚呼！惜哉！」

敏案：古文二十五篇，東晉人僞撰，故文從字順。端簡極推吳棫、朱子卓識，以此也。其意於下條詳之。

《書纂言》曰：「至晉梅賾，始增多伏生書二十五篇，稱爲壁中古文，……今攷傳記所引古書，見於二十五篇之內者，如鄭玄、趙岐、韋昭、王肅、杜預皆指爲逸書，則是此二十五篇，漢魏晉初諸儒，曾未之見也。」

鄭批曰：「此以下數語精當。」

《古言類編》（卷上頁四）曰：「安國古文相傳至東晉時，又有二十五篇之書，……此又東晉假安國之書而爲之也。」

敏案：草廬謂二十五篇古文，多存經傳所引，而西晉以前諸儒，皆指爲逸書。鄭批曰精當，《古言》亦判諸篇東晉人僞託，是二者大旨相合。

《書纂言》曰：「陳振孫曰：『《孟子》所引「二十有八載，放勳乃徂落」之文曰「〈堯典〉」，則知古無〈舜典〉也。』」

鄭批曰：「此考甚精當，且與鄙見合，可見伏生書乃孔孟相傳之正本。」

《古言類編》（卷上頁四）曰：「武帝前本無所謂《古文尚書》，故《孟子》引『放勳乃徂落』云〈堯典〉。」

《書纂言》曰：「伏生書，此篇止名〈堯典〉，梅賾始分『愼徽五典』下爲〈舜典〉。」

鄭批曰：「此亦考之未精，先漢孔安國已分。」

《古言類編》（卷上頁四）云：「安國古文分〈堯典〉『愼徽』以下爲〈舜典〉。又分〈臯陶謨〉『帝曰來禹』以下爲〈棄稷〉，分〈盤庚〉爲三篇，分〈顧命〉『王若曰』以下爲〈康王之誥〉，凡五篇。」

右引古諸條，與批語比較，大旨相合，其尊今文抑古文，揭露僞迹（如論〈僞太誓〉），取梅致齋《尙書考異》之意甚顯。惟《古言》（卷上頁四）又謂古文不可廢，而爲陳第（嘉靖二十年，一五四一至萬歷四十五年，一六一七）《尙書疏義》信古之濫觴。鄭端簡云：

蔡註（敏案：當作氏或沈），《集註》竝存今文、古文，吳氏《纂言》獨釋今文，不可謂無見。先儒嘗疑古文易讀，今文固難讀，亦欲有所釐正。然古文中論學論政，精密廣大之處甚多，要非聖賢不能作，故寧存而不廢。

此與批語意見不盡脗合。

考滇本《書纂言》，嘉靖二十八年刻，手批當在刊本傳世後不久，而《古言》成書於嘉靖四十四年十月（據端簡〈自序〉。）次歲曉卒，故爲晚年之作。晚年體認疇昔之偏激，折衷舊論，亦學者常有之事。孤證不足以疑鄭批，況以《經義考》所著錄之端簡《書說》參驗，批語之眞實，更得一佐證。

《經義考》（卷七七頁一三，清乾隆刊本）「姚方興〈堯典〉《孔傳》」下，曰：

> 鄭公曉曰：「〈舜典〉曰若稽古帝舜二十八字，蓋隋開皇時人僞爲之，假設姚方興以伸其歲月爾。曰若句襲諸篇首，重華句襲諸《史記》，濬哲句掠《詩》〈長發〉，文明掠《乾》〈文言〉，溫恭掠〈頌〉〈那〉，允塞掠〈雅〉〈常武〉，玄德掠《淮南子鴻烈》，乃試以位掠《史》〈伯夷傳〉：正見其蒐竊之踪。」

此蓋端簡《尚書考》之文。《尚書考》二卷，《四庫》未收，清各家書目（據臺北廣文書局《書目初、續、三編》。）亦不見。《明史》〈藝文志〉（〈經部〉〈書類〉）著錄，而朱竹垞得其殘本。《經義考》（卷八九頁一）著錄此書，按曰：「《書考》一冊，彝尊得之公家，失其上卷，中多辨證古文之非。蓋公自撰也。」

上引《書考》之文，正辨證古文之非者，與下引鄭批雷同。《書纂言》顧應祥〈序〉謂「曰若稽古帝舜曰重華」二十八字是虞史之舊文。曉批曰：

> 此段未妥。曰若句襲諸篇首，重華句襲諸《史記》，濬哲句掠《詩》〈長發〉，文明掠《乾》〈文言〉，溫恭掠〈頌〉〈那〉，允塞掠〈雅〉〈常武〉，玄德掠《淮南子鴻

烈》，乃試以位掠《史》〈伯夷傳〉：正見其蒐竊之踪。

「日若」句以下文，批語與《書考》全同。「此段未妥」句，係就顧〈序〉而言，故《書考》必無。然《書考》有「〈舜典〉曰若稽古帝舜二十八字」，而鄭批無。此因端簡據批之顧〈序〉已有「曰若稽古帝舜曰重華」二十八字，故從簡棄繁，不復著耳。至「蓋隋開皇時」至「仲其歲月爾」，端簡別於《書纂言》「曰若稽古帝舜」云云上，批云：「隋開皇時人僞爲之者，又假設姚方興以仲其畧刻耳。」核與《書考》同旨。疑《尚書考》鄭撰在先，洎批《書纂言》，偶資是編以助記憶耳。

——原載《書目季刊》五卷二期，民國五十九年十二月

伏生像

一九五二年四川省出土的漢代畫像磚「伏生授經畫像磚」

唐朝詩人王維所繪的「伏生授經圖」，今藏於日本大阪市博物館

唐朝詩人王維所繪的「伏生授經圖」，今藏於日本大阪市博物館

許圖一　〈堯典〉、〈舜典〉本經復原圖（正面）

技冒疾以惡之人之彥聖而違之俾不達是
川仟土作貢。啟與有扈戰于甘之野作甘誓
己訓諸王作高宗肜日。殷始咎周周人乘黎飢
百兩虎賁三百人與紂戰于牧野作牧誓。
伐管叔蔡叔以殷餘民封康叔作康誥酒誥梓材
士。周公作無逸。召公為保周公為師相
□魯侯伯禽宅曲阜徐夷並興東郊不開作費

許圖二〈舜典〉、〈皋陶謨〉、〈益稷〉〈校記〉復原圖（背面）

《集

（第八葉之陽）

堯典乃命羲和欽若昊天曆象日月星辰敬授
曰若民因鳥獸希革分命和仲宅西曰昧谷寅
人時和朞三百有六旬有六日以閏月定四時
餞納象恭滔天帝曰咨四岳湯湯洪水方割蕩
成歲位七十載汝能庸命巽朕位岳曰否德忝
蕩懷刑于二女釐降二女于嬀汭嬪于虞帝曰
帝位讓于德弗嗣正月上日受終于文祖在璿
欽哉肆覲東后協時月正日同律度量衡修五
璣玉祖用特五載一巡守羣后四朝敷奏以言
禮五流共工于幽洲放驩兜于崇山竄三苗于三危殛
明試有二牧曰食哉惟時柔遠能通惇德允元而難任人
絲于曰俞汝往哉帝曰弃黎民阻飢汝后稷播
蠻出允允帝曰疇若予工僉曰垂哉帝曰俞
時百帝曰俞往哉汝諧帝曰咨四岳有能典朕三禮僉
咨乗詩言志歌永言聲依永律和聲八音克諧無
曰伯亮天工三載考績三考黜陟幽明庶績
相奪
咸熙
臯陶
曰若安民禹曰吁咸若時惟帝其難之知人則
哲能曰何臯陶曰寬而栗柔而立愿而恭亂而
敬擾帥百工惟時撫于五辰庶績其凝無教逸
欲有服五章哉天討有罪五刑五用哉政事懋
哉懋帝曰來禹汝亦昌言禹拜曰都帝予何言
予思庶艱食鮮食懋遷有無化居烝民乃粒萬
邦作哉鄰哉臣哉禹曰俞帝曰臣作朕股肱耳
日予欲聞六律五聲八音在治忽以出納五言
汝聽厥之禹曰俞哉帝光天之下至于海隅蒼
生萬晝夜頟頟罔水行舟朋淫于家用殄厥世
予創忘哉帝曰迪朕德時乃功惟敘臯陶方祗
厥欽曰於予擊石拊石百獸率舞庶尹允諧帝
庸作曰元首明哉股肱良哉庶事康哉又歌曰
元首
禹首
禹既從大陸既作島夷皮服夾右碣石入于河
濟河繇厥篚織文浮于濟漯達于河海岱惟青
州嵎出及淮惟徐州淮沂其乂蒙羽其藝大野
餘碣達于河淮河惟揚州彭蠡既豬陽鳥攸居
三江匪織貝厥包橘柚錫貢沿于江海達于淮

《集證》圖一　〈漢石經碑尚書部分復原圖〉第一石陽面

八葉（第一葉之陰）

1 有衆六百鍰閱實其罪大辟疑赦其罰千鍰閱實
2 其罪克之上刑適輕下服下刑適重上服輕重諸
3 罰有權中正其刑其罰其審克之獄成而孚輸而
4 孚其無或私家于獄之兩辭獄貨非寶惟府辜功
5 報以□之辭屬于五極咸中有慶受王嘉師監于
6 茲詳
7 文侯
8 王若在位嗚呼閔予小子嗣造天丕愆殄資澤于
9 下民侮刑文武用會紹乃辟追孝于前文人汝多
10 修扞荒寧簡恤爾都用成爾顯德
11 秦誓
12 公曰善之謀人則曰未就予忌惟今之謀人姑將
13 以為是眛眛我思之如有一介臣斷斷猗無
14 他技哉惡之人之彥聖而違之俾不達是不能容
15 以不
16 誓在亳作貢●啟與有扈戰于甘之野作甘誓●伊
17 尹相湯作高宗肜日高宗之訓●殷始咎周周人乘黎祖
18 恐奔資三百人與受戰于牧野作牧誓●武
19 王勝殷餘民封康叔作康誥酒誥梓材●
20 武王玄作無逸●召公為保周公為師相成王
21 為左高宅曲阜徐夷並興東郊不開作費誓●呂
22 命穆
23 24 25 26 27 28 29 30 31 32 33 34 35 36 37 38 39

校

目次

卷一

圖版

卷二

詩經類

三禮類

春秋左氏傳類

四書類

讖緯類

卷三

經學史類

〔附〕程元敏著作目錄分年類編

經學史類

三十七 《漢書》〈藝文志〉、〈儒林傳贊〉論經學博士討覈

提要

通考《漢書》〈藝文志〉、〈儒林傳贊〉之論經學博士史料，以與《史記》〈儒林傳〉覈校，發現：《史記》述「文帝以來」經學大家，《漢書》改爲「漢興以來」，失時。武昭世，楊何爲《易》大家，《史記》亟稱之，《漢書》妄改爲田何，又導致後人誤〈儒傳贊〉「《易》楊」亦爲「《易》田（王孫）」之譌字。《漢書》謂后蒼武昭世立爲《禮》博士，並不確；考遲至宣帝初葉，后氏始以《禮》業明。宣朝廣立大戴、小戴、慶普三家《禮》學，〈儒傳贊〉缺載慶氏，當補錄。《春秋公羊》學，董仲舒先爲博士，三傳嚴彭祖，亦成名立宗，乃《漢書》〈傳〉、〈贊〉但記《公羊》學之立，而不及前董後嚴之名，未臻周延；至《穀梁》學，宣朝瑕丘江公學光顯，詎〈傳〉、〈贊〉但竝記《穀梁》宣世初立，並不及瑕丘江公之名，亦失周密，均當正補。《漢書》記《書》歐陽、大夏侯、小夏侯三大家學，

〈傳〉與〈贊〉一致，咸得其正，謹證确於此。《漢》〈志〉之《詩》齊、魯、韓，武昭宣三代皆獲立，洵是也；第〈贊〉獨全缺此三家不舉者，蓋特欲彰顯宣朝分爭別立之特色，故衹舉《書》、《禮》、《易》、《春秋》四，用與當朝增置之同四經對照，而《詩》因無分立增設，故從省略。後學不察，或責班書疏略，是未諳孟堅筆削之義，此本文之尤不得不譔也。

一　問題所在

司馬遷《史記》卷一二一〈儒林列傳敘〉言漢武帝即位之次年（建元元年，西元前一四〇）至建元五年（前一三六）間之五經顯學者曰：

（……及至孝景，不任儒者，而竇太后又好黃老之術，故諸博士具官待問，未有進者。）及今上即位，趙綰、王臧之屬明儒學，而上亦鄉之，於是招方正賢良文學之士。自是之後，言《詩》，於魯則申培公，於齊則轅固生，於燕則韓太傅；言《尚書》，自濟南伏生；言《禮》，自魯高堂生；言《易》，自菑川田生；言《春秋》，於齊魯自胡母生，於趙自董仲舒。（及竇太后崩，武安侯田蚡爲丞相，絀黃老、刑名、百家之言，延文學儒者）

班固《漢書》卷八八〈儒林傳敘〉因承史遷，而頗有更易：

（……及至孝景，不任儒，竇太后又好黃老術，故諸博士具官待問，未有進者。）漢興，言《易》，自淄川田生；言《書》自濟南伏生；言《詩》，於魯則申培公，於齊則轅固生，燕則韓太傅；言《禮》，則魯高堂生；言《春秋》，於齊則胡母生，於趙則董仲舒。（及竇太后崩，武安君田蚡爲丞相，黜黃老、刑名、百家之言，延文學儒者）

案：《史記》先《詩》、《書》，後《禮》、《易》、《春秋》，合今文家次第；《漢書》次《詩》、《禮》、《春秋》於《易》、《書》後，用古文家家法：馬、班不同。又遷《史》上文曰：「及至景帝」云云；下文曰：「及今上即位」云云，自是指武帝登基改元之年，而《漢書》更爲「漢興」，則已上溯至高帝得天下之初（前二〇二）。夫《書》伏生學、《易》田生學自興而致顯，諒不早於文帝初葉，《詩》申公、韓生學尚在厥後，而《齊詩》、高堂《禮》與《春秋》胡、董之業，當遲至景帝世方顯，乃班《書》籠統以「漢興」包之，殊欠該切（註一）！《史》、《漢》下文並延論「及竇太后崩」以後之儒學，考竇太后建元六年（前一三五）崩（《史記》〈外戚世家〉），同年六月癸巳（三日）田蚡爲丞相（《史記》〈漢興以來將相名臣年表〉、《漢書》〈百官公卿表〉），而「黜黃老刑名百家言，延文學儒

者」，事即當次年（元光元年，前一三四）（註二）。是《史》〈儒林〉所列顯儒，果指建元元年之後、六年之前之經學大宗師。矧伏生、田生竝未嘗自身立爲漢博士；而《易》學至武帝朝始置立博士（說詳下），恰當建元五年備立五經博士時（詳下），則知《史》〈儒傳〉所述均指此前之經學大師，因定爲建元初至五年間事。

文帝景帝兩朝，先後立《尚書》、《詩》、《禮》及《春秋》博士（將分詳下），迨武帝朝始增立《易》學（將詳下），於是五經博士乃備，《漢書》〈武帝紀〉：「建元五年（前一三六）春，（罷三銖錢，行半兩錢。）置五經博士。（夏四月，平原君薨。）」

班固又總述自武至平帝五經博士，《漢書》卷八八〈儒林傳贊〉（下簡稱〈儒傳贊〉）：

「自武帝立五經博士，開弟子員，設科射策，勸以官祿，訖於（平帝）元始，百有餘年，傳業者寖盛，支葉蕃滋，一經說至百餘萬言，大師眾至千餘人，蓋祿利之路然也。初，《書》唯有歐陽，《禮》后，《易》楊，《春秋》公羊而已。至孝宣世，復立大、小夏侯《尚書》，大、小戴《禮》，施、孟、梁丘《易》，《穀梁春秋》。至元帝世，復立京氏《易》。平帝時，又立《左氏春秋》、《毛詩》、《逸禮》、《古文尚書》，所以罔羅遺失，兼而存之，是在其中矣。」

案：班此述平帝所立四書，俱是古文，爲時短暫，不在西漢今文十五博士列，又非本文所主，故茲不復討論。唯所言武昭宣三世立官之經，於其學宗、經數家數，及元帝朝增置京氏《易》一事，尚多疑義，亟需詳加討覈。

〈儒傳贊〉首云「武帝立五經博士」，繼云「初，《書》唯有歐陽」等，後又云「宣、元世復立大、小夏侯《尚書》」等，則「《書》歐陽、《禮》后、《易》楊、《春秋公羊》」，自是武、昭二世「當初」立官之學：此點需首加確認者。茲更取班書它卷記至宣、元世立官經派以與此〈贊〉參較，《漢書》〈藝文志〉（下簡稱《漢》〈志〉）分經〈後敘〉曰：

「《易》，……漢興，田何傳之，訖于宣、元，有施、孟、梁丘、京氏列於學官。……《書》，……伏生……以教齊魯之間，訖孝宣世，有歐陽、大、小夏侯氏立於學官。……《詩》，……漢興，魯申公爲《詩訓故》，而齊轅固、燕韓生皆爲之《傳》，……三家皆列於學官。……《禮》，……漢興，高堂生傳《士禮》十七篇，訖孝宣世，后倉最明，戴德、戴聖、慶普皆其弟子，（兩戴、慶）三家立於學官。……《春秋》，……及末世，口說流行，故有《公羊》、《穀梁》、鄒、夾之《傳》，四家之中，《公羊》、《穀梁》立於學官。」

案：《漢》〈志〉此未列《易》楊氏學，而彼〈儒傳贊〉稱之；錄《詩》三家，彼〈儒傳贊〉缺若；謂《禮》后氏學顯於宣帝世，但不言后氏自身受立爲博士，而彼〈儒傳贊〉則謂后氏當武帝至昭帝世身立於學官，二者迥異；言《禮》三家宣世均立官，視彼〈儒傳贊〉多一慶普學。餘悉同。

茲證成同者，別白異者，謬則考正之，闕則補足之，分經分家言之如下：

二 《尚書》立博士

〈儒傳贊〉「《書》歐陽」，考《尚書》歐陽學之始師歐陽容，親受業於伏生（名勝，其承師不詳），傳之兒（倪）寬，《史記》〈儒林傳〉論《尚書》，云：

「伏生教濟南張生及歐陽生，歐陽生教千乘兒寬。」

《漢書》〈儒林傳〉論《尚書》，云：

「歐陽生字和伯，千乘人也。事伏生，授倪寬。」

記歐陽生之師伏授兒者，漢、南朝宋、唐人多有，此不煩多錄。歐陽生名容，字和伯（註三），其《尚書》學經由兒寬下傳，爲歐陽學宗，《漢書》〈儒林傳〉：

「……（倪）寬授歐陽生子，世世相傳，至曾孫高子陽，爲博士。高孫地餘長賓以太子中庶子授太子，後爲博士，論石渠。……地餘少子政爲王莽講學大夫。由是《尚書》世有歐陽氏學。」

兒寬傳歐陽巨（容之子），巨傳子遠，遠傳子高字子陽（註四）；高始爲《尚書》歐陽學宗博士（註五）。是故《尚書》歐陽學宗之形成，不必推遲至新莽朝之歐陽政（高之曾孫），《經典釋文》〈序錄〉言《尚書》學傳授云「……歐陽氏世傳業至曾孫高，作《尚書章句》，爲歐陽氏學」，定在博士高身處之世，是也。

張生（失名）與歐陽容同受業伏公門，張氏學立爲博士，始當文帝景帝世（註六）。孔安國臨淮，爲武帝《尚書》博士，約在元狩三年（前一二〇）至元狩五年（前一一八）間，時兒寬從之受業於太學（註七），而歐陽高爲兒氏三傳弟子，則渠由成學，至爲博士，益晚矣，劉歆〈移太常博士書〉（載《漢書》〈楚元王傳〉附〈歆傳〉）云「往者博士：《書》有歐

陽，……然孝宣皇帝猶復廣立……大、小夏侯《尚書》」，謂宣帝世之前（往者）——武、昭二世歐陽學已立官，與〈儒傳贊〉合，歐陽自是指謂高，以年庚及周霸於昭帝末立爲博士（詳下）度推之，約當武帝中葉建立。則〈儒傳贊〉「初，《書》唯有歐陽」，洵是也。

大夏侯《尚書》學，以夏侯勝爲始師，勝受《尚書》業先後於諸父始昌及同郡蕳卿，《漢書》〈夏侯勝傳〉：

「夏侯勝字長公，……東平人。……少孤，好學，從（夏侯）始昌受《尚書》及《洪範五行傳》，說災異。後事蕳卿，又從歐陽氏問，爲學精孰，所問非一師也。善說《禮》服，徵爲博士、光祿大夫。會昭帝崩，昌邑王嗣立，數出。勝當乘輿前諫。……廢昌邑王，尊立宣帝。……勝用《尚書》授太后。遷長信少府。……遷太子太傅。受詔撰《尚書》說。」

又〈儒林傳〉：「夏侯勝，其先夏侯都尉，從濟南張生受《尚書》，以傳族子始昌。始昌傳勝，勝又事同郡蕳卿。蕳卿者，倪寬門人。」

勝於武帝時受業始昌，元狩二年後又師事蕳卿，元狩五年後又從歐陽高問。學成，私家設《尚書》科授徒，未嘗爲太學《尚書》博士（註八）。其《尚書》弟子以業顯成者有周堪、孔

霸，均列於學官，霸爲《尚書》博士，《漢書》〈儒林傳〉：

「周堪……與孔霸俱事大夏侯勝。霸爲博士。堪譯官令，論於石渠，經爲最高。……堪授牟卿，……牟卿爲博士。……而孔霸以太中大夫授太子。」

又〈列傳〉〈孔光傳〉：

「（孔）霸亦治《尚書》，昭帝末年爲博士，宣帝時爲太中大夫，以選授皇太子經。」

昭帝元平元年（前七四）四月癸未（十七日）崩，徵昌邑王賀嗣位，才二十七日見廢，七月，宣帝即尊。是霸爲博士跨昭宣兩朝，先乎宣帝甘露三年（前五一）石渠閣會議。牟卿爲博士，殆在宣帝世。

小夏侯《尚書》學，以夏侯建爲始師，建《尚書》學之受承，《漢書》〈夏侯勝傳〉：

「勝從父（一作從兄）子建，字長卿，自師事勝及歐陽高，左右采獲。又從五經諸儒問與五經相出入者。牽引以次章句，具文飾說。……卒自顓門名經，爲議郎、博士，至太

子少傅。」（《經典釋文》〈序錄〉同；又《漢書》〈儒林傳〉：「勝傳從兄子建，建又事歐陽高。」亦同）

建身爲博士，度當昭帝世，尙略早於孔霸。夏侯建、孔霸雖爲博士，然孔非大夏侯學《尙書》博士，夏侯非小夏侯學《尙書》博士，因二人見立當時，《尙書》博士止歐陽學一家，且兩夏侯學遠源自兒寬，寬傳歐陽，故時尙不需分宗名學（註九）。

小夏侯授張山拊，拊爲博士，亦當石渠會之前（註一〇），斯時亦尙無小夏侯學之名。會議之後，兩夏侯《尙書》學學宗形成，同時立名於官學。

劉歆〈移太常博士書〉（《漢書》卷三六〈歆傳〉載）：

「往者博士，《書》有歐陽、《春秋》公羊、《易》則施、孟，然孝宣皇帝猶復廣立《穀梁春秋》、梁丘《易》、大、小夏侯《尙書》學。」

同人《七略》：

「《尙書》，……始歐陽氏先君名之，大夏侯、小夏侯復列於學官。三家之學，於今爲

尤詳。」（《初學記》卷二一載）

《漢書》〈儒林傳〉：

「（述夏侯建《尚書》學受授既已，乃曰：）由是《尚書》有大、小夏侯之學。」

《後漢書》〈章帝紀〉：

「建初四年（七九）十一月壬戌（十一日）詔曰：『孝宣皇帝以爲去聖久遠，學不厭博，故遂立大、小夏侯《尚書》。』」

又〈賈逵傳〉逵奏事曰：「三代異物，損益隨時，故先帝博觀異家，各有所採：……《尚書》歐陽，復有大、小夏侯。」

方引五條，均未確記兩夏侯名學置官年歲，幸〈宣帝紀〉有之，《漢書》〈宣帝紀〉：

「甘露三年（前五一）三月己丑（初六日），丞相（黃）霸薨。詔諸儒講五經同異，太

子太傅蕭望之等平奏其議。乃立梁丘《易》、大、小夏侯《尚書》、《穀梁春秋》博士。（冬，烏孫公主來歸。）」

是兩夏侯《尚書》名學立官當宣皇甘露三年季春至季秋間也。則〈儒傳贊〉「至孝宣世，復立大、小夏侯《尚書》」，亦洵是也。

三　《春秋》立博士

（一）《公羊春秋》立官

《春秋》今文之學，漢興，顯者有四家，《漢》〈志〉〈春秋類〉著錄《公羊》、《穀梁》、《鄒氏》、《夾氏》《傳》均各十一卷，於〈後敘〉曰：

「……及末世口説流行，故有《公羊》、《穀梁》、《鄒》、《夾》之《傳》。」

唐楊士勛《春秋穀梁傳序疏》：

「……《春秋》之書，異端競起，遂有《鄒氏》、《夾氏》、《左氏》、《公羊》、《穀梁》五家之《傳》。」

四家（《左氏》是古文，此不及論）中之鄒、夾學，後乃晦微，《漢》〈志〉於《夾氏傳》十一卷下自注：

「有錄無書。」復又於〈後敘〉曰：「四家之中，《公羊》、《穀梁》立於學官，鄒氏無師，夾氏未有書。」

楊氏《穀梁疏》繼又曰：

「鄒氏、夾氏口說無文，師既不傳，道亦寻廢。」

案：《漢書》〈王吉傳〉「初，吉兼通五經，能為《騶氏春秋》。」吉（?至前四八），上疏稱《春秋》，用其學也，依其生平推之，鄒氏（即騶氏）《春秋》學宣元世漸微終絕。余恐夾氏學之絕，猶在鄒前也。

《公羊傳》原本有賴口傳，至胡母生（名敬字子都）等始著於竹帛，〔後漢〕戴宏〈公羊傳序〉（何休〈序〉徐彥〈疏〉引）曰：

「子夏傳與公羊高，高傳與其子平，平傳與其子地，地傳與其子敢，敢傳與其子壽。至漢景帝時，壽乃與弟子齊人胡母子都著於竹帛。」

惠棟《後漢書補注》卷十：

「何休《注》《公羊春秋》言：孔子知秦將燔《詩》《書》，其說口授相傳；至漢，公羊氏及其弟子胡母敬等乃始記于竹帛。」（註一一）

胡母生即於景帝朝身立爲《春秋公羊》博士，《史記》〈儒林傳〉：

「胡母生，齊人也。孝景時（以治《春秋》）爲博士，以老歸教授。齊之言《春秋》者多受胡母生。」

《漢書》〈儒林傳〉：

「胡母生字子都，齊人也。治《公羊春秋》，爲景帝博士。與董仲舒同業，仲舒著書稱其德。年老，歸教於齊，齊之言《春秋》者宗事之，公孫弘亦頗受焉（註一二）。」（《經典釋文》〈序錄〉自注：胡母生，「景帝時爲博士。」同）

同在景皇朝，董仲舒亦身立爲《春秋公羊》博士，下傳多士，《史記》〈儒林傳〉：

「董仲舒，廣川人也。以治《春秋》，孝景時爲博士。下帷講誦，弟子傳以久次相受業，或莫見其面，蓋三年董仲舒不觀於舍園，其精如此。……漢興至于五世之閒，唯董仲舒名爲明於《春秋》，其傳公羊氏也。……仲舒弟子遂者，蘭陵褚大、廣川殷忠、溫呂步舒。……弟子通者，至於命大夫；爲郎、謁者、掌故者以百數。」

《漢書》〈董仲舒傳〉：

「董仲舒……少治《春秋》，孝景時爲博士。……武帝即位，舉賢良文學之士前後百

數，而仲舒以賢良對策焉。……對既畢，天子以仲舒爲江都相。」

案：仲舒《公羊》學上承不知何師（註一三），其爲景帝博士年歲，亦不能確考（註一四）。第余考仲舒學行，多在景武之世（註一五），又著書稱胡母生之德，則渠爲《春秋公羊》博士當在胡老歸齊里之後，亦即謂董繼胡補博士缺，推宜在景皇中元頃，下至武帝元光二至四年（前一三三年至前一三一年）之間應賢良對策（仲舒以現任官——博士應舉，見趙翼《廿二史箚記》卷一）後，方始遷江都王相。

仲舒弟子褚大，爲《春秋公羊》博士，《史記》〈平準書〉：

「……（武帝）於是遣博士褚大、徐偃分曹循行郡國。」（《漢書》〈食貨志〉事同）

據下文，知褚爲博士當元狩六年（前一一七）頃，《漢書》〈武帝紀〉：

「元狩六年六月詔曰：『……今遣博士（褚）大等六人分循行天下。』」

又〈五行志〉：

「武帝元狩六年，……是歲遣博士褚大等六人持節巡行天下。」

董仲舒及其徒褚大，既皆曾於武帝朝立爲《春秋公羊》學博士，則劉歆〈移博士書〉「往者博士，《春秋公羊》」、〈儒傳贊〉「初，《春秋》唯有《公羊》而已」，誠是，唯後者尚未述及漢人學宗；應改作「《春秋公羊》董」，用臻周延。不寧唯是，嚴彭祖者，仲舒之三傳弟子也（董→嬴公→眭孟→嚴：《漢書》〈儒林傳〉），宣帝朝以《公羊》顓家之學立官，《漢書》〈儒林傳〉：

「嚴彭祖字次公，東海下邳人也。與顏安樂俱事眭孟（敏案：名弘字孟）。孟弟子百餘人，唯彭祖、安樂爲明。……孟死，彭祖、安樂各顓門教授，由是《公羊》有顏、嚴之學。彭祖爲宣帝博士（註一六），至河南、東郡太守。以高第入爲左馮翊，遷太子太傅。」

又曰：「乃召五經名儒太子太傅蕭望之等大議殿中，平《公羊》、《穀梁》同異，各以經處是非（敏案：斯即甘露三年石渠閣會議）。時《公羊》博士嚴彭祖……，《穀梁》議郎尹更始……並論。」

《經典釋文》〈序錄〉：

「（眭）弘授嚴彭祖陸氏自注：「為博士，至左馮翊、太子太傅。」。」

《春秋公羊》嚴氏學，自茲立官，以訖東漢末，始終顯重，故〈儒傳贊〉稱「至孝宣世」以下之《公羊》學，應申說更立嚴氏學，明非舊之董氏學宗，乃備。

（二）《穀梁春秋》立官

《春秋穀梁》學，楊士勛《疏》范甯〈春秋穀梁傳序〉曰：

穀梁子名淑（一作名俶）字元始，魯人，一名赤，受經于子夏，為經作傳。……傳孫卿，孫卿傳魯人申公，申公傳博士江翁。（參下〔註一七〕）

斯學也，宣帝世始立於官學，

劉歆〈移太常博士書〉：

「……然孝宣皇帝猶復廣立……《穀梁春秋》（學）。」

〈移書〉未言立官之年歲，考當甘露三年石渠閣會議前業已詔立；石渠會後，《穀梁》學益大興盛，制繼續立之，班書言之甚詳確，《漢書》〈儒林傳〉：

「瑕丘江公受《穀梁春秋》及《詩》於魯申公，傳子至孫爲博士。武帝時，江公與董仲舒並。宣帝即位，……求能爲《穀梁》者，莫及（蔡）千秋。……會千秋病死，徵江公孫爲博士。……江博士復死，乃徵周慶、丁姓待詔保宮，使卒授十人。……乃召五經名儒太子太傅蕭望之等大議殿中，平《公羊》、《穀梁》同異。……時《公羊》博士嚴彭祖，……《穀梁》議郎尹更始、待詔劉向、周慶、丁姓並論。……由是《穀梁》之學大盛，慶、姓皆爲博士。」

瑕丘江公未嘗身爲《穀梁》博士（註一七）；《穀梁》之有博士，肇自宣帝世，江公之孫（名不悉）受徵爲首任博士，卒於石渠會略前（註一八）。迨石渠議時，《穀梁》博士員暫缺未補，乃由《穀梁》學者待詔周慶、丁姓（二人者，瑕丘江公之再傳弟子）與論。會後，慶、姓先後立爲《穀梁》博士。

愈後，胡常爲博士；常，博士江公之弟子也，（《古文尚書》，孔安國授都尉朝，都尉朝授庸生，）庸生授清河胡常少子，以明《穀梁春秋》爲博士、部刺史，又傳《左氏》。（《漢書》〈儒林傳〉「孔氏《古文尚書》」下）

……始江博士授胡常，常授梁蕭秉君房，王莽時爲講學大夫，由是《穀梁春秋》有尹、胡、申章、房氏之學。（同上〈房鳳傳〉）

申章昌爲博士，尤後，師承丁姓者也，《漢書》〈儒林傳〉：

「（丁）姓至中山太傅，授楚申章昌曼君，爲博士，至長沙太傅，徒眾尤盛。」

江、周、丁、胡四子之立，既悉皆宣帝朝，申章氏殆亦宣朝博士，則〈儒傳贊〉「至孝宣世，復立《穀梁春秋》」，允是，但必與其學宗——「瑕丘江公」併著錄之，義乃昭明。

四　《易》立博士

（一）楊何叔元身立為《易》博士武帝建元間

《易》學自孔子多傳經漢田何傳授予楊何，《史》、《漢》竝有記，《史記》〈仲尼弟子列傳〉：

「孔子傳《易》於（商）瞿，瞿傳楚人馯臂子弘，弘傳江東人矯子庸疵，疵傳燕人周子家豎，豎傳淳于人光子乘羽，羽傳齊人田子莊何，何傳東武人王子中同，同傳菑川人楊何。何，元朔中以治《易》爲漢中大夫。」

同傳菑川人楊何。何，元朔中以治《易》爲漢中大夫。

又〈儒林傳〉：

「……商瞿傳《易》，六世至齊人田何字子莊。而漢興田何傳東武人王同子仲，子仲傳

菑川人楊何。何以《易》元光中徵，官至中大夫。齊人即墨成以《易》至成陽相、廣川人孟但以《易》爲太子門大夫。魯人周霸、莒人衡胡、臨菑人主父偃，皆以《易》至二千石。然要言《易》者本於楊何之家。」

《漢書》〈儒林傳〉：

「……漢興，田何以齊田徙杜陵，號杜田生。授東武王同子中、雒陽周王孫、丁寬、齊服生，皆著《易傳》數篇。同授淄川楊何字叔元，元光中徵爲太中大夫。齊即墨成，至城陽相。廣川孟但，爲太子門大夫。魯周霸、莒衡胡、臨淄主父偃，皆以《易》至大官。要言《易》者本之田何。」

西漢初期，《易》始師田何，儒林共尊之；稍後爲楊何、丁寬，田楊丁三人竝爲《易》鉅子，《漢書》〈儒林傳〉：

「劉向校書考《易》說，以爲諸家《易》說皆祖田何、楊叔元、丁將軍，大誼略同。」

而當時楊尤顯於丁，有專著（《漢》〈志〉〈易類〉著錄《楊氏》二篇），學傳即墨、孟、周、衡、主父，皆位居要津；更授大京房（《易》大家梁丘賀之師）及司馬談（註一九），爲司馬遷師祖，《史記》推尊爲《易》大家，在人情固宜，於時世（景帝中至武帝初）亦切合。《漢書》此文因襲《史記》，唯以漢氏初興時《易》大師代景武世之《易》大師，故乃改楊何爲田何，不合時世，亦失馬遷立言之意（註二〇）。

〈儒傳贊〉「《易》楊」，確謂武昭二帝之世立楊何（此時段之《易》學大師楊姓唯何而已）爲博士（此誼前已證確），第沈欽韓（一七七五至一八三一）不謂然，其《漢書疏證》卷三四：

「按其後立學，但施、孟、梁丘，不言楊何所終。三家之《易》不出于楊，京房又自別得，當有廢楊而立三家事，其無文者，爲（敏案：《易》之誤）楊爲《易》田之訛也。言楊本不立博士。漢以來言《易》者皆本田何。三家皆田《易》，猶大、小戴仍后《禮》也。」

案：西漢自宣帝以迄東漢末《易》學三大家——施孟梁丘學，其中梁丘尤顯重，《熹平石經》以其《易》書爲底本，始師梁丘賀自大京房上承楊何之學，乃沈云「三家之《易》不出於

楊」、又云「（史）不言楊何所終」，誣也。（贊）所謂「《易》楊」，自武昭世言之，時田何墓木已拱，安得仕博士爲三家宗乎？言田何爲漢《易》之始師可，論爲《易》家不祧之祖則非。

又案：沈又云「楊本不立博士」，是據《漢書》「楊何，元光中徵爲太中大夫」，而不具「爲博士」明文，亦重有可商之處，請申余說與商兌如下：

茲先引胡秉虔（嘉慶四年、一七九九年進士）文，用解其蔽，胡氏《漢西京博士考》卷二曰：

「案（《漢書》〈儒林傳〉）不言楊何爲博士，而〈贊〉有『《禮》后，《易》楊』之語，何也？攷武帝六年改元元光，豈何先爲博士，後爲大中大夫，而〈傳〉略之與？」

案：《史記》〈儒林傳〉謂楊何以《易》元光中（前一三四至前一二九）徵，初入選任職不詳，但不致即擢高位爲中大夫（註二一）；觀下文云「官至中大夫」，明初仕不及中大夫。復據同書〈仲尼弟子列傳〉「何，元朔中（前一二八至前一二三）以治《易》爲漢中大夫」（註二二），夫中大夫與博士俱膺儒雅選，異官通職（註二三），若以博士六、七年資歷，遷升中大夫（註二四），殊有可能，以言仕進亦是正途。則胡氏疑何先爲博士，後右遷大中大夫，

而史傳闕記，允屬合理推測。惜渠未及討證，爰爲補詳於上。

〔清〕張金吾（一七八七至一八二九）亦意楊何身立爲博士，其《兩漢五經博士考》卷首附載其〈覆陳君子準論五經博士書〉：

「又案：劉歆移書太常博士曰『往者博士，《書》有歐陽、《春秋》公羊、《易》則施、孟。然孝宣皇帝猶復廣立《穀梁春秋》、梁丘《易》、大、小夏侯《尚書》』。若然，則施、孟兩家似非宣帝所立。然施讎、孟喜俱事孝宣，又斷非武帝所立。意者，施、孟即楊氏，施、孟立而楊氏廢，故西漢諸儒自太史公外，無習楊氏《易》者，從武帝時言之，則曰楊氏；從宣帝以後言之，則曰施、孟。子駿『《易》則施、孟』云云，蓋亦從後追稱耳。若施、孟立于何年，則班氏已不能確指矣。」

案：子駿「往者」云云，謂經博士先已立有歐陽、公羊、施、孟，非謂四家之立皆必在武昭之前，而宣帝欲廣道藝，猶增立穀梁等四家於後；先、後非以前朝、今代斷畫。則可謂施、孟兩《易》亦爲宣朝立，僅年歲遲後於早先已立之《書》、《春秋》而已。且施、孟出田（王孫）不出於楊，楊《易》果立於武世，不必因施、孟立而廢。唯梁丘《易》者，楊之嫡出，若云梁丘立而楊廢，庶乎其可也。（金吾此書，尚有其它疎誤，以不關本題主要論據，茲不具

辨）

王國維取「《易》楊」楊爲田誤，且定田爲王孫，申之以數百言，《漢魏博士題名考》卷上：

「《易》博士田王孫，案：王孫師丁寬，景帝時人；弟子施讎、孟喜、梁邱賀，皆宣帝時人，則王孫爲博士當在武帝之世。蓋建元中置五經博士，始爲《易》博士者，即王孫也。〈儒林傳贊〉言『自武帝立五經博士，初，《書》惟有歐陽、《禮》后、《易》楊、《春秋》公羊』，然〈傳〉言楊何元光中徵爲大中大夫，不云拜博士，蓋『《易》楊』乃『《易》田』之誤。《易》家先師田何、楊何、田王孫，或同姓或同名，故往往相亂。《史記》〈儒林傳〉至『要言《易》者本於楊何』，《漢書》則作『要言《易》者本之田何』，此云『《易》楊』亦當爲『《易》田』之譌。田王孫與楊何同爲田何再傳弟子，然楊出王同，田出丁寬。又楊何之傳爲司馬談、京房、梁邱賀，王孫之傳爲施讎、孟喜、梁邱賀，然各自名家，不得混而爲一也。」

謹案：班固就漢《易》學第一位大師言，故刻意更改馬遷「本於楊何之家」爲「本之田何」，非《史記》「楊」爲「田」之亂，前文已宣之矣。

又謹案：王靜安嚴重疎略爲：只據《漢書》〈儒林傳〉「楊何，元光中徵爲太中大夫」，不及取《史記》〈儒林傳〉「何以《易》元光中徵，官至中大夫」文與相比勘，因而不能察知班《書》之妄改。夫何以《易》元光中應徵，後歷官「至」中大夫，非元光徵入朝立即「任爲」太中大夫；靜安更不遑參看〈仲尼弟子傳〉，故不知何爲中大夫寔於元朔中，遲後元光至少六、七年。夫楊何初仕既非中大夫，或即經《易》博士，果爾，則靜安仍「《漢書》〈儒林傳〉不云何拜博士」，即斷言何確未嘗受任爲博士，非也，而〈儒傳贊〉「《易》楊」楊字非田字之淆誤，益明矣！

三謹案：田王孫師丁寬，授施孟梁丘，爲《易》博士，《漢書》〈儒林〉〈丁寬傳〉曰：「寬授同郡碭田王孫。王孫授施讎、孟喜、梁丘賀，繇是《易》有施、孟、梁丘之學。」又〈施讎傳〉曰：「田王孫爲博士。」以三弟子年齒仕歷推度，王孫身立官學，宜當武帝世、値中葉之後，不當如靜安所說當建元中（註一二五）。何則？於漢朝，五經之立博士，文景先後已立《書》、《詩》、《禮》、《春秋》；而《易》最晚，唯諒不致晚於建元五年，蓋是年武帝詔備立五經博士（《漢書》〈紀〉，已詳上引），其中必含經《易》故也。建元五年至宣帝甘露略前緊後（前一三六至前五三或前五十）施孟梁丘三家受詔立官，若如靜安說，始爲《易》博士者即王孫，則渠獨爲《易》博士者且八十年，殊悖常情。

綜結上所考，建元五年始立《易》博士，以楊何爲首任，〈儒傳贊〉「《易》楊」，據事

實立言，「楊」非「田」誤。夫漢儒筮仕為博士，歷至大官（含中大夫）者多矣，其中不乏由博士右遷至顯位，而《史》、《漢》略其博士一職不於〈儒林傳〉記述者，吾人考諸《史》、《漢》它篇文字，赫然有之；抑或甄之史實，理應有之，如《易》博士楊何之例，則吾人所知，豈不又多乎？

（二）施孟梁丘《易》學立官

施、孟、梁丘三家《易》學，共出《易》博士田王孫（其中梁丘兼從大京房受，上傳楊何學），《漢書》〈儒林傳〉：

（丁）寬授同郡（梁郡）碭田王孫。王孫授施讎、孟喜、梁丘賀；繇是《易》有施、孟、梁丘之學。

三家皆以《易》顯門名家，咸具專著，《漢》〈志〉〈易類〉：「《易》：《經》十二篇，施、孟、梁丘三家；……《章句》，施、孟、梁丘氏各二篇。」《熹平石經》以梁丘《易》為底本，別用二家（及京房）本參校。施孟梁丘三家之學，自宣帝世至東漢末，稱為顯重。

兩《漢書》合稱併舉此三《易》家，一槩以施孟梁丘爲先後之次：

《漢書》卷八八〈儒林〉先施讎，次孟喜，後立梁丘賀〈傳〉；又：「（田）王孫授施讎、孟喜、梁丘賀；繇是《易》有施、孟、梁丘之學。」

《漢》〈志〉〈易類〉著錄施、孟、梁丘《易》，《經》、《章句》（方見上引）；

《後漢書》述《前漢書》云：「（田）王孫授沛人施讎、東海孟喜、琅玡梁丘賀，由是《易》有施、孟、梁丘之學。」

上方引四事，乃以三家立官之先後爲次序，唯尚未明言立官，但下例有之，可資輔證，《漢》〈志〉〈易類〉〈後敘〉：

「《易》，……訖于宣，……有施、孟、梁丘……列於學官。」

〈儒傳贊〉：

「至孝宣世，復立……施、孟、梁丘《易》。」

《後漢書》〈儒林傳〉：

「（光武）於是立五經博士，……《易》有施、孟、梁丘。……」

據上所羅七事證，則施氏《易》學宗先立官；始師讎身爲《易》博士，傳具明文，《漢書》〈儒林傳〉：

「施讎字長卿，沛人也。沛與碭相近，讎爲童子，從田王孫受《易》。後讎徙長陵，田王孫爲博士，復從卒業，與孟喜、梁丘賀並爲門人。……及梁丘賀爲少府，事多，乃遣子臨分將門人張禹等從讎問。讎自匿不肯見，賀固請，不得已乃授臨等。於是賀薦讎：『結髮事師數十年，賀不能及。』詔拜讎爲博士。甘露中與五經諸儒雜論同異於石渠閣。」

梁丘賀宣帝神爵三年（前五九）以光祿大夫遷爲少府（《漢書》〈百官公卿表〉）（註一一六），時詔拜施爲博士，則施爲博士大約前乎甘露三年計八年之久，故讎得於甘露中以《易》家博士身分與五經諸儒論學於石渠閣。

而孟氏《易》次立；但喜未曾身爲博士，〈傳〉申明其故，《漢書》〈儒林傳〉：

「孟喜字長卿，東海蘭陵人也。父號孟卿。……孟卿……使喜從田王孫受《易》。喜好自稱譽，得《易》家候陰陽災變書，詐言師田生且死時枕喜𦤺，獨傳喜，諸儒以此耀之。同門梁丘賀疏通證明之，曰：『田生絕於施讎手中，時喜歸東海，安得此事？』又蜀人趙賓好小數書，後爲《易》，……云受孟喜，喜爲名之。後賓死，莫能持其說。喜因不肯仞，以此不見信。喜舉孝廉爲郎、曲臺署長，病免，爲丞相掾。博士缺，眾人薦喜。上聞喜改師法，遂不用喜。喜授同郡白光少子、沛翟牧子兄，皆爲博士。」

喜雖爲孟《易》學宗之始師，然以改師法未得身立爲博士；孟《易》始立於學，弟子白光首爲博士，而翟牧次之，以孟氏之師田生卒及梁丘賀仕歷考之，光、牧爲博士，亦當宣帝世。《兩漢書》又或二分施孟與梁丘，以定立《易》學之先後，《漢書》〈劉歆傳〉歆〈移太常博士書〉：

「往者博士，……《易》則施孟，然孝宣皇帝猶復廣立……梁丘《易》（學）。」

《後漢書》〈賈逵傳〉逵奏事曰：

「《易》有施孟，復立梁丘。」

誠然，梁丘《易》立學，於三家爲最殿，班《書》記其學甚詳，《漢書》〈儒林傳〉：

「梁丘賀字長翁，琅邪諸人也。……從太中大夫京房受《易》。房者，淄川楊何弟子也。房出爲齊郡太守，賀更事田王孫。宣帝時，聞京房爲《易》明，求其門人，得賀。賀時爲都司空令，坐事，論免爲庶人。待詔黃門數入說教侍中，以召賀。賀入說，上善之，以賀爲郎。會八月飲酎，行祠孝昭廟，先敺旄頭劍挺墮墜，首垂泥中，刃鄉乘輿車，馬驚。於是召賀筮之，有兵謀，不吉。……賀以筮有應，繇是近幸，爲太中大夫、給事中，至少府。……年老終官。傳子臨，亦入說，爲黃門郎。甘露中，奉使問諸儒於石渠。臨學精孰，專行京房法。……宣帝選高材郎十人從臨講，（王）吉乃使其子郎中駿上疏從臨受《易》。臨代五鹿充宗君孟爲少府，……充宗授平陵士孫張仲方。……張爲博士，至揚州牧、光祿大夫、給事中，家世傳業。」

歷數賀仕履——都司空令、待詔、郎、太中大夫、給事中、至少府終官，故雖為此宗始師，未嘗身為博士。子臨，傳其業，石渠會議為使司問，當時梁丘《易》學尚未得立官。會後，此《易》宗後學士孫張纔受詔立為博士。三家《易》立始皆宣世，施、孟在石渠會前已立，梁丘則甘露三年石渠會後制乃命立也，《漢書》〈宣帝紀〉：

「甘露三年三月己丑，……詔諸儒講五經同異。……乃立梁丘《易》……博士。」

（三）京房君明《易》學立官

京房氏（前七七至前三七），亦為漢《易》學大宗，其學之授受，《漢書》〈京房傳〉：

「京房字君明，東郡頓丘人也。治《易》，事梁人焦延壽。……初元四年（前四五），以孝廉為郎。……後上令房上弟子曉知考功課吏事者，欲試用之，房上中郎任良、姚平。……元帝於是以房為魏郡太守，秩八百石。……（石）顯告房與張博通謀，誹謗政治，……房、博皆棄市。……房本姓李，推律自定為京氏，死年四十一。」

又〈儒林傳〉：

「京房受《易》梁人焦延壽。延壽云嘗從孟喜問《易》。……至成帝時，劉向校書，考《易》說，以爲諸《易》家說皆祖田何、楊叔（元）、丁將軍，大誼略同，唯京氏爲異，黨焦延壽獨得隱士之說，託之孟氏，不相與同。房以明災異得幸，爲石顯所譖誅。……房授東海殷嘉、河東姚平、河南乘弘，皆爲郎、博士。繇是《易》有京氏之學。」

京房解褐爲郎，建昭二年（前三七）出爲太守卒官（註二七），其間並未任它官，是氏未曾身爲博士。雖然，《易》京房學宗，嘗立於官學矣，《漢》〈志〉：

「《易》，……訖于宣、元，有施、孟、梁丘、京氏列於學官。」

《後漢書》〈儒林傳〉述《前漢書》云：「施、孟、梁丘、京氏四家皆立博士。」

《後漢書》〈章帝紀〉建初四年（七九）十一月壬戌（十一日）詔曰：「孝宣皇帝以爲去聖久遠，學不厭博，故遂立大、小夏侯《尚書》，後又立京氏《易》。至（光武）建武中，（復置顏氏、嚴氏《春秋》、大、小戴《禮》博士。）」

又〈范升傳〉升奏曰：「……今費、左二學，無有本師，而多反異，先帝前世有疑於此，故京氏雖立，輒復見廢。」

京氏《易》宗在西漢立官時期，上引四條，唯《漢》〈志〉明言爲元帝世，王國維疑其當京房用事之時，則值永光（前四三至前三九）、建昭間房上疏言事見信者數，至建昭二年二月拜爲魏郡太守之前。而其學官見廢，《漢書》無明文，然其始師京房本人獲重罪棄市，其學官應亦與人俱黜，竝爲同年十一月事，計前後立官約三、四年，故范升奏「京氏雖立，輒復見廢」（註二八），以迄西漢末未見復立。中興，光武建武四年稍前，廷臣請立京《易》；自茲學者日眾（註二九），靈帝刊《易石經》，任事文臣取京本以參校。

房之弟子段嘉、乘弘可能見立爲京氏《易》學博士，而姚平與另一弟子任良則僅爲郎，房本傳具明文（註三〇）。嘉有《易》專著，舊說確認渠爲博士，可信，《漢》〈志〉〈易類〉：

「《孟氏京房》十一篇、《京氏段嘉》十二篇。」《注》引蘇林曰：「東海人，爲博士。」師古曰：「蘇說是也，嘉即京房所從受《易》者也，見〈儒林傳〉及劉向《別錄》。」

彼傳作殷，此志作段，似作段是；段著書而加京氏其上者，蒙師氏於前用明其所受（著錄《京房》十一篇，上冒京氏之師祖孟喜，亦猶是也），漢重師法故爾，亦證顏《注》京房從受於段嘉爲誤。至乘弘，《經義考》（卷二八三）「承師」、《漢西京博士考》、《兩漢五經博士考》咸予錄列博士林，《漢魏博士題名考》雖亦錄列，然於後案語示疑（註三二），爲是。

歷徵西漢《易》學家興替，知武昭世《易》先立楊何氏學，至宣世石渠會前後，乃立施、孟、梁丘三家學，元帝更立京氏《易》一家，則〈儒傳贊〉「初，《易》唯楊，至孝宣世，復立施、孟、梁丘《易》，至元帝世，復立京氏《易》」，亦洵是也（註三三）。

五　《禮》立博士

（一）高堂生字伯身立為《禮》博士

漢初《禮》學，以高堂生爲大宗師，《史記》〈儒林傳〉：

「及今上即位，……於是招賢良文學之士。自是之後，……言《禮》，自魯高堂生。……諸學者多言《禮》，而魯高堂生最本。《禮》固自孔子時而其經不具，及至秦

焚書，書散亡益多，於今獨有《士禮》，高堂生能言之。」

《漢書》〈儒林傳〉：

「漢興，……言《禮》，則魯高堂生。」又曰：「高堂生傳《士禮》十七篇。」（《漢》〈志〉同，見後引）（《後漢書》〈儒林傳〉：「《前（漢）書》：魯高堂生，漢興，傳《士禮》十七篇。」《經典釋文》〈序錄〉：「漢興，有魯高生傳《士禮》十七篇，即今之《儀禮》也。」竝同《漢書》）

高堂生字伯，秦末魯人，生謂儒者（《史記索隱》引謝承《後漢書》）。漢興，傳《儀禮》十七篇，且能說之，於武帝世似其人尚在，其學獨顯，故《史記》云「於今獨有《士禮》，高堂生能言之」也。

高堂伯爲《禮》（《儀禮》）博士，《史記》、《兩漢書》俱不見載，它書僅僅見之：

《儀禮》〈士冠禮〉「布席于門中闑西閾外西面」鄭《注》「古文闑爲槷閾爲蹙」，唐賈公彥《疏》曰：「漢興，求錄遺文之後，有古書、今文，《漢書》云：『魯人高堂生

爲漢博士，傳《儀禮》十七篇。』，是今文也。」（敏謹案：今本班固《漢書》無此引文）賈氏〈序周禮廢興〉亦曰：「漢興，至高堂生博士，傳十七篇。」《經典釋文》〈序錄〉：「漢初，立高堂生《禮》博士。」

胡秉虔《漢西京博士考》、王國維《漢魏博士題名考》均不列，殆疎忽未見上引兩文；張金吾轉引《漢書》（未引《經典釋文》〈序錄〉及賈〈序〉，疎），故於其《兩漢五經博士考》卷三列高堂生「建元以前博士」，蓋以爲當景帝朝立，以庚齒及竝時諸儒度之，應是。

高堂《禮》學之承師，畢沅《傳經表》曰：「未詳所受。」夫《儀禮》之學，曲阜最盛，當受之於孔子家邦儒生。譜儒林者莫不錄高堂爲炎漢傳《禮》之第一師（註三三）。

《禮》高堂學之下傳，《史記》〈儒林傳〉：

「諸學者多言《禮》，而魯高堂生最本。……於今獨有《士禮》，高堂生能言之。而魯徐生善爲容，孝文帝時，徐生以容爲《禮》官大夫。傳子至孫徐延、徐襄。襄，其天姿善爲容，不能通《禮》經。……襄以容爲《禮》官大夫。……延及徐氏弟子公户滿意、桓生、單次，皆嘗爲漢《禮》官大夫。而瑕丘蕭奮，以《禮》爲淮陽太守。是後能言《禮》爲容者，由徐氏焉。」（《漢書》〈儒林傳〉容作頌，頌、容義通）

《史》言高堂善「言」《禮》方已，語遂急轉曰「而」徐生善爲容，不能言經（通經），明徐爲《禮》另一宗派。徐生（疑爲參與叔孫通制朝儀之眾魯儒生之一）者，容《禮》（容《禮》即《論語》之「執禮」，行禮也）、即儀節之實行者，不能通《禮》經本文，但長於行作，家世相傳子延、孫襄，又別傳公戶、桓、單及張氏，皆不知經，但能盤辟爲容，漢置郎專司容《禮》（註三四），後世言《禮》容者於漢造端乎徐生，是爲容《禮》派始師。《史記》轉敘容《禮》派既已，旋語又一轉曰：「而蕭奮以《禮》爲太守」，「以《禮》」者，以「言《禮》經」爲官，明不同於方才敘述之容《禮》派，而文氣則遠紹高堂生「言《禮》」，是爲漢代《禮》之說經派第二大家，次後高堂者也。

（二）后蒼近君身立為《禮》博士宣帝朝

「言《禮》派」漢始師高堂生傳蕭奮、蕭傳孟卿、孟卿傳后蒼，后蒼傳兩戴及慶普，《漢書》〈儒林〉〈孟喜傳〉：

「孟喜，……東海蘭陵人也。父號孟卿，善爲《禮》，……授后蒼，世所傳后氏《禮》，……出孟卿。」

又〈儒林〉〈孟卿傳〉：

「孟卿，東海人也。事蕭奮，以授后倉、魯閭丘卿。倉說《禮》數萬言，號曰《后氏曲臺記》，授……梁戴德延君、戴聖次君、沛慶普孝公。」（《漢後書》〈儒林傳〉述《前漢書》曰：「魯高堂生，漢興傳《禮》十七篇。後瑕丘蕭奮以授同郡后蒼，蒼授梁人戴德及德兄子聖、沛人慶普。」略去孟卿，直以后氏上接高堂）

又《漢》〈志〉〈禮類〉〈後敘〉：

「漢興，魯高堂生傳《士禮》十七篇。訖孝宣世，后倉最明，戴德、戴聖、慶普皆其弟子。」

自高堂下至兩戴，凡五傳，故鄭玄《六藝論》（《禮記正義》〈大題〉下引）云：

《漢書》〈藝文志〉〈儒林傳〉云《禮》者十三家，唯高堂生及五傳弟子戴德、戴聖名在也。（敏案：〈儒林傳〉猶有蕭、孟、后，而〈藝文志〉著錄《后氏禮經》、《后氏

曲臺記》，鄭君均略而未及）

五謂併始師高堂下至兩戴，爲五代六家，《禮記正義》引〔北朝〕熊安生《禮記義疏》曰：

「高堂生、蕭奮、孟卿、后倉及戴德戴聖（兩人合爲一代）爲五也。此所傳皆《儀禮》也。」

后蒼善《禮》學，亦長於《詩》；從夏侯始昌專習《詩》，兼從習《禮》。是其《禮》經兩受自孟卿、夏侯二師，爲經博士，《漢書》〈儒林〉〈后蒼傳〉：

「后蒼字近君，東海郯人也。事夏侯始昌。始昌通五經，蒼亦通《詩》、《禮》，爲博士，至少府。授翼奉、蕭望之、匡衡。」

班氏上言「蒼通《詩》、《禮》」，下言「爲博士」，則謂蒼身爲《詩》博士抑《禮》博士亦或身兼《詩》、《禮》兩經博士，語未分析，遽爾無由質言之。《漢魏博士題名考》卷上

分列后氏爲齊《詩》、《禮》博士；胡秉虔分入后氏於《詩》、《禮》博士名錄，且聲明云：

案：十七篇，即今之《儀禮》也。倉雖亦以《詩》教授，而其學長於《禮》，故〈儒林贊〉有「《禮》后」……之語，至今大、小戴《禮記》屹然與諸經並峙（敏案：二戴《記》並非后蒼所傳），而皆出於倉，則倉實《禮》之大宗也。不得以《詩》家已列其姓名而此遺之。（《漢西京博士考》卷二）

案：西漢重師法，一人或同時或先後爲兩經博士者，絕無僅有。蒼治齊《詩》、《禮》經，均是大宗，但祇得爲一大宗——《禮》博士。故《兩漢書》絕不記后氏曾爲《詩》博士；而〈儒傳贊〉記經博士有「《禮》后」語，既確謂蒼曾爲《禮》博士，則不得又爲《詩》博士明甚！

蒼身曾爲《禮》博士無疑，第〈儒傳贊〉謂蒼爲《禮》博士當武至昭二世，則大有可議，《兩漢五經博士考》卷二：

「《漢書》〈儒林傳贊〉曰：『武帝立五經博士，《禮》后』。金吾案：『后倉事宣帝爲博士，則后氏《禮》非武帝所立可知』。《經典釋文》曰：『漢初，立高堂生《禮》

博士。』后倉傳高堂生《禮》者，後人遂以高堂生《禮》爲后氏《禮》；班氏云云，蓋亦從後追稱耳。」

近人陳漢章又不盡然張說，反以班書爲得正，云：

……（《史記》）《索隱》引謝承曰：「秦氏季代有魯人高堂伯」，伯是其字，……據此，則高堂生在秦季世，與叔孫通同時，未必老壽逮漢武帝初年，當仍作「后蒼」爲是。蒼爲武帝博士，無妨逮事宣帝也。（范文瀾：《羣經概論》，頁二一引）

元敏謹案：故秦經師《易》田生何、《書》伏生勝、《禮》叔孫通及《禮》高堂生字伯，壽恐俱不克逮事武帝建元五年爲博士；高堂生爲博士至遲在景帝世，陳氏說此得之，但謂后氏爲博士，逮仕武昭宣三帝，則大可訾議！

夫后蒼初以傳齊《詩》顯，其源出於轅固生，《漢》〈志〉〈六藝略〉〈詩類〉著錄「《詩》，經二十八卷，魯、齊、韓三家。」師古《注》引應劭曰：「……后蒼作齊《詩》。」王先謙《補注》引齊召南曰：「應說非是。后蒼傳齊《詩》者，非其始也；齊《詩》始於轅固。」

《漢》〈志〉〈詩類〉又著錄《齊后氏故》二十卷。

后以齊《詩》授白、蕭、翼、匡，《漢書》〈蕭望之傳〉：

「蕭望之，……東海蘭陵人也，徙杜陵。……好學，治齊《詩》，事同縣后倉且十年師古曰：「常同於后倉受業，而奇後爲博士。」王先謙《補注》：「官本《注》於作與。」敏案：常通嘗，謂蕭曾同白奇受《詩》業於后倉所。官本《注》於作與，非。。以令詣太常受業，復事同學博士白奇《補注》錢大昭曰：「后倉，東海郯人，見〈儒林傳〉，與望之同郡，非同縣也，縣疑當作郡。」，又從夏侯勝問《論語》、《禮》服，京師諸儒稱述焉。是時大將軍霍光秉政，長史丙吉薦儒生王仲翁與望之等數人，皆召見。先是左將軍上官桀與蓋主謀殺光，光既誅桀等，後出入自備。吏民當見者，露索去刀兵，兩吏挾持，望之獨不肯聽。……於是光獨不除用望之。……三歲間，仲翁至光祿大夫，給事中，望之以射策甲科爲郎。……及御史大夫魏相除望之爲屬，察廉爲大行治《禮》丞。……爲太傅，以《論語》、《禮服》授皇太子。」

又〈翼奉傳〉：

「翼奉，……東海下承人也。治齊《詩》，與蕭望之、匡衡同師。三人經術皆明，衡

爲後進。……元帝初即位，諸儒薦之（翼）。……奉奏封事曰：『……臣奉竊學齊《詩》。』……以中郎爲博士。」

又〈匡衡傳〉：

「匡衡，……東海承人也。……好學。……諸儒爲之語曰：『無說《詩》，匡鼎來；匡說《詩》，解人頤。』……（蕭）望之奏衡經學精習，說有師道。……宣帝不甚用儒，遣衡歸官。……元帝初即位，……以爲郎中，遷博士，給事中。」

案：蕭望之、翼奉、匡衡皆以郡人師事后蒼，白奇當亦以郡人子與三子同門，蒼彼時方爲布衣，授齊《詩》后氏家塾，四子從習《詩》（註三五）。望之學成，丙吉薦予霍光，値昭帝元鳳元年（前八〇）九月上官桀、桑弘羊等謀殺霍大將軍之近後（《漢書》〈昭帝紀〉），在此之前，望之已在太學受齊《詩》於同窗白奇大約一、二年，而入太學之前，又已先從后氏習《詩》九年（且十年），亦即自元鳳元年上推十二、三年，當武帝征和二年（前九一）后氏已在家塾授《詩》，大抵至元鳳元年而仍教《詩》不已。則后氏釋褐爲《禮》博士，絕不致早及武帝之世。

昭帝初踐尊，后蒼同門《禮》生夏侯勝，以名儒選入授帝《禮》經，除《禮》博士，任博士約十二年，至遲當元平元年（前七四）之前已遷升爲文學光祿大夫，是勝受徵立爲《禮》博士當在后氏爲《禮》博士之前（註三六）。后蒼除《禮》博士，約當宣帝初（元平元年六月）（註三七），補其同門夏侯勝遺缺而已。

而蒼前於武、昭二世，方以齊《詩》名，私家設科授徒，逮宣帝世，始以《禮》經顯最，《漢》〈志〉〈禮類敘〉：

「漢興，魯高堂生傳《士禮》十七篇，訖孝宣世，后倉最明。戴德、戴聖、慶普皆其弟子，三家立於學官。」

《經典釋文》〈序錄〉：

「蒼傳十七篇；……蒼說《禮》數萬言，號曰《后蒼曲臺記》。孝宣之世，蒼爲最明，蒼授……梁戴德、戴聖、沛慶普，由是《禮》有大、小戴、慶氏之學。」

《隋書》〈經籍志〉〈禮類敘〉：

「漢初，有高堂生傳十七篇，……至宣帝時，后蒼最明其業，乃爲《曲臺記》。蒼授……戴德、……（戴）聖、沛人慶普，於是有大戴、小戴、慶氏三家並立。」

蒼學大顯，因身受立爲《禮》博士，至少府，咸當宣帝朝，下引文最可與〈儒傳贊〉相資，《七略》曰：

「宣皇帝時，行射禮，博士后倉爲之辭，至今記之，曰『曲臺記』。」（《文選》卷六十〈任彥昇齊晉陵文宣王行狀〉「若曲臺之《禮》」李善《注》引）

《漢書》〈百官公卿表〉七下：

「宣帝本始二年，博士后倉爲少府，二年。」（蒼仕少府，亦見《漢》〈志〉〈孝經類敘〉：「漢興，……少府后倉……自名家。」）

據此，本始二年（前七二）蒼罷《禮》博士，遷升少府，在職兩年（其後復有仕歷，或竟物故，不詳），上距建元五年凡六十五祺，計后氏年近期頤矣。后翁而壽耇，吾誠不敢置異，

壽而又爲博士授徒議政者六十五年，竟沈頓不遷，吾於陳氏漢章之說，不能無譏；張氏金吾云后蒼事宣帝爲博士，而並未予以考實，則亦不能無憾也。

上既歷徵齊《詩》、《儀禮》兩經之傳受，得后蒼爲《禮》博士宣帝世，則〈儒傳贊〉述武昭世博士，而以「《禮》后」入錄，是錯誤非追稱。高堂生、夏侯勝爲《禮》博士景、昭朝，中間爲《禮》博士武帝朝者誰？豈蕭奮、孟卿、閭丘卿輩乎（註三八）？

（三）兩戴慶氏三家《禮》學立官

戴德（稱大戴）姪戴聖（稱小戴）及慶普三家，均是后蒼弟子，載見：

《漢書》〈儒林〉〈孟卿傳〉及《後漢書》〈儒林傳〉述《前漢書》（均已見前引）；

《漢》〈志〉（亦詳前引）；

鄭玄《六藝論》（記后氏弟子僅及兩戴，亦詳前引）；

熊安生《禮記義疏》（記后氏弟子亦止及兩戴，亦詳前引）；

《經典釋文》〈序錄〉（亦已詳前引）；

《隋書》〈經籍志〉（同上）。

三家皆立學官宣帝世：

《漢》〈志〉〈禮類〉著錄：「《禮》（今文）經十七篇，班氏自注曰：『后氏、戴氏。』」於〈後敘〉又曰：「訖孝宣世，后倉最明。戴德、戴聖、慶普皆其弟子，三家立於學官。」

《後漢書》〈儒林傳〉述《前漢書》曰：「……於是德爲大戴《禮》、聖爲小戴《禮》、普爲慶氏《禮》，三家皆立博士。」

《經典釋文》〈序錄〉：「漢初立高堂生《禮》博士，後又立大、小戴、慶氏三家。」

《隋書》〈經籍志〉〈禮類後敘〉：「……至宣帝時，后蒼最明其業。……授戴德、（戴）聖、沛人慶普，於是有大戴、小戴、慶氏三家並立。」

案：《後漢書》及《經典釋文》不記三家立官朝代，當依《漢》〈志〉定在宣世（《隋》〈志〉即襲之）。

戴聖爲小戴學始師，身立爲博士宣帝甘露三年石渠閣經議之前，《漢書》〈儒林〉〈孟卿傳〉：

「……慶普孝公……爲東平太傅。德號大戴，爲信都太傅；聖號小戴，以博士論石渠，至九江太守。由是《禮》有大戴、小戴、慶氏之學。」

聖爲博士宣帝世，亦見列傳，《漢書》〈何武傳〉：

「宣帝時，……王褒頌漢德，作〈中和〉、〈樂職〉、〈宣布〉詩三篇，武年十四五，……習歌之。……九江太守戴聖，《禮經》號小戴者也，行治多不法，前刺史以其大儒，優容之。及武爲刺史，……使從事廉得其罪，聖懼，自免。後爲博士，毀武於朝廷。」

案：〈王褒傳〉載褒作頌當宣帝神爵、五鳳間（前五八至前五七），時何武年十四五。後武詣博士受業，射策爲郎，遷鄠令，久之，因太僕王音舉，徵對策，拜諫大夫，遷揚州刺史（〈何武傳〉），多歷年所，已下至成帝河平三年（前二六）。其後，聖爲博士，則遠在石渠議後，與〈儒林傳〉「小戴以博士論石渠」牾。考郡太守爵位尊高於博士（註三九），聖不應先爲太守後乃爲博士，此必懼罪自免後復爲博士者。則小戴甘露三年之前曾爲博士，後遷升至九江太守，河平、陽朔間再度爲博士也（註四〇）。

戴德爲大戴學始師，德未嘗身立爲博士（註四一），其弟子徐良爲博士，應在宣帝世。慶普爲慶氏學始師，普亦未嘗身立爲博士，其弟子必有曾立博士宣帝世者，或爲夏侯敬，惜他人名籍無可確考，茲併列三家學之下傳於後，《漢書》〈儒林傳〉：

「（慶）普授魯夏侯敬，又傳族子咸，爲豫章太守。大戴授琅邪徐良斿卿，爲博士、州牧、郡守，家世傳業。小戴授梁人橋仁季卿、楊榮子孫。仁爲大鴻臚，家世傳業，榮琅邪太守。」

兩戴《儀禮》學，宣帝立，〈儒傳贊〉云「宣帝復立大、小戴《禮》」，誠是；唯增立之《禮》家，猶有慶氏者，則疎而未列。

唯王國維謂兩戴時雖已立，仍爲后氏學宗，其〈漢魏博士考〉（《觀堂集林》卷四）：

「（《漢書》）〈百官公卿表序〉：『博士，宣帝黃龍元年增員至十二人。』……宣帝於《禮》博士亦無所增置，〈儒林傳贊〉乃謂宣帝立大、小戴《禮》，不知戴聖雖於宣帝時爲博士，實爲后氏《禮》博士，尚未自名其家、與大戴分立也。〈藝文志〉謂慶氏亦立學官者，誤與此同。今參伍考之，則宣帝末所有博士：《易》則施、孟、梁丘，

《書》則歐陽、大、小夏侯，《詩》則齊、魯、韓，《禮》則后氏，《春秋》公羊、穀梁，適得十二人。〈儒林傳贊〉……數大、小戴《禮》，〈藝文志〉並數慶氏《禮》，則又因後漢所立而誤也。」

案：一經所立，不止一家，一家至少立博士一人，則宣帝一朝經學博士所立決逾十二人。唯諸人之立，非在一時，其罷廢，亦隨時而有之；及其存免年歲，又絕多不可的考。〈公卿表序〉據彼當時見任博士言，未可便作一朝既立博士家派之唯一依據。且夫后蒼，本始二年罷《禮》博士，下至甘露石渠會凡十一年餘，其間兩戴、慶氏成家自名，二戴有《禮經》本（《漢》〈志〉著錄「《經》十七篇戴氏，與后氏齊名」），當亦有說《禮》專著，以課生徒者，班書〈儒傳贊〉數《禮》二戴、〈志〉又數慶《禮》宣世立官，良是。靜安立說，吳承仕從之（註四二），余未敢謂然。

六　三家《詩》立博士

（一）魯《詩》學立官於文景武昭宣五朝

《詩》學博士，文、景兩世先後置立之。始魯《詩》、次及韓、齊，凡立三學宗。魯《詩》，始師魯申公，受《詩》於荀卿之弟子浮丘伯（註四三），身立爲博士文帝時，有專著，《史記》〈儒林〉〈申公傳〉：

「申公者，魯人也。高祖過魯，申公以弟子從師入見高祖于魯南宮。呂太后時，申公游學長安，與劉郢同師。已而郢爲楚王，令申公傳其太子戊。……歸魯，退居家教，終身不出門，復謝絕賓客，獨王命召之乃往。弟子自遠方至受業者百餘人。申公獨以《詩經》爲訓以教，無傳，疑者則闕不傳。」

《漢書》〈儒林〉〈申公傳〉：

「申公，魯人也。少與楚元王交俱事齊人浮丘伯受《詩》。」

又〈楚元王傳〉：

「文帝時，聞申公爲《詩》最精，以爲博士。元王好《詩》，諸子皆讀《詩》，申公始爲《詩傳》，號魯《詩》（註四四）。」

申公魯《詩》學之下傳，《史記》〈儒林〉〈申公傳〉：

「（申公之）弟子爲博士者十餘人：孔安國至臨淮太守、周霸至膠西內史、夏寬至城陽內史、碭魯賜至東海太守、蘭陵繆生至長沙內史、徐偃爲膠西中尉、鄒人闕門慶忌爲膠東內史。其治官民皆有廉節，稱其好學。學官弟子行雖不備（註四五），而至於大夫、郎中、掌故以百數。言《詩》雖殊，多本於申公。」（《漢書》〈儒林〉〈申公傳〉略同）

《漢書》〈儒林〉〈申公傳〉：

「申公卒以《詩》、《春秋》授，而瑕丘江公盡能傳之，徒眾最盛；及魯許生、免中徐公，皆守學教授。」

案：《史》、《漢》兩〈儒林傳〉竝稱申公弟子爲博士者十餘人，則申公門人必有職任博士者。下文即列孔安國至闕門慶忌七人，則七人者皆博士（不足「十餘人」之數，史失其姓名殆半），唯不可能盡屬《詩》博士，蓋但云「爲博士」，並非獨指《詩》博士，西漢兼習多經者有人，申公弟子不能例外，故其中或可能有它經博士。果然，孔安國兼習《尚書》確爲《尚書》博士（見《史記》〈孔子世家〉、〈儒林傳〉及《漢書》〈孔光傳〉），準西漢一人只得爲一經博士法，安國定非同時兼爲或先後爲《詩》博士。兩〈儒林傳〉既竝於《詩》申公學一節文中稱其弟子博士，則列名餘六人中不容一無《詩》博士，唯史闕明文，難以考定。六生中徐、魯二人爲博士年歲尚可考知：據《漢書》〈武帝紀〉及〈五行志〉，褚大等奉遣循行郡國，又據《史記》〈平準書〉，武帝遣博士褚大、徐偃等分曹循行郡國，所指同一事，考事當元狩六年（已詳上《春秋》褚大卷），則偃爲博士至遲在元狩末；任官至元鼎（前一一六至前一一一）仍在職，知者，《漢書》〈終軍傳〉：

「元鼎中，博士徐偃使行風俗。」

魯賜亦武帝世博士，在元封七年（前一〇四，即太初元年）頃，《漢書》〈律曆志〉一上：

「至武帝元封七年，漢興二百歲矣。……是時御史大夫兒寬明經術（註四六），上乃詔寬曰：『與博士共議，今宜何以爲正朔？服色何上？』寬與博士（註四七）賜等議。」

至瑕丘江公、魯許生及免中徐公皆教授不仕（註四八）；許、徐共爲王式之師，許與江又同授韋賢《詩》。則韋賢、王式者，申公魯《詩》學之再傳也，二人均爲《詩》博士，《漢書》〈韋賢傳〉：

「韋賢字長孺，魯國鄒人也。……賢……兼通《禮》、《尚書》，以《詩》教授，號稱鄒魯大儒。徵爲博士，給事中，進授昭帝《詩》。」（《史記》〈建元以來侯者年表〉：「韋賢，家在魯，通《詩》、《禮》、《尚書》，爲博士，授（鄒魯）大儒，入爲侍中，爲昭帝師。」略同）

又〈儒林〉〈申公傳〉：

「韋賢治《詩》，事大江公（即瑕丘江公）（註四九）及許生；又治《禮》，至丞相。」

是賢昭帝世爲魯《詩》博士。

又〈王式傳〉：

「王式字翁思，東平新桃人也。事免中徐公及許生。式爲昌邑王師。昭帝崩，昌邑王嗣立，以行淫亂廢。……山陽張長安幼君先事式，後東平唐長賓、沛褚少孫亦來事式。……唐生、褚生應博士弟子選，詣博士。……諸博士……共薦式，詔除下爲博士。……博士江公（敏案：瑕丘江公之孫，爲《穀梁》博士）世爲魯《詩》宗，心嫉式。……張生、唐生、褚生皆爲博士；張生論石渠。……薛廣德亦事王式，以博士論石渠。」

《史記》〈龜策列傳〉褚先生曰：

「臣以通經術，受業博士，治《春秋》，以高第爲郎。」（博士：兼指王式及太學博

士，式初教授於私家，褚從學《詩》，後式徵爲博士，褚言師博士，追稱之耳；褚入太學，又從《春秋》博士受業。〔註五〇〕）

是式宣帝時爲魯《詩》博士。

申公魯《詩》學之三傳，有張長安、唐長賓、褚少孫、薛廣德均立爲博士，張、薛竝以魯《詩》博士與於石渠會議，是爲宣帝博士（已具上引〈王式傳〉），唐、褚殆亦同爲宣帝《詩》博士。薛氏自有傳，《漢書》〈薛廣德傳〉：

「薛廣德字長卿，沛郡相人也。以魯《詩》教授楚國。……薦……爲博士，論石渠，遷諫大夫，代貢禹爲長信少府、御史大夫。」

記廣德宣帝甘露時已爲博士，同〈儒林傳〉。

（二）韓《詩》學立官於文景武昭宣五朝

韓《詩》，始師〔燕〕韓嬰，其學承師不詳。嬰本身立爲博士文帝世，有專著，《史記》〈儒林〉〈韓生傳〉：

「韓生者，燕人也。孝文帝時爲博士，景帝時爲常山王太傅。韓生推《詩》之意而爲《內》、《外傳》數萬言（註五一），其語頗與齊魯閒殊，然其歸一也。……自是之後，而燕趙閒言《詩》者由韓生。」（《漢書》〈儒林〉〈韓嬰傳〉：「韓嬰，燕人也。……武帝時，嬰嘗與董仲舒論於上前，其人精悍，處事分明，仲舒不能難也。」）

是嬰文帝時《詩》博士，人至武帝朝猶健在。

韓嬰韓《詩》學，一傳其孫商，商爲《詩》博士武帝朝，《史記》〈儒林傳〉：

「韓爲今上博士。」（《漢書》〈儒林傳〉：「韓嬰……武帝時，……後其孫商爲博士。……孝宣時，……」）

是商武帝朝《詩》博士，史遷親見之。

韓嬰三傳食子公、王吉，食、王均爲韓《詩》博士，《漢書》〈儒林傳〉：

「（韓嬰傳河內趙子，趙子授同郡蔡誼，）誼授同郡食子公與王吉。……食生爲博士。」

又〈王吉傳〉：

「王吉字子陽，琅邪皋虞人也。少好學明經。……舉賢良爲昌邑中尉。……（坐在昌邑國時不舉奏王罪過，）減死，髡爲城旦。起家復爲益州刺史，病去官，復徵爲博士、諫大夫。是時宣帝……。」

是王吉宣帝博士；而食生爲同窗，度其任博士亦在宣世，歲月或許略早於吉者也。

（三）齊《詩》學立官於景武昭宣四朝

齊《詩》，始師（齊）轅固生，其學上承不詳，轅固本身立爲博士景帝世，有專著（註五二），《史記》〈儒林〉〈轅固生傳〉：

「清河王太傅轅固生者，齊人也。以治《詩》，孝景時爲博士。與黃生爭論景帝前。……帝以固爲廉直，拜清河王太傅。久之，病免。今上初即位，復以賢良徵固。諸諛儒多疾毀固，曰：『固老』，罷歸之。時固已九十餘矣。……自是之後，齊言《詩》皆本轅固生也。諸齊人以《詩》顯貴，皆固之弟子也。」（《漢書》〈儒林〉〈轅固生

傳〉略同）

諸以《詩》顯貴之齊人，今皆失其姓名；唯再傳弟子魯人后蒼（未曾爲《詩》博士，已詳上《禮》后卷），蒼傳同郡蕭望之、翼奉、匡衡，三子貴顯（翼、匡爲《詩》博士元帝朝；元帝朝立博士事，非本文所主，茲不具述）。轅固生後傳之爲齊《詩》博士昭帝世者，今知唯三傳弟子白奇一人而已，《漢書》〈蕭望之傳〉：

「蕭望之，……治齊《詩》，事同縣（當作郡）后倉且十年。以令詣太常受業，復事同學博士白奇。」

白奇與望之竝從后蒼習齊《詩》后氏家塾，事在武帝征和二年至昭帝元鳳前數年間，後爲博士執教太學約當始元五、六年（考稽歲月已詳上《禮》后卷）。

(四) 小結——論〈儒傳贊〉不舉《詩》博士之故

總上論列，《詩》魯韓齊三宗之學，端始於文景世，傳至宣朝。其間武帝朝有徐偃、魯賜等爲魯《詩》博士，韓商爲韓《詩》博士；昭帝朝有韋賢爲魯《詩》博士，白奇爲齊《詩》博

士；而宣帝朝魯《詩》博士，王式、張長安、唐長賓、褚少孫、薛廣德是，韓《詩》則食子公、王吉立爲博士。計武昭宣三代治《詩》三家爲學官者至少一十二人，乃班氏贊〈儒林〉數三朝經博士，只及《易》、《書》、《禮》、《春秋》四經，獨缺《詩》一經不舉，何哉？宋王應麟究其故，《困學紀聞》卷八〈經說〉：

「〔後漢〕翟酺曰：『文帝始置一經博士。』攷之漢史，文帝時，申公、韓嬰皆以《詩》爲博士（原注：「所謂魯《詩》、韓《詩》。」）。五經列于學官者，唯《詩》而已。景帝以轅固生爲博士（原註：「所謂齊《詩》。」），而餘經未立。武帝建元五年春，初置五經博士。（《漢書》）〈儒林傳贊〉曰：『武帝立五經博士，（初）《書》唯有歐陽、《禮》后、《易》楊、《春秋》公羊而已。』立五經而獨舉其四，蓋《詩》已立於文帝時，今并《詩》爲五也。」

王氏引翟語，出《後漢書》翟本傳酺上奏言，其「一經」當作「五經」；「五經博士」，通稱指「經學博士」，謂文帝始立經學博士耳，非實指彼時已立《易》、《書》、《詩》、《禮》、《春秋》每經各有博士（註五三），時已立之博士，《詩》外更有《尚書》，景帝且立《禮》、《春秋》博士。伯厚據訛本范書，斷文帝時五經列學者「唯《詩》而已」，失徵之言也。伯厚既仞文景止立《詩》「一經」，則定五經之悉立乃「初始」於武帝世，因於〈帝

紀〉「建元五年春，……置五經博士」之「置」上自增「初」字，明其與舊（文景世）所置異。故下引〈儒傳贊〉立四經，謂之「新立」，以與「舊立」《詩》一經對別；斷〈儒傳贊〉但舉新立而略舊置，是以計五經不數《詩》但數《易》、《書》、《禮》、《春秋》也。王氏失徵又誤！

夫《尚書》、《詩》、《禮》、《春秋》，文景兩世已先後立官，《易》博士，武帝朝方立（註五四）（說均已詳前文各節），此不爭之事寔，故王靜安不取王伯厚之說，轉責〈儒傳贊〉甚疏漏，《漢魏博士考》：

「宣帝增置博士事，……二傳（敏案：二傳，謂《漢書》〈劉歆傳〉歆〈移太常博士書〉及〈儒林傳贊〉）皆不數《詩》博士，案申公、韓嬰均於孝文時爲博士，轅固於孝景時爲博士，則文、景之世，魯齊韓三家《詩》已立博士。特孝宣時於《詩》無所增置，故劉歆畧之。〈儒林傳贊〉綜計宣帝以前立博士之經，而獨遺《詩》魯齊韓三家，則疏漏甚矣。……〈儒林傳贊〉遺《詩》三家，因劉歆之言而誤。」

案：歆〈移書〉求立《古文尚書》、《古文禮》及《（古文）春秋左氏傳》，欲強調其增廣經義之主張，故以《書》先立歐陽——後猶立兩夏侯對舉，明《古文尚書》亦應增立、又以

《春秋》先立《公羊》——後猶立《穀梁》對舉，明《古文左傳》亦應增立；資以宣暢「經義雖異，猶竝置立」之意已足，故不舉《儀禮》，避繁而已；至於《詩》，自景至宣世，一向只立魯韓齊三家未改（無增立），歆無緣舉之，故略不及之也。靜安討說未詳，且意亦不及此，因補徵如上。

又案：首節引《漢》〈志〉所述訖至宣帝末立官之今文經學共十四家，併元帝立京房《易》一家，則爲十五家，十五家簡表如下（見下頁）：

此計經今文家立官之總數，含《詩》三家，無省略，一也；其記《易》、《書》、《禮》三經各家均冒以「訖孝宣世」，明宣帝朝之前不然，二也；惟於《詩》但云「三家皆列於學官」，無「訖孝宣世」冒上，明宣帝朝以前已然至宣帝朝以訖西漢末依舊，並無家派之分爭，三也；又於《春秋》但云「《公羊》、《穀梁》立於學官」，亦無時代冒上，明自宣帝朝以訖西漢末，僅立嚴氏、瑕丘各一家，亦無家派之分爭，四也。據此分析，班〈志〉（依劉歆《七略》刪定）欲彰顯宣帝朝經學以分爭別立爲之特色（《易》，本一田何而分施、孟、梁丘；《書》，本一伏生而分歐陽、兩夏侯；《禮》，本一高堂生而分兩戴、慶），昭昭然矣。

學科	學宗	初立官時世	備說明
《易》家	施（讎）	宣帝立	
《易》家	孟（喜）	宣帝立	
《易》家	梁丘（賀）	宣帝立	
《易》家	京（房）	元帝立	
《書》家	歐陽（高）	武帝立	
《書》家	大夏侯（勝）	宣帝立	
《書》家	小夏侯（建）	宣帝立	
《詩》家	魯（申公）	文帝立	
《詩》家	齊（轅固生）	景帝立	
《詩》家	韓（韓嬰）	文帝立	韓，謂《詩》宗，非謂嬰爲韓國人。
《禮》家	大戴（德）	宣帝立	
《禮》家	小戴（聖）	宣帝立	
《禮》家	慶（普）	宣帝立	

學科	學宗	初立官時世	備說明
《春秋公羊》家	嚴（彭祖）	宣帝立	
《春秋穀梁》家	瑕丘江公	宣帝立	江公之孫先爲博士；石渠議後，周慶、丁姓相繼爲博士。

反觀〈儒傳贊〉，其總計經今文家立官，所執基本理念，亦在彰顯宣帝朝爲經學分爭別立時代，請先簡表用便照察如下：

學科	武昭二世已立之學宗	宣世增立之學宗
《易》家	楊（何）	施（讎）、孟（喜）、梁丘（賀）
《書》家	歐陽（高）	大夏侯（勝）、小夏侯（建）
《詩》家		
《禮》家	后（蒼）	大戴（德）、小戴（聖）

學科	武昭二世已立之學宗	宣世增立之學宗
《春秋公羊》家	春秋公羊（胡、董）	
《春秋穀梁》家		春秋穀梁（瑕丘江公）

《詩》無分爭別立，自來只有三家，故不錄列，筆則筆削則削，斯班家史法；而豈有疏漏，若王靜安所言哉！又持以比勘《漢》〈志〉，彼詳此略，竝微寓經學發展之義，孟堅豈因子駿之言而誤哉！靜安失考！

七　結論

——《史記》〈儒林傳〉述「文帝至武帝建元五年前」之經學大家申、轅固、韓、伏、高堂、田（何）、胡、董氏，《漢書》依之，但改爲「漢興以至建元五年前」，令溯上至高、惠之世，失時！

——《漢書》〈藝文志〉全計文帝至元帝立官之經學十五學宗；而〈儒林傳贊〉則但計宣、元兩朝立官之學宗，欲對舉舊所立者以與之較，意本不在求全。

——《尚書》學：歐陽學宗，武帝立歐陽高等爲博士，昭帝世繼立此宗學者夏侯建、孔霸

爲博士，宣帝仍之；宣帝別增立大、小夏侯兩學宗，大夏侯學牟卿、小夏侯學張山拊均立爲博士。則〈儒傳贊〉「初，《書》唯有歐陽，至孝宣世，復立大、小夏侯《尚書》」，而〈藝文志〉「訖孝宣世，有歐陽、大、小夏侯氏立於學官」，皆是也。

——《春秋》學：一《公羊》學，武帝立董仲舒學宗，仲舒本身及弟子褚大均爲博士。宣帝立仲舒三傳弟子嚴彭祖爲博士，成名立宗。〈儒傳贊〉及〈藝文志〉但說《公羊》立官，不及前董後嚴之名，未臻周延。二《穀梁》學，宣帝肇立瑕丘江公之孫爲博士，事在石渠會之前；會後，帝繼立周慶、丁姓等相續爲博士，皆「瑕丘江公學」，〈藝文志〉及〈儒傳贊〉竝記《穀梁》宣世始立學，誠是，但略其學宗「瑕丘江公」之名未予題錄，亦失周延，當補。

——《易》學：於武昭世，楊何爲大家，《史記》〈儒林傳〉亟稱之，《漢書》妄改爲田何，清人近人不察，反以《史記》爲誤。則已矣，又誤〈儒傳贊〉「《易》楊」亦「易田（王孫）」之字譌，斷楊何未曾立爲《易》博士。夫楊何元光中以治《易》受徵，初爲博士，逮元朔中右遷中大夫，諸家又不察《漢書》妄改《史記》「何以《易》元光中徵，官至中大夫」爲「何元光中徵爲太中大夫」，因謂楊何爲《易》博士無明文，遂輕言楊未曾爲《易》博士，甚失。則〈儒傳贊〉「《易》楊」，字不誤，楊即博士何也。於宣世，施讎身立爲博士、孟喜宗學徒白光、翟牧先後爲博士，施孟立於官學，皆當石渠會前。會後梁丘賀學增置，其後學士孫張立爲博士。京房學宗，元帝立官，房未曾身立爲博士，弟子段嘉爲博士，學旋廢。是〈藝文

志〉「訖于宣元，有施孟梁丘京氏列於學官」及〈儒傳贊〉「初，《易》唯楊；至孝宣世，復立施孟梁丘《易》」，確乎其無誤也。

——《禮》學：〈儒傳贊〉謂后蒼武昭世立官，余考蒼初授齊《詩》於己家塾，遲至宣世方以《禮》業明，乃於初葉立爲《禮》博士，徵之夏侯勝仕歷、蕭望之等本傳，更參酌《七略》、《漢》〈志〉、《釋文》，同然一辭，舊說或證據不足、或舛誤，今皆一一補正。蒼《禮》（《儀禮》）學傳兩戴、慶普，三家皆立官宣世石渠會前，大戴弟子徐良及小戴本身均立爲博士、慶氏弟子夏侯敬或立爲博士。〈藝文志〉「訖孝宣世，后倉最明，戴德戴聖慶普皆其弟子，三家立於學官」，洵是；而〈儒傳贊〉「至孝宣世，復立大小戴《禮》」，缺慶氏未數，補數之乃備。王國維拘拘於博士員黃龍元年十二人之數，謂宣世兩戴尚未自名其家，仍名后氏學，非也。

——《詩》今文魯韓齊三家：武昭宣三世至少立博士徐偃、韓商、白奇、薛廣德、食子公等十二人，《漢》〈志〉記至宣世「三家皆列於學官」，洵是；〈儒傳贊〉獨缺《詩》家不舉。夫後者欲彰顯經學分爭別立之特色，故只舉《書》、《禮》、《易》、《春秋公羊》以與宣帝朝增置之同四經對照，而《詩》無分立增設，故從省略。諸家不知班書筆削之義，或曲爲之解，或責班書疎漏，皆非是也。

註釋

一　班氏於《漢書》〈藝文志〉分經〈後敘〉云：漢興：田何傳《易》，伏生傳《書》，申轅固韓傳《詩》，高堂傳《禮》，《春秋》公、穀，與此《漢書》〈儒林傳〉同（僅連帶言《穀梁》，小差）（引詳下）。斯乃孟堅自抒己意，泛言漢初經師；非因承《史記》，則不得譏爲疏闊。

二　《史記》〈武帝本紀〉：「……後六年（當建元六年）竇太后崩。其明年（當元光元年），上徵文學之士。」《漢書》〈武帝紀〉：元光元年五月下詔舉賢良對策。是〈本紀〉與〈世家〉、〈年表〉合。

三　見〔宋〕歐陽脩《歐陽文忠公集外集》卷二一〈歐陽氏譜圖序〉。

四　亦見〈歐陽氏譜圖序〉，第〈譜圖序〉云高字彥士，小異。

五　歐陽容雖係《尚書》歐陽學宗始師，然未曾身爲博士，另詳拙著〈歐陽容夏侯勝未曾身爲《尚書》博士考〉（《國立編譯館館刊》，二十三卷二期，民國八三年一二月）。

六　《史記》〈儒林傳〉：「……張生亦爲博士。」《漢書》〈儒林傳〉：「張生爲博士。」以其師伏生年歲推之，張爲博士，始當在文帝前元十四、五年際（亦參看拙文，已見〔註五〕），是否續任至景帝世，不能定。

七　亦參見拙文，同見〔註五〕。

八　同（註七）。

九　同（註七）。又《漢書》〈儒林傳〉：「歐陽、大、小夏侯氏學皆出於（倪）寬。」

一〇　《漢書》〈儒林傳〉：「張山拊字長賓，平陵人也。事小夏侯建，爲博士，論石渠，至少府。」《經典釋文》〈序錄〉：「夏侯建……傳平陵張山拊陸氏自注：「爲博士，論石渠。」。」《觀堂集林》卷四〈漢魏博士考〉：「《漢書》〈宣帝紀〉：『甘露三年，立梁邱《易》、大、小夏侯《尚書》、《穀梁春秋》博士。』又〈百官公卿表序〉：『博士，宣帝黃龍元年增員至十二人。』……宣帝增置博士之年，〈紀〉、〈表〉雖不同，然皆以爲在論石渠之後，然〈儒林傳〉言……張山拊事小夏侯建爲博士，論石渠。則論石渠時似……小夏侯亦已有博士，與〈紀〉、〈傳〉均不合，蓋所紀歷官時代有錯誤也。」案：張山拊爲小夏侯建弟子，論石渠前已爲博士，時官學無小夏侯學宗之名，張爲歐陽博士，與會議經義耳。

一一　休此〈注〉見〈隱公二年傳〉。《漢》〈志〉〈小學類〉〈倉頡〉一篇下班氏自注：「《博學》七章，太史令胡母敬作。」《說文解字》許愼〈自序〉：「太史令胡母敬作《博學篇》。」敬殆即子都。

一二　公孫弘曾爲博士，是雜學博士，非《公羊》博士。

一三　《公羊傳》何休〈序〉徐彥〈疏〉：「胡母生本雖以《公羊經、傳》傳授董氏，猶自別作條例。」徐氏謂董從胡受《公羊》，不知所本。

一四　〔清〕蘇輿〈董子年表〉：「……按：〔董子〕爲博士不知何年，故通著於景帝。」（見所著《春秋繁露義證》卷首附）

一五　略如所言：《漢書》〈五行志〉：「景武之世，董仲舒治《公羊春秋》，始推陰陽，為儒者宗。」又〈眭兩夏侯京翼李傳贊〉：「漢興，推言陰陽災異者，孝武時有董仲舒。」又〈儒林傳〉曰：「武帝時，（韓）嬰嘗與董仲舒論於上前。」又曰：「武帝時，江公與董仲舒並。……上使與仲舒議，不如仲舒。」

一六　顏安樂，魯國薛人，眭孟姊之子，官至齊郡太守丞，為仇家所殺。氏未嘗身立為博士，顏學雖為宣帝世顯學，前漢未嘗立官，乃《後漢書》〈儒林傳〉曰：「《前（漢）書》：……（嚴）彭祖為《春秋》嚴氏學、（顏）安樂為《春秋》顏氏學，又瑕丘江公傳《穀梁春秋》：三家皆立博士。」敏案：後漢光武帝立十四博士，《春秋公羊》嚴、顏兩家，范《書》殆誤仞後漢所立為前漢：註史者均察未及此。

一七　瑕丘江公傳魯《詩》、《穀梁春秋》自申公，守學教授不仕（《漢書》〈儒林〉〈申公傳〉，詳下引）。乃《釋文》〈春秋序錄〉：「瑕丘江公受《穀梁春秋》及《詩》於魯申公，武帝時為博士陸氏自注：「傳子至孫皆為博士。」。」妄增一「皆」字，遂定江公、江公之子、江公之孫三人「皆」為《穀梁》博士。楊士勛蹈其誤，定受《穀梁》於申公之瑕丘江公為博士江公（翁即公）。

一八　（清）陳子準〈論五經博士致張金吾書〉（此書見金吾《兩漢五經博士考》卷首附載）：「尊著以江公孫列《穀梁》博士首，揆案：王伯厚云：『宣帝以江公之孫為博士，授《穀梁》，未名《穀梁》博士也；至甘露三年，始置《穀梁》博士。』據此則《穀梁》立學，江博士已死，未可列之《穀梁》博士中。又案：江博士時，《穀梁》雖未立學，其所習則《穀

梁》也。蓋兩漢之制立于學官，則置一博士以領之，《穀梁》未立學，則雖置博士，不以教弟子課試，著之令甲也。若周防、楊倫，以明習《古文尚書》徵補博士；曹充等三人；以習慶氏《禮》爲博士，俱同此例。」金吾覆書曰：「徵江公孫爲博士，蓋以他經博士兼授《穀梁》耳，非眞爲《穀梁》博士也。且《穀梁》立學，江博士已死，史有明文。前列江公孫于《穀梁》博士中，誤。辱蒙指示，幸甚！」敏案：宣帝善《穀梁》說，擢學者蔡千秋，選人從受。及千秋病死，乃徵江公孫爲博士，自是《穀梁》博士，初立於石渠會前。江公之孫受徵前，蔡千秋授《穀梁》於官；江博士既卒，周、丁以待詔授《穀梁》，則中間之所以徵江公之孫爲博士，必係以之爲《穀梁》師。陳君「《穀梁》未立學，則雖置博士，不以教弟子課試」，殊乖謬！〈宣帝紀〉謂石渠會後乃立《穀梁》（已詳前引），與〈儒林傳〉牴牾，夫《穀梁》，宣帝之祖父衛太子所好，帝崇念祖父，亦私好《穀梁》，羣臣希旨，僉曰「宜興《穀梁》」，乃徵江公孫立之，必不俟遲至甘露三年時也。張云江公孫以它經兼授，無是理也。

一九　《史記》〈太史公自序〉：「（司馬）談爲太史公。……太史公……受《易》於楊何。」（《漢書》〈司馬遷傳〉同）《漢書》〈儒林傳〉：「梁丘賀……從太中大夫京房受《易》；房者，淄川楊何弟子也。」乃（清）沈欽韓《漢書疏證》卷三四：「（施、孟、梁丘）三家之《易》不出于楊（何）。」失之。

二〇　王國維《漢魏博士題名考》卷上謂《史記》「要言《易》者本之楊何」，從《漢書》楊何作田何爲是（引說詳下）。說失之。范文瀾《羣經概論》頁二一載陳漢章曰：「《史記》云

『言《易》者本於楊何之家』，楊字不訛。」誠是。

二一　《漢官解詁》卷一：「光祿大夫本爲中大夫，武帝元狩五年（前一一八）置諫大夫爲光祿大夫。世祖中興，以爲諫議大夫；又有大中、中散大夫。此四等於古皆爲天子之下大夫，視列國之上卿。」《續漢書》〈百官志〉二《注》太中大夫引《漢官》曰：「二十人，秩比二千石。」

二二　〔清〕梁玉繩《史記志疑》卷二八曰：「元朔，《史》、《漢》〈儒林傳〉皆作元光，此朔字誤。」敏案：梁氏忽略《史》〈儒傳〉「官至中大夫」，謂初徵即以爲中大夫，誤終官爲初任；〈弟子傳〉「元朔中爲中大夫」，元朔才是終官之年。余因定此「朔」字不誤。梁誤，《史》注家多從梁誤，迄今無人予以指出。

二三　《漢官解詁》卷一：「武帝以中大夫爲光祿大夫，與博士俱以儒雅之選，異官通職，《周官》所謂『官聯』者也。」

二四　太中大夫，《漢書》〈儒林傳〉王先謙《補注》：「《史》〈儒林傳〉云『元光中徵，官至中大夫』，〈（仲尼）弟子傳〉云『元朔中爲中大夫』，則太字衍。」敏案：漢中大夫，武帝元狩五年之前官名，楊何蒞官至斯；太中大夫名，光武以後始立，《漢》〈儒傳〉妄據後起之官名改《史記》，注家迄亦尚未予討說。

二五　《兩漢五經博士考》列田王孫爲「建元以前博士」，殆以爲當景帝世立，尤失時！

二六　賀爲少府宣帝朝，別有二證：甘露三年，宣帝圖「少府梁丘賀」等形貌於麒麟閣（《漢書》〈蘇武傳〉）、匡衡對少府梁丘賀問（又〈匡衡傳〉）。

二七　《漢書》〈元帝紀〉：「建昭二年冬十一月，……淮陽王舅張博、魏郡太守京房坐窺道諸侯王以邪意，漏泄省中語，博要斬，房棄市。」

二八　嚴可均《鐵橋漫稿》云：「孟喜受《易》家陰陽，授之焦贛，焦贛授之京房，孝元立博士，迄東漢末。」敏案：氏此謂京《易》自詔立至漢末未嘗見黜，失之。

二九　《漢書》〈范升傳〉升奏又曰：「……近有司請置《易》博士，羣下執事，莫能據正。京氏既立，費氏怨望。」東漢如戴憑、魏滿、孫期皆治京《易》，見〈儒林傳〉。

三〇　《漢西京博士考》卷二節引〈儒林傳〉去「郎」存「博士」，因確定姚平亦爲博士，失之；《兩漢五經博士考》卷三同。

三一　王國維即曰：「〈傳〉言（殷）嘉、（姚）平、（乘）弘三人皆爲郎、博士，不知三人皆由郎爲博士與？抑或爲郎或爲博士與？未能詳也。」

三二　《漢魏博士考》：「《易》施、孟二博士，亦宣帝所立王氏自注：「但在甘露、黃龍前。」，則〈儒林傳贊〉所言是也。」敏案：石渠會之明年爲甘露四年，又明年爲黃龍元年（前四九），亦即宣帝紀元之末年。是靜安謂施、孟《易》石渠議前已立，是也，唯未加詳考。

三三　如〔清〕萬斯同《儒林宗派》、焦袁熹《儒林譜》及畢君《傳經表》……多家。

三四　《漢書》〈儒林傳〉顏《注》引蘇林曰：「《漢舊儀》有二郎爲此頌（容）貌威儀事。有徐氏，徐氏後有張氏，不知經，但能盤辟爲《禮》容。天下郡國有容史，皆詣魯學之。」

三五　《史記》〈張丞相列傳〉後文一大段，有曰：「丞相匡衡者，東海人也，好讀書，從博士受《詩》。」《索隱》：「自『車千秋』已下，皆褚先生等所記。」《史記志疑》卷三二：

「此下皆後人妄續，……所紀車千秋、……匡衡八人，……詞頗簡劣，事復舛訛。」敏案：所補〈匡衡傳〉，謂衡「從博士受《詩》」，臆說也，《漢書》但紀后蒼授衡《詩》，未云蒼以博士授之。

三六　詳可參拙作：〈歐陽容夏侯勝未曾身爲《尚書》博士考〉，已見（註五）。

三七　《大戴禮記》〈公冠篇〉「周成王冠辭」後附「孝昭冠辭」曰：「皇皇上天」云云，王應麟《漢藝文志考證》卷三：「《大戴》〈公符（冠）篇〉載孝昭冠辭，蓋宣帝時《曲臺記》也。」敏案：稱廟號「孝昭」，必宣帝禮辭，若果出《后氏曲臺記》，則可仞定蒼撰作於宣帝朝爲《禮》博士之時。

三八　《史記》〈儒林傳〉：「蕭奮以《禮》爲淮陽太守。」《漢書》〈儒林傳〉：「蕭奮以《禮》至淮陽太守。」此竝記其終官；太守之前仕歷未記，或曾任博士（太守位權視博士爲尊重，參下〔註三九〕）。《漢書》〈儒林〉〈胡母生傳〉：「孟卿爲符節令。」《後漢書》〈百官志〉：「符節令一人，六百石。」祿位視博士（宣帝前四百石）略高，孟前此或曾任博士。閭丘卿，《漢書》〈儒林傳〉曰蕭奮弟子，事迹它無可考。

三九　《漢書》〈百官公卿表〉七上：「郡守，秦官，……秩二千石。……景帝中二年更名太守。」《後漢書》〈百官志〉五：「郡置太守一人，二千石。」博士秩六百石（初僅四百石），卑於太守。

四〇　《漢魏博士題名考》卷上：「聖以博士石渠，是宣帝時爲博士也。後免九江太守爲博士，則在成帝時，據〈何武傳〉，武爲揚州刺史在王音爲太僕後，而音爲太僕在河平三年原注：〈百官

〈百官公卿表〉。，是聖免九江太守復爲博士，當在河平、陽朔間矣。」

四一 《漢西京博士考》卷二列大戴德爲博士，誤讀《漢書》〈儒林傳〉。

四二 吳著《經典釋文序錄疏證》頁八二：「……〈藝文志〉則云二戴、慶普三家皆立於學官。後儒考之，以爲宣帝世戴氏實爲后氏博士，尚未自名其家，後始立大、小戴；若慶氏《禮》，中興之初曾立之，後亦衰廢。班說蓋未足恃也。」

四三 《漢書》〈楚元王傳〉：「楚元王交……少時嘗與魯穆生、白生、申公俱受《詩》於浮丘伯；伯者，孫卿門人也。」劉向〈孫卿書錄〉（《荀子》卷末附）：「……又浮丘伯，皆受業爲名儒。」桓寬《鹽鐵論》〈毀學篇〉：「昔李斯與包丘子（即浮丘伯）俱事荀卿。」

四四 《漢》〈志〉〈詩類〉：「《詩》，經二十八卷，魯齊韓三家。」又：「《魯故》二十五卷、《魯說》二十八卷。」

四五 文帝朝官學（太學）尚未立，申公如何便有學官弟子，此不可曉。

四六 《漢書》〈百官公卿表〉七下：「元封元年（前一一〇），兒寬爲御史大夫，八年卒。」敏案：據〈武帝紀〉，寬卒當太初二年（前一〇三），是〈紀〉、〈表〉合。

四七 《漢魏博士題名考》卷上定爲魯賜，暫從之。

四八 瑕丘江公（亦稱大江公，相對於其孫《穀梁》博士江公而言），武帝時，與董仲舒議《春秋》《公》《穀》短長，未嘗身爲《詩》博士或《春秋》博士。《漢書》〈儒林傳〉「博士江公世爲魯《詩》宗」，謂瑕丘江公之孫三世相傳魯《詩》，而《儒林》〈韋賢傳〉「韋賢治《詩》，事博士大江公」，此博士二字乃衍文（詳下韋賢卷）。後世不察，或竟以孫作

祖，謂大江公爲魯《詩》博士，《兩漢五經博士考》卷三、《漢魏博士題名考》卷上俱如是（靜安雖列入，但表示存疑）。

四九 顏《注》：「晉灼曰：『大江公即瑕丘江公也，以異下（敏案：下文〈王式傳〉）博士江公，故稱大。』」王念孫《讀書雜志》卷十四：「景祐本無『博士』二字，是也。晉灼曰……。則此文但作『大江公』而無『博士』二字，明矣。今本有者，即涉注內『博士江公』而誤。《經典釋文》〈序錄〉云『韋賢受《詩》於江公及許生，即本此〈傳〉而亦無「博士」二字。』」敏案：瑕丘江公未曾爲魯《詩》博士，〈儒林〉〈申公傳〉明言江及許、徐皆守學教授，曷嘗仕爲博士？博士二字誠不當有。（參〔註四八〕）

五〇 《漢魏博士題名考》卷上引《史記》〈龜策列傳〉褚先生云云，乃案曰：「褚先生治《春秋》而少孫治《詩》，疑非一人。」敏案：《經典釋文》〈序錄〉：「褚少孫，沛人，爲博士，《褚氏家傳》云：即續《史記》『褚先生』。」少孫兼治《詩》、《春秋》，西漢儒生兼治二經者有人；靜安此多疑。

五一 《漢》〈志〉著錄《詩》經韓本（已見〔註四四〕）。又著錄：「《韓故》三十六卷、《韓內傳》四卷、《韓外傳》六卷、《韓說》四十一卷。」

五二 陳喬樅《齊詩遺說攷》〈敘錄〉曰：「《漢書》〈藝文志〉云：《詩經齊家》二十八卷、《齊后氏故》二十卷、《齊孫氏故》二十七卷、《齊后氏傳》三十九卷、《齊孫氏傳》二十八卷、《齊雜記》十八卷。據（《漢書》）〈藝文志〉（〈詩類〉〈後敘〉）言『齊轅固爲之傳』，荀悅《漢紀》亦言轅固生作《詩內、外傳》。……〈志〉敘六家，衹有后氏、孫氏

而不及轅生者，蓋《后氏故》〈傳〉即本諸轅生也。《后氏故》二十卷，而《后氏傳》多至三十九卷，殆合《內、外傳》言之歟！」從其說。

五三 《後漢書》〈翟酺傳〉「一經博士」，王氏（應麟）《玉海》引亦作「一經」，惠棟《補注》本據宋本同，《汲古閣》本作「五經」（以上參看王先謙《集解》及近人標校本），李賢《注》：「武帝建元五年，始置五經博士。文帝之時未遑庠序之事，酺之此言，不知何據。」是章懷據以《注》之本作「五經」，當從。夫漢人習言「五經」，極少言「六經」；「五經博士」泛指「經學博士」言，文帝已立《尚書》伏生學宗張生及《詩》魯申公、韓嬰兩學宗博士，不應謂時始置「一經（一部經書）博士」。作「一經」，後人妄改。

五四 皮錫瑞《經學歷史》三：「案《史記》〈儒林傳〉，董仲舒、胡母生皆以治《春秋》孝景時爲博士，則景帝已立《春秋》博士，不止《詩》一經矣。特至武帝，五經博士始備。」敏案：文帝立張生爲《尚書》博士，皮氏漏未列。

——原載《國立編譯館館刊》第二十九卷第二期，民國八十九年十二月

三十八　薛綜藝文徵經

兩漢文士，多兼擅經學；命筆爲文，動根六籍。降及三國，而流風未沫。蓋器識本先，藻翰末後，故評文者自其本觀之，以第文章之高下；研經者由其末反本，遂考經學之淺深。所用雖異，所據素材——藝文之作則一。孫吳有薛綜敬文者，以名能文；亦通經之士，師宗漢儒，研幾南交，馳譽江左。遺文傳世者，今雖殘缺，猶可藉以略考見其經學。作「薛綜藝文徵經」，論其經學之見乎文辭者也。

《三國志》（臺北藝文印書館影盧弼《集解》本，下同。）（卷五三）〈吳書〉〈薛綜傳〉曰：

薛綜字敬文，沛郡竹邑人也。少依族人避地交州，從劉熙學。士燮既附孫權，召綜爲五官中郎將，除合浦、交阯太守。……黃龍三年（西元二三一），建昌侯（孫）慮爲鎮軍大將軍，屯半州，以綜爲長史；外掌眾事，內授書籍。……赤烏三年（西元二四〇），徙選曹尚書。五年（西元二四二），爲太子少傅，領選職如故。六年（西元二四三）春

卒。凡所著詩賦難論數萬言，名曰「私載」。又定《五宗圖述》、〈二京解〉，皆傳於世。

綜事北海劉熙，注〈東京賦〉尚存其述師說一條，玉函山房輯本《孟子》劉氏《注》「春行曰遊，秋行曰豫」下，馬國翰曰：

薛綜〈東京賦注〉「秋行曰豫」，孔廣森《經學卮言》（卷五）：「是漢人舊說，猶以遊豫分春秋也。」倪思寬《讀書記》：「春爲生，生氣可觀，故曰遊；秋爲收成，成功可喜，故曰豫。秋行曰豫，則春行曰遊可知。」案：薛綜從劉熙學，此述劉義也。

《吳錄》（清）姚振宗《三國藝文志》卷四引，下同。稱綜「少明經」，畢沅以其通《禮經》，譜入《通經表》。其經學即受自劉熙，而以鄭學爲大宗（註一）。《隋書》〈經籍志〉〈經部〉〈禮類〉曰：「梁又有……《五宗圖》一卷，亡。」殆即薛綜撰、而本傳稱書名則作「《五宗圖述》」也。《通典》（卷七三）尚錄存其佚文一條，題《述鄭氏禮五宗圖》，則的是鄭學。茲迻錄全文如下：

天子之子稱王子，王子封諸侯，若魯衛是也。諸侯之子稱公子，公子還自仕，食采於其

國，爲卿大夫，若魯公子季友者是也。則子孫自立此公子之廟，謂之別子爲祖。則嫡嫡相承，作大宗百代不絕。大宗之庶子，則皆爲小宗。小宗有四五代而遷，己身庶也。宗禰宗己父，庶也。宗祖宗己祖，庶也。宗曾祖宗己曾祖，庶也。宗高祖宗己高祖，庶也。則遷而惟宗大祖耳。

《吳錄》又稱綜「善屬文，有秀才」。吳主孫權嘗勅綜祝祖不得用常文，「綜承詔，卒造文義，信辭粲爛。……復再祝，辭令皆新，眾咸稱善。」又建衡三年（西元二七一，當綜卒後二十八年。），吳嗣主孫晧尙歎美綜之遺文（見《三國志》卷五三〈薛綜傳附子瑩傳〉）。考其詞章之作，見於本傳列目者爲《私載》、〈二京解〉；著錄於史志者——《隋書》〈經籍志〉〈集部〉〈別集類〉：「梁……又有太子少傅薛綜《集》三卷、錄一卷，亡。」《舊唐書》〈經籍志〉〈集部〉〈別集類〉：「薛綜《集》二卷。」《新唐書》〈藝文志〉〈集部〉〈別集類〉：「薛綜《集》三卷。」又《隋志》〈集部〉〈總集類〉：「梁有薛綜注張衡〈二京賦〉二卷。」《兩唐志》〈集部〉曰：薛綜撰《二京賦音》二卷。《通志》〈藝文略文類〉：「張衡〈二京賦〉二卷，薛綜注并音。」注文義及標字音，即〈二京解〉也（註一）。〈二京解〉賴《昭明文選》註本（在卷二、卷三）倖存至今；《私載》及文集、文錄，原書久佚。嚴可均自《三國志》〈本傳〉、〈顧譚傳〉、〈諸葛恪傳〉及《北堂書鈔》、《藝文

類聚》、《初學記》、《太平御覽》輯得十一條（載於其《全三國文》卷六六），原皆《私載》、文集之篇，所謂「詩賦難論數萬言」之類是也。

考徵今存薛氏殘篇，雖詞章藝文，猶多根柢六經。計其所援據，經本書有《易》、《書》、《詩》、《禮》、《左傳》、《穀梁傳》、《論語》，傳注則有《詩》魯說、《詩》毛《傳》鄭《箋》、《論語》馬融《注》、《禮》鄭玄《注》、《易》王肅《注》、《尚書》《僞孔傳》。

《論語》，前漢時不列羣經之數，然幼學至長，人所必讀；至後漢靈帝熹平，乃視爲七經之一，刻石立於太學。魏承之，設經學博士，《論語》用鄭《注》。薛氏解〈二京賦〉（此用六臣註本《文選》，臺灣商務印書館縮印宋刊《四部叢刊初編》本，下均同。），據《論語》經注者五條：

一　〈東京賦〉「如之何其以溫故知新……近於此惑」，薛綜注曰（下概簡稱綜曰）：「《論語》曰：『溫故知新，可以爲師矣。』」——出〈爲政〉篇。

二　又「方其用財取物，常畏生類之殄也；賦政任役，常畏人力之盡也：取之以道，用之以時」，綜曰：「《論語》曰：『敬事而信，節用而愛人，使民以時。』」——出〈學而〉。

三　又「百姓同於饒衍」，綜曰：「《論語》曰：『百姓足，君孰與不足？』」——出〈顏淵〉。

四　又「臣濟奓以陵君」，綜曰：「陵踰君法，若『季氏八佾舞於庭』。」——出《論語》〈八佾〉。

五　又「仲尼之克己」，綜曰：「孔子曰：『克己復禮。』馬融曰：『克己約身。』」——孔子語出《論語》〈顏淵〉，馬注（亦見何晏《論語集解》引）是篇。

案：一、五兩條，推原賦之用典，注必引《論語》以證；二、三、四條，未定典之所出，而注引《論語》以發皇其義，條四且引古文家馬融注「約身」，用大「克己」之義焉。夫注書因依傍原文，有時非引經證義不可，如上所述。至自作文，命筆造語，則不受拘束，薛氏上疏亦取典《論語》，意義不同注賦，得兩條：

六　〈上疏請選交州刺史〉（載《三國志》〈本傳〉）曰：「交州……民如禽獸，長幼無別，椎結徒跣，貫頭『左袵』。」左袵見《論語》〈憲問〉：「微管仲，吾其披髮左袵矣。」

七　〈上疏諫親征公孫淵〉（同上）曰：「昔孔子疾時，託『乘桴浮海』之語，季由斯喜，拒以『無所取才』。……何則？水火之險至危，非帝王所宜涉也。」浮海取才句，見《論語》〈公治長〉。

薛綜注賦引《周易》經注四條，自作文用《周易》二條：

一　〈東京賦〉「飛雲龍於春路，屯神虎於秋方」，綜曰：「神虎，金獸也。秋方，西方也。飛，飛龍也，《易》曰：『雲從龍』，爲木獸。春路，東方道也。」——引《易》見

〈乾〉〈文言〉。

二　又「祚靈主以元吉」，綜曰：「《周易》曰：『黃裳元吉。』」——出〈坤〉六五。

三　又「成禮三敺」，綜曰：「《周易》曰：『王用三敺，失前禽也。』敺與驅同。」——引《易》〈比〉九五〈象傳〉。

四　又「聘丘園之耿絜，旅束帛之戔戔」，綜曰：「《周易》曰：『六五：賁于丘園，束帛戔戔。』王肅云：『失位無應，隱處丘園。蓋蒙闇之人，道德彌明，必有束帛之聘也。戔戔，委積之貌也。』」——引《易》見〈賁〉六五。

五　〈上疏諫征公孫淵〉又曰：「夫帝王者，……居則『重門擊柝』，以戒不虞。」——重門句，《易》〈繫辭〉下文也。

六　〈移諸葛恪等勞軍〉（載《三國志》卷六四〈諸葛恪傳〉）曰：「雖……《易》『嘉折首』，……漢之衛霍，豈足以談？」——引《易》見〈離〉上九曰：「有嘉折首，獲匪其醜。」

案：五條戒吳主，爲至尊者，不宜身涉險阻，六條頌美諸葛軍功：兩引經咸自作文，隨事陳意，抒發胸臆，其深於《易》學，從可槩見。一條，賦用五行說而未臻顯豁，注以西配金，白虎爲金獸，以東配木，青龍爲木獸，以發明之。夫漢人《易》說，頗雜陰陽五行，其後此風漸微，薛氏遺文罕見五行說，此特依徇原賦，不得不注釋若此。三條引《易》「三敺」，

馬融本、王弼本毆皆作驅，薛氏據鄭玄本作毆（註三）者，意在上契所注，未必治《易》定從康成。蓋時王肅父子說《易》，頗是馬融，王書流傳江左，薛氏遂援以解賦，條四是也（註四）。

三國《尚書》學，今文（伏、歐陽、兩夏侯）寖衰，古文日盛，魏正始（西元二四〇至二四八）中，刊三字石經，用古文（馬、鄭或王肅）本，孔壁《眞古文尚書》恐已亡佚，《僞古文尚書》經傳殆作於斯會，而薛氏治《書》用之：

一　〈鳳頌〉（《藝文類聚》卷九九載）曰：「猗歟石磬，金聲玉振。先王搏拊，以正五音。百獸翔感，儀鳳舞麟。」——鍾練〈臯陶謨〉「戛擊鳴球，搏拊琴瑟，鳳凰來儀。夔曰：於！予擊石拊石，百獸率舞」而成。

二　〈東京賦〉「造我區夏矣」，綜曰：「制造區夏。」解區夏本〈康誥〉「肇造我區夏」句。

三　又「盟津達其後」，綜曰：「孟津，四瀆之長，故武王爲諸侯，誓約於其上，《尚書》曰：『東至于盟津。』『盟津，地名，在洛北，都道所湊，古今以爲津。』」——引《尚書》出〈禹貢〉，其下十六字暗用《尚書僞孔傳》文。

四　又「龍圖授羲，龜書畀姒」，綜曰：「《尚書傳》曰：『伏羲氏王天下，龍馬出河，遂則其文以畫八卦，謂之《河圖》。』（《尚書傳》）又曰：『天與禹，洛出書，謂神龜負文

而出，列於背。』」——引皆《尚書僞孔傳》文，一出〈顧命〉，一出〈洪範〉。

五　又「于時蒸民」，綜曰：「《尚書》曰：『蒸民乃粒。』」——引〈皐陶謨〉文。

六　又「孟春元日」，綜曰：「《尚書》曰：『正月元日，舜格于文祖。』」——引〈堯典〉文。

七　又「百僚師師」，綜曰：「《尚書》曰：『百僚師師。』」——引又〈皐陶謨〉文。

八　又「神歆馨而顧德」，綜曰：「《尚書》曰：『明德惟馨。』」——引《僞古文尚書》〈君陳〉篇文。

九　又「聲教布護」，綜曰：「《尚書》曰：『聲教訖于四海。』」——引文出〈禹貢〉。

一〇　又「省幽明以黜陟」，綜曰：「故《尚書》曰『三載考績，黜陟幽明』也。」——引又〈堯典〉文。

一一　又「春游以發生」，綜曰：「春游，謂仲春巡行岱岳。」——陰用《尚書》〈堯典〉「歲二月，東巡守，至于岱宗」。

案：條一自作文，典雅高古，詞協宮商，非熟誦典謨者不能爲。二、一一兩條，窮究本原，以定典據之所出，竝得其正；而注春游發生，用舜以四時巡守四方故事，則已富以五行思想，尋章摘句者所弗能至。五、六、七、九、十五條，直引《尚書》，經文尚合僞孔本

《僞孔傳》（註五）。釋「百僚師師」（曰：「百僚，謂百官也；師師，謂相師法也。」）合（曰：「僚，……官也。師師，相師法，百官皆是。」）。

又案：三、四兩條，三用《僞孔傳》，八條又直引僞古經文，《選》學家議論紛紛，茲據高步瀛《文選李注義疏》（卷三）錄四說：

朱珔曰：「薛氏既釋『孟津』，下又引《書》，與他注不類，且『盟津地名』數語，乃〈東晉〉孔《傳》之文，非薛所及見，疑爲李《注》增引，而今本脫『善曰』二字。」

梁章鉅曰：「注引〈顧命〉及〈洪範〉二篇孔《傳》，考薛綜卒於赤烏六年，不應見《僞孔傳》。此『《尚書傳》』上當脫『善曰』二字，今本『善曰』二字在『列於背』句下，非也。」

吳先生曰：「此（敏案：謂條四《尚書傳》曰、又曰兩節。）善《注》非薛注，凡引《書》者皆善《注》，今多亂入薛注，宜分別出之；引古爲證，善《注》例也。」

高步瀛曰：「《尚書》見爲〈君陳〉（敏案：謂條八。），非薛所及見，疑『尚書』上當有『善曰』二字。」

薛氏明周武王之所以誓師於盟津，因斯地爲河之津，而河又爲四瀆——江、淮、河、濟之

長，繼即引《尚書》，謂導河於積石，「東至于盟津」（參〈禹貢〉導水）。至此尚未釋孟津之地理位置，下始用《僞孔傳》十六字解之。朱氏以引《尚書》之上十七字爲釋孟津地理，誤也；因又斷與它注不類，余亦未見其不類。蓋高吳梁朱四家，先執僞古文經傳爲東晉人僞撰之說不移，而薛不及見，故疑其不應疑吳氏云凡今本薛注引典籍者，本皆善《注》。最是橫決！，不思（東晉）梅賾所上古文經傳，舊有王肅僞撰之說，薛注即見引，則僞書著成，應在魏齊王曹芳正始四年（肅時年四十九）之前（註八）。又今文本作盟津（見《史記》〈周本紀〉），僞古文本作孟津，薛注從僞古；薛引《尚書》經傳，又用今文作盟津者，蓋求合平子原賦「盟」字而改用所據本也。

《詩》至薛氏當世，今文三家——齊、魯將亡，《韓詩》倖存而甚微《隋》〈志〉：「《齊詩》魏代已亡，《魯詩》亡於西晉，《韓詩》雖存、無傳之者。」。三國一代，說《詩》而有專著者八家十四部書，僅杜瓊著《韓詩章句》今文，餘悉爲古文《毛詩》（據（清）姚振宗《三國藝文志》，近確。），綜治《詩》亦主毛，與時尚無違。其賦注引《詩》明著毛本者九：

一　〈東京賦〉「若薤氏之芟草」，綜曰：「《毛詩》『載芟載柞』也。」——引〈周頌〉〈載芟〉。

二　又「豈徒跼高天蹐厚地而已哉」，綜曰：「《毛詩》曰：『謂天蓋高，不敢不跼。』」——引〈小雅〉〈正月〉。

三　又「呼韓來享」，綜曰：「《毛詩》曰：『自彼氐羌，莫敢不來享！』」——出〈商

頌〉〈殷武〉。

四　又「于時烝民，罔敢或貳」，綜曰：「《毛詩》曰：『于時言言。』」——〈大雅〉〈公劉〉文。

五　又「渚戲躍魚，淵游龜蠵」，綜曰：「《毛詩》曰：『王在靈沼，於牣魚躍。』」——〈大雅〉〈靈臺〉文。

六　又「造舟清池」，綜曰：「《毛詩》曰：『造舟爲梁。』」——〈大雅〉〈大明〉。

七　又「敬愼威儀，示民不偷」，綜曰：「《毛詩》曰：『敬愼威儀，視民不恌。』」——引上句出〈大雅〉〈抑〉、下句出〈小雅〉〈鹿鳴〉。

八　又「乃御小戎，撫輕軒」，綜曰：「《毛詩》曰：『小戎俴收。』」——〈秦風〉〈小戎〉。

九　又「中畋四牡，既佶且閑」，綜曰：「《毛詩》曰：『四牡既佶，既佶且閑。』」——〈小雅〉〈六月〉。

案：總觀上引，以與今本《毛詩》(〔清〕南昌府學重刊宋本)校，經文幾全同(註七)。即釋字亦頗依毛：如曰：「躋，累足也。」全同毛《傳》。曰：「毛萇曰：恌，偷也。」(註八)謂毛《傳》爲萇作，用吳郡陸璣《毛詩草木鳥獸蟲魚疏》之說，陸亦古文《詩》學家。又用鄭《箋》：如曰「享，獻也。」全同鄭。曰：「小戎之車，輕便宜田獵，鄭玄曰(見〈駟驖〉《箋》)：『輕

車，驅逆之車。』」鄭氏，古文《詩》大家也。

綜注賦及自作文用《詩》，未嘗明著依據毛本者凡六條，考亦皆出於毛，且見用〈毛序〉一條焉：

一〇　〈西京賦〉「狹百堵之側陋」，綜曰：「《詩》曰：『築室百堵。』」——〈小雅〉〈斯干〉文。

一一　〈東京賦〉「西南其戶」，綜曰：「《詩》曰：『西南其戶。』」——同上。

一二　〈西京賦〉「遊鷮高翬」，綜曰：「雉之健者爲鷮，尾長六尺，《詩》云：『有集唯鷮。』」（註九）——〈小雅〉〈車舝〉。

一三　又「炰鼈清酤」，綜曰：「《詩》有『炰鼈』。」——〈小雅〉〈六月〉。

一四　〈上疏諫親征公孫淵〉又曰：「惟陛下……忍『赫斯之怒』，……遠『履冰』之險。」——赫斯之怒，〈大雅〉〈皇矣〉：「王赫斯怒。」履冰之險，〈小雅〉〈小旻〉：「如履薄冰。」

一五　〈移諸葛恪等勞軍〉又曰：「雖《詩》美『執訊』，……周之『方、召』，豈足以談？……主上歡然，遙用歎息，感『四牡』之遺典，……故遣中臺近官，迎致犒賜，以旌茂功，以慰劬勞。」——方（即方叔）、執訊，〈小雅〉〈采芑〉：「方叔率止，執訊獲醜。」召即召穆公虎，〈大雅〉〈江漢〉：「王命召虎，式辟四方。」感四牡之遺典，〈小雅〉〈四

牡〉毛〈序〉曰：「勞使臣之來也，有功而見知則說矣。」

案：逐文校比，見引經字全同毛本（註一〇）。四牡，毛〈序〉謂使臣有功於國家，歸而天子勞之，薛氏取焉，以勞問諸葛軍功，三家詩旨則未見斯義（註一一）。

張賦兩用〈唐風〉，戒儉也，薛注既援〈序〉又引經以發明，竝仍主毛義，昔賢不察，誤謂薛此從三家。茲先錄賦、注：

一六 〈西京賦〉「爾乃逞志究欲，窮身極娛，鑒戒〈唐〉詩，他人是媮」，綜曰：「〈唐〉詩刺晉僖公不能及時以自娛樂，曰『子有衣裳，弗曳弗婁，宛其死矣，他人是媮』，言今日之不極意姿嬌，亦如此也。」

一七 又「徒恨不能以靡麗爲國華，獨儉嗇以齷齪，忘〈蟋蟀〉之謂何」，綜曰：「儉嗇，節愛也。〈蟋蟀〉〈唐〉詩，刺儉也；言獨爲此據唐永隆寫本補一字節愛，不念〈唐〉詩所刺邪！」

案：條一六，注引〈唐風〉〈山有樞〉，前三句據毛本，此由《魯》《韓詩》「婁」作「摟」知之（註一二）；末句用《魯詩》（《齊詩》同魯），則由毛作「愉」不作「媮」知之（註一三）。薛雖主毛，然求契張賦本字，不得已變用齊魯，是其注書謹嚴，遵馬鄭軌範。唯《毛詩序》曰：「〈山有樞〉，刺晉昭公也。不能脩道以正其國，有財不能用，有鐘鼓不能以自樂，有朝廷不能洒掃。政荒民散，將以危亡，四鄰謀取其國家而不知，國人作詩以刺之也。」

陳喬樅曰：

《毛詩序》云「刺晉昭公」；此云（敏案：謂薛氏〈平子賦〉注。）「僖公」，三家詩說，蓋與毛異。（《魯詩遺說攷》卷五）

王先謙曰：

《史記》〈晉世家〉：「當周公召公共和之時，成侯曾孫僖侯甚嗇愛物，儉不中體，國人閔之，〈唐〉之變風始作。」以此推之，三家與毛異義。下引張賦薛注是魯說，明作「僖公」。（《詩三家義集疏》卷八）

愚考《毛詩》〈唐風〉〈蟋蟀〉篇〈序〉曰：「刺晉僖公也。儉不中禮，故作是詩以閔之，欲其及時以禮自虞樂也。」薛注「刺晉僖公不能及時以自娛樂」，節改毛〈序〉之文也；第用前一篇（〈蟋蟀〉）〈序〉義說後一篇（〈山有樞〉）經文（〈唐風〉第一篇〈蟋蟀〉，第二篇〈山有樞〉。），其例罕見，經師察多未及（註一四）。陳氏疎考，徒見弗是刺昭公、未合〈山有樞〉毛〈序〉，遂遽以為出諸三家遺說。王氏從誤，又增引所謂《史記》〈晉世家〉說，實乃鄭玄《詩譜》〈唐

譜〉之文（註一五），徒爲己說樹立反證而已。鄭說固亦毛學，非《魯詩》義也。

又案：條一七，陳喬樅引張賦與薛注，以爲是《魯詩》遺說；又引《鹽鐵論》〈通有〉篇曰：「君子節奢刺儉，儉則固。……孔子曰……大儉極下。此〈蟋蟀〉所爲作也。」，以爲刺儉說，亦是《齊詩》義（註一六），而王先謙從之（註一七）。愚謂：薛氏上注「刺晉僖公不能及時以自娛樂」與此注「刺儉也」，竝采自毛〈序〉，互相備而〈序〉義乃足。〈蟋蟀〉之爲刺儉也，毛〈序〉意明確，《詩正義》申〈序〉之意曰：「由僖公太儉偪下，不中禮度，故作是〈蟋蟀〉之詩以閔傷之，欲其及歲暮閑暇之時以禮自娛樂也。」齊同毛，魯或亦同毛，然薛主毛，此注非自魯出，陳、王之說未盡是也。

薛雖主毛，苟毛說不克洽賦意，而三家義又可取，薛氏通人，終不拘拘於家法而棄三家，唯止一事耳：

一八　〈東京賦〉「改奢即儉，則合美乎〈斯干〉」，綜曰：「〈斯干〉，謂周宣王儉宮室之詩也。」

案：薛注同《魯》、《齊詩》說，下四文可知：

劉向上疏載《漢書》卷三六〈本傳〉：「周德既衰而奢侈，宣王賢而中興，更爲儉宮室，小寢廟，詩人美之，〈斯干〉之詩是也。」

揚雄〈將作大將箴〉《藝文類聚》卷四九載：「詩詠宣王，由儉改奢。」

蔡邕〈遷都告廟文〉《蔡中郎集》卷二：「昔周德缺而〈斯干〉作，應運變通，自古有之。」

敏案：以上三文，《魯詩遺說攷》卷十、《詩三家義集疏》卷十六竝謂魯說，薛注與相合。

翼奉以宮室苑囿奢泰難供，乃上疏載《漢書》卷七五〈本傳〉曰：「願陛下徙都於成周。……眾制皆定，亡復繕治宮館。不急之費，歲可餘一年之畜。……必有五年之餘畜，然後大行考室之禮。」陳喬樅《齊詩遺說攷》（卷六）：「（師古）注引〈斯干〉之詩爲證。攷劉向、楊雄諸家所稱魯說，皆以〈斯干〉爲宣王儉宮室之詩，蔡邕又舉〈斯干〉詩以證遷都之事，並與翼奉說合，然則此詩魯齊同義矣。」而異乎毛〈序〉，毛〈序〉云：「〈斯干〉，宣王考室也。」鄭玄注此〈序〉曰：「考，成也。德行國富，人民殷眾而皆佼好，骨肉和親，宣王於是築宮廟羣寢。既成而釁之，歌〈斯干〉之詩以落之。」

敏案：毛〈序〉不及「儉小宮寢」，義殊魯齊，非薛所本。

三國經學，鄭玄王肅相爭，偏及羣經，而以爭《禮》最烈。蓋古《禮經》者，創制朝章之所據。肅欲奪易鄭席，令禮典盡出於己說，故竭力攻鄭。鄭學之徒起而反擊，勢同水火。薛氏

從鄭，上錄其「禮五宗圖述」，已顯示家法，而注賦明舉鄭《禮》說者凡六：

一 〈西京賦〉「安處先生」，綜曰：「鄭玄《禮記注》曰：『先生，老人教學者。』」——鄭注見《禮記》〈曲禮上〉。

二 〈東京賦〉「土圭測景」，綜曰：「鄭玄曰：『土，度也。』」——《周禮》〈冬官〉〈考工記〉〈玉人〉注。

三 又「左右玉几」，綜曰：「鄭玄曰：『左右有几，優至尊也。』」——《周禮》〈春官〉〈司几筵〉注。

四 又「禮之『穆穆』」云云，綜曰：「鄭玄曰：『威儀容止之貌。』」——《禮記》〈曲禮下〉注。

五 又「正冕帶」，綜曰：「冕所謂平天冠也。……三皇以來始冕，制有數種，鄭玄曰：『長一尺七寸，廣八寸，前圓後方，以珠玉飾之也。』」（註一八）

六 又「天子乃撫玉輅」，綜曰：「鄭玄《禮記注》曰：『撫猶據也。』」——鄭注見《禮記》〈曲禮上〉。

案：鄭撰《三禮圖》久佚，故條五之鄭說，無從考校。其餘五條，校以今本《周禮》、《禮記》（竝清南昌府學重刊宋本，下同。），僅條四改鄭原注「行」爲「威儀」，條二「土猶」作「土」省「猶」字，皆取便俗讀。餘全同。條六「撫玉輅」，非《禮記》文，而亦索鄭

說於〈曲禮〉注以解之。若薛氏，洵鄭《禮》學之忠臣，非歟！《禮》注既奉鄭學，《禮》本經必主鄭書，綜注引《禮》者十二次，自作文引一次：

七　〈西京賦〉「增九筵之迫脅」，綜曰：「《周禮》『明堂九筵』，今又增之也。」——出〈冬官〉〈考工記〉〈匠人〉。

八　又「棲鳴鳶」，綜曰：「《禮記》曰：『前有塵埃，則載鳴鳶。』」——〈曲禮上〉文。

九　〈東京賦〉「若薙氏之芟草」，綜曰：「《周禮》有薙氏，掌山澤，芟除草菅。」——出〈秋官〉〈薙氏〉。

一〇　又「土圭測景」，綜曰：「《周禮》曰：『土圭之法，測土深，正日景，以求地中。四時之所交，風雨之所會，陰陽之所和，乃建王國也』」——〈地官〉〈大司徒〉文。

一一　又「授時順鄉」，綜曰：「鄉，方也；言頒政賦常隨時月而居其方，〈月令〉曰：『孟春居蒼龍左个。』」——《禮記》〈月令〉文。

一二　又「左右玉几」，綜曰：「《周禮》曰：『天子左右玉几。』」——〈春官〉〈司几筵〉文。

一三　又「穆穆焉，皇皇焉，濟濟焉，將將焉」，綜曰：「《禮記》曰：『天子穆穆，諸侯皇皇，大夫濟濟，士將將。』」——〈曲禮下〉文。

一四　又「命膳夫以大饗」，綜曰：「《周禮》曰（高疏曰：「日字疑衍。」是。）：膳夫主食之官。」

一五　又「設三乏，厞司旌」，綜曰：「《周禮》曰：『服不氏射則以旌居乏而待獲。』」——〈夏官〉〈服不氏〉文。

一六　又「并夾既設」，綜曰：「并夾，鉗矢者，《周禮》曰：『射則取矢』也。」——〈夏官〉〈射鳥氏〉文。

一七　又「……以須消啓明，掃朝霞，登天光於扶桑」，綜曰：「禮：天子日出乃視朝。」——《禮記》〈玉藻〉文。

一八　又「進明德而崇業」，綜曰：「〈射義〉曰：『射所以觀德也。』」——《禮記》〈射義〉文。

一九　〈讓少傅表〉（《北堂書鈔》卷六五載）：「先王之建太子，必擇六行之傅、九德之師。」——出《周禮》〈地官〉〈大司徒〉及〈春宮〉〈大司樂〉。（註一九）

案：以引文與本書校，條八、一六字全同。條一三異文一，經或作「鏘鏘」，引則作「將將」、字無偏旁（註二〇）。其他，類為四例：（一）有引文撮取經大意者：條七約「明堂度九尺之筵」為「明堂九筵」。條一七省變「朝辨色始入，君日出而視之」為「天子日出乃視朝」。述雍氏、膳夫職掌（見九、一四），據《禮經》但舉大意，因非徑引原文，故祇稱出諸禮書，而下不著「曰」字。（二）又有增經例：如一二加「天子」二字，蓋司几筵掌者天子

物，缺言「天子」則意失明確。（三）又有刪例：經「服不氏射則贊張侯以旌居乏而待獲」，一五省刪「贊張侯」，因三字於賦無所注。經作「觀盛德」，一八略「盛」字，因「德」即「明德」，「盛德」又不可釋「明德」。（四）更有改古文奇字為通俗字例：經「土圭灋」，一〇改「灋」為「法」，載筆之士稱便。是撮約之、增加之、刪減之、變易之，莫不允當，注者體例嚴謹，亦從而可覘。

又案：改經字失當者一，經「乃建王國焉」，條一〇改「焉」為「也」，夫句以「乃」起，以「焉」結，韵味悠長。又條一一引經「孟春居蒼龍左个」，而經「蒼龍」作「青陽」，朱珔曰（《文選李注義疏》卷三引）：

> 今〈月令〉作「天子居青陽左个」，此異者，豈所據有別本歟？抑或涉彼下文「駕蒼龍」而誤也？

今《禮記》〈月令〉云：「孟春……天子居青陽左个，乘鸞路，駕倉龍。……仲春……天子居青陽大廟，乘鸞路，駕倉龍。……季春……天子居青陽右个，乘鸞路，駕倉龍。」三居皆言「青陽」而下著堂室，龍鄭注：「馬八尺以上為龍。」不可名居室而可騎駕，是薛引果涉下文而誤也。

《春秋》之學，魏立學官者，《三傳》竝行，但《公》、《穀》甚微。合魏蜀吳之《春

秋》專著而觀之，《左氏》十三家十五書，《三傳》兼注竝論者三書二家——孫炎、韓益，皆鄭學之徒，雖云兼治《三傳》，實親《左氏》；而《公》、《穀》相加才五家六書（亦據姚氏《三國藝文志》，說近正。），是其果微甚也。薛氏雖無《春秋》學專者，然遺文用典，據今文《春秋》學者，僅《穀梁傳》一見，

一　〈東京賦〉「冠華秉翟，列舞八佾」，綜曰：「《穀梁傳》曰：『舞夏，天子八佾。』」——〈隱公五年〉穀梁子曰。

案：《左》〈隱五年傳〉：「考仲子之宮將萬焉，公問羽數於衆仲，對曰：『天子用八，諸侯用六，大夫四，士二。』……於是初獻六羽，始用六佾也。」而不及「八佾」，故薛注不采《左傳》。《公羊》〈隱五年傳〉：「考仲子之宮，初獻六羽。……初獻六羽，何以書譏？何譏爾？譏始僭諸公也。六羽之爲僭奈何？天子八佾，諸公六，諸侯四。」反覆問答，夾雜褒貶，不如《穀梁傳》徑直切要（《穀梁》「八佾」下尚有「諸公六佾，諸侯四佾」，亦簡覈。）。故薛氏雖尚古文，此棄古文《左傳》而用今文；雖用今文，此棄大書《公羊》而求之小書《穀梁》也。班固〈東都賦〉「舞八佾」李善注亦用《穀梁傳》此九字，從薛此注，亦以切理而同然也。

薛氏遺文用《左傳》者，自作文一、注賦五，凡六見，統列於下：

二　〈移諸葛恪等勞軍〉又曰：「信元帥臨履之所致也。……功軼古人，勳超前世。主

上……思『飮至』之舊章，故遣中臺近官，迎致犒賜。」——飮至，〈隱五年〉：「三年而治兵，入而振旅，歸而飮至，以數軍實。」

三　〈東京賦〉「楚築章華於前」，綜曰：「《左氏傳》曰『楚子成章華』於乾谿，一朝叛之於前，在春秋之時。」——五字《左》〈昭七年〉文。

四　又「若薙氏之芟草，既蘊崇之，又行火焉」，綜曰：「《左氏傳》曰：『周任有言曰：如農夫之務去草，芟夷蘊崇之。』」——〈隱六年〉文。

五　又「宣重威以撫和戎狄」，綜曰：「《左氏傳》曰：『子教寡人和戎狄。』言宣帝能和戎狄。」——〈襄十一年〉文。

六　又「虙妃攸館，神用挺紀」，綜曰：「《傳》曰：『成王遷九鼎於洛邑，卜年七百，卜世三十。』後皆如其言，故云『神所挺紀』，謂告年紀之處也。」——〈桓二年〉與〈宣三年〉文。（註二二）

七　又「勤致賚于九扈」，綜曰：「九扈：農正，知田事。扈，正也。」——〈昭十七年〉《左傳》：「九扈爲九農正。」此綜注之所本。

案：條二乃勞軍文，口誦筆書，倚馬成章，顯見其嫺於《左氏》。條七暗用《左傳》，其篤信《左》學，亦從可覘。條四「若」，改《左傳》「如」，如、若同義，蓋所據本異；條五「和戎狄」，經作「和諸戎狄」，省介詞以應賦「和戎狄」；條六於《左傳》「雒邑」，改爲

「洛邑」以從俗。類皆細碎，無關大節，故《選》學家多不記校。條四「草」下，《左傳》有「焉」字。《周禮》鄭玄注：「鄭司農云：『《春秋傳》曰「如農夫之務去草」』。」（賈公彥疏引《左傳》同鄭眾引）無「焉」字，先鄭、後鄭，其揆一也，薛殆亦用二鄭所據之《左傳》本乎？

通觀前述各節，得以四事論結：（一）薛綜讀經，溥及《易》、《書》、《詩》、《三禮》《儀禮》雖未見明引，然欲通二禮，非通《儀禮》不可。、《三傳》《公羊》亦未見明引，然注「八佾」選用《穀梁》，必亦嘗考之《公羊》、《左傳》。、《論語》，且注賦亦用《爾雅》、《孟子》（註二二），則後世謂十三經者，僅《孝經》一書未見薛氏稱引而已。以深通經術，故一爲孫慮長史，「外掌眾事，內授書籍」，爾乃以「名儒居師傅之位」（見本傳注引《吳書》）也。（二）綜治經主古文，所用《（僞）古文尚書》、《毛詩》、《左傳》、《周禮》，皆古文書也；其說經從古文言，毛公《詩傳》、《毛詩序》、馬融《論語注》、王肅《易傳》、《尚書（僞）孔氏傳》、陸璣《毛詩草木疏》，皆古文說也，而用鄭玄說者尤多，計《書注》一、《詩箋》一、《禮圖》一、《禮注》六。夫鄭氏，古文大家也。薛氏甚尊鄭，《詩》說有時竟舍毛從鄭：

《詩》〈大雅〉〈生民〉「先生如達」，《正義》：「薛琮敏案：綜之誤。《三國志》無薛琮其人。答韋昭曰：『羊子初生達，小名羔，未成羊曰羜，大曰羊：長幼之異名。以羊子初生之易，故以比

后稷生之易也。』」

「羊子初生達」，用鄭《箋》「達，羊子也」，而與毛《傳》「達，生也」異。（三）綜之經學，雖篤守古文，然解賦爲不失平子原本，亦不能泥於一家一派，故《尚書》主《僞孔》而兼覽鄭《注》，《詩》主毛公而竝用申韓轅固，《春秋》信《左氏》而不因《穀梁》今文小書而棄其說焉。（四）綜注書嚴謹，凡增經（如添「天子」二字於「左右玉几」之上等）、省文（如引《論語》「溫故而知新」，省「而」字等。）、改字（如張賦「盟津」，注依《古文尚書》本易爲「孟津」，但下引《尚書》用今文本正作「盟津」等。）、取便俗讀（如變鄭注「行」爲「威儀」等。），雖在詞章，馬鄭傳經渠篾猶可從而槩見。雖然，及其疵纇，亦有不容諱言者，如改《周禮》「乃建王國焉」之「焉」爲「也」之屬，此猶細末。至如《左傳》「武王遷九鼎于洛邑」、「成王定鼎于郟鄏」，薛氏併合兩事，遂誤遷鼎爲成王；又如《禮》〈月令〉「天子居青陽左个」，誤爲「天子居蒼龍左个」：此已關重大。矧《文心雕龍》〈指瑕〉篇曰：

若夫注解爲書，所以明正事理，然謬於研求，或率意而斷。〈西京賦〉稱「中黃、育、獲之疇」，而薛綜謬注，謂之「閹尹」，是不聞「執雕虎」之人也。

以薛之博洽，猶不免末讀《尸子》之譏（註二三），載筆之士欲立言傳世，可不慎乎哉！

註釋

一　《傳經表》以劉熙初傳，薛綜再傳。熙，北海人，與鄭玄同里而少，殆嘗接聞鄭學，後又友鄭學者程秉、以鄭學者許慈爲弟子，當是鄭學之徒。

二　疑今本《文選》〈二京賦〉薛注僞者，理由有二：一曰綜先王肅卒，此注不應引肅《易傳》，余將於下文辯正（詳〔註四〕）；二曰時反切未造，綜注不應用反切，敏案：今本薛注之反切，乃後人增加，許巽行有說，且〔唐〕永隆寫殘本〈西京賦〉薛注並無反切。（參看《文選李注義疏》卷二解題）

三　《經典釋文》卷二《周易音義》〈比卦〉「三驅」下曰：「徐云：鄭作敺。馬云：三驅者，……。」是馬本作驅。

四　胡克家《文選考異》（卷一）曰：「注『《周易》曰六五』，案『周』上當有『善曰』二字，各本皆脫。何云：『綜以赤烏六年卒，安得見王肅《易注》而引用之？』指此注下文也。其說是矣。……善〈演連珠〉注亦引此王肅注也。」敏案：許巽行曰（《文選李注義疏》卷二引）：「王肅以甘露元年卒，距綜之卒十三年耳，安知《易傳》必作綜卒之後，而綜不得見耶！」考朗著《易傳》，傳於世，太和二年（西元二二八）薨。子肅，撰定父所作《易傳》，列於學官（據《三國志》卷十三〈王朗傳〉）。是所謂王肅《易傳》，乃肅因父朗原作而理定之本。考自朗卒下至薛綜卒（西元二四三）歷十五年，定本《易傳》理應夙成，而肅爲當時經

學大家，望重位顯，故其書流傳甚速而廣，爰及江東，薛氏得而引之。胡、何二氏不煩詳考王氏父子學術年歷，又非據別本《文選》校勘，遽斷「王肅云」之上應脫「善曰」二字。非也。且《文選》卷五五陸機〈演連珠〉李善注引王肅《易注》「象衡門之人」，而此薛注引則作「蒙闇之人」，是雖同爲肅《易》說，而兩家所據引之書本不同。胡氏思索未周。又肅善賈馬之學（《三國志》〈肅本傳〉），馬融釋「戔戔」曰委積貌（《經典釋文》卷二），王氏此說正從馬，是薛氏間接用馬說矣。

五　僅「正月元日」，《僞孔》「正月」作「月正」，薛氏偶誤倒，而「烝民乃立」，《史記》〈五帝本紀〉作「眾民乃定」，以「定」訓「立」，是今文本「粒」作「立」，薛作「粒」依古文，甚確。又「《尚書》曰聲教訖于四海」，《文選考異》（卷一）曰：「袁本此九字作『聲教已見〈東都賦〉』，是也。」《文選李注義疏》（卷三）曰：「尤本『善曰』下九字作『《尚書》曰聲教訖于四海』。」檢班固〈東都賦〉（《文選》卷一）李善注曰：「東漸于海，西被于流沙，朔南暨聲教。」是善注「聲教」連上讀，而此注則屬下讀（《尚書》〈禹貢〉《正義》引鄭玄云：「南北不言所至，容踰之。」是薛斷句如鄭。），判然二說。故尤本九字之上多「善曰」，固非善曰，乃他人竄入；袁本作「聲教已見〈東都賦〉」，殆淺人誤此九字是善注而妄改。

六　自來辨《尚書》僞古文經傳作者，及薛氏此數條引文者極少，余欲深入討論，但以本文所主非類；姑置之；需暇別撰一文，以便專家匡謬。

七　異字才二：條七「佻」，毛本作「恌」，《說文》、《玉篇》引併同作「佻」，用韓說也（參

看陳喬樅《韓詩遺說攷》卷八、王先謙《詩三家義集疏》卷十四）。條二「跼」，今毛本作「局」，《經典釋文》（卷六）：「不局，本又作跼。」是薛所據固亦毛本，唯與今毛本小殊；魯韓說竝同作跼（參看陳喬樅《魯詩遺說攷》卷八、王氏《詩三家義集疏》卷十七），但薛非用魯韓說。則異者實僅一「佻」字而已。馬宗霍《說文引詩攷》（卷二）「佻」下曰：「疑張衡所據爲三家詩，故彼注順文引證以就之。」則薛氏偶用三家詩本，曲徇原賦，不得已也。

八 今本《毛傳》「偷」作「愉」，《正義》曰：「定本作偷（敏案：原亦誤作愉，阮元《校勘記》考當正作偷，甚確。）。」

九 劉師培《敦煌新出唐本提要》——《文選李注》殘卷第二殘卷謂（唐）永隆寫本無「尾長」以下共十字、饒宗頤《敦煌本文選斠證》（一）同，云：「各本『鷮』下有『尾長』以次十字，永隆本無。」（上二文竝見陳新雄等編《昭明文選論文集》，木鐸出版社影印本。）高氏《文選李注義疏》（卷二）校語亦同，高著乃全解本，但十字並未刪去。敏案：永隆本非盡善盡美。有此十字義足，高本存之爲是。

一〇 僅條一二「唯」，毛本作「維」，唯、維音同，皆虛字，諸家（如陳喬樅、王先謙）多不加校異。

一一 《潛夫論》〈愛日〉篇：「《詩》云『王事靡盬，不遑將父』，言在古閒暇而得行孝，今迫促不得養也。」《魯詩遺說攷》（卷八）據之，因謂魯說四牡爲刺詩。敏案：王符謂此孝子勤勞國事，不獲養親之詩，未見刺意，與毛大異。

一二 《魯詩遺說攷》（卷五）：「《尒雅》〈釋故〉：『摟，聚也。』《玉篇》〈手部〉《詩》

曰：『弗曳弗摟。』……《韓詩外傳》同《尒雅》。摟聚之訓，蓋據《魯詩》。」

一三　陳喬樅《齊詩遺說攷》（卷三）：「《漢書》〈地理志〉〈山樞〉之篇曰：『宛其死矣，它人是媮。』喬樅謹案……《漢》〈志〉據《齊詩》。……又張衡〈西京賦〉『……他人是媮』，平子用《魯詩》。」

一四　「刺晉僖公不能及時以自娛樂」十二字，各本皆有，唐永隆寫本獨無：見劉師培、饒宗頤、高步瀛校語（出處參看〔註九〕），但高氏全解本並未逕予削去，蓋亦不以唐本爲必是。

一五　鄭《詩譜》此文，見《附釋音毛詩注疏》卷六之一，竝參看丁晏《鄭詩譜攷正》頁一五，亦同。又《史記》〈晉世家〉記僖侯事迹曰：「武侯之子服人，是爲成侯，成侯子福，是爲厲侯，厲侯之子宜臼，是爲靖侯。……靖侯十七年，……厲王出奔于彘，大臣行政，故曰共和。十八年，靖侯卒，子釐侯司徒立。釐侯十四年，周宣王初立。」釐侯即僖侯，其元年當共和二年，鄭《譜》與相合。

一六　陳氏前一說見《魯詩遺說攷》卷五、後一說見《齊詩遺說攷》卷三。

一七　見《詩三家義集疏》卷八。

一八　《文選李注義疏》（卷三）：「《隋書》〈經籍志〉：《三禮圖》，鄭玄及阮諶撰。豈所引鄭說即本《三禮圖》邪？」敏案：薛曾見鄭氏《禮圖》（上錄薛〈述鄭氏禮五宗圖〉可爲塙證），此引長廣方圓云云，正是圖之說明。

一九　六行，〈大司徒〉曰：「以鄉三物教萬民：……二曰六行——孝友睦婣任恤。」九德，〈大司樂〉：「掌成均之灋，以治建國之學政，而合國之子弟焉。……九德之歌於宗廟之中

奏之。」薛氏「九德之師」蓋本乎此。若《尙書》〈臯陶謨〉「寬而栗」等九德咸事，天子乃克，非傅師比也。

二〇 〈曲禮下〉「士蹌蹌」，《經典釋文》（卷十一）：「蹌，本又作鶬，或作鏘，同。」薛此注引作「將」，音同鏘，義皆叠字形況詞。

二一 〈桓二年〉《左傳》：「武王克商，遷九鼎于雒邑。」〈宣三年〉《左傳》：「成王定鼎于郟鄏，卜世三十，卜年七百。」綜注併合兩傳，又誤遷鼎者武王爲成王。

二二 《爾雅》，余歸之小學類；《孟子》，三國時尙不列經部，故前述薛氏經學，不及斯二書。

二三 〈西京賦〉「乃使中黃之士、育、獲之疇」，闔尹云云，今本薛注無。諸家多謂薛原有注，爲李善刪卻。茲從此說。又「中黃之士」李善注曰：「《尸子》曰：『中黃伯曰：余左執泰行之獶，而右搏雕虎。』」

——原載《鄭因百先生八十壽慶論文集（上）》，臺灣商務印書館出版，民國七十四年六月

三十九　宋人在學術資料（書本資料）方面之貢獻

引言

治學以解決問題，增進人類福祉爲目的。此一目的之達成，必須憑藉學術資料，與講究治學方法。資料不同，方法亦隨之而異；苟不知變通，其方法往往不切實際。故資料爲研究工作之第一要素，從來學者莫不重視，而屢病其闕矣。孔子曰：「夏禮吾能言之，杞不足徵也；殷禮吾能言之，宋不足徵也，文獻不足故也；足，吾能徵之矣。」蓋以資料愈充足，研究之結果愈正確，不然以仲尼之博學，去古又未遠，豈不能徵夏禮殷禮乎？

宋人有鑒於此，倡纂輯佚書，旨在保存及利用古代文獻治學，以王應麟輯《三家詩》與鄭玄《易注》爲顯。其後，〔明〕孫穀輯《古微書》。此風至清尤盛，李紱、全祖望甚至自前代文獻——《永樂大典》中抄輯佚書，四庫館臣因之。本編於末章論之。

古今僞作文獻甚多，孟子已興不可盡信之嘆。治學若不加審辨，一旦誤據僞籍，豈止枉費心力，其所謂研究結果，不惟無益，且適足以遺禍它人。辨別僞書，自漢以下，時有所聞，然至宋人，始務講求方法，而識見亦遠勝古人。如《古文尚書》欺蒙世人近千歲，至吳棫、洪邁、朱子、蔡沈等出，方揭其僞迹。本編於第四章竝宋儒所辨其它習見僞書詳論之。至古器物眞贋，宋儒亦頗知辨正，而趙希鵠嘗著文專論古器物眞僞，則別爲文言之。

本編第二章，述宋儒於經篇著成時代之考定，祇舉《書》〈西伯戡黎〉、〈康誥〉、〈多方〉、〈多士〉及《詩》〈召南〉〈甘棠〉、〈何穠〉等寥寥數篇，善學者從而察之，則宋人於它書著作時代考定之貢獻，可推而知也。至其討論釐正經書錯簡與探究古代經籍原本之說，則別立「經書之復原」一章。世譏宋人好竄亂聖經，或移易章句，或刪黜舊文，或取彼以補此，然讀其改本，往往視舊傳本文理爲通順，而所訂正又多有依據。後人何必固執漢儒譌編之本，寧曲說彊通，而反加宋人以亂經之罪？凡此，均於第三章詳之。

至於宋人不滿古注舊疏，於諸經子書多爲新注，而新義勝舊解者頗多：如舊解「皇極」爲「大中」，朱子作〈皇極辨〉訓皇爲王、極爲準，妙合經旨；又如項安世訓《書》〈君奭〉「割申勸寧王之德」，「割」爲「蓋」、通「盍」、「曷」，金履祥從而申之，謂割或作害，義爲「何」，當是正解。再如王質《詩總聞》說〈豳風〉〈七月〉篇「十月穫稻」，曰「穫當作濩，浸米爲醪也。」甚契詩義。類此極多，勢難盡舉，異日當別爲專書以說之。而本編所

論，節目略如上述。其內容下將次第言之。

一　疑古風氣之形成

宋人疑古風氣，自疑經始。經學自唐高宗永徽四年（西元六五三）《五經正義》頒行，下迄北宋初年，可謂統一時代。師儒講授，朝廷取士，大致依傍古注舊疏，無取新奇。真宗景德中，賀邊以新義解《論語》應舉，試官王旦黜之不錄一事可證，《宋史》〈旦本傳〉曰：

李迪、賀（一作賈）邊有時名，舉進士，迪以賦落韻，邊以「當仁不讓於師」論以「師」爲「眾」，與注疏異，皆不預。主文奏乞收試。旦曰：「迪雖犯不考，然出於不意，其過可略；邊特立異說，將令後生務爲穿鑿，漸不可長。」遂收迪而黜邊。

稍後，約當仁宗天聖、景祐間，天聖二年進士周堯卿（至道元年〔九九五〕至慶曆五年〔一〇四五〕）治《詩經》已不守注疏，《宋史》〈本傳〉謂堯卿：

爲學不專於注疏，……考經指歸，而見毛鄭之得失。

同時或稍後，胡瑗（淳化四年〔九九三〕至嘉祐四年，〔一〇五九〕）於五經皆有異於舊說之論，而弟子記之，集爲「《五經異論》」（見〔宋〕朱熹《五朝名臣言行錄》卷十之二頁二，《四部叢刊》本。）。

疑古風氣至慶曆逐漸形成。〔宋〕吳曾曰：

國史云：慶曆以前，學者尚文辭，多守章句注疏之學。至劉原父爲《七經小傳》，始異諸儒之說。（《能改齋漫錄》卷二頁一〇，《守山閣叢書》本。）

劉敞《七經小傳》尚新異，王安石《三經新義》多用其說（見〔宋〕晁公武《郡齋讀書志》卷一下頁一二，《四部叢刊》本，下同。）《新經義》一度頒行天下，爲取士之範本，視《七經小傳》影響較大，〔宋〕王應麟曰：

自漢儒至於慶曆間，談經者，守訓故而不鑿，《七經小傳》出，而稍尚新奇矣。至《三經新義》行，視漢儒之學若土梗。（《困學紀聞》卷八總頁七七四，商務印書館《國學基本叢書》本，下同。）

安石又以《春秋經》爲斷爛朝報。此外，蘇軾譏《尚書》〈康王之誥〉康王爲失禮，又疑〈胤征〉。蘇轍毀《周禮》，又黜《詩序》。李覯疑《孟子》。〔宋〕陸游曰：

唐及國初，學者不敢議孔安國、鄭康成，況聖人乎？自慶曆後，諸儒發明經旨，非前人所及。然排《繫辭》，毀《周禮》，疑《孟子》，譏《書》之〈胤征〉、〈顧命〉，黜《詩》之序，學者不難於議經，況傳注乎？（《困學紀聞》卷四總頁七七四引）

歐陽修不僅排《繫辭》，又疑《周禮》，不滿《詩經》毛《傳》鄭《箋》，更欲刪去舊疏中緯書材料。且以海內之重望，其影響尤大，故一時天下疑古之風大盛，由司馬光熙寧二年六月〈上論風俗劄子〉可見：

近歲公卿大夫，好爲高奇之論，……流及科場，亦相習尚。新進後生，未知臧否，口傳耳剽，翕然成風。至有讀《易》未識卦爻，已謂《十翼》非孔子之言；讀《禮》未識篇數，已謂〈周官〉爲戰國之書；讀《詩》未盡〈周南〉、〈召南〉，已謂毛鄭爲章句之學；讀《春秋》未知十二公，已謂《三傳》可束之高閣。循守注疏者，謂之腐儒；穿鑿異說者，謂之精義。（《司馬文正公傳家集》卷四二，商務印書館《萬有文庫》本。）

朝廷重臣反對新說者，司馬溫公之外，尚有韓魏公琦，劉安世《元城語錄》曰：

韓魏公與歐陽文忠公同政府甚久，終日相聚，無事不言，但不與文忠公論〈繫辭〉。僕曰：「何也？」先生曰：「文忠公論〈繫辭〉，……其中有失，若與之同，則又是一文忠公；若議論不同，或至爭忿。故魏公存之不論。」（卷七下頁一八，《惜陰軒叢書》本，下同。）

然大勢所趨，莫之能禦，一二嗜古之士，思以螳臂當車，雖至愚亦知其於走輪必不可拒也。且即如溫公亦不免疑《孟子》，又謂舜晚年南巡非實錄（〔宋〕林之奇《尚書全解》卷三頁二五引，《通志堂經解》本，下同。），遺書范景仁疑《詩》〈國風序〉（《溫國文正司馬公集》卷六一頁一〇，《四部叢刊》本。）而轉與疑古派同調矣。自茲，宋儒講經遂盡脫漢唐傳疏，蓋由懷疑經義，以六籍所載失實，繼而刪改經文，辨別僞經。由治經擴及其它，遂引發宋學之全面創新。宋代學風變古，於學術資料之貢獻，方面廣大，而影響深遠，誠難殫述；本文祇就其於經篇著成時代之考定、經書之復原、僞書——以經書爲主，亦略及子、史——之辨別及佚書之輯存，舉要言之。第各類之間，往往相互關涉，殊難截然劃分疆界，不過其重點，當如類目所示耳。

二　經篇著成時代之考定

經篇著成時代，與經文所載史實攸關。宋人於史料時代之重新檢討，頗致其力。《尚書》〈僞孔序〉據〈昭公十二年〉《左傳》，謂上世帝王遺書有三墳五典八索九丘，朱子已致其疑（《朱子大全集》卷六五頁二，《四部備要》本，下同。），〔宋〕王柏以墳典即有其書，其言不足取以爲後世法，傳至孔子時已刪而去之（《書疑》卷一頁一至二，《通志堂經解》本，下同。），故以我國信史當斷自唐虞，而其所據以考信者，孔子手定之六經而已（《魯齋集》卷四頁四至五，《續金華叢書》本，下同。）。六經所記，有後人誤認其史實者矣，《尚書》古文〈胤征〉篇，《書序》云「羲和湎淫，廢時亂日，胤往征之，作〈胤征〉」，蘇軾以爲此篇羿篡位時事，羲和貳於羿，忠於夏，羿假仲康之命，以命胤侯，而往征之（《東坡書傳》卷六頁五至七，《學津討原》本，下同。）。《尚書》〈微子〉篇載微子啓出奔事，古文〈微子之命〉篇記周成王既殺武庚命微子代殷後，《僞孔傳》曰：「啓知紂必亡而奔周，〔周〕命爲宋公爲湯後」，而《左》〈僖六年傳〉及《史記》〈宋世家〉載微子持殷器，造武王軍門，銜璧面縛牽羊把茅乞降。王柏謂以微子之仁，必不先自絕於商而歸周，其肉袒膝行祈哀請命者，武庚祿父也，而左、馬無識，誤爲微子（《書疑》卷三、六；《魯齋集》卷八頁一三，《續金

華叢書本》，下同。）。其徒金履祥是之，載於《金仁山集》（卷一頁三三至三五，《金仁山遺書》本，下同。），又繫附於《通鑑前編》（卷五頁三二，《金仁山遺書》本，下同。）紂辛三十二祀下。〔清〕皮錫瑞責宋儒專持一「理」字，臆斷唐、虞、三代之事，凡古事與「理」合者，即以爲是；與其理不合者，即以爲非（《經學通論》卷一頁七一，《萬有文庫薈要》本，下同。）。案：仲尼欲言夏殷之禮，而病杞宋文獻不足徵，今文獻既不足，能準千古不變之理推論千古之事，視乖違常經，懸斷往昔者，豈不猶愈乎？且宋人議論古人行事，非皆但憑主觀，而罔顧客觀材料，下舉數例。

《尚書》〈西伯戡黎〉篇，舊以爲：西伯，周文王姬昌；戡黎，文王時事。至宋儒始以戡黎爲武王時事，呂祖謙曰：

> 黎之地近王畿，而輔紂爲惡者，武王不得已而戡之。……西伯非文王，乃武王也；周國於西，是爲西伯。《史記》載紂使膠鬲觀兵，膠鬲問曰：西伯曷爲而來？則武王亦繼文王爲西伯矣。（《東萊書說》卷十六頁一一，《通志堂經解》本，下同。）

東萊膠鬲問曰云云，蓋據〔晉〕皇甫謐《帝王世紀》之說（《僞古文尚書》〈武成〉篇《疏》引），薛季宣據〔漢〕劉向《說苑》，亦謂膠鬲稱武王西伯，又據《詩經》〈大雅〉

〈皇矣〉篇，證文王嘗伐密伐崇，而無戡黎之事（《書古文訓》卷六頁二〇，《通志堂經解》本。）吳棫、胡宏、陳鵬飛、王文叔、金履祥並持此說（見《金氏書經注》卷六頁三五，《十萬卷樓叢書》本，下同。又見《困學紀聞》卷二總頁一四八註引。）案：經文既曰「格人元龜」，又曰「不無戮于爾邦」，是周人翦商，剝牀及膚，故祖伊奔告於王。疑宋儒是也。

《尚書》〈康誥〉篇，《書序》、《史記》〈殷本紀〉皆以爲周成王誥康叔之書，吳棫（《書》蔡《傳》引）、胡宏、朱子（《朱子語類》卷七九，正中書局影印本，下同。）、蔡沈、王柏（《書疑》卷六頁二）、金履祥（《書經注》卷八頁二〇）、車若水（《腳氣集》卷下頁八，《寶顏堂祕笈》本。），皆以爲武王誥弟書，胡氏曰：

康叔者，成王之叔父也，不應稱之曰「朕其弟」；成王者，康叔之猶子也，不應稱曰「乃寡兄」，其曰兄曰弟者，蓋武王命康叔之辭也。（《皇王大紀》卷二十頁二，《四庫珍本二集》本，下同。）

胡五峯據《尚書》本文爲證。蔡《傳》亦於舊解獻疑曰：「〈康誥〉……言文王者非一，而略無一語及武王，何耶？」蓋以此篇爲武王之誥，故不及自稱武王。今據近歲河南出土銅器銘文，參以《史記》〈衛世家〉《索隱》，證以《周易》，知本篇爲武王始封弟封於康之辭，

確乎不可易也。《史記》〈三王世家〉謂康叔後扞祿父之難，《後漢書》〈蘇竟傳〉謂康叔不從管蔡之亂，皆足徵康叔於周公東征前已受封，其地蓋近三監，以不從叛逆，故周公善之也。是益證宋儒所論之可信也。

《尚書》〈多方〉篇時代當在〈多士〉篇之前，《書序》及《僞古文》本篇第倒亂，鄭玄謂伐淮夷踐奄是攝政三年伐管蔡時事（《尚書疏》引），胡宏《皇王大紀》既繫〈多方〉於周成王四年，〈多士〉於八年（卷二十頁一），至王柏始直據兩篇經文，體會其語氣，決〈多方〉當先〈多士〉著成，曰：

〈多方〉曰：「告爾四國多方，惟爾殷侯尹氏，我惟大降爾四國民命，爾罔不知。」又曰：「我惟大降爾四國明（民）命。」〈多士〉曰：「昔朕來自奄，予大降爾四國民命。」此可以知其先後也。（《書疑》卷七頁三）

案：其意：〈多士〉之「昔朕來自奄，大降爾四國民命」即指昔〈多方〉之「降爾四國民命」言。惟其說尚欠明白，弟子金履祥補之曰：

〈多方〉敘云：「王來自奄」，《書》云：「我惟大降示（爾）四國民命」。而〈多

士〉之《書》曰：「昔朕來自奄，我惟大降爾四國民命」。則此篇當在〈多士〉諸篇之前也。（《尚書表注》卷下頁三七，《金仁山遺書》本，下同。）

且細審二篇文氣，亦相照應，魯齋曰：

〈多士〉曰：「今爾又曰：『夏迪簡在王庭，有服在百僚。』」〈多方〉後段曰：爾乃自時洛邑，尚永力畋爾田。天惟畀矜爾，我有周惟其大介賚爾。迪簡在王庭，尚爾事。有服在大僚。」此又知是一篇前後相應也。（《書疑》卷七頁三至四）

案：魯齋以「又曰：『夏迪簡在王庭，有服在百僚。』」即重提疇昔〈多方〉「迪簡在王庭，有服在大僚」之事者。其說皆有塙證，不可易也。

宋儒論《尚書》各篇著成時代，多正前儒之失，略如上述。而於《詩經》諸篇成書時代之考定，貢獻尤大。茲舉〈國風〉〈召南〉〈甘棠〉、〈何彼襛矣〉二篇爲證。

〈二南〉，鄭玄《詩譜》〈序〉以爲正風，皆周文、武王時作，《詩疏》謂是王化之基。宋儒疑鄭孔之說。〈甘棠〉，《史記》〈燕召公世家〉謂召公卒後，民思召公之政，作詩歌詠之。王柏以爲平王以後之詩，當退歸〈王風〉（《金華叢書》本《魯齋集》卷十頁一附錄〈王

魯齋壙誌〉。）今考召伯爲召穆公虎，東周時人，〈甘棠〉誠晚作之篇，宋人之說不誤。〈何彼襛矣〉「平王之孫，齊侯之子」，《毛傳》鄭《箋》訓「平」爲「正」，平王者文王，文王德能正天下，故云。蓋曲就其〈二南〉爲正風，不得有東遷以後之詩之說。宋人王質斥漢人爲「強辭度詩」，直謂平王爲周平王宜臼，〈何彼襛矣〉是東遷後詩，曰：

平王，周平王也。平王之孫，桓王之女也。杜氏以齊襄公親迎，則自娶也審爾。則齊侯之子，謂僖公之子也。見魯莊元年夏，單伯送王姬，秋王姬歸于齊甚明。凡《詩》稱某王某侯；或稱謚，亡者稱謚；或稱國，存者稱國。不必委曲援引寧王、格王之類。（《詩總聞》卷一頁二六，《武英殿聚珍版叢書》本，下同。）

王氏定齊侯爲襄公，女即桓王之女，洪邁別舉春秋一事爲證，曰：

魯莊公元年，當周莊王之四年，齊襄公之五年，……此一事也。十一年，又書王姬歸于齊。《傳》言齊侯來逆共姬，乃威公也。莊王爲平王之孫，則所嫁王姬，當是姊妹，齊侯之子，即襄公、威公也。二者必居一于此矣。（《容齋五筆》卷四總頁三〇，商務印書館《國學基本叢書》本，下同。）

朱子亦疑平王爲宜臼，而齊侯即襄公諸兒（見《詩集傳》），又疑是篇不當入〈召南〉（〔宋〕朱鑑編《詩傳遺說》卷四頁一一，《通志堂經解》本。）

綜上所舉，宋人於《書》《詩》諸篇著成時代或其事實之考定多得其正，故後世多以爲是。崔述謂微子無所謂銜璧面縛之事（《商考信錄》卷二頁四二至四三，《崔東壁遺書》本，下同。）。李榮陛又舉〈樂記〉證武王克殷後先封武庚，而微子遁野未獲，必無乞降之事（《尚書考》卷二頁三五，〔清〕亘古齋刊本，下同。）。莊述祖謂面縛銜璧者武庚，後人妄據傳說誣微子非是（《珍藝宧文鈔》卷三頁二一，《珍藝宧遺書》本）。〈多士〉、〈多方〉失次，〔元〕吳澄（《書纂言》卷四頁一〇三，《通志堂經解》本，下同。）、〔明〕郝敬（《尚書辨解》卷七頁九，《湖北叢書》本。）、〔清〕朱鶴齡（《尚書埤傳》卷十三頁一六，〔清〕康熙刊本。）、顧亭林（《日知錄》卷一，《國學基本叢書》本，下同。）、李榮陛（《尚書考》卷三頁八至九）、簡朝亮（《尚書集注述疏》卷二十頁一四，〔清〕光緒三十三年刊本。）皆從宋人以〈多方〉當在〈多士〉前，而所提證據，亦大致不出王柏、金履祥範圍也。至《詩》〈甘棠〉、〈何彼襛矣〉爲東周以後之詩，〔明〕朱善申此意，以爲〈何襛〉宜在〈王風〉，後人誤入〈召南〉（《詩解頤》卷一頁一〇，《通志堂經解》本。）。惠周惕（《詩說》，《皇清經解》卷一九一頁四。）、閻若璩（《尚書古文疏證》卷五下頁四〇，《皇清經解續編》本。）、方苞（《望溪集》頁一二至一三，〔清〕乾隆刊本。），持論大致

相同；其決然以二篇晚出者，崔述且許爲有識之士（《豐鎬考信錄》卷二）。

三　經書之復原

經書之著成寫定，距今蓋二千五百年，簡脫編絕，久非完帙，重以秦火焚禁，殘缺益甚。漢世學者收拾遺篇於煨燼之餘，更爲纂定，又不免訛亂，故當時經書已失先秦之舊。自漢至唐又千餘年，兵燹流亡，散佚愈多，淆亂益甚。宋人以爲欲昭明聖學，必由遺經；求千五百年以上之經本不可得，正譌謬補殘闕於百世之下，以探經本原貌，即舍我其誰？故宋三百年學者多黽勉於此，成績可觀。

《周易》上下經及《十翼》，原爲十二篇。〔東漢〕費直《易》無章句，徒以〈彖〉、〈象〉《繫辭》解經。鄭玄注《易》，徑連〈彖〉〈象傳〉於經文之下，王弼又以〈文言〉分附〈乾〉〈坤〉二卦之後，經傳既雜廁，不得不加「彖曰」、「象曰」、「文言曰」以別之，於是《周易》憑空多出千餘字，而孔穎達因弼本作《正義》，通行至宋，《古易》遂不復存。呂大防欲復《古易》之舊，始考驗舊文，作《周易古經》二卷。晁說之作《古周易》八卷，薛季宣作《古文周易》十二卷，程迥作《古周易考》一卷，李燾作《周易古經》八篇，吳仁傑作《古周易》十二卷，而以呂祖謙《古周易》一卷分上下經及傳共十二篇最近古本，書今存。朱

子作《易本義》即用祖謙所訂之篇第（參《四庫提要》卷三頁二五，臺北藝文印書館影印本，下同。）今朱子《本義》原本雖不易得，然清初御定《周易折中》仍可據以考按十二篇之舊第。學者探索《易》道知循古本，是宋人之賜也。

《周禮》，漢人所得先秦故書，時闕〈冬官〉一篇，河間獻王購求不得，取〈考工記〉一篇補之。鄭玄《注》，〔唐〕賈公彥《疏》，即今通行本《周禮》也。至〔宋〕俞庭椿《周禮復古編》，謂五官所屬皆六十，不得有羨；其羨者皆取以補〈冬官〉，遂開〈冬官〉不亡一派（《四庫提要》卷十九頁九）。其說雖不甚足據，然能激發學者以同一方法補救向以爲亡佚之篇章，有功於後世。如晚宋學者勘察〈大學〉本篇，移「知止而后有定」以下四十二字合〈聽訟章〉共爲〈格物致知傳〉，倡〈格致傳〉不亡說，與俞氏移補〈冬官〉，蓋同一機杼也。

〈大學〉本《禮記》之第四十二篇，〔宋〕司馬光取以講說，成《大學廣義》一卷（見〔清〕朱彝尊《經義考》卷一五六頁一，〔清〕乾隆刻本，下同。），始離《禮書》別行。其後，程顥、頤兄弟，以其章句倒亂，各出改本（見《二程全書》），朱子繼之，定爲經一章，傳十章；獨〈格致傳〉亡佚，遂爲補作一傳。理宗寶祐間，吳槃（仕履略見《嚴州圖經》卷一總頁七五，《叢書集成初編》本。）始言〈大學〉〈格致傳〉不亡，以爲「知止而后有定」一段下接以「聽訟」一段即是元〈格致傳〉（參王柏《魯齋集》卷八頁七）。稍晚，董丞相槐亦主此說，云：「經本無闕文，此特錯簡之釐正未盡者矣。」（〔宋〕黃震《黃氏日抄》卷二八

頁一二引，〔清〕乾隆三二年刊本，下同。）以爲「知止而后有定」至「則近道矣」合「聽訟章」古正係釋致知在格物，不待別補。自是，晚宋遂有〈大學〉〈格致傳〉不亡一派之說：葉丞相夢鼎（〔明〕方孝孺《遜志齋集》卷二八頁一，《四部叢刊》本，下同。）、車若水（《魯齋集》卷九頁一二）及王柏，大抵皆同董氏所論。王氏〈大學沿革論〉、〈後論〉兩篇（見《魯齋集》卷九、十）申董氏之意，又其〈答友人書〉云：若此則不動斤斧而元詞儼然，誠追亡之上功也（《魯齋集》卷八頁七）。

元以後，學者多據王柏所論，申〈格致傳〉不待別補之義。吳澄（見〔元〕景星《大學集說啓蒙》頁一三，《通志堂經解》本。）、〔明〕王禕（《青巖叢錄》頁一六至一七，《金華叢書》本。）宋濂（《龍門子凝道記》卷下頁二一，《金華叢書》本。）及弟子鄭濟（見《遜志齋集》卷十八頁一）、盧格（《荷亭文集附論辨》卷二頁一至二，〔明〕崇禎十三年刊本。）皆是。豐坊且陰襲宋人改本，僞託〈大學〉石經古本以出。清則顧亭林（《日知錄》卷七總頁六二）、朱鶴齡（《愚庵小集》卷十頁二至三，清刊本。）皆嘗著論推其說之是，而近人唐君毅先生亦頗以董王所改爲確（《清華學報》新四卷二期）。

經文殘缺，經義亦隨之間斷。古人欲經完義屬，於其散佚而絕不可追復者，施以補作。《文選》晉束皙〈南陔〉、〈白華〉、〈華黍〉、〈由庚〉、〈崇丘〉、〈由儀〉六詩，即爲補亡而作。然以一家私言上擬經旨，即偶於道體有合，已失尊經宗聖之意，矧其不合者乎？經

之不可擬而補審矣。以是朱晦翁補〈大學〉，人詆爲腐儒之冗言，而束廣微補六詩，人或以謂絕不可作。宋人固亦深知擬補之弊害，然尤不忍坐視其殘缺，故創爲移彼經以補此經之缺義之法，雖所移未必即本書之佚文，然其有助於經義之發明，則不容置疑，故後人多表信從。茲舉王柏引《論》、《孟》補《尚書》〈堯典〉篇爲例。

君位之授受，乃邦國大事。堯位禪舜，史官敘其事，前後綦詳，乃獨缺命之之辭，故呂祖謙始察〈堯典〉「舜讓于德，弗嗣」之下，舜必有再遜之辭，而史官省闕（《東萊書說》卷二頁四），錢時是之（《融堂書解》卷一頁一一，《武英殿聚珍版叢書》本。）。其說未盡。《論語》末篇〈堯曰〉有「堯曰：『咨！爾舜！天之曆數在爾躬，允執其中。四海困窮，天祿永終！』」漢王符《潛夫論》〈五德志〉（《四部叢刊》本）記堯舜相禪，引「咨（格）爾舜」云云，以爲堯命舜之辭，但未明引《論語》以補《尚書》。〔宋〕王柏始引「堯曰咨」以下二十四字補於〈堯典〉「弗嗣」下曰：

昔堯之試舜也，如此之詳，而遜位之際，止一、二語而已。此非小事也，以天下與人，而略無叮嚀告戒之意何也？愚讀《論語》終篇，乃見「堯曰：咨！爾舜！天之歷數在爾躬，允執厥中。四海困窮，天祿永終！」書中脫此二十有四字。（《書疑》卷一頁七）

〔明〕芮城（《匏瓜錄》卷六頁七二，〔清〕光緒十年刊本。）、黃佐（《南雝志》卷十八頁八，江蘇省國學圖書館影印本。）、曹學佺（見〔清〕王頊齡等《欽定書經傳說彙纂》卷二頁七引，下同。）皆以爲是。王樵且申之曰：「經之闕文多矣，惟此幸存于《論語》，而人莫之覺。金氏（見後）始表而出之，只此可謂有功于聖經矣。」（《尚書日記》卷三頁五至六，〔明〕萬曆二十三年原刊本，下同。）〔清〕宋鑒謂「堯日咨」數語，必是受終之際，勑命之辭（《尚書考辨》卷四頁二，《山右叢書初編》本。）馬國翰服宋人所補精當（《目耕帖》卷七頁一六）。而金履祥《通鑑前編》唐堯七十三年下，既引「帝曰咨爾舜」諸語，謂命舜冊文，後世凡屬通鑑類著作，如〔明〕李東陽《歷代通鑑纂要》（卷一頁一五，〔明〕正德刊本。）、沈朝陽《通鑑紀事本末前編》（卷二）、及〔清〕《御批歷代通鑑輯覽》（卷一）莫不從而繫之爲堯命舜之辭矣！

〈堯典〉（《僞古文尚書》〈舜典〉）篇帝舜命契曰：「契！百姓不親，五品不遜，汝作司徒，敬敷五教，在寬。」林之奇（《尚書全解》卷三頁九）、朱子（《朱子大全集》卷六五頁一四）、蔡沈（《書經集傳》），皆以《孟子》〈滕文公上〉篇「勞之，來之，匡之，直之，輔之，翼之，使自得之，又從而振德之」亦此「在寬」之意，王柏以爲〈堯典〉「在寬」下脫簡，所脫與《孟子》此二十二字同，曰：

舜之命契也，曰「敬敷五教，在寬」，語意未盡，疑有缺文，幸孟子亦嘗舉此章。又有數語曰：「勞之，來之，匡之，直之，輔之，翼之，使自得之，又從而振德之」，孟子既曰命契之詞，……且孟子非泛引之云，既提其名謂之「放勳曰」，繫於「命契五教」之下，則是出於〈堯典〉矣。（《書疑》卷一頁五）

遂以此二十二字補〈舜典〉。

《四庫提要》謂孟子引「勞來匡直」明作堯語，今以爲舜語非是。（卷十三頁五）金履祥（《書經注》卷一頁三二）、王樵（《尚書日記》卷二頁二八）以爲是堯初命之辭，而今本〈堯典〉命契一段，爲舜申堯初命之辭而命之者。案：即王氏之說未的，其引《孟子》補〈堯典〉，視〔清〕毛奇齡補〈堯典〉至用〔魏〕高堂隆改朔議引文，豈不有據乎？

經書章句錯簡，宋人釐訂而得其正者，不遑枚舉，下所舉述，皆經家習見之例證。

《尚書》〈堯典〉（僞古文〈舜典〉）篇帝命夔典樂教胄子，夔曰：「於！予擊石拊石，百獸率舞。」同書〈皐陶謨〉（僞古文〈益稷〉）篇亦有「夔曰於」以下十二字，而「率舞」後多「庶尹允諧」四字，劉敞以爲：

「夔曰：『於！予擊石拊石，百獸率舞。』」〈益稷〉之末又有「夔曰於予擊石拊石百

獸率舞」，然則〈舜典〉之末衍一簡也。何以知之邪？方舜之命，二十二人莫不讓者，惟夔、龍爲否，則亦已矣。又自贊其能，夔必不爲也。且夔於爾時始見命典樂，不應遂已有百獸率舞之事，是今日適越而昔至也。（《七經小傳》卷上頁二，《四部叢刊》本，下同。）

此後宋儒多申原父之說，如蘇軾（《東坡書傳》卷二頁一四）、章如愚（《山堂考索續集》卷四頁一〇，〔明〕正德十三年刊本。）、王柏（《書疑》卷一頁七）。即篤古泥舊如林之奇，亦不得不承認：「義或然也。」（《尚書全解》卷三頁二〇）金履祥《書經注》〈舜典〉篇（卷一頁三五）徑黜去此十二字不爲注。

惟〔清〕簡朝亮以謂夔爲申命，故不讓；又云於〈堯典〉夔言樂和之始著，於〈益稷〉言樂和之終備，故此文兩見（《尚書集注述疏》卷一）。案：簡氏申命夔之說，於經傳無據。《史記》〈五帝本紀〉《集解》引馬融曰：「稷、契、皐陶，皆居官久有成功，但述而美之，無所復勑。禹及垂以下，皆初命。」案：經文命夔之辭，與命契、皐陶等異，馬說或是。且始著、終備，乃皆著此文，豈非蛇足？故《史記》〈五帝本紀〉一「以夔爲典樂」一段有之，而〈夏本紀〉二「夔行樂」下則無，馬遷似以爲衍文，故去其一而不錄，皮錫瑞是之（《經學歷史》頁七四，臺北藝文印書館影印本，下同。）今考〈皐陶謨〉記百僚謀議之言，君臣歡洽於

虞廷，帝命各出昌言，禹、皋陶爭述其職事，舜史既記夔稱其職，又引夔「擊石，率舞」，以記其能，猶記「禹治洪水，萬邦作乂」然，若置〈堯典〉方命夔官下，不辭已甚！然馬國翰謂「百獸率舞，則神人以和」爲歸美於君之辭（《目耕帖》卷七頁三一至三二），其說亦非是。蓋舜嘗宅百揆皆敘，則禹、棄、皋陶受命之初何不各因其新職所掌，若土功、穡事、五典、五刑歸美於君？而舜未必知樂，反以「百獸舞，神人和」歸之何哉？諸家尊經太過，曲爲迴護，竟致經義晦昧，謂之毀經，其誰曰不然！

圖書中日、曰字互誤之例，觸處皆是，學者不憚更定，獨於六籍中此類訛誤，不敢改正，亦尊經太甚之弊。宋儒則不如是。《尚書》〈皋陶謨〉篇「禹曰：俞，乃言厎可績」之下，皋陶曰：「予未有知，思日贊贊襄哉！」《東坡書傳》曰：「『思日贊贊襄哉』，『日』當作『曰』。」（卷三頁一七）蘇氏釋後文「予何言？予思日孜孜」（僞古文〈益稷〉篇）與此「思日贊贊襄哉」照應，故此「思日」當爲「思曰」之誤，東坡曰：

皋陶曰「予未有知者」，猶曰「吾不知其他也，思日夜進益而已。」……禹亦因皋陶之言而進之曰：「予何言？」「何言」，亦猶皋陶之「未有知也」。又曰：「予思日孜孜」，「日孜孜」者，亦猶皋陶之「思日贊贊襄哉」也。其言皆相因之辭，予是以知「曰」之當爲「日」也。（《東坡書傳》卷四頁一）

王柏亦據蘇說，謂「思曰贊贊襄哉」政與「禹曰：『帝！予何言？予思日孜孜』」句法一樣，且相接也（《書疑》卷三頁四）。張九成且舉湯盤爲證，謂「思日贊襄」即皋陶「允迪厥德」之事，亦「日新」之意，其言曰：

孔子之不厭不倦，皋陶之贊襄也。湯之盤銘曰：「苟日新，日日新，又日新」。思日贊贊襄哉，則允迪厥德不已，而德日新矣。（〔宋〕黃倫《尚書精義》卷七頁一〇至一一引，《經苑叢書》本。）

案：〈召誥〉篇「惟日其邁」亦與「思日贊襄」意同。諸家改字，確乎有據，故信古之篤如林之奇者，亦以爲張橫渠、薛氏「思曰」作「思日」之解比先儒爲優，並增舉《尚書》曰、日相誤之例，曰：

考之於經，「曰」之與「日」大抵多相亂，如〈洛誥〉曰「今王即命『曰』」，《釋文》一音作『日』；〈呂刑〉曰「今爾罔不由慰『日』勤」，《釋文》一音作「曰」。……而此下文又有「予思日孜孜」與此「思曰贊贊襄哉」文勢正相類，故張橫渠、薛氏皆以爲「日」。（《尚書全解》卷五頁一八）

至此，思曰當作思曰，已無疑義。除一二拘虛之儒，莫不皆以宋人所定爲正矣。簡朝亮即其一，其論曰：

〈大誥〉云：「永思艱曰」，則「思曰」之義自明也。孟子言齊王之臣云：「其心曰，是何足與言仁義也云爾」，蓋可以反觀矣。（《尚書集注述疏》卷二頁一五）

愚案：〈大誥〉「肆予冲人永思艱曰嗚呼允蠢鰥寡」，《僞孔傳》釋「曰」爲「嘆曰」，蔡《傳》缺解。然下「嗚呼」即嘆詞，故《僞孔》「曰」字仍同未釋。竊謂「曰」如連上讀，當爲「日」之訛；連下讀則爲語氣辭。連下讀是。又「冲人」，主詞；思，動詞；艱，名詞作止詞：此一完整句，下如再加動詞「曰」，則不成句；而必須另作一句看。至《孟子》〈公孫丑上〉孟子謂齊人不以仁義言於王，非不知仁義爲美，祇以「其心曰：『是何足與言仁義也？』」「其心曰」猶今語「他們的心裏說」。簡氏於此「思曰」，與《孟子》「其心曰」比擬，意謂「思曰」義當如今語「想說」。然上文既云其言可底績，是皐陶已盡其言，下又出「想說」贊襄，豈皐陶毫未陳於王庭，明己爲忠藎之臣乎？朝亮非也。

宋儒釐正《尚書》〈洪範〉篇字句，最爲清儒所詬病。胡渭撰〈洪範正論〉，謂〈洪範〉原無錯簡，宋儒變亂之非是。然今本〈洪範〉編簡，果皆仲尼序次之舊，則何以「五皇極」有

「九福極」之文，六三德不免綴以王帝威福玉食之事，而又何以八政一疇無演（衍）文，而〔清〕孫承澤竟至僞作五十二字以補其闕乎？其必有疑義，俟虛己以檢討者矣。

〈洪範〉九疇，一、二、五、六、七及八疇並五行（水、火、木、金、土）、五事（貌、言、視、聽、思）、皇極、三德、稽疑、庶徵以後，皆有所申說，如潤下、炎上，曰恭、曰從……之類，獨三八政、四五紀及九福極「曰師」、「曰曆數」及「曰弱」之後，無復申言。宋龔鼎臣疑八庶徵「王省惟歲」一段原在五紀「厤數」之後，其《東原錄》曰：

〈洪範〉九疇宜皆有所說，獨八政衍載其八事，其五紀亦然。疑「王省惟歲」以下所說「歲月日星」及「星日月之行」當在「歷數」之下；況「有冬有夏」乃似歷法。（頁三，《函海》本，下同。）

熙寧間，余燾上書請將八庶徵「王省惟歲」至「則以風雨」改入四五紀「五曰歷數」之下，宋龔明之《中吳紀聞》（《粵雅堂叢書》本）云：

余燾字元輔，方舍法欲行，上書引成周事力贊之。……後復上書改〈洪範〉篇，自「王省惟歲」(五)「月之從星，則以風雨」乃屬之「四五紀一曰歲、二曰月、三曰日、四曰

星辰、五日歷數」之下。謂九疇皆有衍文，惟「四五紀」無之。至於「八庶徵」之後，既言「肅，時雨若」止「蒙，常風若」，意已斷矣，而又加「王省惟歲」已下之文，則近於贅！（卷二頁一六，《粵雅堂叢書》本。）

此後，蘇軾舉《莊子》「除日無歲，王省百官」證「王省惟歲」以下爲五紀之脫簡（《東坡書傳》卷十頁一四）。洪邁亦頗以三家之說爲然。

今本皇極一章所包甚廣，宋儒疑其間有衍文者，亦自襲氏發啓，謂「斂時五福」至「其作汝用咎」乃是說福極之意爾（《東原錄》頁三）。洪邁指出五皇極中雜有九五福之文（《容齋續筆》卷十五總頁一四四），王柏則移「斂時五福」至「其作汝用咎」爲「福極」之末章。且移六三德「惟辟作福」至「僭忒」於皇極疇，又分別經傳，若晦庵《大學章句》然（《書疑》卷五）。

歐陽修謂：「經非一世之書也，其傳之謬，非一日之失也；其所以刊正補緝，亦非一人之能也。」（〈答宋咸書〉，《歐陽文忠公集》卷四七頁一二，《四部叢刊》本，下同。）宋人〈洪範〉改本，雖未盡當，賴元明清學者稽討訂補，愈近本眞，而範疇旨義益顯。〔明〕陳第疑「惟辟作福」至「民用僭忒」是皇極之文（《尙書疏衍》卷四頁一一，黑格鈔本。），而主張移「斂是五福」至「其作汝用咎」於福極疇者甚多，難以畢舉，大抵皆沿襲宋人之舊，無多

發明；至元胡一中作《定正洪範集說》，錄吳澄、文及翁諸家〈洪範〉定本，並倣括蒼鮑氏定正〈武成〉之例，以竹簡十三字而定其差，則於宋儒舊定多所更易。降及晚明，黃道周參酌諸家改本，益以己見，成《洪範明義》奏上，而清初孫承澤撰《洪範集義》（書未見），自撰五十二字，謂朝鮮古本〈洪範〉「八曰師」下有之（《經義考》引）。雖均不足取，然刺激後學，發奮於遺文佚書之釐正搜尋，則功亦足以暴於世矣。

《書》、《詩》同遭嬴秦焚禁，然《詩》由諷誦，不獨賴竹帛以傳，兼之三百篇絕多四字爲句，兩句成韻，詠於口，入於心，寫爲篇章，不易脫誤。雖然，記憶亦有時而差，故亦不免缺文，乃世人汎汎讀過，不覺其闕佚，若無宋人體會文氣於章句之間，吾人至今猶以爲始〈周南〉終〈商頌〉是即全經。

〈召南〉〈行露〉篇，王質始發現有闕文，其《詩總聞》曰：

（〈行露〉）首章或上、下、中間，或兩句、三句，必有所闕。不爾，亦必闕一句；蓋文勢未能入「雀鼠」之辭。（卷一頁二一）

〈行露〉首章：「厭浥行露，豈不夙夜，謂行多露？」二章突言：「誰謂鼠無角，……。」三章又言「誰謂鼠無牙」云云，且皆言「室家獄訟」之事。王柏因王雪山之疑，稽諸《列女

傳》，定「厭浥行露」至「謂行多露」十二字爲漢儒亂入，故與下文文氣不貫，曰：

〈行露〉首章與二章意全不貫，句法體格亦異，每竊疑之。後見劉向傳列女，謂：〈召南〉申人之女，許嫁於酆，夫家禮不備，而欲娶之，女子不可，訟之於理，遂作二章，而無前一章也。乃知前章亂入無疑。（《詩疑》卷一頁一）

二王氏之說，〔清〕胡承珙不以爲然，駁之曰：

首章「謂」字，當與下二章「誰謂」之「謂」一律。「誰謂」者，誣善之辭，眾不能察而歸之聽訟之明者也。故此云「厭浥」者，道中之露也，然必早夜而行，始犯多露；豈不早夜而謂多露之能濡己乎？以興本無犯禮不畏彊暴之侵陵也。……王雪山謂「首章必有闕佚，不然文勢未能入『雀鼠』之辭。」由不知首章「謂」字與下「誰謂」緊相呼應也。（《毛詩後箋》卷二頁二四，《皇清經解續編》本。）

案：胡氏之說未必然。首章僅「謂」字，與二、三章「誰謂」並不「一律」，亦非「緊相呼應」。「興」，本不必與所詠之事有關，即勉爲牽合，亦祗限於本章之內，無以首章興次二章

者。如「關關雎鳩，在河之洲」，興同章下句之「窈窕淑女，君子好逑」；而次章「寤寐反側」，則別有「參差荇菜」爲之興也。況毛鄭以興解是（〈行露〉篇「厭浥」）章亦不連下三章爲言也。

近人俞平伯亦察行露文氣不貫，惟於後王氏「竄亂」之說不以爲然，曰：

此章可興，可比，可賦，而均無一當。既曰貞女拒彊暴，則不當夙夜戒行。即曰爲興爲比，何感興比喻之委婉耶？何與下章詞氣隔絕耶？若曰許嫁而行，又何以下二章聲色狠厲，似誓死不行然？一物之不具，一禮之不備，乃信誓旦旦，將與之并命，果何物之未具而當如此耶？今謂：於首章當從王柏之說，惟亦未必即是亂入。或本是一詩中而有闕文，以致前後相睽；大可不必妄解，而以賦、比、興三義傅會之。（《古史辨》冊三頁六，〈葺芷繚衡室讀詩札記〉）。

案：俞說視諸家爲長，首、二、三章語脈不屬，顯有闕佚。

朱子偏注羣經，於其章句訛錯，但存其說於注，而未嘗改易經文（謹案：朱子刪《孝經》，只加圈括於衍字之外，而不滅其文。至改《周易》〈繫辭傳〉、〈大學傳〉，蓋不以所改者爲經，詳拙著《王柏之生平與學術》第參編第二章及第伍編第二章。），由《論》、《孟

集注》可見。如《論語》〈述而〉篇：「互鄉難與言，童子見，門人惑。子曰：『與其進也，不與其退也，唯何甚！人潔己以進，與其潔也，不保其往也』。」朱注：「疑此章有錯簡，『人潔』至『往也』十四字，當在『與其進也』之前。……『唯』字上下，疑又有闕文，大抵不爲已甚之意。」案：朱子以此章有錯簡缺文，僅致其疑於下，而不改易經字。《論語集注》若此類例證甚多。下再舉《孟子集注》一條。

《孟子》〈離婁下〉篇「儲子曰：王使人瞷夫子」至篇末「而不相泣者，幾希矣」，朱子作兩章：自「齊人有一妻一妾」以下爲一章（〈齊人章〉），其上別爲一章（〈儲子章〉），且注云：「（〈齊人章〉）章首當有『孟子曰』字，闕文也。」然其三傳弟子王柏卻以兩章所說爲一事，當合爲一章；無闕文。其論曰：

此與上〈儲子章〉合是一章。蓋因儲子有瞷夫子之語，遂發瞷良人一段，言求利達者，則作僞以欺人如墦間者。君子言行如一，何必竊視也。恐正是一章，非闕文也。兼《孟子》書別無「瞷」字，獨此處連有之。（〔元〕金履祥《孟子集註考證》卷四頁一一引，《金仁山遺書》本。）

案：愚以爲儲子、齊人二段文字，乃孟子近舉本國故事以論事理者；瞷字後正應前，兩章當合

爲一。朱子疑後章之首闕「孟子曰」，若從王氏併爲一章則文不闕。〔明〕李氏與王氏所說略同，〔清〕翟灝曰：

李贄疑耀曰：「此（章）……當合上章誦之，因思七篇中少有瞯字，此二章以瞯夫子、瞯良人洊言之，當出於一時也。」竊意儲子更有問答，若曰人皆可爲堯舜，而不得爲者何也？遂論及乞墦事耳。（〈四書考異〉，《皇清經解》卷四八頁一二。）

翟氏謂二章正是一章，所見殊允。後世譏宋儒動以疑義闕文說經，觀王氏解此章，不輕言增文，知評之者非盡持平之論也。

四　辨別僞書

讀書治學，目的在求知。若所據學術資料爲僞作，即所得知識亦必不眞。是以辨別僞書尤急於經書之復原與經篇著成時代之考定，而三者又多相關。今宋人考書篇著成時代與復經書之本原之成就既論，下更表章其辨別僞書之豐功偉績。

司馬遷治史，以經書資料可信，故曰：「學者載籍極博，猶考信於六藝。」（〈伯夷列

傳〉）雖然，儒家宗師孟子嘗疑經書不可盡信矣，〈盡心下〉篇曰：「盡信書則不如無書，吾於〈武成〉，取二、三策而已矣！」而韓非子嘗疑孔子所稱堯舜之事未必眞實矣，曰：「孔子、墨子俱道堯舜而取舍不同，皆自謂眞堯舜。堯舜不復生，將誰與定儒、墨之誠乎？」及漢代，僞經雜出，成帝時，東海張霸僞作百兩篇《尙書》，帝以中秘書校之，僞迹立即敗露（見〔漢〕王充《論衡》〈正說〉篇）。《尙書》〈泰誓〉篇後得，馬融以爲是僞本。《周禮》，漢武帝以爲「末世瀆亂不驗之書」，臨孝存且撰十論七難以斥之，何休亦以爲「六國陰謀之書」（以上並見《周禮》〔唐〕賈公彥《疏》）。《孟子》外書四篇，〔漢〕趙岐以其「文不能泓深，似非《孟子》本眞」，故不爲之注。至於子書，班固《漢書》〈藝文志〉疑其僞者，如〈文子〉九篇、〈大禹〉三十七篇、〈伊尹說〉二十七篇。其後，辨僞書者，代有所聞，於唐以柳宗元、劉知幾最著，前者有〈諸子辨〉專論子書；後者著《史通》，多辨古代史料之眞僞。宋人辨僞風氣之蔚成，自歐陽修《易童子問》引起，疑〈繫辭〉非孔子作。擴及子、史、集部之書，其間名家輩出，著作寖繁，而於今遺書猶存者，如朱子《語錄》、葉適《習學記言》、晁公武《郡齋讀書志》、陳振孫《書錄解題》、高似孫《子略》、黃震《日抄》、王應麟《困學紀聞》，均多辨僞之語。茲依經史子集，分書論其辨僞成績於下。

（一）《周易》

《周易》文字，分卦辭、爻辭與《十翼》（〈彖傳〉、〈大小象傳〉、〈繫辭傳〉、〈文言傳〉、〈說卦傳〉、〈序卦傳〉、〈雜卦傳〉七篇）。《史記》〈孔子世家〉曰：「孔子晚而喜《易》：〈序〉、〈彖〉、〈繫〉、〈象〉、〈說卦〉、〈文言〉。」自是，後人遂以《十翼》爲孔子作。而疑〈繫辭〉、〈文言〉、〈說卦〉、〈雜卦〉非孔子作，自歐陽修，其《易童子問》（卷三，下竝同，《四部叢刊》本。）曰：

童子問曰：「〈繫辭〉非聖人之作乎？」曰：「何獨〈繫辭〉焉，〈文言〉、〈說卦〉而下，皆非聖人之作。」

歐公所舉理由：其一、〈繫辭〉曰：「《易》其至矣乎？」又曰：「知變化之道者，其知神之所爲乎？」……〈乾卦〉〈文言傳〉曰：「子曰：龍德而隱者也。」……又曰：「子曰：貴而无位，高而无民，……」既皆著「子曰」字，明非仲尼自著之文。〈乾卦〉〈文言傳〉曰：「初九曰：『潛龍勿用。』何謂也？」……又曰：「上九曰：『亢龍有悔』何謂也？」既皆著問辭「何謂」，明乃講師講說之言，非仲尼著書之文。

其二，〈文言〉、〈繫辭〉、〈說卦〉多繁衍叢脞之語：或〈文言〉與爻辭文、義相重複，如〈乾卦〉初九曰：「潛龍勿用。」〈小象傳〉釋曰：「陽在下也。」文已顯而義已足，乃又曰：「陽在下也，」又曰：「龍德而隱者也，」又曰：「陽氣潛藏，」又曰：「潛之爲言，隱而未見。」孔子之文章，《易》《春秋》是已，其言愈簡，其義愈深，必不如此繁衍叢脞；或〈繫辭〉與〈說卦〉文、義相重複，如〈繫辭傳〉曰：「六爻之動，三極之道也。」又曰：「《易》之爲書也，……有天道焉，有人道焉，有地道焉。兼三材而兩之，故六；六者，非他也，三材之道也。」言六爻而兼三材之道，其義盡矣。而〈說卦〉又曰：「立天之道曰陰與陽，立地之道曰柔與剛，立人之道曰仁與義。兼三材而兩之，故易六畫而成卦；分陰分陽，迭用柔剛，故易六位而成章。」若果〈繫辭〉與〈說卦〉皆出聖人一手，必不前後煩重。或〈繫辭傳〉自重複，如曰：「聖人設卦，觀象繫辭焉而明吉凶，」又曰：「辨吉凶者存乎辭，」又曰：「繫辭焉以斷其吉凶，」又曰：「繫辭焉，所以告也；定之以吉凶，所以斷也。」其說雖多，要其旨歸，止於繫辭明吉凶爾，可一言而足也。

其三、理論自相矛盾，足以害經惑世之文，有之：如〈乾卦〉〈文言傳〉曰：「元者，善之長也；亨者，嘉之會也；利者，義之和也；貞者，事之幹也。」是謂〈乾〉之四德。然其後又曰：「〈乾〉元者，始而亨者也；利貞者，性情也。」則又非四德矣。謂此二說出於一人，殆非人情也。再如〈繫辭傳〉謂八卦是天之所降，非人之所爲，曰：「河出圖，洛出書，聖人

則之。」而又以八卦是人之所爲，謂包犧仰觀俯察近取遠取，始作八卦。而〈說卦傳〉曰：「昔者聖人之作《易》也，幽贊於神明而生蓍，參天兩地而倚數，觀變於陰陽而立卦。」則卦又出於蓍矣。謂此三說出於一人，殆非人情也。

其四、〈繫辭傳〉曰：「原始反終，故知死生之說。」又曰：「精氣爲物，遊魂爲變，是故知鬼神之情狀。」與孔子平生之語「未知生，焉知死。」（《論語》〈先進〉篇）、「未能事人，焉能事鬼」（同上）相戾。

歐公又謂〈文言傳〉「四德」，出魯穆姜之口，見《左》〈襄九年傳〉。後十有五年而孔子始生。蓋方左氏傳《春秋》時，猶未以〈文言〉爲孔子作也，所以用之不疑；謂〈文言〉爲孔子作者，出於後世。又謂〈說卦〉、〈雜卦〉者，筮人之占書，此不待辨而可知者。而其結論謂〈繫辭傳〉以下諸篇：

> 眾說淆亂，……非一人之言也。昔之學《易》者雜取以資其講說，而說非一家，是以或同或異或是或非，其擇而不精，至使害經而惑世也。

永叔論〈繫辭〉各節，同僚韓琦尚不信（見《元城語錄》，已詳上引。），時人亦多不以爲然。永叔曰：

予謂〈繫辭〉非聖人之作，初若可駭。余爲此論，迨今二十五年矣，稍稍以余言爲然也。（《歐陽文忠公集》卷一三〇頁九）

宋人以永叔排〈繫辭〉爲是者，如王開祖，謂〈繫辭〉其來也遠，其傳也久，其閒失墜而增加者，不能無也（〈儒志〉篇，《經義考》卷四頁五引。）。從之疑〈序卦〉者，則有朱新仲，明謂〈序卦〉非聖人之書（見《經義考》卷四頁八引程迥說）。據其意謂〈繫辭〉、〈說卦〉二傳，後人取孔子之說而彙次之者，李心傳也（《丙子學易編》頁三〇至三一，《通志堂經解》本。）葉適《習學記言》（卷四）專辨〈繫辭〉以下與〈彖〉〈象〉不合處，皆非孔子所作。又謂〈序卦〉最淺，有害於《易》（卷四頁一五至一六，《四庫珍本三集》本，下同。）。有宋諸家疑《十翼》皆未及〈彖〉、〈象傳〉，惟趙汝談疑之，撰《南塘易說》二卷，專辨《十翼》非孔子作（《書錄解題》卷一頁二一，〔清〕光緒九年刊本，下同。）。惜其書失傳，其論不得而詳。今惟王柏謂〈彖傳〉、〈小象傳〉及〈繫辭傳〉非孔子之親筆，其言曰：

蓋〈繫辭傳〉，門人以夫子之意發明，非夫子之親筆也。果夫子之親筆，則首章之「子曰」何以或有或無，或問或答？篇中之「子曰」，何以或引或斷耶？然則〈繫辭傳〉之

成文，且非夫子之全筆，則〈象傳〉之具體，〈小象〉之比辭。安得爲夫子之全筆耶？

（金履祥《論語集註考證》卷一前頁五引）

學者繼宋儒之後，考辨《周易》經傳，證《十翼》非孔子作，已無疑義。然檢諸家所論，大抵因承宋人所示要點，旁蒐精析，爲更深密之攷討，而無多創發。如顧炎武謂〈序卦〉〈雜卦〉皆旁通之說，或者夫子嘗言之，而門人廣之（《日知錄》卷一頁二五）。崔述謂《春秋經》孔子自作，其文謹嚴簡質，〈繫辭〉〈文言〉言繁而文，蓋皆孔子之後通於《易》者爲之（《洙泗考信錄》卷三頁三八，《崔東壁遺書》本。）。近人梁啓超《古書眞僞及其年代》（頁七七，中華書局排印本。），謂〈繫辭〉、〈文言〉以下各篇是孔門後學受道家與陰陽家影響而作之書，有「何謂也」，分明是問答體，非著述體，足徵其爲後學所記。馮芝生裒集《論語》中孔子之天道觀念六條，又舉《易》〈彖〉〈象〉〈繫辭〉〈文言〉論天道者多處，證明二者思想不同（〈孔子在中國歷史中之地位〉，見《古史辨》冊二頁一〇九），此法在《易童子問》已用，惟未及詳舉。〔日本〕本田成之謂子貢嘆息「性與天道，不可得聞」，而〈繫辭〉、〈文言〉之言性與天道，非充滿篇幅乎？子路提出鬼神及死之問題，孔子不答，如「精氣爲物，游魂爲變」、「陰陽不測」、「妙萬物而爲言」等，非論鬼神之情狀乎？是皆與「子所雅言：《詩》《書》執禮」及「子不語怪力亂神」之學風，大相逕庭矣（〈易年代

考〉，《僞書通考》頁六七轉引）。其以《論語》夫子言行與《易傳》對比，而所舉例證，有《易童子問》嘗舉者。至於見書有「子曰」即知非夫子手著，不獨用於辨《易傳》之僞，即於分辨《論語》、乃至羣經中不可信材料，莫不皆適。以此類推，凡篇簡著某子曰者，即非某子之親筆；此原則久已爲學林認可，顧溯其本初，則歐公啓之。

（二）《周禮》

漢人已疑《周禮》晚作，非周公之書，本節之首既言之矣。宋人疑《周禮》亦肇自歐陽修，謂六官之屬約五萬人，而閭里縣都之長、軍師卒伍之徒不與焉，其爲治太繁，不可施行（《歐陽文忠公集》卷四八頁一至三）。尚未明言《周禮》爲僞書。張載謂其間有末世增入者，如盟詛之類，必非周公之意（《張子全書》卷四頁一，《四部備要》本。）。程頤謂《周禮》有後世乃至漢儒撰入者（《二程全書》）。蘇軾謂《周禮》言五等之君，封國之大小，非聖人之制，乃戰國時之文也（《東坡續集》卷九頁三）。弟轍謂《周禮》王畿之大，四方相距千里，如畫棋局，近郊遠郊甸地稍地小都大都相距皆百里十里之方地，而考周二都之地，短長相補不過千里，以與之較，實無所容之，故其畿內遠近諸法，類皆空言，不足信；又言《周禮》諸公之地方五百里，侯四百里，伯三百里，子二百里，男百里，與《孟子》不合。凡此詭異遠於人情者，皆不足信也（《文獻通考》卷一八〇總頁一五五二至一五五三引，商務印書館

《十通》本，下同。）。范浚謂六官之屬瑣細悉備，疑不盡爲古書，如〈司關〉云「凡貨不出於關者，舉其貨，罰其人」，必漢世刻斂之臣如桑弘羊輩，欲興榷利，故附益是說於《周禮》，託周公以要說其君耳（《香溪集》卷五頁四，《金華叢書》本。）。陳汲謂《周禮》一書，後人纂周家典章法度而成一代之書，有周公之舊章，有後來更有續者（《經義考》卷一二〇頁九引）。魏了翁疑漢初人所作，因聖賢遺言以足成之（《經義考》卷一二〇頁一一引）。諸家大抵以《周禮》所言制度與《尚書》〈周官〉篇（《僞古文》）及《孟子》不合；而言聚斂貨財，與又聖人以義爲利之旨相悖，因疑其非盡出於周公之手，而有後人附益。惟所論止及大槩，迨晚〔宋〕包恢作《六官疑辨》，斷《周禮》爲國師（劉歆）之書，毫分縷析，逐節詆排，如法吏定罪，逐難解釋（書今佚，見劉克莊《後村大全集》卷一〇九頁一三，《四部叢刊》本，及《經義考》卷一二四頁六引吳澄說。）宋人疑《周禮》作於劉歆者，包恢之外，又有胡宏（上已引其說）、洪邁（《容齋續筆》卷十六總頁一五七）、羅璧（《經義考》卷一二〇頁一七引）諸家。

案：《周禮》非劉歆作，〔清〕毛奇齡《周禮問》（卷一頁一四，《毛西河全集》本。）所辯甚諦，當成定讞，而近人康有爲、廖平遠承胡、洪、羅之意，持劉歆僞撰《周禮》之說，皆不知變通，非宋人之過也。然知《周禮》非周公之書，則清以前人所論，大槩皆紹纘宋人之緒餘：如〔明〕陳仁錫（《周禮五官考》頁五，《學海類編》本。）、〔清〕崔述（《豐鎬考

信錄》卷五頁九，《崔東壁遺書》本。）竝謂周初幅員不廣，無以容《周禮》天子邦畿及諸爵之封；又如〔金〕王若虛謂《周禮》煩瀆不可施之於世（《經義考》卷一二〇頁一八引），〔明〕何異孫從之，謂《周禮》繁冗瑣屑如盟詛之類，府吏胥徒之屬，叢雜可疑（《十一經問對》卷四頁一七，《通志堂經解》本。）。而陳振孫謂《周禮》多古文奇字，其爲先秦古書，似無可疑（《書錄解題》卷二頁一四至一五），尤爲卓識。近人顧實《重考古今僞書考》中其意，舉《周禮》中古字十一，有見於《說文》古文者，更有三字不見於《說文》及其他古書而於古器物文字可徵者，顧氏斷曰：

試問虢、戲、飌字皆《說文》及他古書所不見之字，而獨見於《周官》；使《周官》而果爲漢人僞作，假造此等古文字，而何以千載之下偏有發現殷、周甲文、鐘鼎文，與相證合，不謀而同？

據此以斷《周禮》非漢人僞作，無復可議。

（三）《儀禮》

《儀禮》載古代儀節，賈公彥《儀禮疏》〈序〉曰：「《周禮》、《儀禮》發源是一；理

有終始，分爲二部，並是周公攝政太平之書。《周禮》爲末，《儀禮》爲本。」以前學者，從無人懷疑《儀禮》者，有之則自宋初樂史始，謂《儀禮》可疑者五，其〈喪服〉一篇，蓋講師設問難以相解釋之辭，非周公之書（《經義考》卷一三〇頁七引）。自茲疑是書有後人附益，非當時之書者，如徐積謂《儀禮》「父在，母不可以爲三年之服，」「叔嫂無服，所以避嫌也，」「師無服」：皆不合人情。蓋多出於漢儒喜行其私意，或用其師說，或利其購金，而爲之爾（《僞書通考》頁二七〇引）。《六經奧論》（卷五頁四，《通志堂經解》本，下同。）謂〈喪服〉一篇，凡發「傳曰」以釋其義者十有三，又有問者曰「何也、何以」之辭，蓋出於講師設爲問難以相解釋，皆後儒之所增益。章如愚因《儀禮》吉凶賓嘉皆有其禮而軍禮獨闕，自天子至士庶莫不有冠禮而大夫獨無，存覲禮而朝遇之禮不錄，疑非周公之書（《經義考》卷一三〇頁七引）。

見解皆極精當。

（四）《左傳》附《國語》

《左傳》原名《左氏春秋》，《史記》〈十二諸侯年表〉謂魯君子左丘明撰；今曰《春秋左氏傳》（簡稱《左傳》），則劉歆所改。宋人治《春秋》學，於辨明《左傳》非專爲解孔子《春秋經》而作，於考徵《左傳》成書世代，於提出《左傳》「君子曰」皆劉歆之辭，及於論

定《左傳》、《國語》非一人所作，頗有貢獻。茲分別論列於下。

《春秋經》與《左傳》，本各自爲書，不相麗附。及劉歆治《左氏》，引傳文（謂《左氏春秋》之文，下倣此。）以解經，轉相發明（《漢書》〈楚元王傳〉附〈劉歆傳〉），其後〔晉〕杜預分經之年與傳之年相附，比其義類，各隨而解之（《春秋經傳集解》〈序〉），經、傳遂相連，而後人遂漸以《左傳》專爲釋經而作。西漢今文博士謂《左氏》不傳《春秋》（見劉歆〈移太常博士書〉）、〔晉〕王接謂「《左氏》自是一家書，不主爲經發。」（《晉書》〈本傳〉）其論證不得而詳。宋人始明白指出《春秋經》與《左傳》本各自爲書，羅璧曰：「《左傳》、《春秋》初各一書，後劉歆治《左傳》，始取傳文解經。〔晉〕杜預注《左傳》，復分經之年與傳之年相附。於是《春秋》及《左傳》二書合爲一。」（《經義考》卷一六九頁七引）黃震論《左傳》不爲解經而作尤得其要，曰：

《左氏》雖依經作傳，實則自爲一書，甚至全年不及經文一字者有之，焉在其爲釋經哉！經與傳等夷相錯，經所不書者，傳亦竊效書法以附見其間，其僭而不知自量亦甚矣。（《黃氏日抄》卷三一頁三四，《四庫珍本二集》本，下同。）

清經今文學家如劉逢祿（《左氏春秋考證》）、康有爲（《新學僞經考》）、廖平（《古學

考》）及晚近崔適（《史記探源》），皆謂《左氏》不解《春秋》，舉證益多，而所舉「有無經之傳」及「有有經而不釋經之傳」例證，黃東發已有見於此。

《左傳》作者，劉向（《別錄》）、劉歆（〈移太常博士書〉）皆從《史記》（見上引）以爲左邱明作。〔唐〕啖助始謂左氏以史策授門人，後代學者乃演而通之，總而合之，編次年月以爲傳記（〔唐〕陸淳《春秋集傳纂例》卷一頁四引，《經苑》本，下同。），趙匡謂左氏爲孔門後之門人，而非夫子以前賢人丘明（《春秋集傳纂例》卷一頁一〇至一一引），宋儒承其說而論證較詳確。舊題王安石《左氏解》一卷，專辨左氏爲六國時人，其明驗十有一事（書佚，說見《書錄解題》卷三頁九）。朱子曰：「《左傳》是後來人做爲，見陳氏有齊，所以言『八世之後，莫之與京』；見三家分晉，所以言『公侯子孫，必復其始。』」（《朱子語類》卷八三頁七）論《左傳》所載史事出左邱明之後者，又有陳振孫，曰：「《春秋左氏傳》……又其宋記晉智伯反喪於韓魏，在獲麟後二十八年，去孔子沒亦二十六年，不應年少後亡如此。又其書稱虞不臘矣，見於嘗酎，及秦庶長，皆戰國後制，故疑非孔子所稱左邱明，別是一人爲史官者。」（《書錄解題》卷三頁一）。而以葉夢得所說爲最詳，其《春秋考》曰：

今《春秋》終哀十四年，而孔子卒（敏案：此葉氏偶誤。）。《傳》終二十七年，後孔子卒十三（敏案：十三當作十一。）年，辭及韓魏知伯趙襄子之事，而名魯悼公、楚惠

王。……以年考之，楚惠王卒，去孔子四十七年，魯悼公卒，去孔子四十八年，趙襄子卒，去孔子五十三年。察其辭，僅以哀公孫于越盡其一世之事爲經終，泛及後事，趙襄子爲最遠，而非止於襄子。不知左氏後襄子復幾何時，豈有與孔子同時非弟子而如是其久者乎？以左氏爲邱明，自司馬遷失之也。……今考其書，雜見於秦孝公以後事甚多，殆戰國秦漢間人無疑。（卷三頁二〇，《武英殿聚珍版叢書》本，下同。）

其後，《六經奧論》（非盡鄭樵作）最晚出，爰就諸家所考義有未盡者，詳舉事例，爲明驗八事，辨左氏爲六國時人，如《左傳》云「戰於厤隧，獲不更女父」，云「秦庶長鮑庶長武率師及晉師戰於櫟」（卷四頁二八至二九）。據此，宋人所考，證據已足，即無晚清今文諸大師之論，《左傳》晚作，亦無可疑。

《朱子語類》（卷八三頁六）：「林黃中（名栗，紹興進士。）謂《左傳》『君子曰』是劉歆之辭，……不知是如何？（朱子）曰：『《左傳》「君子曰」最無意思。』因舉芟夷蘊崇之一段，是關上文甚事？」王柏因晦庵意，合「君子曰」爲一卷，使不與傳雜，且爲文辨之，見所著《書附傳》（書佚，原序見〔明〕楊德周等編《金華文徵》卷三頁二二至二五，〔明〕崇禎三年刊本。）。朱子又謂《左傳》凡例、書曰之類多不可信，聖人記事，安有許多義例？（王柏引，見《書附傳》〈序〉）。案：以君子曰爲劉歆語，雖不可盡信，第斷爲漢人附益，

蓋得其實，故劉逢祿《左氏春秋考》是之。

太史公〈報任安書〉云：「左丘失明，厥有《國語》。」自是，學者遂以《國語》爲丘明作。《漢書》〈律歷志〉始稱《國語》爲《春秋外傳》，《論衡》亦謂《國語》爲《左氏》之外傳（參見《四庫提要》卷五一頁四），韋昭《國語解》〈序〉、劉熙《釋名》從之，後世遂有《左傳》、《國語》爲《春秋》內外傳之說。近人張以仁教授著〈從文法語彙的差異證國語左傳非一人所作〉一文（載中央研究院《歷史語言研究所集刊》第三十四本），所論甚詳。然《左傳》、《國語》非出一手，唐陸淳謂二書文體不倫，序事又多乖剌，定非一人所爲（《春秋集傳纂例》），宋人申之，葉夢得（《春秋考》）謂：古有左氏、左丘氏，太史公稱『左丘失明，厥有《國語》』，今《春秋傳》作左氏，而《國語》出左丘氏，則不得爲一家。文體亦自不同，其非一家書，明甚矣。陳振孫曰：「今考（《左傳》、《國語》）二書雖相出入，而事辭或多異同，文體亦不類，意必非出一人之手也。」（《書錄解題》卷三頁三至四）而以王柏見解最爲獨到，其〈續國語序〉（全序存《魯齊集》卷四頁四至七）

……竊嘗疑之：《左傳》、《國語》，文氣不同，未必出於一人之手。《左傳》多詳事情，《國語》多陳制度，然重見者亦少。雖間有之，而詳略具異，若故相避然，此可疑者一也。見於《春秋》者，猶有一百二十四國，今《國語》止列其八，它皆不足取乎？

況陳宋衛秦，皆大國也，亦無一語之可紀，何耶？此可疑者二也。齊之內政，不見於經，而出於《管子》，先儒皆以爲非管仲書，疑戰國之士僞爲之，豈有七百餘年之齊，別無它語，獨刪節此書乎？此可疑者三也。

張以仁先生又著〈國語與左傳的關係〉一文（《史語所集刊》第三十三本），其要點爲：（一）《國語》所記二百四十餘事，其中約三分之一爲《左傳》所無；其餘三分之二記事與《左傳》相重，而所記史實與《左傳》相差異者居大多數；（二）《國語》著重勸善，《左傳》著重記史。竊謂：此二義，在上引王魯齋第一疑已粗能盡之。世斥宋儒治學但憑胸臆，難辭誣構之咎。

（五）《孝經》

《孝經》，《漢書》〈藝文志〉以爲孔子所作，今通行本唐玄宗《註》，〔宋〕邢昺《疏》，用今文也；別有《古文孝經》，以朱子《刊誤》本爲著。二本文句小異。《呂氏春秋》〈察微〉篇明引《孝經》「高而不危」至「而和其民人」，蓋諸侯章文。蔡邕〈明堂論〉亦引魏文侯《孝經傳》（見〔清〕嚴可均編《全後漢文》卷八十頁六，世界書局影印本。），則爲先秦古書無疑。惟傳授滋久，寖失本眞，致此千九百字之書，極參錯不純，而宋儒論其可

疑，所撰文字殆十倍於此。茲舉其要言之。

《孝經》〈三才章〉「夫孝天之經也，地之義也，民之行也」，陳騤曰：「似摭子產言禮之辭，」（《經義考》卷二二二頁二引，下陳氏說皆同。）朱子曰：「皆是《春秋左氏傳》所載子太叔爲趙簡子道子產之言，唯易『禮』字爲『孝』字，而文勢反不若彼之通貫，條目反不若彼之完備。明此襲彼。」（《孝經刊誤》頁二，《朱子遺書》本，下同。）〈事君章〉「進思盡忠，退思補過」，陳騤曰：「乃士貞子諫晉景公之辭」，朱子說同（《孝經刊誤》頁七）。〈聖治章〉「順則逆」以下，陳騤曰：「乃季文子對宣公之辭。」又曰：「似删北宮文子論儀之語。」朱子《孝經刊誤》則圈删去之，謂與上文不應（《孝經刊誤》頁五）。《孝經刊誤》所删，除此類外，多爲「子曰」及引《詩》（如〈開宗明義章〉引〈大雅〉〈文王〉篇「毋念爾祖，聿修厥德」）。陳騤謂有後人羼雜之文，確乎有據。而朱子《孝經刊誤》之作，云受胡宏啓示，其它議論則由時人汪應辰、程迥激發，其自跋《孝經刊誤》曰：

熹舊見衡山胡侍郎《論語說》，疑《孝經》引《詩》非經本文，初甚駭焉，徐而察之，始悟胡公之言爲信，而《孝經》之可疑者不但此也。因以書質之沙隨程可久丈。程畣書曰：「頃見玉山汪端明，亦以爲此書多出後人附會。」於是乃知前輩讀書精察，其論固已及此。（原書後附）

《朱子語類》（卷八三頁一）謂此書自首至〈庶人章〉，是當時曾子聞於孔子者，後面皆是後人綴集而成，其中煞有《左傳》及《國語》中語言，向時汪端明疑此書是後人僞撰者。晁公武亦云〈開宗明義〉謂「仲尼居，曾子侍」，則知非孔子自著，詳其文字，當是曾子弟子所書（《郡齋讀書志》）。

元人從朱子改《孝經》者甚多（如董鼎《孝經大義》一卷、吳澄《孝經定本》。），〔清〕姚際恆論《孝經》爲漢儒之作，如《戴記》中〈曾子問〉、〈哀公問〉、〈仲尼燕居〉、〈孔子閒居〉之類。其所舉證，如《孝經》襲用《左傳》文四條及「仲尼居」云云（《古今僞書考》頁八，《知不足齋叢書》本。），宋人皆嘗舉之矣。

（六）《尚書》

宋儒疑經，最於《尚書》上見膽識與工夫。由吳棫（紹興二四年〔一一五四年〕卒）疑古文諸篇起，至〔清〕閻若璩（康熙四三年〔一七〇四年〕卒）成《尚書古文疏證》，六百五十年，更歷四代，古文廿五篇爲僞書，終成定案。其間直接參加此案之審判，於昭揭僞迹，功勞最大者，無疑爲宋儒。茲分爲疑《書》孔安國〈序〉及《古文尚書》本文兩方面論述。

疑《古文尚書》僞者，必竝疑《尚書》孔安國〈序〉（通稱〈書大序〉，今本《尚書》注疏前附。）。朱子疑〈書大序〉，見於《朱子語類》（卷七八頁七至八）十二條，見於《朱子

大全集》（卷六五頁三）一條，歸納此十三條，朱子以爲〈大序〉不似西漢文字，西漢文字「麤枝大葉」；亦非後漢人文字（如「傳之子孫，以貽後代」，漢時無這般文章。），而細弱、格致極輕，只似六朝人文章，恐是魏晉間人所作，托安國爲名，陳亮亦如此說。朱子疑〈序〉，以無實據，故未敢質言。至王柏《書疑》（卷一頁一至四）〈大序疑〉，謂〈大序〉可疑者：其一、〈大序〉云墳典索丘，又云三墳言大道，五典言常道，可疑。其二、〈序〉謂壁書爲科斗文字，時人無能知者，苟無人能識，又何從「以伏生之文考論文義」？而又曰「定其可知者爲隸古定」，豈不自相矛盾？至其門人金履祥從學術發展史觀察，舉出實證，決〈大序〉東漢人僞託，曰：

履祥疑安國之〈序〉，蓋東漢之人爲之。不惟文體可見，而所謂「聞金石絲竹之音」，端爲後漢人語無疑也。蓋後漢之時，讖諱盛行，其言孔子舊居事，多涉怪。如闕里章，自除張伯藏壁之類；如此附會者多有之。則此爲東漢傳古文者託之，可知也。（《尚書表注》卷上頁一）

僞〈序〉、僞《傳》，同出一手，莫非贋品。朱子疑僞《傳》非孔安國作，已有確說，如云：「《尚書》決非孔安國所註，蓋文字困善，不是西漢人文章。安國，漢武帝時，文章豈如

此？但有太麤處，決不如此困善也。」（《朱子語類》卷七八頁七）又云：「某嘗疑孔安國書是假書。此毛公詩如此高簡，大段爭事，漢儒訓釋文字，多是如此，有疑則闕，今此卻盡釋之。豈有百千年前人說底話，收拾於灰燼屋壁中與口傳之餘，更無一字訛舛理會不得？」（同上書卷七八頁九）遂判爲僞撰《孔叢子》等人所作（同上）。

〈大序〉既言得經於魯壁，又言爲五十九篇經作傳，是〈序〉、《傳》與《經》至少爲同一人所傳。今既知〈序〉、《傳》僞，而廿五篇古文經之傳授又晦昧不明，故自唐初史臣及孔穎達《正義》已微疑其書晚出（詳〔清〕丁晏《尚書餘論》第十一條），然直指經文疑其不眞者，始於〔宋〕吳棫，曰：

增多之書，皆文從字順，非若伏生之書，詰曲聱牙。（《書纂言》〈目錄〉頁八引）

朱子贊吳才老解經，於考證上極有工夫（《朱子語類》卷七八頁一〇），誠非虛諛，惟其說未盡其意，朱子詳之，曰：

孔壁所出《尚書》，如〈禹謨〉、〈五子之歌〉、〈胤征〉、〈泰誓〉、〈武成〉、〈冏命〉、〈微子之命〉、〈蔡仲之命〉、〈君牙〉等篇皆平易，伏生所傳皆難讀。如

何伏生偏記得難底，至於易底，全記不得？此不可曉。（《朱子語類》卷七八頁一）

又曰：

只是孔壁所藏者皆易曉，伏生所記者皆難曉，如〈堯典〉、〈舜典〉、〈皐陶謨〉、〈益稷〉出於伏生，便有難曉處，如「載采采」之類；〈大禹謨〉便易曉。如〈五子之歌〉、〈胤征〉有甚難記，卻記不得！至於〈泰誓〉、〈武成〉皆易曉。只〈牧誓〉中便難曉，如「五步、六步」之類。如〈大誥〉、〈康誥〉夾著〈微子之命〉。穆王之時〈冏命〉、〈君牙〉易曉，到〈呂刑〉亦難曉，因甚只記得難底，卻不記得易底，便是未易理會。（《朱子語類》卷七八頁三）

又因論林之奇《尚書全解》輒答弟子問曰：

今文乃伏生口傳，古文乃壁中之書。〈禹謨〉、〈説命〉、〈高宗肜日〉、〈西伯戡黎〉、〈泰誓〉等篇，凡易讀皆古文。況又是科斗書，以伏生書字文考之方讀得，豈有數百年壁中之物，安得不訛損一字？又卻是伏生記得者難讀，此尤可疑。今人作全書

解，必不是。（同上書卷七八頁二）

才老與朱子精詣卓識，震聾發聵，然所說但爲疑辭，未爲斷案。因吳氏既以古文易、伏書難可疑，續曰：「夫四代之書，作者不一，乃至一人之手而定爲二體（敏案：蓋言難易二體。），其亦難言矣。」（亦見《書纂言》引）。而朱子謂伏生偏記其難者爲不可曉，又援葉石林之語，自爲調停之說，云：

葉夢得曰：「《尚書》『文』皆奇澁，非作文者故欲如此，蓋當時語自爾也。」今按：此說是也。大抵《書》之詞語（敏案：詞語當作訓誥。）多奇澁，而誓命多平易，蓋訓誥皆是紀錄當時號令於衆人之本語，故其間多有方言及古語，在當時則人所共曉，而於今世反爲難知。誓命則是當時史官所撰，檃括潤色，粗有體製，故在今日亦不難曉耳。（《朱子大全集》卷六五頁三）

又曰：

只疑伏生偏記得難底，卻不記得易底。然有一說，可論難易。古人文字，有一般如今人

書簡說話，雜以方言，一時紀錄者；有一般是做出告戒之命者。疑盤誥之類是一時告語百姓，〈盤庚〉勸諭百姓遷都之類，是出於紀錄；至於〈蔡仲之命〉、〈微子之命〉、〈冏命〉之屬，或出當時做成底詔告文字，如後世朝廷詞臣所爲者然。（《朱子語類》卷七八頁二）

雖然，吳才老嘗疑古文〈泰誓〉篇材料不盡眞實，曰：

湯、武皆以兵受命，然湯之辭裕，武王之辭迫，湯之數桀也恭，武之數紂也傲，學者不能無憾。疑其書之晚出，或非盡當時之本文也。（《書》蔡《傳》〈泰誓上〉解題下引）

朱子亦指〈周官〉篇晚出，曰：

自《古文尚書》出，方有〈周官〉篇，伏生口授二十五（八？）篇無〈周官〉，故漢只置太尉、司徒、司空爲三公，而無周三公、三少。蓋未見《古文尚書》。（《朱子語類》卷一一二頁一）

洪邁則疑古文〈武成〉篇「經文」，有曰：

今考其書云：「大王肇基王迹，文王誕膺天命，以撫方夏」，及武王自稱曰「周王發」，皆紂尚在位之辭。且大王居邠，猶爲狄所迫逐，安有肇基王迹之事？且文王但稱西伯，焉得言誕膺天命乎？武王未代商已稱周王，可乎？則〈武成〉之書，不可盡信，非止血流標（漂）杵一端也。（《容齋三筆》卷一頁四）

張文伯「疑書出漢之後」，舉古文〈說命〉篇曰：

〈說命〉之書，疑出於漢之後也，觀《孟子》舉《書》曰：「若藥弗瞑眩，厥疾弗瘳」，今以〈說命〉觀之，辭皆然也。而趙岐於注乃云：《書》逸篇。趙岐猶以〈說命〉之書爲逸篇，則出於漢之後可知。（《九經疑難》卷三頁二六，鈔本。）

至蔡沈疑〈泰誓〉、〈武成〉雜出眾手成篇，曰：

愚按：此（〈牧誓〉）篇嚴肅而溫厚，與〈湯誓〉義相表裏，眞聖人之言也。〈泰

誓〉、〈武成〉一篇之中，似非盡出於一人之口，豈獨此爲全書乎？（蔡《傳》〈牧誓〉篇末案語）

復遵朱子遺意（詳《朱子大全集》卷六五〈堯典〉、〈舜典〉、〈大禹謨〉篇題下），於各篇篇題下，分別今古文：曰「今文、古文皆有」，如〈堯典〉篇題下；曰「今文、古文皆有，今文合于〈堯典〉，而無篇首二十八字」，〈舜典〉篇題下；曰「今文無，古文有」，〈大禹謨〉篇題下；曰「今文、古文皆有，但今文三篇合爲一」，〈盤庚〉首篇篇題下。

古文〈仲虺之誥〉，「葛伯仇餉」一節，乃眞古文〈湯征〉篇本文，載於《孟子》〈滕文公〉下篇，僞古文作者竄入〈仲虺之誥〉，僞迹爲金履祥識破，金氏曰：

《史記》〈殷本紀〉載〈湯征〉之辭而不類，蓋非〈湯征〉之舊文也。《孟子》引亳眾往耕之事，疑出此書。

案：僞古文廿五篇無〈湯征〉，《書序》有之，僞作者綴緝〈湯征〉舊文入〈仲虺之誥〉，欲掩其勦《孟子》之迹（均見《尚書古文疏證》卷一）。

古文〈舜典〉篇有「曰若稽古帝舜，曰重華，協于帝，濬哲文明，溫恭允塞，玄德升聞，

乃命以位」二十八字，林之奇（《尚書全解》卷二頁三）、朱子（《朱子大全集》卷六五頁九）、蔡《傳》皆以爲〈舜典〉眞經文。王柏因極論〈堯〉〈舜〉二典當合爲一篇，故遠紹梁武帝、陸德明之意，疑爲僞託，曰：

自蕭〔齊〕姚方興亂以二十八字於「愼徽五典」之上，然後典分爲二，而勢不得而合矣。且「玄德」二字，六經無此語也；此莊老之言而晉之所崇尚，愚知其決非本語也。（《書疑》卷一頁五）

趙汝談（淳熙十一年進士）撰《南塘書說》（書佚），「疑古文（《尚書》）非眞者五條。朱文公嘗疑之，而未若此之決也。」（《書錄解題》卷二頁七）意汝談之論證，必較晦庵爲確，否則不致若是之決也。

宋人於《尚書》今文諸篇，亦致疑義。或疑其簡編錯亂，如吳棫解〈梓材〉篇（見《朱子語類》卷七九頁二八）；或謂其義不可曉，如朱子論〈周誥〉諸篇（《朱子語類》卷七八頁一七）；有斥經義乖失者，如蘇軾譏〈顧命〉篇康王冕服居喪爲非禮（《東坡書傳》卷十七頁一三至一四）。又如林之奇（《尚書全解》卷七七頁一八）及王柏（《書疑》卷六頁四）評〈大誥〉篇動假龜卜，一切委之天命，何異於唐德宗遭奉天之難而歸之於先定之數乎？又有趙汝談

辨經篇所載之史事不盡眞，如謂禹功只施於河洛（見《宋史》卷四一三〈本傳〉）。而晁說之非難書今文，如謂〈堯典〉言四時不知中星，〈禹貢〉治水言九州者不知經水，〈洪範〉言九疇者不知數，……類此議論，更及於〈呂刑〉、〈湯誓〉、〈金縢〉、〈甘誓〉、〈盤庚〉、〈酒誥〉、〈費誓〉，皆詆誹經義失正（見《容齋三筆》卷一頁一），而未嘗疑今文經僞，則與吳棫、朱子、林之奇同也。

宋人亦疑《尙書》五十八篇〈序〉（附各篇之前，簡稱〈書小序〉。），如胡宏以〈康誥〉爲武王封康叔之辭，不從〈序〉說爲成王，前既言之矣。又如〈小序〉謂周公作〈金縢〉，洪邁以爲周史之辭，決非周公自爲（《容齋四筆》卷一頁一至二）。又如朱子謂「〈小序〉斷不是孔子做」（《朱子語類》卷七八頁七）。〈小序〉謂某篇記某事某人作，而斷以數語，未必得其實，故宋人凡重考書篇著成時代者，皆兼非〈書小序〉（參看第二節），其說難以殫述。朱子以〈小序〉多可疑（詳《朱子語類》卷七八，多處。），故解《書》「除卻《書序》不以冠篇首」（《朱子語類》卷七八頁八，竝參看《朱子大全集》卷六五朱子《書》解數篇）。蔡氏作《書集傳》因之，但總百篇〈書小序〉於卷末（俗本《書傳》刪去之，非是。通志堂本陳櫟《書蔡氏集傳纂疏》編置於卷首，恐亦非是。），而各疏其疑於其下。

宋人辨《古文尙書》之僞，所示諸疑點，大致爲：從傳授不明及前人以是篇爲逸書而今突見全書，其文體不類及義淺露，用學術演進史觀察知非當時之作，以常情推斷爲必無之事（如

伏生偏記其難之類），而僞經勦襲古書，出處間亦予指明，尤爲重要。後人循此軌轍，考索益密，徵引益富，僞迹遂大白於天下。元趙孟頫始分編今文、古文而爲之集註（撰《書今古文集註》，書佚，說見《松雪齋集》卷六頁一〈序〉，《四部叢刊》本。），吳澄專釋今文諸篇，而附錄古文諸篇於後卷（《書纂言》，俗本削去〈附錄〉。）。〔明〕郝敬作《尚書辨解》，置《古文尚書》於九、十兩卷，專辨其僞。梅鷟繼之，作《尚書考異》，謂〈大序〉及經古文皆雜取記傳中語以成文，且指出其所本。至〔清〕閻百詩《疏證》撰，列證百二十有八，其後惠棟撰《古文尚書考》補《疏證》之不足，三家於僞經文皆一一原其出處。其徒江聲《尚書集注音疏》及王鳴盛《尚書後案》、孫星衍《尚書今古文注疏》等書，皆只註二十八篇今文，且盡去各篇篇首〈小序〉，總百篇〈序〉爲一編坿卷後，而疏其說於下。凡此皆不出宋人矩矱，而諸家或謂僞經傳及〈序〉爲皇甫謐作（梅鷟），或謂梅賾作（閻若璩），或謂王肅作（丁晏），或疑爲王肅門客作（戴師靜山《閻毛古文尚書公案》），要之，是魏晉間人，朱文公已數言之矣。

（七）《詩經》

宋以前人定詩旨，多據《詩序》。序論一篇詩旨，蔽以數語：曰「〈關雎〉，后妃之德也，風之始也，……。」曰「〈蘀兮〉，刺忽也。君弱臣強，不倡而和也。」曰「〈木瓜〉，

美齊桓公也。……」曰「〈十月之交〉，大夫刺幽王也。」曰「〈我將〉，祀文王於明堂也。」曰「〈閟宮〉，頌僖公能復周公之宇也。」……通稱〈詩小序〉，今附見於《毛傳》各篇之首。宋人欲緣《詩經》本文求詩義，故必先去〈小序〉；欲廢黜〈小序〉，必先證明〈小序〉爲後人僞託，而多無當於詩人本意。

鄭玄謂〈詩大序〉案：即〈關雎〉篇前「詩者，志之所之也」至「詩之至也」一段。子夏作；〈小序〉是子夏毛公合作（《經典釋文》引沈重述鄭《詩譜》意），王肅（《家語注》）、陸璣（《毛詩草木鳥獸蟲魚疏》）、沈重、陸德明（《經典釋文》）說略同，《後漢書》〈儒林傳〉謂衛宏所作。韓愈謂子夏不序詩者三（〔明〕楊愼《升庵經說》卷四頁一引，《函海》本。），成伯璵謂「〈小序〉，子夏惟裁初句耳，至『也』字而止，『〈葛覃〉，后妃之本也』……其下皆是大毛公自以詩中之意而繫其辭也。」（《毛詩指說》頁八，《通志堂經解》本。）宋儒受成氏啓示，謂〈序〉有後人（或毛公，或衛宏，或它人）添潤發明之文者，最多：程顥（《河南程氏遺書》卷二上頁二〇）、曹粹中（見《經義考》卷九九）、王得臣（同上）、程大昌（《考古編》卷二頁五〈詩論〉十，《儒學警悟》本。）是也。蘇轍作《潁濱詩集傳》解詩祇取〈小序〉首句，而盡去所謂附益。

宋儒有系統掊擊《詩序》，晁說之有〈詩序論〉四篇（見《景迂生集》卷十一，抄本，下同。），鄭樵著《詩辨妄》六卷（書佚，近人顧氏有輯本。），詆〈序〉尤力，而朱子繼之，

《語類》曰：

鄭漁仲謂：〈詩小序〉只是後人將史傳去揀并看謚，卻附會作〈小序〉美刺。（卷八十頁一三）《詩序》實不足信，向見鄭漁仲有《詩辨妄》，力詆《詩序》。其間言語太甚，以爲皆是村野妄人所作。始亦疑之，後來子細看一兩篇，因質之《史記》、《國語》，然後知《詩序》之果不足信。（卷八十頁一〇）

朱子早知鄭說之是（同上書卷二三頁六），既長，益識〈序〉說之非，曰：

某自二十歲時讀《詩》，便覺〈小序〉無意義，及去了〈小序〉，只玩味詩詞，卻又覺得道理貫徹。當初亦嘗質問諸鄉先生，皆云〈序〉不可廢，而某之疑終不能釋。後到三十歲，斷然知〈小序〉之出於漢儒所作，其爲謬戾，有不可勝言。（同上書卷八十頁一二）

朱子併〈序〉爲一編，逐篇駁斥，名《詩序辨（說）》。其答呂祖謙論《詩》曰：

大抵〈小序〉盡出後人臆度。若不脱此窠臼，終無緣得正當也。（《朱子大全集》卷三四頁四）

美某時君，刺某權臣，即〈序〉之「窠臼」，此陋儒造作，以冠詩篇首，故王質（靖康二年至淳熙十六年）著《詩總聞》於首序後序一槩不據，惟本詩求義，其責〈召南〉〈野有死麕〉、〈行露〉篇〈小序〉曰：

文王之化，何厚薄于男、女？貞女不受陵于暴男，固爲美也；暴男敢肆陵于貞女，抑何暴耶？此（〈野有死麕〉）與序〈行露〉之詩，皆所不曉。（《詩總聞》卷一頁二五至二六，《武英殿聚珍版叢書》本。）

案：〈行露〉，女絕於男之詩，辭義顯然，而序者以爲召伯聽訟，彊暴之男不能侵陵貞女。〈野有死麕〉，男女私會之詩，其末章辭義甚曉，乃序者謂詩人作此以惡無禮。類此，〈序〉之託言美刺，比附史事者，朱子盡去之，而直求詩文，作《詩集傳》。

〈風〉、〈雅〉、〈頌〉莫不有〈序〉，然〈風序〉於〈風〉詩之束縛，視〈雅〉、〈頌序〉之於〈雅〉、〈頌〉詩之束縛爲甚。蓋緣〈雅〉、〈頌〉詩本文求其旨，多與〈雅〉、

〈頌序〉合；而據〈風〉詩本文探其旨，以證〈風序〉，多大相逕庭。朱子去〈風序〉索詩義，遂定〈國風〉男女相悅之詩多篇；三傳弟子王柏廢〈序〉之託言美刺，乃斷十五〈國風〉詩有淫辭。王氏論〈風序〉曰：

蓋序者於此三十餘詩，多曰：「刺時也」；或曰「刺亂也」；曰：「刺周大夫也」，「刺莊公」，「刺康公」，「刺忽」，「刺衰」，「刺晉亂」，「刺好色」，「刺學校廢」；亦曰：「刺奔也」，「止奔也」，「惡無禮也」；否則曰：「憂讒也」，「懼讒也」；或曰：「思遇時也」，「思見君子也。」未嘗指爲淫詩也。正以爲目曰淫詩，則在所當放也。（《詩疑》卷一頁一四）

王柏欲黜〈國風〉淫詩，雖肇於廢〈序〉，惟以〈國風〉中有男女情詩，先秦、漢、三國人即已稍言之（參拙著《王柏之生平與學術》第伍編第一章）。而宋代學者，指《詩經》雜出眾手，不免淫辭者，亦不乏其人，蘇軾曰：「詩者，……下及於飲食床第、昆蟲、草木之類，蓋其中無所不具。」（《東坡集》卷三頁二五）其徒晁補之承之，直指桑濮共頌聲同傳，曰：

詩非皆聖賢作也。捨周公、尹吉甫、仲山甫諸大夫君子，則羈臣、寡婦、寺人、賤者，

桑濮淫奔之辭，顧亦與猗郇清廟金石之奏俱采而並傳，何足疑哉！（《雞肋集》卷三六頁九，《四部叢刊》本。）

王質解〈東門之枌〉，不言美刺，直指爲淫詩，曰：

宛丘之東門也。子仲，子之仲也；之子，又仲之子也。必指一人，而其姓氏無考。徘徊東門樹下，待所期婦人也。……總聞曰：此詩多及期會之地草木，如枌，如栩，如麻，如荍，如椒。（《詩總聞》卷七頁二、三）

質書類此說解甚多。楊誠齋謂〈國風〉有淫詩，云：

太史公曰：「〈國風〉好色而不淫，……。」近世詞人閑情之靡，如伯有所賦，趙武所不得聞者，有過之無不及焉，是得爲好色而不淫乎？（《誠齋集》卷一一四總頁九九八，《四部叢刊》本。）

其意：〈國風〉非好色而不淫者，如〈鄘風〉〈鶉之奔奔〉，伯有所賦，即好色而淫者，不然

趙武必無「牀笫之言不踰閾，況在野乎？非使之所得聞也」之譏（見《左傳》〈襄公二十七年〉）。鄭樵謂〈鄭風〉〈將仲子〉爲淫詩。曰：

此實淫奔之詩，無與於莊公、叔段之事。（《詩序辨》頁二〇引）

劉克莊直認後世豔作實爲《詩經》中類似篇章之流變，曰：

三百五篇多淫奔之詞，……其流爲後世閨情等作，幾於勸淫矣。（《後村大全集》卷一二八頁一五，《四部叢刊》本。）

朱子《詩集傳》斷〈國風〉中屬於淫男女自作之詩二十九篇，其書易得，不煩舉述。王柏定〈國風〉〈召南〉、邶、鄘、衛、王、鄭、齊、唐、秦、陳十國淫詩三十（或二十九）篇，茲舉其二，以槩其餘：

今考〈桑中〉之詩曰：「期我乎桑中，要我乎上宮，送我乎淇之上矣。」其〈溱洧〉之詩曰：「惟士與汝，伊其相謔，贈之以芍藥。」雖蕩然無復羞愧悔悟之意，若概之以後

世怨月恨花，滯紅偎翠之語，艷麗放浪迷痼沈溺者，又不可同日而語矣！（《魯齊集》卷五頁三）

〈東門之墠〉，此男子有所慕而不得見之詞，〈序〉謂男女不待禮而相奔，恐亦未盡然。（《詩疑》卷一頁五）

〈國風〉〈野麕〉、〈桑中〉、〈溱洧〉……之爲淫奔詩，既曉然矣。然則《史記》〈孔子世家〉謂詩由仲尼刪定，而孔子嘗言「《詩》三百，一言以蔽之，曰：思無邪。」漢儒亦數言「〈國風〉好色而不淫」，則是《詩經》不得有淫辭。其所以有淫辭者，車似慶（宋寧宗時人）以爲：孔子行刪之當時，古詩甚多，邪正竝存。刪後之邪詩，或誦習於邪人之口，或私家傳鈔收藏。而夫子定本，遭奏焚禁，稍有缺佚，漢儒取口傳之邪詩，以足三百之殘，故今本《詩經》始有淫辭（〔清〕王棻《台學統》卷二十頁七至九轉引，〔清〕光緒劉氏嘉業堂刊本。）。其後，方岳持論相同而加詳，曰：

《記》、《禮》、《左氏》諸書所引逸詩，其辭皆雅正，而夫子猶刪之，則淪三綱，斁九法，如〈牆茨〉諸詩，刪之，決也，夫子之言詩曰「思無邪」，若諸詩者，其然歟？某決以爲黷亂如〈牆茨〉之比，淫詩如〈桑中〉之類，皆夫子所刪之詩也。刪之矣，則

曷爲存？秦火之燼，漢儒亂之也。漢儒奚其亂之？火於秦者，不能盡記，而孔子所刪之詩，流傳習熟於人之口耳者，猶在也。亡者不可復，則取其在者以足之耳。此漢儒之罪也。（《秋崖小藁》卷二四頁一至二，明嘉靖四年方謙刊本。）

淫詩曷爲易傳，正詩何以易失，車、方之論均未及，王柏補其疏略，而後其論備，其言曰：

漢興，管絃之聲未衰，諸儒傳夫子之詩不全，得見世俗之流傳，管絃之濫在者，皆以爲古詩，取以足夫子三百之數，而不辨其非也，不然，若孔門之誦詠，如〈素絢〉、〈唐棣〉諸詩；經書之所傳，如〈貍首〉、〈轡柔〉、〈先正〉、〈繁渠〉諸詩，何以皆不與于今之三百？而夫子已放之鄭聲，何爲尚存而不削邪？（《論語集註考證》卷一前頁五引）

王氏以爲：《周禮》、《禮記》、《左傳》引〈貍首〉、〈先正〉、〈轡柔〉諸詩，辭皆雅正，夫子尚去之；孔門嘗舉〈唐棣〉、〈素絢〉，見於《論語》，乃亦不見于今詩，而夫子論四代禮樂，欲放之鄭聲，反充斥三百篇中，故今詩斷非刪定之舊矣。又曰：

今之所謂三百篇者，果周公、夫子之舊乎？愚不得而知也。……至于秦政，而天下之勢大亂極壞，遂與吾道爲宿怨大讎，遂舉《詩》《書》而焚滅之。名儒生者，又從而坑戮之。偶語《詩》、《書》者，復厲以大禁。……漢定之後，《詩》忽出於魯，或出於齊、燕。〈國風〉〈雅〉〈頌〉之序，篇什章句之分，吾安知其果無脱簡淆亂，而盡復乎周公、孔子之舊也？（《詩疑》卷二總頁一六）

又曰：

愚嘗疑：今日三百五篇者，豈果爲聖人之三百五篇乎？秦法嚴密，《詩》無獨全之理。竊意夫子已刪去之詩，容有存於閭巷浮薄者之口。蓋雅奥難識，淫俚易傳，漢儒病其亡逸，妄取而攙雜，以足三百篇之數，愚不能保其無也。不然，則不奈聖人「放鄭聲」之一語，終不可磨滅。且又復言其所以放之之意曰：「鄭聲淫」。又曰：「惡鄭聲之亂雅樂也」。愚是以敢謂淫奔之詩，聖人之所必削，決不存於雅樂，審矣。（《詩疑》卷一頁一二至一三）

又引漢人說，以證今三百篇由經師足成，曰：

漢之劉歆，得見聞之近，乃謂《詩》萌芽於文帝之時，一人不能獨盡其經，或爲〈雅〉，或爲〈頌〉，相合而成。吾固知各出其諷誦之餘，追殘補缺，以足三百篇之數爾，烏得謂之獨全哉！（《詩疑》卷二總頁二九）

晁補之、王質、鄭樵、朱子、楊誠齋、劉克莊的知鄭衛等淫詩，但以夫子存邪詩而未刪者欲爲後世戒，故亦不議放，今王氏既確爲漢儒竄入之僞篇，故必放無疑。

車、方、王三氏論今本《詩經》所以不免淫辭者，由漢儒竄入，斯論頗獲後人贊同：於元，如吳師道（《吳禮部集》卷十五頁八至一〇，《續金華叢書》本。）等；於明，則如王禕（《王忠文公集》卷八頁一四，《金華叢書》本。）、程敏政（《篁墩集》卷十一，抄本。）、王守仁（《傳習錄》，《王文成公全書》卷一頁一七，《四部叢刊》本。）、茅坤（《茅鹿門文集》卷三十頁一至二，明萬曆刊本。）等，大抵承宋儒論據，無甚發明；至清，學者治學實事求是，前明所不及，然持守稍謹，尊古太過，故凡疑經者皆詆爲狂悖，而不復察其是非。然而猶有卓特之士，不爲風氣左右，以宋人詩論爲是者：胡渭（見《尚書古文疏證》卷五下頁四五至四六引。）、盧文弨（《抱經堂文集》卷二四總頁二〇七，《四部叢刊》本。）等。而萬斯同於〈風〉詩普施詰難，勇銳過於先儒（《羣書疑辨》卷一，〔清〕嘉慶二十一年刊本。）；閻若璩察《禮經》傳記所存詩篇目或竝其殘文，謂孔子所刪，非編定詩本時

之逸詩，而係遭秦火失之者，以支持宋人之說（《尚書古文疏證》卷五頁四〇。）。

至於去〈序〉直求詩義於詩篇章文字，由宋儒啓蒙，元、明人因之，及清已視為常經（如崔述《讀風偶識》、姚際恆《詩經通論》），即漢學大宗師戴震亦不復拘泥〈小序〉，而「就全詩考其字義名物於各章之下，不以作詩之意衍其說。」（《毛詩補傳》〈自序〉，《戴東原集》卷十頁一，《四部備要》本。）今人解「有女懷春，吉士誘之」，見鄭《箋》「有貞女思仲春以禮與男會，吉士使媒人道成之」，則以為笑談；誦〈子衿〉三章，乃或示以〈小序〉「刺學校廢」，則將立斥為漢人附會之說。蓋由黜廢〈小序〉，而斷〈風〉詩有淫篇，至今世以科學方法，憑藉原始材料治詩，蒙蔽千餘年之詩本義漸明，宋儒鑿開之功不可輕視。

宋人辨別偽經成績，大槩如此。惟其所考，不止上列七種；於它經亦未嘗無疑焉，顧所論非關緊要，不暇盡錄。至其於史書疑辨，用力不及經子深厚，茲略記其說於下，次舉其所辨偽子書二種。

（八）《竹書紀年》、《越絶書》、《通鑑節要》

《竹書紀年》，黃伯思疑其所見《師春》，未必盡出於汲冢，其《東觀餘論》（卷下頁三六至三七，又見同卷頁八七至八八，《津逮秘書》本，下同。）曰：

杜預記汲冢書有云：「別一弓純集疏《左氏傳》卜筮事，上下次弟及其文義皆與《左傳》同，名曰《師春》。」……僕近於館中求《師春》觀之，乃與杜說全異，杜云純集《左傳》卜筮事，而此乃記諸國世次及三十八公，歲星所在，並律呂謚灋等，末乃書《易》象變卦，又不專載《左氏》卜筮，繇是知其非元凱所見《師春》也。……疑今《師春》蓋後人雜鈔冢書《紀年》等篇耳。然杜云《紀年》起自夏商，而此自唐虞以降皆錄之；杜云《紀年》皆三代王事，無諸國別，而此皆有諸國；杜云《紀年》特記晉國，起殤叔，次文侯、昭侯，而此記晉國世次，自唐叔始，不特起于殤叔，則又與《紀年》異矣。及觀其書歲星事，有征南洞曉陰陽之語，乃知此書亦西晉人集錄，而未必盡出汲冢也。

其說甚是。

《越絕書》，或云子貢、或云（伍）子胥撰，陳振孫曰：「其書雜記吳越事，下及秦漢，直至建武二十八年，蓋戰國後人所為，而漢人又附益之耳。」（《書錄解題》卷五頁八）黃震曰：「越絕之義，取勾踐功成能絕人之惡，於理既無當矣。謂子貢所作，又疑子胥所作，而所載乃及建武二十八年，何其自為矛盾耶？其書大抵祖襲《吳越春秋》而文則雜而不倫矣。」（《黃氏日抄》卷五頁一八）陳黃二家所論近是，《四庫提要》定為袁康、吳平撰，確鑿不

易。亦有僞託本朝人著作，爲時人識破僞迹者，如題司馬光《通鑑節要》，朱子曰：「溫公無自節《通鑑》，今所有者，乃僞本，〈序〉亦僞作。」（《朱子語類》卷一三四頁三）又曰：「豫讓好處是不以死生二其心，故簡子云眞義士也。今節去之，是無見識。必非溫公節也。」（同上）

（九）《孔子家語》

四部僞書，以子部最多。前乎宋儒，柳宗元辯《列子》、《文子》、《鬼谷子》、《晏子春秋》、《亢倉子》、《鶡冠子》。趙室既覆，金華人宋濂得宋遺老之學於郡人，著《諸子辯》，辨僞子書二十餘種；里人胡應麟《四部正譌》（俱刻入《金華叢書》），爲吾國第一部辨僞專書，其中有專辨僞書部分，蓋亦承宋人緒餘。而宋人辨子書論說，散見於諸儒遺著，就譾陋所知，以朱子《語類》、葉適《習學記言》、黃震《日抄》（同學林政華碩士論文《黃震之諸子學》，立辨僞學一章，可參看。）爲多。茲亦不擬多舉，祇以《孔子家語》及《孔叢子》二書爲例。

《孔子家語》（簡稱《家語》），《漢書》〈藝文志〉著錄《孔子家語》二十七卷，《隋書》〈經籍志〉著錄《家語》二十一卷，此兩本《家語》今皆佚，其眞僞莫得而考。唐以後所著錄者爲十卷本，題孔安國〈後序〉云「皆（孔子）當時公卿大夫及七十二弟子之所諮訪交相

對問言語也。」三國（魏）王肅〈序〉稱得書於仲尼二十二世孫猛家，爲之注釋。即今常見十卷四十四篇本《家語》也。

孔穎達《禮記》〈樂記疏〉引馬昭曰：「《家語》王肅所增加，非鄭（玄）所見。」是昭疑有王子雍竄入之材料。顏師古注《漢書》，於二十七卷本《家語》下云：「非今（唐）所見《家語》也。」似疑當時所傳爲僞《家語》，不與「《古家語》」同。

宋儒疑《家語》，因討論〈中庸〉章句起。〈中庸〉哀公問一段，朱子依《家語》，以爲一時之言，故合爲一章，見所著《中庸章句》一書。其講友張栻質難曰：

〈中庸〉……所分章句，極有功，……但《家語》之證，終未安。《家語》，……其間駁雜處非一，兼與〈中庸〉對，其間數字不同，便覺害事。以此觀之，豈是反取《家語》爲〈中庸〉？又如所引證「及其成功一也」之下，有哀公之言，故下文又有「子曰」字。觀《家語》中一段，其間哀公語有數處，何獨於此以「子曰」起之耶？（《南軒集》卷二五頁五，清道光二十五年刊本。）

朱子亦知《家語》駁雜，又引以證〈中庸〉哀公問政章者，因「《家語》雖記得不純，卻是當時書。」（《朱子語類》）其爲「一時之語」無疑，其〈答張敬夫〉云：

所引《家語》只是證明〈中庸〉章句，要見自「哀公問政」至「擇善固執」處，只是一時之語耳。……且不知此章既不以《家語》為證，其章句之分，當復如何為定耶？《家語》固有駁雜處，然其間亦豈無一言之得耶？（《朱子大全集》卷三一頁九）

〈中庸〉「哀公問政」至「雖柔必強」，略見於今本《孔子家語》卷四，但「博學之」以下，《家語》闕如。朱子《中庸章句》曰：「意彼（《家語》）有闕文，抑此（〈中庸〉）或子思所補也與？」蓋信〈中庸〉此章一若《家語》所載，的是魯哀公與孔子當時問對之辭。其續傳弟子饒魯講〈中庸〉，力詆《家語》之不足信，故分章不與朱子同。（參〔元〕史伯璿《四書管窺》卷十頁三，《敬鄉樓叢書》本。）

朱子承認《家語》材料多疵，是王肅編古雜記（案：肅〈序〉則謂得自孔家原本），然非肅所作（《朱子語類》卷一三七頁一）。陳振孫（端平間人）最先明指《家語》所載多與《左傳》、《大戴禮》諸書互見，曰：

《孔子家語》十卷，孔子二十二世孫猛所傳，……王肅為之注。肅闢鄭學，猛嘗受學於肅。肅從猛得此書，與肅所論多合，遂行於世。云博士安國所得壁中書也，亦未必然。其閒所載，多見《左氏傳》、《大戴禮》諸書云。（《書錄解題》卷九頁一）

案：肅闢鄭學，得書於其弟子猛，所論多合云云，是陳氏已疑《家語》乃王肅僞作以攻鄭學者；而云所載多「已」見《左氏傳》、《大戴禮》諸書，未必出自孔壁，是疑此書晚作，或抄撮古書材料自成。李心傳（乾道二年，一一六六年至淳祐三年，一二四三年）則斷王肅采〈中庸〉爲《家語》（《丙子學易編》頁三二）。其後，王柏作〈家語考〉一篇（載《魯齋集》卷九頁一三至一六），考之故書，謂今本四十四篇之《家語》，乃王肅取《左傳》、《國語》、《荀》、《孟》、《二戴記》之文織成，並所謂孔衍之〈序〉亦肅僞託。〈家語考〉曰：

今之《家語》十卷凡四十有四篇，意王肅雜取《左傳》、《國語》、《荀》、《孟》、《二戴》之緒餘，混亂精粗，割裂前後，織而成之，託以安國之名。捨珠玉而存瓦礫，寶康瓠而棄商鼎，安國不應如是之疏也。……朱子曰：「《家語》是王肅編古雜語，其書雖多疵，却非肅自作。」謂今《家語》爲先秦古書。竊意是初年之論，未暇深考，故註於〈中庸〉，亦未及修。故曰《家語》爲王肅書，此必晚年之論無疑也。

王柏〈家語考〉，〔明〕郎瑛見而信之（《七修類稿》卷二總頁三六五，世界書局排印本。）。〔清〕李紱〈中庸章節考〉（《穆堂初稿》卷十九頁三〇，〔清〕道光十一年刊

本。）謂《家語》出漢儒附會，如云「寡人固」即勦襲〈哀公問〉篇語，不當反據以證〈中庸〉章句。乾隆以後，范家相作《家語證僞》，其卷十一謂《僞家語》多取《二戴記》，其次多勦襲劉向《說苑》及《左傳》。孫志祖撰《家語疏證》，更加疏通證明，考《家語》多撮《二戴記》、《左傳》、《荀子》、《史記》、《說苑》之書織成之，甚至襲取僞《列子》及王弼《易注》。大致與王柏所考相合。然二家於王氏之卓論，皆掩而不著一字，不知何故？陳士柯撰《孔子家語疏證》，與范孫二家皆證《家語》爲王肅僞作，亦竝與宋人說合。至此，《家語》之爲僞書，已無疑義。又姚際恆、《四庫提要》、崔述等皆謂《家語》僞（參近人張心澂《僞書通考》頁六一二至六二八，臺北明倫出版社影印本。）。翟灝（《四書考異》，《皇清經解》卷四五〇頁一五。）亦疑《家語》王肅僞書。俞樾亦因宋人之說，謂王肅《家語》並因〈中庸〉「子曰」字而造哀公語於其間（《曲園雜纂》卷五頁七，《春在堂全書》本。）

（一〇）《孔叢子》

嘗論宋儒辨僞，勇氣勝過清儒，且所辨之僞書，以各家言，亦視清儒爲多，第方法則不若清儒高明，辨析亦不及清儒精密。甚至輕視客觀材料，一徇其所謂理。此乃一種學問由創新至完成階段通例，不足爲異。《家語》鈔纂先秦、漢故書成編，朱子竟信之不疑；〈三墳〉書，

後世僞託之迹甚顯，而鄭樵竟以爲「其文古，其辭質而野，其錯綜有經緯，恐非後人之能爲也。」鄭、朱竝大儒也，猶不免蹈此弊，況識學不若鄭、朱者乎？王柏欲復古〈中庸〉二篇之舊，重定〈中庸〉章句，發《家語》僞迹，誠精詣卓識。然治《詩》不免屢用僞《孔叢子》之說，如云：「〈考槃〉詞雖淺，而有暇裕自適氣象，《孔叢》載孔子曰：『於〈考槃〉見遯世之士無悶於世。』此語足以盡此詩之義。」（《詩疑》卷一頁五）《孔叢子》僞迹，雖經先儒揭發，乃王氏皆若未之見。

《孔叢子》七卷，《隋書》〈經籍志〉著錄，謂〔楚〕孔鮒撰。至宋，宋咸爲注。洪邁謂：「今讀其文，略無楚漢間氣骨，豈非齊梁以來好事者所作乎？」（《容齋三筆》卷十總頁九一）朱子亦謂「《孔叢子》說話多類東漢人文，其氣軟弱，又全不似西漢文字。」（《朱子語類》卷一二五頁四）且指出：「西漢初若有此等話，何故畧不見於賈誼、董仲舒所述？」（同上）又曰：「《孔叢子》鄙陋之甚，理既無足取，而詞亦不足觀。有一處載『其君曰：必然』云云，是何言語？」（《朱子語類》卷一三七頁一）不惟詞鄙理淺，其記事亦失實，朱子又曰：「《孔叢子》敘事至東漢。……『孔臧禮賜如三公』等事，皆無其實，而《通鑑》誤信之。所載臧兄弟往還書疏，正類《西京雜記》僞造漢人文章。」（《僞書通考》頁六二三引）於其僞造史實一節，高似孫增舉其〈記問〉篇載孔子與子思問答之事不應有爲證（《子畧》卷一頁一四，《百川學海》本。）

其後，宋濂斷爲僞書，且從朱子判爲註者（宋咸）作（《諸子辯》卷二七頁六六，《金華叢書》本。）近人顧實（《重考古今僞書考》）、羅根澤皆以爲王肅僞造。羅撰《孔叢子探源》，考其僞造史事比宋儒加詳。又舉〈獨治〉篇「子魚名鮒甲，陳人，或謂之子鮒，或稱孔甲」云云，非自述語氣（竝見《古史辨》冊四頁一八九至一九一）。郎瑛亦有此說，在先，見《七修類稿》（卷二四總頁三六二至三六三）。

五　輯佚書

〔清〕皮錫瑞《經學歷史》（頁三一二至三一三）謂清代經師有功於後學者有三事：一曰輯佚書，二曰精校勘，三曰通小學。小學所治，聲韵、訓詁、文字。宋人講明義理，以小學爲階梯，故絕不敢予以輕視；第顓治斯學，以此名家，若清儒江（永）、戴（震）、段（玉裁）及高郵王氏念孫、引之父子者，則不多見。校勘一門，宋人亦知講求，諸儒讀書有疑滯，或取別本讎校，或以本書上下文互校。三劉及宋祁之校史，從某作某，皆有依據。朱子於學無所不通，亦治校勘，觀其法度，謹嚴過於〔清〕盧（文弨）、顧（廣圻）、阮（元）所著書；若論識解，則遠超清校勘諸名家之上。近人錢賓四先生有〈記朱子之校勘學〉一文（載《慶祝蔣復璁先生七十歲論文集》），論之甚詳。至於輯佚書，宋人創此學，至清而極盛。於古代學術資

料之保存，比較材料之應用，貢獻極大。

《新》《舊唐書》〈藝文志〉〈農家類〉、《崇文總目》、《郡齋讀書志》〈藝術類〉、《直齋書錄解題》、《文獻通考》、《宋史》〈藝文志〉〈五行類〉著錄浮丘公《相鶴經》一卷。考《隋書》〈經籍志〉〈五行類〉載《相馬經》一卷，註云：「梁有浮丘公《相鶴書》二卷，亡。」是原書二卷，至隋不傳，唐代通行一卷本，易「書」名「經」，已非全帙（參昌瑞卿先生〈說郛考〉，載《東亞學會年報》第一期頁一三八）。〔宋〕黃伯思〈跋愼漢公所藏相鶴經後〉，曰：

按《隋》〈經籍志〉、《唐》〈藝文志〉，《相鶴經》皆一卷，今完書逸矣。特馬總《意林》及李善注鮑照〈舞鶴賦〉鈔出大略，今眞靖陳尊師敏案：據黃氏別文〈跋陳碧虛所書相鶴經後〉（《東觀餘論》卷下頁六八），知即陳碧虛，名景元。所書即此也。而流俗誤錄著故相國舒王集中敏案：黃氏別文作「著王丞相集中」。，且多舛午。……政和六年秋，於山陽從愼漢公借覽，並觀漢公題後。……此經蓋眞靖頃遺漢公者，是時漢公甫八歲爾。眞靖已稱其善學鍾、王遺瀍，以神童目之，因贈此以結忘年友。（卷下頁五二，《津逮秘書》本，下同。）

案：黃氏謂陳碧虛據以書贈愼漢公者爲輯本，然持今傳《夷門廣牘》本《相鶴經》一卷與

《文選》卷十四鮑氏〈舞鶴賦〉注校，文字頗有異同；而《意林》中《相鶴經》久佚，無從參校。則陳碧虛以前是否有輯本《相鶴經》，尚在疑或之間；即果有是本，初非爲研究學術而輯佚，殆無疑問。若論眞正爲學術研究而纂輯之佚書，至今無恙者，王應麟《詩考》爲第一部書。而應麟輯佚之學，受其本朝諸老先生啓示，非平地拔山。

漢儒繼嬴秦燬禁與項楚焚滅之後，收拾斷簡殘編於煨燼之餘，纂組考訂，古籍多賴以存。故論維護文獻，實爲首庸。歷東漢至西晉末年，喪亂侵尋，中原板蕩，古籍頗有散失；即兩漢傳注，亦多亡佚。於《易》，梁丘賀、施讎之學亡於西晉；於《尚書》，則遭永嘉之亂，歐陽、大夏侯勝、小夏侯建書並亡；於《詩》，《齊（轅固生）詩》亡於魏代，《魯（申生）詩》亡於西晉，《韓詩》雖存，無傳之者：此西漢今文學亡佚情形，《隋書》〈經籍志〉言之甚詳。更經南北朝、隋、唐，東漢古文家學亦相繼有所散佚。自王弼《注》盛行，鄭（玄）學寖微。康成《易注》與《尚書注》及馬融《尚書注》、賈逵《春秋解詁》、服虔《春秋左氏解誼》，蓋皆亡於唐、宋之際：其興壞存滅之迹，據《隋書》〈經籍志〉、《唐書》與《宋史》二〈藝文志〉考按可也。至此，欲識《易》理，惟用王弼《注》，然弼《注》雜有《老》《莊》；欲通《書》義，徒有《孔傳》，顧《孔傳》僞說亂經；欲達《詩》旨，祇以毛《傳》鄭《箋》一家爲師，而毛鄭又多誤會《詩》恉；至於《禮經》三書，但存康成一《注》；《論語》，記孔子之言行，唯存安國一《傳》，……宋人欲治經，所憑者惟一家之學，譬猶理訟，

事無兩造之辭，而獄有偏聽之弊。思矯斯弊，羅眾說於前，參伍比較，於是輯佚之學興焉。

北宋初葉，周堯卿治《詩》，不專於注疏，考經指歸，以見毛鄭之得失；惟尚不重視比較材料（時《韓詩》猶存）。歐陽修《本義》，不滿《詩序》，亦尚不甚知取舊籍中殘存之三家《詩序》，參訂得失。至劉安世（慶曆八年〔一〇四八〕至宣和七年〔一一二五〕），始以《韓詩》校讀《毛詩》，《元城語錄》曰：

漢四家詩各有短長，未易一槩論，某嘗記少年讀《韓詩》，有〈雨無極〉篇，〈序〉云：『正大夫刺幽王也。』首云：『雨無其極，傷我稼穡。浩浩昊天，不駿其德。』如此類者，不可勝舉。（卷中頁一五至一六，《惜陰軒叢書》本。）

晁說之（嘉祐四年〔一〇五九〕至靖康三年〔一一二九〕）參三家〈序〉論〈關雎〉等篇及〈王風〉，曰：

齊、魯、韓三家之《詩》，……以〈關雎〉、〈葛覃〉、〈卷耳〉、〈鵲巢〉、〈采蘩〉、〈采蘋〉、〈騶虞〉、〈鹿鳴〉、〈四牡〉、〈皇皇者華〉之類，皆爲康王詩，〈王風〉爲《魯詩》。（《嵩山集》卷十一頁三五至三六，《四部叢刊續編》本。）

曹粹中（宣和進士）撰《放齋詩說》（《宋》〈志〉著錄三十卷，今佚。）嘗參看《齊詩》（蓋古籍引述），《困學記聞》（卷三總頁二二七）曰：「《詩正義》曰：《儀禮》歌〈召南〉三篇，越〈草蟲〉而取〈采蘋〉。蓋〈采蘋〉舊在〈草蟲〉之前。曹氏《詩說》謂《齊詩》先〈采蘋〉而後〈草蟲〉。」

林光朝（政和四年〔一一一四〕至淳熙五年〔一一七八〕）留意《齊》《韓詩》，與趙子直書曰：

三家說《詩》，各有師承。今齊韓之《詩》，字與義多不同。（《艾軒集》卷六頁一三，《四庫珍本初集》本。）

薛季宣（紹興四年，〔一一三四〕至乾道九年，〔一一七三〕）〈答何商霖書〉，討論《魯詩》謂〈關雎〉刺康王（《困學記聞》卷三注引）。項安世（?至嘉定元年，一二〇八）論劉向受《魯詩》，故《列女傳》所載《詩》說，竝《魯詩》義，曰：

按《列女傳》，〈芣苢〉，蔡人之妻作也，宋女嫁蔡夫有惡疾而不去也。〈行露〉，申人之女作也。女嫁于酆，夫禮不備，持義不往也。〈邶〉〈柏舟〉，衛宣公夫人作也，

齊女嫁衛，及城而衛君死，衛君之弟請同庖而不聽也。〈式微〉，黎莊公之夫人作也。夫人既嫁而公不納，傅母勸之去，而夫人拒之也。〈碩人〉，莊姜傅母作也，莊姜操行衰惰，而母救之也。〈大車〉，息夫人作也，楚納息夫人，以息君守門，二人相約俱死也。劉向父祖世受《魯詩》，故其作《列女傳》，所載如此。去古既遠，獨《毛詩》存，《韓詩》猶有《外傳》及《薛君章句》。《齊》《魯》二家不獲可識。因此亦略見《魯》學之一二，故備錄之以顯。（《項氏家說》卷四頁一〇，《武英殿聚珍版叢書》本。）

劉向習《魯詩》，其著作（不限於論《詩》專著）論及《詩》義者，皆《魯詩》說。以此例推之，則焦延壽《易林》論《詩》爲齊說，劉熙《釋名》論《詩》爲韓說。後人莫不準此例以考三家遺說，爰及它學。同時，呂祖謙《呂氏家塾讀詩記》（卷四頁一〇，〔清〕嘉慶刊本。）說〈邶風〉〈終風〉篇轉引《韓詩》及《章句》。朱子《詩集》亦多采三家義說，除於〈雨無正〉題解下載劉安世引《韓詩》「雨無正」〈序〉外，它如〈關雎〉「窈窕淑女，君子好逑」，用匡衡《齊詩》說，同篇總旨，亦以匡語作結。〈兔罝〉「公侯好仇」，謂「匡衡引〈關雎〉亦作『仇』字」。〈邶〉〈柏舟〉，《詩集傳》謂「《列女傳》以此爲婦人之詩，今考其辭氣卑順柔弱，且居變風之首，而與下篇相應，豈亦莊姜之詩也歟？」又解〈賓之

初筵〉，則退毛從韓，《詩集傳》曰：「《毛詩序》曰：『衛武公刺幽王也。』韓氏〈序〉曰：『衛武公飲酒悔過也。』今按：此詩與〈大雅〉〈抑〉戒相類，必武公自悔之作，當從韓義。」是故王應麟曰：

> 朱文公《集傳》閎意眇指，卓然千載之上。言〈關雎〉則取康（匡）衡；〈邶〉〈柏舟〉婦人之時，則取劉向；……〈賓之初筵〉「飲酒悔過」，則取《韓詩序》；「不可休思」、「是用不就」、「彼徂者岐」，皆從《韓詩》。……一洗末師專己守殘之陋。（《詩考》〈序〉，原書前附，華文書局影印元刊《玉海》附刻。）

王柏學承朱子，說《詩》不僅依《毛傳》，兼采三家，劉元城見《韓詩》〈雨無正〉篇首多「雨無其極，傷我稼穡」，王氏則曰：「〈雨無極（正）〉，當添兩句。」（《詩疑》卷一頁九）〈邶〉〈柏舟〉毛〈序〉、鄭《箋》謂仁人不遇，小人在側之詩，王氏略本朱子所取韓義，曰：「此爲他婦人怨夫之詞。」（《詩疑》卷一頁一）〈賓之初筵〉，朱《傳》用《韓詩》說解，王氏亦從之，曰：「武公改行自修，……抑抑、賓筵，伯仲二雅。」（《詩疑》卷一頁四至五）元城取韓補毛之闕句，魯齋進而據三家以驗毛之衍篇，其〈豳風辨〉曰：

昔人嘗考之於齊、韓、魯三家，俱無所謂「七月」之章，而毛氏獨有之。（《詩疑》卷二總頁二三）

又秉項安世遺意，以《列女傳》正《毛詩》，曰：

〈行露〉首章與二章意全不貫，句法體格亦異，每竊疑之。後見劉向傳《列女》，謂：〈召南〉申人之女許嫁於酆，夫家禮不備，而欲娶之，女子不可，訟之於理，遂作二章，而無前一章也。乃知前章亂入無疑。（《詩疑》卷二頁一）

又特撰〈毛詩辨〉一篇，辨《毛詩》可疑，其倚重《齊》、《韓》、《魯詩》，愈於先儒，有曰：

夫天下之書，合千萬人之言，如出於一人之口，吾知其傳之之的也；雖數人之言，而亦不能不異者，吾知其傳之之訛也。以其傳之之的，固幸其言之無不同；以其傳之之訛，亦幸其言之有所異也。何者？與其彼此俱失而無他左驗，固不若互得互失而可以參考也。是以漢初最善復古，而齊、韓、魯三家之《詩》並列於學官。惟毛萇者最後出，其

言不行於天下，而獨行於北海。鄭康成，北海之人也，故爲之箋。自是，後學雖不識萇而篤信康成，故《毛詩》假康成之重而排迮三家，獨得盛行於世。毛鄭既孤行，而三家牴牾之迹遂絕，而不得參伍錯綜，以訂其是非。（《詩疑》卷二總頁一七）

再如《六經奧論》（卷三頁二）辨〈關雎〉，引《三家詩》及《韓詩薛氏章句》。

諸儒彙集三家義說以與《毛傳》比看，不過欲廣異文，無意輯佚成書，而朱子則不然。《文選注》多《韓詩章句》，朱子欲寫出爲一編，嘗以此意語門人而卒未果。門人輔廣（著《詩童子問》）、孫朱鑑（編《文公詩傳遺說》）亦未及爲，幸有四傳弟子王應麟善繼志述事，輯三家遺說，成《詩考》一書，與其所輯鄭玄《易注》，竝爲後世學者推爲輯佚書之最早文獻。《詩考》成書於宋理宗景定五年（西元一二六四年，據同學呂美雀碩士論文《王應麟著述考》，油印本，下同。後文多參考其說，不復一一著出。），在前。應麟〈自序〉曰：

> 漢言《詩》者四家，師異指殊，賈逵撰齊魯韓與毛氏異同，〔梁〕崔靈恩采三家本爲《集注》。今惟毛《傳》鄭《箋》孤行，韓勵存《外傳》，而魯齊亡久矣。諸儒說《詩》，壹以毛鄭爲宗，未有參考三家者，獨朱文公《集傳》閎意眇指，卓然千載之上。……文公語門人，《文選注》多《韓詩章句》，嘗欲寫出。應麟竊觀傳記所述三家

緒言，尚多有之。罔羅遺軼，傳以《說文》、《爾雅》諸書，稡爲一編，以扶微學，廣異義，亦文公之意云爾。（原書前附）

書名或作《逸詩考》（見〔元〕袁桷《清容居士集》卷三三頁一六《師友淵源錄》，《四部叢刊》本。），所考爲齊魯韓三家《詩》逸文，《四庫提要》曰：

……應麟諸書所引，集以成帙，以存三家逸文。又旁搜廣討，曰詩異字異義，曰逸詩，以附綴其後，每條各著其所出，所引《韓詩》較夥，《齊》《魯》二家僅寥寥數條。蓋《韓詩》最後亡（敏案：《韓詩》北宋尚存），唐以來注書之家引其說者多也。卷末別爲補遺以掇拾所闕，其蒐集頗爲勤摰。（卷十五頁三二）

《詩考》〔元〕後至元刊《玉海》附刻本通爲一卷，而較早之〔元〕泰定刊本分作六卷，據〔清〕陸心源《儀顧堂題跋》曰：

前爲〈三家詩傳授圖〉，卷一《韓詩》，卷二《魯詩》，卷三《齊詩》，卷四《逸詩》，卷五〈異字異文〉，卷六〈補遺〉。（卷一頁一五，廣文書局影印本。）

其後，〔明〕董斯張補應麟遺漏者十九條（附《津逮秘書》本《詩考》後）。清人輯《三家詩》逸文，足稱者有范家相《三家詩拾遺》，馮登府《三家詩異文疏證》，陳壽祺《三家詩遺說考》，子喬樅《四家詩異文考》。嚴可均輯《韓詩》二十卷，迮鶴壽著《齊詩翼氏學》。而王先謙《詩三家義集疏》，及近人賴炎元博士《韓詩外傳考徵》晚作，蒐羅益備。故曰踵事增修，較創始易於爲力；篳路繿縷，終當以應麟爲首庸也。

《易》學在西漢，專主象數，京（房）、孟（喜）、荀（爽）氏爲大宗，鄭玄頗承其學；降及魏晉，王韓《易注》盛行，專明義理，而術數之學日就微廢。宋初諸儒，力辨《十翼》非夫子手著，而於先哲《易》學短長，則未暇論校。至程伊川，既病象數之誣罔害理，復厭王韓之祖尚虛無，牽引《老》《莊》，淆亂聖經，於是盡去前儒傳注，一以儒學爲旨歸，推人事合天道，以明卦爻辭〈彖〉〈象傳〉之理。雖然，《易》本卜筮之書，不能悉舍象數，朱子〈答虞士朋書〉曰：「象數乃作《易》根本，卜筮乃其用處之實，而諸儒求之不得其要，以至苛細繳繞令人厭聽！」（《朱文公文集》卷四五頁三，《四部叢刊》本。）自序《易學啓蒙》曰：

近世學者頗喜談《易》，其專於文義者，既支離散漫而無所根著，其涉於象數者又皆牽合附會，而或以爲出於心思智慮之所爲也。（見原書卷一，《朱子遺書》本。）

象數派《易》家「苛細繳繞」、「牽合附會」；義理派《易》如伊川「見得箇大道理，卻將經來合他這道理；不是解《易》」（《朱子語類》卷六七頁七），殆即所謂支離散漫而無所根著也。朱子欲救兩派之偏，故有《易本義》及《易學啓蒙》之作。義理派學者當世人，其書具在；欲知象數派《易》學原委，晦庵《本義》、《啓蒙》二書，誠不足以爲功，而漢人《易注》久佚，時惟〔唐〕李鼎祚《周易集解》存其文，而鼎祚又獨宗鄭玄，故多存錄其說。康成原撰《周易注》九卷，書亡於北南宋間，應麟因據鼎祚書及漢唐傳疏所引，輯《周易鄭康注》一卷。蓋欲繼晦庵之後，發揮漢儒象數之學，且因康成互體之論，以爲後世學漢《易》者登造堂奧之階，其義深矣，〈自序〉（原書前附）曰：

> 鄭康成學費氏《易》，爲《注》九卷，多論互體，以互體求《易》，《左氏》以來有之。……王弼尚明理，譏互體，……然或用康成之說。鍾會著論力排互體，而荀顗難之。江左鄭學與王學並立，荀崧謂康成書根源費氏，顏延之爲祭酒，黜鄭置王。〔齊〕陸澄詒王儉書云：《易》自商瞿之後，雖有異家之學，同以象數爲宗，數年後，乃有王弼之說。王濟云：弼所誤者多，何必能頓廢先儒？今若弘儒鄭《注》不可廢。河北諸儒專主鄭氏。隋興，學者慕弼之學，遂爲中原之師，此景迂晁氏所慨嘆也。《易》有聖人之道四焉：義理之學以其辭耳，變象占其可闕乎？李鼎祚云：鄭多參天象，王全釋人

事，《易》道豈偏滯於天人哉？今鄭《注》不傳，其說間見于鼎祚《集解》，及《釋文》、《詩》《三禮》《春秋義疏》、《後漢書》、《文選注》。因綴而錄之，先儒象數之學於此猶有考云。

《四庫提要》曰：

（鄭玄《易註》）亡於南北宋之間，故晁說之、朱震尚能見其遺文，而淯熙以後，諸儒即罕所稱引也。應麟始旁摭諸書，裒爲此帙，經文異字，亦皆竝存，其經文無可綴者，則總錄於末簡。又以元（玄）《註》多言互體，並取《左傳》、《禮記》、《周禮正義》中論互體者八條，以類附焉。（卷一頁六）

書於咸淳九年輯成，時襄樊甫陷，大局阽危，倉卒定稿，疏誤難免。於是〔明〕胡孝轅《易解附錄》、又附姚叔祥王氏絓漏多則。〔清〕惠棟《新本鄭氏周易》三卷，於王氏所輯，頗有刪補。可謂王氏之功臣。而惠氏別輯著《易漢學》。此後清儒輯治漢《易》者，實繁有徒。如孫星衍《周易集解》，盧見曾輯《鄭氏易注》，丁杰輯《周易鄭注》、張惠言輯《周易虞氏義》、《鄭氏義》、《荀氏九家義》。漢人《易》學，一時大盛，經營剏始，發凡起例，

應麟之功誠偉。復據清著錄家說，應麟所輯佚書更有《尚書鄭注》十卷、《春秋左氏傳賈服注》十二卷、《論語鄭氏注》二卷、《箴膏肓》、《起廢疾》、《發墨守》各一卷、《駁五經異義》一卷，皆非王氏所著，殆後世究心古義者，託名應麟以出者也。

繼宋儒軌範，清人努力光大此學，所輯除《易》、《書》、《詩》、《春秋》、《論語》漢人傳注之外。丁晏輯《儀禮》逸篇，作《佚禮扶微》；臧庸、嚴可均輯《孝經鄭氏注》一卷；臧又輯《爾雅漢注》三卷。不僅輯佚經及其傳注，又擴及子、史、集部之書，如朱右曾輯《竹書紀年》，孫詒讓輯《墨子》，李調元輯《五代詩》一百卷。而專以輯佚爲業，個人所輯最多者，黃奭、馬國翰二家。黃氏《漢學堂叢書》（二一六種）、馬氏《玉函山房輯佚書》（六三〇種）。而所憑藉之材料，除古注義疏之外，至於類書；書本文獻不足，又旁及古器物（金石）文字（參看梁啓超《中國近三百年學術史》頁二六一至二七〇，中華書局鉛印本。）。迄今輯佚工作仍普受學林重視，古佚書亦因之不斷發現，甚至有百舍重趼求片言隻字於異邦者矣！

——原載《國立編譯館館刊》二卷三期，民國六十二年十二月

四十　宋人在學術資料（器物資料）方面之貢獻

嚮來學者治學，多注重書本資料，忽視器物資料；甚至有決不解器物可作學術資料之用者，人或語之：以商鼎周彝證六經，以龜卜石刻考史籍，初則目爲詭怪，繼則惡聲醜詆。此出於流俗之口，猶不免貽笑大方；而師儒講論，著於竹帛，竟亦不免，誠學林憾事。

夫書本資料，由于傳抄傳刻，易失本眞。器物資料則不然，物爲當時鑄造，字爲當時鐫刻，歷千百歲而完好如舊。爲第一手資料，極其珍貴。嚮來收藏古器物，徒以供玩好爲目的，至宋人始以器物爲資料，藉作學術研究之用。本文多就宋人於古器物之蒐訪情形，傳拓傳刻與著錄之體例及其重要撰作論之。至其應用金石文字考經正史，不惟藏器家歐、呂、趙、洪、葉爲然，即一般學者亦常以遺刻證古書，如朱子嘗語門人曰：「又舊讀〈《尚書》〈文侯之命〉篇〉『罔或耆壽俊在厥服』作一句，今觀古記款識中多云『俊在位』，則當於『壽』字絕句矣！」《語類》卷七八頁二七。故論亦略及之。

近五十年來，以器物文獻治學，爲極普徧之事實。然溯其風氣之形成，不得不歸功於宋

儒。宋自渡江以前，古器物即大量出土，官府與民間，競相蒐求；而有意用古器物資料作學術研究者，亦隨之興起。流風所被，至南宋末葉不稍殺減。其間有著作遺世，且成就卓越者，亦不乏其人。茲就古器物之蒐訪與收藏、傳拓傳刻與著錄、考訂與應用——應用於文字學、經學及史學——三方面，略述宋人運用古器物資料之貢獻。

一　蒐訪與收藏

宋人於古器物之蒐集，朝廷與民間同時並重。宋初內府原有藏器，仁宗皇祐三年，詔以祕閣及太常所藏三代鐘鼎器付修太樂所參校齊量（見〔宋〕翟耆年《籀史》卷上頁一〇至一一，《守山閣叢書》本，下同。）。而士大夫知蒐集古器物，則以劉敞原父最早，其所得古器，每模其銘文以遺歐陽修，永叔《集古錄跋尾》曰：

> 嘉祐六年，原父以翰林侍讀學士出爲永興軍路安撫使，其治在長安。原父博學好古，多藏古奇器物，而咸鎬周秦故都，其荒基破冢，耕夫牧兒往往有得，必購而藏之。以余方集錄古文，乃模其銘刻以爲遺，故余家《集古錄》自周武王以來皆有者，多得於原父也。歸自長安，所載盈車。……。（卷一頁一一，《四部叢刊》本，下同。）

〔宋〕趙明誠曰：

原父守長安，長安故都，多古物奇器，原父好奇博識，皆購求藏弆。……蓋收藏古物，實始于原父，而集錄前代遺文亦自文忠公發之，後來學者稍稍知搜抉奇古，皆二公之力也。（《金石錄》卷十三頁六，臺北藝文印書館影印，《石刻史料叢書乙編》本，下同。）

歐陽公《集古錄》所收先秦古器物銘文，頗得之原父，如〈周姜寶敦〉、〈張伯煮匜〉、〈韓城鼎〉諸銘。又有得之裴煜者，如〈前漢鴈足鐙銘〉；得之蘇軾者，如〈終南古敦銘〉；得之謝景初者，如〈後漢天祿辟邪字〉；亦有得之施昌言者，如〈後漢殽君神祠碑〉。當時收藏家甚多，如劉季孫家藏石刻千卷（見《金石錄》卷十四頁一一），曾鞏嘗集古今金石篆刻爲《金石錄》五百卷（見〈行狀〉，附《元豐類藁》後，《四部叢刊》本，下同。）。〔宋〕呂大臨撰《考古圖》，前記所采藏器家姓氏，除祕閣、太常、內藏所存古器外，更有文彥博、蘇頌至淮陽趙氏等三十七家，大臨〈自序〉亦曰：「予於士大夫之家所閱多矣，每得傳摹圖寫，寖盈卷軸」。（原書前附，〔清〕乾隆亦政堂刻本，下同。）且於各器器名之下分別注明原藏器之人。它如《集古》《金石》二錄、董逌《廣川書跋》、王厚之《鐘鼎

款識》，亦往往注明藏器之家於考釋文字之中。

徽宗即位，朝廷益擴大蒐求古器物，〔宋〕蔡絛《鐵圍山叢談》：

太上皇帝即位，憲章古始，……及大觀初，乃效（李）公麟之《考古（圖）》，作《宣和殿博古圖》，凡所藏者為大小禮器，則已五百有幾。世既知其所貴愛，故有得一器其直為錢數十萬，後動至百萬不翅者，於是天下塚墓破伐殆盡矣。獨政和間為最盛，尚方所貯，至六千餘數百器。……時所重者，三代之器而已。若秦漢閒物，非殊特蓋亦不收。及宣和後，則咸蒙貯錄，且累數至萬餘。若岐陽宣王之石鼓，西蜀文翁禮殿之繪象，凡所知名，罔間鉅細遠近，悉索入九禁，而宣和殿後又剏立保和殿者，左右有稽古、博古、尚古等諸閣，咸以貯古玉、璽印、諸鼎彝、禮器、法書，圖書盡在。（卷四頁二四至二五，《知不足齋叢書》本。）

上有好者，下必有甚焉者矣，況朝廷董以法令，誘以重利，於是士大夫悉獻所藏，民間競相搜掘，〔宋〕葉夢得《避暑錄話》云：

宣和間，公卿家所藏漢器雜出。（卷下總頁六一）

又云：

宣和間，內府尚古器，士大夫家所藏三代秦漢遺物，無敢隱者，悉獻于上。而好事者復爭尋求，不較重價，一器有直千緡者。利之所趨，人競搜剔山澤，發掘塚墓，無所不至，往往數千載藏，一旦皆見，不可勝數矣。吳玨爲光州固始令，光申伯之國而楚之故封也，間有異物，而以僻遠，人未之知，乃令民有罪皆入古器自贖。既而罷官，幾得五、六十器，與余遇汴上，出以相示。其間數十器，尚三代物。後余中表繼爲守，聞之，微用其法，亦得十餘器，乃知此類在世間未見者尚多也。范之才爲湖北察訪，有紿言澤中有鼎，不知其大小，而耳見于外，其間可過六、七歲小兒，亟以上聞，詔本部使者發民掘之，凡境內陂澤悉乾之，掘數十丈，訖無有，之才尋見謫。（卷下總頁五九）

先秦古銅器及岐陽石鼓與秦告巫咸文字，徽宗並致宣和殿。漢石經殘石，乃至木簡、瓦當，宋人亦在所不遺。（參臺北文華書局影印《王觀堂先生全集》《靜安文集續編》〈宋人之金石學〉，下同。）

南宋紹興間，私家藏搜之風亦盛，無名氏《續考古圖》才四卷，而所記藏器或拓本之人，達二十餘家；復據周密《雲煙過眼錄》所記南方諸家藏器，知此風至宋末猶存。

徽宗一朝所蒐集古器物，今不得確知，然據《博古圖》所載古器，約爲五百。近人王國維據歐陽修《集古錄跋尾》、呂大臨《考古圖》、趙明誠《金石錄》、黃伯思《東觀餘論》、董逌《廣川書跋》、王俅《嘯堂集古錄》、薛尙功《鐘鼎款識法帖》、無名氏《續考古圖》、張掄《紹興內府古器評》、王厚之《復齋鐘鼎款識》，作〈宋代金文著錄表〉（見《王觀堂先生全集》），著錄凡六百四十有三器（王氏以爲其中有僞器十七）。其弟子容庚〈重編宋代金文著錄表〉附舊表之後，以僞者、佚者爲附錄，計著錄四百九十有六器，附錄一百四十器，都六百三十有六器。王氏所據以著錄者，僅爲部分宋人古器物學之著作，且祇錄金文，於石刻則闕之未入。且古玉、古錢、瓦當等，宋人亦著錄，甚至有專書，亦未計入。故如能詳考兩宋諸家著作，凡所錄古器物皆入，則恐不下數千器。蒐羅蓋已粗備，其功殆不可沒。

二　傳拓傳刻與著錄

搜藏古物，固宋人保存學術資料之大功，惟此類資料之流傳，則有賴拓墨刻石刊板與著錄。拓墨之法，始於六朝，唐代此法大行，宋人沿用之，以拓古器文字。皇祐三年，既詔出秘閣及太常所藏三代鐘鼎器付修太樂所參校齊量，又詔以墨器窾賜宰執（《籀史》卷二頁一〇至一一）。上述歐陽修、曾鞏、趙明誠、王厚之及〔南宋〕洪适《隸釋》《隸續》，即頗以拓本

著錄。惟拓本之流傳，仍難期其廣遠，因有刻石、刊板之法行焉。熙寧元年，司封員外郎知和州胡俛取仁宗所賜器窾五銘鑱石傳世（見《籀史》卷上頁一一），而刊板流傳者尤其習見。一時刻本成書者甚多，茲擇取今存者十三書，以見宋人古器物學著作之體例：

（一）歐陽修《集古錄跋尾》十卷——記得器之地，記器物之形狀，往往摹刻器物原文，後寫釋文，且加考釋，而不著圖象。（案：徐鉉《古鉦銘碑考釋》體例已大略如此，見《籀史》卷上頁九。）

（二）呂大臨《考古圖》十卷——詳器物之尺寸、容量、輕重，著其圖象，而不復記器物之形狀。餘例同歐書。

（三）趙明誠《金石錄》卅卷——此書搜集古器物二千件，以《集古錄》無歲月先後之次，於是悉依器物時代排列。餘例同歐書。

（四）董逌《廣川書跋》十卷——記得器之所，狀器物之形狀、大小，著器物之文字，偶爾亦言器之重量。餘例同歐書。（《適園叢書》本，下同。）

（五）王黼《宣和博古圖》三十卷——每錄一器必著其圖象，又皆記其大小、輕重、容量，比《考古圖》加詳。餘例亦同歐書。（臺北新興書局影印本，下同。）

（六）王俅《嘯堂集古錄》二卷——祇摹刻古器原文於上，而著釋文於其下。（《四部叢刊》本，下同。）

（七）洪适《隸釋》二十七卷、《隸續》二十一卷——專收隸書石刻，前以隸字錄寫刻文（今傳本僅部分仍為隸字），字闕則注闕。後附考釋，而得器之所、藏器之家與碑文某字即今某字或以某字作某字，皆並著出。《隸續》諸卷，則或圖器物形制；餘例同《隸釋》。（並臺北藝文印書館影印《石刻史料叢書甲編》本）

（八）無名氏《續考古圖》五卷——體例與《考古圖》略同。（臺北藝文印書館影印本，下同。）

（九）洪遵《泉志》十五卷——專收錢幣文字，分為九品。每器皆著其圖象並文字，繼以考釋；考釋多引據史籍，亦采〔梁〕顧烜《錢譜》及其本朝金光襲《錢寶錄》、李孝美《錢譜》之說，末加按語為斷。（臺北藝文印書館影印《百部叢書》本，下同。）

（十）薛尚功《歷代鐘鼎彝器款識法帖》二十卷——此書在宋為石刻本。祇有器物款識及釋文而無圖象（全書僅卷八頁一四「窖磬」有一圖象），與王俅《嘯堂集古錄》同；而考釋精詳，間亦注明藏器之家與出器之地，則為俅書之所不及者。（〔清〕嘉慶二年刊本，下同。）

（十一）鄭樵《金石略》三卷——但著錄器物目錄，有時亦略記出器處所與作器時代於目下。（在《通志》中，下同。）

（十二）陳思《寶刻叢編》二十卷——考出器處所，按當時行政區域，分別依器物著成時代先後次於路府州軍縣之下，第二十卷為「諸書所錄刻石地理未詳者」。既不圖古器形象，復

不摹古器文字，而纂集本朝學者之說者（皆注明其出處）絕多，出己意考釋者極少。（《叢書集成初編》本）

（十三）王象之《輿地碑記目》四卷——此書爲後人據象之《輿地紀勝碑記》一目抄出單行者。是書大抵根據書本文獻，分錄見知之碑目於各府州軍下（體例略如陳思書），並注明碑在該府（州軍）之某地，亦引《志》《傳》或《集古錄》，略疏其說於目下。（《叢書集成初編》本，下同。）

上述宋人有關古器物之專著見存者十三家，可以大別爲四類。（一）、（三）、（四）錄器物文字，又有釋文、考釋，而不圖原器之形，此第一類。洪氏《隸釋》，雖專收隸字器，衡諸撰作體，亦當屬之。（二）、（五）、（八）、（九）及洪氏《隸續》之一部分，既圖原器之形，復摹其款，釋文與考釋竝具，爲第二類。（六）、（七）、（十），專以摹寫款識爲事，而不圖其形象，爲第三類。其餘三種，旨在著錄器物名目，以便稽討，宜別爲第四類。

翟耆年載當代人著錄古器物之書三十四種，〔日本〕神田喜一郎略據《籀史》並參考其它文獻作〈宋代金石書目〉（載〔日本〕大正四年十二月《支那學》三卷十二期頁八九至九二），存佚兼錄，共四十七種。余理二家之說，益以己之所知，得宋人著錄古器物之書共四十三種，除上記十三種外，茲錄其目並略加疏證如下：

歐陽棐　《集古錄目》十卷　存　繆荃孫輯本　屬第四類。

劉　敞　《先秦古器圖碑》一卷　佚　見《籀史》　屬第二類。

曾　鞏　《金石錄》五百卷　佚　曾氏自序，見《元豐類藁》，蓋屬第一類。

《金石錄跋尾》一卷　存　載《元豐類藁》卷五十　亦屬第一類。

胡　俛　《古器圖》五器　佚　見《籀史》　屬第三類。

李公麟　《考古圖》五卷　佚　見《籀史》　屬第二類。

《周圖鑒》一卷　佚　見《籀史》　亦屬第二類。

田　概　《京兆金石錄》六卷　佚　〈宋代金石書目〉　屬第四類，但以一地方作目錄。

崔君授　《京兆尹金石錄》十卷　佚　〈宋代金石書目〉　類屬同上。

鄭　暘　《五路墨寶》　佚　〈宋代金石書目〉　蓋屬第三類。

黃伯思　《東觀餘論》三卷　存　屬第三類。（其中有與古器物學無關之文。）

《博古圖說》十一卷　佚　〈宋代金石書目〉　蓋屬第二類。

趙明誠　《古器物銘碑》　佚　〈宋代金石書目〉　蓋屬第三類。

《諸道刻石目錄》　佚　〈宋代金石書目〉　屬第四類。

劉　涇　《成都府古石刻總目》一卷　佚　〈宋代金石書目〉　屬第四類，但以一地方作目錄。

葉夢得　《金石類考》五十卷　佚　見自撰《避暑錄話》及〔宋〕李淏《雲谷雜記》　蓋

屬第一類。

晏　溥　《鼎彝譜》一卷　佚　見《籀史》　屬第二類。

石公弼　《維揚燕衎堂古器銘》一卷　佚　見《籀史》　屬第三類。

黃　氏　《古器窾字》一卷　佚　見《籀史》　屬第三類。

趙　氏　《獲古庵記》一卷　佚　見《籀史》　蓋屬第一類。

安　氏　《牧敦圖》一卷　佚　見《籀史》　屬第二類。

蔡　氏　《古器款識》三卷　佚　見《籀史》　屬第三類。

榮　輯（？）　《考古錄》十五卷　佚　見《籀史》　蓋屬第一類。

翟汝文（？）　《三代鐘鼎窾識》三卷　佚　見《籀史》　屬第三類。

王厚之　《復齋碑錄》　佚　〈宋代金石書目〉　蓋屬第一類。

婁　機　《漢隸字源》六卷　存　屬第一類。

曾宏父　《石刻鋪敘》二卷　存　屬第三類。

李　丙　《博古圖》　佚　見李淏《雲谷雜記》　蓋屬第二類。

佚　名　《資古紹志錄》　佚　見《寶刻叢編》　蓋屬第四類。

佚　名　《訪碑錄》　佚　見《寶刻叢編》　蓋屬第四類。

上述宋儒討論古器物專著，總計四十三種，不過存其大略，若就《寶刻叢編》等書之所稱

引詳考，殆將倍蓰於此。今其所藏器物雖多散失，然其圖譜、目錄、考釋之倖存者，爲考證三代以下至唐代故實之資，其流傳學術資料之功，誠千載不可沒者也。矧其著錄古器物之法，若摹寫形制、攷訂名物、記出器之所、明作器之時，於古物資料之考訂應用，裨益匪淺；而後世言古器物者，多不出此榘矱。

三　考訂及應用

劉敞序其所撰《先秦古器圖》言治古器之法，曰禮家明其制度，小學正其文字，譜牒次其世謚，乃爲能盡之（《靜安文集續編》引）。呂大臨序其《考古圖》亦謂欲應用古器物資料，必先知其形制，通其文字（見原書前附）。茲略參其說，就形制學、文字學及經史學三項討論，以見宋人於古器物文獻考訂應用方面之貢獻。

（一）形制學

先論器物形制。宋初郊廟禮器，多用聶崇義《三禮圖集注》之說。聶《圖》雖本舊圖裁定，然舊圖已頗失先秦故制，是所據非盡眞；故稍後學者驗以出土古器，多與三代法度乖異。於是陸佃作《禮象》十五卷，頗取公卿家及秘府所藏古彝器，以改舊圖之失。《宣和博古圖》

考定器物形制，不復泥守聶《圖》，如其卷二十「匜匜盤洗盆銷杅總說」，指出聶氏之謬。其後翟汝文嘗上書請詔碩儒博聞之士，據傳世古器訂正《三禮圖》，以事大功夥曠日引時未果（《忠惠集坿錄墓誌銘》，《四庫全書珍本初集》本。）。而傳世古禮器器名之定，王國維曰：

至形制之學，實爲宋人所擅場。凡傳世古禮器之名，皆宋人之所定也。曰鐘曰鼎曰鬲曰甗曰敦曰簠曰簋曰壺曰尊曰盉曰盦曰盤曰匜，皆古器自載其名而宋人因以名之者也。曰卣曰罍曰爵曰觚曰觶曰角曰斝，於古器銘詞中均無明文，宋人但以大小之差定之；然今日仍無以易其說。近世江西出徐器三，其形皆宋人所謂觶也。其一銘曰郤王義楚羼其吉金自作祭鍴，其一曰義楚作祭耑。案：鍴、耑即《說文》觗磚字，亦即觶字之異文，則宋人名圓酒器爲觶，於此得其證矣。又今估人所謂虎頭彝者，古今著錄家並謂之匜，而〔宋〕無名氏《續考古圖》，則謂之兕觥。案：此器極大而蓋作牛首形，又銘辭多云作某某寶尊彝，其爲孝享之器而非沃盥之器其爲明白，自以〔宋〕無名氏所名爲是。又古戈戟之援皆橫刃非直刃，近世程氏瑤田始於《通藝錄》中詳之。然〔宋〕黃伯思作〈銅戈辨〉已爲此說，則宋人於古器物形制之學，實遠勝於近世。（《靜安文集續編》）

羅振玉亦謂「宋人三『古』諸圖，據器定名，得者什九。」（《羅雪堂先生全集初編》《雪窗漫稾甲》頁三八，文華出版公司影印本。）然宋人始創爲此學，難期精覈，一二疏謬（如「簋」，宋人誤說爲「敦」，而其所謂之「簋」，實「盨」之訛也。），固亦難免者也。

器物之作成時代，與其作爲學術資料，關係至大。宋人於此，亦極爲考究。其法大抵以書本文獻考器物文獻，歐趙洪諸家成績最優。《博古圖》知以器物花紋考其時代（卷一頁三九〈商伯申鼎〉），甚是；然疑凡稱甲乙而以祖、父加之者皆商器，則不可盡信。薛氏《鐘鼎彝器款識》，題所謂〈比干墓銅盤銘〉爲〈封比干墓銅盤〉，繫之周時，不免輕率（見〔清〕錢大昕《潛研堂全書》《金石文字跋尾》卷一頁二）。然若此之眚，不足以掩其大功也。

宋人所著錄器物，間有僞品。如《岣嶁碑》，後人所僞託，王象之《輿地碑目》著錄，以爲夏禹時故物。《復齋鐘鼎款識》所錄晉尺，乃〔宋〕高若訥僞造，王厚之誤認爲眞晉尺（見王國維《觀堂集林》卷十九頁一〈王復齋鐘鼎款識中晉前尺跋〉，世界書局影印本。）其餘三「古」諸書所錄，亦頗眞贋參雜。王國維〈宋代金文著錄表〉，凡僞或疑僞者均於器下分別注明；容庚重編，則以僞器列爲附錄，其判爲僞或可疑者比王氏舊表尤多。此不過單就金文一項言之，若並石刻亦予鑑別，則將發現更多僞器。惟宋人亦未嘗不知辨僞，歐、趙、洪諸家議固嘗及之，黃氏《東觀餘論》，多具卓識，而趙希鵠《洞天清祿集》（頁一五至二一，《讀畫齋叢書》本。）有〈古鐘鼎彝器辨〉一篇，專辨別僞銅器，且兼論辨僞方法，而集中此類論文甚

多，可見宋人非昧於此學，第嗜古炫博，相尚成風，黠者易售其欺，而諸家眞僞兼收，當時或亦不甚以爲嫌也。

以金石文字考經述史，宋以前已有之。若〈昭三年〉《左傳》叔向引〈讒鼎銘〉以證憂不可樂，〈七年傳〉孟僖引〈考父鼎銘〉以證明德後有達者，《禮記》〈祭統〉篇引〈孔悝鼎銘〉以證作銘之義、《考工記》㮚氏引〈嘉量〉以證量之制：此見於經者也。《史記》〈封禪書〉李少君識齊桓公柏寢銅器，案其刻果然；《漢書》〈郊祀志〉張敞案美陽鼎款識辨爲周鼎：此載於史者也。他如張晏據〈伏生碑〉，晉灼據〈黎陽碑〉，傅宏仁據〈齊胡公銅棺題字〉，顏之推據〈秦權銘〉，及闞駰據〈柏人城西門碑〉以爲即舜納于大麓之迹（參看錢氏《金石文字跋尾》王鳴盛〈序〉，原書前附。）。惟知廣泛應用古器物資料，以補經史之闕，正傳注之譌，有意著爲一書，且於方法、體例、議論堪爲一門學問，又其成績影響後世深遠者，則非宋人莫屬。宋人應用古器物資料以彌補匡正書本文獻，其主要貢獻，茲以文字學、經學、史學三類述之。

（一）文字學

先論文字學。蕭梁元帝撰《碑集》百卷，爲集錄金石文字之祖，見所著《金樓子》（卷五頁三，《知不足齋叢書》本。）。其書不存，今無以考其著作體例。意其集古字也，不過欲見

字畫之工拙，文辭之媺惡，供鑒賞資玩好而已，與字學無關。至宋郭忠恕，始自書本文獻——古經書、《說文》、古子書、史書及先賢所集綴古文字與器物文獻——石經、石刻碑銘集錄古文字，作《汗簡》三卷、《目錄敘略》一卷（《四部叢刊》本，下同。），其書分部從《說文》，古字下以楷字注釋，且聲明其字之出處，如□下云：「卻，見《石經》。」□下云：「御，〈王先生碑〉。」有時亦加切語，如冓，古侯切。所徵引七十一家，而存於今者不及廿分之一。後來小學家談古文者，輾轉援據，大抵從此書相鬻販，則忠恕所編，實爲諸書之根柢（《四庫全書總目提要》卷四一〈經部〉〈小學類〉二，藝文印書館影印本，下同。）。忠恕編此書之時，鐘鼎彝器尚未大量出土，《考古》、《博古》、《款識》之書亦皆未著，故《汗簡》所收闕金文。迨皇祐三館古器墨本賜宰執，翰林侍詔李唐卿（蓋稱其字）以隸字釋遺刻，十得二、三，翰林學士王洙又釋之，始通八、九（《籀史》卷上頁一一），而以隸釋三館器款用力最多者爲楊元明南仲（同上註）。南仲能讀古文篆籀，歐陽修得三器銘文，必問於南仲（見《集古錄跋尾》卷一頁四、八），今《集古錄》〈韓城鼎銘〉尚存南仲釋文一篇，後世小學家可資以考據。劉敞在長安得玉印，印文曰「周惡夫印」，敞謂爲漢侯印，且引《史記》盧綰之孫封「亞谷侯」，《漢書》作「惡谷侯」爲證。曾鞏所收碑刻，曲江、蒼江、江夏字，江皆作紅，云江、紅古字通用（《元豐類藁》卷五十頁四〈金石跋尾〉）。劉、曾兩家考訂金石款識著作，惜多亡佚，不然，後人治字形字義者必將獲益更多。李公麟治藝事，兼

識古文奇字，序所撰《考古圖》論彝器款識爲字之本原，曰：

彝器款識，眞科斗古文，實籀學之本原，字義之宗祖。商周之時，器有常工，日以鼓鑄爲事；字有妙義。時方書畫未分：羊足字，畫形以著名；壺卣字，象形以製字。庚則纍然象物，秋而垂實；癸則包佸，象草萌木達。（《籀史》卷上頁一二引）

其書雖佚，由諸家所引審之，李氏於古器物文字之價值，具有眞知灼見，而予兩宋之攻究此學者以相當啓示，其功績實不容忽視也。

復據前述四類諸家書之見存者考之，（一）、（二）、（三）類鐘鼎彝器款識，其屬于先秦古字者，皆有釋文；其爲隸字石刻，雖辨認容易，然洪氏《隸釋》《隸續》猶每碑各先以其文字寫之，而某字作某字，則具疏其後。又（一）、（二）類諸家，既以今字譯古字，又別爲考釋於其後，其關切史事者，爲之論證。此三類蘊藏字學資料，極爲豐富，有心治小學者，不可忽也。第四類爲目錄之書，然如《寶刻叢編》雜引諸家考釋及其案斷，多與器物文字有關，固亦不乏參考價值。即《輿地記碑目》，所採石刻文字，可與他書訂正異同，亦不應以其字寡少而遽棄之也。至南宋孝宗朝趙九成特作一書以釋《考古圖》鐘鼎彝器文字，比呂氏原書詳審。其書先錄器字，按聲部分四聲排列，據其「前言」云：「凡與《說文》同者，訓以隸字，

及加反切；其不同者，略以類例文義解于其下。所從部居可別而音讀無傳者，各隨所部收之，以備考證。」（原書前附）體例近《汗簡》，而形聲義兼顧，爲郭著所不逮。且所釋皆古文奇字，自不應以尋常字書擬之審矣。

（三）經史學

字學之討治，將以通經史；經籍史乘，古聖先賢懿則典法之所萃，而治道之本原也。宋人勤治古器物之學，欲以考正經史，此在歐、呂之書，固已揭諸卷首，以爲著作之要旨矣。歐公《集古錄》〈序〉云：

上自周穆王以來，下更秦漢隋唐五代，外至四海九州、名山大澤、窮崖絕谷、荒林破塚、神仙鬼物詭怪所傳，莫不皆有，以爲《集古錄》。以謂……可與史傳正其闕繆者，以傳後學，庶益於多聞。（原書前附）

呂氏《考古圖》〈序〉云：

……暇日論次成書，非敢以器爲玩也，觀其器，誦其言，形容髣髴，以追三代之遺風，

如見其人矣。以意逆志，或探其制作之原，以補經傳之闕亡，正諸儒之謬誤。（原書前附）

其餘諸家書，所考證者，亦莫非經史之事。

《尚書》〈文侯之命〉，《書序》以為周平王錫晉文侯仇之書，《史記》〈晉世家〉則謂周襄王賜晉文公重耳之書。《集古錄》（卷一）、《考古圖》（卷一）、《博古圖》（卷二）、《嘯堂集古錄》（卷上）、《歷代鐘鼎彝器款識法帖》（卷十）皆著錄，均有釋文。歐、呂且引劉敞、楊元明釋文。王氏據銘文「晉姜曰余惟嗣朕先姑君晉邦……勿廢文侯頵（楊南仲釋為顯）命」，云：「晉姜，齊侯宗女姜氏，以其妻晉文侯，故曰晉姜。」薛氏並引劉敞贊此鼎曰：「文侯翌周，乃錫彤弓。姜氏戴德，既佑武公。並國亯晉，維政之隆。師服判仇，非儀之中！」案：〈文侯之命〉為平王之書，屈師翼鵬已予論定（見《書傭論學集》頁八六至一〇四）。劉氏據器刻，參考經傳，定《書》〈文侯之命〉是平王之書，正《史記》之失，貢獻甚大，而諸家於資料保存箋釋之功亦不可忽視。

宋人說古器銘中所見姓名事實，頗多穿鑿可笑，如見甲字而即以為祖甲，見丁字而即以為祖丁，其說極支離難信（《靜安文集續編》〈宋代之金石學〉），然亦不乏卓見、不可移者，如《博古圖》（卷十八）〈祖己甗〉，王氏曰：「按：彝器間類多以祖乙、祖丁、祖戊、祖辛

爲銘，則凡稱祖者，孫之所作也。乙、丁、戊、辛云者，乃其號耳。」案：《尚書》〈高宗肜日〉篇有祖己、〈西伯戡黎〉有祖伊，《尚書正義》以爲伊、己均爲祖氏，後世多沿其誤。殷卜辭中凡稱祖者皆孫輩以後之作，《博古圖》之說得之。準此以考定《尚書》各篇著成時代，斷〈肜日〉、〈戡黎〉二篇皆後人述古之作，而非當時文獻。

《詩經》〈小雅〉〈大田〉篇第三章：「有渰萋萋，興雨祈祈，雨我公田，遂及我私」，「興雨」本當作「興雲」，顏之推《顏氏家訓》改「雲」爲「雨」。顏氏但以班固〈靈臺詩〉「祈祈甘雨」，不復深考即輕改經字，定本、《經典釋文》、《詩正義》、《唐石經》皆沿其誤作「興雨」。《金石錄》（卷十七）始據〈無極山碑〉銘文「興雲祁祁」，知今本《詩經》作「雨」非是，《呂氏春秋》〈務本〉篇正作「興雲祁祁」（參阮元《詩經校勘記》及〔清〕王先謙《詩三家義集疏》卷十九），是書本文獻與器物文獻比校，若合符節。至清儒以石刻校定經字，釋經義，爲治學重要方法之一，窮其本原，皆宋人之賜也。

《集古錄》（卷一）收〈毛伯敦〉，引劉敞考釋，謂銘文六「鄭」字爲「鄭」，鄭即毛叔鄭，而據《史記》則器乃周武王時物。呂大臨釋鄭爲郱（《考古圖》卷三、薛氏《歷代鐘鼎彝器款識法帖》卷十四從之。）。銘文有「王格于宣射」，因考爲宣王時器，呂氏曰：

> 郱，周大夫也，有功錫命爲其考作祭器也。宣榭者，蓋宣王之廟也。榭，射堂之制也。

其文作[illegible]，古射字，執弓矢以射之象，因名其堂曰射（原注：音謝，後从木。），其堂無室，以便射事，故凡無室者皆謂之榭（原注：《爾雅》云。），宣王之廟制如榭，故謂之宣榭。《春秋》記『成周宣榭火』（敏案：事見宣十六年。），以宗廟之重而書之如威僖公之比。二《傳》云藏禮樂之器非也。

（原書有缺字，參薛尚功書所引補入。）

案：劉原父釋[illegible]為鄭，非是；金文鄭祇作奠，故此銘文不指鄭叔。呂氏釋邢，待考，然其據經典，反求字原，參酌祭器禮書，考宣射為周宣王之廟則甚精確，故翟氏極推其說，曰：

大臨博學無所不通，尤深于《春秋》、《二禮》。……其辯證字學，用意深遠。謂宣榭曰：「射字如執弓矢以射之象，因名其堂曰射，後世加木非也。堂無室便于射事，故凡無室者皆謂之射。宣王之廟制如射，故謂之宣射。」（《籀史》卷上頁一三）

胡安國《春秋傳》引呂說此條詁經（見《四庫提要》卷一一五頁五）。

宋人據鼎銘以補經傳之不足者，試舉一例：如《博古圖》（卷三）據〈周伯郄父鼎〉，知伯郄父為晉僖侯時司徒，而《春秋經》《傳》均不及載。又據遺刻以決經籍稱謂用字之疑者，茲舉二例：如《爾雅》〈釋天〉：「商曰祀，周曰年。」後人據以詁經，甚至以〈洪範〉「十

有三祀」爲〈商書〉，故稱祀。《博古圖》（卷八）乃據〈周己酉方彝〉「惟王一祀」，明周因於商制，亦稱歲爲祀。檢周器尚有〈盂鼎〉、〈師遽毀〉，亦稱祀，知王氏之說不可易。又如《禮記》〈曲禮下〉篇：「生曰父曰母，……死曰考曰妣。」郭璞注《爾雅》據《尚書》「大傷厥考心」、「事厥考厥長」……，謂父與考、母與妣非生死之異稱，《金石錄》（卷十七）據〈漢冀州郭君碑〉字「哀哀考妣，追惟賈靈，卜商號咷，喪子喪明」，證漢靈帝光和間人猶不以考妣爲亡父母也。

清人以《石經》校勘羣經，獲得相當成就；此風氣亦宋人肇開。漢靈帝熹平四年刻隸字《石經》，魏正始間有《三體石經》。趙明誠得《漢石經》殘字，嘗以之校書本經字，《金石錄》「漢石經遺字」條曰：

> 右《漢石經》遺字者，藏洛陽及長安人家。蓋靈帝熹平四年所立，其字則蔡邕小字八分書也。其後屢經遷徙，故散落不存，今所有者才數千字，皆土壤埋沒之餘，摩滅而僅存者爾。……今余所藏遺字有《尚書》、《公羊傳》、《論語》，又有《詩》、《儀禮》。……今石本既已摩滅，而歲久轉寫，日就訛舛。以世所傳經書本校此遺字，其不同者已數百言。又篇第亦時有小異。使完本具存，則其異同可勝數邪？余既錄爲三卷，又取其文字不同者，具列于卷末云。（卷十六頁一〇至一一）

案：趙氏《漢石經遺字》三卷，蓋渡江之初散佚，其與今本異同如何，已無從稽考。唯黃伯思《東觀餘論》「記《石經》與今文不同」一條尚無恙，石本與紙本經書之異同，賴以見其梗概。黃氏曰：

臨《漢石經》與今文不同者殊多，今略記之。《書》「女毋翕侮成人（今本女無侮老成人），保后胥高（保后胥戚），女永勸憂（汝誕勸憂），女有近則在乃心（今近作戕），女比猶念以相從（今作汝分猷），各翕中（各設中），爾惠朕曷祗動萬民以遷（爾謂朕曷震動），天既付命（今付作孚），曰陳其五行（今汨陳），嚴恭寅畏天命自亮以民祗懼（今亮作度以作治），懷保小人惠于矜寡（今人作民于作鮮），毋兄曰（無皇曰），則兄自敬德（兄作皇），旦以前人之微言（今作徽言），是罔顯哉厥世（今哉作在），文王之鮮光（今作耿光），通殷就大命（達殷作大命）。」《論語》「意與之與（今意作抑），孝于惟孝（今于作乎），朝聞道夕死可也（今也作矣），是魯孔丘與曰是是知津矣（是魯孔丘與曰是也曰是知津矣），擾不輟子路以告子憮然（擾而不輟子路行以告夫子憮然），置其杖而耘（今置作植），其斯以乎（其斯而已矣），譬諸宮牆（今諸作之），賈諸賈之哉（今賈作沽）。」又《論語》每篇各計其章數，其最後云凡二十篇，萬五千七百一十字。……又有一版《公羊》。（卷之上頁四三至四四，《津逮秘書本》，下同。）

案：石本雖祇《尚書》、《論語》二經殘字百五十餘字，然以校書本，知今本《尚書》傳抄之誤甚多，如「汝分」，於經義難通，分當作比，《論語》「植杖」當從石本作「置杖」。又據

石本，知《論語》分章而計之，漢世已有之，俗謂朱子《集註》以圈隔分各章爲早，誤也。

其後董逌以洛陽發現《漢石經尚書》殘字〈盤庚〉、〈洪範〉、〈無逸〉、〈多士〉、〈多方〉總二百三十六字校今本《尚書》，異者十餘；又以河南掘得之《漢石經》殘字六百餘字校今本《論語》，亦頗有異同（《廣川書跋》卷五頁一一至一三）。而宋人保存《石經》殘字最多者爲洪适《隸釋》與《隸續》二書。《隸釋》卷十四載《漢石經尚書》殘碑十篇五百四十七字，《石經魯詩》殘碑〈魏〉〈唐〉〈國風〉百七十三字，《儀禮》殘碑〈大射儀〉四十五字，《公羊》殘碑自隱公四年至桓公元年及哀公十四年共三百七十五字，《論語》殘碑前四篇及後四篇凡九百七十一字。洪氏皆以之與書本文獻相校，於經學貢獻極大，清儒若段玉裁《古文尚書撰異》、王先謙《詩三家義集疏》、翟灝《四書考異》等，知據《隸釋》所存遺刻校經，所獲成果甚大，皆宋人啓示之功。《隸續》卷四存〔魏〕正始石經《左傳》遺字，乃皇祐間蘇望據王文康公家傳搨本所摹刻，計古文三百七、篆文二百十七、隸書二百九十五、總計八百一十九字。三體併舉，資之校定經書，亦治小學者珍貴材料也。《籀史》（卷上頁一一）載王洙嘗被旨篆五經，刻石於國學，今其書雖不見，然有宋一代君臣莫不重視器物材料，於此可以概見。

宋人所集前代器物，石刻殆十倍於鐘鼎彝器。石刻泰半爲漢以下碑誌，其字殊少摩滅漫漶，且去古未遠，多得史籍參校，誠考史之珍貴材料。宋人據史傳以考遺刻，復以遺刻還正史

傳，成績斐然。歐公《集古錄》〈序〉謂己所集可與史傳正其闕謬。又嘗言「予所集錄古文與史傳多異」（《集古錄》卷三頁一四）。趙氏序《金石錄》揭其著作之旨，云：

竊嘗以謂：《詩》《書》以後，君臣行事之跡，悉載于史。雖是非褒貶出于秉筆者私意，或失其實，然至于善惡大節有不可誣，而又傳諸既久，理當依據。若夫歲月、地理、官爵、世次，以金石刻考之，其牴牾十常三、四。蓋史牒出于後人之手，不能無失；而刻詞當時所立，可信不疑。則又考其異同，參以他書，爲《金石錄》三十卷。（原書前附）

而其妻李清照〈後序〉亦謂《金石錄》所著錄金石刻二千卷，「皆是正僞謬，去取褒貶，上足以合聖人之道，下足以訂史氏之失者皆載之。」（原書後附）茲以諸家書所載，略記宋人考史成績如下。

《集古錄跋尾》（卷四）著錄〈魏受禪碑〉，碑文云：「十月辛未（二十九日）受禪于漢。」《後漢書》〈獻帝本紀〉謂延康元年十月乙卯漢皇遜位，魏王稱天子。而《三國志》〈魏志〉記十一月庚午魏王升壇受禪。歐公曰：

三家之說皆不同。今據裴松之注〈魏志〉，備列漢魏禪代詔冊書令羣臣奏議甚詳。蓋漢實以十月乙卯策詔魏王，使張愔奉璽綬而魏王辭讓，往返三、四而後受也。又據侍中劉廙奏，問太史令許芝今月十七日己未可治壇場。又據尚書令桓階等奏，云輒下太史令擇元辰，今月二十九日可登壇受命。蓋自十七日己未至二十九日正得辛未，以此推之，漢、魏二《紀》皆謬，而獨此〈碑〉爲是也。《漢紀》乙卯遜位者，書其初命而略其辭讓往返，遂失其實爾。〈魏志〉十一月癸卯猶稱「令」者，當是十月、衍一字爾。丙午張愔奉璽綬者，辭讓往反容有之也。惟庚午升壇最爲繆爾。癸卯去癸酉三十一日，不得同爲十一月，此尤繆也。禪代，大事也，而二《紀》所書如此，則史官之失以惑後世者，可勝道哉！

所考詳審精確，可正紀傳之失。又《集古錄》（卷九頁一）亦據〈唐張九齡碑〉正史傳之誤。〈傳〉云九齡壽六十八，而〈碑〉云六十三。〈傳〉云自左補闕改司勳員外郎，而〈碑〉云遷禮部傳言。當以〈碑〉爲是。（參楊承祖教授《張九齡年譜》，《臺大文史叢刊》本。）

歐公據石刻以補正史傳，他例如〈漢孫叔敖碑〉，記叔敖名饒，史則不言，而諸家亦竝無說（《集古錄跋尾》卷三頁四）。如〈唐孔穎達碑〉字沖遠，《唐書》〈本傳〉誤爲字仲達，〈碑〉記穎達卒時年壽，而〈傳〉闕；又穎達與魏鄭公奉敕共修《隋書》，〈傳〉無而〈碑〉

有之（《集古錄跋尾》卷五頁一三）。又如〈唐乙速孤神慶碑〉，載神慶本姓王，太原人，代祖顯爲後魏驃騎大將軍賜姓乙速孤氏，可補《元和姓纂》之疏略（《集古錄跋尾》卷六頁二）。

趙氏《金石錄》補正史傳之失者，下舉二例：如〈漢荊州刺史度尚碑〉，度氏舊與楚同姓，〈碑〉有而《元和姓纂》不著；《後漢書》〈本傳〉謂度爲桂陽太守，遷遼東太守卒于官，以〈碑〉考之，〈傳〉皆誤（卷五頁一〇至一一）。又如〈漢車騎將軍馮緄碑〉，以考《後漢書》〈本傳〉，〈傳〉不記其謚桓，且所載緄行事，首尾顛倒錯謬（卷十六頁二至三）。

王象之《輿地碑記》，雖止分郡編存天下碑刻地志之目，然亦不乏考訂精確，可供史家參考者。《四庫提要》謂象之所考：

如鎮江府丹徒〈梁太祖文皇神道碑〉，辨其爲梁武帝之父；成都府〈殿柱記〉作於漢興平初年，知其非鍾會書；嘉定府〈移水記〉有嘉州二字，知其非郭璞書。台州臨海慶恩院、定光院、明智院、明恩院、婺州義烏眞如院諸碑、福州〈烏石宣威感應王廟碑〉，竝書會同，則知吳越實曾用契丹年號。皆有確證（卷八六頁二一〈目錄二〉）

黃氏《東觀餘論》據石刻以考史傳，多精當，而漢簡宋代出土者不若金石多，伯思據東漢竹書，以訂正《後漢書》數條，極具參考價值，附記於此。黃氏曰：

> 近歲關右人發地，得古瓮中有東漢時竹簡甚多，往往散亂不可考，獨永初二年〈討羌符〉文字尚完，皆章草書，書蹟古雅可喜。……以（《後漢書》安帝）〈紀〉所書日月及漢簡參考之。簡云六月丁未朔，則二十日正得丙寅，而戊辰乃此月二十二日也。六月末既有戊辰，則七月不應復有之，而〈安紀〉是年復有戊辰之詔，蓋《漢》〈紀〉誤也。又據〈安紀〉是年七月之後繼書閏月。閏月有辛丑，九月有庚子，亦當復有辛丑，則是年閏當在七月。據漢簡六月丁未朔則後百二十日得兩丁未，故簡又云十月丁未，正合也。而據〈紀〉於七月閏，則丁未當在九月矣，又與簡不相合，亦〈紀〉誤也。又〈紀〉書永初元年夏羌畔，遣騭討之，二年冬始召還。而〈騭本傳〉云永初元年夏羌畔，於是詔騭將左右羽林北軍五校及諸部兵擊之，西屯漢陽，冬召騭班師。據〈紀〉討羌在元年夏，召騭在二年冬，漢簡亦有二年之文，正與〈紀〉合，而〈傳〉云元年召還班師者，亦誤也。簡書……日月首尾相應，非如史之先後差謬。（卷上頁四五至四七）

歐、趙、黃、王諸家治器物之學，志非專在考史，然其所考，固多翔實審慎。另有一書，

葉夢得（熙寧十年至紹興十八年）所撰，據金石刻字，專考與史違悞者。夢得《避暑錄話》曰：

> 余家藏碑千餘帙，多得前世故事；與史違悞。嘗爲《金石類考》五十卷。此後所得不及錄也。（卷十頁一二）

〔宋〕李淏《雲谷雜記》亦及葉氏著此書事，曰：

> 石林葉公夢得又取碑所載事與史違誤者，爲《金石類考》五十卷。（卷三頁一四）

其考正史事，成就決在歐趙諸家之上，惜其書久佚。

有宋諸家治古器物學，於經學史學之貢獻，既略如上述。顧當啓蒙時期，其鑒別未精，眼界未寬，方法未盡佳善，材料猶欠完足，疎誤何得免哉！然諸家未以己說爲不可易，而補苴罅漏，後學責無旁貸，宋儒固嘗以此自任，訂補前修之闕矣。

曾鞏得〈桂陽周府君碑〉並碑陰，檢《曲江縣圖經》，考周府君名昕，而《集古錄》則謂《圖經》不著其名，歐公考之未精（《元豐類藁》卷五十頁四）。歐陽公跋〈大代修華嶽廟

碑〉，謂魏自道武天興元年議定國號，羣臣欲稱代而道武不許，乃仍稱魏，自是之後，無改國稱代之事，今魏碑數數有之。碑石當時所刻，不應妄，但史失其事爾（《集古錄跋尾》卷四頁一五）。趙明誠據〈崔浩傳〉及陽松玠《談藪》，記魏始封代土，後稱為魏，故代魏兼用，蓋當時國號雖稱為魏，然猶不廢始封，故兼稱代爾（《金石錄》卷二一頁二）。趙氏正歐氏之誤。黃伯思重考〈靈臺碑〉正《集古錄跋尾》之誤：堯母葬處，《後漢書》〈章帝本紀〉注《述征記》、《水經注》皆有說，而歐公云史記地志《水經》諸書皆無堯母葬處；歐公又謂廷尉某，姓名摩滅，黃氏考〈漢廷尉仲定碑〉，知其名仲定（《東觀餘論》卷下頁八一）。

上述三例，為一家考訂一碑有誤，賴另一家補苴而得其正者。又有一種器物之考釋，賴數家之力，始得其正，或猶未得謂為確論者。下舉二例：

歐陽公謂〈漢西嶽華山碑〉「集靈」二字，他書皆不見，惟見此碑。趙氏檢《漢書》〈地理志〉華陰有集靈宮，酈道元《水經注》亦云敷水北逕集靈宮（《金石錄》卷十五頁五）。黃氏又考桓譚〈仙賦〉〈敘〉云華山下有集靈宮（《東觀餘論》卷之下頁一）。洎董氏，考張昶〈序〉，世宗嘗過集靈宮，而《三輔黃圖》書其制度，《類聚》亦書其名（《廣川書跋》卷五頁八）。趙黃補歐氏之疎，董氏又補趙、黃之疎。吁！天下文籍無窮！一人耳目安得而盡之，以歐陽公之博洽，尚不免疎謬，況識學不及歐陽公者乎？

劉敞得「弜中簠」於驪山白鹿原，釋弜中為張仲，謂即《詩經》〈小雅〉〈六月〉篇末

章「侯誰在矣，張仲孝友」之「張仲」；周宣王時人也（《歷代鐘鼎彝器款識法帖》卷十四引，且以劉說爲是。）《集古錄》（卷一）是之。案：「□」是「耳」，金文「聖」字偏旁作「□」，可證。此「□」與「□」字形略差，原父釋「長」，而牽《詩》〈六月〉以爲證，誤。然宋人亦非不知其誤，而盡蹈其失，《考古圖》（卷三）已釋「□」爲「弡」，而引載歐氏、薛氏釋文於其後，是已疑其非是矣。而王俅（《嘯堂集古錄》卷下）、董逌（《廣川書跋》卷二）、黃伯思（《東觀餘論》卷之上頁五五）皆釋「弡」；以「□」爲「巨」。獨趙明誠已疑據隸字形狀釋古文不當，曰：「《集古錄》以『中』上一字爲『張』字，……呂大臨《考古圖》以偏旁推之，其字從『巨』不從『長』；以隸字釋之當爲『弡』。弡字雖見正篇，然古文與隸書多不合，未知果是否？」（《金石錄》卷十一）趙氏知不當強古合隸，誠爲卓識。甲骨文「耳」作「□」、「□」），容庚參酌卜辭釋「□」爲「弭」，得之。然若今時殷墟猶未發掘，容氏或尚沿宋人之舊，亦未可知。觀近人王文鏡作《古籀彙編》當龜文大量出土之後，仍以「□」爲「張」（卷十二下，商務印書館影印本。）。則吾人不應苛責古人，遂以宋人書俱不足觀也。

四　結論

宋人篤愛古器物，輒以數十年甚至畢生精力從事蒐集，其訪求範圍不限於中土，即四裔乃至外國，竝所不遺。趙氏《金石錄》殿卷一器爲〈日本國誥〉，洪氏《泉志》立九品泉，有〈外國品〉，遠及大月氏、波斯國錢幣可證。其於古器物文獻既拓墨、鐫石、刻板，又纂爲目錄，以永其流傳，三百年間，以此學名家，且有專著或書目或佚文傳諸今世者，數十百人，王靜安謂雖宋時諸家所藏不及清代諸家之富，然家數之多反過之，洵非虛語。於器物名稱之考定，後之人絕難變其說；其著錄一器，記載詳盡切實，如注明得器之地，出器之家，頗合科學治學精神，其規橅法度，學者至今遵之。若其譯釋款識，大抵愈後愈精，前已舉例。然精覈如洪景伯《隸釋》猶不免以寬懍爲寬慄，以邵虎爲召虎，百醇一駁，究不害其宏旨（參《四庫提要》卷八六頁九至一〇）。至宋儒以器物文獻考訂書本文獻，不獨歐趙諸專門家爲然，劉跂登泰山觀秦刻石，退而按《史記》，凡四百十有六字，而差失者九字（劉跂《金石錄》〈後序〉，附原書後。）；黃庭堅、張舜民見〈詛楚文〉皆以今文釋之。此三子者皆非專門家而亦熱心於此者，非風氣，孰使之然哉！且商鼎周簠、豐碑大碣款識至數十數百字者，宋人固寶之以爲商兌之資，即拳石片瓦殘辭隻字，亦莫不珍惜，如雍耀間耕夫得古瓦，其首作「益延壽」

三字，黃氏據古書考爲漢武帝時所作益延壽觀（《東觀餘論》卷之上頁五四）之類是也。諸家考訂之總成績，本文不能畢舉，然祇就廓開風氣一功而論，既永垂不朽矣。

——原載《國立編譯館館刊》三卷二期，民國六十三年十二月

四十一　《研幾圖》的著成傳布和真僞等問題的探討

兩宋的學術，不論理學或經學，朱子都據有極重要的地位。因爲：朱子以前的宋儒，開端啓蒙；朱子以後的宋儒，發揮闡揚；而同時諸儒，若呂（祖謙）、張（栻）、乃至陸氏兄弟，則商量講論之功居多而已。——朱子常被許爲「集大成」，不是偶然的！

朱子死（一二〇〇）後，門人弟子雖亦不免像孔、墨身後的八分、三歧，然而頗能篤守宗派的，得之三人：一曰黃榦（一一五二至一二二一），二曰輔廣，三曰陳淳。輔氏功在《詩》學，著《詩童子問》，羽翼朱《傳》，時人以其信從過甚，批評道：「聞說平生輔漢卿，武夷山下啜殘羹！」（註一）。陳氏有《字義》，「每拈一字，詳論原委。旁引曲證，以暢其論。」（註二）亦不免碎義逃難之譏。眞正能繼承衣鉢——續成遺書，光大朱學的，不得不推黃氏。（〔宋〕宋端儀《考亭淵源錄》，敘他爲朱門第一個弟子，且節錄其《年譜》〈行實〉，有其見地！）於《儀禮經傳通解》，他續成；於《論語》朱《註》，作《通釋》。但和他的再傳弟子王柏近乎千卷的著述比較，恢弘朱學之功，又瞠乎其後了。

朱子的著述繁富，其中《學、庸章句》和《論、孟集註》是他畢生精力之所萃（《大學》〈誠意章〉，死前三日改未定：見《年譜》）。〔宋〕趙順孫（一二一五至一二七六）說它「其意精密，其語簡嚴，渾然猶經！」（註三）在義理上，《四書》有了朱《註》，後學再也沒有伸張的餘地，於是只好走下面幾條路子：

一　裒集類編：採《語錄》附於朱子《章句》之下，肇於眞德秀。厥後，趙順孫《纂疏》，吳眞子《集成》，陳櫟《發明》，胡炳文《四書通》均是。而倪士毅合胡、陳二書爲一，王逢爲作《通義》，用力尤勤。

二　名物訓詁的考訂：〔宋〕金履祥《論、孟集註考證》，〔元〕張存中《四書通證》等是。大抵皆以《集註》辭約義廣，遽難通解而作。

三　標抹和圖解：把古書或解經的成書，用一些約定的符號或色彩塗抹，以便辨認，這種方法，特盛於晚宋以下的金華學派，這裏不去談它。至於以線條表彰文義，芟翦煩蕪，鈎稽警要，使人一目了然的圖解，却至少北宋就有的。

宋代可說是圖學時代，所謂〈先天〉、〈太極〉，給予理學和《周易》學以決定性的影響。南渡以後，圖學範圍擴及它經。朱子首先把〈太極圖〉引列在《四書》的編首，他說：

先生（案：周敦頤）之言，其高極乎無極太極之妙，而其實不離乎日用之間；其幽探

乎陰陽五行造化之賾，而其實不離乎仁義禮智剛柔善惡之際。其體用一源，顯微無間，……而其實不外乎《六經》、《論語》、〈中庸〉、〈大學〉、《七篇》之所傳也。今故特舉先生《太極圖說》于編首，以見夫《四書》傳授之奥。（註四）

在《大全集》裏，朱子有爲趙致道畫的〈善惡圖〉（註五）和《語錄》裏的〈性圖〉（註六）、〈元亨利貞圖〉（註七）。示程敬之的〈愛有等差圖〉，則見於程復心的《四書章圖隱栝總要發義》（卷下頁一一）：

朱子愛有等差之圖

朱子高弟門人，很少留有圖說的著述。大約後朱子一個甲子，金華王柏（一一九七至一二七四）才把圖學中興起來。黃榦傳何基，基傳柏，柏字會之，號魯齋。他不惟淹通經傳，即「天文、地志、律曆、井地旁及文章、字學莫不各有論著。」（註八）文獻載他有《研幾圖》一卷，這在「通睿絕識，足以窮聖賢之精蘊」（註九）的王柏做起來，直輕而易舉之事。

《宋史》〈本傳〉載柏有《研幾圖》，〈藝文志〉則闕載。史傳蓋依〔元〕吳師道（一二八三至一三四四）「節錄何、王二先生〈行實〉」，〈行實〉略本於葉由庚〈魯齋先生壙誌〉。〈壙誌〉錄其《研幾圖》一卷。而〈行實〉更云柏「作《研幾》七十餘圖。」（註一〇）葉爲王柏老友，吳爲同邑後學，兩人都這樣說。因之，王柏曾作《研幾圖》，憑據似已充分。但最好用王柏自己的話去證明。王柏說：

研窮愈深刻，則義理愈呈露。（註一一）

抉出一個「研」字，這和他的門人金履祥（一二三二至一三〇三）稱頌他「黜浮就實，攻堅研深」（註一二）若合符節。把「研幾」連稱的也有，其詩〈高風行懷本齋〉：

解我槖中書，極深更研幾。（註一三）

同祭北山何先生，也說：「研幾極深，大肆厥功。」（註一四）至於他對上蔡書院學生的訓示（時景定三年），則直稱「非研幾於《四書》者，不知之。」（註一五）

上面這些話，都足以表現研幾這個概念，常被王氏用作深究義理的寶筏。何況後兩條是他

七十華年說的，跟景定二年〈研幾圖序〉（下簡稱〈序〉）時間極近，更顯得重要了。〈序〉云：

《河圖》出而人文開，八卦畫而《易》道顯，九疇錫而〈洪範〉著；書固不先於圖也。成王之傳位也，《河圖》在東序；參錯於天球、弘璧之間。……古人左圖右書，未嘗偏廢。後世書籍浸繁，而圖學幾絕。……圖學之中興，非神聖不能作，非明智不能傳。〈洪範〉歷千有餘年，非箕子孰能陳之。〈先天圖〉埋沒二千餘年，至邵子而始出。濂溪周子再開萬世道學之淵源者，〈太極圖〉也。……予曩自麗澤歸，溫習舊書，有未解者，因手畫成圖，沉潛玩索。……敘其所以，貽之子姓，非敢爲他人道。……景定辛酉清明日，金華王柏識。（註一六）

〈序〉見於各本《研幾圖》前附的，都有「景定辛酉」以下十二字，見於各本《魯齋集》的都沒有這些字。〈序〉的源委清清楚楚，〈序〉裏的文字，一見約取於金履祥。金云：

古者有圖有書。自《易大傳》以後，書存而圖亡。公嘗因〈先天圖〉之出，與〈太極圖〉之作，謂：「圖與中興」……。（註一七）

再爲吳師道所截錄：「（公）嘗謂：『古人左圖右書，後世圖學幾絕。』」（註一八）金、吳曾親見此〈序〉，〈序〉文的眞實，當無問題。難題在一有年月日附於〈序〉尾，一無此十二字。附在圖前都有，存於《文集》的都沒有。依我推斷：《文集》的板本，自爲源流，〈序〉後諸字，或以入元之故削去。附於圖前之〈序〉則幸存。下面有幾條證據：

王柏 《書疑》 宋刊黑口版 前有自序序末有寶祐丁巳王柏自序諸字。（註一九）

王柏 《正始之音》〈序〉 ？ 序末有端平丙申秋仲晦王柏書諸字。（註二〇）

王柏 《詩翼》《詩準》〈序〉 明刊本 序末有淳祐癸卯暮春金華處士王柏仲會父諸字。（註二〇）

後兩〈序〉不見於今《魯齋集》，〈書疑序〉見於《文集》，無寶祐丁巳以下諸字。再看《續金華叢書》本及其所據以梓行的〔明〕正統本卷四全爲序，而各序（不獨〈書疑序〉）末尾全無年月日。這不意味著它爲了某種原因被人黜去了嗎？

〈序〉云：「予曩自麗澤歸，溫習舊書，有未解者，因手畫成圖。」（見前引）考王柏布衣終生，蟄居家園，後半生除了因事去過一、兩次臨安，他的最重要的兩大活動，就是充任在本縣麗澤書院和設在台州的上蔡書院山長了。《宋史》〈本傳〉說：「蔡抗、楊棟相繼守婺，趙景緯（案：字星渚）守台」，聘王柏爲「麗澤、上蔡兩書院山長。」（〈壙誌〉同）。考棟守婺當寶祐五年（一二五七）（註二一），景緯守台在景定三年（一二六二）壬戌七月（註二一

二），王柏任上蔡山長，確爲是歲之秋。證據甚多，此舉其一二：

予踽踽陋巷，朋友凋落。……壬戌之秋，忽有軍將打門，傳使天台史君之書。……觀其姓名，乃果昔聞於朋友而欲見，而不可得者。蓋招予至上蔡書院之講席，予欣然從之。（註一二三）

王實翁（案：王華甫）之創上蔡書堂也，請平舟（案：楊棟字）爲山主，星渚爲堂長，……後星渚竟代實翁爲郡，乃聘予而至。（註一二四）

王氏景定三年秋始至台州，確鑿無疑。但那年那月日從城西南的麗澤書院山長卸任回里，便無從考證。不過景定二年王柏確在金華，《金仁山年譜》有一段極重要的載記：

景定二年辛酉，……魯齊先生自金華來視壙，……有〈挽桐陽散翁〉詩。（註一二五）

〈挽〉詩又見於《魯齋集》（卷十八頁三）。

〈序〉不容易僞託，因其必須要和本書的內容相應，但也只要略下工夫，據本書以求，仍可蒙混一時。〈序〉尾年月日更不容易僞作，因爲它要脗合所僞託的人的生平。這是大多數作

僞者所不耐細究，而常易露出馬腳的地方。《研幾圖》〈序〉文既經門人後學之一再徵引，所署時代復與作者生平不悖，是〈序〉可靠。書成而後序，是王氏曾有《研幾圖》一書之作。因此，我可以寫定兩條：

第一　王柏在宋理宗寶祐五年至景定二年清明日前寫成《研幾圖》一卷；

第二　王柏於景定二年在金華作《研幾圖》〈序〉弁於本書之首。

《研幾圖》雖實有其作，但〈序〉和王氏遺著中，從未提到《研幾圖》收錄多少圖。即〈壙誌〉、金履祥的〈王魯齋文集目後題〉，只說「《研幾圖》一卷」，《宋史》竝卷數亦闕如。僅吳師道作〈行實〉云：「《研幾》七十餘圖」（見前引）。勉從吳氏說，頂多證明其所見爲七十一到七十九圖而已，卻無從追知今傳七十餘圖即彼七十餘圖與否。這該從幾方面去探討：

對古書圖解爲王柏說經常用的方法，除了《研幾圖》以外見於文獻的還有：

一　《皇極總圖》四　圖存《魯齋集》卷十五頁一至四。

二　《洪範圖》？　見《書疑》（兩通志堂本）目錄第五卷。原圖闕刻。

三　《敬齋箴圖》一　見《宋史》〈本傳〉、〈壙誌〉、吳禮部撰〈行實〉。原圖疑佚。

四　《涵古圖書》一卷　見《仁山集》卷三頁一六、《魯齋集》卷二頁一五〈題涵古圖〉。原圖疑佚。

五　《禹貢圖》一卷　見多家書目及《經義考》。原圖未見。

上五種圖後二者自成卷帙，與《研幾圖》無涉。前三者爲「散圖」，極可能爲今《研幾圖》七十三圖之一。二、三兩圖可能性尤大。現在從王柏遺著的整編情形來溯源。金履祥〈魯齋先生文集目後題〉云：

右魯齋先生《王文憲公文集》，今所編次，其第錄如上。……公……聞北山何子恭父之名，于是尋訪盤溪之上，盡棄所學而學焉。黜浮就實，攻堅研深。間因述所考編，以求訂證，謂之《就正編》。迨至端平甲午，學成德進，粹然一出於正。自是以來，一年一集：……自甲午至癸卯，凡五卷，謂之《甲午稿》，——其後類述倣此——《甲辰稿》二十五卷，《甲寅稿》二十五卷，《甲子稿》二十五卷。其雜著成編者：……《涵古圖書》一卷、《研幾圖》一卷、《詩辨》二卷、《書疑》九卷。……其餘編另集，不在此類也。其程課交際、出處事爲則見于日記。履祥又嘗集公與北山先生往來問答之詞，爲《私淑編》。咸淳甲戌七月九日公歿，書藏于家，後又分藏他所。丙子以後，散失幾亡。履祥切念自淳祐乙（案：據《金仁山年譜》知爲己之誤）酉得侍函丈，自是以來，無日不陪書冊几杖之右，凡有詩歌，聞得次和；及有論著，首得披觀。故于諸書具得本末。一時多事，不料散逸，……迨己丑、庚寅之間，天相斯文，募得諸稿之全。其他著

述，或間逸亡，而未盡喪也。于是與同門之士，相與紬繹諸稿，各以類聚。其他雜著，卷帙少者用《朱子大全集》例亦各附入《就正編》。《大象衍義》，北山亦俱有答語，與履祥所集《私淑編》當依《延平師友問答》之例，別爲書。但《大象》乃公所拈出，謂爲夫子一經，故其《衍義》亦自入集。《講義》雖嘗刊于天台，而未盡聞其再講者，今皆入集。……公嘗因〈先天圖〉之出與〈太極圖〉之作，謂：「圖學中興，」故公建圖亦多，今亦立門編入云。(註一二八)

一個無日不陪書冊几杖達廿五年之久，于其諸書具得本末，且親手編類他的遺著的學生的話，實在太重要了。我們把它分成兩部分去看：其一、王柏的原著有（一）《就正編》；（二）稿：《甲午稿》；《甲辰稿》；《甲寅稿》（自理宗寶祐二年——一二五四至景定四年——一二六三）；《甲子稿》（三）雜著（中含《研幾圖》一卷。）（四）餘編另集：（五）《日記》

其二、庚寅（以金氏元大德七年卒考之，知此庚寅爲一二九〇）重編者：（一）《甲午》等四稿（全存），重新編類；（二）其他著述未盡喪；《研幾圖》存亡不知；（三）其它雜著卷帙少者，附入《就正編》；（四）《大象衍義》編入集——《魯齋王文憲公文集》之中。（五）圖多種亦立門編入——編入《魯齋王文憲公集》中。

王柏有一個輝煌的家世，卻戰慄在一個淒涼的晚景裏：獨子頑劣，家產蕩盡。在他死的當月，宋度宗駕崩，子㬎立，蒙古大軍南下，人心驚惶。他的書，此時散佚最多。金履祥收輯整比的雜著部分，絕未及《研幾圖》一字。同時，《研幾圖》非「卷帙少者」，向來自成其編，不可能「附」入《就正編》，我的推斷，《研幾圖》雖「未盡喪」，亦非全帙。「故公建圖亦多，今亦立門編入云」的話語，恐怕是指的王柏另外的「散圖」，即或不爾，亦係散失後一部分《研幾圖》裏的圖，因爲它的量少，才附入《文集》的。其辨如下：

葉由庚說王柏「手圖〈敬齋箴〉，畫出一敬字，爲日用躬行之則。」（註二七）危素（一三〇三至一三七二）也說他「作〈敬齋箴圖〉」。假如〈敬齋箴圖〉爲「日用躬行之則」，他就不可能等到了六十一歲（寶祐五年）以後才畫。葉、危於〈敬齋箴圖〉以外，均別出《研幾圖》一卷，而吳師道說他「作《研幾》七十餘圖、〈敬齋箴〉。」今存《研幾圖》中第三圖的〈敬齋箴圖〉，吳師道明明把他排斥在《研幾》七十餘圖之外。此其一。

《書疑》中有〈洪範圖〉存目，今《研幾圖》十七至三十三圖恰爲〈洪範圖〉。兩處重見。此其二。

我在《永樂大典》（世界書局影印本，百冊，最全），收輯《魯齋甲寅藁》佚文十條，其卷七十九有王柏丙辰（一二五六）〈上廟堂書〉，證明《甲寅藁》確如金仁山所言（葉由庚也有〈魯齋先生文集目後題〉，見吳師道《敬鄉錄》卷十四頁九，〈存目〉），爲理宗寶祐甲寅

以下十年的作品，但在此十年間的景定二年的《研幾圖》，自始至終就沒有混入任何稿之中。履祥而後，王氏子孫，雜出遺稿，舊編寖亂，上述《大典》十條之中，竟有五條見於今廿卷本《王文憲公集》中，具見金之原編《魯齋四稿》（〔明〕焦竑《國史經籍志》卷五頁六七〈集部〉〈別集〉有王柏《魯齋三藁》六十卷，到了《萬歷重編內閣書目》卷三頁二五只剩下《甲寅》和《甲辰》兩稿了），已爲後人重成新編。王氏子孫參稽史、傳，本有《研幾圖》一卷，而原序又見存，遂將原存於《文集》中的散圖抽出，綴爲一卷，襲名曰《研幾圖》，豈不怡然理順。此其三。

今本《研幾圖》編者，求應吳師道「七十餘圖」之語，裒圖七十三，然序次漫無理致，陋儒所爲，決非王氏本原。其中若干圖顯爲後人僞托（見下詳辨），此其四。

爲了敘述方便，我把《研幾圖》分爲兩個本子來說：

一 古本《研幾圖》：金履祥在一二九〇年以前所見到的一卷本和其後或許仍未全佚的散圖。吳師道可能見到的《研幾》七十餘圖。

二 今本《研幾圖》：今實見〔明〕正德四年以下的各本《研幾圖》；其單行與存附《文集》中者同是。

古本到底是什麼樣子，不可的考，姑且把它放在一邊。先從眼前的說起。

甲 〔明〕正德四年三月癸丑重刊本：首有同年月潘棠〈序〉。次爲王魯齋眞像，像下有

〈自贊〉及范祖幹〈贊〉各一。書末有正德四年癸丑李暘〈自識〉，略述梓行經過。

這是我見到最早的本子，北平圖書館舊藏。在原書圖後，抄《宋史》〈本傳〉，〈傳〉後附張樞〈題識〉。隨之爲〔元〕陳景茂〈跋〉：

右《研幾圖》一帙。……永樂初，朝廷訪取遺書，五世孫翰林典籍文英公以是圖進之矣，茂嘗於秘閣得見。今典籍公姪迪任四川按察司僉事，而其子進任江西上饒縣丞，復出是圖。……茂忝王氏甥，遂與□弟迪、璡暨金華二尹陳君禮共捐俸命工鐫梓……時正統六年……。

王文英公、王迪、王進所有的爲永樂以前本，陳景茂據以重刊，是爲〔明〕正統六年本。「其子任江西上饒縣丞，復出是圖」，即棗強李暘「茲圖至我朝始出江西」（註二八）之所本。李刻本諸河內鄭允道藏本爲之。李識云：

一刻寖少傳，而人罕見矣。余來官河內，乃得於鄭國賓司君允道。閱之，凡七十三圖，並載李眞隱、徐毅齋十二圖，共圖八十有五。（註二九）

此本和今見他本最大的差異，就是多出附錄十二圖。徐毅齋（名僑，字崇甫，〔宋〕婺州義烏人：一一六〇至一二三七）是王柏好友葉由庚的老師。他的命、心、性說，中、誠、仁說見於《金華徵獻略》。王柏《文集》中稱徐毅齋者四次（註三〇），對於他的支離破碎的六字說，從未恭維過一字，絕不會錄入《研幾圖》。至六字中說，則不知所本，更毋庸辨，僞托無疑。至於李元綱的〈聖門事業圖〉，「通晝夜之道，明屈伸之理」（註三一），迹近道術（清錢謙益把《研幾圖》列入道家之書，蓋據此附錄也。見後表。），王柏更所不取。《四庫提要》據浙撫採進本存目，云：「此本自二五交運以下爲圖者七十三。」我的推測：南方本七十三圖仍舊，北方本後附十二圖爲新增。而鄭允道、李暘輩或即增附者，且看他們的供詞：

但其傳刻之久，中間文有遺誤塗缺者十之二、三，……既又慮其久而漫滅無傳也，將復登梓，工料既備，適吾同年雲巢潘先生（案：潘棠）宦游懷慶（案：明屬懷慶府，今河南沁陽治境），乃執而就正焉。雲巢欣然爲正其誤，補其遺，爽其塗，完其缺者。（註三二）

由上文知此本確曾經過李等改、補——不獨附錄部份，圖文亦有。潘棠說的尤爲露骨：「是書合三手而同一編，然皆爲《研幾》而有也。」（註三三）這第三隻手是不可靠的。從明正德一直到〔清〕乾隆仍流傳是本。《四庫提要》續云：

又衍聖公孔昭煥家別傳一本，增綴以李元綱〈聖門事業圖〉、徐毅齋性、命、心說諸圖，共爲圖八十有五。(註三四)

乙 〔明〕崇禎五年阮元聲婺州刊本。此存《宋魯齋王文憲公遺集》（十二卷本）第十卷。

丙 〔明〕崇禎五年阮元聲婺州刊，〔清〕順治十一年古晉馮如京增補本。此亦存《宋魯齋王文憲公遺集》（十三卷本）第十卷。

馮增本即用阮本原板重印，增第十三卷八篇文字和《宋史》〈本傳〉，脫脫、張樞兩題語。馮如京爲了炫耀政績，自詡「梨棗散佚，……亟謀捐資，以永其傳。」(註三五) 不可信。因以上兩本《研幾圖》互校，版式、內容全同，僅前者於〈序〉後綴以「崇禎末年季春同邑後學馮登埈康先、戴應鰲波臣同訂，裔孫王函啓爾、王宗熙哉輯梓」諸字，而後者則改爲「古晉馮如京秋水甫重梓，裔孫王週同、男三聘輯，同郡祝基阜長康甫校」，又將「裔孫王函啓爾、王宗熙哉」的「函啓爾宗熙哉」六字挖掉（挖的痕迹尙隱約可見）。

丁 《金華叢書》本（《叢書集成初編》本據之影印。附）：

胡鳳丹的《金華叢書》，據馮本校刻《魯齋集》，定爲十卷。他削去不合理的附錄，剔出《研幾圖》別成單本。

上述甲、乙、丙本有一個共同的錯誤：目錄次序和原圖次序不盡一致。胡鳳丹把它改正了。列表如下：

甲、乙、丙本目錄	胡鳳丹《金華叢書》本目錄
二五交運至君子不謂性命	全同上
二南相配	同上
洪範經	洪範傳目
皇極經	惟皇建極
洪範竝義	皇不建極
洪範對義	五行
洪範傳目	事證
惟皇建極	洪範經
皇不建極	皇極經
五行	洪範竝義
事證（以下同）	洪範對義（以下同）

胡氏不得已才改動目錄的次序以從原圖的次序，因爲同葉之中往往有兩個以上的圖，除非顚倒割裂，便無法強圖從目。甲、乙、丙三本犯同樣錯誤，證明三者遠祖實同。乙、丙刻傳於南方——婺州，沒有附錄十二圖；甲本梓行於中土——懷慶，有之。那末，李暘的「雲巢欣然正其誤，補其遺，爽其塗，完其缺者」（見前引），豈不發人深思？

單純文字的書，傳刻既久，猶不免魯魚亥豕，何況《研幾圖》——用多種線條拼湊，由大小不同的字綜錯排列的呢？各本線條不一，文字差誤，此難卒述。本文只把重大的幾處，在下面討論它的眞僞問題時，隨時提出。

《研幾圖》的眞僞問題，《四庫提要》首先提出。我打算取四種態度去處理這七十三個圖（正德本附錄十二圖已明其爲僞，不計）：第一、圖與王柏其他著述參驗，不悖者爲可信；反之，爲不可信；第二、圖有後人明白引用或引述者爲可信；第三、合乎一般辨僞原則，明其爲僞者，定爲僞託；第四、無所參驗，但無顯著僞迹者，置之存疑。

第一　圖與王柏其他著述參驗

（一）〈洪範經圖〉、〈洪範傳目圖〉（參《研幾圖》第二十一及十六圖）：

〈洪範經圖〉，根據《洛書》，取龜象：（所謂「戴九履一，左三右七，二、四爲肩，六、八爲足」。）以皇極居中。其下爲五行，上爲五福六極，左爲八政，右爲稽疑。五行之左爲三德，右爲庶證。福極之左、右爲五紀、五事。縱橫各三格，成長方形，中實以文字。《魯齋集》〈洪範九疇說〉：「或問九疇之所以則《洛書》，其目可得而易乎？曰：不可易也。……皇極者，四方八面之所取則，故居中而不可偏。三德者，五事之直對也。……稽疑者，八政之橫對也。……庶徵者，五紀之直對也。……福極者，五行之直對也。……三德者，又庶徵之橫對也。……五紀者，又五事之橫對也。……三縱、三橫，九疇之數昭昭然一定而不可易。」（註三六）

其《書疑》以「初一日五行」以下六十五字爲〈洪範〉經文。（註三七）此圖則亦云：

「九章共六十五字，凡五十五事。」

圖云：「初一乃五行。五行不言用，諸疇之用，莫非其用。次五止日皇極，皇極不言數，諸疇之嚮，不可不一。」《書疑》云：「五行不言用者，蓋九疇無非五行之用也。」（註三八）又云：「皇極不言數，……即其位之數，無所往而非五也。……四方八面，環嚮而取法焉。」（註三九）

三書契合，是經圖可信。而〈洪範傳目圖〉圖形與各疇次序及方位跟〈洪範經圖〉全同，僅推五十五事爲八十一事：「箕子之傳（各本誤作陳，此從正德本改），又推爲八十一

者，九九之正數也。」

河洛相爲經緯，爲王柏一貫主張。圖與之符：「《洛書》（各本均誤爲《河圖》，此從正德本改）之數四十有五，《洪範》之經，推而爲五十五事，與《河圖》之數，不期而暗合。」

由上證〈洪範傳目圖〉可亦信。

（二）〈事證圖〉：

朱子一反往古，以〈洪範〉五行之序，配五事之序。王柏進而以庶徵亦依先後應五行。柏云：「庶徵之序亦然。是知貌爲水之生，而雨之爲水也明矣。言爲火之發，而暘之爲火也亦明。視爲木之精，而燠之爲木也亦合。聽爲金之靈，而寒之爲金也，有據。思猶風之無所不之，亦猶土之無所不資也。……今夫一念之差，則視之而不見，聽之而不聞，語言無章，舉動失措，是五事俱佚。……惟五事不敬，則皇極不建。所以驗之於天時者，當雨而不雨，當暘而不暘，當燠、當寒、當風、率皆反是。」（註四〇）這是他寶祐丁巳說的，四年以後，他有了

〈事證圖〉：（錄《研幾圖》第二十圖）

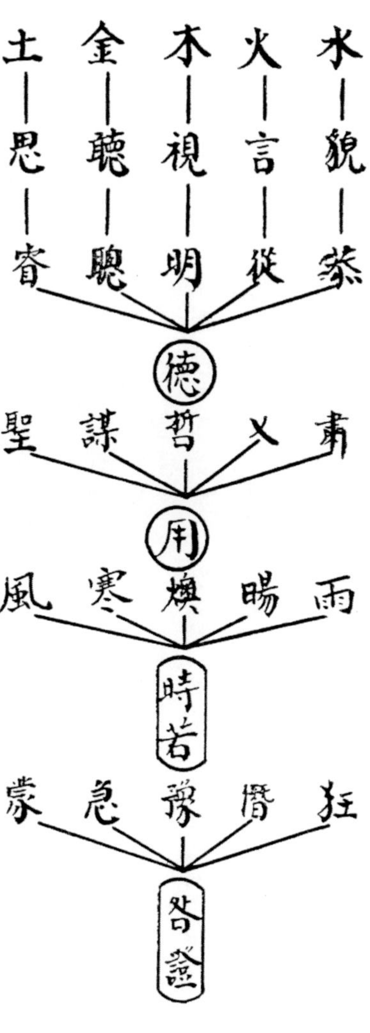

《書疑》沒有說到五事的「德」——恭、從、明、聰、睿，和咎徵——狂、僭、豫、急、蒙。但就「以序相配」這點看，它和〈洪範〉篇是一致的。由〈事證圖〉的徵信，連帶解決了下面說的

（三）〈五行圖〉——以線條括水、火、木、金、土爲五行之序，潤下至稼穡爲其性或德，鹹至甘是其味，圖如下：（錄《研幾圖》第十九圖）

短折、貧、憂疾、惡弱、凶折，括爲六種極。壽、富、康寧、好德、考終，總納爲五種

福。極、福各以序配對水、火、木、金、土、成其

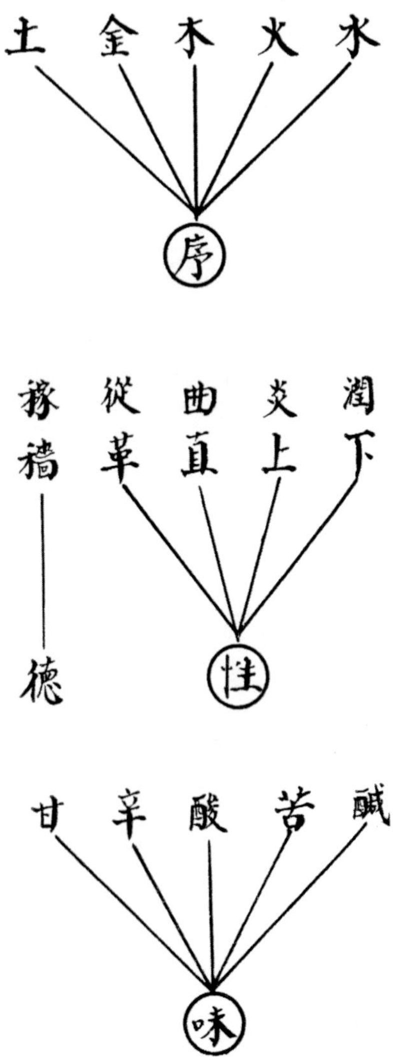

序：水　火　木　金　土

性：潤下　炎上　曲直　從革　稼穡——德

味：鹹　苦　酸　辛　甘

（四）〈福極圖〉：

《書疑》云：「九疇之壽配水，貞固之象也；富配火，嘉會之象也；康寧配木，長善之象也；好德配金，利用之象也；考終配土，萬物之所歸也。」（註四一）六極本爲六種極，王柏併爲五種，以求配五行。「憂疾者，康寧之反；惡弱者，好德之反；貧爲富之反；曰短折、凶折，爲壽與考終之反。」（註四二）絲毫不爽，驗諸原圖：（錄《研幾圖》第二十七圖）

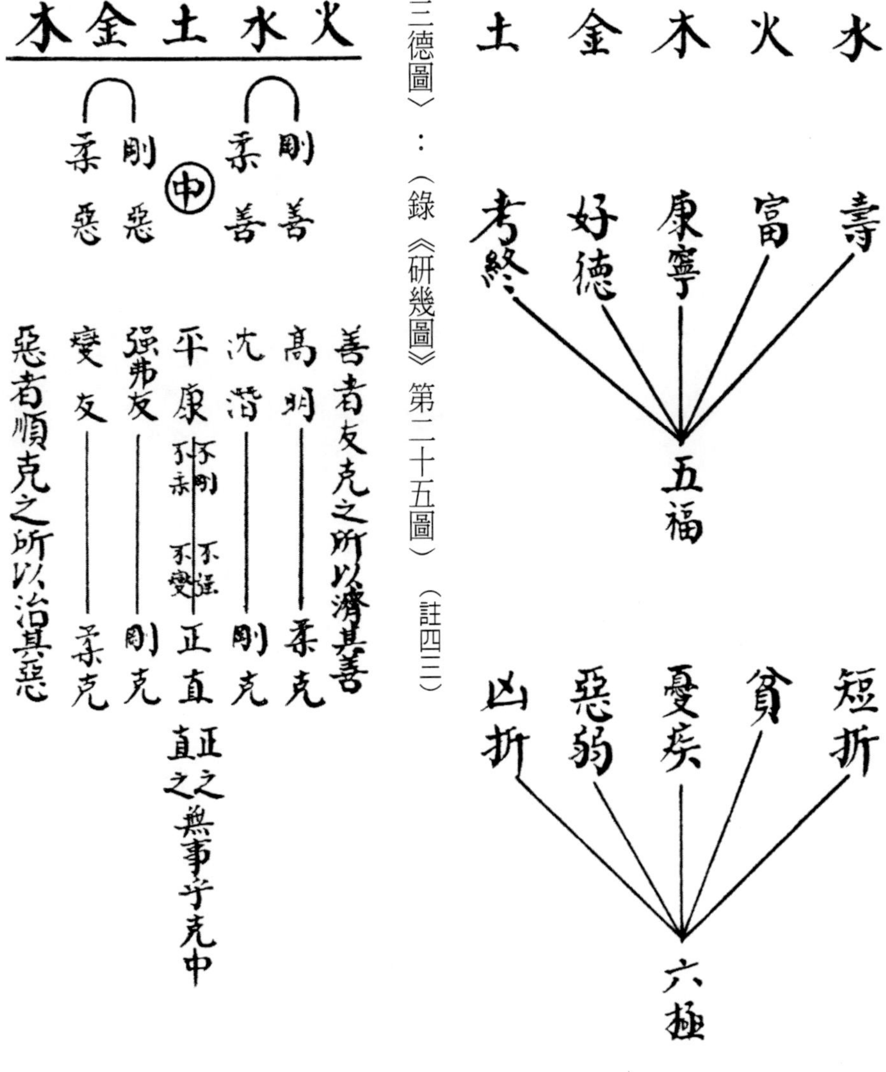

（五）〈三德圖〉：（錄《研幾圖》第二十五圖）（註四二）

爲了置「中」於中央，王氏把「思」（心）所配對的「土」提到中間。「三德者，有剛柔之不齊，必克治俾歸於中。」平康合乎中道，因爲：「平康：不剛不柔，不強不變。」《書疑》釋之尤明：「平者，無剛柔之偏重者也，康者，無事乎強燮者也。」（註四四）所以「不待於克，但正以直之而已。」（註四五）猶圖上「正之直之，無事乎克中」一般。

剛有善、惡，柔亦是。以其表德爲「沈潛者，柔善也，高明者，剛善也；強弗友者，剛惡者也；燮友者，柔惡者也。」（註四六）皆偏，圖側之於左右以是。治偏之道：「沈潛，則當以高明振起之；高明，則當以沈潛涵養之。剛惡者，習於強梗，未易柔服，故必克之以剛善；柔惡者，甘於阿順，而剛無所施，故就克之以柔善。」（註四七）書與圖立意相同，僅文字小異。

（六）〈八政圖〉：（錄《研幾圖》第廿九圖）

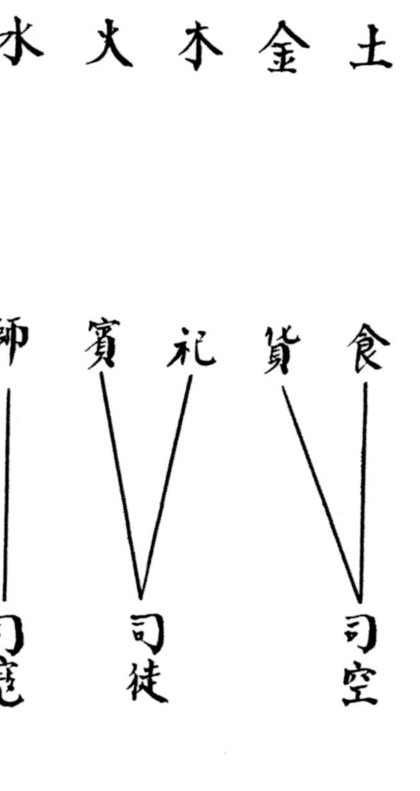

這個沒有依序相配，但《書疑》說明它的理由。他先把八政分成五種職事，由三官司掌。「食、貨、祀、賓、師，五政也，三其司以異其詞。」（註四八）又引朱子語以堅其說：「《周官》一書，只是一箇八政。司空者，食貨之職也；司徒兼宗伯，故祀賓屬之；司寇兼司馬，故師屬之。」（註四九）然後闡其所以相配與夫後先次第，云：「經（註五〇）以農用八政，故傳（註五一）食爲先，土之配也。……貨則金之配也。祀者，報其所由生也，仁之至，木之配也。賓者，禮也，火之配也。師者，眾也，水之配也，地中有水，眾聚之象也。」（註五二）

把五行、五事、八政、庶徵、三德及福極圖等如何相配的情形說清楚以後，再說下面兩圖，就容易看出它們的面貌了。

（七）〈維皇建極圖〉、〈皇不建極圖〉：（錄《研幾圖》第十七、十八圖）

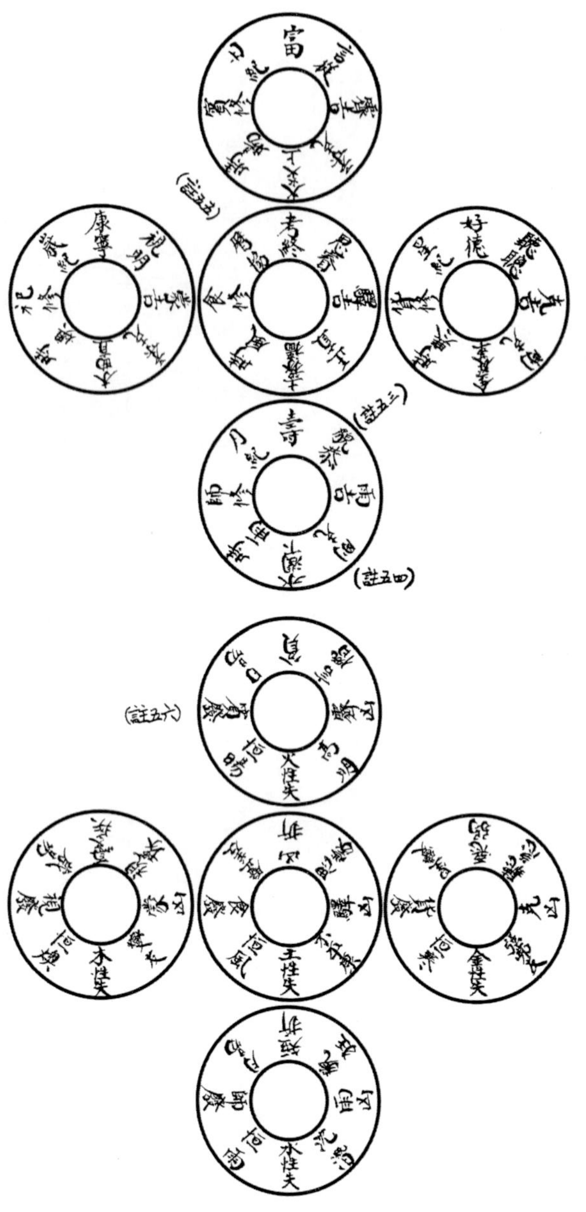

王柏以爲九疇則《洛書》，《洛書》與《河圖》相爲表裏，運用他的數學說皇極，云：「大抵九疇以奇數爲主，故十不見；以對待而全，《洛書》終不出《河圖》範圍之外者也。奇主中而位，四正，偶（原作隅，從正統本改）退而居四隅。一、二、三、四，《河圖》之生數也，此皇極之所以立，蓋有此四者，方可以建極也。六、七、八、九，《河圖》之成數也，此皇極之所由行。蓋此四者，皆自皇極中生也。惟皇之極有建不建焉，故四成數各有兩端——三德：有剛、柔；卜筮：有從、逆；八之有休、咎；九之有福、極，是也。」（註五七）

前四疇爲《河圖》的生數，均有其「用」，以「用」字上一字各爲此四疇行廢的關鍵。這些關鍵字是：五事——敬；八政——農；五紀——協；而五行：「人生動靜之用」、「九疇無非五行之用也。」（均見《書疑》）

四疇皆得正用——敬、農、協及五行的各種性、德，則皇極建。下面一段話說得最清楚：

皇極之建不建，由五事之敬不敬也。（註五八）

八政之用言農者，蓋非農以爲食之原，則八疇俱廢矣。……五紀之用協者，日月之行，各有躔次，……歷數紊亂，而不足以爲紀。（註五九）

《河圖》的「四成數」亦「各有兩端」（見上引）。極建（此〈維皇建極圖〉之所以作），則

民之訓行，六之德能以剛柔克矣，七之卜筮從而吉矣，八之庶徵時而休矣，九之五福亦備矣！（註六〇）

極不建（此〈皇不建極圖〉之所以作），則

六之德偏矣，七之卜筮逆而凶矣，八之庶徵恆而咎矣，九之六極至矣。（註六一）

這兩圖牽涉的較廣，再用上面已經徵實的諸圖和其它的材料列一對照表爲說。（〈皇不建極圖〉和〈維皇建極圖〉相反，不逐條去說）。

1　下圈：

(1)水　潤下　壽　參〈五行圖〉、〈福極圖〉

(2)雨　時　貌恭　參〈事證圖〉

(3)雨　吉　師修　參〈八政圖〉

(4)月　紀　剛克　參〈三德圖〉

2　上圈：

(1)火　炎上　富　參〈五行圖〉、〈福極圖〉

(2)暘　時　言從　參〈事證圖〉

(3)霽　吉　賓修　參〈八政圖〉

(4)日　紀　柔克　參〈三德圖〉

（第（三）、第（四）、（五）圈類推。）

作者的圖意，應該分兩部份去說：一、皇極假如得建，則水潤下，雨以時，師修（餘按圖類推）……。這是根柢於「八面環嚮，皆取法焉」的思想而圖。二、皇極假如得建則水潤下，水潤下則壽。時雨以及雨吉……皆是。這是王柏費盡心機創出來的「對」的思想。〈洪範〉體例本不如宋儒想像的那麼嚴謹，有的可以配、對，有些就無法整齊它們，使之桴鼓相應了。

最教人糊塗的，是月紀和日紀同配柔克；歲紀和星紀同對剛克。檢〈三德圖〉：高明、燮友——柔克，配火、木；沈潛、強弗友——剛克，對水、金。兩柔克，繫於火下則柔善、繫於木下則柔惡。兩剛克亦因屬諸火、金而分善、惡。配於火、水的柔善、剛善，可以入〈建極圖〉；配於金、土的剛惡、柔惡則不可。且「高明、沈潛」爲「善者友克之所以濟

其善」，也不能放在〈皇不建極圖〉以配日易、月易的。

這種矛盾，必須從王柏整個思想體系上去看。他服從朱子把「極」解爲「標準」，爲「八面環嚮」。又融和周、朱之說，以理生萬物（理一），萬物又各具此理（分殊）。推之皇極，以數五而居中（理），八疇環嚮（根於《洛書》）皆有五（分殊）。他說：

五居中者，統體一太極也。八位皆有五數者，物物各具一太極也。（註六一）

五行、五事都具五，經有明文。其他各疇也好拆湊爲五。惟獨三德，他只好支吾其辭：

三德之有五何也？一正直，二剛克，三柔克也。（註六三）

三德而剛柔各克二，亦五也。（註六四）

五數雖湊足，然而問題又來了。高明、沈潛、強弗友、燮友、平康，本來爲〈洪範〉經文，前四者勉強說它們還須要「克」的關係，畫入〈皇不建極圖〉，但是「平康——無事乎克中」，決不可入。王氏只得使出故技，改爲「不平康」了。

在他的想法，畫五圓圈者，以皇極位五，具有五數。居中之圈於五行爲土，在人爲心，

發而爲思（統體一太極）。而心爲皇極之樞要，故居中而四肢百骸皆有所聽命。是以貌（水）、言（火）、視（木）、聽（金）「皆取法焉！」（物物各具一太極）。每圈又空其中，中空者表示其爲九數之五，餘八數同準之取法。

王氏迷信《河圖》《洛書》，強行支解範疇，以求數之配合，其失至此！

（八）〈卜紀圖〉：（錄《研幾圖》第廿八圖）

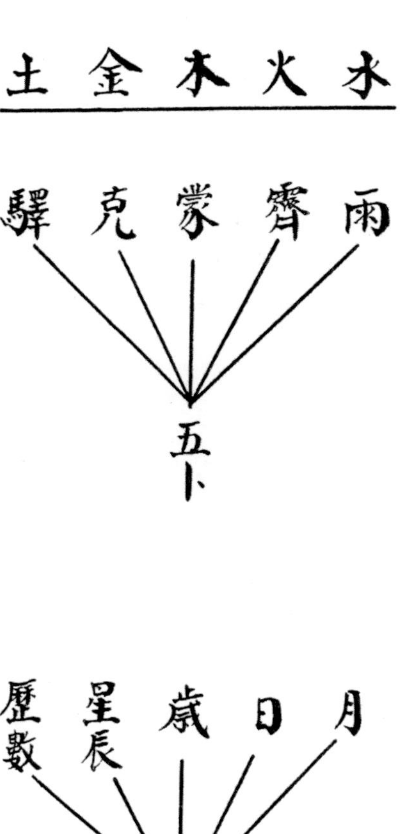

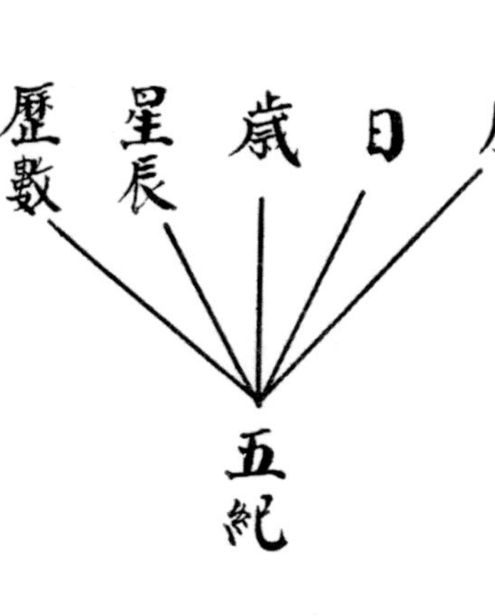

根據《書疑》：「雨配水，霽配火，蒙配木，克配金，驛配土」（卷五頁一〇），則此圖上半不訛。但是下半，大概作者一時疏忽，和〈維皇建極〉兩圖一樣，配錯了。當以歲配

雨，配水，此與皇極兩圖誤為月；當以月配火，此圖等誤為日；當以日配木，此圖等誤取歲。這從《書疑》得證：

歲者，冬之終，故配水也；月者，陰陽之麗，故配金也；日生於東，故配木也。（卷五頁一〇）

此外，王柏各圖之相配，除〈八政圖〉外，皆本經文順序投合，此不得獨異。

第二 圖有後人明白引用或引述

（一）〈二南相配圖〉：（參《研幾圖》第十五圖）

此圖其再傳弟子許謙全引入其《詩集傳名物鈔》（卷一頁五〇至五一）許且云：「魯齋有〈二南相配圖〉，謂：『〈甘棠〉後人思召伯。……』」（註六五）

（二）〈洪範竝義圖〉、〈洪範對義圖〉：（錄《研幾圖》十二、十三圖）（註六八）

《洛書》《河圖》相表裏故

一六竝位二七三八四九皆竝位九疇之義於是相應

上	中	下
二五事　見于事者有得有失	七稽疑　驗于占者有吉有凶	六三德　人囿于質有剛柔善惡之異
九五福　賦于人者有五福六極之或異		一五行　天賦于人有清濁厚薄之殊
四五紀　運乎天者有經緯離合之不齊	三八政　施于政者有善有惡	八庶證　感于天者有變有常
五事　皆有當然之則所謂本然之性	有凶　稽疑　有吉	三德　剛柔善惡不同所謂氣質之性
福極　人之所稟有五福六極		五行　天之所賦有善惡厚薄
五紀　天道之常經也	有得　八政　有失	庶證　天道之變化也

箕子所陳事證相感舉一隅也

今三縱一衡取義亦舉一隅也

金履祥云：「（九）疇之取義有三焉：一曰並義。子王子魯齋曰：『《洛書》、《河圖》相表裏，故一、六，二、七，三、八，四、九皆並位，於是九疇之義相比而應。一與六相並也，……以天賦之氣有生克清濁之殊，則人囿於質，有剛柔善惡之異也。二與七相竝也，……見于事者有得失，則驗於占者，有吉有凶也。四與九相並也，……運於天者，有經緯離合之不齊，則賦於人者，有五福六極之或異也。三與八相並也，施於政者有善有惡，則感於天者有變有常也。』」（註六七）

圖文與仁山所引幾乎全同。

金氏又云：「二曰對義，子王子曰：『一與九相對也，……天之所賦，有善惡厚薄，則人之所稟，有五福六極也。二與六相對也，……人身皆有當然之則，本然之性也；剛柔善惡之不同，則氣質之性也。四與八相對也，五紀者，天道之常經；庶證者，天道之變化也。三與七相對也，……政有得有失，則稽有吉有凶也。箕子所陳五事、庶徵相爲感應，則二與八又相對取義也，四、六亦然。箕子蓋舉一隅以見義也。今三縱而一橫，而取義亦燦然矣。』」（註六八）

此圖與仁山引文文字幾無異，且明白道出圖的形狀爲「三縱一橫」，尤爲確鑿可信。

（三）〈敬齋箴圖〉：（參《研幾圖》第三圖）

葉由庚、吳禮部、危素都說王柏曾作〈敬齋箴圖〉（見前引）。上述四圖，金、許等引述，或「子王子曰」，或「魯齋曰」，無一字及《研幾圖》，所以至多承認它們是王柏作的，不能斷定它們原本是《研幾圖》之一。

第三、合乎一般辨偽原則明其為偽

（一）〈皇極經世總圖〉：（參《研幾圖》第六十八圖）

《研幾圖》是景定辛酉著成，此圖云「自夏壬八年甲子會子午至景定甲子計三千四百八十年」，時代在後，且與《魯齋集》（卷十五頁一至四）之〈皇極總圖〉四不一致。後人羼入無疑。

（二）〈歷代帝王之圖〉：（參《研幾圖》第七十圖）

後人僞託。因：⑴圖有「自堯即位于甲辰至宋景定甲子計三千六百二十有一年」之文，溢出《研幾圖》作成（景定二年辛酉）時代三年。⑵王柏卒於度宗咸淳十年七月九日（癸

未），而趙禥崩於同年同月同日，太子㬎立於甲申（七月十日）。考度宗廟號謚於八月己酉（初六日）（見《宋史》〈度宗本紀〉），王柏不得見。圖中又稱幼主，北金，均柏身後事。蓋後人僞託。

上面解決了十八個圖，只及原數的四之一，因爲證據不足，剩下的圖暫依第四項「置之存疑」，等到蒐證詳實再謀解決。

《研幾圖》的傳布，我從宋（末）、元、明人的著作，較早的方志和文獻志找線索，殊少收穫。想不過份的仰給書目和藏書志，還是不行，現在就我所見知，先行列表。表如下：

見知者			見載書名	見載地點	卷冊數		分類	版本
姓名	時代				卷	冊		
金履祥	宋	一二三二至一三〇三	仁山集	浙江婺州	一		雜著	宋刊本或稿本
吳師道	元	一二八三至一三四四	吳禮部集	浙江婺州		七十三圖		元刊本（？）
陳景茂	明	正統六年前後	明正德四年本研幾圖附	秘閣				明永樂前刊本

見知者			見載書名	見載地點	卷冊數		分類	版本
姓名	時代				卷	冊		
楊士奇	明	一三六五至一四四四	文淵閣書目	秘閣		一	黃字號櫥	
葉　盛	明	一四二〇至一四七四	菉竹堂書目			一	性理	
陳景茂	明	正統六年前後	明正德四年本研幾圖附	婺州金華				明正統六年刊本
鄭允道	明	正德四年前後	明正德四年本研幾圖附	河內懷慶	一	一		明正統六年刊本（可能有增綴）
李　暘	明	正德四年前後	明正德四年本研幾圖附		一	一		明正德四年刊本有增綴
朱睦㮮	明	萬曆間	聚樂堂書目 萬卷堂書目			一？	子儒 子儒	
阮元聲	明	末季	魯齋遺集	浙江婺州	一		圖	明崇禎五年婺州刊本
馮如京	清	順治間	同右。有補遺一卷。	浙江婺州	一		圖	明崇禎五年婺州刻本，清順治十一年重印本（有挖改數字）

見知者			見載書名	見載地點	卷冊數		分類	版本
姓名	時代				卷	冊		
錢謙益	清	一五八二至一六六四	絳雲樓書目	江蘇常熟	一		子道	
黃虞稷	清	一六二九至一六九一	千頃堂書目	福建泉州	一		子儒	
紀昀	清	一七二四至一八〇五	四庫提要	浙江（巡撫進本）	一		子儒	明正統六年陳景茂等刊本（？）
孔昭煥	清	乾隆間	四庫提要	山東曲阜	一			明正德四年李暘等刊本
			廣東省進呈書目	廣東	一	一		
胡鳳丹	清	同光間	金華叢書	浙江金華	一	一	子	清同光間刻本

從王柏死（一二七四）到胡氏刻《金華叢書》（一八七四：同治末年），六百年間，《研幾圖》逐漸從僻處一隅的浙東傳遍長江南北和大河兩岸。著錄在南方——浙江不用說，還有蘇、閩、粵、贛——書家的目錄裏的，茲不細述。載錄在北方庋藏家檔卷裏的，就值得注意了。

傳王柏學說，有兩個重要的人，分別影響南、北方。一是本文一再提起的金履祥。一是四川導江張𩅰。從吳澄所撰的〈墓表〉知道張在元初當過孔顏孟三氏教授，「鄄城士大夫具書幣迎致，以淑其郡入，……教聲溢乎中州。」（註六九）他逗留在北方，約有八年，《濮州府志》、《曲阜縣志》還存有他撰的金石文字。北方的《研幾圖》本，是否與張有關，杳不可知矣！可確知的，只有在金華作過官，重印《魯齋集》的古晉馮如京，《研幾圖》確跟隨《魯齋集》北行。據〔清〕陸隴其《三魚堂日記》：

（戊午十月）十六，會黃俞邰。……云，「王魯齋有《論語考證》。馮名雲驤之尊公宦於金華，有其抄本。又曾刻《魯齋集》。」（註七〇）

馮與其子都到過金華，把《魯齋集》帶回北方。

《研幾圖》從作成到現在，正史有紀錄，不絕如縷。金、葉、吳也再三提到。尤其〈洪範〉諸圖，金氏不獨引在《文集》裏，作《尙書表注》時，也重述他的文字，採用他的論點。那激盪元、明、清三代，使紀昀主持下的四庫館臣至少二十七（註七一）次以上攻擊王柏的「〈野有死麕〉，淫詩也」的話語，在王柏的遺著中，僅僅見於《研幾圖》。設無此圖，《四庫》諸公憑什麼認定王柏以淫詩斥〈野有死麕〉？依所謂《詩疑》，《詩疑》本身就有問題，

何況諸家稱其議刪篇目，多不齊一？最可笑的，這邊，信許謙的引用爲眞，著錄他的《詩集傳名物鈔》時，舉出〈二南相配圖〉，謂柏

師心自用，竄亂聖經，殊不可訓。而謙篤守師說，列之卷中，未免門户之見。（註七二）

那邊，在《研幾圖》之下又反臉不認賬：

考《宋史》〈柏本傳〉雖載柏嘗撰《研幾圖》，然其本不傳，元代諸儒，亦未嘗一字及是書。（註七三）

金履祥已入元，王書整輯亦在入元後，見於《仁山集》，爲《四庫》所著錄者。許、吳、危均元人，而有「元代諸儒未及一字」之語，是眞「師心自用」者。且《文淵閣書目》爲正統的皮藏，放在黃字號櫥裏的《研幾圖》一冊，也許就是宋本或元本，《四庫》一概抹煞，但抹煞不了這本小書對後代的影響的。

《研幾圖》以後，直接受它影響，多以圖來解經的是許謙——王柏的再傳弟子。上面說過

他引〈二南相配圖〉。更有些藏書家，說許的《讀書叢說》中〈禹貢圖〉，是本於他的太老師。今王圖已佚，無從參驗。但許在《讀四書叢說》裏，（至少）畫有二十七個圖。其形式雖不盡同柏圖，細繹之，揣摩王意的亦多。而《四庫提要》許之：

書中發揮義理，皆言簡意該，或有難曉，則爲圖以明之，務使無所疑滯而後已。（註七四）

許氏而下，說《四書》者不復在「或有難曉」的情形下始「爲圖以明之」，程復心《四書章圖》，窮研三十年成書。倪士毅、王逢等作《四書集註輯釋章圖通義大成》，章圖部分，即用程撰。今考其〈大學〉圖二十有九，〈中庸〉爲圖幾近五十，而《孟子》、《論語》幾章章有圖。《論語》章圖兩及（一用，一引）（註七五）「白雲許氏圖說」，其一爲〈學而圖〉，驗以許氏《讀論語叢說》，盡合。茲錄程圖如下：

倪、王之編，纂釋《四書章句集註》，裒類最廣，永樂《大全》因之，頒行天下，爲取士之制，垂二百年。景響之間，王氏《研幾圖》在焉。

《研幾圖》爲後人編輯，七十三圖中，有些爲後人訛託，有些確爲王氏思想下的產物。《四庫》因爲它的相配圖，訾議〈二南〉，遂謂諸圖：

大抵支離破碎，徒亂視聽，即眞出於柏，亦無足採，更無論其僞撰也。（註七六）

張心澂《僞書通考》逕判爲「僞」（註七七）。若據一書出自後人編輯爲僞，則《二程書》朱子所編，亦爲僞書矣；若謂一書眞僞雜出「無足採」，則舊題先秦故書，什九見棄於《四庫》矣。

註釋

一　〔宋〕張端義《貴耳集》卷上頁三三引陳善《雪蓬夜話》載淳熙間一豪士〈送輔漢卿過考亭〉詩。《津逮秘書》本。

二　《四庫全書總目提要》卷九十二頁一八四三〈子部〉〈儒家〉二。藝文書局影印本。下同。

三　見〔元〕倪士毅《重訂四書輯釋》〈凡例〉引。〈凡例〉在原書前附。

四　引文見〔元〕程復心《四書章圖檃栝總要發義》卷上頁一，程書見附於〔元〕倪士毅《四書集註章圖通義大成》卷首。

五　圖見《朱子大全集》卷五九頁四二〈答趙致道〉。《四部備要》本。

六　圖見《朱子語類》卷五五頁二一三八。正中書局影印本。

七　圖見《朱子語類》卷九四頁三八三四。同上。

八　《宋史》卷四三八〈王柏傳〉。藝文書局影印本。〔宋〕葉由庚〈魯齋先生壙誌〉（下簡稱〈壙誌〉）：王魯齋《正學編》（下簡稱《正學編》）卷下頁五五。《金仁山遺書》附刻本。下同。

九　《宋史》〈本傳〉。〈壙誌〉：《正學編》卷下頁五六。

一〇　〔元〕吳師道《吳禮部集》卷二十頁七節錄何王二先生〈行實〉，《續金華叢書》本。下同。

一一　〈壙誌〉：《正學編》卷下頁五〇。

一二　見下（註二六）引文。

一三　王柏魯齋《王文憲公文集》（以下簡稱《魯齋集》）卷一頁一一。《續金華叢書》本。下同。

一四　《魯齋集》卷十九頁七。

一五　《正學編》卷下頁四四王柏署〈《朱子讀書法》後語〉。

一六　〈序〉見各單行本《研幾圖》前附及十二、十三卷本《魯齋集》中《研幾圖》前附。

一七 〔元〕金履祥《仁山先生金文安公文集》（下簡稱《仁山集》）卷三頁一六，〈魯齋先生文集目後題〉。《金仁山遺書》本。下同。

一八 《吳禮部集》卷二十頁七，節錄何王二先生〈行實〉。

一九 見〔清〕洪頤煊《讀書叢錄》卷廿四頁三。《傳經堂叢書》本。

二〇 書今不見。〈序〉存〔元〕程端禮《讀書分年日程》卷三頁一至四。〔清〕同治五年刊本。又：此〈序〉見〔清〕丁丙《善本書室藏書志》〈集部〉十七頁一六。〔清〕光緒三十四年錢塘丁氏刊本。

二一 〔明〕萬曆修《金華府志》卷十一〈官師下〉。學生書局影印本。

二二 〔清〕王棻《台學統》卷二一頁二七載車若水〈台州新鐫五邑坊場河渡錢記〉。〔清〕光緒吳興劉氏嘉業堂刊本。

二三 《魯齋集》卷十二頁一一〈跋趙星渚帖〉。

二四 《魯齋集》卷十二頁一三〈跋王石潭帖〉。

二五 〔明〕徐袍《金仁山年譜》頁七。《金仁山遺書》附刻本。

二六 《仁山集》卷三頁一五至一六〈魯齋先生文集目後題〉。

二七 〈壙誌〉：《正學編》卷下頁五一。

二八 〔明〕正德四年刊本《研幾圖》頁六一李氏暘〈自識〉。

二九 同右。

三〇 卷八頁一六〈答葉通齋〉；卷十二頁二〈跋徐毅齋帖〉；卷十二頁七〈跋陳鄭答問目〉；卷十七頁一〇〈回葉成父〉。

三一 正德本《研幾圖》頁五一王介〈聖門事業圖後序〉。

三二 同（註二八）頁六一。

三三 同（註二八）頁一刊王魯齋《研幾圖》潘棠〈序〉。

三四 《四庫提要》卷九五頁一八八七〈子部〉〈儒家〉。

三五 〔清〕順治增補本《魯齋集》前附馮如京〈重刻魯齋遺集序〉。

三六 《魯齋集》卷六頁一。

三七 〔宋〕王柏《書疑》卷五頁三。《通志堂經解》本。下同。

三八 《書疑》卷五頁九。

三九 《書疑》卷五頁六。

四〇 《書疑》卷五頁八至九。

四一 《書疑》卷五頁一〇至一一。

四二 《書疑》卷五頁七。

四三 高明與柔克，沈潛與剛克之間各無直線。今從正德本改。

四四 《書疑》卷五頁一一。

四五 《書疑》卷五頁一二。

四六 同（註四四）。

四七 同（註四四）。

四八 《書疑》卷五頁六。

四九 《書疑》卷五頁一〇。

五〇 王柏以初一日五行以下六十五字爲〈洪範〉經，五皇建其有極等六十四字爲〈皇極〉經，餘均爲傳。

五一 竝見《書疑》卷五全卷。

五二 《書疑》卷五頁一〇。

五三 各本誤作貌恭，此從明正德本改。

五四 各本誤作剛克，此從正德本改。

五五 各本誤作曆紀，此從正德本改。

五六 正德本誤爲賓股，今不從。

五七 《魯齋集》卷六頁二〈皇極說〉。

五八 《書疑》卷五頁七、頁九。

五九 《書疑》卷五頁七、頁九。

六〇 《書疑》卷五頁一至二。

六一 《書疑》卷五頁二。

六二 《魯齋集》卷六頁一〈皇極說〉。

六三 同右。

六四　《書疑》卷五頁七。

六五　〔元〕許謙《詩集傳名物鈔》卷一頁四五。

六六　案：九五福下，賦于天者之天，當作人。又：並義圖中間一格當爲空白，各本有「五皇極」三字，今從正德本刪去。

六七　《仁山集》卷二頁八至九〈帝命禹敘洪範九疇〉。

六八　《仁山集》卷二頁八至九〈帝命禹敘洪範九疇〉。

六九　〔元〕吳澄《吳文正公集》卷三十七頁六。〔清〕康熙四十八年刊本。

七〇　卷六頁一一《陸子全書》本。

七一　余略檢其經、史、子（部份）集提要，得二十七條。

七二　《四庫提要》卷十六頁三四七〈經部〉〈詩二〉。

七三　《四庫提要》卷九五頁一八八七〈子部〉〈儒〉〈存二〉。

七四　《四庫提要》卷三六頁七四〇〈經部〉〈四書二〉。

七五　《論語集註輯釋章圖通義大成》卷二頁五及卷一頁七。

七六　同（註七三）。

七七　見上冊頁六五二〈子部〉〈儒家〉《研幾圖》一卷下。（是書香港出版）

——原載《孔孟學報》十三期，民國五十六年四月

四十二　宋元之際的學者金履祥和他的遺著（上）

象山以後，江西的陸學，落在楊（簡）、袁（燮）、舒（燐）、沈（煥）的身上，稱爲四明四先生；晦庵作古，福建的朱學，經由他的高弟黃榦傳到婺州的何（基）、王（柏）、金（履祥）、許（謙），學者推尊爲金華四先生。金華四先生當中，以金履祥和他的遺著，最足以代表朱子學派的精神。

一　生平

（一）家世及早歲

朱學在金華盛行，是宋理宗景定末、度宗咸淳初年的事情。（元）吳師道說：「建安之學，散在四方。吾金華何、王氏嘗得其傳。」那時距離朱子去世，不過六十多年，而金履祥從

學何、王之門，剛好十年。他當時三十三歲。

三十三年以前，宋理宗紹定五年（西元一二三二年）丁酉，履祥出生在浙江婺州蘭谿縣純孝鄉。

履祥的先世，本姓劉；因爲「劉」字跟吳越王錢鏐的「鏐」字同音，避嫌省改「劉」爲「金」。（《尚書表注》前面，刻有方印，印文還寫「劉氏之金」）十一世祖纔從衢州搬到婺州。他的曾祖父天錫，事奉父母至孝，相傳感動神明，於是朝廷把他所住的鄉改名爲「純孝」。祖父世臣。父孟先，自號爲桐陽散翁。母童氏，生四子，履祥排行第三。

據說童太夫人將生他的時候，散翁作夢，有虎升屋吼叫。就用《詩經》「維熊維羆，男子之祥」的典故，取名「祥」。年稍長，又改名「開祥」。後來接受師友的建議，更名爲「履祥」。字吉父，號桐陽叔子，又號次農。自謂：有志「負笠而荷蓧，深畊而力耘」，但「力貧而體弱，不能爲上農夫之事，庶幾其次；次不能爲，庶幾其中；中不能爲，爲中次亦可矣。故命之曰『次農』。」三十八歲時，築室仁山之下，叫做「仁山書堂」，因此學者又尊稱他爲「仁山先生」。

仁山纔八歲，就遵從父命，出繼爲從伯父琳的長子章的後人，昭穆本已不順。後來金章得子，履祥生父就已有意叫他歸宗。不久散翁病故，於是便歸宗執喪不返。時景定二年，履祥三十歲了。

跟族兄金章一起生活的二十年當中，在他的人生旅程上，發生了幾件大事：十六歲，補郡博士弟子員。十八歲，考試合格待補太學生。最重要的是結識金華縣的王相（柏弟，字元章）。

（二）求師與交友

研究濂洛之學，南宋蔚爲風氣。履祥的二哥彌高，早年就自己研讀程、朱之書。當時何基在本縣的盤溪講學，基得黃榦嫡傳；又傳授王柏，柏在郡邑倡導理學。所以散翁就想叫彌高前往受業，但不久彌高病死，未能如願以償。

履祥受父兄的影響，十九歲時，就深悔以前用功於詞章的非是，想從何基攻濂洛之學，可惜沒有人引薦。二十三歲時，由於王相的函介，先拜在王柏的門下。〔元〕柳貫〈金仁山行狀〉記載的很詳細：

年十九，知向濂洛之學。聞北山何文定公基得紫陽朱氏宗旨，欲往從之而莫爲之介。年二十三，迺即（王）元章而謀之，將求書往謁敬巖王公佖；……蓋欲階之以進北山之庭。元章曰：「見敬巖姪不若見魯齋（王柏）兄。」……元章即爲書曰：「金吉父與相生同年而月長；蘭谿學者，莫或先焉。今欲請教于左右。吾兄求賢弟子久矣，亦必有以

處吉父也。」於是獲見魯齋王文憲公柏而受其業焉。

他初投師門，請問爲學之方。王柏引胡宏的話告訴他說：「立志」，——「居敬以持其志，立志以定其本；志立乎事物之表，敬行乎事物之內。」又請教讀書的次序，回答說：「自《四書》始。」

魯齋先生又屢次在北山的前面稱許他，並且引他登盤溪受教。北山訓誨他「自今日起截斷爲人。」多年的心願，終於實現了。

履祥在登何、王兩位大師之門以前，就讀過王柏的《五先生文粹》〈序〉，並且研讀晦翁的《論語集註》，已有了心得。所以就在拜師當年的立冬那天，他拿自己撰的《論語管見》去請教王柏。老師批評這部書雖然「儘有見處」，但「正宜用力」，說：

余觀其（《論語管見》）立說，則曰：「凡有得予《集註》言意之外者，則書『余竊惑焉』。」夫孟子之所謂「自得」，欲自然得於深造之餘，而無強探力索之病，非謂脱落先儒之說，必有超然獨立之見也。舉世誤認「自得」之意，紛紛新奇之論，爲害不小！且《集註》之書，雖曰開示後學爲甚明，其間包涵無窮之味，益翫而益深。求之于言意之內，尚未能得其髣髴，而欲求于言意之外，可乎？……苟能俛焉孳孳沉潛涵泳于《集

註》之內，他日必有驗余之言矣。（《魯齋王文憲公集》卷九）。

黃榦吩咐何基治學要用眞實心地，刻苦工夫。基教導王柏讀書應致人百己千之功。履祥在他們耳提面命、身體力行的薰陶下，從此革除少年輕躁的弊病，治實質堅苦之學。他首先警惕自己應該遠名利，親正學，他永遠記念北山的精神，在〈輓詩〉中說：

道自朱黃逝，人多名利趨。獨傳眞統緒，惟下實工夫。

十五年來往師門，所得北山的學旨，也就在眞實與刻苦上面，他在和同窗共祭北山的文中，又說：

自朱子之夢奠，以及勉齋既殂，口傳耳受者，或浸差其精蘊，而好名假實者，又務外以多誣。惟先生纂師言以發揮，剔眾說之繁蕪，以爲朱子之言備矣。學之者，惟眞實之心地，與刻苦之工夫。（《金仁山集》卷一）

履祥中年家貧，何、王二先生對他教養兼施。既作之師，又作之親，〈行狀〉說：

先生家故貧，中歲依二先生以爲之重。而患難之扶持，死喪之救卹，二先生不遺餘力焉。

他倚賴王柏的地方，比何基更多。在〈祭文〉中，他在魯齋靈前祝告：

履祥登門，今二十春。轉迷起弱，弘褊矯輕。進之北山，館我「歲寒」。……昔我大故，貧不克葬，先生賙之，復視其壙。（同上）

王柏一生未做過官，多在家塾講學。「歲寒堂」就是履祥和王氏父子兄弟及其他同學切磋的地方。他二十三歲以後整整二十年中，和魯齋的關係最密切。有時候，作詩與魯齋論學，如〈奉和魯齋先生涵古齋詩〉，討論《易》〈先天圖〉：

圓容無際大無餘，萬象森然本不癯。百聖淵源端有在，六經芳潤幾曾枯？人于心上知涵處，古在書中非遠圖。會到一源惟太極，庖犧原不與今殊。

有時候與老師對酌占和，如〈裝解卷魯齋先生置酒出詩就坐占和〉，論科舉：

功名人事巧推移，誰謂此心即此天？三軸文章祇借徑，萬人優劣漫爭先。豈料科目一時重，要使勳庸後世傳。此意自期尤自信，端如蕉萎有豐年。

他沒有到過臨海的上蔡書院，但對魯齋在臺州的教育事業，非常推崇，〈奉復魯齋先生上蔡書院圖詩〉，說：

臨海關東水滿湖，書堂曾上赤城圖。地居郊左宜芹藻，天賜奎章亦楷模。王謝後前傳正印，東南鄒魯定同符。誰終濺起平湖水，雨我公田幾萬夫！

謝，是謝良佐，二程的高第弟子，時人以爲魯齋的高明剛正似上蔡。而這位「無日不陪（魯齋）書冊、几杖之右」達二十年之久的年輕人，受他的影響當然深刻。

咸淳四年冬天，何基去世。當時王柏主張用玄冠端武加帛，深衣布帶加葛絰，爲北山服喪。但基另一門人張潤之（字思誠）以爲驚駭世俗，極力反對，並且揚言：「今爲古服，魯齋服之可也！」到了成服那天，潤之拒絕到場，魯齋大怒，說：「伯誠不俱來成服，是恥與吾人黨乎？」一向表面溫馴的履祥，充分表現他剛正的一面，他不滿老師的獨斷專行，起來替潤之抗辨：

伯誠非恥與先生爲黨，恥與履祥一輩朋友爲黨耳。且伯誠之說，存之以爲朋友之糾彈可也。

王柏撰〈朋友服議〉，並且引徐僑門人爲師服喪的前例，以堅定他的說法。履祥不服，也撰〈爲師弔服加麻議〉一文，和他對抗，主張以「用古之禮，而不駭今之俗」爲原則。履祥和王氏叔姪兄弟的友誼，要以與佖、佖較爲深密。佖字敬巖，是宋孝宗宰相淮的嫡孫。傳朱子之學，因爲慶元黨禁的公案，議論對他頗不諒解。只有履祥深知他的苦衷。咸淳五年，〈奠王敬岩文〉說：

昔在孝宗，相維魯公，於時朱子，亦在外庸。書疏所通，直辭正誼，譬諸《春秋》，責備賢者。世莫知此，曰矛曰盾，數十年來，公議悠悠。惟敬岩公，秉資超卓：魯公之孫，朱子之學。兩公之門，於是始通；兩公之心，至此昭融！（《金仁山集》卷一）

王佖是履祥的學侶，也是他的摯友。彼此形影不離：「深衣朝行，擁衾夜語」；無所不談：「不彼不疑，靡懷不吐：受用之要，心事之微。」佖的方正，他引以自勵：〈題王立齋矩軒記後〉說：「學者毋欺惟暗室，聖門所樂只靈臺。」佖的曠達，他欣賞：〈立齋靜佳樓和王

吉州韻〉說：「儼若思時居此敬，寂然靜處感而通。」

《新安學系錄》列張潤之爲何基的弟子而不及王柏，大概因爲潤之主張學問只要篤守師訓，發明北山之學即可，不必別立異說。而北山也以爲學至朱子而備，只要發揮朱子之說，便已盡到後學的責任。柳貫說履祥得北山的清介純實，恐怕他這種性格的形成，潤之（也是蘭谿人）給予的影響力還要大些。宋端宗景炎二、三年之間，潤之避居於洞山，履祥爲他作〈洞山十詠〉，最後一首對他相當恭維：

高岩南下走羣龍，兩小源頭合一峯。問道是中人不識，先生信善擇中庸。

他往往以「善擇中庸」衡量潤之的。何基在世時，曾輯《近思錄發揮》未成，履祥繼成此書，每條都折衷於潤之。甚至直截了當說：「思誠子于朱門爲嫡孫行。」發揮和訂補朱子的遺書，是履祥日後著作的主要方向之一，無疑地，張思誠影響他較大。

（三）宋亡前後

南宋中、後期，朝野有識之士，莫不憂慮士大夫狃於偏安的局面，故多託意孔明，旨在警懲苟安。「東南三先生」中的朱（熹）、張（栻）和王柏的父、祖都是。他們的眼光，都凝注

在大江上游，以爲蜀可保則進能攻，占高屋建瓴之勢；退可守，恃險以拒，敵人仰攻不易。對於海道，王柏告訴履祥的，只是「不可不防，而亦不足憂」，因爲：

海舶與江艦不同，進退實繫於風，非人力之可必。得風而進也，固易；失風而退也，極難。彼豈能爲必勝哉，能無慮其欲退乎？（見《永樂大典》卷一四四四六所收王魯齋《甲寅藁》〈丙辰上廟堂書〉）

不精通天文學，就不能利用風向；不深諳地理學，就不敢輕議海事。履祥青年時就長於天文、地理之學。許謙說：

先生……方從王先生時，與同舍生夜步庭中，指謂之曰：某星入某次，某分野當有某變；已而果然。（《通鑑前編》〈序〉）

《王魯齋文集》中也記載他在二十六歲那年與王柏、王希夷「夜觀天文，辨星象」的事。

許謙又說：

郓人李某者，嘗侍坐於先生，言次及其鄉里。先生因歷歷爲其言山川、風土、物產之宜，如指諸掌，某大驚服！（同上）

一點也不錯，吳師道就稱贊他「天文、地形、禮樂、刑法、田乘、兵謀、陰陽、律曆，無不博通。」所以當咸淳四至九年之間，襄、樊被圍的時候，他敢跑到臨安向朝廷獻由海道直攻敵巢的戰略。〔明〕章贄〈金文安公傳略〉，說：

> 履祥……負其經濟之略，亦未忍遽忘斯世也。會襄、樊之師日急，宋人坐視而不敢救。履祥因進牽制擣虛之策，請以重兵由海道直趨幽、薊，則襄、樊之師將不攻而自解。且備敘海舶所經，凡州郡縣邑，下至巨洋別島，難易遠近，歷歷可據以行，宋終莫能用。及後，朱瑄、張清獻海運之利，而所由海道，與先生所上書，咫尺無異者，然後人服其精確。

他學識豐富，考訂精確，不是偶然的。一方面得自紙上材料，一方面徵諸耳目聞見。他在《通鑑前編》爲弱水和流沙下註的時候，說：

王元章云：山東孫氏子，自少爲兵，嘗乘皮船以渡，久之，又船行至南詔。蓋軍人不知典籍，此非但渡弱水而西，又循黑水而南矣。又嘗問西域賈人：「識流沙否？」曰：「識之；非惟沙流，石亦隨之流也。」（卷一）

王相和他隨時都留心北方的形勢，可惜肉食者不用他的奇策，否則歷史也許會改寫。直到咸淳九年襄、樊失陷之後兩年，王公大臣纔想起曾獻良謀的履祥，於是召爲史館編修，但他羨慕嚴子陵的「懷輔存體用，治亂生死關」，辭不就任。十年以前（咸淳改元），他到過釣臺，慨嘆「萬事盡隨江水去，千年寧幾客星來？」十年後（德祐改元），他「講明嚴夫子之心事」的願望，終於實現了。嚴州郡守以魯齋任教上蔡書院的故事聘他主教釣臺書院，他欣然就道。

次年，元軍陷臨安，兵荒馬亂，他攜妻子避居金華山中。帝昺祥興二年，宋亡，履祥四十八歲。從此決意避世，以遺老自任，自署爲「前聘君」。撰文著書，只記干支，不用元朝年號。如元世祖至正十七年，他撰《通鑑前編》〈後序〉，末記「上章執徐（庚辰）之歲」。二十六年〈告魯齋先生謚文〉，記「歲次己丑」。同時，將德祐二年（丙子）至元世祖二十八年間的雜詩、文，題作《仁山亂稿》，他解釋說：「自丙子之難而生前之望觖。」世祖二十九年（壬辰），第三子頡卒。此後，他的雜詩、文，改題爲《仁山噫稿》，他說：「自壬辰哭子之戚而身後之望孤。」

元成宗大德七年癸卯（西元一三〇三年），履祥死，年七十二。元順帝至正年間，特諡「文安」。里人建四賢祠，讓他與何、王、許並祀，又建仁山書院紀念他。

二　遺著

履祥的遺著，除了它本身自成一家之言以外，還有附帶的價值：

第一　補充王柏學說的不備——如王柏論《河圖》《洛書》相表裏，〈洪範〉九疇的取義有三：一是並義，二是對義，三是次第。並、對義，王柏在他的《研幾圖》及《書疑》裏都已解釋清楚，只有次第問題，王書說的不夠明白。履祥的「帝命禹敘洪範九疇」講義（《仁山集》卷二）補充這一條，說：

……五行於一，以見化生人物之始也。五行化生萬物，人得其秀最靈，而五行之在人者爲五事，故五事次之於二焉。……

第二　保存佚文——如朱子本著有《孟子要略》，原書早已佚失。履祥《孟子集註考證》多引《要略》之文，像（卷一）〈梁惠王上〉第一章，履祥註：「此章入《要略》三卷之

首。」再像〈盡心下〉「人能充無受爾汝之實」後，履祥註：「此章入《要略》一之七。但《要略》註尚是舊說。」清人劉傳瑩收輯這些佚文，併爲兩卷，使我們知道許多朱子對《孟子》有關的解說，並且可以看出：將《四書》本文分類編排，不必等到宋末元初就已有了。更如履祥的《論語集註考證》、《通鑑前編》和《濂洛風雅》零星引述黃榦、何基與王柏的佚書裏的文字，大約有：

(1)黃榦的《論語通釋》。

(2)何基的《四書發揮》。

(3)王柏的《論孟通旨》、《讀書記》、《帝王歷數》、《詩可言集》。

金華學派學者的學說大要，就因爲金書的存傳，幫我們得到了更多的瞭解。

（一）書目及板本

履祥的遺著，佚失的僅爲《昨非存稿》、《仁山新稿》、《仁山亂稿》和《仁山噫稿》一些雜詩、文，主要足以代表他學說的著作，大致存傳至今，計有：

一　《書經注》十二卷，早年作　《十萬卷樓叢書初編》本、《碧琳琅館叢書》本及《芋園叢書》本。

二　《尚書表注》二卷，晚年作　《通志堂經解》本、《金仁山遺書》本、《四庫全書》

本及《金華叢書》本。

三　《大學疏義》一卷，五十八歲以後作　《金仁山遺書》本、《四庫全書》本、《金華叢書》及《叢書集成初編》本。

四　《論》、《孟集註考證》十七卷，作時不詳　《金仁山遺書》本、《四庫全書》本及《金華叢書》本等。

五　《通鑑前編》、《舉要》，共二十一卷，四十九歲作　《金仁山遺書》本、《四庫全書》本、《通鑑綱目全書》本及《通鑑綱目四編合刻》本。

六　《金仁山集》五卷，多晚年作品　舊鈔本、《金仁山遺書》本、《四庫全書》本、《金華叢書》本、《叢書集成初編》本及《國學基本小叢書》本。

七　《濂洛風雅》六卷，六十四歲作　《金仁山遺書》本、《四庫全書》本、《金華叢書》本、《叢書集成初編》本。〔附〕《增刪濂洛風雅》，〔朝鮮〕朴世采撰，〔清〕康熙間朝鮮刻本。

上面這些著作，分析歸併，可釐爲三大類：一、經學的（《尙書表注》及《論、孟集註考證》等），二、史學的（《通鑑前編》等），三、文學的（《金仁山集》、《濂洛風雅》）。他的學旨，有的淵源於前人，有的遵守師說，更有自己的創見。在金華的建安之學，從他有了顯著的轉變；清三百年學術，因他而光輝。下面分類敘述它的要點：

（二）經學

1　尚書學：附理學

履祥少年時，就對《尚書》舊注表示不滿，〈行狀〉記他「屏舉子業不事，取《尚書》熟習而詳解之，然解至後卷，即覺前義之淺。」

宋代是我國經學史上的大變動時期。從〔北宋〕歐陽修起，學者紛紛懷疑六經。在《尚書》方面，最重要的是《古文尚書》眞僞的討論。吳棫提出這個問題，朱子加以重視。等到蔡沈作《書經集註》，一面懷疑古文：認爲〈泰誓〉、〈武成〉兩篇「似非盡出於一人之口」，並且在每篇之下，標明今文、古文，表示今、古文有所不同；一面又以〈大禹謨〉篇有「人心惟危，道心惟微，惟精惟一，允執厥中」十六字，爲堯、舜、禹三聖相傳之心法，不敢輕議。至於王、金二家，〔清〕陸心源說王柏《書疑》「多斥古文而崇今文」，是錯的；但說金仁山「受業于王氏，而不掊擊古文，蓋猶守紫陽之遺訓」（《書經注》〈序〉），則大致不差。

堯命舜，命辭只一語「允執厥中」，簡單；而〈大禹謨〉的舜命禹則加強。於此詳彼略之故，蔡《傳》解釋不夠明白，履祥《書經注》（卷二）說：

堯之授舜，曰「允執厥中」，此授之以治天下之則也。一人之治天下，惟在持此無過不及之則，以裁天下之事，使之各得而已爾。舜之授禹也，而益以三言，則又授之執中之則也。……心者，知覺之生乎氣，如耳、目、鼻、口、四肢，凡攻取之欲是也。道心者，知覺之生乎理，如惻隱、羞惡、辭讓、是非之端。……生乎氣者，固亦理之所有，而易流於欲，故危；原乎理者，攝乎氣之中，而不充則晦，故微。……蓋道心之所以微，亦以人心之危有以微之也。精則察此念之發，爲人心、爲道心也；一則守道心之正而不貳也。如此則自吾心而達之天下，凡所云爲者，皆有以得其中矣；中即道之用也。

這十六字是宋代理學的根柢，必須在經書上找到根據；有了根據而不能闡釋清楚，理學的基礎仍不穩固。張子厚、程伊川論性分天命之性與氣質之性，履祥也在古文〈湯誥〉篇替它作了註腳：

天以一理化生斯人，舉凡人倫庶物，莫不各有自然之中，無過不及者。付在人心，故謂之降衷。自其受於人心，則謂之性；自其達於事物之間，莫不由之，則謂之道。

王柏說〈湯誥〉的「惟皇上帝，降衷于下民」，就是子思〈中庸〉所說的「天命之謂

性」。又移〈中庸〉第二十九章爲末章，使繼周濂溪的《通書》首章，成爲緊密銜接的道統。但不如履祥徑以《太極圖說》來詮釋「綏猷」來得有力：

> 以降衷而言，則固同此不偏不易之性；以氣稟而言，則不能不有清濁純駁之殊。故必有任撫定之責，以各使之安行於是者，此所以爲之君也。周子所謂「聖人定之以仁義中正而主靜，立人極焉」，蓋「綏猷」之謂也。（上二引均見「惟皇上帝」至「克綏厥猷」下履祥注）

然而眼光銳利的履祥，並未全被彌漫一時的「理」學蒙蔽，他看出古文〈仲虺之誥〉「葛伯仇餉」一節乃〈湯征〉篇的本文，後人竄亂到〈仲虺之誥〉裏的。他說：

> 《史記》〈殷本紀〉載〈湯征〉之辭而不類，蓋非〈湯征〉之舊文也。孟子引亳眾往耕之事，疑出此書。（〔清〕閻若璩《尚書古文疏證》卷一引）。

《僞古文》二十五篇內，沒有「〈湯征〉」，（《書序》有），否則僞書作者不致綴輯《孟子》所引〈湯征〉的舊文，羼入〈仲虺之誥〉。履祥既已看出〈仲虺之誥〉有它篇之文羼

入，非識其爲僞書而何？清閻若璩引用履祥上段話，「嘆爲卓識」，且「因悟」出僞作者的欺騙心迹，定了他的《尚書古文疏證》第十一條，他說：

孔安國《傳》於「葛伯仇餉」，注曰：「葛伯遊行，見農民之餉於田者，殺其人，奪其餉，故謂之仇餉。」夫晚出古文，分明從《孟子》勦取《書》語及作傳。不曰「亳衆」，曰「童子」，而泛曰「農民」，若似葛伯所殺，爲即其葛人，于湯無涉，而乃更與《孟子》違者，正以掩其勦《孟子》之迹也。（卷一）

不獨《僞孔傳》，僞孔安國〈序〉的破綻也多：它爲了以「古」眩今，說〈三墳〉之書言大道，〈五典〉之書言常道，而所謂〈墳〉、〈典〉之書則久已不傳；它爲了欺惑後世，詭稱孔壁所出古文爲科斗文，當時無人認識，而自秦至漢武帝時，纔七十年，決不至「無人能知者」；假若無人能知，又何從「以所聞伏生之書考論文義」？最無法藏僞的，就是朱子所疑的〈序〉的文體不像西漢文字。履祥從學術發展史上觀察，認爲〈僞序〉是東漢人所作，蓋發前人之未發：

履祥疑安國之〈序〉，蓋東漢之人爲之。不惟文體可見，而所謂「聞金石絲竹之音」，

端爲後漢人語無疑也。蓋後漢之時，讖緯盛行，其言孔子舊居事，多涉怪。如闕里章，自除張伯藏壁之類；如此附會者多有之。則此爲東漢傳古文者託之，可知也。（《尚書表注》卷上）

王肅（漢獻帝興平二年至魏高貴鄉公甘露元年）僞作。戴靜山君仁先生以爲子雍門下所撰。履祥「東漢傳古文者託之」的看法，替王肅罪嫌添一佐證。

〈僞序〉、《僞傳》及僞古二十五篇經文，同出一手。〔清〕丁晏《尚書餘論》以爲那是

〔漢〕劉向校書，就發現〈酒誥〉、〈召誥〉篇脫簡。今本《尚書》各篇經文，不可否認的，有許多錯簡、脫簡的情形存在。漢人注書，懷疑經文有錯誤，僅在下面注明，而不更改原文。蔡沈《書經注》還遵行漢法。到王柏《書疑》，纔打破成規，直接更改經文。履祥有些地方是沿襲《書疑》的，譬如：

一　〈堯典〉篇「神人以和」下，有「夔曰：於！予擊石拊石，百獸率舞」。蘇東坡以後諸家，多認爲是下面〈皐陶謨〉篇的錯簡，履祥直接刪去這十二個字，不予注解。

（《書經注》卷一）

二　同篇「肆覲東后，協時、月，正日；同律、度、量、衡。修五禮，五玉，三帛，二生，一死，贄。如五器，卒乃復」。履祥採取朱子、蔡沈的意見，而直接把經文次序

改爲「肆覲東后，五玉，三帛，二生，一死。贄。協時、月，正日；同律、度、量、衡。修五禮，如五器，卒乃復。」

這種恣意刪改古書本文，不夠謹慎的治學態度，只出現於他早年的《書經注》裏。後來大徹大悟，不再盲從他老師的輕妄。《尚書表注》以獨特新穎的風格出現，完全糾正和彌補了上述的闕失。〈自序〉說：

履祥繙閱諸家之説，章解句釋，蓋亦有年。一日擺脱衆説，獨抱遺經，復讀玩味，則見其節次明整，脉絡貫通。中間枝葉與夫訛謬，一一易見。因推本父師之意，正句，畫段，提其章旨與夫義理之微。事爲之槩；考證文字之誤，表註四欄之外。

《四庫提要》說這部書是履祥「晚年定本」，看「繙閱諸家之説有年」及「一日擺脱衆說」的序文，大致說的不錯。又說此書「於每頁之上下左右，細字標識，縱横錯落，初無行款。於古來著經之家，别爲一體。」這部書把章旨、義理與考證的文字，用小字表（表現的表）註在四欄之外，有它的理由：

第一　就是〈自序〉所說的，容易看得出經文的章節脈絡，進而發現其中的訛謬。

第二　不使註文混入經文。漢初注經，經文傳文各自爲卷帙，不相雜厠。自〔東漢〕馬融

注《周禮》，爲了省讀者兩檢之煩，纔把注文直附經文之下，這樣一來，經、注文字互誤的情形就屢見不鮮了。爲了免除這種弊病，而又不蹈兩檢之煩，履祥纔將經文範圍在欄內，注文依附在欄外。

第三　重視古代文獻保存的，雖一字一句也不肯輕易遺漏，如朱子；強調古代文獻義理之涵蘊有醇疵之別的，即使整篇整章之刪節，也在所不惜，如王柏。後者曾謂《尚書》〈堯典〉、〈舜典〉、〈皐陶謨〉、〈益稷〉四篇「實訓誥誓命之祖也。百篇之義，皆從此出。百篇雖亡，而四篇獨存，不害其爲全書；四篇或亡，而百篇存，無益也。」這種駭人聽聞的言論，履祥晚年，深知其非是。所以表註只把懷疑當移的經文提示在欄上，如上述的「五玉」至「贄」九個字，他引朱子的話，說「當在『覲東后』之下」。又如〈康誥〉篇首有「惟三月」至「乃洪大誥治」四十八字，蘇軾、朱子以爲是〈洛誥〉篇首之文，履祥說：「按：此敘〈洛誥〉亦未協，當是〈梓材〉之〈序〉；詳辨于〈梓材〉、〈召誥〉之首。」懷疑當刪的，只把衍字衍句圈記在原文的四週，提舉其理由在它們的欄外，如上述之「夔曰」至「率舞」十二字。再如〈堯典〉「象恭滔天」的「滔天」二字也是；甚至有些必須圖解的，也可以畫在相關經文的附近了，如〈洪範〉諸圖。

當然，《表注》的體例，不是毫無瑕玼可議的。他受經文篇幅的拘束，不能像一般書注，可以自由伸展。因此，有時候被迫壓縮文字，甚至長話短說，形成語焉不詳的缺憾。不過他這

部《尚書》學的代表作，最主要的貢獻，並非在於體例發前人所未發，而在於他的卓識洋溢於篇章。這些並不是「推本父師之意」而得的。

——原載《國語日報》〈書和人〉八十九期，民國五十七年七月

四十二　宋元之際的學者金履祥和他的遺著（下）

《書經》〈高宗肜日〉篇，《書序》以爲殷高宗肜祭成湯，祖己作此篇訓戒當時的國君祖庚。《書序》錯誤。司馬遷的《史記》，前面把這篇文章繫在高宗武丁的紀年下；後面的祖庚紀年下，又說：「帝武丁崩，子帝祖庚立，祖己嘉武丁之以祥雉爲德，立其廟爲高宗，遂作〈高宗肜日〉。」《史記》前後矛盾。

履祥批評司馬遷交孔安國（古文家），爲「安國所誤，故重取而無擇云。」又提出三點理由，推翻《書序》的說法，不滿太史公的游移。第一、高宗是廟號，故爲武丁身後的追述，決非當時本文；第二、肜是商代的繹祭，由士主持其事，國君不親自參加，故高宗肜日非武丁祭成湯。《尚書表注》論爲祖己告幼君之書。他說：

此□自撫〈高宗肜日〉，總言無豐于昵。高宗，廟號也；似謂高宗之廟。昵，近廟也；似是祖庚繹于高宗之廟。兼高宗名臣不□，祖己乃訓于王，似高宗幼君。《書序》大

誤，惟《史記》謂此書作于祖庚之時，爲得之；而其說不易明。（卷上）

後世的學者，對履祥的意見，信疑參半。信的有〔明〕劉三吾，見《書傳會選》；〔清〕張英，見《書經衷論》。疑的有〔清〕劉逢祿，撰《書序述聞》，斥履祥之言「勿深考」；〔清〕簡朝亮，著《尚書集註述疏》，駁履祥所疑非是。然而履祥的看法，到底得到甲骨文字的支持了。王國維《觀堂集林》〈高宗肜日說〉，推崇仁山之說。他的學生楊筠如用殷墟卜辭，證明履祥之說確的。楊氏在《尚書覈詁》說：

據甲骨文字，如《殷墟書契前編》卷一第五葉：「乙酉卜，貞：王賓卜丙，肜日？」第九葉：「壬寅卜，貞：王賓卜壬，肜日？」卜丙、卜壬，即外丙、外壬也。……肜日之上，並爲所祭祖先之名。然則此篇當爲祖庚祭高宗，非高宗祭成湯。（卷二）

這在甲骨文大量出土、古文字學相當發達的今天，也許不足爲奇，但在七百年前的宋人，實在算是了不起的創獲。何況履祥的貢獻，僅在對《尚書》解說上，還有更教人佩服的呢？

〈君奭〉篇：「（周）公曰：君奭！在昔上帝，割申勸寧王之德，其集大命于厥躬。惟

文王尚克修和我有夏。」

「割申勸寧王之德」，《禮記》〈緇衣〉篇引作「周田觀文王之德」。〔漢〕鄭玄說：「今博士讀爲『厥亂勸寧王之德』。」後人對這句話所下的解釋，始終未能溝通上下文義。有的釋「割」爲「切割斷絕」；有的說「割」爲「割周」，指文王羑里之厄而言；蔡沈以「在昔上帝割」爲一句，認爲「割」是割于殷商。《尚書表注》獨排眾議，說：

「割申勸」，傳記引此作「厥亂勸」，又作「周田觀」。按「周」字似「害」；「割」以「害」而多刀，聲亦近似，當作「害」，音曷：何也。言上帝何爲而申勸武王之德，集大命于其身哉？（卷下）

「申」與「田」，「觀」與「勸」，因字形相近互相訛亂，容易辨識。說「周」字似「害」，要是不拿鐘鼎文字來印證，誠難令人相信。「害」，〈師害毀〉上書寫的古字作「[glyph]」，形狀像「周」；「周」，〈格伯毀〉上鑄存的古字作「[glyph]」，樣子似「害」。確定了「周」是「害」的錯誤以後，再來解釋「害」。原來古字都沒有偏旁，「割」的右邊「刀」，是後增的，這是運用文字學的知識；「割」、「害」音近似，音近則意義往往互

通，這要具有聲韻學的知識。——宋儒高談心性，除了朱子等少數學者以外，誰也不屑窮治小學。履祥雖然處在金文學不甚發達的時代，仍然能憑藉小學的修養，予古書以適當的解釋；就像他認定《尚書》〈堯典〉、〈皐陶謨〉的「益」（又稱伯益），就是《史記》〈秦本紀〉的「伯（柏）翳」，充分應用小學的知識一般。他說：

> 秦聲以入爲去，故謂益爲翳也。字有四聲，古多轉用，如益之爲翳，契之爲卨，皐之爲咎，君牙之爲君雅是也。此古聲之通用也。有同音而異文者，陶之爲繇，垂之爲倕，鯀之爲鮌，虺之爲偪，紂之爲受，冏之爲臩是也。此古字之通用也。（《金仁山集》卷一〈伯益辯〉）

後人多贊同他的見解，〔清〕趙翼《陔餘叢考》「伯益伯翳一人」就是一例。

履祥說《尚書》，有些地方不免蹈襲宋儒以臆懸斷的習氣。如誤從胡宏、呂祖謙、陳鵬飛、薛季宣，認〈西伯戡黎〉篇的西伯爲周武王，非文王。（《尚書表注》卷一）〔清〕皮錫瑞批評他「意在維持名教，未爲不善。然維持名教，亦只可借古事發論，不得翻前人之成案。」（《經學通論》卷一）又如論微子未嘗抱祭器奔周，而面縛銜璧請降者爲武庚祿父，（《尚書表注》卷上、《金仁山集》卷一〈微子不奔周辯〉）是中了王柏的毒，與歷史不合。

正因爲他說《書》往往依傍、引申或補充他老師的說法，後人多將王柏改經的罪過誤加在他身上。

〈堯典〉記堯讓位給舜，「舜讓于德弗嗣」。王柏以爲下面應有再命之辭；遜位時，也該叮嚀告戒一番，然後舜纔「受終于文祖」，而《論語》〈堯曰〉篇「堯曰：咨！爾舜！天之歷數在爾躬，允執其中。四海困窮，天祿永終。」就是今本〈堯典〉的脫文。他拿這二十四字補在〈堯典〉「弗嗣」之下。〔明〕王樵的《尚書日記》、〔清〕朱鶴齡的《尚書埤傳》都說「金氏取《論語》補之」。其實，不管是他早年或晚年的著作，都從未移《論語》之文補《尚書》。

在很多重要觀點上，履祥不復墨守師法。《書疑》把〈說命下〉篇的「惟說式克欽承，旁招俊乂，列于庶位」移到中篇，履祥不以爲然；魯齋改〈泰誓上〉篇篇名爲〈周誥〉，中篇爲〈河誓〉，下篇爲〈明誓〉，《尚書表注》仍用舊名；魯齋〈牧誓疑〉，認爲諸侯不期而會的只有「庸、蜀、羌、髳、微、盧、彭、濮」八國，非如《史記》所載的八百國；「百」字後人所加，仁山不信。

兩宋學者討論《尚書》錯簡之熱烈，僅次於《古文尚書》眞僞的爭辯。而由〈洪範〉錯簡，演變爲九疇分經傳，尤其受學林重視。《書疑》有專篇考證〈洪範〉本文，把「初一曰五行」以下六十五字看作〈洪範經〉，後面依次爲〈五行傳〉及〈五事〉、〈八政〉、〈五紀〉

各傳；「五、皇建其有極」以下六十四字爲〈皇極經〉，後面依次爲〈皇極〉、〈三德〉、〈庶徵〉各傳。這是摹倣朱子定〈大學〉經一章、傳十章的方式。履祥的想法是：「九疇，其綱目，皆大禹之經；其發明者，乃箕子之傳。」（《尚書表注》卷下）因此他以「初一日五行」至「五日土」爲大禹作的經，而「水日潤下」至「稼穡則甘」是箕子所附的傳。「二五事」至「五日思」的傳，是「貌日恭」至「睿作聖」。其餘類推。履祥的分法，是：經——傳；經——傳；……這和朱子、黃榦一脈相傳的師法：經——傳——傳——傳——……大不相同。

經過這番經傳比附的整齊工夫以後，便一眼覷出「四五紀」和「三八政」只有綱目而無發明。蘇東坡、葉夢得、張九成、洪邁諸家，認爲後面的「王省惟歲」至「則以風雨」等八十多字是五紀下的文字，錯簡在後。履祥以爲即「四五紀」的傳文，這點嚴重背畔了王柏。至於八政的「八日師」以下，照王魯齋的分法，不必要有傳，所以他僅加小註：「恐有缺文。」但照履祥的分法，就非有傳不可。今本《尚書》此下既無傳，不是脫簡，就是食、貨、祀、司空、司徒、司寇、賓、師爲政府官員，職掌分明，毋須再加詮釋。履祥大概贊同後者，所以自註：「禹經無傳。」這反映他對於〈大學〉格物的「物」，認爲是平常事物，毋須解釋；本來無傳。朱子和孔子是他一向掛在嘴邊的「今、古庚戌兩聖人」（按：孔子生於西元前五五一年庚戌，朱子生於西元一一三〇年，也是庚戌）。如今，履祥反對他的補〈大學〉傳，是在向「今

聖」的思想體系提出無言的抗議了。

可惜履祥維護經書完整的苦心，後人不知善加體會。〔明〕黃道周《洪範明義》，用履祥所擬的爲藍本，重訂〈洪範〉，進呈朝廷，肆意改變經文。〔清〕孫承澤又聲言用金仁山的意見詭稱「八日師」下朝鮮本《尚書》還存有五十二字，遂僞造「食日生，貨日節，祀日敬，司空日時，司徒日德，寇日愼，賓日禮，師日律，生乃蕃，節乃裕，敬乃□，時乃悅，德乃化，愼乃仁，禮乃嘉，律乃有功」以誑世人。

2 《詩經》學：

履祥的傳記裏，沒有記載他《詩經》的專著，批評他的人說明修《詩經大全》收有他的《詩經雜記》（?）；不十分可靠。可靠的還是他《論、孟集註考證》零星的幾條，和許謙《詩集傳名物鈔》所引述的。

宋人講《詩經》，大抵可分爲兩派。一派主張不顧《詩序》，完全依照《詩經》本文研究詩義，因此許多所謂淫詩，都釋爲淫人自作的邪詩，朱子這麼說；一派服從傳統，依傍〈小序〉解說詩義，於是許多《詩經》本文所表現的淫人自作之詩，都變爲刺淫詩了，呂祖謙是這派首領。祖謙是履祥同鄉，對金華學風的左右力量很大。王柏在舊派浩大的聲勢中，獨樹一幟。在原則上，履祥主張去《序》論詩，並且多方面支持魯齋《詩疑》的看法。

魯齋以爲古書因秦始皇焚燒而殘缺，今本《詩經》有些篇章是漢人補進去的。履祥提出逸詩爲證，以堅師說：

秦火之後，《書》失幾半，《禮》失幾亡，而《詩》三百篇何以皆無恙？雖云《詩》托于聲音之流傳，然今之三百篇，豈盡夫子之三百篇乎？《禮記》、《左氏》、《荀子》所引之詩，多有善者，而今《詩》多無之，此猶可也。如〈素絢〉、〈唐棣〉，孔門嘗舉之，而今不見于《詩》。（《論語集注考證》卷一）

〈素絢〉、〈唐棣〉等正詩，《論語》引過的，不見於今本《詩經》，鄭、衛淫《詩》，反充斥於〈國風〉。一定是漢人拿孔子刪去的邪詩，湊足三百零五篇之數的，履祥又說：

〔漢〕劉歆謂：《詩》出非一人，諸儒各以所能記，或〈風〉，或〈雅〉，或〈頌〉，會合而足三百篇之數。……其間淫詩，固夫子之所去，而世俗所傳者，諸儒得之，例以爲古詩，而不察也。不然若〈溱洧〉、〈桑中〉諸詩，幾乎勸矣，而何懲創之有哉？（同上）

末句不滿朱子「詩善者可興起人之善心，惡者可懲創人之逸志」之說。他舉出邪詩的篇名，僅見〈桑中〉、〈溱洧〉、〈丘中有麻〉、〈月出〉、〈有女同車〉五篇。不過，履祥絕不主張刪詩。因為這些篇章雖「淫」，仍屬先秦文獻。珍惜古代典籍，他的立場是一貫而堅定的。所以他又委婉的說：

> 王文憲（柏）決然以為今之三百五篇非盡夫子之三百也，諸儒多然之。若《集註》止曰：「詩本性情，（有邪有正），其言既易知。」云云，亦無不可者。（同上）

興起善心，是詩的性情；懲創逸志，又何嘗不是作詩者的性情？王柏「決然」以為男女情詩漢儒所竄入，履祥終於置疑。明、清學者，批評王柏疑《詩》，往往殃及履祥，大概因為他受業王門，揣測他必定遵從師意，附和刪詩之說。其實履祥衛護名教，表現在他的詩選——《濂洛風雅》（詳見下）上面，為「寓刪於不錄」，並不贊同破壞文獻。

3 《四書》學：

《四書集註》是朱子畢生精力的薈萃，也是他自己最偉大的著作。義理精覈，文字簡嚴。名物訓詁的考訂，不欲求詳，故初學不易。履祥《大學疏義》、《論、孟集注考證》，是繼趙

順孫後疏通朱書最好的著作。

朱子《大學章句》，引起爭執大多在格致補傳上面。吳槃、董槐、車若水、王柏以下諸家，主張「知止而后有定」至「則近道矣」四十二字，合下文「子曰：聽訟吾猶人也」至「此謂知本」爲格物致知傳，不須另作補文。履祥只承認朱子的補傳「其辭明而盡，其說精而密」，並未升它爲正文，而疏義全書，只在〈誠意章〉末說「聞之先師魯齋王文憲、北山何文定言爲然。」對於轟動一時的「格致傳不亡」說，毫不理睬。

看過了履祥的《論、孟集注考證》，恭維他「考證通博精確，……可爲紫陽功臣。」（〔清〕金華王崇炳說）就不覺得有阿其所好的嫌疑。許謙的〈序〉，分析的不錯：

先師之著是書，或隱括其（按：其《論孟集注》）說，或演繹其簡，或攄其幽，發其粹，或補其古今名物之略，或引羣言以證之。大而道德性命之精微，細而訓詁名物之弗可知者，本隱以之顯，求易而得難。蓋……讀《論》、《孟》者，不可不由《集註》；《集註》有考證則精。朱子之義而孔孟之道，章章乎人心矣。

必須詳細檢閱程門以下的理學家書籍，然後纔能考出《集註》所引的楊氏，爲楊時，游氏爲游酢，及程子曰爲明道抑伊川；必須深究先秦兩漢之書，才能補《集註》名物訓詁之未備。

履祥做到了，因此不得不服其博通。必須深入朱學的堂奥，纔能攄《集註》的幽微，張《集註》的精粹；必須有所創獲，纔配演繹《集註》的簡妙。這些，履祥做到了，我們不得不服其精確。

此書問世，使趙順孫的《四書纂疏》失色。趙氏僅採集朱子《文集》、《語錄》與《集註》原意不悖的說法，分別疏於註文之下。履祥則於文公不及修改的地方，也援據朱書加以修補。他說：「文公《集註》，多因門人之問更定；其問所不及者，亦或未修，……今皆為之修補。」（《論孟集注考證》〈跋〉）〔元〕張存中的《四書通證》隱諱《論語集註》的錯誤，招來《四庫提要》批評朱學之弊在「黨」。履祥解釋考證之所以抵牾《集註》，說：

或疑此書，不無微牾者。既是再考，豈能免此？但自我言之，則為忠臣；自他人言之，則為讒賊爾。（同上）

立敵、我之辨，《四庫提要》譏評為「宋、元之間，門戶之見。」然而後世果然有蓄意反朱，甘心為讒賊者，〔清〕毛奇齡即是。〔清〕黃家岱〈論孟集注考證書後〉，說：

金氏此言，……深玩其意，卻中時弊。……毛奇齡作《正事括略》、《四書改錯》，深

與朱子爲難。……而其好辯善罵，掊擊《集註》，幾無完膚，庸非金氏所謂讒賊乎？

毛西河的《四書改錯》，朱《註》不錯的他也「改」。履祥《考證》已經提出修正的意見的，西河掩沒其說，但以醜詆朱《註》爲能事。他就是履祥要誅伐的讒賊。更有一班淺人，不稍究《論孟集注考證》的著作責任，主要在援用朱子（及黃榦、何基、王柏）之說以疏通證明朱《註》，反咎履祥「勦襲」，〔元〕史伯璿攻擊仁山，聲色俱厲：

金氏《論孟考證》，蓋祖述師傳：何文定北山、王文憲魯齋之言，而參以己意，以自成一家之書者也。然不免大半皆是勦《語錄》以下諸書之意，而隱括之耳。其餘則又有一、二分是兼收經史及隱僻之書，以爲經注之證者。（《四書管窺》）

史氏痛毀履祥的動機，主要因爲《論孟集注考證》有些地方並不守朱《註》，史氏斥爲「立異可駭之論」，他繼續說：

至若眞出其師弟子之己意者，不過十中之一、二耳，而於一、二之中，又大半是立異可駭之論。（同上）

《集注考證》主要採取黃榦的《論語通釋》（按：榦是朱子高足，伯璿諱不敢言）、何基的《四書發揮》和王柏的《論孟通旨》之文，加上自己的意見。在他心目中，黃、何、王、金纔是朱學的正統。這個正統對朱子《四書》學的努力，是多方面的。值得一提的，就是替經書作標抹。

朱子初看《上蔡語錄》，第一次用「銀朱畫出合處」，第二次用粉筆，最後又用墨筆，這叫做「抹」。（參《朱子語類》）呂祖謙《古文關鍵》等書，評論文章，用一些符號添在字裏行間，這叫做「標註」。何、王及履祥把朱、呂的用工方法統一起來，補充修訂，發展成一專門學問。

吳師道說履祥有標註〈中庸〉及標註程頤《易傳》，可惜書都遺失了。所幸《尚書表注》的前面，還附有標抹凡例，彌足珍貴，現在抄在下面：

> 句外斷讀中歇大段長畫小段短畫或大點中相答×亦或畫大起止或朱圈或長畫錯誤、誤字、小序、非篇中本文：用（朱子）《孝經刊誤》例，並圈之以黃筆。相傳微言朱抹引古語人言青抹禹貢九州五服朱方圈山青△水綠□；河，黃；黑水，墨。澤綠○地黃□夷狄黑抹每篇要言亦朱抹

「外斷」，就是在字行右側加「。」，爲句；「中歇」，就是在上下字之間加「。」爲

讀。「大段」和「大起止」爲文章的段落。……這些實已粗具今世標點符號的規模。至於山青、水綠、地黃，則酷似今世地理圖製作方法。

履祥所標抹的書籍，不止《尚書》、〈中庸〉和《易程傳》。柳貫〈行狀〉說他治學「無一書不加點勘，鉛黃朱墨所以發其機。」而〔元〕程端禮《讀書分年日程》所用教導學生的基本教科書，就曾採用他的《尙書表注》、《大學疏義》、《論孟集注考證》，而所用的標抹凡例，也是規摹金華學者制訂的。端禮的教程，元、明學者多重視，因此，〔清〕徐乾學說：明初朱學未墜，由金華諸子。

（三）史學

金華四先生的治學，從履祥以後，有兩個顯著的轉變。一是考索傳註漸多，〔明〕章懋和〔清〕全祖望這樣批評，大約針對仁山的《論孟集註考證》而發。一是史學的注重，履祥的代表作，是他「用心三十餘年」的《通鑑前編》。

它和呂祖謙的《大事記》、章如愚的《山堂考索》，被譽爲「金華三大書」。這是他一生學問的總成績，看他臨終時對子弟的叮囑：

先生疾革，門人許謙（號白雲）自金華徒步冒雪來省。先生將易簀，謂子頊、穎曰：

「《前編》之書，吾用心三十餘年；平生精力盡于此。吾所得之學亦略見于此矣。……吾且歿，宜命許謙編次，錄成定本。……」于是授之白雲。（《年譜》）

他著此書的動機有：

一　司馬光《資治通鑑》，起於周威烈王二十三年。此前缺乏完整詳密的編年史。履祥意欲編集此段史實，故稱「前編」；

二　受邵雍《皇極經世》、胡宏《皇王大紀》、呂祖謙《大事記》及張栻的影響；

三　欲上繼朱子《通鑑綱目》，寄寓褒貶，成一家之言。

湖學大師胡宏，對金華學派的影響很大；尤其在史學方面。《前編》的體例雖多倣照《皇王大紀》，但紀年自堯甲辰開始，卻另有師承。王柏論古史，一切斷自孔子手定之《尚書》，而《尚書》紀事〈堯典〉最早，堯前雖有記事，荒誕不足取信，履祥以爲是。他批評（宋）劉恕的《通鑑外紀》，說：

《尚書》之僅存者，于今爲帝王全書。劉道原《外紀》之作，《尚書》不入。雖曰尊經避聖，然帝王之事，捨《尚書》則諸家眞稗官小說之流耳。（《通鑑前編》〈後序〉）

他不像劉道原「不本於經」，而以《尚書》爲主，下及《詩經》、《禮》、《春秋》；雖然也採取百家——舊史、諸子、年表——之說，但取材特別謹愼：「存其近似，削其誕淺，或加之辨釋焉。」（同上）

胡宏、履祥都把經書的文字分別繫在各年之下；但又往往「復加訓釋」，是胡氏《大紀》所短缺的。如「周僖王二年，單伯、齊侯、鄭伯于鄄」下，履祥用《左傳》「宋服也」，又加訓釋，說：「按：單伯三世于外，桓公挾之以令諸侯，必不止于爲宋也。是以明年桓公自主鄄之會，而齊始霸矣！」這等於替《春秋》及《左氏傳》作注。再如「周成王七年，我非敢勤，惟恭奉幣，用供王，能祈天永命」下，履祥引用蘇氏、王氏之說，並加按語：「此末章旅王之辭。」這等於替《尚書》注家作疏。

《詩經》各篇的作成時代，比它經格外難以考徵。胡氏《大紀》根據《詩序》，幾乎將所有詩篇都分別繫年。但見於《通鑑前編》的《詩經》篇文，則寥寥無幾，是仍不失紫陽朱子捨《序》求詩的宗旨。

（四）文學

避華就實，是理學家文章的特色。有的是自然流露，像邵康節的《伊川擊壤集》；有的刻意檢束，像《仁山集》中的詩文就是。履祥少年時本擅長詞章，「有能文聲」（行狀），當時

的作品（《昨非存稿》、《仁山新稿》），今已不見。所存的多中、晚年棄文就實後的作品，所以《四庫提要》批評他的詩不工，「彷彿《擊壤集》」。〔清〕王士禎也說他「道學，不工詩。」（《居易錄》）履祥非才不足使詩「工」，而是不欲命詩「工」。他要爲千古詩壇樹一榜樣，從選《濂洛風雅》一書，尤其可以覺察到他欲「爲詩立制」的心思。

道學家的文學理論，最先由周敦頤（「濂」）提出文以載道的主張，二程兄弟（「洛」）認爲文可害道。朱子又倡議文從道中流出，不能貫道。而且對於詩，他想把《三百篇》、《楚辭》，附以《文選》、漢魏古辭，至郭璞、陶淵明的作品，成爲一編，作詩的根本準則，又選晉、唐至趙宋諸家近古的詩爲一編，作詩的羽翼。眞德秀尊重朱意，編選《文章正宗》，以世教民彝爲主，漢武帝〈秋風辭〉中有「懷佳人兮不能忘」，便不收；三謝詩也多不入。王柏四十七歲時，規摹朱、眞的宗旨，編《詩準詩翼》，用作教本。後來又撰《詩可言集》，評論他認爲「可以言」的詩，都是周濂溪、張橫渠、朱晦庵、張南軒等理學家的作品，僅附見劉靜春等五家，不能確定是否爲理學家（或其詩不甚近理）。晚年又編《濂洛文統》二百卷，顧名思義，它是濂洛一派學者文章的總集（書已佚失）。從此，文人之文與道學之文，涇渭分明。

宋代道學家的文學理論，一直到履祥晚年《濂洛風雅》的選定，才算正式成立。因爲以往不過徒託空言，沒有選集。加以朱子有時還究心聲律，王柏還偶爾塡詞，是理論沒有付諸實踐。履祥則不然，非獨詩文一本於道，即所錄選濂洛師友的詩，也非常愼重，必須合乎風

（〈國風〉）、雅（〈大〉、〈小雅〉）的遺規始可。共收四十八家。從此，「道學之詩與詩人之詩，千秋楚越」。（《四庫全書總目提要》）

它是我國文學史上第一部理學家的總詩集。作者倣照〔宋〕呂居仁（金華人）的〈江西詩社宗派圖〉，立〈濂洛詩派圖〉附在書前。上推周濂溪爲宗主，下迄他的好友王佖。這部書原意在教人知道理學家如何在詩裏表現「道」，至於它的體製，是銘？是箴？是五言、七言？還是律絕？並不重視。所以「但以師友淵源爲統紀，而未分類。」（〔元〕唐良瑞〈序〉）今本類別，是作序人所分的，良瑞批評履祥選的詩：

> 皆涵暢道德之中，歆動風雩之意。淡平者有淳厚之趣，而浩壯者有義理之勇。言言有教，篇篇有感。（同上）

編選的目的，「意主章明義理，裨益風化」，（〔清〕盧文弨《抱經堂文集》卷十四）不在字句上求工，《四庫提要》說他「欲挽千古詩人歸此一轍」，責之稍過。至於存其目而不錄其書的理由，說是「天下爲詩者終宗李、杜，不宗濂洛」，連紀昀自己也提出了反證。《紀文達公遺集》〈明皋文集序〉，說：

〔朝鮮〕徐判書明皐（敬德），奉使來朝。……接其言論。因讀其……《明皐詩文集》。……詩自規橅金仁山《濂洛風雅》，自成一格。

《濂洛風雅》，清康熙間朝鮮就有了刻本，彼邦流傳的是經過康熙十七年朴世采增刪過的本子。朴氏〈濂洛風雅增刪序〉，說：

仁山金先生……所錄頗廣，或有未暇盡正。而諷詠之切實者，猶多放軼，今皆續見於《性理羣書》、《大全》等書，似亦不可不爲之略加增刪。

朴氏〈序〉尾署「時崇禎紀元後五十有一年」，是晚履祥三百年的明遺老。他從《性理羣書》續增的詩，理致愈高，詞采益淡，自不必說。值得注意的是：被刪的多爲王柏和王佖的詩，而其中又以與友人唱和及抒情寫景等近體詩爲多。如魯齋的〈重題八詠樓〉、〈老菊次時所性韵〉、〈明月樓曹守邀和〉等。立齋的如〈夜對梅花示彥恭姪〉等。這表示朴氏認爲舊本所選「不盡言言有教，篇篇有感」。

三　結語

履祥學傳許謙、柳貫。此後金華學風再變。一爲文學的，大家有吳萊、胡翰、黃溍、宋濂；宋濂與同郡張孟兼及劉基，時稱明初三大文人。他們兼具史才，故文爲史之文。一爲史學的，如吳師道、張樞、王褘，都長於詞章，故史爲文之史。這些史學的文人，或文學的史家，發爲篇章，都知道原經取義，這是仁山衣鉢的續傳。

金華地當浙江中部，是南方的溫、處、衢三州，北方的明州，東、西的台州、饒州往來的通道，地理環境優越，使它易於接受四方學派的影響。朱子素來不喜歡浙學、嫌它「雜」。履祥學問的長處，就在「雜」上。「雜」，纔能兼容並包，巨細無遺。然後融會貫通，成一家之言。他用力勤苦，「于書無所不讀，而融會於《四書》，貫穿於六經」（許謙說），是經學家、理學家；他究心歷代制度，志在見諸世用，是明體達用的史學家。他持守純固，是宋遺老，不是元順民。他不像許魯齋衡（一二〇九至一二八一），屈身事虜，在新朝作高官，有美譽；也不像吳草廬澄（一二四九至一三三三），名爲宗朱，其實近陸，側身經筵，占博浮名。然而，數宋、元之際的學者，世稱「北許南吳」，千古有待論定。

（附）撰寫本文所用的參考書要目

一　《書經集註》　〔宋〕蔡沈撰　世界書局排印本。

二　《書疑》　〔宋〕王柏撰　《通志堂經解》本。

三　《尚書日記》　〔明〕王樵撰　清刊本。

四　《尚書古文疏證》　〔清〕閻若璩撰　《續皇清經解》本。

五　《尚書埤傳》　〔清〕朱鶴齡撰　清刊本。

六　《尚書餘論》　〔清〕丁晏撰　《續皇清經解》本。

七　《洪範明義》　〔明〕黃道周撰　清刊本。

八　《尚書覈詁》　〔民國〕楊筠如撰　鉛印本。

九　《詩集傳》　〔宋〕朱熹撰　世界書局排印本。

一〇　《詩疑》　〔宋〕王柏撰　《通志堂經解》本。

一一　《四書集註》　〔宋〕朱熹撰　藝文印書館影印本。

一二　《四書纂疏》　〔宋〕趙順孫撰　《通志堂經解》本。

一三　《四書管窺》　〔元〕史伯璿撰　《敬鄉樓叢書》本。

一四　《經義考》　〔清〕朱彝尊撰　清乾隆刊本。

一五　《經學通論》　〔清〕皮錫瑞撰　商務印書館印本。

一六　《皇王大紀》　〔宋〕胡宏撰　抄本。

一七　《四庫全書總目提要》　〔清〕紀昀撰　藝文印書館影印本。

一八　《朱子語類》　〔宋〕朱熹撰　正中書局影印本。

一九　《宋元學案》　〔清〕黃宗羲等撰　世界書局排印本。

二〇　《讀書分年日程》　〔明〕程端禮撰　清刊本。

二一　《朱子大全集》　〔宋〕朱熹撰　《四部備要》本。

二二　《魯齋集》　〔宋〕王柏撰　《續金華叢書》本。

二三　《吳禮部集》　〔元〕吳師道撰　《續金華叢書》本。

二四　《紀文達公集》　〔清〕紀昀撰　清刊本。

二五　《抱經堂集》　〔清〕盧文弨撰　清刊本。

二六　《觀堂集林》　〔民國〕王國維撰　世界書局排印本。

——原載《國語日報》〈書和人〉九十期，民國五十七年八月）

四十三　程敬叔的讀經法

元代九十年間，沒有什麼了不起的學術論著；有的話，無非述朱。因爲仁宗延祐初年，朝廷以朱子經注爲主，命題取士，一時輔翼朱注名爲「彙編」、「纂疏」的書籍，便充斥於坊肆；倪士毅的《四書輯釋》，可以作爲這類書籍的代表。

這類著作，只便於獵取功名；非但不能述朱，有時正足以賊朱。非但無關實學，反而導致空疎。眞正提倡爲己之學又能兼顧舉業的，只有程端禮（敬叔）的《程氏家塾讀書分年日程》一書。

端禮是慶元鄞縣人，慶元一向尊尙陸氏之學，楊、袁、舒、沈四先生以來，四明學者爲學日趨空疎，只有端禮從史蒙卿游，傳朱子之學。他的《讀書分年日程》（又稱《讀書工程》或《進學規程》），推廣《朱子讀書法》，自讀《性理字訓》入手，至於讀經，循序漸進，最有功於實學。端禮做過廣德建平和池州建德兩縣的儒學教諭，及建康路江東書院山長，又做過鉛山州和台州儒學教授，當然用過這本書作教程，後來國子監把它頒行郡縣，影響更大了。

程氏這本書，大概依照《朱子讀書法》撰修，但朱子門人等的有關論著，有時候也採取。

其程序，主要爲三個階段：就是「八歲未入小學之前」的學前教育，「自八歲入學之後」的小學教育和「自十五志學之年」的深造教育。它的全部教材，雖包含讀《性理字訓》，讀《小學書》，然而兩者不過作爲讀經的準備；雖包含讀史（《通鑑》等）、讀詞章（《楚辭》《韓文》之類），學作文，然而不過作爲讀經的應用。所以他的讀經法，纔是這書的著作要旨。

朱子的《小學書》，是蒙養的全書。既注重學童的德育，又注重學童的文字學（含音韻訓詁）。關於後者，敬叔增錄王魯齋的《正始之音》附在卷後。《正始之音》討論字形，辨別字音，舉六書義例，是通曉經字的鑰匙。

《小學書》讀畢，纔讀經書。朱子教人先讀《近思錄》，次讀《四書》，然後羣經。因爲《近思錄》是《四子書》的階梯，而《四書》又是讀《易》、《詩》、《書》的階梯。敬叔則教人先讀《四書》。讀《四書》的次序，完全遵照程、朱的主張，〈大學〉第一，《論》、《孟》其次，〈中庸〉最後。至於讀諸經的次第，朱子沒有明確指出。敬叔以爲《四書》中的〈中庸〉讀畢，讀《孝經》；《孝經》以下，大約依據古文家的排法：《易》、《書》、《詩》、《三禮》（先《儀禮》，後《禮記》、《周禮》，大約秉承朱子《儀禮經傳通解》《禮經》、《記》《傳》的宗旨）、《春秋》（《經》、《三傳》）。

坊間有了輯釋、纂疏等書，讀書人不必細讀朱注；有了「經疑」、「經問」諸書，學者甚至連六經本文也可不看，就能考試及格。敬叔則異乎此，他主張先讀經書正文，自八歲至十五

歲，用六、七年功夫，專讀諸經正文。僅《孝經》用朱子《刊誤》本，其它一律用原本。不過偶爾參考古注，正文句讀用程子、朱子、蔡氏句讀，讀音參考陸氏《音義》、賈氏《音辨》，牟氏《音考》而已。

十五歲爲志學之年，「即當尙志。爲學以道爲志；爲人以聖爲志」，此時始讀經解。仍舊從〈大學〉入手，先讀朱子的《大學章句》、《或問》，次讀《論語集註》，次讀《孟子集註》，最後讀《中庸章句》、《或問》。至於《論》、《孟或問》，鈔讀其合于《集註》的。讀完《集註》、《章句》、《或問》後，就讀《易》、《詩》、《書》等，程氏稱爲本經。

治《易》、《詩》、《書》、《禮》、《春秋》，敬叔發明一種「鈔讀法」，茲以《尙書》爲例，錄其說法如下：

> 治《尙書》鈔法，先手鈔全篇正文讀之。別用紙鈔正文一段，次低每段正文一字鈔所主蔡氏《傳》，次低正文一字節鈔所兼用古注疏，次低正文二字附節鈔陸氏《音義》，次低正文二字節鈔《朱子語錄》、《文集》之及此段者，次低正文三字節鈔《表注》及董氏所纂諸儒之說及諸說精確而有裨蔡氏《傳》者。
>
> 其正文分段以蔡氏《傳》爲主，每段正文既鈔諸說，仍空餘紙，使可鈔讀其《書序》及朱子所辯附鈔每篇之末，其讀書綱領，及先儒諸圖，鈔于首卷。……須令先讀蔡氏

《傳》畢，然後讀古注疏。其古注疏與蔡氏《傳》同異，以玩索精熟爲度。異者以異色筆批抹。每篇作一冊。（《讀書分年日程》卷一）

朱子主張讀書貴在精熟，要「一書通透爛熟，都無記不得處，方別換一書，乃爲有益。」敬叔的鈔讀法，要人先熟正文，次熟主要的注疏，次熟輔翼的注疏。進一步有關此段經文的重要資料也鈔輯在一起，如《詩》、《書序》、諸圖（〈洪範圖〉、〈無逸圖〉、〈豳風圖〉）鈔在卷首。最後玩索古注疏與新注的同異。而且把《書》的一篇、《詩》的數章、《易》的一卦、《春秋》的一公裝訂成一冊（分量多的成二、三冊）。這冊熟了，再讀另一冊。

朱子屢次告訴門人，要重視漢唐的舊法，但他的《四書章句集注》、《周易本義》，採用古注疏的地方並不多。敬叔治諸經，雖以宋代註經家說法爲主，卻也節抄古注疏，目的在教人玩索古今同異；異的地方以「異色筆批抹」。

所謂批抹（或稱點抹、標抹），原來是宋儒治學用功的方法之一。朱子初次看《上蔡語錄》，第一次用銀朱畫出合處，第二次用粉筆，最後用墨筆。呂祖謙《古文關鍵》等書，評論文章，用一些符號添在字裏行間。等到金華學者出來，把朱、呂的用功方法統一起來，這就是有名的批抹法。不過朱、呂諸家，只作爲自己進修的方法，抹用什麼顏色，標用什麼樣的記號，但憑一時會心，頗不齊一。敬叔大抵依照金華學者所訂，規定了批點經書凡例，以教童

蒙，同時《讀書分年日程》（元刊本）這本書上，也全用批抹。迄今明、清舊板圖書，往往見到繁密的批抹，有的是學堂的教本，有的是私人讀書時的隨手記注，它們受敬叔的影響不小。

北宋君臣時有採取經書精義作圖賜贈的情事。等到周濂溪的《太極圖》行世以後，學者才知道圖能精簡文字，宏揚義理，於是圖學大興，敬叔屢有「諸儒圖書，鈔于首卷」之語，是要把南宋至元初解經家的圖說擇精鈔附，使學生於熟讀精思後，致其涵泳體察、更深一層的功夫。確守《朱子讀書法》六條——居敬持志，循序漸進，熟讀精思，虛心涵泳，切己體察，著緊用力。自十五歲起讀《四書》經注或問本經傳注等。

約三、四年之功，晝夜專治，無非爲己之實學，而不以一毫計功謀利之心亂之，則敬義立而存養省察之功密，學者終身之大本植矣。（《讀書分年日程》卷一）

經書精熟以後，才去讀史，史書以《通鑑》爲主，參考《綱目》、《前編》諸書。其次讀《韓文》，大約取讀眞西山《文章正宗》所收議論、敘事兩體的《韓文》七十餘篇。讀史、讀《韓文》期間，仍分出日程，溫玩昔日學過的經書及傳注。《韓文》以後，讀賦。只熟讀《楚辭》；他賦都從《楚辭》流出，只看不讀。通經在於致用，致用莫如從政，從政之正途必由科舉，而考官因文定取捨，故作文之法必須學。《分年日程》以既讀的經、史、散文、辭賦作爲

> 早飯前循環倍溫玩索《四書》經注或問本經傳注諸經正文，溫看史，溫讀《韓文》、《楚辭》之外，以二、三年之工，專力學文，既有學識，又知文體，何文不可作？
>
> 《通鑑》、《韓文》、《楚辭》既看既讀之後，約纔二十歲或二十一、二歲，仍以每日

學作文的根柢，敬叔說：

有學識，指通曉經史而言；知文體，指讀《韓文》及辭賦而言。以下只是學作文的技巧了。作文技巧，在於多玩索名家作品，心通默識。敬叔把科舉文字分爲六類：一策、二經問、三經義、四古賦、五古體制誥章表、四六章表。每類列有應該專習的作品，熟讀這些作品，爲作好這類文章的捷徑。作策、經問、經義的文章固然必須以經書爲根本，就是下筆寫古賦、章表，如果沒有經學的修養，其義亦難宏深。所以敬叔教人在這二、三年學習作文期間，「仍以每日早飯前，倍溫《四書》經注或問本經傳注諸經正文。」

敬叔的讀經法，主要在爲國家培養實用的人材，而實施綱領，則甚多暗合朱子〈學校貢舉私議〉一文的要點，如：

一　治經必專家法。敬叔讀經法，遵守考亭家法，如羣經傳注，大抵採用考亭門人或續傳弟子的著作；

二　必通貫經文，條舉眾說而斷以己意。敬叔鈔讀法，先鈔讀全篇正文，爲了通貫經文。次鈔各家傳註，便於條舉眾說。而教人比校同異，玩索精熟，就是識斷上的訓練。

——原載《孔孟月刊》第八卷第五期，民國五十九年一月

四十四　王守仁〈稽山書院尊經閣記〉註譯

經（註一），常道也（註二）。其在於天謂之命（註三），其賦於人謂之性（註四），其主於身謂之心（註五）。心也、性也、命也，一也（註六）。通人物（註七），達四海（註八），塞天地（註九），亘古今（註一〇），無有乎弗具（註一一），無有乎弗同（註一二），無有乎或變者也（註一三）。其應乎感也（註一四），則爲惻隱，爲羞惡，爲辭讓，爲是非（註一五）；其見於事也（註一六），則爲父子之親，爲君臣之義，爲夫婦之別，爲長幼之序，爲朋友之信（註一七）。是惻隱也、羞惡也、辭讓也、是非也；是親也、義也、序也、別也、信也，一也：皆所謂心也、性也、命也。通人物，達四海，塞天地，亘古今，無有乎弗具，無有乎弗同，無有乎或變者也。是常道也（註一八）。

以言其陰陽消息之行焉，則謂之《易》（註一九）；以言其紀綱政事之施焉，則謂之《書》（註二〇）；以言其歌詠性情之發焉，則謂之《詩》（註二一）；以言其條理節文之著焉，則謂之《禮》（註二二）；以言其欣喜和平之生焉，則謂之《樂》（註二三）；以言其誠僞邪正之辯焉，則謂之《春秋》（註二四）。是陰陽消息之行也、以至於誠僞邪正之辯也，一

也：皆所謂心也、性也、命也。通人物，達四海，塞天地，亘古今，無有乎弗具，無有乎弗同，無有乎或變者也。夫是之謂六經（註二五）。

六經者非他，吾心之常道也（註二六）。故《易》也者，志吾心之陰陽消息者也（註二七）；《書》也者，志吾心之紀綱政事者也；《詩》也者，志吾心之歌詠性情者也；《禮》也者，志吾心之條理節文者也；《樂》也者，志吾心之欣喜和平者也；《春秋》也者，志吾心之誠偽邪正者也。

君子之於六經也，求之吾心之陰陽消息而時行焉（註二八），所以尊《易》也（註二九）；求之吾心之紀綱政事而時施焉，所以尊《書》也；求之吾心之歌詠性情而時發焉，所以尊《詩》也；求之吾心之條理節文而時著焉，所以尊《禮》也；求之吾心之欣喜和平而時生焉，所以尊《樂》也；求之吾心之誠偽邪正而時辨焉，所以尊《春秋》也（註三〇）。

蓋昔者聖人之扶人極、憂後世而述六經也（註三一），猶之富家者之父祖慮其產業庫藏之積，其子孫者或至於遺忘散失，卒困窮而無以自全也（註三二），而記籍其家之所有以貽之（註三三）。使之世守其產業庫藏之積而享用焉，以免於困窮之患（註三四）。故六經者吾心之記籍也（註三五），而六經之實則具於吾心（註三六），猶之產業庫藏之實積、種種色色具存於其家（註三七），其記籍者特名狀數目而已（註三八）。而世之學者不知求六經之實於吾心，而徒考索於影響之間（註三九），牽制於文義之末（註四〇），硜硜然以為是六經矣（註四一），是猶富

家之子孫不務守視享用其產業庫藏之實積（註四二），日遺忘散失，至於窶人丐夫（註四三），而猶囂囂然指其記籍曰：「斯吾產業庫藏之積也。」（註四四）何以異於是（註四五）？

嗚呼！六經之學，其不明於世，非一朝一夕之故矣。尚功利（註四六），崇邪說（註四七），是謂亂經。習訓詁，傳記誦（註四八），沒溺於淺聞小見（註四九），以塗天下之耳目（註五〇），是謂侮經。侈淫辭（註五一），競詭辯，飾奸心盜行（註五二），逐世壟斷（註五三），而猶自以爲通經，是謂賊經（註五四）。若是者是并其所謂記籍者而割裂棄毀之矣，寧復知所以爲尊經也乎（註五五）？

越城舊有稽山書院，在臥龍西崗（註五六），荒廢久矣（註五七）。郡守渭南南君大吉（註五八），既敷政於民（註五九），則慨然悼末學之支離（註六〇），將進之以聖賢之道，於是使山陰令吳君瀛拓書院而一新之，又爲尊經之閣於其後（註六一），曰：「經正則庶民興，庶民興斯無邪慝矣（註六二）！」閣成，請予一言，以諗多士（註六三）。予既不獲辭，則爲記之若是。嗚呼！世之學者得吾說而求諸其心焉，其亦庶乎知所以爲尊經也矣！

題解

明世宗嘉靖三年（西元一五二四）甲申，王守仁（陽明）丁父華憂居越，爲學者講學。四方負笈來學者，至於寺觀不容。時知府渭南南大吉（字元善，號瑞泉，參看〔註五八〕）亦以座

主稱門生。府之臥龍山西岡，舊有稽山書院，荒廢已久（參看〔註五六〕、〔註五七〕），於是南守使其屬山陰縣令洛陽吳瀛拓書院而一新之，又創尊經閣於其後。閣成，乞文於陽明，以記其事，且諗多士。次年（嘉靖四年乙酉，西元一五二五年）正月，陽明作〈稽山書院尊經閣記〉（據門人王德洪所撰《年譜》，又文題下原有「乙酉」二字，注明成篇年代。參看〔註六一〕）。本選篇自商務印書館影印明隆慶刊《四部叢刊初編》本《王文成公全書》卷七。《古文觀止》收本篇，篇題省略「稽山書院」四字。今依原本。本文首段言道不外吾心，應乎感，則爲四端，現於事則爲五倫，無所不在，永恆不變；次段言《易》《書》《詩》《禮》《樂》《春秋》六經之道，備於吾心，充塞天地，萬古長存；三段言六經之爲載籍，記吾心之道；故四段言求六經之道於吾心，即所以尊六經；經書爲吾心之記籍，其理既明，故於下段陽明力言求道當於本心，不應外於文字上考索，若徒於章句上用工，則猶富家子孫指其記籍以爲庫藏之實，終不免淪爲窶人丐夫；六段嘆經學不明，由於尚功利、崇邪說、習訓詁、傳記誦、侈淫辭、競詭辯；末段記尊經閣創建始末，復誡學者當求道於心。凡七段。把握尊經要義，發明心即理之學，反覆申論，鞭辟近裏，可與《傳習錄》、《大學問》竝看；而行文條暢、氣象博大、格局完整，猶其餘事焉。

作者

王守仁，字伯安，〔明〕浙江省紹興府餘姚縣（今浙江省餘姚縣）人。憲宗成化八年（一四七二）九月三十日生。初名雲，五歲時，更爲今名。少豪邁不羈，年十五，出遊居庸三關，慨然有經略四方之志。年十八，過廣信（故地在今江西省上饒縣境），謁婁一齋（諒）問道。年二十一，求驗朱子格物之學，即官署中竹格之，沈思其理不得，至於疾。孝宗宏治十二年（一四九九），登進士第。次年，授刑部雲南清吏司主事。十五年，築室陽明洞（在今浙江省紹興縣東南會稽山）中，行導引術。十七年，改兵部武選清吏司主事。武宗正德元年（一五〇六），宦官劉瑾矯旨逮南京科道官戴詵、薄彥徽等，繫獄治罪，先生抗疏救之。下詔獄，廷杖四十，尋謫爲貴州龍場驛（今貴州省修文縣）驛丞。居夷處困，動心忍性，因悟聖人之道，格物致知之旨，吾性自足，不假外求。五年，劉瑾伏誅，改知廬陵縣（今江西省吉安縣）。十一年，用兵部尚書王瓊特擧，以左僉都御史巡撫南贛汀漳等處。次年九月，改授提督。未幾，戡平諸寇。十四年六月，奉敕戡處福建叛軍，至豐城，聞寧王宸濠叛，急返吉安，起兵討逆。拔南昌，三戰而俘濠於樵舍。九月，兼江西巡撫。十六年，陞南京兵部尚書，封新建伯。世宗嘉靖元年（一五二二），丁父華憂。此後數年在越，門人日進。先是紹興府知府南大吉使山陰縣令吳瀛重建稽山書院，新創尊經閣於書院之後。四年（一五二五）乙酉正月，徇南守之請，作

〈稽山書院尊經閣記〉。六年，原官兼左都御史，起征思田。思田既平，以歸師襲八寨、斷藤峽諸蠻，破之。七年（一五二八）至南安（今福建省南安縣），病革，門人周積侍問遺言，先生曰：「此心光明，亦復何言？」頃之而逝，時十一月二十九日。年五十七。穆宗隆慶元年（一五六七），詔謚文成。世稱陽明先生。神宗萬歷十二年從祀孔廟（《闕里志》卷十三）。先生以爲：心爲一身之主宰，虛靈不昧，具眾理，心外無理，心即理也；心之所發便是意，意之所在便是物，天下無心外之物。此與朱子「理散在事事物物上」之說不同。吾心之理即天理，孟子謂之良知，致吾心之良知於事事物物上，致知也；使事事物物皆得其理，格物也。亦與晦庵「即物窮理」之說迴異。良知必能行，知行原非兩事，知而不行，只是未知。先生有謂：「知者行之始，行者知之成。聖學只是一個工夫。」此其知行合一之說。所著有《傳習錄》、《大學問》、《詩文》、《雜著》三十一卷及附錄《年譜》與《世德紀》七卷，凡三十八卷，合編爲《王文成公全書》。門人錢德洪撰《年譜》（附於《王文成公全書》卷三二至三四），湛若水撰〈墓誌銘〉（見《甘泉先生續編大全》卷十一），《明史》（卷一九五）有傳，〔清〕黃宗羲《明儒學案》（卷十）〈姚江學案〉，述其學行。

註釋

一　經：《說文》：「經，織從絲也。」（〔宋〕李昉《太平御覽》卷八二六引）引申義，凡直

線皆謂經。經又有「常」義，《左傳》〈宣公十二年〉：「隨武子曰：『……今茲入鄭，民不罷勞，君無怨讟，政有經矣。』」（晉）杜預注：「經，常也。」也有「道」義，《呂氏春秋》〈有始〉篇：「生之大經也。」（漢）高誘注：「經，道也。」或兼具「常道」義，〈中庸〉：「凡為天下國家有九經。」九經即九種常道。陽明說：「經，常道也。」字義根據古書。然本篇既為「尊經閣記」，下文又數及《易》、《書》、《詩》、《禮》、《樂》、《春秋》，且云：「夫是之謂六經，六經非他，吾心之常道也。」知本篇凡言「經」，亦兼指經書。

二 常道：常道在此有二義：一是「經常的道理」，即下文所指的五倫百行之道；一是「永恆的道理」，下文謂常道「無有乎弗變」，可證。

三 其在於天謂之命：其，指「常道」；下屢言「是常道也」，可證。也間接指「經」而言，經即常道。下「其賦於人」、「其應乎感也」、「以言其陰陽消息之行焉」之「其」，都指常道。宋明理學家言性，多謂人性受自天，有經書可據，〈中庸〉：「天命之謂性。」陽明說：「子思性道教皆從本原上說，天命於人，則命便謂之性。」（《王文成公全書》卷一《傳習錄上》）其意以為在天叫做命，天賦於人則叫做性。

四 其賦於人謂之性：賦，給予。天賦而人受，即謂之命，參看（註三）。陽明又嘗引《詩經》〈周頌〉〈維天之命〉篇為證，說：「性也者，命也，『維天之命，於穆不已』，而其在於人也謂之性。」（《王文成公全書》卷七〈禮記纂言序〉）

五 其主於身謂之心：主，宰制。心，非指輸送血液的心臟。而指的是性，也就是天理，陽明說：

「汝心亦不專是那一團血肉。……所謂汝心，卻是那能視聽言動的，這個便是性，便是天理。」（《王文成公全書》卷一《傳習錄》上）心爲一身之主宰，陽明說：「何謂心？身之靈明主宰之謂也。」（《王文成公全書》卷二六〈大學問〉）心是天理，「天理發生，以其主宰一身故謂之心。」（《傳習錄》上）

六　心也、性也、命也，一也：陽明主張心即理，《傳習錄》上：「心即理也，天下又有心外之事、心外之理乎？」命、性也都是理，而不外乎心（陽明說：「心外無理。」見《王文成公全書》卷四〈與王純甫〉。）所以說「心也、性也、命也，一也。」「一」，一致；謂共此一理，可用「心」來包括。

七　通人物：謂我與人、人與人、人與物同此一理（或道）。（參看〔註一〇〕）

八　達四海：謂四境之內同此理（亦參看〔註一〇〕）

九　塞天地：謂此理無所不在，充塞於六合之內。（亦參看〔註一〇〕）

一〇　亘古今：亘（同亙），窮竟之意。亘古今，謂自古至今此理一直存在。自「通人物」至「亘古今」，陽明〈重脩山陰縣學記〉（《王文成公全書》卷七）一段話，可作佐證：「……天下之達道也，放四海而皆準，亘古今而不窮；天下之人，同此心，同此性，同此達道也。」又於〈親民堂記〉（亦見《王文成公全書》卷七）表示：「天命之性，靈昭不昧，……其靈昭之在人心，亘萬古而無不同，無或昧者也。」

一一　無有乎弗具：具，備。弗，不。萬物、萬事及此理皆備於吾心，故「心外無物，心外無事，心外無理」（陽明語，見〈親民堂記〉。），所以說「無有乎弗具」。

一二　無有乎弗同：天下共此一理。

一三　無有乎或變者也：謂道永恆不變。或，偶爾。

一四　其應乎感也：應，反應。感，知覺；此處指心。乎，於。謂吾心於事物上所反應的是……。陽明說：「心者身之主也。而心之虛靈明覺，即所謂本然之良知也。其虛靈明覺之良知，應感而動者謂之意。……意之所用，必有其物，物即事也。」（《王文成公全書》卷二《傳習錄》中）陽明認爲心外無物，所以「應乎感」也就是心的作用。

一五　「爲惻隱」至「爲是非」：爲，是。惻隱、羞惡、辭讓、是非，《孟子》（〈公孫丑下〉篇）所謂仁、義、禮、智之端。陽明以良知發動必爲惻隱、羞惡、辭讓、是非。

一六　其見於事也：見，顯現。謂心（良知）表現在事上。

一七　「爲父子之親」至「朋友之信」：序，等次。父子之親，君臣之義，夫婦之別，長幼之序，朋友之信，所謂五倫，《孟子》〈滕文公上〉篇：「（堯）使契爲司徒，教以人倫：父子有親，君臣有義，夫婦有別，長幼有敘（序），朋友有信。」陽明於其〈重脩山陰縣學記〉（《王文成公全書》卷七）又說：「聖人之學，心學也。學以求盡其心而已。……率是道心（案：即本心，亦即良知）而發之於父子也，無不親；發之於君臣也，無不義；發之於夫婦、長幼、朋友也，無不別，無不序，無不信。」

一八　是常道也：此下原疊出「是常道也」四字，爲衍文。蓋前文「應乎感也」之上亦有「是常道也」，而語不重疊；且重疊於義無所取，故決爲衍文無疑。嘉靖十四年聞人邦正姑蘇刊本《陽明文錄》（卷四）亦誤重四字，惟萬曆《紹興府志》（卷十八）載本篇而字不疊。茲從

之。

一九　以言其陰陽消息之行焉，則謂之《易》：陰陽，《周易》〈繫辭上傳〉：「一陰一陽之謂道。……陰陽不測之謂神。」〔漢〕司馬遷《史記》〈自序〉：「《易》著天地、陰陽、四時、五行，故長於變。」消，滅。息，生長。《周易》〈豐卦〉〈彖傳〉：「天地盈虛，與時消息。」又〈剝卦〉〈彖傳〉：「君子尚消息盈虛，天行也。」《易》，就是《周易》，通稱《易經》。陰陽、消息都是《易經》的道理，故陽明如此說。

二〇　以言其紀綱政事之施焉，則謂之《書》：紀，別理絲縷（《詩經》〈大雅〉〈棫樸〉篇「綱紀四方」孔穎達《疏》）。綱，網上的粗繩。紀綱，引申義爲法律制度。〔東晉〕《古文尚書》〈五子之歌〉篇：「今失厥道，亂其紀綱。」《左傳》〈哀公六年〉：「今失其行，亂其紀綱。」政事，《尚書》〈皐陶謨〉篇：「政事懋哉！懋哉！」〔東晉〕《古文尚書》〈說命中〉篇：「惟厥攸居，政事惟醇。」《書》，就是《尚書》，通稱《書經》。《書經》多爲政府公文，所載莫非法令政教，故《荀子》〈勸學〉篇說：「書者，政事之紀也。」《史記》〈自序〉也說：「《書》記先王之事，故長於政。」

二一　以言其歌詠性情之發焉，則謂之《詩》：歌詠，《尚書》〈堯典〉篇：「詩言志，歌永言，聲依永，律和聲。」永同詠。性，本性。性之發動謂情。《詩》，就是《詩經》，先秦稱爲《詩》或《詩三百》。《詩經》三百零五篇都是吾人情感抒發的書寫，《詩經》〈大序〉說：「詩者，志之所之也。在心爲志，發言爲詩。情動於中，而形於言；言之不足，故嗟歎之；嗟歎之不足，故詠歌之。」

二二 以言其條理節文之著焉，則謂之《禮》：節文，品節文采。著，表明。《禮經》有三種：一《周禮》、二《儀禮》、三《禮記》。此處蓋指《禮記》，〈坊記〉篇：「禮者因人之情，而爲之節文，以爲民坊者也。」《管子》〈心術上〉篇：「禮者因人之情，緣義之理，而爲之節文者也。」陽明於其〈禮記纂言序〉（《王文成公全書》卷七）申明條理節文對於禮的重要性，說：「僭不自度，嘗欲取《禮記》之所載，揭其大經大本，而疏其條理節目。……禮之於節文也，猶規矩之於方圓也。非方圓無以見規矩之用，非節文則亦無從而睹所謂禮矣。」

二三 以言其欣喜和平之生焉，則謂之《樂》：欣喜、和平，樂之所生，《禮記》〈樂記〉篇有說：「欣喜歡愛，樂之官也。」樂之官，即樂之事。又說：「樂行而倫清，耳目聰明，血氣和平。」今經書中無《樂經》。一說《樂經》本爲六經之一，亡於秦火；一說《樂》本無經。今《禮記》〈樂記〉篇，似可補《樂經》之闕。

二四 以言其誠僞邪正之辯焉，則謂之《春秋》：辯，同辨（下「求之吾心之誠僞邪正而時辨焉」，作辨。），分別也。《春秋》，孔子據魯國史記而作，稱爲《春秋經》。《春秋》明是非，別嫌疑，褒善貶惡，故陽明謂《春秋》一經義主誠僞邪正之辨。

二五 夫是之謂六經：是，此。六經，《易經》、《書經》、《詩經》、《禮經》、《樂經》及《春秋經》。（分別參看〔註一九〕、〔註二〇〕、〔註二一〕、〔註二二〕、〔註二三〕及〔註二四〕。）

二六 六經非他，吾心之常道也：六經所記皆道，道具於吾心。《傳習錄》上：「聖人述六經，

只是要正人心，只是要存天理，去人欲。」《傳習錄》下（《王文成公全書》卷三）：「《詩》、《書》六藝，皆是天理之發見，文字都包在其中。考之《詩》、《書》六藝，皆所以學存此天理也。」皆可發明此句義蘊。

二七　志，記（述）。下五「志」字，義同。

二八　時行，時時實行。

二九　尊《易》，尊重《易經》；合下尊《書經》、尊《詩經》、尊《禮經》、尊《樂經》及尊《春秋經》，點出〈尊經閣記〉本題。

三〇　求之吾心云云：六經之道，本具於吾心，求之吾心，道即可得。

三一　聖人之扶人極憂後世而述六經也：扶，與《論語》〈季氏〉篇「顚而不扶」之「扶」義同。極，標準。人極，猶言人倫、人道，語出《文中子》，〈述史〉篇：「仰以觀天文，俯以察地理，中以建人極。」〔宋〕周敦頤《太極圖說》亦云：「聖人定之以中正仁義而主靜，立人極焉。」

三二　卒困窮而無以自全也：卒，終於，終至。全，保存。

三三　而記籍其家之所有以貽之：籍：薄冊，此作動詞用，義爲「載錄於簿冊之上」。記與籍在此義意近，爲複詞。貽，遺留。

三四　以免於困窮之患：患，憂。

三五　故六經者吾心之記籍也：記籍，此作名詞用，謂記載（財物）的簿書。

三六　而六經之實則具於吾心：六經之實，謂六經之道。陽明以爲道備於吾心，六經不過記錄此道

之簿書而已。

三七 猶之產業庫藏之實積、種種色色具存於其家：實積，眞正存在的儲藏，用字出於《詩經》，〈周頌〉〈載芟〉篇：「有實其積，萬億及秭。」具，同俱；皆也，《詩經》〈小雅〉〈南山〉篇：「赫赫師尹，民具爾瞻。」具，訓皆，字通俱。

三八 其記籍者特名狀數目而已：特，只不過（是）。名，名稱。狀，形態；樣子。

三九 而世之學者不知求六經之實於吾心，而徒考索於影響之間：徒，但；有「空」、「白白地」之義。考索，考證探求。影，物體的影子，影非物之實；響，聲振動時的反應，響亦非聲之實。朱子以爲事事物物各有其理，理當於事事物物上探求；六經亦爲事物，六經之道在其章句文字之間，求六經之道當於六經文字中考索。朱派學者，莫不奉爲圭臬。〔元〕延祐初取士，詔以朱子及其門人經注爲標準本，明初修《四書五經大全》，疏解亦多採朱說，二百年之間，學者莫不宗朱。陽明以爲物理不外吾心，六經之道亦在吾心，苟求六經之道於章句文字之間，是於心外求道。此兩句批評朱子之學，陽明說：「世儒之支離，外索於刑名器數之末，以求明其所謂物理者，而不知吾心即物理，初無假於外也。」（《王文成公全書》卷七〈象山文集序〉）又說：「（朱）文公……一向只就考索著述上用功，……晚年方悔是倒做了。」（《傳習錄》上）

四〇 牽制於文義之末：牽，拘束。制，限定。末，微小。此亦非難朱子者，陽明〈答天宇書〉說：「……後之學者附會於（〈大學〉）補傳，而不深考於經旨；牽制於文義，而不體認於身心，是以往往失之支離而卒無所得。」（《王文成公全書》卷四）

四一 硜硜然以爲是六經矣：硜，小石堅介，扣其聲硜硜然（《六書故》）。硜硜然，語出《論語》〈子路〉篇：「言必信，行必果，硜硜然小人哉！」朱子釋「硜硜」爲「堅確」，是。此謂世之學者確然自信其所考索爲六經之實。

四二 是猶富家之子孫不務守視享用其產業庫藏之實積：務，專心從事於……。守視，猶言看守。

四三 窶人丐夫：窶，貧（《爾雅》〈釋詁〉）。丐（原作丏，誤。）夫，乞者。

四四 而猶囂囂然指其記籍曰：「斯吾產業庫藏之積也」：囂囂然，自得貌。斯，此。

四五 何以異於是乎：是，此。陽明以爲世儒徒考索於篇章之間，以爲道即在此，不知求六經之道於本心，以至六經之實理早已放失而猶指其繁文碎義，謂即是六經，一若富家子孫不知守其庫藏，貧至乞討，猶指其財產目錄，謂是其庫藏之實積。

四六 尚功利：尚，崇拜；重視。功利，功名利祿；謂經由科舉進入仕途。謂讀書人專務舉業，不知體道於本心。陽明說：「世之學者承沿其舉業詞章之習，以荒穢戕伐其心，既與聖人盡心之學相背而馳，日騖日遠，莫知其所抵極矣。」（〈重脩山陰縣學記〉）

四七 崇邪說：邪說，殆指道家與佛家之說，陽明說：「佛、老之空、虛，遺棄其人倫事物之常，以求明其所謂吾心者，而不知物理即吾心，不可得而遺也。」（〈象山文集序〉）又《傳習錄》卷下：「僊家說虛，從養生上來；佛氏說無，從離生死苦海上來。卻於本體上加卻這些子意思在，便不是他虛、無的本色了。便於本體有障礙。」而於佛氏軧排尤甚，〈重脩山陰縣學記〉：「禪之學起於自私自利而未免於內外之分，斯其所以爲異也。今之爲心性之學者，而果外人倫遺事物，則誠所謂禪矣。」

四八　習訓詁傳記誦：訓詁，用現在的語言文字解釋古代的語言文字叫訓詁。記誦，謂記憶背誦書中文字。陽明於〈重脩山陰縣學記〉說：「聖人既沒，心學晦而人僞行，功利、訓詁、記誦、辭章之徒紛沓而起，支離決裂，歲盛月新，相沿相襲，各是其非。」

四九　沒溺於淺聞小見：沒溺，沈淪陷溺。

五〇　以塗天下之耳目：塗，遮掩。

五一　侈淫辭：侈，誇大。淫辭，《孟子》〈公孫丑上〉篇：「淫辭知其所陷。」〔漢〕趙岐注淫辭曰：「淫美不信之辭。」

五二　飾奸心盜行：飾，掩蓋。奸心，邪僻之心。盜行，陰私害人之行爲。

五三　逐世壟斷：逐世，追求俗尚。壟斷，語出《孟子》〈公孫丑下〉篇，此處義爲操縱把持。

五四　是謂賊經：賊，殘害。

五五　寧復知所以爲尊經也乎：寧……乎，此處義爲「豈能……乎？」「怎能……呢？」

五六　越城舊有稽山書院，在臥龍西岡：越，古地名。唐爲會稽郡，宋爲紹興府。今通稱浙江省爲越。越城，謂浙江省紹興府（今浙江省紹興縣）。稽山書院，據〔明〕萬曆刊本《紹興府志》（卷十八）：「府城內稽山書院，在臥龍山西岡山陰（縣）地。〔宋〕朱晦庵氏嘗司本部常平事，講學倡多士。三衢馬天驥建祠祀之，其後九江吳革因請爲稽山書院。歲久湮廢。〔明〕正德間，知縣張煥改建於故址之西（案：張煥於正德五年知山陰縣事，見《紹興府志》卷二八〈職官志〉〈四縣職〉）。嘉靖三年（甲申），知府南大吉增建明德堂、尊經閣，後爲瑞泉精舍齋。」（〔清〕乾隆《重修浙江通志》卷二七說略同，參看題解。）

五七　荒廢久矣：據《紹興府志》，張煥於武宗正德五年（一五一〇）知山陰縣事，改建書院，當在此頃（參看〔註五六〕），下至嘉靖三年，歷年十五，歲久圮毀，故南大吉使人新其屋宇，且增建堂閣（參看題解）。

五八　郡守渭南南大吉：郡守，謂知府。南大吉，字元善，號瑞泉，渭南（今陝西省渭南縣）人。正德六年進士，授戶部主事，歷員外郎郎中。出知紹興府。嘉靖五年罷歸，二十年（一五四一）卒，年五十五。幼穎異知學，稍長讀書爲文，知求聖賢之學。從學於陽明，嘗闢稽山書院，身親講習。有《瑞泉文集》。〔明〕馮從吾撰〈傳〉（見《馮少墟集》卷二二），〔清〕黃宗羲《明儒學案》（卷二九）〈北方王門學案〉述其學行。案：關於南大吉知紹興府，陽明「〈親民堂記〉」（嘉靖四年作）說：「南子元善之治越也，過陽明子而問政焉。」又乾隆《重修浙江通志》（卷一一九〈職官〉九）亦載南大吉字元善爲紹興府知府。

五九　既敷政於民：敷政，布施政教。

六〇　則慨然悼末學之支離：悼，哀傷。末學，淺薄的讀書人。支離言爲學分歧，不知求本。

六一　於是使山陰令吳君瀛拓書院而一新之，又爲尊經之閣於其後：山陰，明代屬浙江省紹興府治，今屬浙江省紹興縣治。考南大吉重修稽山書院，又見陽明〈送南元善入覲序〉（亦嘉靖四年作）：「渭南南侯之守越也，……又緝稽山書院，萃其秀穎（穎）而日與之諄諄焉、亹亹焉。」（《王文成公全書》卷二二）吳瀛，洛陽（今河南省洛陽縣）人，嘉靖二年知山陰縣事（據《紹興府志》卷二八），陽明〈重脩山陰縣學記〉（嘉靖四年乙酉作）亦及吳氏知山陰縣之事，曰：「山陰之學，歲久彌敝，教諭汪君瀚輩以謀於縣尹顧君鐸而一新之，請

所以詔士之言於予。時予方在疚，辭未有以告也。已而顧君入爲秋官郎，洛陽吳君瀛來代，復增其所未備而申前之請。」拓新稽山書院及增建尊經閣，時在嘉靖三年甲申（參看〔註五六〕），〈尊經閣記〉作於次（四）年乙酉正月（參看題解）。

六二 經正則庶民興，庶民興斯無邪慝矣：二句出《孟子》〈盡心下〉篇。興，謂起而從善。慝，奸惡。

六三 以諗多士：諗，告教。多士，此處謂眾學者；下言「世之學者得吾說」云云可證。

語譯

經，就是經常的道理。它在天叫做命，天賦給人稱爲性，而作身體的主宰時，又名叫心。心也好、性也好、命也好，都是一個道理。這道理，人與物共通，遍及四海，充盈天地之間，自古至今從未中斷。沒有一樁事不具備這種道理，沒有一樣東西道理不相同，它在任何地方都是永恆不變的。這就是經常的道理。它對物的反應，就是惻隱、羞惡、辭讓及是非四端；它顯現在事情上，就是父子的親愛、君臣的正理、夫妻的分際、長幼的等次和朋友的誠實五倫。它的確就是惻隱、羞惡、辭讓及是非四端；就是親愛、正理、分際、誠實五倫，（四端與五倫）祇是一個道理：都是心，都是性，也都是命。這道理，人與物共通，遍及四海，充盈天地之間，自古至今從未中斷。沒有一樁事不具備這種道理，沒有一樣東西道理不相同，它在任何地

方都是永恆不變的。這就是經常的道理啊！

這種道理，用來說陰陽與消滅生長的運行，就稱它爲《易經》；用來說法制政事的推行，就稱它爲《書經》；用來說歌詠性情的發抒，就稱它爲《詩經》；用來說條理和品節文采的表現，就稱它爲《禮經》；用來說快樂和平的產生，就稱它爲《樂經》；要是用來說實在與虛假、邪惡與端正的分別，就稱它爲《春秋經》。它是陰陽與消滅生長的運行，一直到眞實與虛假、邪惡與端正的分別，都祇是一個道理：都是心，都是性，也都是命。這道理，人與物共通，遍及四海，充盈天地之間，自古至今從未中斷。沒有一樁事不具備這種道理，沒有一樣東西道理不相同，它在任何地方都是永恆不變的。這就叫做「六經」。

六經並不是外在的，它正是我們心裏經常的道理。因此《易經》記載我們心裡陰陽與消滅生長的道理，《書經》記載我們心裡的法制政事，《詩經》記載我們心裡的歌詠性情，《禮經》記載我們心裡的條理和品節文采，《樂經》記載我們心裡的快樂和平，而《春秋經》則記載我們心裡對實在與虛假、邪惡與端正的分別。

對於六經，君子只要內求自己心裡的陰陽與消滅生長的適時運行，就是尊崇《易經》；只要內求自己心裡的法制政事的適時推行，就是尊崇《書經》；只要內求自己心裡的歌詠性情的適時抒發，就是尊崇《詩經》；只要內求自己心裡的條理與品節文采的適時表現，就是尊崇《禮經》；只要內求自己心裡的快樂和平的適時產生，就是尊崇《樂經》；只要求自己內心對

實在與虛假、邪惡與端正的分別，就是尊崇《春秋經》了。

從前聖人扶持人倫、憂慮後世的人，因而去述六經，就好像有錢人家的祖父父親擔心他們攢積的產業和庫房裏的財物會被他們的兒孫忘記以致散失，而終至困苦貧窮沒辦法活下去，所以把家裏的資產記載在簿子上，遺留給他們。好讓他們一代一代地保守著那些產業和庫房裏的財物，去享受支用，以免除困苦貧窮的憂慮。這樣看來，這六部經書祇是記載我們本心的簿冊，而六經的實積卻存在我們心中，那就如同產業和庫房裏各式各樣的財物都儲藏在自己的家裡，而那些財產帳簿上所記錄的，不過是它們的名稱、樣子和數目罷了。然而一般讀書人不知往自己的內心求六經的實積，卻在影子、迴音般虛妄不真處摸索，在瑣碎無關緊要的字義裏兜圈子，簡直白費氣力。就那樣，他們還確信自己所探討的是六經的本實，這就好比富家兒孫不知道專心致志地去保守看管享受支用他們的產業和庫存的財寶，一天天忘記以致散失，到窮得變成叫花子那天，還洋洋自得地指著那幾本簿子說：「這就是我們的產業和庫房裏儲存的財寶呀！」那些世俗的讀書人跟這些不肖兒孫的愚昧，又有甚麼差別呢？

唉！六經這門學問，不能普遍為世人了解，不是短時間和少數因素所造成的。崇拜功名利祿，尊奉邪僻的學說，這種行為叫做擾亂經書。專學習解釋古文字義，單教人默記背誦章句，沈沒陷溺在他人淺薄的傳言和微末的識見中，又拿來糊飾眾人的耳朵眼睛，這種行為叫做侮辱經書。誇耀虛美不可信的文辭，爭發欺詐的言辯，掩蓋自己邪惡的心術和陰私害人的行徑，追

求俗尚、操縱把持，壞到這種地步，還自許通曉經義，這叫做殘害經書。像這種人，是連上述記載的簿子也一併分割撕裂拋棄傷毀了，又怎能懂得尊崇經書呢？

很久以前紹興府就設了稽山書院，院址在臥龍山西崗上，荒廢好多年了。知府渭南南大吉君，既已向老百姓布施政教，隨後嘆傷一般淺薄的學者的分歧破碎，不知求本，打算引他們走上學做聖賢的道路，於是命令山陰縣知縣吳瀛君開闢書院舊址，重修房舍，又在書院後面添建了尊經閣，還引《孟子》的話說：「經得到正當的名分，眾百姓就會起來從善；眾百姓起來從善，這就不再有姦惡的人了！」閣子蓋好了，要我寫篇文章，用來告教學者們。我辭謝不肯作，他們不答應，只好爲他們作了這篇「記」如上。唉！時下的讀書人看到我上面所說的話要是能夠去探求他們的內心，也就差不多能懂得怎麼樣去尊崇經書了。

——原載《國語日報》〈古今文選〉新三一七期，民國六十三年三月

四十五　讀《梅園論學續集》

鄞縣戴靜山（君仁）先生既著《梅園論學集》，又彙其最近三年經學理學論文卅餘篇及舊撰文字學四文，編爲《續集》。此集考鑒經學源流，平章儒道同異，張皇先哲微旨，排擊異端邪說。用考據講明義理，多正前人之誤；陳材料以判定事實，補舊說之或疎。矧足以匡救時弊，恢張彝教。余讀受感於懷，而有不能已於言者焉。

國人甚少經學史之作，傳世者僅數本：又多注重事實與度制之因襲，而於其思想演變，則略而不著。先生治兩漢經學，則務尋繹其變遷軌轍。謂由今文學之荒誕奇怪，必然轉變爲古文家之平凡實在；亦即由神秘主義轉變爲自然主義：乃經學之進步。如在《詩》解，三家說「天命玄鳥，降而生商」，附會聖人無父，感天而生；古文毛《傳》則謂契以玄鳥至而生。如在《書》注，〈堯典〉「曰若稽古帝堯」，鄭玄牽引緯說謂稽古爲同天，古文家馬融則釋稽古爲考古。類此古文家以平實之學變更今文神秘之說，皆經先生指出。至謂今文《公羊》家三科九旨等非常異義可怪之論，漸爲時儒所厭棄，於是古文《左氏》學勃興；而《周禮》設官分職，纖悉不遺；行政理財，罔不賅備，所言皆經國實務，故甚受古文家推崇。此論則前所未有。

漢武帝獨尊儒術而黃老漸微，洎東漢古文學以其自然主義得盛而道家賴以復興。道家提倡自然，有助於古文學發展；而崇尚虛無，遂開魏晉清談風氣；先生既辨析道家之所以復盛，及清談之所由起。又指出：戰國晚葉，莊學之徒欲壯其學派之聲勢，乃道裝儒者，使作道家語言，如《莊子》書中「夫子曰無爲」及顏回「忘仁義忘禮樂」之類。至魏晉，何晏王弼師其故智。王注《周易》，多以道家思想摻入儒家經典，如注〈乾〉〈象〉云「夫形也者物之累也」，乃由《老子》「吾所以有大患者，爲吾有身」衍來；何解《論語》，亦時注入玄言，如解「志於道」，云「道不可體」，亦用《老》義。

何王以後，玄風愈熾。士大夫祖述虛無，非毀禮教；捉麈清談，飲酒廢職。《集》中〈魏晉清談家評判〉一文，就道德觀點批評此輩人品：如責嵇阮棄仁義薄禮法；斥八達酣讌縱誕不親庶事；而言王夷甫等清言誤國、矯情作僞，則至於切齒！范寧罪清談家所爲，曰「一世之禍輕，歷代之罪重；自喪之釁小，迷眾之愆大」。先生則大聲疾呼：「清談家思想行爲，伏流至今未絕。現代中國人亦頗有沾染之者；外國亦有類似情形，且反轉影響中國。」所見何其眞切！至學者著書，雜《老》《莊》入儒典，靡然成風；甚者羼入佛語，著於竹帛。先生謂「其患甚於楊墨」，因楊墨明白與儒家異趣，一見可知；而此則泯滅孔孟與老佛界限，令人習焉不察。故特作〈皇侃論語義疏的內涵思想〉，倣朱子之辨雜學，檢舉玄言佛語凡卅餘條；別白疑似，使文武周孔之道復明。

皇氏淆入之老佛思想，既經廓清摧陷，先生復作〈經疏的衍成〉，以檢討義疏之學與佛氏講經之關係。蓋自梁任公言隋唐義疏與佛典疏鈔相互影響，湯氏《漢魏兩晉南北朝佛教史》謂皇侃《論語義疏》行文編制，頗似當世佛經注疏，其後牟潤孫氏論儒釋兩家之講經與義疏，以爲羣經義疏仿自釋氏。眾說紛紜，迄無定論。先生大別漢代經解爲解故與章句爲兩大類，謂：章句動輒數十萬言，南北朝義疏適承其制，是章句乃義疏之祖。至經義之辨難講論方式，上可溯至西漢，固非佛典所獨具；浮屠有講師有都講，而漢於成帝時經師講書已設都講，斯制亦非模倣西域明甚。先生考佛講影響羣經義疏者，僅分科段一事而已。

原始《周易》僅有卦及卦辭、爻辭，目的在於占筮，而殊少義理之言。蓋上古人類畏懼自然，迷信鬼神；疑則取決於龜蓍，故治《易》尚占筮（循此而下，乃有兩漢象數《易》家。），降及春秋戰國，人文大開，決事則訴諸理知；於是儒者作《十翼》，而義理之《易》學出焉。其後，王弼注《易》，盡掃象數；一本義理，惟多雜老莊之學。程頤著《易傳》，發明儒學，最爲醇粹。先生作〈卜筮之易與義理之易〉，強調《易》之時代價值在辭（《十翼》）而不在占；尚辭當主伊川而奴輔嗣。顧前人有求所謂《周易》本來面目，竟廢《十翼》不講者，先生甚不以爲然。又憂世人觀象玩辭，求義過深，而不悟《易》理本不外乎人倫日用之間。因又作〈易經的義理性〉一文，條舉〈彖〉〈象〉〈繫辭〉〈文言〉中哲理之言，就其宇宙論、人性論，原天道以明人事；就其政治學理、教育學理，推人事以究天理。皆不外時

用。〈蹇〉〈彖〉云：「時用大矣哉」，其斯之謂歟！近人或於卦畫中求所謂自然科學，愈迷愈遠；轉霧覺迷，莫若取先生之文讀之！

先生常語人：陸王之學，簡易警切，最能啓發人心；程朱則居敬窮理，下學而上達。本集收有關理學論文八篇，其中〈論江右王門〉一文，論王門後學之較爲平實與程朱宗旨相近者四家。蓋古今言姚江弟子，每摘其末流狂禪一派，嚴辭訾詆。不知江右王門羅念菴主靜，鄒東廓戒懼，聶雙江歸寂，劉兩峯主靜寂，皆後察識而先涵養，與楊龜山門下默坐澄心以體認天理同旨，而與泰州、龍溪倡見在良知者異調。是論也，一則以表章先哲，一則以範世軌物，其作意深矣。

先生早歲獻身教育，迄今五十年，不厭不倦。每嘆中國教育家，孔子第一，朱子第二。作〈賦比興的我見〉、〈毛詩小序的重估價〉等文，旨在闡明聖賢立言垂教之心，非關嘲弄風月；而《集》中〈朱子釋風〉及〈朱子的教育興趣與詩集傳〉二文，由晦庵尋常傳注中探討其教育理論與淑世之志，慧眼獨具；而景崇紫陽之意，亦從可見矣！

先生謙抑，每有新著，輒持以命余獻議；余淺薄，何足以贊一辭？維自民國五十三年，余幸得及門委贄，至今餘十年，受先生教不爲不深；閒常陪侍書几，事先生又若此其近。茲值先生《論學續集》版行，思彰先生德學，元敏忘其愚陋，勉成此文；譬以寸莛，來撞巨鐘。若曰據此短文便知先生，則吾豈敢！

——原載《中國時報》〈航空版〉第七版，民國六十四年十二月二十六日

四十六　辨僞書重要著作提要

懷疑古書，自先秦即已有之。《孟子》云：「盡信書，則不如無書。吾於〈武成〉，取二、三策而已矣。」因以至仁伐至不仁，牧野之師，何至於血流漂杵？孟子不取，就考信故實之態度而言，固應致疑。

班固《漢書》〈藝文志〉，於其所著錄之書，疑爲依託或後人增益者，約二十種。如謂《伊尹說》二十篇，「其語淺薄，似依託也。」謂《師曠》六篇，「見《春秋》，其言淺薄；本與此同，似因託也。」又如《鬻子說》十九篇，謂爲「後世所加。」是也。

《唐人辨僞集語》，近人張西堂所輯，凡輯《五經正義》而下，十有八家。（見顧頡剛主編之《古籍考辨叢刊》，上海中華書局排印本。）中以柳宗元辨《列子》諸書之說，最受學林重視。（柳說詳下文。）

降及有宋，疑古之風益盛，歷元、明、清，至於近世，辨別僞書竟發展爲一專門學問。歐陽永叔以下，諸家之所撰述，不遑枚舉。謹以其重者大者，釐爲四類說之。

一　專辨一書者

(一)《易童子問》三卷，〔宋〕歐陽修撰，商務印書館景印元刊《四部叢刊》本。（在《歐陽文忠公文集》中。）

歐公治學，最善疑古。嘗撰〈帝王世次圖序〉、〈後序〉，辨太史公所定五帝世次之謬。（《歐陽文忠公文集》卷四三，頁八至一一。）其《易童子問》，問答凡三十七章，謂〈繫辭〉、〈文言〉如爲孔子自撰，不應自著「子曰」，（《歐陽文忠公文集》卷七六至七八，《易童子問》。）於後世辨僞理論之確立，影響尤大。如梁任公辨「書中引述某人語，則必非某人作」一條，即受歐公啓示而立。

(二)《詩序辨說》一卷，〔宋〕朱熹撰，《朱子遺書》本。

疑《詩序》自〔唐〕韓愈。宋人蘇轍解《詩》，惟取〈序〉首句，蓋沿〔唐〕成伯璵之舊說。至鄭樵作《詩辨妄》，力攻〈小序〉；王質作《詩總聞》，悉去〈小序〉以言詩。朱子《詩經集傳》踵之，摒棄〈序〉文，即詩求義；復裒〈序〉爲一編，逐條辨其是、非。如〈鄘風〉〈桑中〉，《詩序辨說》云：「此詩乃淫奔者所自作，〈序〉之首句以爲刺奔，誤矣。其下云云者，乃復得樂記之說也。」（頁一四。）它辨多類此。

(三)《朱子大全集》一百卷，《續集》十一卷，《別集》十卷：〔宋〕朱熹撰，臺灣中華書

局《四部備要》本；《朱子語類》一四〇卷，〔宋〕朱熹撰，臺灣正中書局影明刊本。

《朱子文集》、《語類》，多辨別僞書文字。所辨書籍，凡四十餘種，（據《古籍考辨叢刊》所收）中以辨《古文尚書》諸語，最爲學林所諗知。

「疑其疑《古文尚書》後出，宋人始於吳棫，棫說一見引於〔宋〕蔡沈《書經集傳》，（〈泰誓上〉篇解題下）再見引於〔元〕吳澄《書纂言》，云：「增多之書，皆文從字順，非若伏生之書，詰曲聱牙。夫四代之書，作者不一，乃至一人之手，而定爲二體，其亦難言矣。」（〈目錄〉頁八。）朱子推衍吳氏古今文易難之意，曰：「伏生倍文暗誦，乃偏得其所難；而安國考定於科斗古書錯亂磨滅之餘，反專得其所易，則又有不可曉者。」（《朱子大全集》卷六五頁五。）又曰：「孔壁所出《尚書》，如〈禹謨〉、〈五子之歌〉、〈胤征〉、〈泰誓〉、〈武成〉、〈冏命〉、〈微子之命〉、〈蔡仲之命〉、〈君牙〉等篇皆平易，伏生所傳皆難讀。如何伏生偏記得難底；至於易底，全記不得，此不可曉。」（《朱子語類》卷七八頁一。）

案：語類中若此之文甚多，不具錄。

（四）《書纂言》四卷，〔元〕吳澄（或作澂）撰，《通志堂經解》本。

蔡沈既疑「〈泰誓〉、〈武成〉一篇之中，似盡非出於一人之口。」（《書經集注》〈牧誓〉末蔡自注）又於各篇篇題下標明孰爲今古文所共有，孰爲古文所獨有。吳氏《纂言》遂摒古文廿五篇不爲之注。並引吳才老、朱仲晦之言，而「斷斷然不敢信此二十五篇之爲古書。」

（〈目錄〉頁八。）

（五）《尚書考異》五卷，〔明〕梅鷟撰，〔清〕光緒十八年刊本。

朱子疑《古文尚書》平易，今文深奧，猶時自爲調停之說。（〔清〕閻若璩《尚書古文疏證》卷八頁三亦謂朱子持此意。）如《文集》（卷六五頁四。）云：「括蒼葉夢得曰：《尚書》文皆奇澁，非作文者故欲如此，蓋當時語自爾也。今按：此說是也。大抵《書》之詞語多奇澁，而誓命多平易。蓋訓誥皆是記錄當時號令於眾人之本語，故其間多有方言及古語；在當時則人所共曉，而於今世，反爲難知。誓命則是當時史官所撰：櫽括潤色，粗有體製。故在今日亦不難曉耳。」（又《語類》卷七八頁一萬人傑錄一條略同。）〔註〕以所謂文辭難易論其眞僞，殊難服人心口。且朱子舉其爲平易之古文者，不過〈禹謨〉等九篇，（見上引）餘篇則未申明致疑之理由。故蔡、吳輩不敢斷然斥其爲僞。

以考據方法證《古文尚書》爲僞者，自梅鷟始。其《尚書考異》將僞書沿襲古書之文句考其出處。如〈大禹謨〉篇「帝曰：俞，地平天成。」末四字出於《左》〈僖二十四〉及〈文十八年傳〉，（《尚書考異》卷二頁六。）僞書照抄；〈大禹謨〉篇首「曰若稽古大禹」等十七字，僞書倣〈堯典〉、〈皐陶謨〉作之；（《尚書考異》卷二頁二。）又同篇「后克艱厥后，臣克艱厥臣。」用〈皐陶謨〉之意，《論語》之辭。（《尚書考異》卷二頁三至四。）因定此二十五篇爲〔晉〕皇甫謐僞作。

（六）《尚書古文疏證》八卷，〔清〕閻若璩撰，《皇清經解續編》本。

明人疑《古文尚書》者，不止梅氏，而以梅氏成就最大；清代辨《古文尚書》爲僞者，亦

不止百詩一人，而以百詩之方法最精。是書舉百廿八證，（今闕廿九條），可歸納爲十四類：有泛論晚出古文爲僞書者（第一、二、三、四、十五、十六、……諸條）；有揭僞書剽竊之迹者（三十一、六十四、七十六諸條）；亦有與辨僞無關者（七十一、七十二、八十二諸條）。其所用之方法，一言以蔽之，曰科學方法。如第七條以僞書止據馬融所引經傳載〈泰誓〉之文，而不及其所未引者（《墨子》引〈大誓〉一條），證僞書襲自馬融，而非經傳稱引僞書。可以杜諸家謂經傳引用《尚書》足證其可信者之口。（《尚書古文疏證》卷二頁一八）閻氏又驗諸古代制度，證晚出古文多出於《漢書》。（六十二、六十七、一〇〇、一一二諸條）其結論謂古文二十五篇爲〔東晉〕梅賾僞作。

（七）《古文尚書考》二卷，〔清〕惠棟撰，《皇清經解》本。

是書首證姚方興僞添「曰若稽古帝舜曰重華」等二十八字之罪狀，及論分〈堯典〉爲堯、舜二〈典〉之謬，繼則予僞撰各篇，逐句疏其說於下，或引經傳之文，或援閻若璩之說，故定宇書出，而《古文尚書》僞迹，亡隱情矣！

（八）《尚書餘論》，不分卷，〔清〕丁晏撰，《皇清經解續編》本。

晏謂《古文尚書》王肅僞造以難康成者，自唐初已疑其書。竝引《隋書》〈經籍志〉及《尚書》孔氏《正義》〈序〉爲證。（《尚書餘論》頁一六、一七。）

（九）《周官辨非》，不分卷，〔清〕萬斯大撰，《萬氏經學五書》本。

《周禮》又稱《周官》。漢武帝以爲末世瀆亂不驗之書，何休以爲六國陰謀之書，臨孝存爲十論七難以排斥之。然鄭康成謂爲周公所作，〔宋〕張載、程頤、蘇轍等皆疑其不盡爲周公之書，而有後人增入之語。姚際恆曾爲專書以辨其出於西漢之末。（姚著《古今僞書考》頁五述及）萬斯大有《周官辨非》二卷，曰：

世稱《周禮》周公所作，吾考魯史克有言：先君周公制《周禮》，曰：則以觀德，德以處事，事以度功，功以食民。今觀《周禮》無此言，則知周公之《周禮》已亡，而今之所傳者，後人假托之書也。（頁一）

又就其「諸不合于五經、《論》、《孟》者，取而辨之」，（同上）凡若干條，如引〈曲禮〉辨不應列世婦于〈春官〉，而置之卿士。（頁三三）引〈昏義〉證內外宗非專官，不得隸於〈春官〉。（頁三四）皆是。

（十）《周禮問》二卷，〔清〕毛奇齡撰，《毛西河全集》本。

宋人頗有疑《周禮》爲劉歆所作者，〔清〕康有爲、廖平力主此說。毛奇齡《周禮問》辨云：

《周禮》自非聖經，不特非周公所作，且並非孔、孟以前之書，此與《儀禮》、《禮記》同時雜出於周秦之間。此在有識者皆能言之，若實指某作，則自坐誣妄，又何足以論此書矣。（卷一頁一。）

論非周公之書，然亦非劉歆所作，西河之說最精塙者有：

讀書當有究竟，〈藝文志〉於《樂經》云：「六國之君，魏文侯最爲好古。孝文時得其樂人竇公上獻其書，乃《周官》〈大宗伯〉之〈大司樂〉章也。」則在六國魏文侯時，已有此書；其爲春秋戰國間人所作無疑，而謂是歆作，可乎？（《周禮問》卷一頁二至三。）在武帝朝且有采《周官經》而爲《樂記》者，此不止竇公獻一篇；且必非歆、譚行僞，于《周官經》六篇外，又作此二十四卷，斷可知也。（同上卷一頁三）

（臨）孝存以爲武帝知《周官》爲末世瀆亂不驗之書，擯斥不行，因作十論七難以排棄之。是闢此書者，亦且明明云漢武時早有此書。而效尤而興者，反昧所從來；是學攻膏肓而不解墨守，曳兵之卒也。（同上卷一頁三至四）

（十一）《古籍導讀》，不分卷，一冊，屈萬里撰，民國五十三年臺灣開明書店排印本。

是書下編〈周禮解題〉，論《周禮》非周公作，舉四證：

1 《周禮》謂天子邦畿方千里，邦畿之外分九畿，畿每面五百里，通計為萬里。周初疆域不及此；

2 《周禮》用戰國時地名（「河東曰兗州」），顯非周公之書；

3 〈考工記〉〈玉人〉記諸侯僭稱王，乃戰國時事，則〈考工記〉亦非周公之書；

4 是書言五行、五帝、五嶽、星野，皆春秋戰國以來始有之物事。（以上見《古籍導讀》頁一六三至一六四。）

又據《南齊書》〈文惠太子傳〉，知〈考工記〉為科斗書，為六國時人所寫，而非劉歆偽撰者。（《古籍導讀》頁一六八。）

（十二）《家語考》一篇，〔宋〕王柏撰，《續金華叢書》本。（在《魯齋集》中。）

《家語》一書，〔唐〕顏師古疑之。（《漢書注》）《禮記》〈曾子問〉疏謂「或《家語》王肅所足。」朱子援《家語》以證〈中庸〉章句，張栻已論其未安。（《南軒文集》卷二十頁五〈答朱元晦秘書〉）至王柏重定〈中庸〉章句，撰〈家語考〉一篇，云：「今之《家語》十卷，凡四十有四篇，意王肅雜取《左傳》、《荀》、《孟》、《二戴》之緒餘，混亂精粗，割裂前後，織而成之，託以安國之名。」（《魯齋集》卷九頁一五。）

（十三）《家語證偽》十一卷，〔清〕范家相撰，〔清〕乾隆三十二年蘇州文學山房刊本。

范氏斷《家語》肅所偽作。多取於《二戴》，其次《說苑》，而《左傳》所記孔子之言及

諸弟子事實，則悉取之。（《家語證僞》卷十一頁一四、一五。）

（十四）《家語疏證》六卷，〔清〕孫志祖撰，《式訓堂叢書》本。

斷《家語》爲王肅取《荀子》、《二戴》、《說苑》、《呂氏春秋》諸書之文綴輯而成。且按據今《家語》章節，原其出處，以昭僞迹。如謂〈王言解〉三，「孔子閒居」至篇末，全襲《大戴禮》。（《家語疏證》卷一頁四）謂〈本命解〉二十六，魯哀公問於孔子曰節，襲自《大戴記》、《韓詩外傳》、《說苑》。（《家語疏證》卷三頁一八）皆是。

（十五）《孔子家語疏證》十卷，〔清〕陳士珂撰，〔清〕光緒辛卯三餘草堂刊本。

陳氏云：「予嘗據（《家語》）本書爲綱，而互見於他書者，……以附其後。」（〔清〕嘉慶二十三年陳《詩序》引。）案：是書但錄他書與《家語》同似之文分條系屬於《家語》之下，而不贊一辭。如〈相魯〉第一，「孔子初仕」至「無姦民」後，引《禮記》〈檀弓上〉、《史記》〈孔子世家〉、《三禮義宗》、《春秋傳》之文於其下，所謂「將使學者參考而諦視之。」（同上陳《詩序》引。）是也。

二 專辨同類之書者

（一）《柳河東全集》，五十卷，〔唐〕柳宗元撰，民國五十二年世界書局排印本。

唐人辨僞書，以柳子厚所辨《列子》、《文子》、《鬼谷子》、《晏子春秋》、《亢倉

子》、《鶡冠子》諸篇爲最著。如謂《列子》言鄭穆公後事，當在魯穆公時。其書多增竄，非其實。（《柳河東集》卷四頁四七。）其辨《文子》，則曰：「其渾而類者少，竊取他書以合之者多。凡《孟》、《管》輩數家，皆見剽竊。」（同上卷四頁四八。）凡此，均爲卓識。

（二）《子略》四卷，〔宋〕高似孫撰，《四明叢書》本。

是乃一目錄學書籍，（下《郡齋讀書志》、《直齋書錄解題》同。）辨僞非其著作要旨。然始錄《漢》〈志〉所載，次《隋》〈志〉所載，次《唐》〈志〉，次庾仲容《子鈔》、馬總《意林》所載，末鄭樵《通志》〈藝文略〉所載。存其書名，略註撰人卷數於下，間亦討論書之眞僞，如考《曾子》爲後人掇拾《二戴記》以成書者，（《子略》卷一頁一八。）論《亢倉子》往往采《列子》、《文子》、《呂覽》、《新序》、《說苑》、《戴禮》之書以成。（《子略》卷三頁六）均是。

（三）《諸子辯》一卷，〔明〕宋濂撰，《金華叢書》本。（在《宋學士集》中。）

〈自序〉云：「《諸子辯》者何？辯諸子也。通謂之諸子何？周秦以來作者，不一姓也。」（《宋學士集》卷二七頁四一。）所辯上自《鬻子》，下迄宋《程子粹言》，凡四十四種。（據《古籍考辨叢刊》所附姚名達撰〈宋胡姚三家所論列古書對照表〉）中被判爲「僞」，或「後人依託」，或「可疑者」，凡二十四種。如辯《子華子》爲僞，疑其時地不相若，疑其文辭不類，考其思想不類縱橫家，反類道家，又頗鈔《老》、《莊》、《孟》、《荀》等書之說。（《宋學士集》卷二七頁五〇至五一。）

（四）《諸子叢考》，（見《古史辨》冊四）〔民國〕羅根澤編著。

是書裒集諸家論諸子之文，並及其眞僞問題。

三　辨羣書者

宋人著作，朱子《文集》、《語類》而外，亦多辨僞之語者。若洪邁《容齋隨筆》、葉適《習學記言》、黃震《日抄》均是。而以晁公武《郡齋讀書志》及陳振孫《直齋書錄解題》最重要。述二書如下：

（一）《郡齋讀書志》四卷，〈附志〉一卷，〈後志〉二卷，〈考異〉一卷：〔宋〕晁公武撰。

是書以四部分類，計經部十類，史部十三類，子部十六類，集部三類。其題《孝經》曰：「今其首章云：仲尼居，曾子侍，則非孔子所著，明矣。」（《郡齋讀書志》卷一下頁九。）又題《鄧析子》曰：「今其書大旨訐而刻，眞其言也，無可難者。而其間時剿取他書，頗駁雜不倫，豈後人附益之與！」（《郡齋讀書志》卷三上頁一八。）它多類此。

（二）《直齋書錄解題》二十二卷，〔宋〕陳振孫撰，〔清〕光緒九年江蘇書局刊本。

是書分錄典籍爲五十三類，（〈別集類〉又分上、中、下，〈詩集類〉又分上、下。）既詳其卷帙多寡，撰人名氏，又撮其旨要，品隲其得失，亦往往抉其眞僞。如《賈子》十一卷，

解曰：「今書首載〈過秦論〉，末為〈弔湘賦〉，餘皆錄《漢書》語，且節略〈誼本傳〉於第十一卷中，其非《漢書》所有者，輒淺駁不足觀，決非誼本書也。」（卷九頁二。）又如《二南密旨》，解曰：「〔唐〕賈島撰，凡十五門，恐亦依託。」（卷二十二頁六。）

（三）《四部正譌》三卷，〔明〕胡應麟撰，臺北世界書局影印本。（在《偽書考五種》中。）

是書特色有二：一曰所辨典籍增多，凡百又四種。經判為「偽」、或「眞偽相雜」、或「可疑」者，九十三種。二曰辨偽方法之確立，胡氏云：

凡覈偽書之道：覈之《七略》以觀其源；覈之羣〈志〉以觀其緒；覈之並世之言以觀其稱；覈之異世之言以觀其述；覈之文以觀其體；覈之事以觀其時；覈之撰者以觀其託；覈之傳者以觀其人。覈茲八者，而古今贋籍亡隱情矣。

胡氏所揭，大抵裁酌前人議論，定為此八法。如柳宗元〈辯鬼谷子〉云漢時劉向、班固錄書無之，定為後出。（《柳河東集》卷四頁一九。又〈辯亢倉子〉略同。）又如朱子辨《孔叢子》，一曰「若是古書，前漢時又都不見說，是如何？」（《朱子語類》卷一二五頁三。）再曰「《孔叢子》說話多類漢人文。……西漢時若有此等話，何故不略見於賈誼、董仲舒所述？」（同上卷一二五頁四）此略合胡氏之前三條。《朱子語類》又云：

「《孔叢子》，……讀其首幾章，皆法《左傳》句，已疑之。」（卷一三七頁一。）此即胡氏「覈之文以觀其體」也。故《四部正譌》結論云：

余率本前人遺議，稍加詳密，間折其衷耳。（卷下頁四八。）

（四）《古今僞書考》，不分卷，（清）姚際恆撰，《叢書集成初編》本。

際恆以前諸家辨僞，尠及於集部。胡氏《正譌》雖號稱四部，其實所辨僅《香奩集》數種爲集部之書。姚氏因「別集，人難以僞；古集閒有一、二附益僞撰，不足稱數，故不之及。」（《古今僞書考》姚氏弁言。）至「子類二氏之書，亦不及焉。」（同上）姚則未云其故。計列書九十種，（據姚名達（對照表），下同。）僅直判爲僞者即達六十六種。向宋景濂以爲「眞」，胡元瑞以爲「無可疑」者，姚氏亦有考其爲僞者矣。如《尉繚子》，姚《考》云：「《漢》〈志〉〈雜家〉，有二十九篇，〈兵家〉有三十一篇，今二十四篇。其首〈天官〉篇與梁惠王問對，全仿《孟子》〈天時不如地利章〉爲說。至〈戰威章〉則直舉其二語矣。豈同爲一時之人，其言適相符合如是耶？其僞昭然！」（頁二〇）其推闡益精，可見一斑。

（附一）《重考古今僞書考》，（民國）顧實撰。

是書就姚《考》更爲考證。或補姚氏之略，如《石申星經》，姚判其爲僞，而未詳其所

以，顧氏則云：「後人采《晉》、《隋》二〈志〉之文成之，詞意淺近，必非古書。故《漢書》〈天文志〉注、《易乾鑿度》鄭注引《星經》，今本皆無之。……今本《星經》，當屬北宋人所僞託。」（〔民國〕張心澂《僞書通考》頁九〇六引）或糾姚氏之繆，如《金匱玉函經》，姚氏以爲非仲景作，乃後人僞託者。顧氏徵諸舊志，明其不僞。（《僞書通考》頁八二三引）

〔附二〕《古今僞書考補證》，不分卷，〔民國〕黃雲眉撰，香港出版。

黃氏〈自序〉云：「《補證》意在鞏固姚《考》，範圍較狹。」觀是書（頁三二二至三二三）所列原著〈補證異同對照表〉，知黃氏《補證》或同姚說，如《子夏易傳》；或申姚意，如定《商子》爲漢人僞作；或正姚失，如謂《文子》非僞書，爲謬書。

（五）《四庫全書總目提要》二百卷，〔清〕紀昀等撰，臺北藝文印書館影印本。

《提要》每錄一書，苟有可疑，莫不辨其眞僞。故所置辯之書，徧及四部，而以辨集部諸書之僞，貢獻最大。蓋前此宋、胡、姚諸家，功罕及茲；後此《僞書通考》所采辨集部之僞者，亦以《四庫》獨多。僅以別集而論，張心澂列書三十九部，而引《提要》之語以證者，達二十六種之多，（約占百分之七十），其中獨引《提要》之語以證其爲「僞」、「疑僞」……者，都十八種，（亦約佔百分之七十）計：

僞　一種　如《陳文恭集》

見《四庫全書總目提要》卷七四頁四二〈別集〉〈存目一〉。

中多僞　一種　（以下不具舉其卷數頁數。）

中有僞　五種

有僞入　一種

疑僞　四種

疑有僞　一種

或疑有僞　二種

疑有誤入　二種

僞題編者　一種

（六）《考信錄》，〔清〕崔述撰，臺北世界書局影印本。（在《崔東壁遺書》中。）

述有《東壁遺書》，其考辨史料眞僞之卓見，書中觸處皆是，而《考信錄》於先秦學術資料之討論，著功尤多。書分：

《補上古考信錄》二卷　論三皇五帝爲子虛烏有等。

《唐虞考信錄》四卷　論《左傳》記八元八愷之失實等。

《三代考信錄》共二十卷　論〈周南〉前五篇非詠太姒等。

《洙泗考信錄》四卷　辨公山弗擾召孔子之說爲誣等。

（案：另有《別錄》、《餘錄》等，此不贅。）

（七）《古書真偽及其年代》三卷，〔民國〕梁啓超撰，臺灣中華書局排印本。

清末、民初以來，辨僞方法日趨精審。胡適之先生《中國哲學史大綱》卷上（頁一九至二五），論審定史料之方法爲經由史事、文字、文體、思想、旁證五種，實即辨僞之方法。瑞典人高本漢著《中國古籍辨僞法》，近人王靜如節譯載於《中央研究院歷史語言研究所集刊》第二本，（頁二八三至二九五，題「〈論考證古書眞僞之方法〉」。）亦舉辨僞方法十例。梁任公著《中國歷史研究法》，其第五章「史料之蒐集與鑑別」，列十二公例以辨僞書，（原書頁八五至八七）仍不出其後著之《古書眞僞及其年代》「從傳授統緒上辨別；從文義內容上辨別」兩大系統之外。

《古書眞僞及其年代》，卷一爲「總論」，下分五章，第四章爲「辨別僞書及考證年代的方法」，大抵不出胡氏《四部正譌》所據八事之範圍，惟推闡益加詳密。茲舉其要如下：

甲　從傳授統緒上辨別

一　從舊志不著錄，而定其爲僞爲可疑。（案：此合胡氏之第一事。）

二　從前志著錄，後志已佚，而定其爲僞爲可疑。（案：此似胡氏之第二事。）

三　從今本和舊志說的卷數不同而定其僞或可疑。（案：此亦似胡氏之第二事。）

四　從舊志無著者姓名，而定後人隨便附上去的姓名是僞。

五　從舊志或注家已明言是僞書，而信其說。（案：此似胡舉之第一事。）

六　後人說某書出現於某時，而那時人並未看見那書，從這上可斷定那是僞書。

（案：此似胡舉之二、三事。）

七　書初出現，已發生許多問題，或有人證明是僞造。我們當然不能相信。

八　從書的來歷曖昧不明，而定其爲僞。

乙　從文義內容上辨別

一　從文字罅漏處辨別。（下更有子目，從略。下同）

二　從抄襲舊文處辨別。

三　從佚文上辨別。

四　從文章上辨別。

五　從思想上辨別。

（以上見原書頁三九至五七）。

卷二、三爲「分論」，含六章，所辨《周易》、《尚書》、《詩經》以至《孟子》共十六部書。

（八）《四庫提要辨證》二十四卷，（民國）余嘉錫撰，臺北藝文印書館影印本。

是書歷時三十載始成，費力多而用心苦，徵引博贍，精思層出。或正《提要》之失，（如《方輿勝覽》，《提要》以爲成於宋理宗時，余氏證爲度宗時完卷）；或補《提要》之未備，（如《大金國志》，余氏引李慈銘《荀學齋日記》以與《提要》互證。）至於辨別僞書，余辨

足以輔翼《提要》者殊多，茲舉三例以見其概：

1 《子貢詩傳》、《申培詩說》各一卷

二書《提要》以爲皆豐坊僞作。余氏疑《申培詩說》爲海鹽王文祿所撰，云：「……《子貢詩傳》，爲豐坊《魯詩》世學之根據，必是坊所自作。若《申培詩說》，坊未嘗援以自證，疑爲文祿之所作。蓋坊既示（文祿）以《詩傳》，文祿遂依坊爲此，以爲之羽翼。二人交誼甚密，故相與狼狽如此。」（《四庫提要辨證》卷二頁四〇至四六。）

2 《岳武穆遺文》一卷下

余氏定〈岳飛送張紫巖先生北伐〉詩爲桑民懌僞託，又疑家戶傳誦之〈滿江紅〉詞爲明人依託。（《四庫提要辨證》卷二三頁一四四三至一四五〇）皆有塙證。

3 《野處類稾》二卷

題〔宋〕洪邁撰。余氏歷引勞格、陸心源之語，證其書有朱松（案：熹父）《韋齋集》之文羼入。結云：「然此書之僞，本不難知。朱松字喬年，徽州婺源人，其弟槔。……松是以有〈懷舍弟逢年歸婺源〉詩。若邁則既無此弟，邁有弟景裴、景何等。且何以不歸番陽而歸婺源也？故祇須見此題，即可知其竊自《韋齋》矣。」（《四庫提要辨證》卷二十三頁一四六八）

四　彙編、彙纂者

（一）《古籍考辨叢刊》第一集，〔民國〕顧頡剛主編。上海中華書局排印本。

是書計收：

1 《唐人辨僞集語》　張西堂輯點

2 《朱熹辨僞語》　白壽彝輯點

3 《四部正譌》　顧頡剛校點（〔明〕胡應麟原著）。

4 《古今僞書考》　顧頡剛校點（〔清〕姚際恆原著）。

5 《詩疑》　顧頡剛校點（〔宋〕王柏原著）。

6 《書序辨》　顧頡剛輯點。

7 《左氏春秋考證》　顧頡剛校點。（〔清〕劉逢祿原著）。

8 《論語辨》　趙貞信輯點。

9 《子略》　顧頡剛校點（〔宋〕高似孫原著）。

10 《諸子辯》　顧頡剛校點（〔明〕宋濂原著）。

（二）《偽書通考》，不分卷，〔民國〕張心澂撰，香港出版。

是書彙集前人辨僞文字最爲繁富。所辨之書，都千零五十九部。略倣《四庫》，分經、史、集。每部之下，分爲若干類，凡四十類。又有道藏、佛藏兩部分，繫於四部之後。

其體例：先錄書名、卷數，後引各家有關之說。其辨本書爲僞之語所必收，即辨其爲不僞之語亦兼取。如《三墳》，〔宋〕程頤、楊時、葉夢得均疑其僞。《僞書通考》載鄭樵云：「（《三墳》）世疑其僞書，然其文古，其辭質而野，其錯綜有經緯，恐非後人之能爲也。」（頁一〇六）

粗檢全書，所列於諸書書名之下，心澂所加判語，約可併爲十六類：

僞　如《連山易》十卷（頁一九）。

誤認撰者　如《周易》十二卷（頁二四）。

疑僞　如《易林》十六卷（頁八四）。

有疑　如《今文尚書》（頁一一二）。

或疑改造　如《春秋左氏傳》（頁三五〇）。

撰人可疑　如《中庸》（頁四四五）。

襲取作成　如《五經大全》（頁四四〇）。

有僞作增入　如《論語》（頁四五〇）。

誤題撰人　如《靖炎兩朝見聞錄》（頁五五八）。

偽題撰人　　　如《平巢事蹟考》（頁五五五八）。
自他書節抄　　如《碧溪叢考》（頁五五五九）。
錄自他書　　　如《明倭寇始末》（頁五五六一）。
後人所輯　　　如《子思子》（頁六一一九）。
內有偽　　　　如《皇極經世書》（頁九二二一）。
有誤入　　　　如《陳思王集》（頁九五五八）。
偽題編者　　　如《山谷精華錄》（頁九六六九）。

又有未加判語者，疑為疏脫，如《春秋繁露》（頁四一二二）及《石經大學》（頁四四五），等均是。

註釋

註　《宋史》〈藝文志〉著錄葉夢得《書傳》十卷，《經義考》（卷七九頁一一）云：未見。清初朱鶴齡《尚書埤傳》（首卷頁一二）所引「葉夢得曰」，係誤引朱子之案語，是亦未覩葉氏《書傳》。

——原載《書目季刊》第二卷第三期，民國五十七年三月

〔附〕程元敏著作目錄分年類編

一　期刊論文

〈魯齋王文憲公集板本考略〉，《書目季刊》，一卷二期（一九六六年十二月），頁二十五～三十三。收入專書《王柏之生平與學術》。

〈論王柏於閟宮章句之改移〉，《國立中央圖書館館刊》，新一卷二期（一九六七年十月），頁三十九～四十四。收入專書同上。

〈論「詩準」「詩翼」之眞本與僞本〉，《大陸雜誌》，三十九卷十二期（一九六九年十二月），頁二十九～三十一。同上。

〈王魯齋甲午甲辰甲寅甲子稿輯佚〉，《書目季刊》，六卷一期（一九七一年九月），頁十七～二十三。同上。

〈考王柏詩文篇著成時代及輯佚〉，《國立編譯館館刊》，一卷二期（一九七二年三月），頁三十六～七十五。同上。

〈王魯齋之洪範說〉，《孔孟學報》，二十三期（一九七二年四月），頁三十九～九十八。同上。

〈大學改本述評〉，《孔孟學報》，二十三期（一九七二年四月），頁一三五～一六八。同

上。

〈書疑考〉，《書目季刊》，六卷三/四期（一九七二年六月），頁九十三～一一四。同上。

〈論王魯齋中庸改本〉，《文史季刊》，二卷三、四期（一九七二年七月），頁四十一～六十九。同上。

〈「王柏之生平與學術」提要〉，《木鐸》，二期（一九七三年十一月），頁七十五～七十八。同上。

〈王柏之生平與學術序〉，《幼獅月刊》，四十二卷二期（一九七五年八月），頁六十七～六十八。同上。

〈尚書新義夏書禹貢篇輯考彙評〉，《孔孟學報》，三十五期（一九七七年四月），頁九十一～一〇六。收入專書《三經新輯考彙評（一）——尚書》。

〈尚書新義輯考彙評〉，《孔孟學報》，三十六期（一九七七年九月），頁七十九～九十七；《書目季刊》，十二卷一、二期，頁六十七～八十一。同上。

〈尚書新義虞書五篇輯考之彙評〉，《國立編譯館館刊》，六卷二期（一九七七年二月），頁二十五～五十二。同上。

〈尚書新義商書十七篇輯考彙評〉，《國立編譯館館刊》，七卷一期（一九七八年六月），頁三十三～四十三。同上。

〈尚書新義周書大誥等七篇輯考彙評〉，《幼獅學誌》，十五卷一期（一九七八年六月），頁六十二～一〇〇。同上。

〈三經新義與字說科場顯微錄〉，《屈萬里先生七秩榮慶論文集》（一九七八年九月），頁二四九～二八五。同上。

〈王安石雱父子享祀廟庭考〉，《臺灣大學文史哲學報》，二十七期（一九七八年二月），頁一一五～一四四。同上。

〈王安石尚書新義輯考彙評序〉，《中央日報文史週刊》，四十三期（一九七九年二月二十七日）。同上。

〈三經新義修撰通考〉，《孔孟學報》，三十七期（一九七九年四月），頁一三五～一四七。同上。

〈尚書新義輯考彙評序〉，《中華文化復興月刊》，十八卷十期（一九八五年十月），頁七十一。同上。

〈詩經新義輯考彙評〉，《中華文化復興月刊》，十二卷四期（一九七九年四月），頁三十至三十八。收入專書《三經新輯考彙（二）——詩經》。

〈詩經新義輯考彙評〉，《國立編譯館館刊》，八卷一期（一九七九年六月），頁一五九～一八四。同上。

〈詩經新義輯考彙評〉，《中華文化復興月刊》，十二卷八期（一九七九年八月），頁二十六～三十四。同上。

〈詩經新義輯考彙評〉，《幼獅學誌》，十五卷四期（一九七九年十二月），頁七十二～一一二。同上。

〈詩經新義輯考彙評〉，《國立編譯館館刊》，八卷二期（一九七九年十二月），頁一六三～一九三。同上。

〈詩經新義輯考彙評〉，《東方雜誌》，復刊十三卷七期（一九八〇年一月），頁四十九～五十四。同上。

〈詩經新義輯考彙評〉，《孔孟學報》，三十九期（一九八〇年四月），頁二十一～三十六。同上。

〈詩經新義輯考彙評：魯頌、商頌各篇〉，《中華文化復興月刊》，十四卷二期（一九八一年二月），頁五十八～六十一。同上。

〈三經新義修撰人考〉，《臺靜農先生八十壽慶論文集》（一九八一年十一月），頁一五三～一九〇，臺北，聯經出版社。同上。

〈三經新義評論輯類〉，《國立編譯館館刊》，九卷二期（一九八〇年十二月），頁八十一～一〇三。收入專書《三經新義輯考彙評（三）——周禮》。

〈三經新義板本與流傳〉，《臺灣大學文史哲學報》，三十期（一九八一年十二月），頁九～六十。同上。

〈周禮新義輯考彙評序〉，《中華文化復興月刊》，十八卷九期（一九八五年九月），頁七十一～七十二。同上。

〈周禮新義板本與流傳〉，《臺大中文學報》，創刊號（一九八五年十一月），頁二三三～二八三。同上。

〈道教三張天師之儒學〉，《毛子水先生九五壽慶論文集》（一九八七年四月），頁一七五～一八六。收入專書《三國蜀經學》。

〈諸葛亮之儒學〉，《國立編譯館館刊》，十六卷一期（一九八七年四月），頁一～九。同上。

〈蜀才及其易注〉，《臺大中文學報》，二期（一九八七年十一月），頁一一三～一三四。同上。

〈論書序之著成年歲〉，《明代經學國際研討會論文集》（一九九六年六月），頁二十三～五十四。收入專書《書序通考》。

〈毛詩序之衍成〉，《孔孟學報》，八十二期（二〇〇四年九月），頁二十九～五十八。收入專書《詩序新考》。

〈尚書輯逸徵獻——併論輯逸書非始於唐宋〉，《國立中央圖書館館刊》，新二十四卷一期（一九九一年六月），頁六十九～九十一。收入專書《尚書學史》。

〈南北朝尚書學〉，《國立編譯館館刊》，二十一卷二期（一九九二年十二月），頁一八一～二一七。同上。

〈伏生之三統陰陽五行災異暨讖緯學說〉，《世新中文研究集刊》，三期（二〇〇七年六月），頁二十一～四十二。同上。

〈尚書洪範皇極章義證〉，《幼獅學誌》，十四卷二期（一九七七年五月），頁四十九～六十五。收入專書《尚書周書牧誓洪範金縢呂刑篇義證》。

〈尚書呂刑篇之著成〉，《清華學報》，新十五卷一／二期（一九八三年十二月），頁一～二十五。同上。

〈尚書金縢篇之著成〉，《書目季刊》，四十五卷一期（二〇一一年六月），頁五十七～六十四。同上。

〈清華楚簡本《尚書．金縢篇》評判〉，《傳統中國研究集刊》九、十合輯（二〇一二年），頁三十六，上海人民出版社。同上。

〈贏秦與項楚焚禁經籍及秦始皇坑儒與秦二世誅儒新證〉，《書目季刊》，四十五卷四期（二〇一一年三月），頁三十一～五十九，收入專書《先秦經學史》。

〈周公旦未曾稱王考（上）〉，《孔孟學報》，二十八期（一九七四年九月），頁一一三～一一八。收入專書《尚書周誥十三篇義證》。

〈尚書多方篇著成於多士篇之前辨〉，《臺灣大學文史哲學報》，二十三期（一九七四年十月），頁五十九～九十三。同上。

〈尚書周誥梓材篇義證〉，《書目季刊》，八卷四期（一九七五年三月），頁四十九～五十八。同上。

〈尚書召誥篇義證〉，《孔孟學報》，二十九期（一九七五年四月），頁一一三～一三八。同上。

〈周公旦未曾稱王考（下）〉，《孔孟學報》，二十九期（一九七五年四月），頁一五七～一八一。同上。

〈尚書周誥（大誥、康誥、酒誥）義證〉，《國立編譯館館刊》，四卷一期（一九七五年六月），頁五十三～一二八。同上。

〈尚書無逸篇義證〉，《孔孟學報》，三十期（一九七五年九月），頁六十三～八十二。同上。

〈尚書周誥（洛誥、多士）篇義證〉，《國文編譯館館刊》，四卷二期（一九七五年十二月），頁六十五～一〇八。同上。

〈尚書君奭篇義證〉，《國立編譯館館刊》，五卷一期（一九七六年六月），頁二一七～二三八。同上。

〈莽誥、大誥比辭證義〉，《國立編譯館館刊》，十一卷二期（一九八二年十二月），頁四十三～七十八。同上。

〈尚書君奭篇「在昔上帝割申勸寧王之德其集大命于厥躬」新證〉，《臺大中文學報》，三期（一九八九年十二月），頁一六三～二〇二。同上。

〈尚書寧王寧武寧考前寧人寧人前文人解之衍成及其史的觀察（上）——併論周文武受命稱王〉，《中央研究院中國文哲研究集刊》，創刊號（一九九一年三月），頁二五五～三三二。同上。

〈尚書寧王寧武寧考前寧人寧人前文人解之衍成及其史的觀察（下）〉，《中央研究院中國文哲研究集刊》，二期（一九九二年三月），頁一九九～二五〇。同上。

〈張栻「洙泗言仁」編的源委〉，《孔孟學報》，十一期（一九六六年四月），頁六十一～六十八。收入專書《程氏經學論文集》。

〈談四書原來的編次：大學論語孟子中庸〉，《孔孟月刊》，五卷三期（一九六六年十一月），頁十一～十三。同上。

〈研幾圖的著成、傳布和眞僞等問題的探討〉，《孔孟學報》，十三期（一九六七年四月），

頁一八七～二一六。同上。

〈從四書集編談到一部理想的四書集註疏〉，《孔孟月刊》，六卷四期（一九六七年十二月），頁十三～十四。（刪去，不錄）

〈辨僞書重要著作提要〉，《書目季刊》，二卷三期（一九六八年三月），頁十九～三十。同上。收入《程氏經學論文集》。

〈宋元之際的學者——金履祥和他的遺著（上）〉，《書和人》，八十九期（一九六八年七月），頁一～八。同上。

〈宋元之際的學者——金履祥和他的遺著（下）〉，《書和人》，九十期（一九六八年八月），頁一～八。同上。

〈兩宋之反對詩序運動及其影響〉，《中山學術文化集刊》，二期（一九六八年十一月），頁六一九～六三六。同上。

〈朱子易例及易傳比較研究〉，《中山學術文化集刊》，四期（一九六九年十一月），頁一～三十四。同上。

〈程敬叔的讀經法〉，《孔孟月刊》，八卷五期（一九七〇年一月），頁十七～十八。同上。

〈讀鄭端簡批本書纂言〉，《書目季刊》，五卷二期（一九七〇年十二月），頁三十五～四十二。同上。

〈跋孔子刪詩說折衷〉，《大陸雜誌》，四十五卷五期（一九七二年十一月），頁五十。同上。

〈洪範注譯（上）〉，《古今文選》，新二八三期（一九七二年十二月），頁一～八。同上。

〈洪範注譯（下）〉，《古今文選》，新二八四期（一九七二年十二月），頁一～八。同上。

〈宋人在學術資料（書本資料）方面之貢獻〉，《國立編譯館館刊》，二卷三期（一九七三年一月），頁一三九～一七二。同上。

〈論語「君子喻於義小人喻於利」註釋〉，《古今文選》，新二九一期（一九七三年三月），頁一～八。同上。

〈朱子所定國風中言情諸詩研述〉，《孔孟學報》，二十六期（一九七三年九月），頁一五三～一六四。同上。

〈王守仁「稽山書院尊經閣記」註譯〉，《古今文選》，新三一七期（一九七四年三月），頁一～八。同上。

〈左傳「晉趙盾弒其君夷皋」註譯〉，《古今文選》，新三二五期（一九七四年八月），頁一～八。同上。

〈淺說周易小象傳義理〉，《孔孟月刊》，十三卷三期（一九七四年十一月），頁一～三。同上。

〈宋人在學術資料（器物資料）方面之貢獻〉，《國立編譯館館刊》，三卷二期（一九七四年十二月），頁一三三～一四五。同上。

〈國風私情詩宋人說討原〉，《中外文學》，四卷二期（一九七五年七月），頁七十二～九十六。同上。

〈讀梅園論學續集〉，《中國時報航空版》，第七版（一九七五年十二月二十六日），同上。

〈跋裴著「詩經研讀指導」〉，《幼獅月刊》，四十五卷六期（一九七七年六月），頁六十一～六十二。同上。

〈尚書通說〉，《幼獅月刊》，四十七卷二期（一九七八年二月），頁五十～五十四。同上。

〈從發掘問題到解決問題——學術論文之撰作識小〉，《幼獅月刊》，四十八卷二期（一九七八年八月），頁十三～十六。（刪去，不錄）

〈莽誥註譯（上）〉，《國語日報古今文選》，新五三四期（一九八二年九月），頁一～八。收入《程氏經學論文集》。

〈莽誥註譯（下）〉，《國語日報古今文選》，新五三五期（一九八二年九月），頁一～八。同上。

〈莽誥商價〉，《書目季刊》，十七卷三期（一九八三年十二月），頁三十四～四十一。同上。

〈重輯周禮考工記新義論錢儀吉本〉，《書目季刊》，十八卷四期（一九八五年三月），頁五十一～六十四。同上。

〈薛綜藝文徵經〉，《鄭因百先生八十壽慶論文集（上）》（一九八五年六月），頁三十七～五十六。同上。

〈重輯周禮天官地官春官新義論錢儀吉本〉，《國立中央圖書館館刊》，新十八卷二期（一九八五年十二月），頁二十一～四十六。同上。

〈重輯周禮夏官秋官新義論錢儀吉本〉，《國立中央圖書館館刊》，新十九卷一期（一九八六年六月），頁十九～四十。同上。

〈季漢　州經學（上）〉，《漢學研究》，四卷一期（一九八六年六月），頁二一一～二二六四。收入專書《漢經學史》。

〈季漢　州經學（下）〉，《漢學研究》，五卷一期（一九八七年四月），頁二一九～二二六四。同上。

〈評介邱著詩義鉤沉〉，《漢學研究》，五卷二期（一九八七年十二月），頁六三五～六七六。收入專書《程氏經學論文集》。

〈評介野間文史《儀禮索引》〉，《漢學研究通訊》，八卷一期（一九八九年三月），頁六十三～六十四。同上。

〈東漢蜀楊厚經讖學宗傳（上）〉，《國立編譯館館刊》，十七卷一期（一九八八年十二月），頁三十一～四十八。同上。

〈東漢蜀楊厚經讖學宗傳（下）〉，《國立編譯館館刊》，十七卷二期（一九八九年六月），頁二〇七～二二七。同上。

〈尚書「三科之條五家之教」稽義〉，《孔孟學報》，六十一期（一九九一年三月），頁六十三～七十八。同上。

〈漢代第一位經學大師伏生〉，《國文天地》，七卷八期（一九九二年一月），頁三十六～四十五。同上。

〈說僞古文尚書經傳之流傳〉，《漢學研究》，十一卷二期（一九九三年二月），頁一～二十二、收《古史考》七卷，頁二六三～二八二，海南出版社（二〇〇三年十二月）。同上。

〈古文尚書之壁藏發現獻上及篇卷目次考〉，《孔孟學報》，六十六期（一九九三年九月），頁七十三～九十八。同上。

〈歐陽容夏侯勝未曾身爲尚書博士考〉，《國立編譯館館刊》，二十三卷二期（一九九四年十二月），頁四十三～七十五。同上。

〈朱熹蔡沈師弟子書序辨說板本徵孚〉，《經學研究論叢》，三期（一九九五年四月），頁三十七～八十。同上。

〈書序之價值〉，《孔孟學報》，七十五期（一九九八年三月），頁一～二十六。同上。

〈禮記中庸、坊記、緇衣非出於子思子考〉，《張以仁先生七秩壽慶論文集》（一九九九年一月），頁一～四十七。同上。收《古史考》七卷，海南出版社（二〇〇三年十二月），頁三九一～四二二、又收《後古史辨時代之中國古典學（中編）》，唐山出版社（二〇〇六年十一月），頁一四一～一八四。

〈書序通論〉，《孔孟學報》，七十七期（一九九九年九月），頁三十一～五十四。同上。

〈蚕叢啓國誓蜀碑考釋〉，《書目季刊》，三十三卷四期（二〇〇〇年三月），頁六十九～七十九。同上。

〈漢書藝文志儒林傳贊論經學博士討覈〉，《國立編譯館館刊》，二十九卷二期（二〇〇〇年十二月），頁六十五～九十八。同上。

〈天命禹平治水土〉，《上博館藏戰國楚竹書研究續編》（二〇〇四年七月），頁三一一～三二六。同上。

〈六二七八號《漢熹平石經・尙書》殘石字甄僞〉，中央研究院中國文哲研究所，《宋代經學國際研討會論文集》（二〇〇六年十月），頁十七～六十八。同上。

〈兩漢洪範五行傳作者索隱〉，《孔孟學報》，八五期（二〇〇七年九月），頁一五九～一九一。同上。

〈郭店上博楚簡緇衣引書考〉，《先秦兩漢學術》，十一期（二〇〇九年三月），頁一一九～一五二。同上。

〈儒術獨尊後之兩漢經古今文學消長與說經玄理化〉（二〇一五年），手寫本，收入《漢經學史》。

〈秦季漢初經學史〉（二〇一五年），手寫本，未發表，收入《漢經學史》。

二　專書

《王柏之詩經學》（碩士論文）（一九六八年），臺北，嘉新水泥公司文化基金會。

《王柏之生平與學術》（博士論文）（一九七五年），臺北，自印本，中山學術會補助出版。上海華東師範大學出版社。本書一九七五年十二月，獲中華文化復興運動推行委員會菲華特設中正文化獎第八屆優良著作獎。

《三經新義輯考彙評（一）——尚書》（一九八六年六月），國立編譯館。上海華東師範大學出版社。

《三經新義輯考彙評（二）——詩經》（一九八六年九月），國立編譯館。上海華東師範大學出版社。

《三經新義輯考彙評（三）——周禮》（一九八七年十二月），國立編譯館。上海華東師範大學出版社。

《春秋左氏經傳集解序疏證》（一九九一年八月），臺灣學生書局。

《三國蜀經學》（一九九七年八月），臺灣學生書局。一九九七年六月，獲行政院新聞局八十六年度重要學術著作獎助出版。

《書序通考》（一九九九年四月），臺灣學生書局。獲中華民國中山學術文化基金會八十八年度中山學術著作獎。

《詩序新考》（二〇〇五年一月），五南圖書出版股份有限公司。

《尚書學史》（二〇〇八年五月），五南圖書出版股份有限公司。上海華東師範大學出版社。

《尚書周書牧誓洪範金縢呂刑篇義證》（經學史研究叢刊十一）（二〇一二年初版），萬卷樓圖書股份有限公司。

《先秦經學史》（二〇一三年初版），臺灣商務印書館股份有限公司。上海華東師範大學出版社（簡體字版）。

《宋人傳記資料索引》（共五冊，與昌彼得等合編）（一九七四年～一九七六年），鼎文書局。

《尚書周誥十三篇義證》（二〇一七年五月），萬卷樓圖書股份有限公司。

《漢經學史》（二〇一八年三月），臺灣商務印書館股份有限公司。

《程氏經學論文集》（二〇二〇年二月），萬卷樓圖書股份有限公司。

經學研究叢書·經學史研究叢刊 0501024

程氏經學論文集（卷一至卷三）

作　　者　程元敏
校　　對　黃復山、黃智明
責任編輯　林以邠

發 行 人　林慶彰
總 經 理　梁錦興
總 編 輯　張晏瑞
編 輯 所　萬卷樓圖書股份有限公司
臺北市羅斯福路二段 41 號 6 樓之 3
電話 (02)23216565
傳真 (02)23218698

發　　行　萬卷樓圖書股份有限公司
臺北市羅斯福路二段 41 號 6 樓之 3
電話 (02)23216565
傳真 (02)23218698
電郵 SERVICE@WANJUAN.COM.TW
香港經銷　香港聯合書刊物流有限公司
電話 (852)21502100
傳真 (852)23560735

ISBN 978-986-478-271-0
2020年12月初版三刷
2020年 6月初版二刷
2020年 2月初版一刷
定價：新臺幣3600元
（全書共三卷不分售）

如何購買本書：

1. 劃撥購書，請透過以下郵政劃撥帳號：
   帳號：15624015
   戶名：萬卷樓圖書股份有限公司
2. 轉帳購書，請透過以下帳戶
   合作金庫銀行 古亭分行
   戶名：萬卷樓圖書股份有限公司
   帳號：0877717092596
3. 網路購書，請透過萬卷樓網站
   網址 WWW.WANJUAN.COM.TW

大量購書，請直接聯繫我們，將有專人為您服務。客服：(02)23216565 分機 610

國家圖書館出版品預行編目資料

程氏經學論文集 / 程元敏作. -- 初版. -- 臺北市 : 萬卷樓, 2020.2
面 ;　公分. -- (經學研究叢書. 經學史研究叢刊 ; 501024)
ISBN 978-986-478-271-0(平裝)
1.經學 2.文集
090.7　　108001178

· 經學史研究叢刊

程氏經學論文集

卷二

程元敏 著

目次

圖版

卷二

詩經類

三禮類

春秋左氏傳類

四書類

讖緯類

卷三

經學史類

詩經類

二十　兩宋之反對《詩序》運動及其影響

自《五經正義》頒行（唐高宗永徽四年，西元六五三年）毛鄭之說統一《詩》學界達四百廿年之久，至〔宋〕歐陽修《詩本義》出，爲《詩經》學者，始漸知與注疏立異。修子發述是書云：

先儒注疏，有所不通，務在勇斷不惑。……爲《詩本義》，所改正者百餘篇。（註一）

《詩本義》評毛鄭之失，時袓〈小序〉，永叔蓋以〈序〉「古」，更得《詩》誼，毛鄭不應違之。然〈序〉偶有「質諸先聖而悖理」之處，彼則亦不憚批駁。如論〈兔罝〉，云：

今爲《詩》說者，泥於〈序〉文「莫不好德，賢人眾多」之語，因以謂：周南之人，舉國皆賢，無復君子、小人之別。……則又近誣矣！（註二）

宋人說《詩》，不復墨守舊義，文忠公《詩》說實有以啓之。《四庫全書總目提要》云：

> 自唐以來，說《詩》者莫敢議毛鄭，雖老師宿儒，亦謹守〈小序〉。至宋而新義日增，舊說幾廢。推原所始，實發於修。（註三）

北宋理學大家張載（眞宗天禧四年，一〇二〇至神宗熙寧十年，一〇七七）、程頤（仁宗明道二年，一〇三三至徽宗大觀元年，一一〇七）皆謂〈序〉有後人增入之文。（註四）實唐成伯璵啓之，成所撰《毛詩指說》云：

> 〈小序〉，子夏唯裁初句耳，至「也」字而止。……其下皆是大毛公自以《詩》中之意而繫其辭也。（註五）

其意：孔子刪《詩》授子夏，故首句得《詩》本旨；卜商「四傳至大毛公」，（註六）萇復稽「《詩》中之意而繫其辭」，因有續句；是續句亦可取。至宋蘇轍（仁宗寶元二年，一〇三九至徽宗政和二年，一一一二）「〈論詩敘〉」，始盡去添附，僅依傍首句說《詩》，曰：

今《毛詩》之〈敘〉，何其詳之甚也？世傳以爲出於子夏，予竊疑之。子夏嘗言《詩》於仲尼，故後世之爲《詩》者附之。……誠出於孔氏也，則不若是詳矣。……故予存其一言而已；曰：是《詩》言是事也，而盡去其餘。（註七）

南渡初季，排擊《詩序》最力者，自非莆田鄭氏樵漁仲（徽宗崇寧元年，一一〇二至高宗紹興三十年，一一六〇）莫屬。其《詩辨妄》〈自序〉云：

……今學者只憑毛氏，且以〈序〉爲子夏所作，更不敢疑議。蓋事無兩造之辭，則獄有偏聽之惑，今作《詩辨妄》六卷；可以見其得失。（註八）

《詩序》來歷不明，漁仲疑非子夏所傳，曰：

設若有子夏所傳之〈序〉，因何《齊（詩）》、《魯（詩）》先出，學者卻不傳，返（？）出於趙也？〈序〉既出於趙，於何處傳此學？（註九）

鄭氏詆〈序〉爲村野妄人「將史傳去揀并看謚，卻附會作〈小序〉美刺」（註一〇）。文人永歌社會，善惡在於《詩》篇；乃〈序〉者託諸故實，謂美刺咸有的指。漁仲密友莆田林光朝（徽宗政和四年，一一一四至孝宗淳熙五年，一一七八）是鄭說：

《詩》三百篇，大抵好事足以觀，惡事足以戒。如《春秋》中好事至少，惡事至多，此等《詩》鄭漁仲十得其七、八，……艾軒亦見得。（註一一一）

《詩辨妄》久佚，按據諸家散引，是書似未逐篇探究《詩》義，故論「悉去〈序〉言《詩》」，〔宋〕王質（高宗靖康二年，一一二七至孝宗淳熙十六年，一一八九）《詩總聞》實先行之，如釋〈召南〉〈行露〉、〈野有死麕〉云：

文王之化，何厚、薄于男、女？貞女不受陵于暴男，固為美也；暴男敢肆陵于貞女，抑何暴耶？此與序〈行露〉之詩，皆所不曉。（註一一二）

南宋中期，理學盛行。其間足以名家者，約為二派：曰朱、曰陸。慈湖楊簡承陸，說《詩》亦多師之；湘學張栻、浙中學呂祖謙竝福建朱氏稱「東南三先生」。於學：南軒近晦庵，東萊遠紫陽；而永嘉諸公，以壤接金華故，親呂久矣。若考其《詩》學，則朱、呂尤見涇渭焉。

陸九淵（高宗紹興九年，一一三九至光宗紹熙三年，一一九二）《語錄》曰：「〈詩小序〉解《詩》者所爲『天下蕩蕩』，乃因『蕩蕩上帝』序此，尤可見者。」（註一三）楊簡（高宗紹興十年，一一四〇至理宗寶慶元年，一二二五）從之，謂《詩》義即詩作者之心意，固與美刺無關，其《詩解》〈序〉云：

> 興、觀、群、怨，孰非是心？……〈關雎〉以求淑女，本心也；〈鵲巢〉，昏禮，天地之大義：本心也；〈柏舟〉憂鬱而不失其正，本心也。……（註一四）

宋儒治學，時抒新義，慶（曆）、熙（寧）諸子，若劉原父、王介甫輩，多能上繼歐公，勇於變古。厥後，林之奇（徽宗政和二年，一一一二至孝宗淳熙三年，一一七六）起於侯官，篤守往古，務反新說。呂祖謙（高宗紹興七年，一一三七至孝宗淳熙八年，一一八一）師之，倡學於婺之金華，著《呂氏家塾讀詩記》，一宗毛鄭、《詩序》。舉與注疏立異者，皆摒而不取；非唯不取，亦不甚稱引。故其所錄當代諸儒之說，非謹遵古義，即申張《序》《傳》者；其所用「朱氏曰」，率皆元晦早歲之意，至後撰之《詩經集傳》，則置之不言。

《詩》篇首冠〈小序〉，次載《傳》《箋》，次孔氏《正義》，後錄諸家論說爲常。於

〈國風〉〈鄭〉〈衛〉諸篇，盡擯〈小序〉刺貶之說，呂氏之論曰：

〈桑中〉、〈溱洧〉諸篇，幾於勸矣，夫子取之何也？曰：《詩》之體不同，有直刺之者，……；有微諷之者，……；有鋪陳其事不加一辭，而意自見者：此類是也。……仲尼謂：「《詩》三百，一言以蔽之，曰：思無邪！」《詩》人以無邪之思作之，學者亦以無邪之思觀之。閔惜懲䂓之意隱然自見於言外矣。……《詩》，雅樂也，祭祀朝聘之所用也。……〈桑中〉、〈溱洧〉諸篇，作於周道之衰，其聲雖已降於煩促，而猶止於中聲，荀卿獨能知之；其辭雖近於諷一勸百，然猶近於禮義，〈大敘〉獨能知之。仲尼錄之於經，所以謹世變之始也。（註一五）

〈桑中〉、〈溱洧〉諸篇，舊數爲〈變風〉，〈詩大序〉（〈敘〉）云：「〈變風〉發乎情，止乎禮義。」東萊因援以掩一切勸百諷一之邪辭。〈邶風〉〈靜女〉，因〈小序〉曰：「刺時也。衛君無道，夫人無德。」篇雖有彤管之貽，而不得謂爲男女贈答；〈鄭風〉〈子衿〉，朱《傳》釋爲「淫奔之《詩》」。（註一六）若據「〈子衿〉，刺學校廢也」之〈序〉文，然後城闕挑達非偷期之約。是說也，陳傅良止齋（高宗紹興七年，一一三七至寧宗嘉泰三年，一二〇三）尚之，〔宋〕葉紹翁《四朝聞見錄》云：

考亭先生晚註《毛詩》，盡去〈序〉文，以彤管爲淫奔之具，以城闕爲偷期之所，止齋得其說而病之，謂以千七百年女史之彤管與三代之學校，以爲淫奔之具、偷期之所，私竊有所未安。（註一七）

陳止齋君舉治學，與呂伯恭臭味相投，朱子嘗竝陳同父目爲三位一體。（註一八）君舉撰《毛詩解詁》，藁削未梓。輔廣漢卿（寧宗時人）嚴守考亭家法，於朱子爲嫡傳，時人譏其持守太過爲啜考亭之殘羹。（註一九）著《詩童子問》，或析《詩》辭以難君舉信〈序〉之訛，曰：

教者固欲學者之來學也，然彼方挑達於城中，而教之者乃一日不見如三月之久，無亦情文太不協乎？先生（案：謂朱子）……於〈子衿〉之《詩》，則以其辭之儇薄，而斷以爲不可施之於學校。今考……《詩》之辭意，則可見矣（註二〇）

或助考亭以詰東萊泥〈序〉之失，朱子言〈變風〉「放逸而不止乎禮義者，固已多矣，」（註二一）漢卿申之曰：「〈小序〉以諸淫奔之《詩》爲刺奔者，皆緣泥此節而失之。」（註二二）

朱子（高宗建炎四年，一一三〇至寧宗慶元六年，一二〇〇）早已明告東萊：

大抵〈小序〉盡出後人臆度，若不脫此窠臼，終無緣得正當也。(註一三)

諸家多謂朱子不信《詩序》，得自鄭樵。其實朱子疑〈序〉，始於早年未見鄭書之時。《語類》云：

某自二十歲讀《詩》，便覺〈小序〉無意義。及去了〈小序〉，只玩《詩》詞，卻又覺得道理貫徹。……到了三十歲，斷然知〈小序〉之出於漢儒所作；其爲繆戾，有不可勝言。(註一四)

既斷〈序〉爲漢儒所作，故其《詩集傳》，盡退〈小序〉但因文解《詩》，緣《詩》求義；〈序〉既有繆戾，故併爲一編，辨其得失。(註一五)朱子與東萊論校〈序〉之得失，槩見於〈桑中序辨〉，首就呂氏《詩記》「刺《詩》之體，不必譏讓質責，見於言表，然後爲刺」之說，辨曰：

夫《詩》之爲刺，固有不加一辭而意自見者，〈清人〉、〈猗嗟〉之屬是已。然嘗試玩之，則其賦之之人，猶在所賦之外，而詞意之間，猶有賓主之分也，豈有將欲刺人之

惡，乃反自爲彼人之言，以陷其身於所刺之中，而不自知也哉！（註二六）

依晦庵之意，此《詩》「乃淫奔者自作」，故吐辭曰「期我」、「要我」、「送我」，若從〈小序〉刺奔之旨，則曷陷身於所刺之中哉？

東萊謂三百五篇皆雅樂，奏於廟堂，〈詩序辨〉質之曰：

〈二南〉、〈雅〉、〈頌〉，祭祀朝聘之所用也，鄭、衛、桑濮，里巷狹邪之所歌也。夫子蓋深絕其聲於樂以爲法，而嚴立其詞於《詩》以爲戒。……今不察此，乃欲爲之諱其鄭、衛、桑濮之實，而文之以雅樂之名，又欲從而奏之宗廟之中，朝廷之上，則未知其將以之薦何等之鬼神？用之接何等之賓客？（註二七）

朱子判鄭、衛諸國〈變風〉三十篇爲淫人自作，作是《詩》者有邪；其餘〈柏舟〉、〈綠衣〉、〈泉水〉、〈竹竿〉，類皆發情止禮，作是《詩》者無邪。作者有邪心，讀者當以無邪讀之，故《詩》之善者可以感發人之善心，惡者亦足懲創人之泆志。

朱、呂兩派《詩》家，一反〈序〉，一擁〈序〉。東萊甫夢奠，擁〈序〉派遂即修正成公遺意。邵武人嚴粲祖《呂氏讀詩記》撰《詩緝》，雖冠〈小序〉於篇端，唯取信首句；以爲

「國史所題，此一語而已」，（註二八）至於其下數言，「則說《詩》者之辭，……非《詩》意也。」（註二九）〈葛覃序〉應終於「后妃之本也」，（它篇倣此）其下「在父母家」云云，附益之辭。因名前者爲「〈首序〉」，命其下曰「〈後序〉」，粲云：

〈後序〉附益講師之說，時有失《詩》之意者。……〈首序〉之傳，源流甚遠。方作《詩》之時，非國史題其事於篇端，雖孔子無由知之。或欲併〈首序〉盡去之，不可也。古說相傳，猶不之信，千載之下，一一以胸臆決之，難矣。（註三〇）

「〈後序〉時有失詩之意者」，如〈鄭風〉〈蘀兮〉，〈後序〉云：「君弱臣強，不倡而和也。」《詩緝》不是其說，云：「此《詩》小臣忠於國，而力不能自爲也。〈後序〉之言非《詩》意也。」（註三一）

〈後序〉，嚴氏議其時違詩旨，不可盡信，但亦有不可盡廢者。（註三二）是猶不忘呂氏棐棐。洎永嘉人戴溪（孝宗淳熙二年，一一七五及寧宗嘉定八年，一二一五前後人）作「《續呂氏家塾讀詩記》」，託《續記》之名，行師心之實，竟謂〈齊風〉〈東方之日〉爲「男約女奔也」，（註三三）而欲放〈鄭風〉〈溱洧〉，溪云：

〈溱洧〉志鄭聲之淫，以示後世，此王者之所宜放也！（註三四）

至於反〈序〉派，當朱在世時，已有異議；門人以其治《詩》過於違反傳統，疑懼不敢遽言，待機發作。一日，朱子賦白鹿洞：「盼黃卷以置郵，廣青衿之疑問；樂菁莪之長育，拔雋髦而登進。」（註三五）用〈序〉「刺學校廢」之舊典，門人遂以與《詩傳》矛盾質之。

考亭既逝，建安之學散在四方，金華何基（孝宗淳熙十五年，一一八八至度宗咸淳四年，一二六八）得其嫡傳，基傳王氏柏（寧宗慶元三年，一一九七至度宗咸淳十年，一二七四）。何、王與呂成公同爲婺人，而治經則異其指趣。呂緣《詩、書序》講授《詩》、《書》（註三六）於郡邑，何、王不從。何云：

《詩》、《書》以陋儒之〈小序〉冠之篇端，以亂經文。（註三七）

王於《書》，則曰：「愚不敢觀〈序〉，止熟讀正文。」（註三八）於《詩》序，則所著「《詩疑》」，斥之尤烈。

《詩疑》：「〈簡兮〉之《詩》，〈序〉者以爲衛之賢者仕於伶官，此固然也。但謂刺不用賢，則是他人作此《詩》。」（註三九）案：此斥〈後序〉之言刺。

《詩疑》：「〈凱風〉之詩，孝子之心至矣，其爲詞難矣。是《詩》也，孝子自責之詞。〈序〉曰：『美孝子（也）。』何其謬哉！」(註四〇)案：此斥〈首序〉不諳《詩》意。《詩疑》：「〈考槃〉之詞雖淺，而有暇裕自適氣象。《孔叢子》載孔子曰：『於〈考槃〉見遯世之士無悶於世』，此語足以盡此《詩》之義，殊不見其未忘君之意。〈序〉者既誤，……。」(註四一)案：此援古以證〈序〉失。

〈風〉、〈雅〉、〈頌〉皆有〈序〉，〈風序〉之於〈風詩〉，較〈雅〉、〈頌序〉之於〈雅〉、〈頌〉尤爲重要。蓋〈雅〉、〈頌〉無〈序〉，緣〈雅詩〉、〈頌詩〉以索其意，什得七、八；苟〈風詩〉無序，則詩人諷託之意，從何逆知？職是之故，〈風序〉之存廢，關乎《詩》義甚大。〈序〉去而後按辭言詩；辭靡則詩淫。孔子刪《詩》，豈存哇淫之篇？今〈鄭〉、〈衛〉、〈陳〉等邪詩，必漢儒竄入。是說也，台州人車似慶《詩論》（理宗端平三年，西元一二三六年作）倡之，徽州人方岳（寧宗慶元五年，一一九九至理宗景定三年，一二六二）踵之，而王柏力主之。車氏曰：

古《詩》甚多，夫子刪爲三百篇，……刪其蕪穢，筆之簡冊者，皆正詩也。而邪《詩》習熟於邪人之口耳，布傳於私室之簡冊者，猶在天下。……秦禍之酷，聖學不傳。漢興以來，漢儒收拾於壞亡之餘，補掇遺逸，而《詩》之三百大抵不全，取天下口傳之

《詩》，以補秦火之餘；黨同專門，各是其師，將非夫子所刪三百之全文也。（註四一）

方云：

黷亂如〈牆茨〉之比，淫詩如〈桑中〉之類，皆夫子所刪之詩也。……孔子所刪之詩，流傳習熟於人之口耳者，猶在也。亡者不可復，則取其在者以足之耳。此漢儒之罪也。（註四三）

邪詩習於人之口耳，傳諸漢世不絕之故，車、方則未言，王云：

蓋雅奧難識，淫俚易傳。漢儒病其亡逸，妄取而雜攛，以足三百之數，愚不能保其無也。（註四四）

由疑〈小序〉至掊擊〈小序〉；由掊擊〈小序〉，衍爲黜棄〈小序〉。「〈序〉廢，……勢必至於疑經；疑經而說有難通，勢必又至於改經。」（註四五）王柏曰：

或謂三百之《詩》，自漢至今，歷諸大儒，皆不敢議，而子獨欲去之，毋乃誕且僭之甚耶？曰：在昔諸儒，尊尚〈小序〉太過，不敢以淫奔之詩視之也。方傅會穿鑿，曲爲之說，何敢廢乎？蓋〈序〉者於此三十餘詩，多曰：刺時也。或曰：刺亂也。曰：刺周大夫也，刺莊公，刺康公，刺忽，刺衰，刺晉亂，刺好色，刺學校廢。亦曰：刺奔也，止奔也，惡無禮也。否則曰：憂讒也，懼讒也。或曰：思遇時也，思見君子也。未嘗指爲淫詩也。正以爲目曰淫詩，則在所當放也。（註四六）

自歐陽修歿（神宗熙寧五年，一〇七二），至《詩疑》成書，二百年之間，始而教人勿泥〈序〉文，終於昌言今《詩》漢儒所亂；改漢人之所淆雜，俾復夫子之舊。是說元、明學者多從之，略表如下：

〔元〕王禕（元英宗至治二年，一三二二至明太祖洪武六年，一三七三），婺人，推衍王柏說。

〔明〕程敏政（明成化間進士），謂漢儒依三百篇目竄補。

〔明〕王守仁（明憲宗成化八年，一四七二至世宗嘉靖七年，一五二八），推衍《詩疑》之說。

〔明〕湛若水（明憲宗成化二年，一四六六至世宗嘉靖三十九年，一五六〇），謂《詩》祇三百篇，溢十一篇爲刪餘。……（案：從說者多家，此不備述。）

正（德）、嘉（靖）間諸生，建昌南豐人李經綸作《詩教考》，（《經義考》云：「未見。」）議放之《詩》，又不止王之三十，《明儒學案》云：

（經綸）精心著述，以《詩》三百非夫子之舊。漢儒雜取逸《詩》，以足其數。故無益於天德、王治之粹者，削之。作《詩教考》。（註四七）

「天德」，謂正心誠意；「王治」，謂齊家治國。蓋凡擬諸修己治人無益者，咸在削數矣！自元仁宗延祐初，復行科舉，詔以朱子《詩集傳》取士，至〔明〕胡廣陰本〔元〕劉瑾《詩傳通釋》成《詩經大全》，（註四八）兩代三百年間，朱書懸爲功令，天下誦之，莫或敢議。唯馬端臨起於江西，力辨古〈序〉之不可廢，人以是少知詆訾朱《傳》，而有清學者，數申其說焉。

端臨字貴與，元延祐間人，籍樂平。嘗從學休寧人曹涇，《宋元學案》謂涇精諳朱子學，因入《介軒學案》，《晦翁續傳》。是貴與爲朱門再續，然亦爲就朱子去〈序〉言《詩》，施以有系統指摘，存於載籍者第一人。

馬氏強調《書序》可廢，《書》無〈序〉，可據《書》求「事」；《詩序》不可，《詩》無〈序〉，難以因《詩》以求「義」。〈國風〉諸〈序〉，以較〈雅〉、〈頌〉，功尤過之，益不可言廢。其說云：

蓋〈風〉之爲體，比興之辭多於敘述；風諭之意浮於指斥。蓋有反覆詠嘆，聯章累句，而無一言敘作之之意者，而〈序〉者乃一言蔽之曰：爲某事也。苟非其傳授之有源，探索之無舛，孰能臆料當時指意之所歸，以示千載乎？（註四九）

漢四家《詩》皆有《說義》，三家固不盡同毛，三家之間亦往往殊異。此無它，四家竝出，務爲爭勝，各抒己臆，以料《詩》旨，（註五〇）果「傳授之有源，探索之無舛」如馬氏所言，何以四家說不一，而吾將奚從？

馬氏遠舉〈芣苢〉與〈黍離〉，謂：苟不依〈序〉，其《詩》語不過影容採掇芣苢之情狀而已，不過禾黍之苗穗而已；近舉陸放翁〈沈園〉及楊誠齋〈無題〉詩，謂：必待劉後村《詩話》釋之，二詩之意始明，且曰：

夫後村之說，即三詩之序也。後村之於楊、陸二公，相去不百年，得於長老之所誦說，口耳之所習聞，筆之簡冊，可以質諸二公而不謬也。倘後乎此千百載，說者必欲外後村之意而別爲之說，則雖其體認之精，辯析之巧，亦終於臆說而已。（註五一）

夫〈無題〉、〈沈園〉，宋人知其爲楊、陸之作，不獨後村；元人亦知其爲廷秀、務觀之作，端臨其一；千百載下人同知爲誠齋、放翁之詩，以其原題某作故也。稽諸史實而符、揆之詩意正協，無俟乎克莊解語，亦易索知也。若《詩》三百則不然，本不繫作者之名，故韓嬰執〈關雎〉謂爲衰周之刺《詩》，〈毛序〉釋爲后妃之德；毛萇謂〈賓筵〉爲衛武公刺時，《韓詩》以爲悔過。韓、毛交譏，未審孰是，皆緣核於史實無可考，求諸《詩》意亦難合故也。

馬氏又以爲：中冓之言不踰閾，淫人私妮，必不自暴於外，是〈鄭〉、〈衛〉諸篇，皆詩人刺淫之作。《文獻通考》云：

夫羞惡之心，人皆有之，而況淫泆之行，所謂不可對人言者？市井小人，至不才也，今有與之語者，能道其宣淫之狀，指其行淫之地，則未有不面頸發赤，且慙且諱者。未聞揚言於人曰：我能姦，我善淫也。（註五二）

朱、呂爭《詩》樂之雅鄭，宜否施之燕享，奏於宗廟。於經傳引《詩》，呂云：「它書之引《詩》，……皆非《詩》之本說。」（註五二）未嘗以《左傳》《國語》賦《詩》質朱子，而馬氏則援鄭士賦詩以證〈序〉說不誤，其言曰：

鄭伯如晉，子展賦〈將仲子〉。鄭伯享趙孟，子太叔賦〈野有蔓草〉。六卿餞韓宣子，……子太叔賦〈褰裳〉，子游賦〈風雨〉，子旗賦〈有女同車〉，子柳賦〈蘀兮〉。此六《詩》皆文公所斥以爲淫奔之人所作也。然所賦皆見善於叔向、韓起、趙武，不聞被譏；乃知〈鄭〉、〈衛〉之《詩》，未嘗不施之於燕享。（註五四）

〈風詩〉辭語之邪正，不因迭施於燕享而改變；乃〈序〉者斷之以美刺一言，則本淫者貞，宜廢者存矣。端臨護〈序〉之意在茲。是以又云：

〈序〉不可廢、〈不廢〉則〈桑中〉、〈溱洧〉何嫌其爲刺奔乎？蓋嘗論之，……均一淫泆之詞也，出於奔者之口，則可刪；出於刺奔者之口，則可錄也（註五三）

端臨持論，容有偏激。後世多非之。〔明〕（？）唐士雅曰：

《左傳》列國諸大夫賦《詩》，又何以淫《詩》具在也，毋乃晦翁所斥以爲淫者，非其當時所諷詠意乎？（註五六）

季本（明憲宗成化二十一年，一四八五至世宗嘉靖四十二年，一五六三）則云：

《左氏》諸大夫賦《詩》之事，有斷章取義而理可通者，有舉里巷狎邪之言，賦於宴饗之正會者。（註五七）

彭山又掬《春秋》引《詩》實例，闡明時人引《詩》往往戾謬《詩》之本義，云……其後引《詩》者，遂以爲無不可通，全不知《詩》意之所在矣。正如春秋時晉郤至引「赳赳武夫」之《詩》以告子反，而以前章爲美，後章爲刺。一《詩》二章，文同解異，牽強孰甚焉？雖諸侯大夫僭賦天子元侯之《詩》，而亦不知其爲過也。故斷章取義可也，舉其全篇而僭用之，豈《詩》之本教哉？（註五八）

清初學者，矯晚明王學末流之空疏，崇實棄虛。以朱子在宋儒中學最篤實，能遵古義。故常漢宋兼采，不守專門；治《詩》亦然。大抵調和毛、朱，時出兩可之辭。雍正五年（西元一七二七年）《欽定詩經傳說彙纂》刊板，以朱子《詩集傳》爲本，兼采漢唐舊《注疏》、

〔宋〕歐陽修至王柏及元明各家《詩》說，特十分偏激之論，則黜而不錄。至〈鄭〉、〈衛〉諸篇，朱子定爲淫人自作者，《詩經傳說彙纂》亦稍諍之。如云：

〈野有蔓草〉，……其《詩》兩見於《左傳》。鄭享趙孟，而子大叔賦此，趙孟以爲受其惠；鄭餞韓起，而子蓋又賦此，宣子以爲孺子善哉。……是皆取士君子邂逅相遇爲義。……逮朱子，則言田野草露之間，男女邂逅，心許目成，以苟合爲偕臧，因賦其事以起興。是實有之矣。蓋以〈鄭風〉而意之也。（註五九）

此責《朱傳》不當因〈鄭風〉多淫而臆測〈野蔓〉亦不正，但復於〈褰裳〉篇袒護文公，云：

《左傳》鄭六卿餞韓宣子于郊，皆賦。子大叔賦〈褰裳〉。宣子曰：「起在此，敢勤子至于他人乎！」子大叔拜；蓋拜韓起之有鄭而許己也。是自有此詩，皆不作淫風觀矣。朱子初解，亦云：「所以然者，狂童之狂已甚，不可緩也。」（註六〇）……後以刺忽之詩太多，故定爲淫女謔其所私之詞。況〈鄭風〉語意，類多輕佻，律以男女調笑，因亦相符也。（註六一）

乾隆二十年（西元一七五五年）《欽定詩義折中》成；於朱子「《詩集傳》……所釋〈鄭風〉諸篇，概作淫詩者，……根據毛鄭訂正其譌。」（註六二）四十七年（西元一七八二年）《四庫全書》成，《提要》始於反〈序〉派《詩》學，普施詰難，觀其痛詆王魯齋，（註六三）知〔清〕方東樹（《漢學商兌》）指爲項莊舞劍，志在沛公之言不誣也。

乾嘉而下，爭〈序〉之存廢者，分爲兩派。一宗朱子、王柏，〔清〕胡渭（明思宗崇禎六年，一六三三至清聖祖康熙五十三年，一七一四）、閻若璩（明崇禎九年，一六三六至清康熙四十三年，一七〇四），是爲改革派；（註六四）一繼呂祖謙，〔清〕朱鶴齡（明神宗萬曆三十年，一六〇二至清康熙二十六年，一六八三）、毛奇齡（明熹宗天啓三年，一六二三至清康熙五十五年，一七一六），是爲傳統派。（註六五）兩派大抵就馬貴與立論是非爭之，而關乎賦《詩》引《詩》則辯詰尤激！

戴震謂賦《詩》斷章取義，當辨五常之際。其〈書鄭風後〉曰：

《左氏春秋》鄭六卿餞韓宣子郊，所賦詩固後儒目爲淫奔之詞者，豈亦播其國亂無政乎？若曰賦詩斷章，則亦有；當辨五常之際。本自相通，或朋友夫婦之詩，用之於君臣；或男女之詩，用之於好賢。然不可以邪僻之言加之君子，鄙褻之事，誦之朝廷，接之賓客，據是斷之，《毛詩》言〈變風〉止乎禮義，信矣。（註六六）

戴東原之說，方宗誠（嘉慶二十二年，一八一七至光緒十四年，一八八八）諸家同之。（註八七）

改革派乾隆進士范家相，竝《禮記》引《詩》亦非之，其〈論詩序〉云：

> 邱明……說《詩》亦難盡信，……其述名卿大夫之言，亦多可疑。即《禮記》引《詩》，亦有如《左氏》者。「我躬不閱」，何以爲終身之仁？「明發有懷」，何以爲文王之詩？如曰斷章，則三百篇何句不可斷章？此朱子《孝經刊誤》，所以盡去其章末之引詩也。（註八八）

姚鼐（雍正九年，一七三一至嘉慶二十年，一八一五）〈孝經刊誤書後〉亦論引《詩》，云：

> 若〈坊記〉、〈表記〉、〈緇衣〉之類，每一言輒引《詩》、《書》文以證之，閒有不甚比附而強取者矣，亦洙泗閒儒者之習然也。（註八九）

諸家病《詩序》，竊謂崔東壁獨能鍼其膏肓，述（乾隆五年，一七四〇至嘉慶二十一年，一八一六）《讀風偶識》云：

況《詩》之爲體，尤多假事以喻其意，但取其理之足以相明，情足以相感，而不得盡執所言者以爲實。是以《春秋傳》晉執衛侯，鄭伯爲衛侯故如晉，子展賦「將仲子兮」，晉侯乃許歸衛侯。晉韓起聘于鄭，鄭六卿餞之于郊，子大叔賦〈褰裳〉，韓起曰：「起在此，敢勤子至於他人乎！」鄭伯享晉趙孟，子皮賦〈野有死麕〉之卒章，趙孟賦〈常棣〉，且曰：「吾兄弟以此安，尨也可使無吠。」若如《序傳》所釋，則三子之取義爲不倫矣。然則此二篇者，當時必有所指，但世遠書軼，不可考其爲何事耳。（註七〇）

〈左昭元年〉，子皮賦〈野麕〉卒章，（「舒而脫脫兮，無感我帨兮，無使尨也吠！」）趙孟賦〈小雅〉〈常棣〉，（「常棣之華，鄂不韡韡。凡今之人，莫如兄弟！」）言欲親兄弟之國。朱子解〈野麕〉，或從《序傳》「惡無禮也」，故釋末章云：「（貞女）凜然不可犯之意，蓋可見矣。」或究《詩》文釋「誘」爲引誘。（註七一）〈序〉解〈常棣〉「閔管蔡失道，故作。」朱子大抵從之。吾人若以賦《詩》爲正，則《序傳》、朱子皆誤；以《序傳》誤，則朱子未必盡是，而一切賦引《詩》皆不足取資。由是馬端臨以下各家所據鄭七子六卿賦《詩》以支持〈小序〉刺淫之說者，亦不可信，且鄙褻之事，固不可以接賓客，則褻之詞又何獨可唱於宴饗之間哉？故〔清〕姚文田（乾隆二十三年，一七五八至道光七年，一八二七）總朱鶴齡、方宗誠、戴震諸家而非之，曰：

春秋時，列國大夫賦《詩》見志，其所取往往非作者之意。余嘗考〈有女同車〉、〈山有扶蘇〉、〈蘀兮〉、「子惠思我」（〈褰裳〉）諸詩，〈小序〉皆以爲刺君。乃當日其國之卿，方竝歌以爲賓榮。賓亦稱曰：數世主。——如諸儒之說，則譏刺淫亂，皆不宜施燕享。（註七二）

嘉、道以後，今文學興，儒者一面考輯三家遺說，以證毛失，一面排擊《左氏》（古文經）以明〈序〉非。其間或有黨同伐異，主持過甚者。唯邵陽魏源（乾隆五十九年，一七九四至咸豐七年，一八五七），擇善中庸。其論賦《詩》、引《詩》皆難證《詩》之本義，於理爲最切。

默深謂引《詩》、賦《詩》：一曰「可不計采《詩》之世也」，如

「維嶽降神，生甫及申」（〈大雅〉〈崧高〉），在宣王之世，而記禮者引爲「文武之德」（《禮記》〈孔子閒居〉）；「夙夜匪懈，以事一人」（〈大雅〉〈烝民〉），仲山

甫之《詩》，而《左氏》引爲孟明之功（〈文公三年〉）；「憂心悄悄，慍于群小」，〈邶風〉〈柏舟〉，而以爲孔子之遇；（《孟子》〈盡心下〉）「戎狄是膺，荊舒是懲」（〈魯頌〉〈閟宮〉）魯頌僖公，而以爲周公之事。（《孟子》〈滕文公上〉）是可不計采《詩》之世也。（註七三）

所引《禮記》爲今文經；於引《詩》、賦《詩》，今文經一如古文經，亦「不必問作《詩》之事也」，《詩古微》又曰：

論君臣之順命、逆命，則（《禮記》）〈表記〉引「鶉之奔奔，人之無良，我以爲君」（〈鄘風〉〈鶉之奔奔〉）；論口惠而實不至，則引「言笑晏晏，信誓旦旦，不思其反」（〈衛風〉〈氓〉）。《左》〈成八年〉《傳》季文子餞韓宣子論大國信義感懷，則引「女也不爽，士二其行。士也罔極，二三其德」（〈衛風〉〈氓〉），皆引淫《詩》以證正義，是不必問作《詩》之事也。（註七四）

三曰「與《詩》人之意可以違反乖刺也」，如《左》〈昭八年〉《傳》，晉子野引〈雨無正〉。四曰「不必用作《詩》之本意也」，如《左》〈襄二十七〉《傳》，子展賦〈草蟲〉。

夫說往述古，……若並引《詩》之說而取之，是據燕書而證郢說也。（註七五）

魏氏結語云：

默深之說出而諸儒之爭漸息。厥後，善化皮錫瑞（道光三十年，一八五〇——光緒三四年，一九〇八）謂三家今文《詩序》，見於諸書所引者，皆可信；古文〈毛詩序〉不可盡信。（註七六）尊今排古，門戶之見已深。近人陳柱，謂四家古〈序〉本同，言皆可信。（註七七）今就其證〈關雎序〉《魯》、《毛》之異同，極爲牽強視之，它更無論，即知其說難從矣。

《詩序》自歐公疑之，王雪山去之，朱紫陽辨之，明、清諸子爭之，其間，〔宋〕李樗、黃櫄稱首句爲〈上序〉，餘爲〈下序〉；云〈下序〉本於〈上序〉。（註七八）〔明〕朱朝瑛僅取首句，其下稱〈衍序〉。（註七九）〔清〕吳汝綸稱首一語爲〈古序〉；餘爲〈續序〉；〈續序〉衛宏攙入。（註八〇）計由十二世紀晚葉朱子《詩集傳》成，至十八世紀後期崔述《讀風偶識》著，六百年間，賴諸家力揭《序》短，《序》幾爲《詩》絕去，遁不爲世知。崔述記此事曰：

余見世人讀《詩》，……其聰明者則多厭舊喜新，偶見衛宏《詩序》，輒據以爲奇貨秘

箋。自謂見漢人之作，宋人書不足觀也。（註八一）

崔述《讀風偶識》猶時怨朱子從《序》者多，至近人顧氏梓《東壁遺書》，編《古史辨》，竝崔氏偶從《序》意者，亦議其非是矣。

註釋

一 〔宋〕歐陽脩：《歐陽文忠公集》附錄，〈事迹〉，卷五，頁二。

二 〔宋〕歐陽脩：《詩本義》，卷一，頁六。

三 〔清〕紀昀等撰：〈經部〉〈詩類〉一「《毛詩本義》十六卷」下，卷十五，頁一二。

四 參〔宋〕張載：《張子全書》，〈理窟〉，卷四頁一三、〔宋〕程頤《河南程氏遺書》，卷二上，頁二〇。

五 《毛詩指說》，〈解說〉第二，頁八。

六 《毛詩指說》，〈傳授〉第三，頁一二。

七 〔宋〕蘇轍：《潁濱詩集傳》，卷一，頁四至五。

八 《詩辨妄》原書佚，（近人顧頡剛有輯本），此〈序〉《文獻通考》〈經籍考〉引。

九 此引文〔宋〕周孚《非詩辨妄》，頁一引。又案：《書錄解題》著錄樵《詩傳》二十卷久佚，其書體例未詳。

一〇　此引文見《朱子語類》，〈詩一〉，卷八十，總頁三三六三，並參〈詩一〉《語類》，同卷，總頁三三五七。

一一　光朝字艾軒。引文見所著《艾軒集》，〈附錄〉鄭氏編「《遺事》」，卷十，頁二至三。

一二　〔宋〕王質：《詩總聞》，〈野有死麕〉篇內，卷一，頁二五至二六。

一三　〔宋〕陸九淵：《象山先生全集》，卷三五，總頁三〇三。

一四　〔宋〕楊簡：《慈湖遺書》，卷一，頁三。

一五　〔宋〕呂祖謙：《呂氏家塾讀詩記》，卷五，頁七。

一六　〔宋〕朱熹：《詩經集傳》，卷三，總頁三八。

一七　〔宋〕葉紹翁：《四朝聞見錄》，「〈止齋陳氏〉」條，卷一，頁一四。

一八　《四朝聞見錄》，「〈止齋陳氏〉」條又云：「考亭……嘗謂門人曰：『以伯恭、君舉、陳同父合做一個方纔是好。』」，卷一，頁一四。

一九　〔宋〕張端義：《貴耳集》轉述淳熙間一豪士詩云：「聞說平生輔漢卿，武夷山下啜殘羹。」，卷上，頁三三。

二〇　〔宋〕輔廣：《詩童子問》，〈小序〉〈子衿〉下輔注，卷首，頁二八。

二一　〔宋〕朱熹：《詩集傳綱領》，頁三。

二二　《詩童子問》，卷首，頁三。

二三　朱熹：《朱子大全集》〈答呂伯恭〉，卷三四，頁四。。

二四　《朱子語類》，〈詩一〉，卷八十，總頁三三五七。

二五　朱子有《詩序辨說》一卷，附其《詩集傳》後，今有別本單行。

二六　《詩序辨說》，頁一四。

二七　《詩序辨說》，頁一四至一五。

二八　〔宋〕嚴粲：《詩緝》，「〈關雎序〉」下《注》，卷一，頁一八。

二九　〔宋〕嚴粲：《詩緝》，「〈關雎序〉」下《注》，卷一，頁一八至一九。

三〇　《詩緝》，卷十三，頁三。

三一　《詩緝》，卷八，頁二七。

三二　參《詩緝》，「〈常棣〉」注，卷十七，頁一〇。

三三　〔宋〕戴溪：《續呂氏家塾讀詩記》，卷一，頁三一。

三四　〔宋〕戴溪：《續呂氏家塾讀詩記》，〈讀鄭風〉，卷一，頁三〇。

三五　《朱子大全集》，〈白鹿洞賦〉，卷一，頁二。

三六　案：呂祖謙別有《呂氏家塾讀書記》三十五卷，其說多本林之奇《尚書全解》。

三七　〔元〕金履祥：《濂洛風雅》，卷三，頁一四，朱子〈齋居感興〉詩注引。

三八　〔宋〕王柏：《書疑》，〈多士多方疑〉，卷七，頁三。

三九　〔宋〕王柏：《詩疑》，卷一，頁二。

四〇　〔宋〕王柏：《詩疑》，卷一，頁一。

四一　〔宋〕王柏：《詩疑》，卷一，頁五。

四二　引文見〔清〕王棻：《台學統》，卷二十，頁七至九。

四三 〔宋〕方岳：《秋崖小藳》，〈回趙子淵〉，卷二四，頁一至二。

四四 《詩疑》，卷一，頁一二。

四五 見〔宋〕唐仲友：《金華唐氏遺書詩解鈔》〔清〕張作楠案語。

四六 《詩疑》，卷一，頁一四。

四七 〔清〕黃宗羲撰。引見〈諸儒學案〉中六，卷五二，總頁五五六。

四八 《詩傳通釋》，二十卷，「是書大旨在於發明《集傳》。與輔廣《詩童子問》同。」參《四庫提要》，〈經部〉十六〈詩類〉二，卷十六，頁二。

四九 〔元〕馬端臨：《文獻通考》，卷一七八，〈經籍考〉五「《詩序》」下。

五〇 說本〔清〕崔述《讀風偶識》。

五一 《文獻通考》，卷一七八，〈經籍考〉五。

五二 《文獻通考》，卷一七八，〈經籍考〉五。

五三 〔宋〕呂祖謙：《東萊別集》，〈與朱侍講答問〉，卷十六，頁六。

五四 《文獻通考》，〈經籍考〉五，卷一七八。

五五 《文獻通考》，〈經籍考〉五，卷一七八。

五六 說見〔明〕陳子龍：《毛詩蒙引》，卷首，頁一三引。

五七 〔明〕季本《詩說解頤》，〈總論詩樂〉，卷一，頁一八。

五八 〔明〕季本《詩說解頤》，〈總論詩樂〉，卷一，頁二〇。

五九 〔清〕王鴻緒等奉勅撰：《詩經傳說彙纂》，卷五，頁五三。

六〇　案：「朱子初解」云云，即《呂氏家塾讀詩記》所引「朱氏曰」；晦翁早歲之意也。

六一　《詩經傳說彙纂》，卷五，頁四三。

六二　《四庫全書總目提要》，「《欽定詩義折中》二十卷」下，卷十六，頁二〇。

六三　魯齋王柏，朱子三傳弟子，《提要》於四部諸籍下，指名斥之，都約四十條，甚至厲詞呵斥曰：「柏何人斯？敢奮筆以進退孔子哉！」

六四　閻《毛、朱詩說》，數引胡渭說，二家皆主本《風詩》以探《詩》義。

六五　鶴齡著《詩經通義》，主從《序》。奇齡有《白鷺洲主客說詩》，駁朱殊力。

六六　（清）戴震：《戴東原集》，卷一，頁八。

六七　方說見所著《詩傳補義》，卷三，頁一〇。諸家之說，此不具述。

六八　（清）范家相：《詩瀋》，〈論詩序〉三，卷二，頁九。

六九　（清）姚鼐：《惜抱軒文集》，卷五，頁二。

七〇　（清）崔述：《崔東壁遺書》《讀風偶識》，「〈召南〉十有四篇，〈摽梅〉、〈野有死麕〉」下，卷二，頁一〇至一一。

七一　見《詩集傳》並參考《朱子語類》，〈自論爲學工夫〉，卷一〇四，總頁四二一一。

七二　（清）姚文田：《邃雅堂集》，〈讀詩論〉，卷一六，頁。

七三　（清）魏源：《詩古微》，〈毛詩義例篇上〉，卷二，頁一二。

七四　（清）魏源：《詩古微》，〈毛詩義例篇上〉，卷二，頁一二。

七五　《詩古微》，〈毛詩義例篇上〉，卷二，頁一三，。

七六　參〔清〕皮錫瑞：《經學通論》，〈論書序與詩序同有可信與不可信，今文可信，古文不可信〉，卷二，頁二五至二七，。

七七　〔民國〕陳柱：《詩說》，載《學衡》第十一期，民國十一年十二月出版。

七八　參《毛詩李黃集解》。

七九　參〔明〕朱朝瑛：《讀詩略記》。

八〇　參《桐城吳先生文集》〈詩序論〉。

八一　〔清〕崔述《讀風偶識》，〈自序〉，卷一，頁四。案「舊」，謂宋人《詩》傳；「新」，謂漢唐舊《注》。

——原載《中山學術文化集刊》第二集，民國五十七年十一月

二十一　朱子所定《詩經》〈國風〉中之男女情詩

《詩經》〈國風〉〈鄭風〉有男女之詩，許愼《五經異義》（《禮記》〈樂記〉孔穎達疏引）云：「鄭詩二十一篇，說婦人者十九。」不唯鄭國，它國風亦有之。〔宋〕呂祖謙（高宗紹興七年，一一三七至孝宗淳熙八年，一一八一）曰：「變風始於〈鷄鳴〉，終於〈澤陂〉，……而男女夫婦之詩四十有九，抑何多耶？」（《呂氏家塾讀詩記》卷十三頁一三，清嘉慶十六年重刊本，下同。）關涉婦人之詩，每生貞淫之辨。《荀子》〈大略〉篇曰：「〈國風〉之好色也，《傳》曰：『盈其欲而不愆其止。』」淮南王《離騷傳》及《史記》〈屈原列傳〉亦言〈國風〉好色而不淫。既皆言「〈國風〉好色」云云，是不免男女情詩矣。〈成公二年〉《左傳》曰：「……使屈巫聘于齊，且告師期，巫臣盡室以行。申叔跪從其父將適郢，遇之，曰：『異哉！夫子有三軍之懼，而又有〈桑中〉之喜，宜將竊妻以逃者也。』」是申叔跪以〈鄘風〉〈桑中〉篇爲淫奔之詩也。

班固《漢書》〈地理志〉謂〈邶風〉〈靜女〉篇爲淫奔之詩，王肅謂〈衛風〉〈氓〉篇爲淫奔之詩（《周禮》〈媒氏〉「中春之月，令會男女」賈公彥《疏》引）。它如〔後漢〕高誘注《呂氏春秋》、〔吳〕韋昭、朱育等《毛詩問答》（《太平御覽》卷九九四頁一引）亦指〈國風〉篇章有男女情詩。

〈靜女〉、〈桑中〉、〈氓〉、〈將仲子〉諸〈鄭〉、〈衛〉之詩，若直據其本文，多爲男女情詩，然〈詩小序〉則概斷以數言，曰：「刺時也。」或曰：「刺奔也。」不然則直指其人，曰：「刺莊公也。」又往往牽引史事，比附詩旨，如序〈氓〉曰：「宣公之時，禮義消亡，淫風大行。……故序其事以風焉。美反正，刺淫泆也。」又如序〈陳風〉〈防有鵲巢〉曰：「宣公多信讒，君子憂懼焉。」依〈序〉意，諸詩皆詩人刺淫之作。

宋人不信《詩序》，自歐陽脩始（見所著《詩本義》）。只用〈小序〉首句說詩，而其下皆不取，自蘇轍始（見《潁濱詩集傳》）。首句、後句一概不取，但本詩求義，則自王質始（見《詩總聞》，武英殿《聚珍板叢書》本，下同。）鄭樵作《詩辨妄》（書佚，近人顧氏有輯本。）非難〈小序〉，而影響朱子（高宗建炎四年，一一三〇至寧宗慶元六年，一二〇〇）頗大，《朱子語類》（正中書局影明覆宋本，下同。）曰：

鄭漁仲謂：〈詩小序〉只是後人將史傳去揀并看謚，卻附會作〈小序〉美刺。（卷八十頁一三）

《詩序》實不足信，向見鄭漁仲有《詩辨妄》，力詆《詩序》，其間言語太甚；以爲皆是村野妄人所作。始亦疑之，後來子細看一兩篇，因質之《史記》、《國語》，然後知《詩序》之果不足信。（卷八十頁一〇）

鄭樵且歷指某篇爲淫詩，朱子亦述而信之，《語類》又曰：

鄭漁仲《詩辨（妄）》：「〈將仲子〉只是淫奔之詩，非刺仲子之詩也。」某自幼便知其說之是。（卷二三頁六）

朱子早年注《詩經》，尙曲從《序》說（原書佚，散見《呂氏家塾讀詩記》所引「朱氏曰」。）爾時學問未成，信道不篤。後讀書日多，權衡才定。嘗與門人論《序》之得失，〈風〉之正淫，反復辨詰（見《朱子大全集》及《語類》）。永嘉學者陳傅良疑其詩說，則遺書與之辯〈靜女〉之「彤管」是否爲淫奔之具、〈子衿〉之「城闕」是否爲偷期之所（朱、陳辯爭事，見（宋）葉紹翁《四朝聞見錄》及《陳止齋集》。）。而與婺州學者呂祖謙論詩，則斷然排斥〈小序〉，曰：

大抵〈小序〉盡出後人臆度，若不脫此窠臼，終無緣得正當也。（《朱子大全集》卷三四頁四〈答呂伯恭〉，《四部備要》本。）

美某時君，刺某權臣，即《序》之「窠臼」，朱子以爲此陋儒造作，冠諸詩篇之首，決不可信。故著《詩集傳》，去〈小序〉之託言美刺、比附史事者，直求詩文，又併成爲一編，逐題駁斥，名《詩序辨說》。而解〈國風〉「說婦人之詩」，最與呂東萊衝突。呂氏篤遵〈小序〉，以爲〈鄭〉〈衛〉諸詩，辭雖幾於勸淫，其實皆它人刺淫之詩，一如序者所說；且舉孔子「《詩》三百，一言以蔽之，曰：思無邪」，以堅其說，曰：

〈桑中〉、〈溱洧〉諸篇，幾於勸矣，夫子取之何也？曰：《詩》之體不同，有直刺之者，〈新臺〉之類是也；有微諷之者，〈君子偕老〉之類是也；有鋪陳其事，不加一辭，而意自見者，此類是也。或曰：後世狹邪之樂府，冒之以此詩之敘，豈不可乎？曰：仲尼謂：「《詩》三百，一言以蔽之，曰：思無邪。」詩人以無邪之思作之，學者亦以無邪之思觀之。閔惜懲䂬之意，隱然自見於言外矣。（《呂氏家塾讀詩記》卷五頁六至七）

又謂〈桑中〉、〈溱洧〉諸篇，其詩猶止於禮義，其樂亦合乎中聲，曰：

或曰：〈樂記〉所謂桑間濮上之音，安知非即此篇乎？曰：《詩》，雅樂也，祭祀朝聘之所用也。〈雅〉〈鄭〉不同部，其來尚矣。戰國之際，魏文侯與子夏言古樂新樂，齊宣王與孟子言古樂今樂，皆別而言之……初不相亂。況上而春秋之世，寧有編〈鄭〉〈衛〉樂曲於雅音中之理乎？〈桑中〉、〈溱洧〉諸篇，作於周道之衰，其聲雖已降於煩促，而猶止於中聲，荀卿獨能知之；其辭雖近於諷一勸百，然猶止於禮義，大敘獨能知之。仲尼錄之於經，所以謹世變之始也。……《論語》答顏子之問，……於鄭聲亟欲放之，豈有刪詩示萬世，反收鄭聲以備六藝乎？（卷五頁七）

朱子力闢其說之失，於《詩序辨說》（頁一四，《朱子遺書》本，下同。）〈桑中〉篇下曰：

或者以為刺《詩》之體固有鋪陳其事，不加一辭，而閔惜懲創之意自見於言外者，此類是也；豈必譙讓質責然後為刺也哉？此說不然。夫《詩》之為刺，固有不加一辭而意自見者，〈清人〉、〈猗嗟〉之屬是已。然嘗試玩之，則其賦之之人猶在所賦之外，而詞意之間猶有賓主之分也。豈有將欲刺人之惡，乃反自為彼人之言，以陷其身於所刺之中而不自知也哉？其必不然也，明矣。又況此等之人，安於爲惡，其於此等之詩，計其平日固已自其口出而無慚矣，又何待吾之鋪陳而後始知其所爲之如此，亦豈畏我之閔惜而遂幡然遽有懲創之心耶？以是爲刺，不惟無益，殆恐不免於鼓之舞之，而反以勸其惡也。

朱子以爲：此等篇章，作者身在所賦之中，皆是淫人自言，非它人口吻。其論詩樂及孔子何以不絕〈鄭〉〈衛〉淫詩之故，則曰：

或者又曰：《詩》三百篇皆雅樂也，祭祀朝聘之所用也。〈桑間〉、〈濮上〉之音，鄭衛之樂也，世俗之所用也。〈雅〉〈鄭〉不同部，其來尚矣。且夫子答顏淵之問於〈鄭〉聲，亟欲放而絕之，豈其刪詩乃錄淫奔者之詞，而使之合奏於雅樂之中乎？亦不然也。〈雅〉者，〈二雅〉是也。〈鄭〉者，〈緇衣〉以下二十一篇是也。〈衛〉者，〈邶〉〈鄘〉〈衛〉三十九篇是也。〈桑間〉，〈衛〉之一篇，〈桑中〉之詩是也。〈二南〉、〈雅〉〈頌〉，祭祀朝聘之所用也。〈鄭〉〈衛〉〈桑濮〉，里巷俠（狹）邪之所歌也。夫子之於〈鄭〉〈衛〉，蓋深絕其聲於樂以爲法，而嚴立其詞於詩以爲戒。如聖人固不語亂而《春秋》所記，無非亂臣賊子之事。蓋不如是，無以見當時風俗事變之實，而垂鑒戒於後世，故不得已而存之。……曰：然則〈大序〉所謂「止乎禮義」，夫子所謂「思無邪」者，又何謂邪？曰：〈大序〉指〈柏舟〉、〈綠衣〉、〈泉水〉、〈竹竿〉之屬而言，以爲多出於此耳。非謂篇篇皆然，而〈桑中〉之類亦止乎禮義也。夫子之言，正爲其有邪正美惡之雜，故特言此以明其皆可以懲惡勸善，而使人得其性情之正耳。非以〈桑中〉之類，亦以無邪之思作之也。曰：荀卿所謂詩者中聲之所止，太史公亦謂三百篇者，夫子皆絃歌之，以求合於韶武之音，何邪？曰：荀卿之言，固爲正經而發，若史遷之說，則恐未足爲據也。豈有哇淫之曲，而可以強合於韶武之音也邪？

朱子以爲：作詩者有邪有正，讀者當一以無邪讀之，則善者可以感發人之善心，惡者可以懲創人之逸志，夫子存〈鄭〉〈衛〉淫詩而不放絕其詞，正以此也。

〈國風〉中男女情詩，凡淫人自作之詞，莫非孔子存而未刪以垂鑒戒者。此類風詩，朱子緣詩經本文，斷爲若干篇。後人不察朱子宗旨，故論其所定篇章，多失其本意。茲據朱子遺著，參以後人所論，逐篇表其說，且評其得失，述其影響於後。

朱子所認定之淫詩二十九篇

一、〈邶風〉〈靜女〉篇　朱子《詩集傳》（卷二）謂：三章皆賦體，首二章有自稱詞

「我」，爲淫男自作之詩。又曰：「此淫奔期會之詩也。」《朱子語類》（卷八一頁九）曰：「淫奔之人，不知其爲可醜，但見其爲可愛耳。以女而俟人於城隅，安得謂之閒雅？而此曰『靜女』者，猶〈日月〉詩所謂『德音無良』也。無良則不足以爲德音矣，而此曰德音，亦愛之之辭也。」《詩序辨說》（頁一三）評〈小序〉曰：「此序全然不似詩意。」

二、〈鄘風〉〈桑中〉篇　《詩集傳》（卷二）：三章皆賦體，均有「期我」、「要我」、「送我」。又曰：「鄭俗淫亂，世族在位，相竊妻妾，故此人自言將采唐於沬，而與其所思之人相期會迎送如此也。」此淫男自作之詩，故《詩序辨說》（頁一四）曰：「此詩乃淫奔者所自作，序之首句以爲刺奔，誤矣。」

三、〈衛風〉〈氓〉篇　六章，《詩集傳》（卷二）：其中三章爲賦體，一章爲賦而後興，餘爲比及比而興體各一。我字五見。又曰：「此淫婦人爲人所棄，而自敘其事以道其悔恨之意也。」此篇淫女自作。

四、〈有狐〉篇　《詩集傳》（卷二）：三章皆比體，云：「國亂民散，喪其妃耦，有寡婦見鰥夫而欲嫁之，故託言有狐獨行，而憂其無裳也。」此淫女自作。

五、〈木瓜〉篇　《詩集傳》（卷二）三章皆作比體，皆有「我」字，故「疑亦男女相贈答之辭，如〈靜女〉之類。」此淫男、女合作之詩。

六、〈王風〉〈采葛〉篇　三章皆直陳其事，故《詩集傳》（卷二）均斷爲賦體，曰：

「蓋淫奔者託以行也，故因以指其人，而言思念之深，未久而似久也。」朱子又於《詩序辨說》（頁一九）申之曰：「此淫奔之詩。其篇與〈大車〉相屬，其事與（〈桑中〉篇）采唐、采葑、采麥相似，其詞與〈鄭〉〈子衿〉正同。〈序〉說（懼讒）誤矣。」此淫男或淫女自作。

七、〈大車〉篇　三章皆著「豈不爾思，畏子不敢」，故《詩序辨說》（頁一九）曰：「非刺（周）大夫之詩，乃畏（周）大夫之詩。」《詩集傳》（卷二）以為全篇皆直賦其事，曰：「淫奔者相命之辭也。子，大夫也。不敢，不敢（淫）奔也。」此淫女自作。

八、〈丘中有麻〉篇　詩三章，《詩集傳》（卷二）以為莫非賦體，末章「貽我佩玖」，朱子斷為淫女自作。《詩集傳》曰：「婦人望其所與私者而不來，故疑丘中有麻之處，復有與之私而留之者，今安得其施施然而來者乎？」〈小序〉謂此篇「思賢」而作，《詩序辨說》（頁一九）曰：「此亦淫奔者之詞。其篇上屬大車，而語意不莊，非望賢之意，〈序〉亦誤矣。」

〈鄭〉詩二十一篇，朱子斷為淫詩者自〈將仲子〉至〈溱洧〉，凡一十四篇，何其多耶？《朱子語類》曰：「聖人云：『鄭聲淫。』蓋周衰，惟鄭國最為淫俗，故諸詩多是此事。」

九、〈鄭風〉〈將仲子〉篇　此篇〈小序〉以為刺鄭莊公，謂弟叔段失道而公弗制，祭仲諫而公弗聽。朱子據鄭樵說，則以為淫奔之詩。《詩序辨說》（頁二〇）曰：「事見《春秋》

（《左》〈隱元年〉）傳。然莆田鄭氏謂：『此實淫奔之詩，無與於莊公、叔段之事。〈序〉蓋失之，而說者又從而巧爲之說，以實其事，誤亦甚矣！』今從其說。」答門人問則斷然指爲淫辭，曰：「〈將仲子〉自是男女相與之辭，卻干祭仲、共叔段甚事？」（《朱子語類》卷八一頁一〇）其詩三章，《詩集傳》（卷三）以爲皆賦體；而九「我」字，《詩集傳》謂：「女子自我也。」此淫女自作。

一〇、〈叔于田〉篇　三章皆賦體。說者絕多信〈小序〉，謂此「叔」爲共叔段。《詩集傳》（卷三）、《詩序辨說》（頁二〇）設或者之意，疑爲民間男女相悅之辭。

一一、〈遵大路〉篇　祇二章，上云「無我惡」，下云「無我䰱」，《詩集傳》（卷三）謂皆賦體，是「淫婦人爲人所棄，故於其去也，擥其袪而留之曰：『子無惡我而不留，故舊不可以遽絕也。』宋玉賦（敏案：〈登徒子好色賦〉。）有『遵大路兮攬子袪』之句，亦男女相說之辭也。」又駁〈小序〉「思君子」之說，云：「此亦淫亂之詩，〈序〉說誤矣。」（《詩序辨說》頁二一）

一二、〈有女同車〉篇　亦二章之詩，《詩集傳》（卷三）皆釋爲賦體。云：「此疑亦淫奔之詩，言所與同車之女，其美如此。……」爲淫男作無疑。而〈小序〉比附桓六年及十一年《左傳》，謂此篇刺忽。《詩序辨說》（頁二一）指其誤曰：「序者但見『孟姜』二字，遂指以爲齊女而附之於忽耳。假如其說，則忽之辭昏（婚）未爲不正，而可刺；至其失國，則又特以勢孤援寡，不能自定，亦未有可刺之罪也。」

一三、〈山有扶蘇〉篇　詩二章皆興體。《詩集傳》（卷三）謂此淫女戲其所私者之辭。《詩序辨說》（頁二二）曰：「此下四詩（敏案：謂本篇及〈蘀兮〉、〈狡童〉、〈褰裳〉篇。）及〈揚之水〉皆男女戲謔之詞，序之者不得其說，而例以爲刺忽，殊無情理。」

一四、〈蘀兮〉篇　二章皆以「蘀兮」起興，皆著「予」字，《詩集傳》（卷三）曰：「予，女子自予也。……此淫女之辭。」（參〈山有扶蘇〉篇下說）

一五、〈狡童〉篇　〈小序〉以爲刺忽，狡童正指忽而言。《朱子語類》（卷八一頁一〇）非之，曰：「〈狡童〉詩，是〈序〉之妄，安得當時人民敢指其君爲狡童？況忽之所爲，可謂之愚，何狡之有？當是男女相怨之詩。」又曰：「蓋鄭人之詩多是言當時風俗男女淫奔，……狡童想說當時之人，非刺其君也。」（同上頁一一）《詩序辨說》（頁二二）曰：「大抵〈序〉者之於〈鄭詩〉，凡不得其說者，則舉而歸之於忽。文義一失，而其害於義理有不可勝言者：一則使昭公無辜而被謗；二則使詩人脫其淫謔之實罪，而麗於訕上悖理之虛惡；三則厚誣聖人刪述之意，以爲實賤昭公之守正，而深與詩人之無禮於其君。」兩章四「我」字，《詩集傳》（卷三）以爲竝賦體，「亦淫女見絕而戲其人之詞。」（亦參〈山有扶蘇〉篇下說）

一六、〈褰裳〉篇　《詩集傳》（卷三）以爲：二章皆賦體。四「我」字，皆自稱。狂童，狂且狡之童。乃「淫女語其所私者，……亦謔之之辭。」（亦參〈山有扶蘇〉篇下說）〈小序〉據《左》〈昭十六年〉《傳》子太叔賦本篇，而韓宣子答之之辭，謂：「〈褰裳〉，思見正也。狂童恣行，國人思大國之正己也。」案：古人引詩斷章取義，不盡可據，朱子辨〈序〉、傳《詩》及答人論學，數明此義，茲不具引。

一七、〈丰〉篇　《詩序辨說》（頁二三）謂爲淫奔之詩。《詩集傳》（卷三）據詩辭，解四章皆賦體，而「我、予」字六見，皆婦人自稱，乃「婦人所期之男子已俟乎巷，而婦人以有異志不從，既則悔之，而作是詩也。」

一八、〈風雨〉篇　三章「既見君子」三作，〈小序〉謂其詩旨爲「亂世思君子」。《詩集傳》（卷三）以爲「君子」指淫奔之時，外期之男子；而「不夷」、「不瘳」、「不喜」，則「淫奔之女言：當此之時，見其所期之人而心悅也。」皆直賦其意。其評〈序〉說則曰：「考詩之詞，輕佻狎暱，非思賢之意也。」（《詩序辨說》頁二三）

一九、〈子衿〉篇　〈小序〉曰：「刺學校廢也。亂世則學校不脩焉。」朱子賦白鹿洞〈書院〉，云：「廣青衿之疑問。」（《朱文公文集》卷一頁二，《四部叢刊》本。）諸家據此，以爲朱子遵用〈序〉說之證。（如王士禛《漁洋山人文略》卷十二頁二五〈木瓜詩辯〉，見〈漁洋三十六種〉之一。）其實非也。青衿義指學校，〈小序〉、《傳》《箋》之說也，後之人習用既久，朱子吟詩偶取古義，猶宋以後學者，解經信〈靜女〉爲淫詩，而壽挽人母則不避「彤管」（如〔元〕金履祥取朱子之說，信〈靜女〉爲淫詩，然〈祭葉養志祖母文〉曰：「上繼彤管，爲賢惠錄。」見《金仁山集》卷一頁二四，《金仁山遺書》本。）豈可援爲朱子之經說乎？《詩序辨說》（頁二三）曰：「蓋其詞意儇薄，施之學校，尤不相似也。」《詩集傳》（卷三）以爲三章皆賦體，而四「我」字，皆女子自我也。此淫奔詩，淫女自作。

二〇、〈揚之水〉篇　二章雖皆興體，然《詩集傳》（卷三）據篇中予（二）、汝字，斷爲男、女自相謂之詞。亦即《詩序辨說》（頁二三）所謂「男女要結之詞。」（亦參〈山有扶蘇〉篇下說）

二一、〈野有蔓草〉篇　《詩集傳》（卷三）謂此二章詩體皆賦而興，曰：「男女相遇於野田草露之閒，故賦其所在以起興。」以爲邂逅時淫男所賦。

二二、〈秦洧〉篇　《詩集傳》（卷三）亦謂其詩二章體皆賦而興。又謂：此詩乃士與女相與戲謔於溱洧上，以勺藥爲贈，而結恩情之厚。是淫奔者自敘之辭。

二三、〈齊風〉〈東方之日〉篇　〈小序〉曰：「刺衰也。君臣失道，男女淫奔，不能以禮化也。」《詩集傳》（卷三）謂二章皆興體，又據「在我室，履我即」（男云：「此女躡我之跡而相就也。」）與「在我闥，履我發」（男又云：「（此女）躡我而行去也。」），謂是淫奔者所自作。

二四、〈陳風〉〈東門之枌〉篇　〈小序〉曰：「疾亂也。幽公淫荒，風化之所行，男女棄其舊業，亟會於道路，歌舞於市井爾。」《詩序辨說》（頁三〇）以陳國小，無事實，〈小序〉刺幽公之說，未敢信。其詩三章，《詩集傳》（卷三）皆定爲賦體。又謂一章「子仲之子」爲「子仲氏之女」，而第三章之「我」，乃男女自稱，其辭則相與道其慕悅之意也。

二五、〈東門之池〉篇　三章「漚麻」、「漚紵」、「漚菅」，《詩集傳》（卷三）皆定爲興體，而其下則「男女會遇之辭。蓋因其會遇之地，所見之物，以起興也。」篇中三言「彼美淑姬」，知朱子以此篇爲淫男自作。〈小序〉謂刺時，詩人疾其君之淫昏，而思賢女以配君子。《詩序辨說》（頁三〇）非之。

二六、〈東門之楊〉篇　詩有「昏以爲期，明星煌煌（晢晢）」，《詩集傳》（卷三）因謂：「此亦男女期會，而有負約不至者。」至「東門之楊，其葉牂牂（肺肺）」，則「因其所見以起興也。」爲淫男或女自作。〈小序〉又以爲刺時，且謂親迎女猶有不至者。《詩序辨說》（頁三〇）非之。

二七、〈防有鵲巢〉篇　詩曰：「誰侜予美，心焉忉忉（惕惕）。」〈小序〉首句據此，謂此詩爲憂讒賊而作。後句則云：「宣公多信讒，君子憂懼焉。」朱子謂二章皆興體，又指「予美」爲「所與私者」，曰：「此男女之有私，而憂或間之之辭。」遂斷爲淫男或女自作，而論〈小序〉失解。

二八、〈月出〉篇　〈小序〉謂刺在位者好色之作。《詩序辨說》（頁三一）曰「此不得爲刺詩。」而於《詩集傳》（卷三）詳其說曰：「此亦男女相悅而相念之辭。言月出則皎然矣，佼人則僚然矣，安得見之而舒窈糾之情乎？是以爲之勞心而悄然也。」詩三章朱子皆說爲興體，《詩》則斷爲淫男或女自爲也。

二九、〈澤陂〉篇　此篇與上〈株林〉篇，〈小序〉皆以爲刺陳靈公淫亂之詩。《詩序辨說》（頁三二）於〈株林〉篇謂〈小序〉之說〈陳風〉獨此篇有據，於本篇則但錄〈序〉文而無譏評。然其說實與〈小序〉不同，《詩集傳》（卷三）曰：「此詩之旨，與〈月出〉相類。」則此篇亦男女相悅相念之辭。三章皆興體。

綜上所述，朱子定爲男女情詩者二十有九篇，然（元）馬端臨《文獻通考》（卷一七八總頁一五四〇〈經籍考〉五，臺北新興書局影印本。）以爲朱子所定爲二十四篇，且篇目亦頗有同異：計缺〈衛風〉〈氓〉、〈有狐〉、〈王風〉〈大車〉、〈鄭風〉〈叔于田〉、〈陳風〉〈東門之枌〉、〈防有鵲巢〉、〈澤陂〉七篇，而於〈鄭風〉多〈東門之墠〉、〈出其東門〉二篇。案：所缺諸篇，除〈叔于田〉一篇朱子尚置疑辭外，餘皆決然以爲男女情詩；而所多〈出其東門〉篇，朱子以爲刺淫之詩，非淫人自爲，《詩序辨說》（頁二三）曰：「此乃惡淫奔者之詞。」《詩集傳》（卷二）曰：「人見淫奔之女而作此詩。以爲此女雖美且眾，而非我思之所存，不如己之室家，雖貧且陋，而聊可以自樂也。是時淫風大行，而其閒乃有如此之人，亦可謂能自好，而不爲習俗所移矣。」且其三傳弟子王柏（宋寧宗慶元三年，一一九七至度宗咸淳十年，一二七四）承師說，亦謂此爲正詩，《詩疑》（卷一，《叢書集成初編》本，下同），曰：「〈鄭詩〉多淫奔，忽有〈出其東門〉一詩，守義安分，爲得性情之正。」至〈東門之墠〉，《詩集傳》（卷三）雖曰：「……識其所與淫者之居也。室邇人遠者，思之而未得見之辭也。」然未明言男女自作，且《詩序辨說》（頁二三）則明從〈小序〉，定爲刺詩。馬氏之說皆誤。而〔清〕王崧誤信馬氏所定二十四篇篇目（見所著《說緯》，《皇清經解》卷一三七〇頁二〇。）。其後，皮錫瑞《經學歷史》（頁二二六，臺北藝文印書館影印本。）亦取其謬說，而近人周予同皮氏《經學歷史註》（頁二三〇至二三一）亦據《文獻通考》錄其篇目於後。周氏或宥於註書體例，不得不爾，則已矣。乃別著「朱熹」一書，又全抄馬氏謬定篇目，於〈朱熹詩學〉之下（頁六四至六五，《萬有文庫薈要》本。）皆難辭疏忽之咎矣！

馬氏治學，素號嚴謹，而不免此巨失者，蓋未深察朱子判別淫詩與刺淫詩之準則。朱子判定男女情詩之標準，上引朱、呂辯辭已略及，茲再根據上記二十九篇朱子之說，歸納要點，並略評其得失如後：

一、古人引詩（含聘會宴饗賦詩）斷章取義，不足據以定詩旨——此原則朱子並未謹守。如上述〈褰裳〉篇〈小序〉據《左傳》子太叔賦詩說之，《詩序》辨責其不知斷章取義之意。而〈遵大路〉篇竟取宋玉賦以證是篇爲棄婦吟。故〔清〕姚際恆難之曰：「然則男女相悅，又非棄婦矣。且宋玉引用詩辭，豈可據以解詩乎？」（《詩經通論》卷五總頁一〇四，臺北廣文書局影印本。）

二、男女情詩多為賦體，而比體極少——上舉之二十九篇，朱子定為賦體者達十六篇，四十五章；興體九篇，二十一次；比體最少，僅三篇，七見。比者，《詩集傳》（卷一〈周南〉〈螽斯〉首章下）曰：「以彼物比此物也。」詩若論為比體，則言美人而所託在賢君；「貽我彤管」，可解為「遺我以古人之法」。興雖「先言他物，以引起所詠之辭。」（《詩集傳》卷一〈周南〉〈關雎〉首章下。）但亦常可牽合所興之詩，以意推衍詩意，而不必拘泥詩辭。若論為賦體則詩義大變，如〈召南〉〈野有死麕〉首章「有女懷春，吉士誘之」，《詩集傳》初謂女子貞潔自守，不為強暴所污，詩人賦其事：此以興體說之。又設或人曰：「賦也。言美士以白茅包其死麕，而誘懷春之女也。」依後說，則〈野有死麕〉亦為男女相悅之詩矣。案：古人於君臣朋友之間，有所感觸，或有託之於男女之際，不必如朱子，盡律以賦體，而以男女相悅之辭說之也。

三、時代接近、地域相同之詩篇，其旨義每近似——如〈王風〉〈大車〉篇，朱子既斷為淫詩，其相連之兩篇——上〈王風〉〈采葛〉、下〈王風〉〈丘中有麻〉（篇既相連，時代即接近。）皆以〈大車〉故而判為淫篇矣。

四、語意不莊——如〈丘中有麻〉（語意不莊）、〈山有扶蘇〉、〈蘀兮〉、〈狡童〉、

〈褰裳〉、〈揚之水〉（皆男女戲謔之詞）及〈風雨〉（詞輕佻狎暱）。

五、篇中有「我、予」自稱詞，或雖無「我、予」，然味其語氣爲自賦己事者——此朱子決定淫詩之必要條件。上述二十九篇，就詩本文言，有「我、予」第一人稱代詞者，計十有七篇，總六十三見。其中作於淫男者六篇，淫女者十四篇（〈鄭風〉占十篇），淫男、女共作者三篇，淫男或淫女者六篇。朱子以爲皆淫人自言。淫人道淫辭，則爲淫詩；他人雖道淫辭，乃刺淫，不在朱子認定之列。馬端臨不知此原則，故誤會朱子之意。

考以「我、予」字並玩味詩詞決定詩是本人自敘其事者，歐陽脩先已有說，其《詩本義》（卷三頁八，《四部叢刊》本。）論〈氓〉篇曰：「『桑之未落，其葉沃若，于嗟鳩兮，無食桑葚，于嗟女兮，無與士耽』，皆是女被棄逐困而自悔之辭。鄭以爲國之賢者刺此婦人見誘，故于嗟而戒之。今據上文『以我賄遷』、下文『桑之落矣』，皆是女之自語。豈於其間獨此數句爲國之賢者之言？……」朱子所論諸篇，以詩文述之，大抵爲作者自敘之辭，然亦有未盡然者，如〈陳風〉〈東門之池〉、〈東門之楊〉、〈月出〉、〈澤陂〉，其辭極似詩人代言。至〈鄭風〉〈溱洧〉，有「女曰」、「士曰」，顯係詩人述事之辭，朱子一律定爲淫奔者自敘之辭。故方玉潤難之曰：「〈溱洧〉之詞，曰『惟士與女』，則是非爲己言也。」（《詩經原始》卷首下頁一五〈詩旨〉，《雲南叢書》本。）又〈鄭風〉淫女作者特多，殊違常情，崔述致疑曰：「何以女贈者甚多，男贈女者殊少，豈鄭之能詩者皆淫女乎？」（《讀風偶識》卷三頁一九至二〇，《崔東壁遺書》本。）

六、以兩篇辭語相較——如朱子謂〈王風〉〈采葛〉辭與〈鄭風〉〈子衿〉同，皆淫詩。又因〈陳風〉〈澤陂〉「有美一人」與〈月出〉「佼人」相似，而謂其詩旨亦相類。案：〈采葛〉，男或女思慕其所愛之詩，其爲淫奔而情款未明（《詩疑》卷一頁四）；〈子衿〉，男女已有私情，一旦聲問中絕，女思而作詩，其爲淫奔曉然。朱子以兩篇均有「一日不見，如三月兮」，遂相比類，亦非也。至以〈澤陂〉、〈月出〉相比，王柏評之曰：「〈澤陂〉之美人，未有以見其正不正，《詩（集）傳》遽比於〈月出〉，恐亦過矣。」（《詩疑》卷一頁七）且三百篇相似之辭語，不唯〈風〉之與〈風〉，即〈風〉與〈雅〉亦有之，若以此擬彼，如朱子之說，則〈雅〉亦不免男女情詩矣。如〈召南〉〈草蟲〉篇「未見君子，憂心忡忡。亦既見止，亦既覯止，我心則降。」與〈鄭風〉〈風雨〉篇詞意相似；而〈小雅〉〈隰桑〉篇二章「既見君子，云何不樂」，與〈風雨〉篇「既見君子，云胡不夷（瘳、喜）」文字幾全同。然《詩集傳》謂〈草蟲〉爲婦人思其君子之詩（卷一），謂〈隰桑〉辭意大概爲燕飲賓客之詩（卷五）。豈以其篇在〈南〉、〈雅〉，遂不敢據經本文以定詩旨乎？

〈二南〉，向以爲詩之正風，〈詩大序〉曰：「（〈周南〉）〈關雎〉、〈麟趾〉之化，王者之風，……言化自北而南也。（〈召南〉）〈鵲巢〉、〈騶虞〉之德，諸侯之風，先王之所以教。……〈周南〉、〈召南〉，正始之道，王化之基。」孔子語其子鯉曰：「人而不爲

〈周南〉、〈召南〉，其猶正牆面而立也與！」〈二南〉地位何等尊崇！鄭玄《詩譜》〈序〉曰：「文武之德，光熙前緒，……其時詩：〈風〉有〈周南〉、〈召南〉，……謂之《詩》之正經。」是其辭皆雅正，豈容置疑！朱子雖勇於變古，然舊說力量太大，且經聖人推舉，故此二十五篇雖有男女情詩，亦不敢直議其是非也。如〈召南〉〈行露〉首章，女子蚤夜獨行，名為貞守，跡類淫奔，《詩集傳》（卷一）許其以禮自守。〈江有汜〉蓋「男子傷其所愛者捨己而嫁人之詩。」（屈師翼鵬《詩經釋義》頁六五，中國文化事業出版委員會鉛印本。）而《詩集傳》以為：媵卒與嫡偕歸，感而作此。其答門人問〈摽有梅〉，支吾其詞，其迴護〈二南〉之情畢見矣。《朱子語類》（卷八一頁五）曰：「問：『〈摽（敏案：原作標，誤；下同。）有梅〉何以入於正風？』（朱子）曰：『此乃當文王與紂之世，方變惡入善，未可全責備。』（又）問：『〈摽有梅〉之詩，固出於正，只是如此急迫何耶？』曰：『此亦是人之情，嘗見晉、宋間有怨父母之詩，讀詩者於此，亦欲達男女之情。』」苟非委婉其辭，務成〈南詩〉無淫篇之義，則〈召南〉〈野有死麕〉之辭豈不類〈鄭風〉〈將仲子〉，朱子自可比而同之。然〈野有死麕〉末章「無感我帨兮，無使尨也吠」，與〈將仲子〉「無踰我里，無折我樹杞」，其辭如一。後一詩，朱子直斷為淫奔者之辭，而於前一詩末章，則云：「乃述女子拒之之辭，……其凜然不可犯之意，蓋可見矣！」由此可見朱子說《詩》尚難盡脫傳統窠臼，而一皆緣詩求義。故成就止於此，論者惜之！

朱子卒後不及百年，恢張其詩說者日起，王柏著《詩疑》，奮筆議去〈鄭〉、〈衛〉、〈陳〉等十國〈風詩〉三十篇（或二十九篇），即〈召南〉〈野麕〉亦不免。於元，其徒金履祥（見《論語集註考證》等書）、吳師道（見《吳禮部集》）從而揚之。明則王褘（見《王忠文公集》）、王守仁（見《傳習錄》）、程敏政（見《篁墩集》）、茅坤（見《茅鹿門文集》）亦從其說。清則閻（若璩）、胡（渭）二家（說均見閻著《尚書古文疏證》），於朱子《詩》說頗多申明，是考亭之功臣。至萬斯同（見《羣經疑辨》），普施詰難，即〈騶虞〉、〈無衣〉亦深文指斥，不免失正。此又近世治《詩》者所不可不知者也。

——原載《孔孟學報》第二十六期，民國六十二年九月

二十二　〈國風〉私情詩宋人說討原

指謂〈國風〉有私情詩，始於先秦學者。漢魏晉唐經師文士因之，且多已確指篇名。及宋而論之者愈眾，至於昌言刪黜淫篇。昔余撰「《王柏之生平與學術》」陸編，第伍編曾略及此事。唯該文專說王氏《詩》學，拘於體例，不克作透徹而有系統之論述，所收材料亦不便悉入。舊撰草成迄今，忽焉四歲。舊存新得，篋笥有關資料益豐。比得旬日休暇，董理斯竟，裁爲此篇，凡四章若干節，以就教於賢者。

作者　六四・五・卅・

壹　問題之發生

《詩經》〈國風〉一百六十篇，其中不乏男女情詩。宋人王柏（號魯齋）主張刪去三十篇（或二十九篇），以爲皆淫詩。自王氏逝世（宋度宗咸淳十年，西元一二七四年）至今七百年，此事影響學子教本、科場命題；至於經師、詞人撰文爭議者，尤其難以盡舉。此學術史上大事。昔賢多歸咎於王柏，而責之最深刻、措辭最嚴厲，莫過於〔清〕紀昀與皮錫瑞。皮氏

《經學通論》（卷二）「論《詩》比他經尤難明其難明者有八」，曰：

> 宋人疑經，至王柏而猖狂已極，妄刪〈國風〉，進退孔子。

皮氏作此口胳，實模仿紀昀，《四庫全書總目提要》（卷十七）於〈經部〉〈詩類存目一〉「《詩疑》二卷」下，指責王氏刪詩，云：

> 柏何人斯！敢奮筆而進退孔子哉！……後人乃以柏嘗師何基，基師黃榦，榦師朱子，相距不過三傳，遂併此書亦莫敢異議。是門户之見，非天下之公義也。

《四庫提要》（卷十三〈經部〉〈書類存目一〉「《書疑》九卷」下）且譴責《宋史》撰者，不應爲王柏立傳；甚至私家修史，爲王氏立傳，紀昀亦表不滿，《四庫提要》（卷五八）評清朱軾「《史傳三編》」，曰：

> 王柏披猖恣肆，至刪改孔子之聖經，咸預斯列，似爲少濫！

《提要》與《紀文達公遺集》之中指斥王柏者，多達數十處。一朝重臣，竟不惜傾注全力以攻擊區區一王魯齋，意其主要目的有二：一基於朝廷立場（《四庫全書》自是官書），維護聖人經書之完整；二是反映當時（乾、嘉時代）學風，反對宋學。而朱子爲宋學泰斗，欲攻宋學非攻擊朱子不可。然清初朱學，甚受政府尊尚（康熙御纂《周易折中》、雍正欽定《書經傳說彙纂》與《詩經傳說彙纂》皆以朱學爲主。）；其在民間勢力尚大。曉嵐不便明文直接攻擊朱子，故集矢於王柏，誠如方東樹《漢學商兌》所言，「項莊舞劍，志在沛公」而已（註二）。

然指出〈國風〉中有淫詩，並非始於南宋朱子、王柏，北宋學者已明言〈風〉篇雜有淫褻之作；亦非北宋人最先生發此論，漢、唐人已論及〈國風〉淫奔篇章；不僅漢、唐人，即先秦典籍亦未曾諱言〈國風〉少數篇什好色而淫。如棄置《詩序》及後世《詩經》傳註，直求詩文，〈國風〉淫色之篇，恐不止昔賢論定之數矣。

貳　唐以前人之議論

一　先秦學者之說

《詩經》三百零五篇文約四萬，僅一「淫」字，〈周頌〉〈有客〉篇：「既有淫威，降福孔夷。」「淫」乃「大」義，淫威意為大德；與淫色無關。〈國風〉不著「淫」字，然確有淫詩，如〈陳風〉〈株林〉篇：「胡為乎株林，從夏南。匪適株林，從夏南。」詠陳靈公淫亂夏徵舒字子南之母（據〔清〕陳奐《詩毛氏傳疏》），詩有明文，事見《左》〈宣九年及十年〉《傳》。但尚可曲從《詩序》說為刺靈公；且體會全詩兩章語氣，誠酷似旁觀者口氣。但〈鄘風〉〈桑中〉篇則無從曲說，茲舉第一章：

> 爰采唐矣，沬之鄉矣。云誰之思？美孟姜矣。期我乎桑中，要我乎上宮，送我乎淇之上矣。

一章詩用三「我」字（二、三章同），顯然男女私相約會之詩，《詩序》曰「刺奔」，詩本文全無此意。而〈國風〉帶有「我、予」自稱代名詞之男女情詩約共十七篇，出現約六十三次。

此類詩篇，先秦學者首先判爲淫詩。於〈邶風〉〈靜女〉篇第二章「靜女其孌，貽我彤管；彤管有煒，說懌女美」，〈定公九年〉《左傳》曰：「〈靜女〉之三章，取『彤管』焉。」據杜預注，《左傳》作者以爲：〈靜女〉爲男女私情詩，僅次章之『彤管』，依舊說義爲「赤管筆，女史記事規誨之所執」可取。又〈成公二年〉《左傳》明判〈鄘風〉〈桑中〉篇爲淫奔之辭，云：

> 巫臣聘諸鄭，鄭伯許之。及共王即位，將爲陽橋之役，使屈巫聘于齊，且告師期。巫臣盡室以行。申叔跪從其父將適郢，遇之，曰：「異哉！夫子有三軍之懼，而又有『桑中』之喜，宜將竊妻以逃者也。」

玩味申叔跪語氣，似乎《詩》〈桑中〉篇爲淫詩，乃當時共知共喻之事。

《左傳》成書約在戰國初葉，已言三衛（邶、鄘、衛三國地壤鄰近，其詩通稱《三衛詩》。）有淫詩。比《左傳》作者略晚，屈原弟子宋玉〈登徒子好色賦〉（見《昭明文選》卷十九）：

臣少曾遠遊，……從容鄭、衛溱、洧之閒。是時向春之末，迎夏之陽，鶬鶊喈喈，羣女出桑。……臣觀其麗者，因稱詩曰「遵大路兮，攬子袪」，贈以芳華辭甚妙。於是處子怳若有望而不來，忽若有來而不見。意密體疏，俯仰異觀。含喜微笑，竊視流眄。

溱、洧是鄭國兩水名，鄭國男女少艾於三月上巳日就水上遊嬉，賦詩互通情愫，見〈鄭風〉〈溱洧〉篇。桑間、濮上，古在衛國境內，男女聚會於此，放浪形骸，縱情聲色。故先秦典籍屢記鄭衛聲詩皆淫：

《論語》〈衛靈公〉篇：「子曰：『……放鄭聲，遠佞人；鄭聲淫，佞人殆。』」

又〈陽貨〉篇：「子曰：『惡紫之奪朱也，惡鄭聲之亂雅樂也，惡利口之覆邦家者。』」

聲與詩合一，《尚書》〈堯典〉篇：「詩言志，歌永言；聲依永，律和聲。」《詩經》三百篇皆被之弦歌，故說鄭聲淫猶言〈鄭詩〉淫，言衛音淫則〈衛詩〉斷無不淫之理，《禮記》〈樂記〉篇：

（魏）文侯曰：「敢問溺音何從出也？」子夏對曰：「鄭音好濫淫志，宋音燕女溺志，衛音趨數煩志，齊音敖辟周志：此四者皆淫於色而害於德，是以祭祀弗用也。」

祭祀時，奏樂、唱詩、舞蹈三事同時進行，《詩經》〈周「頌」〉之頌即具此三種意義。子夏既說鄭音衛音淫色害德，又謂祭祀弗用，是不以〈鄭詩〉、〈衛詩〉配樂唱奏於神明之前。宋玉自述遊鄭、衛之間，見其麗姝，又詠〈鄭風〉〈遵大路〉篇詩句「遵大路兮，攬子祛」（文與今本《毛詩》小異）以挑之，是宋氏曾參酌〈樂記〉、《論語》，探索詩意，判本篇爲淫詩，而於〈好色賦〉引之。

又孔子時人蓋已疑〈周南〉〈關雎〉篇爲淫色詩，故子曰：「關雎樂而不淫，哀而不傷。」（《論語》〈八佾〉篇）梁皇侃《論語集解義疏》曰：「時人不知〈關雎〉之義而橫生非毀，或言其淫，或言其傷，故孔子解之也。〈關雎〉樂得淑女以配君子，是其爲政風之美耳，非爲淫也。……故江熙云：『樂在得淑女，疑於爲色；所樂者德，故有樂而無淫也。』」

二　漢儒之解說

漢人討論孔子「鄭聲淫」一語，多謂鄭國不僅聲（音樂）淫，而詩亦淫，班固《白虎通》

〈禮樂〉篇（據陳立《疏證》本，見《皇清經解》。）曰：

孔子曰「鄭聲淫」何？鄭國土地，民人山居谷浴，男女錯雜，爲鄭聲以相誘悅懌，故邪辟聲皆淫色之聲也。

所謂「淫色之聲」，猶今言男女情歌，情歌未有有聲無辭者，班著《漢書》〈地理志〉且舉〈鄭風〉〈溱洧〉及〈出其東門〉二篇爲證（詳下）。鄭國聲、詩兼淫，許慎及漢《論語》今文家之說竝同。許氏《五經異義》（《禮記》〈樂記〉篇「鄭衛之音」云云孔穎達《疏》引）曰：

今論說：鄭國之爲俗，有溱、洧之水，男女聚會，謳歌相感，故云「鄭聲淫」。《左傳》說：……（許君）謹案：「〈鄭詩〉二十一篇，說婦人者十九矣，故鄭聲淫也。」

「今論說」，〔清〕魏源《詩古微》（卷二）謂是漢代《論語》今文家之言；許氏審定從其說，故云鄭國說婦人之詩十分有九（或云「十九」，衍十字。）。又陳立《白虎通疏證》（卷三）據《白帖》引許慎《五經通義》（？）云：「鄭國有溱、洧之水，會聚謳歌相感，今〈鄭詩〉二十一篇，說婦人者十九，故云『鄭聲淫』。」與此說同。

詩樂大概亡佚於西漢初年，詩文則賴口誦而倖存（註二），是故漢儒直稱〈鄭〉〈衛〉詩淫，可不必併聲言之。班固《漢書》〈地理志〉（卷二八下二）曰：

（鄭）武公與平王東遷，卒定虢、會之地，右雒左泲，食溱、洧焉。土陿而險，山居谷汲。男女亟聚會，故其俗淫。〈鄭詩〉曰：「出其東門，有女如雲。」又曰：「溱與洧，方灌灌兮，士與女，方秉菅兮。恂盱且樂，惟士與女，伊其相謔。」此其風也。

班氏舉出〈溱洧〉、〈出其東門〉二篇為〈鄭風〉淫詩。〈溱洧〉篇前已屢述。〈出其東門〉篇首章曰：「出其東門，有女如雲。雖則如雲，匪我思存。縞衣綦巾，聊樂我員。」（第二章意略同）繹詩本文，此男子疑戀女子之詩也。

高誘亦據〈鄭風〉〈溱洧〉篇本文，謂其詩淫，《呂氏春秋》〈孟春紀〉〈本生〉篇「靡曼皓齒，鄭衛之音」云云高氏注曰：

鄭國淫辟，男女私會於溱、洧之上，有詢訏之樂，芍藥之和。

男女私會云云，指〈溱洧〉篇爲淫奔期會之辭也。

漢初治《詩》者今文三家。三家者，《魯詩》魯申培公、《齊詩》齊轅固生、《韓詩》燕韓嬰是也。《古文》毛公後出，合爲《四家詩》。三家相繼亡佚，《毛詩》今獨存。漢世特重家法，故當時《詩》說，不出於三家，則出於毛。出於毛者今有《毛傳》《毛序》可按，凡諸與毛學不同之漢人《詩》說，宜分別派入三家，於理無妨。

高誘《呂覽》〈本生〉篇注，謂溱洧淫奔之辭，〔清〕陳喬樅（《魯詩遺說攷》卷四）以爲據《魯詩》爲說，王先謙（《詩三家義集疏》卷五）論同。班固《漢書》〈地理志〉等斷〈鄭風〉〈溱洧〉、〈出其東門〉爲淫辭，陳喬樅（《齊詩遺說攷》卷三）謂本《齊詩》。焦延壽《易林說詩》〈桑中〉篇，陳喬樅（《齊詩遺說攷》卷二）、王先謙（《詩三家義集疏》卷三中）竝以爲是《齊詩》。魯例已見前舉，茲再舉《易林》齊說二條：

《易林》（卷一）〈師之噬嗑〉：「采唐沬鄉，要我桑中，失信不會，憂思約帶。」

（《漢魏叢書》本，下同。）

又（卷二）〈蠱之謙〉：「采唐沬鄉，儌期桑中，失心不會，憂思忡忡。」

至於《韓詩》見引於典籍者，亦嘗明言〈鄭風〉〈溱洧〉詩淫，《後漢書》〈袁紹傳〉「三月上巳，大會賓徒於薄落津」〔唐〕李賢注曰：

《韓詩》曰：「溱與洧，方洹洹兮。」薛君注云：「鄭國之俗，三月上巳之辰，兩水之上，招魂續魄，拂除不祥，故詩人願與所說者俱往也。」

薛君注，謂薛漢《章句》。薛漢家世習《韓詩》，《後漢書》〈儒林〉有傳。薛君以本詩中「士與女」及「士曰」之「士」爲作此詩之人；「士與女」及「女曰」之「女」爲詩人之所說者，而「俱往」云云，指「且往觀乎洧之外，洵訏且樂」。是《韓詩》以此篇淫詞乃詩人自賦也。

異於《毛詩》之論，概屬之三家；今文三家釋〈溱洧〉、〈桑中〉爲淫詩，既如上述。而古文詩學家——《毛序》、《毛傳》、《鄭箋》，茲悉併爲一派論之。考許多淫人自賦之詩，《毛序》皆說爲他人刺淫，茲舉二例：

〈鄭風〉〈子衿〉篇：「青青子衿，悠悠我心，縱我不往，子寧不嗣音？……」「我」乃詩人自白，《毛序》則曰：「〈子衿〉，刺學校廢也。……」

〈齊風〉〈東方之日〉篇：「……東方之日兮，彼姝者子，在我闥兮。在我闥兮，履我發兮。」此男子自白與情人幽會之辭，《毛序》則曰：「〈東方之日〉，刺衰也。君臣失道，男女淫奔，不能以禮化也。」

前一首，《毛序》不謂之淫詩；後一首，雖不得不謂之淫奔詩，但仍託言刺譏。而毛氏傳《詩》、鄭玄箋《詩》及箋〈序〉多與〈序〉旨同。然亦偶有不託言譏刺，直指某詩淫者。魏源（《詩古微》卷二）曰：

《毛詩》（〈鄭風〉）〈野有蔓草〉，〈序〉爲「男女思不期相會」；〈東門之墠〉，《箋》爲「女欲奔男之詞」；（〈陳風〉）〈澤陂〉，《箋》：「蒲喻所說男之性，荷喻所說女之色」。言「我思此美人，當如何而得見之」？是《毛詩序》、《箋》之例，亦未嘗以詩皆無邪而盡出於刺邪也。

案：〈野有蔓草序〉：「〈野有蔓草〉，思遇時也。君之澤不下流，民窮於兵革，男女失時，思不期而會焉。」思遇時，與思不期而會者同爲一人：〈序〉者誠未託言刺譏。〈序〉蓋亦漢人作。鄭箋〈澤陂〉及〈東門之墠〉，皆男女私情之辭，與〈序〉之爲「刺時」、「刺亂」不同，而亦與《毛傳》不合。蓋康成混同今古學，箋《詩》時采三家之說，所謂「若有不同，便下己意」者，謂斷取三家而不獨師毛意也（註三）。且鄭氏有《駁五經異義》一書，而於許愼「〈鄭詩〉二十一篇，說婦人者十九矣，故『鄭聲淫』也」無駁（註四），是承認鄭國聲、詩皆淫於色，故彼又於《周禮》〈春官〉〈大司樂〉「凡建國禁其淫聲」云云注曰：「淫聲，若鄭、衛也。」言鄭、衛詩亦皆淫也。

三　魏晉間人之談論

魏晉人《詩》解，今多亡佚，殘存於類書或經疏引述、論及淫風者，〔吳〕韋昭、朱育「《毛詩答雜問》」〈韋答野有蔓草問〉，曰：

> 國多兵役，男女怨曠，於是女感傷而思男，故出遊於洧之外，託采芳香之草，而爲淫泆之行。時草始生，而云「蔓」者，女情急欲以促時也。（《太平御覽》卷九九四引）

《毛序》曰「男女失時」，此云「男女怨曠」；〈序〉言「思不期而會」，此作「託采芳香之草，而爲淫泆之行」：韋氏答問大暢〈序〉意，而謂「女情急」故賦「蔓」（諧「慢」聲）草，「猖披橫絕」甚晦菴、魯齋多矣。

王肅不服鄭玄，說經務反康成，至於僞託聖人言語以堅其證。〈衛風〉〈氓〉篇，「淫婦爲人所棄，而自敘其事，以道其悔恨之意也」（朱子《詩集傳》），婦言昔嫁時「秋以爲期」，肅《聖證論》（《周禮》〈地官〉〈媒氏〉「中春之月，令會男女」〔唐〕賈公彥《疏》引）曰：

……凡此皆與仲春嫁娶爲候者也。〈夏小正〉曰：「二月冠子嫁女」，娶妻之時，秋以爲期，此淫奔之詩。

〔晉〕張融「《聖證論評》據《禮》〈夏小正〉、《易》〈卦〉、《詩》〈國風〉及〈小雅〉、《管子》，證古婦人春嫁娶，今〈氓〉詩言秋娶，乃淫奔之辭，〈媒氏〉《疏》引其說（參〔清〕馬國翰《玉函山房輯佚書》〈五經總義類〉）曰：

《禮》：「諸侯越國娶女，仲春及冰未散請期」，乃足容往反也。秋如期往。淫奔之女不能待年，故設秋迎之期。

疏不奪注，注不違經，此常義也；第注者疏者之於經傳，若意有不同，則或故避而不解；

或竟破經、傳，別立異義。準此，杜預《春秋經傳集解》苟不滿《左傳》說〈靜女〉、〈桑中〉（已詳上第一節）自可別立異說，第今考

〈定公九年〉《左傳》「〈靜女〉之三章，取彤管焉」杜注曰：「〈靜女〉三章之詩，雖說（音悅）美女，義在彤管。」

〈成公二年〉《左傳》「夫子……又有『桑中』之喜」云云杜注曰：「〈桑中〉，〈衛風〉淫奔之詩。」

謂〈靜女〉詩義爲男悅女，且直指〈桑中〉乃〈衛國風〉淫奔詩，意甚堅決，語至明確，則是與經旨同。且已不止解經，更藉以論經學矣。

四　唐代經師文士之意見

經學有義疏時代，南北朝也。百六十年間，江左河朔名儒輩出，疏經巨著繁富。惜今存唯〔梁〕皇侃《論語集解義疏》爲完帙，餘見於唐代經疏稱引之殘文，尚不及百一。當時諸儒論〈國風〉中情詩意見，今皆失傳。唐高宗永徽四年頒行、孔穎達主修之《易》、《書》、

《詩》、《禮記》、《春秋》《左傳》《五經正義》。《詩經正義》皆止曲徇《毛序》刺譏之託，否認有淫奔之風詩。《左傳》〈定公九年〉記〈靜女〉彤管，《正義》釋〈靜女〉曰貞女，彤管義用《毛傳》，皆破杜《注》；〈成二年〉記申叔跪「桑中竊妻」云云，《正義》闕釋，蓋仍從《毛序》「刺淫奔」，而不以杜《注》爲然也。

至《禮記正義》涉及此一問題，則不迴護《毛序》，〈樂記〉「鄭衛之音」云云《正義》既引《五經異義》所斷「〈鄭詩〉二十一篇，說婦人者十九」云云，乃曰：

今案：〈鄭詩〉說婦人者唯九篇，《異義》云十九者，誤也。無「十」字矣。

此疏既緊承許說而言，是坦承〈鄭詩〉九篇說婦人，而其中不免淫辭。《五經正義》雖題孔穎達撰，其實同修者非止一人，穎達不過總攬大綱，未必逐條親自論定，故彼此互異。《毛詩正義》王德韶、齊威等同修，《左傳正義》谷那律、楊士勛等共治，《禮記》則賈公彥等合疏（註五），因人而異，故《禮疏》與《詩疏》、《左疏》異趣。《周禮疏》不在《五經正義》之列，賈公彥等奉勅撰，〈春官〉〈大司樂〉「凡建國禁其淫聲」云云《疏》曰：

云「淫聲，若鄭、衛也」者，〈樂記〉文。〈鄭〉則〈緇衣〉之詩，說婦人者九篇；

〈衛〉則〈三衛〉之詩，云：「期我於桑中」之類是也。

此及前條〈樂記〉《疏》，殆皆賈公彥撰，故言〈鄭風〉說婦人之詩篇數同。經賈氏指明為淫詩者：〈鄭〉止〈緇衣〉一篇，其它八篇雖未確指，意其謂〈將仲子〉、〈子衿〉、〈野有蔓草〉、〈溱洧〉等，求之詩文皆顯然為私情之詩；〈衛〉則明言具有與「期我於（乎）桑中」（〈鄘風〉〈桑中〉篇）句同類詩句之詩篇，殆謂〈邶〉〈靜女〉、〈衛〉〈氓〉之流也。視〈國風〉為男女情詩，且以後世情歌擬之者，由唐代文士鑿開風氣，劉迅（知幾之子）取〈巴渝歌〉、〈白頭吟〉、〈折楊柳〉至〈談容娘〉，以比〈國風〉之流（註六）。有宋詞人多承其說。

又〔唐〕丘光庭《兼明書》（卷二「沈朗新添」條）載宣宗大中年間，《毛詩》博士沈朗進新添《毛詩》四篇，云〈關雎〉后妃之德，不可為三百篇之首，別撰二篇為堯舜詩，取虞人之箴為禹詩，取〈大雅〉〈文王〉篇為文王詩，表請以四詩置〈關雎〉之前。朝廷嘉之。度沈博士意，以〈關雎〉為「說婦人之詩」，不配冠於《詩》全經之上，此衍繹許慎、賈公彥之說，而啓發南宋經師文士欲黜〈國風〉。

五　本章結語

綜上所述，先秦、兩漢、魏晉及唐人以爲〈國風〉有淫詩者，凡左丘明、宋玉（以上先秦）、申培公、轅固生、韓嬰、焦延壽、班固、《論語》今文家、許愼、薛漢、高誘、衛宏、鄭玄（以上兩漢）、韋昭、王肅、張融、杜預（以上魏晉）及賈公彥（唐）十八家，而孔子（兩言鄭聲淫）、〈國風〉古傳、荀卿（〈大略〉篇曰：「國風之好色也，《傳》曰：『盈其欲而不愆其止。』」）、淮南王劉安（《文心雕龍》〈辨騷〉篇引其《離騷傳》云「〈國風〉好色而不淫」）、司馬遷（〈屈原賈生列傳〉亦云：「〈國風〉好色而不淫」。）、楊倞（注《荀子》〈大略〉篇以〈關雎〉篇好色）及劉迅、沈朗議論，皆於宋人說〈國風〉大有影響，尚未計入。

其經上述諸家確指爲淫篇者，得六國十一篇，茲列表如下：

國別	篇名
①周南 ②邶	①關雎 ②靜女

③鄘	③桑中
④衛	④氓
⑤鄭	⑤緇衣
鄭	⑥遵大路
鄭	⑦東門之墠
鄭	⑧出其東門
鄭	⑨野有蔓草
鄭	⑩溱洧
⑥陳	⑪澤陂

若併賈公彥等尚未明指之〈鄭〉、〈衛〉淫篇計之，恐先秦至唐人意爲淫邪之〈風〉篇，當不在宋人之下。

上舉宋以前人有關議論，大率出於尋常典籍，學者所必讀，以紀文達、皮鹿門諸公之博洽，不致未見。然而明知唐以前多家確指〈國風〉多篇爲淫辭，仍將「蔑經誣聖」之責大段歸咎於宋儒，殊失公允。且北宋諸子，未嘗諱言十五國之淫詩；南宋略晚於朱子、稍早於王魯齋時，已有多人議刪淫詩，則是「毀傷經典，進退孔子」，亦不應獨罪王柏。

參　宋人之議論

六　東都學者論〈國風〉

北宋諸子敢昌言〈國風〉雜出淫辭，自疑《毛詩序》起。疑《序》者多家，莫若蘇轍作法影響深遠；其說淵源於〔唐〕成伯璵。成氏謂眾篇之〈小序〉，子夏但作第一句，至「也」字而止，如「〈葛覃〉，后妃之本也」、「〈鴻鴈〉，美宣王也」之類是也（註七）。餘辭皆大毛公添繫。蘇氏撰《潁濱詩集傳》，遂唯存〈序〉之首句，而盡去所謂附益。

晁說之從眉山蘇氏遊，說《詩》受子瞻、子由影響。嘗作「〈詩之序論〉」四篇（載其《景迂生集》卷十一），論《詩序》固非子夏作，亦非毛公作，而〈序〉云詩篇作者美刺某人，皆不可信。

蘇軾說《詩》不取《詩序》，其「詩論」（註八）曰：

> 詩者，天下之人匹夫匹婦羈臣賤隸悲憂愉佚之所爲作也。夫天下之人，自傷其貧賤困苦之憂，而自述其豐美盛大之樂，上及於君臣父子、天下興亡治亂之迹，而下及於飲食床

第昆蟲草木之類，蓋其中無所不具。

《詩》〈鄘風〉〈鶉之奔奔〉篇，〈襄二十七年〉《左傳》載伯有賦之，趙孟曰：「牀笫之言不踰閾，況在野乎？」又〈牆有茨〉篇詩曰：「牆有茨，不可埽也。中冓之言，不可道也。所可道也，言之醜也。……」此二詩，〈序〉者皆以爲刺詩，東坡蓋指此類及〈鄭風〉〈風雨〉、〈齊風〉〈雞鳴〉篇爲夫婦自道其床笫之事。

晁補之出東坡之門，直指桑濮與頌聲同傳，承蘇說而勇銳實過之，其續〈楚辭序〉（《雞肋集》卷三六）曰：

《詩》非皆聖賢作也。捨周公、尹吉甫、仲山甫諸大夫君子，則羈臣寡婦寺人賤者桑濮淫奔之辭，顧亦與猗那清廟金石之奏俱采而並傳，何足疑哉！

桑濮謂〈鄘風〉〈桑中〉之類，補之指爲淫奔之辭。

七　南渡前中期學士文人論〈國風〉

北、南宋之際，鄭樵（漁仲）作《詩辨妄》（書今佚），繼蘇門學士辨《詩序》之妄，執詩文求其義，判許多所謂刺詩爲淫奔之作，茲擇錄其說如下：

鄭漁仲謂：〈詩小序〉只是後人將史傳去揀并看謚，卻附會作〈小序〉美刺。（《朱子語類》卷八十引）

鄭漁仲有《詩辨妄》，力詆《詩序》，……以爲皆是村野妄人所作。（同上）

莆田鄭氏謂：此（〈將仲子〉篇）實淫奔之詩，無與於莊公、叔段之事。（朱子《詩序辨說》引）

鄭漁仲《詩辨（妄）》：〈將仲子〉只是淫奔之詩，非刺仲子之詩也。（《朱子語類》卷二三引）

志在辨證〈小序〉謬誤，兼及毛鄭之失，《詩辨妄》爲第一部專著。〈將仲子〉，固漁仲首先斥爲淫奔；但其所論，絕不止此〈鄭風〉一篇，意者〈氓〉、〈溱洧〉、〈桑中〉等前人早已論定之諸篇，亦決在其指爲淫奔之目。

鄭樵《詩》學，其同里密友林光朝（艾軒）所見略同。鄭岳編撰艾軒「遺事」（見《艾軒集》〈附錄〉，又見《朱子語類》卷二三）曰：

《詩》三百篇，大抵好事足以觀，惡事足以戒。如《春秋》中好事至少，惡事至多。此等詩鄭漁仲十得其七、八，如「〈將仲子〉詩止是淫奔」，艾軒亦見得。

《詩辨妄》雖力詆《詩序》，然究非注釋全詩之作，故論去〈序〉言《詩》，不得不讓與年齒略少之王質（雪山）。蘇子由棄〈小序〉之續文，質則悉廢全〈序〉，〈序〉言刺某君疾某臣，雪山《詩總聞》則皆不予理睬，如解〈陳風〉〈東門之枌〉篇曰：

宛丘之東門也。子仲，子之仲也；之子，又仲之子也。必指一人，而其姓氏無考。徘徊東門樹下，待所期婦人也。……總聞曰：此詩多及期會之地草木：如枌，如栩，如麻，如荍，如椒。（卷七）

〈東門之枌〉，雪山始以淫風解之，而《詩總聞》二十卷，類此之說不止此篇，宜（《四庫提要》卷十五〈經部〉〈詩類一〉）謂其「毅然自用，別出新裁，堅銳之氣，乃視（鄭樵、朱子）二家爲加倍」。

宋代若干文人，不以治經學聞世，亦無說《詩經》之專著，彼以〈國風〉篇章比擬六朝豔詩及唐代麗句，與〔唐〕劉迅所爲（已詳上第四節）同一機軸，洪邁是也。其《容齋五筆》（卷四「作《詩》旨意」條）曰：

《詩》三百篇中，其譽婦人者至多。如……夸服飾之盛者：若「副笄六珈，如山如河，玉之瑱也，象之揥也」（〈鄘風〉〈君子偕老〉）。贊容色之美者：若「唐棣之華，華如桃李」（〈召南〉〈何彼穠矣〉），……「手如柔荑，膚如凝脂，領如蝤蠐，齒如瓠犀，螓首蛾眉，巧笑倩兮，美目盼兮」（〈衛風〉〈碩人〉），「顏如舜華，洵美且都」（〈鄭風〉〈有女同車〉）。……其詞可謂盡善矣。魏晉六朝，流連光景不可勝述。唐人播之歌詩，固亦極摯，若「態濃意遠淑且眞，肌理細膩骨肉勻，……翠微㔩葉垂鬢脣，珠壓腰衱穩稱身，……金屋妝成嬌侍夜，玉樓宴罷醉和春」……此皆李杜元白之麗句也。

稍後，楊萬里更以當朝小詞比〈國風〉，其詩話（《誠齋集》卷一一四）云：

太史公曰：「〈國風〉好色而不淫，……」近世詞人閑情之靡，如伯有所賦、趙武所不得聞者，有過之無不及焉，是得爲好色而不淫乎？

楊氏以爲：〈國風〉亦有好色而淫者，如〈鄘風〉〈鶉之奔奔〉、伯有所賦便是，不然趙武必無「非使之所得聞也」之譏矣（參看上蘇軾說）。

八　朱子之辨說

朱子判〈國風〉中男女情詩之理論，與呂祖謙爭辯詩旨，辨《詩序》之謬妄，及其所定淫奔詩二十九篇篇目，均已詳拙著「《王柏之生平與學術》」一書（第伍編）及「〈朱子所定詩經國風中之男女情詩〉」（載《孔孟學報》二十六期）一文，此不具論。下單就其說淫詩所受前人之影響舉實例以明之：

（一）朱子《詩集傳》解詩盡去《詩序》，受《潁濱詩集傳》啓發，而王質（一一三五至一一八九，比朱子早卒十一年。）先已如此作；鄭樵詆〈序〉甚力，朱子屢述其言，且作《詩序辨說》，贊同其說（註九）。

（二）經宋以前學者詞人確指之淫詩十一篇（詳上第五節），除〈鄭風〉〈緇衣〉、〈東門之墠〉、〈出其東門〉及〈周南〉〈關雎〉四篇外，朱子全部判爲淫詩，而《詩集傳》嘗用〈登徒子好色賦〉引《詩》解〈遵大路〉篇，其因承古人之學甚確。〔清〕王益齋《淫奔詩辨》（卷下）云：「朱子作《詩集傳》，……博采諸說而折衷以己意，而淫奔之說原本鄭氏。」案：康成箋〈陳風〉〈澤陂〉爲男女私情詩，《詩集傳》以爲男女相悅相念之辭。益齋論朱《傳》原本康成，固有據。

（三）鄭樵、林光朝以淫辭說〈鄭風〉〈將仲子〉篇，《朱子語類》（卷八一）曰：「〈將仲子〉自是男女相與之辭。」〈陳風〉〈東門之枌〉，王質謂淫男待所期婦人詩，《詩集傳》謂男女相悅之辭。略同。

（四）朱子尋繹白文以求詩義，此法班固、鄭玄及賈公彥《周禮》〈大司樂〉《疏》說〈桑中〉詩已用（詳上第二、四節），《詩總聞》次其後，而皆先乎《詩集傳》。

（五）其餘大蘇氏、晁无咎、洪景盧、楊誠齋之說，皆刺激朱子，殆無疑問。

夫朱子解〈國風〉多篇爲淫奔之辭，既皆原本先儒，則紀公藉《提要》之簡編，予以深文巧詆，不能無過。而其後汪之昌定朱子始俑罪，且以李斯焚書、荀卿啓之之義責其啓王柏毀經誣聖，殊不考魯齋固嘗奉「鄭聲淫，放鄭聲」爲責邪議刪之重要依據，汪氏何不以罪朱子者罪仲尼？

九　朱子後王柏前文人之理論

（一）眞德秀、劉克莊寓刪詩於不選錄

王魯齋年四十（當宋理宗端平三年，一二三六）求學方向確定，上溯至朱晦菴卒（寧宗慶元六年，一二〇〇），約四十年之間，有眞德秀（孝宗淳熙五年，一一七八至理宗端平二年，一二三五）與劉克莊因編選《文章正宗》論及〈國風〉中私情詩，劉氏曰：

《文章正宗》初萌芽，西山先生以詩歌一門屬余編類，且約以世教民彝爲主；如仙釋、閨情、宮怨之類，皆勿取。余取漢武帝〈秋風詞〉，西山曰：「文中子亦以此詞爲悔心之萌，豈其然乎？」意不欲收，其嚴如此。然所謂「攜佳人兮不能忘」之語，蓋指公卿郡臣之扈從者，凡余所取而西山去之者太半，增入陶詩甚多，如三謝之類多不入。（《後村大全集》卷一七三《詩話》）

詩歌之表現方式，得由比興。眞氏否認此法，故於「懷佳人兮不能忘」但依文詮釋，則佳人即

後宮粉黛，而懷之爲私情，合其「閨情、宮怨」皆勿取之義，故《文章正宗》之定編，刪劉氏初選之太半。噫！西山幸而不出於姬周之世，操刪削之柄，不然若〈氓蚩〉、〈雞鳴〉之類固不得入三百篇矣。

劉後村於戊子年（理宗紹定元年，一二二八）〈答眞侍郎論選詩〉，隱指西山「寓刪〈國風〉於不選後世閨情篇什」之意，而己則坦承《詩經》多淫詞，流變爲後世情詩，曰：

> 昨承尊旨，令編選詩。……古詩發乎性情，止乎禮義；三百五篇多淫奔之詞，若使後人編次，必皆刪棄。聖人並存之，以爲世戒。其流爲後世閨情等作幾於勸淫矣。（《後村大全集》卷一二八）

後人，隱射眞氏也；而王魯齋中歲之後文學觀點頗爲近之，其編《詩準》《詩翼》即隱括西山《續文章正宗》之〈序〉爲序，於《正宗》「寓刪於不選」，應無不知之理。〈國風〉中私情詩，即古之「豔詩小詞」；香奩、無題與宋人麗詞，即今之「私情詩」。惟後者知是韓李柳秦等所自述；前者因舊有「孔子刪詩」之說，經師不得不託言爲美刺之篇章而已。三百篇既經聖人刪定，何得有淫詩？故王質、朱子、劉克莊等，雖明知「此男女期會之詞」、「此淫人自述之詞」、彼爲「男女情合而作」、「多淫奔之詞」，而亦不得不作「聖人並存之，以爲世戒」違心之語。至王柏而「聖人刪詩，何所取淫」之疑決，故作刪今本《詩經》淫篇之議。然王氏此議亦本諸前人，世罕知之。

（二）車似慶、方岳謂淫詩乃漢人竄入

約在端平三年（一二三六），台州人車似慶作《五經論詩論》（〔清〕王棻《台學統》卷二十轉載），有一重要論點，發前人之所未發，茲引述如下：

> 詩之未刪，邪正雜揉，不知其幾。自夫子正之，刪其蕪穢，筆之簡冊者，皆正詩也；而邪詩習熟於邪入之口耳，布傳於私室之簡冊者，猶在天下，夫子豈能刪之哉！秦禍之酷，聖學不傳，天地否塞。漢興以來，諸儒收拾殘篇斷簡於壞亡之餘，補綴遺逸，而詩之三百大抵不全，取天下口傳之詩，以補秦火之餘，黨同專門，各是其師，將非夫子所刪之全文也。

似慶之孫若水《腳氣集》（卷上）亦載其祖此論（文字稍異），而王柏於景定三年（一二六二）至台州任上蔡書院堂長四月，若水嘗師之；晚年著《詩疑》，其議刪立論大受車氏家學影響，確鑿有據。

徽州方岳（慶元五年，一一九九至景定三年，一二六二）論淫詩見存於三百篇之故，與車氏同而較明確，其《秋崖小藁》（卷二四）「回趙師淵」曰：

孔子刪詩，何取乎刪也？傷風敗俗之辭，不可以明示天下來世者，則刪之耳。〈牆茨〉諸詩，所謂言之則污口舌，書之則污簡牘，蓋父不敢訓諸其子，師不敢以淑諸其徒者也。某意其決在刪列。何以言之？《記》、《禮》、《左氏》諸書所引逸詩，其辭皆雅正，而夫子猶刪之，則淪三綱，斁九法，如〈牆茨〉諸詩，刪之，決也！……某決以爲黷亂如〈牆茨〉之比，淫詩如〈桑中〉之類，皆夫子所刪之詩也。刪之矣，則曷爲存？秦火之燼，漢儒亂之也。漢儒奚其亂之？火於秦者，不能盡記，而孔子所刪之詩，流傳習熟於人之口耳者，猶在也。亡者不可復，則取其在者以足之耳。此漢儒之罪也。

方氏所論要點，似全自車論來，唯舉記傳所引逸詩辭皆雅正猶在刪數，則淫邪如〈牆茨〉之類，夫子必刪之，爲車氏所未言，而王柏卻屢申此說，蓋得自方氏啓示。

十　王柏之論據與議刪篇目

唯車、方二家並未明言正《詩》何以易佚，淫詩爲何傳至漢世而不絕，王柏則曰：「蓋雅奧難識，淫俚易傳」（《詩疑》卷一），又舉〔漢〕劉歆〈讓太常博士書〉以證《詩》至漢已不全，云：「漢之劉歆得見聞之近，乃謂『《詩》萌芽於文帝之時，一人不能獨盡其經，或以爲〈雅〉，或以爲〈頌〉，相合而成』，吾故知各出其諷誦之餘，追殘補缺以足三百篇之數爾，烏得謂之獨全哉！」（《詩疑》卷二）魯齋言〈國風〉私情詩重要理論，自己創發者，僅此二條，餘皆因襲前人，茲略舉實例明之（詳請參看拙作《王柏之生平與學術》第伍編）：

（A）孔子言「鄭聲淫」，漢、唐多士及朱文公皆主詩聲合一，魯齋因之。聲淫則詩無有不淫者。

（B）排擊《詩序》，自唐人發難端，至宋人而烈（註一〇），魯齋踵之。

（C）廢〈序〉直尋《詩經》白文，確以賈逵說〈桑中〉（註一一）爲嚆矢，王質、朱文公、魯齋皆用此法釋經。

（D）自〔唐〕劉迅至〔宋〕劉克莊，皆嘗以〈國風〉擬後世之豔詩，且以前者爲後者之流變，魯齋師其意而語尤激烈：「今考〈桑中〉、〈溱洧〉之詩，……雖蕩然無復羞愧悔悟之意，若概之以後世怨月恨花、殢紅偎翠之語，豔麗放浪、迷痼沈弱者，又不可同日而語矣。予嘗謂：〈鄭〉〈衛〉之音，〈二南〉之罪人也；後世之樂府，又〈鄭〉〈衛〉之罪人也。凡今詞家所稱、膾炙人口者，則皆導淫之罪魁耳。」（《魯齋集》卷五）

（E）眞德秀、劉克莊、方岳厭棄淫詩，皆基於《詩》教，蓋《詩》最易感人，故曰「興於詩」。淫詩不宜旦夕誦讀，矧「童子淳質未漓，情欲未開，或於誦習講說之中，反有以導其邪思，非所以爲訓。」（《詩疑》卷一）

（F）宋高宗紹興間，經筵已不讀〈國風〉，蓋以其多及淫亂（註一二），是朝廷已默許〈國風〉可刪；其後《文章正宗》編者，已託刪於不選錄。至是，淫風已見黜，不俟王氏《詩疑》等書之著乃議刪矣。

至王柏氏議刪篇目，有宋以前人已明指、有兩宋人已確認爲淫詩者（又有先儒判爲淫篇，而王氏不以爲然或反贊爲正風者，此不及述。）。茲簡表如下：

國別	王柏以為淫詩篇名	其它宋人之說	朱子之說	唐以前人之說
①召南	①野有死麕			
②邶	②靜女		淫詩	淫詩
③鄘	③桑中	淫詩	淫詩	淫詩

國別	王柏以為淫詩篇名	其它宋人之說	朱子之說	唐以前人之說
④衛	④氓		淫詩	淫詩
衛	⑤有狐		淫詩	
⑤王	⑥大車		淫詩	
王	⑦丘中有麻		淫詩	
⑥鄭	⑧遵大路		淫詩	淫詩
鄭	⑨有女同車		淫詩	
鄭	⑩山有扶蘇		淫詩	
鄭	⑪蘀兮		淫詩	
鄭	⑫狡童		淫詩	
鄭	⑬褰裳		淫詩	
鄭	⑭東門之墠			淫詩
鄭	⑮丰		淫詩	
鄭	⑯風雨		淫詩	
鄭	⑰子衿		淫詩	

國別	王柏以為淫詩篇名	其它宋人之說	朱子之說	唐以前人之說
鄭	⑱野有蔓草		淫詩	淫詩
鄭	⑲溱洧		淫詩	淫詩
⑦齊	⑳東方之日		淫詩	
⑧秦	㉑晨風			
⑨唐	㉒綢繆			
唐	㉓葛生			
⑩陳	㉔東門之枌	淫詩	淫詩	
陳	㉕東門之池		淫詩	
陳	㉖東門之楊		淫詩	
陳	㉗防有鵲巢		淫詩	
陳	㉘月出		淫詩	
陳	㉙株林			
陳	㉚澤陂（？）		淫詩	淫詩
總計	三十篇	二篇	二十四篇	八篇

據右表，王氏確論爲淫詩者二十九篇（〈澤陂〉篇不計），其中二十三篇與朱子同（註一三）；二十三篇中，其它宋儒指爲淫詩者二篇（註一四），唐以前人亦明指爲淫詩者七篇（註一五），是則非議聖經者明非肇自宋儒，亦非自朱子，尤非自王柏始有。〈緇衣〉、〈鶉之奔奔〉、〈牆有茨〉，朱子、王柏皆不謂之淫詩，而他人以爲淫詩；〈關雎〉，在三百篇之首，舊以爲正風，先秦人已疑爲淫詞，沈朗幾欲刪之，而朱、王則絕未一致貶詞，則「狂悖誕妄」固不當以咎兩氏。矧判定淫詩之重要理論（上述A至F各點），逐漸衍成，非一朝一夕，亦非一二人可致，然則以自用自專、非聖無法之罪撻伐朱子、王柏者，蓋昧於尋索學說淵源，徒以悅惡爲取舍，不可與言《詩》已矣。

肆 全文結論

〈國風〉〈周南〉有男女情詩，孔子嘗言「〈關雎〉樂而不淫」，以釋時人之疑。而〈陳風〉〈株林〉，詠靈公淫乎夏姬，《左傳》可徵。它若〈鄭風〉〈褰裳〉、〈溱洧〉與〈三衛詩〉〈靜女〉、〈桑中〉，皆男女相悅之辭，故〈樂記〉子夏曰鄭音衛音皆淫色害德，仲尼答顏淵問爲邦亦云「鄭聲淫」，而《左傳》作者則明白指出淫風篇名。降及兩京，三家說風篇某淫，《傳》《疏》偶引之；即《毛序》、鄭《箋》亦不諱言某篇乃淫人自述之作。〔魏〕王肅、〔吳〕韋昭、〔晉〕杜預、〔唐〕賈公彥，論難答問、解經疏傳，暢言三百篇淫詞，於是始用「淫奔之詩」詞語以定一篇詩旨，而不復託諸美刺。迨宋，東都學者、江左多士，疑黜《毛序》，執詩求義，於是衛王鄭齊唐等國私情詩，多經指出。其或以詞人之麗句擬〈國風〉，或寓黜淫辭於編選詩文，或託刪經於不講授：皆推衍古學，宗本《詩》教。乃後世不徇其初，不求其末，唯奮其私志，醜詆宋儒，集矢于朱子王柏，誠學林憾事。余不得已故爲推考如上。

註釋

一　研判《四庫提要》所批評王柏各條，多指桑罵槐；明爲聲討王氏，暗則痛詆朱子。然於卷三二〈經部〉〈孝經類〉朱子「《孝經刊誤》一卷」下曰：「……是朱子詆毀此書已非一日，特不欲自居於改經，故託之胡宏、汪應辰耳。」是直斥朱子，曉嵐有時亦無所顧忌。

二　班固《漢書》〈藝文志〉〈六藝略〉〈詩類〉：「三百五篇，遭秦而全者，以其諷誦不獨在竹帛故也。」

三　陳喬樅（《三家詩遺說攷》）、皮錫瑞（《經學歷史》）、王先謙（《詩三家義集疏》）並有說。

四　參看陳壽祺《五經異義疏證》。

五　參看皮錫瑞《經學歷史》，〈經學統一時代〉。

六　參看皮錫瑞《經學通論》二，〈論三百篇爲全經不可增刪改竄〉。

七 見成氏所撰《毛詩指說》，〈解說〉第二。

八 見《東坡集》卷三。又見蘇轍《欒城集》卷四，疑爲後人誤編入。

九 朱子之弟子輔廣亦數言朱子疑詩本前人成說。

一〇 詳拙作〈兩宋之反對詩序運動及其影響〉，載《中山學術文化集刊》第二集。

一一 班固《漢書》〈地理志〉、《鄭箋》〈陳風〉〈澤陂〉已用此法，詳上第四節。

一二 事見〈鄘風〉〈鶉之奔奔〉篇題下《朱子集傳》，並參〔元〕梁益《詩傳旁通》卷二。

一三 分析朱子《詩集傳》、《語類》說〈野有死麕〉篇文字，知晦庵固已謂之爲淫詩，第以其篇在〈二南〉，泥於舊說，尊之而不敢輕議耳。據此，則朱、王之論淫詩，有廿四篇相同。

一四 其它宋儒，或論詩專著散佚（如《詩辨妄》），或但言〈國風〉多淫辭（如晁補之、劉克莊），而未暇枚舉，否則其所確指者斷斷不止此寥寥數篇。

一五 《三家詩》久佚，許愼計〈鄭詩〉說婦人者十九，賈公彥謂〈桑中〉之類〈衛詩〉淫：此諸家視爲淫篇之目不可的知，否則唐以前人所確指者，亦斷不止此數也。

——原載《中外文學》第四卷第二期，民國六十四年七月

二十三　跋〈孔子刪詩說折衷〉

昔余讀先儒論孔子刪詩之說，愈多而愈惑，今幸承　靜山戴先生示其近作「〈孔子刪詩說折衷〉」一文，讀之遂盡釋前疑。

夫自司馬遷謂古詩三千餘篇，至孔子，去其重，取可施於禮義者，定爲三百五篇，學者紛紛著論難之。有謂書傳所引之詩，見於今本《詩經》者多，亡逸者少，若古詩本有三千餘篇，不容十分去九，其說最爲後儒所推重。而〔清〕王崧非之，以爲太師采詩三千餘篇，及比其音律，不協者棄之，故所陳者不過三百篇（詳見其所著《說緯》，在《皇清經解》卷一三七〇）。其說是矣，然於《史記》「去其重」之語無解，蓋見理猶未透也。先生則以爲：行人采自各地所獻之詩本三千餘篇，多有重複，《史記》「去其重」，當指去其重複之詩篇。且舉《荀子》、《晏子春秋》、《管子》書重篇約十分之九以爲佐證。二千年聚訟，至此遂決！

考羣經引《詩》，見於今本《詩經》者，《左傳》一三四次，《禮記》一〇三次，《論語》六次，《孝經》十次，而其文字與今本有異者，約占百分之四十（據近人余培林《羣經引詩考》，下同）。引《詩》而文字與今本不盡同，原因尚難確說，然亦安知異文諸條，非屬原采集之詩篇，太師以其與另一本（意即今所刪定之本）略同，因視爲重複之篇而予以刪去者乎？

異文諸條，原爲與今傳不同本之《詩經》所有，驗之《尙書》亦然。如〈堯典〉，漢以前出現者，已有五種傳本（據近人顧氏《尙書研究講義丙種》），皆與今本〈堯典〉大同小異，而《尙書》編者去其重複者四；又如《墨子》〈兼愛下〉引〈湯誓〉（原作〈湯說〉，當作〈湯誓〉），既與《論語》〈堯曰〉篇引〈湯誓〉（即「予小子履」一段）不盡同；《國語》〈周語〉〈內史過〉引〈湯誓〉，又與《墨子》、《論語》所引文字有異；而三書所引之文，皆爲今本所無，是今本〈湯誓〉之外，尙有不同傳本之〈湯誓〉在也（屈師翼鵬《尙書釋義》亦謂別有一本〈湯誓〉）。《尙書》大抵爲王室公文，藏在檔卷，頒諸四國，莫不著於竹帛，而猶不免發生異本，矧詩本爲民間歌謠，同一首歌謠，展轉傳唱，流行既廣，語音文字之異，風尙習俗之差，衍爲數本乃至數十本，固亦理勢所許。編《尙書》者之於書，擇其善本（敏案：《墨子》、《國語》、《論語》所據非善本，觀〈兼愛下〉引湯告天后，曰「今天大旱，即當朕身履」云云，與湯誓眾伐罪之旨不合，可知是本固編書者之所不取者。）猶太師之於詩，但取其可施於禮義者，編書者黜非善本，亦猶太師舍重複之詩篇而不盡錄也。

太師去重複之詩凡二千七百篇，於文獻無損（猶〔漢〕劉向校書去《孫卿書》之復重者二百九十篇而於《荀子》文獻無損理同）。其眞正爲太師所刪之詩，而於文獻「有損」，至多爲羣經所引之佚詩，然其所以不爲太師所取者，又別有其故。今更試爲言之：考羣經引佚詩凡二十條，其屬於殘文者十二條；詩文或全佚，或殘存，且猶能知其篇名者，曰〈南陔〉、〈白華〉、〈華黍〉、〈由庚〉、〈崇丘〉、〈由儀〉，曰〈貍首〉、〈新宮〉、〈河水〉、〈轡之柔矣〉、〈茅鴟〉、〈徵招〉、〈角招〉十三篇。前者：蓋采詩之時本爲殘文，太師因其爲單章碎句，不便載入詩中而去之（清人持此說者不乏其人）；後者：〈南陔〉六篇，《毛詩》存其目且序之（三家詩則不入，說見〔清〕王先謙《詩三家義集疏》），疑孔子時尚存。餘〈貍首〉七詩，不入三百篇，則其故莫能詳矣。然即使眞爲太師（或孔子）所刪，不過七篇，今學者謂孔子不應刪去詩篇十分之九，蓋未深考史公「去其重」之義，故有此失。《論語》載佚詩「唐棣之華，偏其反爾，豈不爾思，室是遠而」（〈子罕〉篇末章），蓋夫子舉以戒門人者；戒門人乃舍存詩「豈不爾思，遠莫致之」（〈國風〉〈衛風〉〈竹竿〉首章）不引，而唯殘佚之文是求者，蓋欲保存文獻於平日講論之間，其意深矣。乃說者謂仲尼刪詩二千餘篇，而「唐棣」四句，即其所刪之零章，殆不可從。余讀戴先生之文，更加推衍，而爲跋之如此。

——原載《大陸雜誌》四十五卷五期，民國六十一年十一月

二十四 跋裴著《詩經研讀指導》

糜文開、裴普賢二先生合撰之《詩經欣賞與研究》初續兩集註文精細，考事詳審，鑑賞輒達風人之旨，而就詩語譯，「有如初搨黃庭，恰到好處」（蘇雪林〈跋語〉），故早已傳誦海內外，一再板行。今裴先生又獨彙其近數年教學心得與夫研析成果專著十八篇（其中四篇〈新解〉與糜先生合撰。），勒爲一書，命曰《詩經研讀指導》，交付剞劂。承先生以校樣眎余，余畢讀全帙，獲益良多。

是編既以「指導」爲名，在授小子初學以讀《詩》門徑，旨趣甚顯。故首爲「〈詩經幾個基本問題的簡述〉」，次論「〈詩經的研析與欣賞〉」，末則附列「〈詩經學書目〉」，而其間「〈我們爲什麼要讀詩經〉」及「〈詩經字詞用法舉例〉」二文，亦爲開示後學而設，宜屬同類。惟著者刻正敷教上庠，以從學甚眾，不乏治經欲專欲深之士，故撰「〈詩經『河』字研究〉」、「〈詩經時代嫁娶季節平議〉」及「〈詩經興義的歷史發展〉」等文，皆尅就某一問題，作深入之探索，既副書名「研讀」之義；而積學得此，亦無慮鑽研亡所歸趨矣！

此編簡述《詩經》基本問題凡八，皆讀《詩》者所當知，而其中「《詩經》的作者與時代」與「《詩序》」二目，尤爲重要，故著者於此發明尤多。夫〈國風〉多情詩，序者基於政教，每附會傳記，指爲美刺，迨宋儒始敢去〈序〉，直求本經本意。惟大家如王質、朱子等，猶不免拘虛於〈序〉說，誤以美刺說風雅，大害詩旨。著者於此編多舉詩章，循文求義，以論其失，率皆確切不可易，於是〈小序〉窠臼盡脫。雖然，漢儒謂某詩某作刺某美某，不可輕信，第如〈豳風〉〈鴟鴞〉作者，見於《尚書》〈金縢〉，〈鄘風〉〈載馳〉作者，事迹載《春秋傳》，且考之《詩經》本文皆合，而亦謂非周公、許穆所作，則不免貽疑古太甚之譏。近人顧、衛二氏，嘗據《孟子》引《詩》，謂孔子不知〈鴟鴞〉爲周公之作，余解《尚書》，辭而闢之舊矣。本編著者雖未遑深論，然其斷爲周公之詩，與鄙見吻合。至〈載馳〉，許穆夫人作，編內〈中國第一位女詩人許穆夫人〉一文，言許穆身世，撰此詩經過甚詳，且譯本詩以應，皆信而有徵，無不可從之理。

〈風詩〉大抵采自民間，廣布十五國，故不知詩地理者不知詩矣，鄭玄《詩譜》、王應麟《詩地理考》、朱右曾《詩地理徵》大抵皆因三百篇地理而作，而本編先概述〈詩經的地域〉，復作〈詩經『河』字研究〉與〈涇清渭濁辨〉者，蓋欲效先儒，因詩識地，緣地求詩之義。矧二文補正舊說，辭暢理明，自茲，涇清渭濁，北河南江，無人不知、無人不曉矣！鳥獸草木者，詩地之物也，詩人觸物詠懷，取彼喻此，關乎詩義匪淺，故孔子教小子識焉。此編〈詩經學書目〉，亦特立「詩經博物學」一門，集陸璣《毛詩草木鳥獸蟲魚疏》以下三十四種，以供學者檢索。又自撰〈詩經黃鳥倉庚考辨〉、〈詩經蝗類四名辨識〉，網羅眾說，裁以己意，別白疑或，定於一是，無慚於古人，有益於後學。

孔子云：「《詩》，可以興，可以觀，可以羣，可以怨；邇之事父，遠之事君。」是三百篇之作，本乎綱常；而仲尼教小子學詩，不僅以陶育情操，亦以厚美人倫也。顧自宋以來，經師常摘詩之一、二句，度以己意，斷爲男女淫詩。民國以降，文士頗承其說，又或從而揚波煽烈，動輒準泰西行爲科學解經，於是厚人倫、美風俗、和平淵懿、典雅淳篤之正詩，亦有被淫惡之名，受指爲情欲發洩之作者矣。裴先生素惡之，故撰〈三百篇中倫理詩舉例〉一文，收入此編，以觝排其說，匡世淑人。如所舉〈齊風〉〈鷄鳴〉三章，陳蘭甫因其末章「蟲飛薨薨，甘與子同夢」二句，意謂「雖後世艷詩，尚不能說至此」（見陳氏所著《讀詩日記》）！而裴先生則通觀全詩，定爲「描寫妻子賢慧的詩」，其說曰：

即使在今天有鬧鐘的幫助，如果丈夫有什麼事需要特別早起準時到達，賢慧的妻子仍然要時刻警醒，唯恐丈夫誤事。更何況在那個時代，既沒有鬧鐘，而上朝是絕對不能遲到的，所以爲了使丈夫安心睡眠，有充分的休息，白天好有精神辦公，只有做妻子的時時提高警覺，以便及時喚醒丈夫了。我們看這篇詩裏所寫的這位妻子，整夜都在提心吊膽，乍寐乍覺，不敢安寢，以致誤以蠅聲爲鷄鳴，以月光爲天亮。而最後說出她「甘與子同夢」的眞心話，眞是情境眞切，如在眼前。有這樣一位賢慧的妻子，身爲公務員的丈夫，怎能不克勤克儉，盡忠職守呢？當然更不會有貪贓枉法的事情發生了。

嘗論讀《詩》與讀它經不同，須先掃蕩胸次，使之淨潔，然後沈潛涵泳，吟哦上下，體味「無邪」之旨。裴先生善觀詩，說詩能解人頤，如此之類，編中頗多，莫不妙得詩旨！

此編〈詩經時代嫁娶季節平議〉一文，亦因討論詩旨淫邪抑雅正而作，考徵古代禮俗，實事求是，以溯詩本義。如〈衛風〉〈氓〉，有「將子無怒，秋以為期」，王肅《聖證論》（《周禮》〈地官〉〈媒氏〉「中春之月，令會男女」〔唐〕賈公彥《疏》引）曰：「……凡此皆與仲春嫁娶為候者也。〈夏小正〉曰：『二月冠子嫁女』。娶妻之時，秋以為期，此淫奔之詩。」肅說宜若可信，宋人多從之，〈氓〉篇遂淪為淫色之作：父不欲以教其子，師不敢選授厥徒。著者既舉此篇，以為倫理詩，又徧考三百篇有關嫁娶之詩，結言：「嫁娶之期，四季均可，可為定論。」噫！流俗偏喜妄議經典得失，於《詩》尤甚，觀此文當知所儆戒矣！

論《詩經》研讀方法，著者精擇前人意見，迷列九條若干項，其八為〈甲文金文研究的運用〉。余以為當增列「研讀《詩經》應先由古注疏入手」一條。古注疏者，由漢至唐《詩》學集大成之作也，就治《詩》言，其價值決在卜辭彝銘之上，且欲善用其它八法治《詩》，亦當先之以通古注疏，是故博洽若朱文公（熹），屢戒門人自古注疏通經；自信如王文公（安石），以《詩正義》一部，常置囊篋，隨時翻檢，久而字迹漫滅。論及《詩經》與本國其它作品關係，裴先生舉《周易》爻辭與《楚辭》，至切至當。余意《尚書》〈周誥〉常見四字句；〈洪範〉又多協韵四字句，兼「無偏無黨」四句，《墨子》（〈兼愛下〉）亦有之（文字小異），且謂之「〈周詩〉」。若亦就治《詩》言，其價値或在《易》爻辭之上，何妨列入？又於「《詩經》興義的歷史發展」，著者曰：「魏晉六朝，唯美文學興起，始有文筆之分，以詩賦爲美文，屬之文學；而應用之文，別稱之曰筆。於是文學理論批評家，對《詩經》興義，另有理論之發展。」斯論甚諦，亦足證《詩經》興義之發展，於此時期，甚爲重要。惜其所集此期資料，僅《文章流別論》、《文心雕龍》（〈比興〉篇）、《詩品》（〈序〉）三書，戔戔數條：嘗鼎一臠，未爲知味。凡此瑣瑣，不足爲鴻裁鉅製病。再板有期，裴先生必有以厭後學者也。

它如漢哀帝時，劉歆爭立古文《左氏春秋》、《逸禮》、《尚書》三經（據劉歆〈移太常博士書〉），著者則因《漢書》本傳，謂所爭立者亦有《毛詩》，未審孰是。著者又據《詩經釋義》「敘論」，謂確以《詩經》作爲書名，昉自宋人廖剛，亦或有可商之處。凡此，偶抒管見，聊藉以就教於賢者，皆非所以論本編得失。

余自爲研究生、即慕裴先生之學；民國六十年孟冬，始獲從游。先生以余「可與言《詩》」，閒常以《詩》義相示，於茲寒暑六易矣。比來，先生出則講《詩》授課，指導研究生；退則侍候慈親湯藥，操持家務，勞亦甚矣，而悉心著述如舊。頃以此新帙命余跋後，余辭遜不獲，爰識數語於編末，學者幸察焉。

——原載《幼獅月刊》，民國六十六年六月

二十五　評介邱著《詩義鉤沉》

王安石《三經義》（通稱《三經新義》），影響中國學術甚大，惜其書久佚。余曩研治宋人經學，亟欲蒐輯其佚文，總會爲一編，以便稽討，故自肄業國立臺灣大學中國文學研究所時（民國五十三至六十年）即留意於此；披讀故書，見有相關資料，即隨手抄劄。洎廁身上庠教席，更作有系統之蒐考，先成《尚書新義輯考彙評》，且蚤付期刊分篇梓行。繼作《詩經新義輯考彙評》，復持其所收「佚文及評論」之全部約千條，投《中華文化復興月刊》、《國立編譯館館刊》、《幼獅學誌》、《東方雜誌》、《孔孟學報》發表（自民國六十八年四月至七十年二月），又撰相關之論文——〈三經新義與字說科場顯微錄〉、〈王安石雱父子享祀廟庭考〉、〈三經新義修撰通考〉、〈三經新義評論輯類〉、〈三經新義修撰人考〉、〈三經新義板本與流傳〉，亦皆已交付剞劂（由各期刊印行，自民國六十七年十月至七十年十二月。）。二全書且已由國立編譯館出版。

民國七十二學年（一九八三年八月至八四年七月），余游學異邦，於美國普林斯頓大學葛思德東方圖書館見邱漢生氏〈王安石『詩義』的法家思想〉一文（載《天津師院學報》，一九七四年一期，九月出版。），有云：

對王安石的《詩義》，我們做過初步的輯佚工作，共輯出佚文一千七百多條，其中有不少是重複的。但……《詩經》三百零五篇，其中二百六十六篇的《詩義》都輯到了，占《詩經》篇數的百分之八十七。

繼而輾轉購致邱著《詩義鉤沉》一書（中國大陸中華書局一九八二年九月鉛字排印本第一版，約三百四十面，約二十萬字。），其書邱氏〈自序〉（頁五至六、二七至二八）曰：

《詩義》的輯佚工作，始於一九五七年，到一九六三年冬，基本輯成。……《詩義鉤沉》，如其書名所示，是已經沉晦了幾百年之後再鉤輯出來的佚書。在《詩》三百零五篇之中，輯有王氏《詩義》的達二百七十四篇。……當時（敏案：謂一九五七年。）從《呂氏家塾讀詩記》輯出佚文四百九十多條。一九六二年，從《毛詩李黃集解》輯出佚文三百七十多條，……。一九六二年冬到一九六三年冬，由步近智……從段昌武《毛詩集解》輯出三百二十多條，從嚴粲《詩緝》輯出一百五十多條，從楊簡《慈湖詩傳》輯出二十多條，從劉瑾《詩傳通釋》輯出二百多條，從胡廣《詩傳大全》輯出一百一十多條，從錢欽光敏案：名澄之。《田間詩學》輯出二十多條。此外，從朱熹《詩集傳》輯出六條。這樣，共輯得《詩義》佚文一千七百幾十條。……佚文中有不少是重複的，但是即使是重複的，由于引用者的刪節，文字上有互不一致之處，可供比較研究。一九七八年冬至一九七九年春，校讀全書，輯補了王氏《詩》說及陸佃訓釋若干，使《詩義》佚文增至近二千條。釐訂體例，綱維編校，漢生任之。及時商討，終始繕錄，步君實勞。……工作過程中，……李學勤……對我們的幫助特多，王開濟先生提供了若干資料。……邱漢生。一九六三年九月初稿，一九七九年二月改定。

《詩義鉤沉》（下簡稱《鉤沉》）全書之最後一葉，印有一九八一年春暮邱漢生氏「後記」，首曰：

《詩義鉤沉》始清繕於一九六二年，翌年成〈自序〉。「四清運動」、「文化大革命」踵至，棄置垂十五載。步君近智扃諸篋笥，秘不語人，幾如山崖屋壁之藏矣。得弗毀損，幸也。今……版印有日，校讀數四，中心歡喜。

案：據上引邱文三節，可知《鉤沉》爲邱、步二家合輯，李、王二氏協助，而總其成者仍爲邱氏，故書題邱氏輯校；今亦視爲邱著。斯編一九五七年經始，六三年完成初稿。七八冬至七九春再事校補定稿。八一年春末付排，次（八二年）秋發行。一九八二年秋之前，其書之佚文部分絕無一條作爲輯本專題公開發表。是邱氏輯本佚文初行，視拙輯佚文初行遲後三年又五月。邱氏曾見拙輯與否，不得而知；余輯本全稿初定之前（一九八一年二月）決無從得見邱本，著書歲月，歷歷可考，不需復贅言也。

余既得《鉤沉》，遂檢點拙輯本，以與校比，見《鉤沉》有而拙著疎脱者數條，如：

〈衛風〉〈竹竿〉「巧笑之瑳，佩玉之儺」，《李黄解》引安石《詩義》，茲補爲拙著《詩經新義輯考彙評》一五七之一條（下簡稱「《輯佚》某（條）數」）。

〈豳風〉〈七月〉「饁彼南畝」，《詩緝》引安石《詩義》，今補爲《輯佚》二九九之一。

〈大雅〉〈抑〉「女雖湛樂從」，《段解》亦引安石《詩義》，茲補一目，隨《呂記》之後。見《輯佚》八三二。

〈小雅〉〈甫田〉「以御田祖」，《通釋》亦引，茲亦補目，繫《呂記》、《段解》之後。見《輯佚》六一〇。

其又有二說，頗具參考價值，記後以事商兑：

〈陳風〉〈墓門〉「有鴞萃止」下，《鉤沉》卷七頁一〇一：「王安石〈乞改三經義誤字劄子〉：『〈墓門〉「食椹而甘」，「椹」當作「葚」。』案：鴞食葚而甘。王安石此處乃釋『有鴞萃止』。」

〈防有鵲巢〉，《鉤沉》卷七頁一〇二：「《李黃集解》：『……王氏則以四章分而爲四，每句各有一說，逐句各生文義。』案：『四章』應作『四句』，即『防有鵲巢』、『邛有旨苕』、『中唐有甓』、『邛有旨鷊』四句。」

雖然，瑜瑕參見，邱著疎誤，基於學術研討，余亦不敢闇默，下因略分爲十五大節，願與邱氏商兌，亦請益於方家。

（一）其論《三經義》板本與流傳有誤

邱氏〈自序〉（頁四）曰：

《三經義》……頒行以後，「學者頗謂有所未安」，於是王安石再加「刪復」。晚年罷相居金陵，「以疾病之間，考正誤失」，於元豐三年再加改定（邱氏原按曰：見〈論改詩義劄子〉及〈乞改三經義誤字劄子〉。）。今從輯佚所看到的，無論《周官新義》或

《詩義》，文字上都同元豐三年改定的一致。

案：據各家所引《詩義》佚文，校以王安石〈乞改三經義誤字箚子〉，《詩義》誠爲元豐改定本，故邱氏遂臆決《周官義》亦然。余考諸今存佚文，知諸書所引《周官義》，乃依熙寧八年初頒本，詳拙著〈三經新義版本與流傳〉（附「《周禮新義輯考彙評》」一書後，下同。）及〈周禮新義版本與流傳〉（《臺大中文學報》創刊號）。

邱氏〈自序〉（頁一、五）又曰：

> 王安石的學術著作《詩義》、《書義》、《周官義》，……大概到明朝後期，這些著作就全部遺佚了。
>
> 明初輯集《永樂大典》，《周官新義》尚被采錄。《萬曆重編內閣書目》，尚存《周官義》三冊。

案：謂《三經義》大概至明朝後期猶存者，蓋據孫能傳、張萱《萬曆重編內閣書目》爲論，蓋度明代後期——萬曆編定之《書目》尚著錄，則書應存，其後乃逸。其實孫、張《重編書目》，係據《文淵閣書目》纂抄（明初《文淵閣書目》著錄王荊公《周禮解義》一部，三冊。），未必一一獲覩原書。且《詩》、《書》

二義，見諸明人書志著錄者（如焦竑《國史經籍志》），實亦抄纂舊志，未必盡有本書可據。邱考未精。余考《三經義》咸明初（永樂以後）亡佚，亦詳〈三經新義版本與流傳〉及〈周禮新義版本與流傳〉二文。

邱氏〈王安石的法家思想〉又曰：

> 至南宋時，《三經義》竟全部罷廢。……清人嘗從《永樂大典》中輯出《周官義》一書，卻亡佚了其中最主要的〈地官〉、〈夏官〉兩部分。（邱氏〈自序〉頁五亦有曰：「南渡以後，《三經義》……作爲官書完全罷廢。」）

案：《三經義》，熙寧八年頒行天下，作爲科舉依據。元祐時雖舊黨當軸，但仍許與諸儒經解竝行。靖康事變，楊時詆《三經義》、《字說》爲邪說，但朝令僅罷廢《字說》而已。南宋高宗朝，詔申舉子試經義仍許古注疏與《三經義》通用。寧宗慶元初，魏了翁詩曰「《三經》猶在校」，是官學仍准習《三經義》。至宋室覆亡，未聞朝廷明令罷廢（詳拙著〈三經新義與字說科場顯微錄〉，附《尚書新義輯考彙評》一書後。）。清人《周官新義》輯本——孔繼涵鈔本、《文淵閣四庫全書》本、《墨海金壺》本、《經苑》本四本，皆直接或間接從《永樂大典》中輯收，其〈地〉、〈夏〉二官兩部分、一若〈天〉〈春〉〈秋〉三官，皆殘存多條，邱氏荀云〈地〉、〈夏〉二官視它三官亡失尤多固可，若謂之「亡佚了」則決非實情，四本見存，覆案可也。詳見〈周禮新義板本與流傳〉。

（二）引書不記卷次

《鉤沉》據眾書載引《詩義》佚文，僅各具書名或書之簡名（如《詩傳通釋》、《讀詩記》、段氏《集解》……），一槩不著卷數，頁數更無論矣（全編僅卷一頁八案云：「此條原列於該書卷一〈綱領〉。」卷十七頁二四六引《楊龜山集》卷一〈上欽宗皇帝書〉、卷二十頁三〇七又引《龜山集》卷六〈辨神宗日錄〉以旁證《詩義》，著卷數。）。夫輯收佚文，為便學者檢閱原出處，實應具索引功能，故向來輯佚之作，如馬國翰《玉函山房輯佚書》、余蕭客《古經解鉤沉》、黃奭《黃氏逸書考》，皆儘量著出卷數。《鉤沉》闕如，不便查考。

（三）繁蕪

《鉤沉》之取名，誠「鉤輯沉晦之書」如〈序〉所稱，第恐不免受余氏《古經解鉤沉》啓發。余氏《鉤沉》輯采唐以前經解佚文，與佚文無關者則不錄。今邱氏《鉤沉》本卷中多錄眾家之說，往往與佚文無直接關聯，不宜引入輯本，使成支蔓。其最顯著者，如據《李黃解》、《呂記》、《困學紀聞》翁《注》引宋陸佃（農師）之說四十六條（陸說蓋出其《埤雅》），動載數十百言。

據《鉤沉》〈例言〉頁四曰：

陸佃（農師）乃王安石學生，與沈季長同訓釋《詩義》。《詩義鉤沉》引其說，標「陸佃曰」敏案：衹轉引翁《注》作「陸佃《埤雅》」。、「陸農師曰」或「陸氏曰」敏案：用《呂記》引一條作「山陰陸氏曰」。，以明其當為《詩義》原文，但非王氏之言。呂惠卿（吉甫）為王安石經義局修撰。《詩義鉤沉》引呂吉甫語，不能判定是否《詩義》原文，則標「呂吉甫曰」以別之。蔡卞《毛詩名物解》，羽翼《詩義》，多用其說。既為專書，未標「王曰」，則不予輯及。

案：陸、蔡皆安石學生，蔡且為王氏子壻，是蔡視陸尤親近王學；蔡《詩》學專著《毛詩名物解》「一以王學為宗」納蘭容若〈序〉言，陸《埤雅》非專解《詩》之名物，故二書之於安石《詩義》，又蔡撰愈親於陸著。今棄蔡全書不采，而轉錄陸書碎義，謂邱氏取舍失倫，誠不為苛責也。云「未標王氏曰，則不予輯及」，則《李黃解》轉引陸農師文絕不標「王氏曰」，輯何獨及之？陸佃當《詩義》修撰之前（熙寧五年），嘗承安石意作《詩解》（《續資治通鑑長編》卷二二九頁五），其後有否入局修撰官書《詩義》未定，今邱氏謂陸此說「當為《詩義》」原文，已貽人以「輕率」之譏。矧試取《埤雅》與今存《詩義》佚文比義，非盡一致，則邱氏視之為《詩義》原文，恐難免「橫決」之譏矣。陳氏此文固不當采入，惟王氏佚文竝有之諸條，采之果能發明，則已矣；但考之《鉤沉》，佚文無有者，亦頗單舉陸文（如〈鄘風〉〈鶉之奔奔〉首章，見《鉤沉》卷三頁四五；〈魏風〉〈碩鼠〉首章，見《鉤沉》卷五頁八三。）。甚至兼引它書解義，以發明陸文（如《鉤沉》卷十三頁一九七〈小雅〉〈信南山〉「上天同雲」下先轉引陸文，後又引《滋湖詩傳》以印證之。）。邱氏不顧輯佚常體！其不憚煩又如此！其書牽引冗雜，舉此可見一斑矣！

又案：邱氏〈自序〉（頁三）肯定《三經義》為安石著作，故《詩義》原文即王氏之言，乃此既明陸文為《詩義》原文，又云其非王氏之言，其自相踳駁而不憚。呂惠卿初為經局修撰，後為同提舉，與弟升卿初為檢討，後為同修撰。參預《詩義》修撰實務（詳拙著〈三經新義修撰人考〉，附《詩經新義輯考彙評》後；及〈三經新義板本與流傳〉。），惠卿《詩》說果存，視陸佃、蔡卞說應更近官書《詩義》，乃邱氏謂「不能判定是否」，其論事準則維何？矧余徧檢《鉤沉》全書，並未見引呂吉甫說。夫吉甫《詩》說幾盡亡佚，《李黃解》卷四頁二四、二五〈邶風〉〈終風〉下李、黃皆稱引其一說，祇見此一條二次，而《鉤沉》未加轉引，乃鄭重其事於惠卿說謂「標呂吉甫曰」，何耶？邱書何其難讀耶？

致《鉤沉》繁蕪者，別有一因，即眾書同引某條佚文而字微異，邱氏絕多諸文並錄，其〈例言〉（頁二至三）嘗舉實例，云：

釋同一章《詩》，……亦有文字彼此小異者，則並載異文，以資參閱。……如……釋〈彤弓〉「彤弓弨兮，受言藏之」，《呂氏家塾讀詩記》作：「工成而獻王，王受而藏之，以待賜也。」《毛詩李黃集解》作：「功成而獻王，王受而藏之，以待賜也。」

案：《李黃解》與《呂記》所引，僅一異字；校一異字，而可刪省其中之一條十餘字，孰為繁簡，通人類能思之。夫經師采用古人說，多相蹈襲，往往更易一、二字（嚴粲《詩緝》、楊簡《慈湖詩傳》之於《呂記》，其顯著也。），吾人豈能一一羅列之於一所乎？

依《鉤沉》體製，凡佚文「文字全同，絲毫不爽」，見於兩書共引者，只列佚文一條，而于它書名下，僅注「同某書」。是矣，第余檢《鉤沉》，亦偶有全同而重抄之例，如〈桃夭〉首章，呂氏《讀詩記》與《李黃集解》皆引佚文作「桃，華於仲春，以記昏姻之時」，《鉤沉》卷一頁一五竝鈔（於、昏，誤作于、昬。）。校視不精乎？抑有它故？如此，欲其書不煩，不可得也。（《鉤沉》卷內，多見邱氏案語，非皆必要，亦致文煩之另一因，詳下（十二）節下。）

（四）援用輯佚之書少

《鉤沉》「〈例言〉」一頁曰：（括號內用書板本，乃邱氏自注文。）

《鉤沉》輯自下列諸書：（一）呂祖謙《呂氏家塾讀詩記》（《四部叢刊》本）（余簡稱《呂記》，下倣此。）、（二）李樗黃櫄《毛詩集解》（《通志堂經解》本）（《李黃解》）、（三）朱熹《詩集傳》（通行本）（《朱傳》）、（四）嚴粲《詩緝》（《味經堂》本）、（五）段昌武《毛詩集解》（《四庫全書》本）（《段解》）、（六）楊簡《慈湖詩傳》（《四明叢書》本）、（七）劉瑾《詩傳通釋》（元刊本）（《通釋》）、（八）胡廣《詩傳大全》（《四庫全書》本）（《大全》）、（九）錢飲光《田間詩學》（《斟雉堂》本）、（十）王安石《臨川先生文集》（《四部叢刊》本）（《臨川集》），及他書。

《鉤沉》所載安石《詩義》佚文，統見其本卷（卷一至卷二十，但卷首安石《詩義》〈序〉一篇，亦當計入。）。本卷內用書，除〈例言〉所示十種（一至九種目，亦見前引〈自序〉；第十種後補，〈自序〉漏列述。）外，余考別有十書（《臨川集》被已列目，不復計數。），當即邱氏所謂「他書」。茲先簡述「他書」如下：

《毛詩》孔穎達《正義》、王安石〈次韻公闢正議書公戲語中之以祝助發一笑〉見《臨川集》卷十七，《鉤沉》「書公戲」以下十二字，邱皆從刪。（見〈周南〉〈兔罝〉首章）。

〔宋〕黃朝英《緗素雜記》（載王氏《新傳》一條六字及朝英自說〈衛風淇奧綠竹〉一段文）、安石〈招約之職方並示正甫書記〉見《臨川集》卷一、《楚詞》、朱芹《十三經札記》、洪邁《容齋五筆》、富弼《疏》（皆以解說《緗素雜記》爰及安石《詩義》）。

《慈湖詩傳》附錄二條（〈邶風〉〈簡兮〉，〈豳風〉〈七月〉）（前一條〔清〕張壽鏞轉引安石《詩義》一條）。

《困學紀聞》（〈小雅〉〈四月〉，引《詩義》一條廿二字；〈大雅〉〈靈臺〉，引《詩義》一條四字。此條《鉤沉》誤爲翁《注》言。）及其書翁《注》（兩條：一在〈靈臺〉；一在〈板〉，引王安石曰八字，轉抄自《呂記》。）。

《聽彝堂》本與《經苑》本《呂記》（共五條，據以校《四部叢刊》本《呂記》。）。

檢上述列，邱氏祗從其中二書輯致佚文，得才三條卅二字；併其〈例言〉列目十書，總十二書。而余據以輯佚文與評者，都六十一書，其中單從收佚文者，五十餘書。是邱本用書甚少。邱氏謂自《呂記》以下九書輯獲佚文千七百餘條，益以自《臨川集》收數條，「他書」三條，不逾千八百條（許多雜引，非《詩義》佚文不計。）。同一條佚文，如爲多家共引，邱氏計爲多條，故其所謂「條」，當正名爲「條次」，是則其實得佚文當少於千條遠甚。而余所輯佚文一〇四〇條，綜計五十餘書所引，則爲二五八五條次（諸家評論二九三條次則未計入），邱本得佚文固亦少甚矣！

即就此十二書分論之：余自《呂記》得佚文五五〇條，比邱多得約六十條（邱〈序〉云從某書輯條數，已見上引，茲據之。下同。）；自《李黃解》得四二二條，比邱約多五十條；自《朱傳》得十二條，比邱多六條；自《詩緝》收一五六條，視邱本多數條；從《段解》輯三九〇條，視邱多約六十餘條；從《慈湖詩傳》得卅八條，比邱約多十餘條；自《詩傳通釋》得一六二條、自《大全》略同，邱云自《通釋》輯出二百多條，計數有誤，又謂自《大全》收百一十餘條，則視余輯約少五十條；邱自《田間詩學》得二十餘條，余未用是書；余自《臨川集》收十五條，邱不足此數。《困學紀聞》載佚文四條，邱遺收二條；《緗素雜記》載九條，邱遺落八條之多（註一）。

多寡有無互見，略如上說。其下僅依邱氏所據之十書，更作（五）（六）（七）（八）（九）五大節，求邱本缺輯、誤輯、缺舉目、誤舉目之例，及論《田間詩學》載引佚文（註二）。（爲節省筆墨，邱本誤字、缺舉目、誤舉目、誤校、誤案等，皆連帶論列於此前四節之中。）

（五）缺輯

邱本有缺輯其上半者二條：

燕婉之求，籧篨不鮮。（〈邶風〉〈新臺〉）

《鉤沉》卷二頁四〇引《李黃解》：「王氏以……：『戚施，不能仰首，又以言齊女之無見於上，是以亂人倫而不耻也。』」

敏案：《李黃解》引《詩義》，「戚施」之上尚有：「籧篨，不能俯者，所以刺宣公之無見於下」。《鉤沉》缺輯。首，者之誤。詳《輯佚》一一三。

大車檻檻，毳衣如菼。（〈王風〉〈大車〉）

《鉤沉》卷四頁六三引《李黃解》、《呂記》、《詩緝》、《通釋》所載《詩義》（詳略不一），但缺列《大全》目（《大全》所引，同《通釋》。）；而《段解》所引，自「典命」以下全同《呂記》，其上則別有「此大夫也，而服毳者，以禮考之：子男之服，自毳冕而下，如侯伯之服。則子男五命，衣服以五爲節」：《鉤沉》悉漏列。詳《輯佚》一七五。

有缺輯其中間者一條：

民之方殿屎，則莫我敢葵。喪亂蔑資，曾莫惠我師。（〈大雅〉〈板〉）

《鉤沉》卷十七頁二五二：「《讀詩記》：『王氏曰：「民方疾痛呻吟，而莫敢揆其事者，故民喪亂無資，王曾莫惠我師，多瘠罔卹也。」』段氏《集解》同《讀詩記》。」

敏案：「事者」之下、「故民」之上，《段解》多「以王監謗故也」六字，添此六字意義乃足，《段》、《呂》不同，而邱氏謂同，又誤校也。詳《輯佚》八二二。

缺輯其下半者較多，達十五條：

厭浥行露，豈不夙夜，謂行多露？（〈召南〉〈行露〉）

《鉤沉》卷一頁二二引《李黃解》：「王氏……乃以謂：『露之爲物，犯之則濡至爲其污故也。』」

敏案：《李黃解》引，下猶有「行於露中，則濡固然矣。行於禮，安有所爲污邪？犯非禮，則污矣」。（再次則曰「惟蘇氏」云云）亦《詩義》文，當補入，義乃足。詳《輯佚》五四。

有女懷春，吉士誘之（〈召南〉〈野有死麕〉）

《鉤沉》卷一頁二六引《李黃解》：「王氏以爲：『不能無懷也。』」

敏案：《鉤沉》只引此一句，戛然而止。下猶有「然『吉士誘之』，豈是美辭哉？所以責之之辭也，言有女懷春而吉士可以誘之乎？吉士猶善人也；吉士乃誘人之女，何足爲吉士哉？乃痛責之」。固亦《詩義》文，邱氏缺輯。「痛責之」後，「樸樕，小木也」，乃續釋「林有樸樕」者，乃又引歐氏、王氏曰。則「痛責之」以上皆安石說審矣！詳《輯佚》七〇、七一。

蒙彼縐絺，是紲袢也。（〈鄘風〉〈君子偕老〉）

《鉤沉》卷三頁四三引《呂記》：「王氏曰：『……音如絆繫之絆。』」

敏案：下猶有「《說文》同」，《慈湖詩傳》亦有此三字；《李黃解》曰：「王氏則據《說文》，袢當讀絆。」《段解》：「王曰：『袢依《說文》，讀如絆。』」是《詩義》應有此三字。且後二「解」亦竝見《鉤沉》（卷三頁四四）引，乃不及據以考證，遽棄《呂記》及《慈湖詩傳》引文，疎甚！詳《輯佚》一一二。

投我以木瓜，報之以瓊琚。（〈衛風〉〈木瓜〉）

《鉤沉》卷三頁五八引《李黃解》：「（王氏）而又謂：『投我者彌薄。』」

敏案：下猶有「則實齊桓之德爲薄」，《鉤沉》缺引。知者，《李黃解》評安石曰：「既謂『齊桓之德薄』，又謂『報之者彌厚』，是豈衛人之情乎？」「齊桓之德薄」，李氏重述已上所引安石之言，故下乃以非衛人之情譏之矣。詳《輯佚》一六三。

〈鄭風〉〈清人〉〈小序〉。

《鉤沉》卷四頁六六至六七引《李黃解》：「王氏曰：『未有義而後其君者也。……故公子素惡高克事其君不以禮，……是乃亡國亡師之本，故作是《詩》也。』」

敏案：「亡」字當作「危」。末句下尚有「清人在彭、在消、在軸，皆鄭地也。清，鄭之邑也；彭、消、軸，鄭郊也。清人，言當時高克將兵皆清邑之人；彭、消、軸，皆所次之地」，疑亦《詩義》之文，而安石綴此以證斯果爲文公令高克將兵禦外之《詩》也。詳《輯佚》一八三。

〈唐風〉〈鴇羽〉詩四章。

《鉤沉》卷六頁八九至九〇引《李黃解》：「王氏又曰：『木欲靜而風不停至故汲汲于愛日以事親至其情豈不傷哉！』」

敏案：下猶有「此詩如〈北山〉、〈蓼莪〉、〈陟岵〉，皆孝子不得奉養父母，故其詩哀以思也。當征伐之時，其心猶不忘，苟在父母之側，其事親爲何如」，疑亦《詩義》之文，而《鉤沉》缺收。又「于」，原書作「於」。詳《輯佚》二四七。

有饛簋飧，有捄棘匕。（〈小雅〉〈大東〉）

敏案：《李黃解》：「王氏亦曰：『周之盛時，饋諸侯之賓客以飧而饛其簋，又有捄然之棘匕以載鼎實，則其盛饋可知矣。言其遇人之厚如此。』然不如歐氏以爲『足於豐饒之辭』。……」李氏引安石說畢，即述歐陽修說以評之，則王氏說應續至「言其遇人」句止。《鉤沉》（卷十三頁一八八）短輯末句。參《輯佚》五七六。

漸漸之石，維其高矣。（〈小雅〉〈漸漸之石〉）

敏案：《李黃解》：「王氏曰：『石之漸漸然至幽王暴戾無德之譬也。一則以喻戎狄，一則以喻幽王。』其說皆非也。……」安石說至「喻幽王」止，下李氏譏其說非是，限斷甚明，而《鉤沉》（卷十五頁二二一）缺輯末二句。詳《輯佚》六八七。

造舟爲梁，不顯其光。（〈大雅〉〈大明〉）

敏案：《李黃解》：「王氏曰：『造舟爲梁至然後爲宜也。使文王果用天子之禮，則是文王自稱王，不足爲文王矣。』王氏之說，不足信也。」自「王氏之說」以上，皆安石《詩義》，李氏引而評之，《鉤沉》（卷十六頁二二六）短輯末三句，當補。詳《輯佚》七一三。

周王壽考，遐不作人。追琢其章，金玉其相。勉勉我王，綱紀四方。（〈大雅〉〈棫樸〉）

《鉤沉》卷十六頁二三〇至二三一引《李黃解》：「王氏則曰：『文王作人，外則使有備成之文，內則使其有可貴之質。』」

敏案：其下尚有「《周官》〈追師〉掌追衡笄，追猶治也。有金而不琢，則不成器。有其文而追琢之；無其質，則與朽木糞土等矣。故必二者備而後可也。文王之得人，成就如此，文王又何爲哉？勉勉我王以執其紀綱而已」，應亦安石《詩義》文：申續外文內質之意，辨白表裏，迹近穿鑿，正荊公學弊，故李氏評之曰：「……此正分章析句之學，不足辨也。」詳《輯佚》七三六及其評。

曾孫維主，酒醴維醹，酌以大斗，以祈黃耇。（〈大雅〉〈行葦〉）

《鉤沉》卷十七頁二四三：「段氏《集解》：『王曰：「醴酒所謂醴齊也至正如今甜酒也。」』」

敏案：下尚有「以養老，故兼設甜酒」八字，「甜酒」下空一格，復下載「毛曰」，《鉤沉》缺輯此八字，明甚！詳《輯佚》七九五。

乃造其曹，執豕于牢。酌之用匏。食之飲之，君之宗之。（〈大雅〉〈公劉〉）

《鉤沉》卷十七頁二四七引《李黃解》：「王氏曰：『其食也至厚于民故也。』」

敏案：于，原書作於。「故也」下尚有「君既飲食其羣臣，羣臣遂從而君之尊之。羣臣皆愛其上，不以菲薄而怨其君也」，應亦為王氏之言。疑《鉤沉》缺輯。詳《輯佚》八〇五。

豈弟君子，俾爾彌爾性。（〈大雅〉〈卷阿〉）

《鉤沉》卷十七頁二四九：「《讀詩記》：『王氏曰：「彌者，充而成之，使無間之謂也。」』段氏《集解》……同《讀詩記》。」

敏案：《段解》引「之謂也」下尚有「若《易》『彌綸』之彌同」七字，《鉤沉》漏輯；《段解》不與《呂記》同，邱氏校視未精。詳《輯佚》八一二。

菀彼桑柔，其下侯旬。捋采其劉，瘼此下民。不殄心憂，倉兄填兮。（〈大雅〉〈桑柔〉）

《鉤沉》卷十八頁二五九引《李黃解》：「愴怳滋久至久也。」

敏案：下尚有「言桑之茂也，枝葉皆盛，其下無所不覆，乃一旦爲人所采捋，則枝葉皆盡，其下不得有所庇也。猶周之盛也，仁恩德澤饜飫於民，雖匹夫匹婦無有不被其澤者。及厲王之世，肆行不道，德澤不加於民，如桑之盡而民病矣」，喻不見庇蔭而民病，與安石釋上文「捋采其劉，瘼此下民」旨同，殆亦《詩義》之文，宜補輯。詳《輯佚》八四一、八四二。

申伯之功，召伯是營。有俶其城，寢廟既成，既成藐藐。王錫申伯，四牡蹻蹻，鉤膺濯濯。（〈大雅〉〈崧高〉）

《鉤沉》卷十八頁二六五引《段解》：「王曰：藐然大也。」

敏案：下猶有「《孟子》曰：『說大人則藐之。』則小彼之意；小彼，則自大也。」固亦安石《詩義》，而《鉤沉》漏輯。知者，《段解》卷二五頁四三大書「藐藐，美貌」，其下引「王曰」——「藐然大也至自大也」作雙行小書，又全文義貫；既畢，又作大書「蹻蹻，壯貌」矣。則「藐藐」下小書皆安石文奚疑？詳《輯佚》八六七。

《鉤沉》卷十八頁二六五引《李黃解》：「王氏云：『所以命召伯者，亦以能治其土功之事也。』」

敏案：下尚有「王賜申伯而遣之行，則四牡蹻蹻然而壯，鉤膺又濯濯然而光明。鉤者，馬婁頷之鉤；膺者，馬之膺前有飾、即〈周官〉所謂『樊纓』也」，應亦安石之文。觀「樊纓也」之下著「按」：「〈周官〉〈巾車〉『金輅，鉤，樊纓九就，同姓以封』。……」爲李氏按語，引〈周官〉〈春官〉〈巾車〉文以疏證上說，則上文「王賜申伯」至「樊纓也」固亦安石《詩義》。臆者：豈邱氏以「所以命申伯者」云云，誤繫「王命申伯，式是南邦」章，故令下文——「王賜申伯而遣之行」云云無所釋，遂舍而弗收歟？詳《輯佚》八六八。

更有全條漏輯者，至十八條，最多：

主文而譎諫；言之者無罪，聞之者足以戒，故曰〈風〉。（〈大序〉）

《通釋》引安石《詩義》云：「主文譎諫，有巽入之道，故曰〈風〉。」

敏案：《鉤沉》缺輯，而其卷一頁一〇引《大全》所載此條安石《詩義》，又脫末「故曰〈風〉」三字。詳《輯佚》六。

至于王道衰至而懷其舊俗者也。（〈大序〉）

《通釋》、《大全》引《詩義》佚文「《詩序》是國史撰」。

敏案：《鉤沉》缺輯。詳《輯佚》八。

《鉤沉》卷一頁一〇引《段解》：「王曰：『發於聲而非言之謂吟，……則〈變雅〉之時可知也。』」

敏案：「非」，「長」之誤，不正則義不可通。「也」，「矣」之誤。詳《輯佚》九、一〇。

汎彼柏舟，亦汎其流。（〈邶風〉〈柏舟〉）

敏案：《李黃解》：「柏者，天下之良材也，而不宜以爲舟。柏而以爲舟，亦汎其流，然非柏之所宜也。」《鉤沉》漏輯。詳《輯佚》七三。

羔裘如濡，洵直且侯。彼其之子，舍命不渝。（〈鄭風〉〈羔裘〉）

《鉤沉》卷四頁六八引《李黃解》：「王氏曰：『羣而不黨則宜直至舍命不渝矣。』」

敏案：《李黃解》又曰：「（王氏）又以『洵直且侯爲君，舍命不渝爲臣。』」二句亦《詩義》文，《鉤沉》漏輯。詳《輯佚》一八六。

我朱孔陽，爲公子裳。（〈豳風〉〈七月〉）

敏案：《呂記》引王氏曰：「染以朱，孔陽爲難；言『我朱孔陽』，則玄黃不足道也。」《段解》同（「也」作「矣」）。《鉤沉》缺輯。詳《輯佚》三〇八。

九月叔苴。采荼薪樗，食我農夫。（〈豳風〉〈七月〉）

敏案：《段解》引王氏曰：「荼則苦菜，非若葵之滑甘，故以食農夫而已。」又引王氏曰：「以樗不材，故薪之也；然則材木在所養，亦可知也。」《鉤沉》並漏輯。詳《輯佚》三一五、三一六。

二之日鑿冰沖沖，三之日納于凌陰。（〈豳風〉〈七月〉）

敏案：《鉤沉》卷八頁一一八引《李黃解》「王氏謂『和之至，陽氣達也』」，而遺《段解》「王曰『沖沖，和之至也。鑿冰非特備暑，亦所以達陽氣；氣達則沖沖矣』」未輯。詳《輯佚》三三二。

鶴鳴于九皐，聲聞于野。（〈小雅〉〈鶴鳴〉）

敏案：《段解》引王曰：「《易》曰：『鳴鶴在陰，其子和之。』子曰：『君子居其室出其言善，則千里之外應之，況其邇者乎？』與此意同。」《鉤沉》缺輯。詳《輯佚》四四六。

我疆我理，南東其畝。（〈小雅〉〈信南山〉）

敏案：《段解》引王曰：「或南或東，各順地勢所宜。言南，以廬在其北，而鄉南故也；言東，以廬在其西，而鄉東故也。」《鉤沉》缺輯。詳《輯佚》六〇五。

心乎愛矣，遐不謂矣？（〈小雅〉〈隰桑〉）

敏案：《李黃解》：「王、鄭皆引《論語》『愛之能勿勞乎？忠焉能勿誨乎』爲言，蓋謂與此詩相合。」王，謂安石考之王肅遺文，無此說。，《鉤沉》缺輯。詳《輯佚》六七八。

印盛于豆，于豆于登。其香始升，上帝居歆。（〈大雅〉〈生民〉）

《鉤沉》卷十七頁二四二：「《讀詩記》：『王氏曰：「釋之、烝之，簠簋尊爵之實也。羝，俎實也。豆登，則實以葅醢、大羹之器也。或言其器，或言其實，互相備也。」（第一則）王氏曰：「我今盛于豆登，謂周室尊祖以配天之祭也。」』（第二則）……《詩傳通釋》、《田間詩學》皆同《讀詩記》。」

敏案：上述《呂記》引第一則，《通釋》、《田間詩學》（卷九頁五〇）皆有，同；《大全》亦同，但《鉤沉》缺舉《大全》目。第二則，《通釋》、《田間》竝無，《鉤沉》則誤舉兩書之目。詳《輯佚》七八八、七八九。又兩「登」字，原書竝作「登」。

又案：《段解》：「於郊祀言豆、登，則不以多品爲貴也。」《鉤沉》缺輯，詳《輯佚》七八九。

篤公劉，于豳斯館。（〈大雅〉〈公劉〉）

敏案：《段解》：「王曰：『《周官》〈遺人〉之職：「十里有廬，五十里有館。」廬者，館也；所以待行旅。前言廬旅，後言館。』」《鉤沉》漏輯。詳《輯佚》八〇八。

其何能淑？載胥及溺。（〈大雅〉〈桑柔〉）

敏案：《段解》：「則亦與小人胥及于溺而已，然則爲小人者亦何利哉？」《鉤沉》缺輯。詳《輯佚》八四六。

韓侯取妻，汾王之甥，蹶父之子。韓侯迎止，于蹶之里。百兩彭彭，八鸞鏘鏘，不顯其光。……蹶父孔武，靡國不到。爲韓姞相攸，莫如韓樂。（〈大雅〉〈韓奕〉）

敏案：《李黃解》卷三五頁三九：「王氏云：『韓侯取妻，何預於王政，而《詩》言此？蓋言汾王之時，爲諸侯之所卑侮，則王甥亦安能相攸而擇樂國之顯君哉！』」（文亦略見《呂記》、《段解》、《詩緝》）《鉤沉》缺輯。詳《輯佚》八八三。

昏椓靡共。（〈大雅〉〈召旻〉）

敏案：《臨川集》卷四三頁五〈乞改詩義誤字劄子〉：「〈召旻〉『昏非所以爲哲』，字上漏『明』字，今合添。」則《詩義》佚文應輯「明昏非所以爲哲」一句，而《鉤沉》未及。

鞉鼓淵淵，嘒嘒管聲。既和且平，依我磬聲。（〈商頌〉〈那〉）

敏案：《臨川集》卷四三頁五〈乞改詩義誤字劄子〉：「〈那〉『磬管將將』，『管』當作『筦』。」則「磬筦將將」句爲《詩義》，當輯爲佚文一條，而《鉤沉》未及。

天命多辟，設都于禹之績。歲事來辟，勿予禍適。稼穡匪解。（〈商頌〉〈殷武〉）

敏案：《李黃解》：「王氏此篇之說當矣。言『高宗能治夷狄，故天下無有不服』。……」《詩緝》引王氏曰「高宗」云云二句，亦見《鉤沉》卷二十頁三〇七錄載，則《李黃解》此條，邱氏當補輯，而列《詩緝》一目於其後，詳《輯佚》一〇二七。

（六）誤輯

復考邱輯本，有誤輯佚文，得卅五條，茲分爲九小類；又附一小類一條：

有誤輯其下半者，凡十五條：

瑣兮尾兮，流離之子。（〈邶風〉〈旄丘〉）

《鈎沉》卷二頁三六引《李黃解》：「王氏：『瑣，細也。……故瑣尾也。蓋詩人之意至蓋責之深也。』」

敏案：引《詩義》文，當止於「故瑣尾也」；「蓋詩人」以下共卅八字，爲李樗申語，故《呂記》、《慈湖詩傳》、《段解》引《詩義》皆不及。詳《輯佚》九六及其評。

〈鄘風〉〈定之方中〉第二、第三章通義。

《鈎沉》卷三頁四六引《通釋》：「王介甫曰：『上章既言城市宮室至施政事云。古人戴星而出，戴星而入，必是身耐勞苦，方能率得人。』」

敏案：《通釋》引文至「政事云」止，下空一格，「古人」以下共廿一字，殆他人之說，而其上失「某曰」字，《大全》果以「朱子曰」冒「古人」之上，則廿一字乃朱熹《詩說》。詳《輯佚》一三一。

籊籊竹竿，以釣于淇。（〈衛風〉〈竹竿〉）

《鉤沉》卷三頁五五引《李黃解》：「王氏亦以謂：『釣有男下女之道，故詩人者每以釣喻夫婦之相求。淇水者，言衛女嫁于異國，故思淇水至之類是也。』」

敏案：《李黃解》上引毛氏謂「釣以得魚，婦人待禮以成爲室家」，下遂引安石《詩義》以印證《毛傳》，故作「王氏亦以謂」云云，至「夫婦之相求」止。其下別起「淇水者」義一大段，固非安石說。邱氏失察。詳《輯佚》一五七。

揚之水，不流束薪。（〈王風〉〈揚之水〉）

《鉤沉》卷四頁六〇引《李黃解》：「王氏則謂：『水之揚，足以流束薪。其意則亦謂：揚（之）水可以流束薪，而今乃不能。』」

敏案：「其意」以下，李樗評文，評王氏「水之揚」二句，言「其意則亦謂」云云者，指其說與上述鄭《箋》合，竝非是也。《鉤沉》誤輯。詳《輯佚》一六六。

我稼既同，上入執宮功。晝爾于茅，宵爾索綯；亟其乘屋，其始播百穀。（〈豳風〉〈七月〉）

《鉤沉》卷八頁一一六至一一七引《李黃解》：「（王氏）又謂：『冬，可以休矣至亟其乘屋，非人無遺力乎？《前漢志》曰：冬事既入至豈非人無遺力乎？』」

敏案：《詩義》應止於「無遺力乎」，其後「《前漢志》曰」以下八十餘字，疑爲李氏申明之言。詳《輯佚》三二〇。

卜筮偕止，會言近止，征夫邇止。（〈小雅〉〈杕杜〉）

《鉤沉》卷九頁一三五引《慈湖詩傳》（卷十一頁一四）：「王曰：『會合卜筮之言，皆言近矣。謂時日近爾，謂征夫所在甚邇，卜筮合言如此。』」

敏案：《呂記》、《段解》引《詩義》竝訖「皆言近矣」（竝無「合」字），下更有「則庶幾征夫之歸近矣」。審《慈湖詩傳》全書引《詩義》佚文近四十條稱王氏曰或王曰，皆自《呂記》或《李黃解》稗販詳拙著《詩經新義輯考彙評》〈諸家評論及載引佚文按書分條考計〉，此條亦從《呂記》轉引，故「謂時日」以下，非安石文，乃申闡安石《詩義》之文，文義亦至顯。《鉤沉》誤收。參《輯佚》三九二。

四黃既駕，兩驂不猗。不失其馳，舍矢如破。（〈小雅〉〈車攻〉）

《鉤沉》卷十頁一四九引《慈湖詩傳》：「王曰：『猗，不正也。兩驂不在衡軛之下，故多偏倚，唯善御者兩驂不猗，雖馳而一無所失。』」

敏案：安石《詩義》曰：「兩驂不猗，言御之能正其馬也。不失其馳，言車行節而法也。」（《呂記》、《段解》竝引）與上《鉤沉》所引自「兩驂不在」以下所謂安石說大異，則後者非安石《詩義》。蓋《慈湖》此引安石《詩義》，悉自《呂記》稗販，《呂記》引訖「不正也」（《段解》同），「兩驂不在」以下，《呂記》所無，斷是慈湖自言。《鉤沉》誤輯。詳《輯佚》四三三、四三四。

大人占之：維熊維羆，男子之祥；維虺維蛇，女子之祥。（〈小雅〉〈斯干〉）

敏案：《李黃解》：「大人占之，鄭氏曰『謂以聖人之法占之』，不如王氏謂『當時在位之大人』也。其大人占之曰：維熊維羆，此男子之祥也；維虺維蛇，此女子之祥也，蘇氏曰：『熊羆物，陽之祥也；虺蛇物，陰之祥也。』王曰：『熊羆強力壯毅，故爲男子之祥；虺蛇柔弱隱伏，故爲女子之祥』：此二說皆通。」安石《詩義》釋「大人」祇「當時在位之大人」一句（《呂記》亦祇引此一句），《李黃解》援以論王《義》優於鄭《箋》。其下「其大人」等共廿六字，乃《李黃解》之文，提領於前，後即引蘇、王二家說詮之，其非安石《詩義》甚塙。《鉤沉》（卷十一頁一六〇）誤輯。詳《輯佚》四六六、四六七。

民莫不逸，我獨不敢休。天命不徹，我不敢傚，我友自逸。（〈小雅〉〈十月之交〉）

《鉤沉》卷十二頁一七二：「《讀詩記》：『王氏曰：「不通，則以言其窮也。其窮，命也；勉之而已，故不敢傚我友自逸也。」』案：《經苑》本：『故不敢傚』下有『親屬之臣，心不能已』八字。」

敏案：「親屬之臣」等共八字，乃《毛傳》之文，見《詩疏》卷十二之二頁一〇，邱氏原據之《四部叢刊》本「親屬之臣」云云上、「我友自逸也」下有「毛氏曰」，而《經苑》本奪，《四部叢刊》據《景宋本》景印、是善本，《經苑》非善梓也。《鉤沉》失察於眉睫之前，難辭其咎。詳《輯佚》五一八。

《鉤沉》卷十二頁一七三引《慈湖詩傳》：「王氏曰：『徹，通也。幽王之時，天下病矣，而我所居里，則又甚（敏案：原書作其。）病矣。四方猶有寬餘至《毛傳》曰：親屬之臣不能自已。』」

敏案：《呂記》、《段解》引《詩義》，竝訖「甚病矣」（《段解》矣作也），「四方」以下共七十一字，非安石文，乃楊簡自說，故其中言「窮通」義不與《呂記》所引安石說一致。詳《輯佚》五一六、五一八。

缾之罄矣，維罍之恥。鮮民之生，不如死之久矣。無父何怙？無母何恃？出則銜恤，入則靡至。（〈小雅〉〈蓼莪〉）

《鉤沉》卷十三頁一八七引《慈湖詩傳》：「王氏曰：『缾，譬則民也；罍，譬則君也。缾之罄則罍之恥，民之窮則君之羞。鮮，寡也至反面而告至。』」

敏案：《李黃解》、《呂記》、《段解》引，皆至「之羞」止，其下「鮮，寡也」至末共七十五字，乃楊簡文，《鉤沉》誤收。詳《輯佚》五七〇、五七一。

我疆我理，南東其畝。（〈小雅〉〈信南山〉）

《鉤沉》卷十三頁一九七引《詩緝》「今攷王氏以理爲治其溝塗。但〈緜〉詩『迺疆迺理』之下，又言『迺宣迺畝』，宣爲宣道溝洫，則理不得爲治溝塗矣。」又引《慈湖詩傳》：「王氏曰：『疆者爲大界，理者衡從其溝塗。古者一畝三甽，甽長終畝，隨地勢之所宜，而或南之，或東之。』」

敏案：嚴、楊兩引，皆應止於「其溝涂」，《呂記》引可據（楊引安石說，全自《呂記》轉手；嚴述《詩義》之說，多參《呂記》。）。嚴氏此「但〈緜〉詩」以下，評安石說「理」字，義至明確（唯釋〈緜〉「宣洒畝」爲「宣道溝洫」者，乃〔宋〕蘇轍《潁濱詩集傳》卷十五頁九文，嚴氏誤爲安石說，說詳《輯佚》七二四及其註。）；而揚氏此「古者」以下，自抉畝南東之故，與《段解》所引安石說不盡同。《鈎沉》誤輯。又「攷、塗、塗」，原書作「考、涂、涂」。詳《輯佚》六〇四、六〇五。

有渰萋萋，興雨祈祈；雨我公田，遂及我私。彼有不獲穉，此有不斂穧；彼有遺秉，此有滯穗：伊寡婦之利。曾孫來止，以其婦子，饁彼南畝；田畯至喜。來方禋祀，……以享以祀。（〈小雅〉〈大田〉）

《鈎沉》卷十四頁二〇二引《李黃解》：「王氏曰：『雲欲盛，盛則雨；雨欲徐，徐則入土也。雨我公田至欲其及時也。』」

敏案：「雨我公田」以下約四百字，《呂記》、《段解》、《詩緝》皆未引，疑爲李氏自發議論。詳《輯佚》六一七。

賓載手仇，室人入右。（〈小雅〉〈賓之初筵〉）

《鈎沉》卷十四頁二一〇引《慈湖詩傳》：「王氏曰：『室人，主黨也。賓黨入射至曰康爵。』」

敏案：《呂記》、《段解》、《詩緝》引，皆不及「賓黨」以下共卅四字，當是楊氏自發，論據已迭見上述。詳《輯佚》六四六。

受小共大共，爲大國駿厖。（〈商頌〉〈長發〉）

《鉤沉》卷二十頁三〇六引《慈湖詩傳》：「王氏曰：『小共、大共，小國、大國所共之貢也。夫湯未伐桀，未正天子之位，而諸侯已如此共貢，故殷爲下國之駿厖。駿，俊也。厖，厚也。諸後歸仰，則湯爲俊，咸共貢焉，則殷國爲厚矣。下國畢共，是天子之龍我也。』」

敏案：「夫湯」以下共六十二字，乃楊氏《傳》文，知者：《毛傳》：「駿，大、厖，厚。」鄭《箋》：「駿之言俊也。」楊氏說「共」爲「供貢」，從安石，故上引「小國、大國所共之貢」云云；其釋「駿」則從鄭、「厖」則依毛，與安石說「駿厖」爲「貢物」迥異；安石殆用《齊詩》義（《呂記》卷三二頁一二董氏曰：「（駿厖，）《齊詩》作『駿駹』，謂馬也。」）。則此安石《詩義》文，當至「之貢也」截斷，故《呂記》、《朱傳》、《詩緝》引皆無「夫湯」以下文，是也。《鉤沉》誤輯。又「後」爲「侯」之誤。詳《輯佚》一〇二四。

有因誤解原文而失收者，得三條：

南有樛木，葛藟纍之。……南有樛木，葛藟荒之。（〈周南〉〈樛木〉）

《鉤沉》卷一頁一四引《呂記》：「滎陽公曰：『「南有樛木，葛藟纍之」，但取其下曲則葛藟得纍之，而不取其木亦得以自蔽也。「呦呦鹿鳴，食野之苹」，但取其食則相呼，非取其羣居則環其角外向也。兩說皆王氏《義》。』」邱氏原自案：「前一說是注解〈葛藟〉篇的，後一說則是注解〈鹿鳴〉篇的。」

敏案：滎陽公，宋呂希哲也，邱氏未考本名。希哲此條說，見《呂記》卷二頁一五，至「角外向也」止；其下則爲呂祖謙注文，本作雙行小書，非希哲說，邱氏誤。知此兩說並希哲評安石《詩義》者，良以：㈠如爲《詩義》文，祖謙徑據原書引、稱「王氏曰」（《呂記》直自《詩義》引五五〇條，概作「王氏曰（云）」。），不需自他人之著作稗販（《呂記》卷十九頁一五至一六引朱子評《詩義》評文中連述《詩義》文五字，只此一特例。）；㈡《李黃解》卷二頁一五：「王氏又曰：『樛木則葛藟得以附麗，葛藟盛則木亦得以自蔽也。』」《鉤沉》卷一頁一四亦載。希哲「而不取其木亦得以自蔽也」句，正評《詩義》「葛藟盛木得以自蔽」云云，且李樗評《詩義》亦曰：「……非取喻其得以自蔽也。」（《李黃解》卷二頁一五）同。以推希哲下文「非取其羣居則環其角外向也」，亦是譏評《詩義》者（參看《輯佚》二七及評、《輯佚》三四三。）。《鉤沉》失考殊甚！

《鉤沉》卷一頁一四引《李黃解》：「王氏則曰：『……木，仁美者。……』」

敏案：美，當作類。詳《輯佚》二一六。

四牡騤騤，載是常服。玁狁孔熾，我是用急。王于出征，以匡王國。（〈小雅〉〈六月〉）

《鉤沉》卷十頁一四三：「《讀詩記》：『王氏曰：「騤騤者，馬之強而有節也。」（第一則）王曰：「今女出征玁狁，以正王國之封畿。」（第二則）』段氏《集解》同《讀詩記》。」

敏案：「王曰」之「王」，邱氏旁加私名號，且字上空一格，以「王曰」爲「王氏曰」，而謂亦《呂記》所引王安石《詩義》之文。考乃《呂記》本文，「王」謂「周宣王」，《呂記》引安石說，槩作「王氏」云云，絕不省作「王曰」，邱氏誤解《詩經》本義，又於呂書體例未皇深考，以致誤輯。又：《鉤沉》前列《呂記》兩則，後云《段解》與之同，依常理，應謂《段》、《呂》兩則俱同，今考《段解》但有前一則，誠同，後一則《段解》則無有，《鉤沉》虛列一目。詳見《輯佚》四一四。

好是稼穡，力民代食。（〈大雅〉〈桑柔〉）

《鉤沉》卷十八頁二六〇：「段氏《集解》：『王曰：「好是稼穡，言不敢輕於民力也，其有功於民者，則使之代食。」』」

敏案：《鉤沉》「王」旁加私名號，則認「王」爲王氏（安石），而斷爲《段解》所引王安石《詩義》之文，誤！考《段解》（卷二五 頁一二）曰：「李（敏案：謂李樗。）曰：『民有肅然之心，本無怠慢，而王乃使之至於不逮，民（敏案：當補「無」字。）得以趨事於畎畝之間，則其不逮者，非民之罪也，王使之也，故芮伯告王曰：「好是稼穡至使之代食。敏案：已見上《鉤沉》引。」』」是《鉤沉》引所謂段氏《集解》之文，乃李樗《毛詩李黃集解》（見卷三四頁三〇至三一）之文，而段氏所轉引者，其「王」謂「周王周天子，〈小序〉以為厲王。」；依《段解》常例，凡引某氏說，上概空一格，此「王曰」上方既不空格，又作「芮伯告王曰」，乃譌為「王（安石）曰」，邱氏疎誤！

有「毛氏曰」作「王氏曰」：或原引書字誤、或邱氏抄誤，因而誤收者，凡六條：

猗嗟變兮，清揚婉兮。舞則選兮，射則貫兮。四矢反兮，以禦亂兮。（〈齊風〉〈猗嗟〉）

《鉤沉》卷五頁八〇：「《讀詩記》：『王氏曰：「變，壯好貌；婉，好眉目也。選，齊；貫，中。」王氏曰：「貫而中革。四午，乘矢。」』段氏《集解》：『王曰：「變，壯好貌。婉，好眉目也。」』」

敏案：《鉤沉》所引《呂記》、《段解》載文，除「貫而中革」外，咸《毛傳》文（見《詩疏》卷五之二頁一五至一六）；《呂記》「王氏」為「毛氏」之誤，但《段解》原作「毛曰」，邱氏誤抄為「王曰」。《段解》又引王曰：「貫而中革。」《鉤沉》反缺輯。

詳《輯佚》二一八。

有駜有駜，駜彼乘黃。（〈魯頌〉〈有駜〉）

敏案：《呂記》卷三一頁四：「毛氏曰：『駜，馬肥強貌王氏曰：「養之使駜也。」。』」據《呂記》撰著

「《條例》（在卷一頁二六）：「諸家解，定從一說。辨析名物，敷繹文義，可以足成前說者，注其下；說雖不同，當兼存者，亦附注焉。」則此大書「定解」與細書「附注」不得爲同一人之說。邱氏（《鉤沉》卷二十頁二九六）誤抄「毛」爲「王」（此《毛傳》見《詩疏》卷二十之一頁一一），第若能檢點呂氏「《條例》」，則可發見所輯上下兩王氏必有一非，則又何致誤輯？

百禮既至，有壬有林。（〈小雅〉〈賓之初筵〉）

《鉤沉》卷十四頁二〇九引《段解》：「王曰：『壬，大也。』」

敏案：「王曰」爲「毛曰」之誤，見《詩疏》卷十四之三頁八，《呂記》（卷二三頁一六）引正作「毛氏曰」。

淠彼涇舟，烝徒楫之。（〈大雅〉〈棫樸〉）

《鉤沉》卷十六頁二三〇引《詩緝》（卷二五頁三一）：「王氏曰：『淠，舟行貌。』」

敏案：「王氏曰」，《呂記》卷二五頁二七引作「毛氏曰」，正是《毛傳》，在《詩疏》卷十六之三頁三。《詩緝》誤字，《鉤沉》失考。

實種實褎。（〈大雅〉〈生民〉）

《鉤沉》卷十七頁二四一引《李黃解》（卷三二頁七）：「種者，王氏曰：『雜種也。』」

敏案：「王氏曰」乃「毛氏曰」之誤，《詩疏》卷十七之一頁一三《毛傳》文也。《鉤沉》未考。

既和且平，依我磬聲。（〈商頌〉〈那〉）

《鉤沉》卷二十頁三〇二引《詩緝》：「王氏曰：『殷尚聲。』」

敏案：嚴粲《詩緝》引安石《詩義》，多從《呂記》，而此條《呂記》無，當質疑，檢《詩疏》卷二十之三頁六，果得，乃《毛傳》文，《詩緝》「王」乃「毛」誤，《鉤沉》失考誤收。

何人斯，蘇公刺暴公也。（〈小雅〉〈何人斯〉〈小序〉）

有誤看「鄭氏曰」爲「王氏曰」，致誤輯一條：

《鉤沉》卷十二頁一八三引《李黃解》（卷二五頁一三）：「王氏曰：『暴與蘇也，皆畿內國名。』」

敏案：此鄭玄《詩序》注文，見《詩疏》卷十二之三頁一四（唯「與」作「也」），《李黃解》誤「鄭」爲「王」，《鉤沉》未考。

有誤〔魏〕王肅子雍之說爲此〔宋〕王安石介甫者，皆緣未加深考，凡四條：

國史明乎得失之迹，傷人倫之廢，哀刑政之苛；吟詠情性，以風其上，達於事變，而懷其舊俗

者也。（〈大序〉）

《鉤沉》卷一頁七引《李黃解》曰：「王氏注云：『子夏所序《詩》，今之《毛詩》是也。』」

敏案：《李黃解》卷一頁二李曰：「《家語》云：『子夏習於《詩》，而通其義。』王肅《注》云：『子夏所序《詩》，今之《毛詩》是也。』」同書同卷頁三「黃曰」，同「李曰」，惟「王肅」作「王氏」。《鉤沉》誤「黃曰」爲「李曰」，又未考校異同，遂誤〔曹魏〕王子雍說爲〔宋〕王介甫說。且邱氏於《鉤沉》〈自序〉頁八至九方引安石疑《詩序》非子夏說，不應牴駁於此。〔宋〕輔廣《詩童子問》、《通釋》、《大全》竝引安石《詩義》略云「《詩序》是國史撰作」，又據馬端臨《文獻通考》評，似安石又以《詩序》爲詩人自製（見《輯佚》八及評）。

山有喬松，隰有游龍。（〈鄭風〉〈山有扶蘇〉）

《鉤沉》卷四頁七〇引《詩緝》：「王氏曰：『喬，高也。』」（亦見《詩緝》卷八頁二六）

敏案：王氏謂肅子雍，《經典釋文》卷五頁二五《毛詩音義》上：「（橋，）王云：『高也。』」近人李振興《王肅之經學》、康義勇《王肅之詩經學》皆輯爲肅之《毛詩注》文，且《李黃解》、《呂記》、《段解》、《通釋》皆未引，固非安石說。《鉤沉》失考誤輯。

〈小雅〉〈六月〉〈小序〉。

《鉤沉》卷十頁一四三引《李黃解》（卷二二頁一四）：「〈六月〉之詩，……王氏則以爲『宣王親伐玁狁出鎬京而還，使吉甫追伐追逐，乃至于大原』。」

敏案：此王氏乃〔魏〕王肅子雍，《毛詩》孔穎達《正義》正作「王肅云」，引文見《詩疏》卷十之二頁二（唯「追伐追逐」，《李黃解》此引作「追逐追伐」耳。），考李振興《王肅之經學》、康義勇《王肅之詩經學》，竝輯爲肅義。《鉤沉》誤甚！

厭厭其苗，緜緜其麃。載穫濟濟，有實其積，萬億及秭。爲酒爲醴，烝畀祖妣，以洽百禮。

（〈周頌〉〈載芟〉）

《鉤沉》卷十九頁二九二引《慈湖詩傳》：「王氏云：『芸者，其眾緜緜然不絕也。濟濟者，刈穫整齊（敏案：原書「整齊」作「齊整」。）、不亂有序也。其積厚而其實多，萬億及秭，宜其積實也，所積少則虛矣。萬億及秭，爲酒爲醴，烝畀祖妣，以洽百禮：釋見〈豐年〉。』」

敏案：此段文邱輯爲安石《詩義》可疑：㈠經文無「芸」字而傳釋之；㈡不似安石文，且云萬億及秭至以洽百禮，釋見〈豐年〉，尤不類；㈢《呂記》、《李黃解》——《慈湖》常自茲二書轉引安石說——竝無引。檢《詩疏》（卷十九之四頁七）：「麃是芸之別名，緜緜是麃之貌。《釋訓》云：『緜緜，麃也。』孫炎曰：『緜緜，言詳密也。』郭璞曰：『芸，不息也。』王肅云：『芸者，其眾緜緜然不絕也。』」是《慈湖》此所引「王氏」爲「王肅子雍」，且此子雍《毛詩注》僅至「不絕也」止（李振興《王肅之經學》、康義勇《王肅之詩經學》，竝輯其說《詩》佚文，至「不絕也」止。），其下固非肅說，尤非安石說（安石釋「爲酒爲醴」等三句，《鉤沉》有引，亦在本篇，是楊氏云「釋見〈豐年〉」尤可疑也。）。邱氏輕信，失考。詳《輯佚》九六三、九六四。

有誤〔唐〕孔氏穎達爲此〔宋〕王氏安石之說者，計三條——一由誤抄姓氏、一爲原書訛字所誤、一因所據非善本：

克岐克嶷，以就口食。……禾役穟穟。（〈大雅〉〈生民〉）

《鉤沉》卷十七頁二四〇：「《讀詩記》：『王氏曰：「以就口食者，言其稍長免乳以就口食也。」』……按：……段氏《集解》引同。……段氏《集解》：『禾役穟穟，……王曰：「種禾則使有行列。」』」

敏案：此《呂記》所引，《段解》未有引，《鉤沉》誤舉。又此所謂《段解》（卷二四頁六）引「王曰」，原書作「孔曰」，孔乃〔唐〕孔穎達，正見《詩正義》（卷十七之一頁一一）。《鉤沉》失察。詳《輯佚》七七二、七七四。

天之生我，我辰安在？（〈小雅〉〈小弁〉）

《鉤沉》卷十二頁一七九引段氏《集解》：「王曰：『言我初生之辰至《左傳》晉侯謂伯

段曰至十二辰也。』」

敏案：「王曰」爲「孔曰」之誤。《呂記》（卷二十頁一〇）正引作「孔氏曰」，《詩疏》卷十二之三頁六正有此文，略同。《鉤沉》未考誤字。又引「段」，《段解》原作「叚」。

《維清》，奏象舞也。（〈周頌〉〈維清〉〈小序〉）

《鉤沉》卷十九頁二七八引《呂記》：「王氏曰：『文王時有擊刺之法；武王作樂，象而爲舞，名之曰〈象〉。』」

敏案：《四部叢刊》本《呂記》卷二八頁五引「王氏曰」作「孔氏曰」，文正見《詩疏》卷十九之一頁二，乃〔唐〕孔穎達之言。第《經苑》本《呂記》卷二八頁四作「王氏曰」，此本非善，豈邱氏此引之所據乎？《鉤沉》誤輯，當刪。

未及深考劉敞氏經著，故不敢確認《詩緝》引王氏曰一條爲劉氏曰之誤，因而誤輯者：

凡百君子，敬而聽之。（〈小雅〉〈巷伯〉）

《鉤沉》卷十二頁一八五：「《詩緝》（卷二一頁三〇）：『王氏曰：「讒人罔極，不獨譖己而已也，必將上及大臣骨肉，但先自己始也。故曰凡百君子，敬而聽之。」』案：此條，《讀詩記》作劉氏曰，其辭曰：敏案：文略同《詩緝》所引，避複，不錄。……。」

敏案：《呂記》（卷二一頁三〇）、《段解》（卷十九頁六五）竝引作劉氏曰，考之北宋劉敞《七經小傳》（卷上頁一四），果有此文。《鉤沉》應深考而未也。

有將朱熹《詩集傳》誤爲安石《詩義》者一，乃所據本姓氏誤作而致：

假寐永嘆，維憂用老。（〈小雅〉〈小弁〉）

《鉤沉》卷十二頁一七八引《慈湖詩傳》：「王氏曰：『憂之之深，未老而老也。』」

敏案：《慈湖》此引文，亦見朱熹《詩集傳》卷十二頁七（「未老」上多「是以」二字），「王氏曰」乃「朱氏曰」之誤，《呂記》（卷二一頁一一）、《段解》（卷十九頁四六）皆節引作「朱氏曰」，《慈湖》蓋據《呂記》轉引，而《通釋》（卷十二頁一〇）、《大全》（卷十二頁一〇）竝全錄朱《傳》文。《鉤沉》病於未考。

有一誤將下〈詩大序〉文連抄，作爲安石《詩義》佚文者：

〈關雎〉，后妃之德也，風之始也，所以風天下而正夫婦也，故用之鄉人焉，用之邦國焉。（〈大序〉）

《鉤沉》卷一頁七引《通釋》：「王介甫曰：『凡《詩》用於天子者至正夫婦也。風，風也，教也。風以動之，教以化之。』」

敏案：《通釋》引《詩義》至「夫婦也」止，下引李迂仲曰（《大全》同，且以小圈隔開；《鉤沉》缺舉目。）；「風，風也」以下共十三字，乃〈大序〉文，《鉤沉》誤正文爲注釋。詳《輯佚》一、二。

邱氏引附安石《周官新義》，有誤將經本文抄入，僅一條五字而已：

故《詩》有六義焉：一曰風，二曰賦，三曰比，四曰興，五曰雅，六曰頌。（〈大序〉）

《鉤沉》卷一頁八引《周官新義》曰：「大師掌六律……故雅雖變……。」

敏案：「大師掌六律」五字，乃《周禮》〈春官〉〈大師〉經文，非《周官新義》文（各本《周官新義》皆同）；且風賦等六義，爲大師「教六詩」疇範，冒以「掌六律」，亦失倫。又「雅」字抄衍。

（七）缺舉目

《鉤沉》缺輯、誤輯《詩義》佚文，有礙研究安石經學，故先舉述如上兩節。邱氏自《呂記》等共十書輯佚，某書有引某條，《鉤沉》缺舉其目；某書未嘗引某條，而《鉤沉》誤列其目者，事關文籍存佚，亦不敢不予指出，故作缺舉、誤舉二事，分書論列於下：

北風其涼，雨雪其雱。……北風其喈，雨雪其霏。（〈邶風〉〈北風〉）

敏案：《鉤沉》卷二頁三九但引《李黃解》所載王氏曰「北風之寒也至此以言其爲虐」，而於《臨川集》卷四三頁四〈乞改詩義誤字箚子〉所述此文則未及，當補一目。參《輯佚》一〇六。

以上《臨川集》一目。

不知我者，謂我士也驕。（〈魏風〉〈園有桃〉）

《鉤沉》卷五頁八一引《呂記》：「王氏曰：『儉而非之，則疑於驕。』」

敏案：《李黃解》在前亦引斯文，《鉤沉》應依其引鈔輯佚文，而附《呂記》、《段解》二目於其後，言「同前」。詳《輯佚》二二三。

以上《李黃解》一目。

《朱傳》引安石《詩義》，作「或曰」云云，邱氏不及深考，因短列其目者，得二條：

受小球、大球，爲下國綴旒。……受小共、大共，爲下國駿厖。何天之龍。（〈商頌〉〈長發〉）

敏案：《朱傳》：「小球、大球之義，……或曰：『小國、大國所贄之玉也。』……小共、大共、駿厖之義，……或曰：『小國、大國所共之貢也。』」兩「或曰」，謂安石《詩義》曰，說與《呂記》、《詩緝》引幾全同僅「玉」，彼二書咸作「瑞」。，詳《輯佚》一〇二三、一〇二四，而《鉤沉》（卷二十頁三〇六）但錄呂、嚴二家所引，未舉《朱傳》之目。

以上《朱傳》一目。

《鉤沉》引《段解》所載《詩義》，缺目最多，凡四十六條：

《大雅》〈蕩〉「天生烝民」云云，《鉤沉》（卷十八頁二五四）缺舉《段解》目，說詳下「誤校」節。

類此者，下更舉七例：

委蛇委蛇，退食自公。（〈召南〉〈羔羊〉）

《鉤沉》卷一頁二四引《呂記》：「王氏曰：『朝夕往來，出公門至終無私交之行也。』」

敏案：《段解》亦載此條，《鉤沉》漏舉其目。詳《輯佚》五八。

素絲祝之。（〈鄘風〉〈干旄〉）

《鉤沉》卷三頁四九引《呂記》：「王氏曰：『組成而祝之至祝，斷也。』」

敏案：《段解》亦載《詩義》此條，《鉤沉》未舉其目。詳《輯佚》一三八。

大車檻檻，毳衣如菼。……大車哼哼，毳衣如璊。（〈王風〉〈大車〉）

《鉤沉》卷四頁六三引《呂記》：「王氏曰：『如菼，言其衣之色；如璊，言其裳之色。』」

敏案：《段解》同《呂記》僅末多「也」字，《鉤沉》缺舉其目。詳《輯佚》一七六。

爲此春酒，以介眉壽。（〈豳風〉〈七月〉）

《鉤沉》卷八頁一一六引《呂記》：「王氏曰：『眉壽衰矣，養氣體焉，以助之也。』」

敏案：《段解》亦引（無「焉」字），《鉤沉》缺舉目。詳《輯佚》三一四。

原隰裒矣，兄弟求矣。（〈小雅〉〈常棣〉）

《鉤沉》卷九頁一二六引《呂記》：「王氏曰：『不得保其常居至相求哉！』」

敏案：《段解》亦引，同《呂記》，《鉤沉》缺舉其目。詳《輯佚》三五〇。

先生如達。（〈大雅〉〈生民〉）

《鉤沉》卷十七頁二四〇引《呂記》：「王氏曰：『達敏案：原書作逹。之字从羍从辵。』」

敏案：《段解》亦引，同《呂記》，《鉤沉》缺目。詳《輯佚》七六八。

不留不處，三事就緒。（〈大雅〉〈常武〉）

《鉤沉》卷十八頁二七一引《通釋》：「王介甫曰：『此所謂耕者不廢也。』」

敏案：《段解》引此條，僅少一「此」字，《鉤沉》應舉其目，今缺。詳《輯佚》八八八。

類上諸例，檢尙別有三十八條，《鉤沉》缺舉《段解》者，茲簡記其當補在《鉤沉》某頁、《詩》某篇，如下：《鉤沉》頁一一九〈鴟鴞〉篇、頁一二〇〈東山〉、一三三〈出車〉、一三九〈蓼蕭〉、一四四〈六月〉、一四七〈采芑〉（兩條）、一四九〈車攻〉、一五一〈鴻鴈〉、一五五〈白駒〉、一五九〈斯干〉（兩條）、一六七〈正月〉、一六八〈正月〉（兩條）、一七一〈十月之交〉、一七二〈十月之交〉、一八〇〈小弁〉、一八三〈何人斯〉、一八九〈大東〉、一九二〈無將大車〉、一九四〈鼓鍾〉、一九七〈信南山〉、二〇二〈大田〉、二〇五〈桑扈〉、二〇六〈頍弁〉、二四〇〈生民〉、二四四〈既醉〉、二四九〈卷阿〉、二五一〈民勞〉、二五五〈蕩〉（兩條）、二五六〈抑〉、二五七〈抑〉、二六三〈雲漢〉、二六四〈崧高〉、二六五〈崧高〉、二六七〈烝民〉。

案：《段解》引安石《詩義》，絕多參酌《呂記》，故上舉四十六條中，《呂記》竝有者四十四條。兩書關係，邱氏似未加深考，否則據己之輯本所引《呂記》以檢較所引《段解》，則後者漏抄可以立見，必不致缺目四十餘條之多，可以決言！

麟之定，振振公姓。（〈周南〉〈麟之趾〉）

《鈎沉》卷一頁一九引《呂記》：「王氏曰：『公姓，公孫也；孫，傳姓者也。』」

敏案：《詩緝》卷一頁三七亦載此條，而《鈎沉》未舉目。詳《輯佚》四五。

秩秩大猷，聖人莫之。（〈小雅〉〈巧言〉）

《鈎沉》卷十二頁一八一引《呂記》：「王氏曰：『莫，定也。』」

敏案：《詩緝》卷二一頁一九亦載此條，《鈎沉》缺舉其目。詳《輯佚》五五四。

靖共爾位，正直是與。（〈小雅〉〈小明〉）

《鉤沉》卷十三頁一九三引《呂記》：「王氏曰：『靖，靜也。』」

敏案：《詩緝》卷二二頁二三亦引此條，《鉤沉》缺舉其目。詳《輯佚》五九一。

君子至止，福祿如茨。韎韐有奭，以作六師。（〈小雅〉〈瞻彼洛矣〉）

《鉤沉》卷十四頁二〇三引《呂記》：「王氏曰：『〈周官〉：凡有兵事至「韎韋之跗注」，是也。』」

敏案：《詩緝》卷二三頁一二亦引此廿四字，《鉤沉》漏舉其目。詳《輯佚》六二四。〈陳風〉〈月出〉下，《詩緝》引安石《詩義》文，《鉤沉》亦缺舉目，說詳下「誤校」節。

以上《詩緝》五目。

是以一國之事，繫一人之本，謂之風。（〈大序〉）

《鉤沉》卷一頁九引《呂記》：「王氏曰：『風之本至一國之事。』」

敏案：《通釋》、《大全》皆有此條，《鉤沉》缺載前一書之目。詳《輯佚》一一。

是謂四始，《詩》之至也。（〈大序〉）

《鉤沉》卷一頁一〇引《大全》：「臨川王氏曰：『〈風〉也，〈二雅〉也至故謂之四始。』」

敏案：《大全》宗本《通釋》，而《鉤沉》於《通釋》此條反不及引。詳《輯佚》一三。

神之弔矣，詒爾多福。民之質矣，日用飲食。（〈小雅〉〈天保〉）

《鉤沉》卷九頁一三〇引《呂記》：「王氏曰：『民無所施其智巧也，日用飲食而已。』」

敏案：《通釋》、《大全》竝有引，《鉤沉》缺列《通釋》之目。詳《輯佚》三六八。

譬彼舟流，不知所屆。（〈小雅〉〈小弁〉）

《鉤沉》卷十二頁一七九引《大全》：「臨川王氏曰：『舟流者至無所（原引此下有「謂」字）歸也。』」

敏案：《大全》此條抄襲《通釋》，但《鉤沉》反遺《通釋》之目而未舉。詳《輯佚》五四四。

古之人無斁，譽髦斯士。（〈大雅〉〈思齊〉）

《鉤沉》卷十六頁二三三引《大全》：「臨川王氏曰：『初言大姒至則化成乎天下矣（原引作「也」）。』」

敏案：《大全》襲錄《通釋》，但《鉤沉》缺舉《通釋》目，詳《輯佚》七四二。

篤公劉，逝彼百泉至于時語語。（〈大雅〉〈公劉〉第三章）

《鉤沉》卷十七頁二四七引《大全》：「臨川王氏曰：『上章先定民居至亦厚於民故

也。』」

敏案：《通釋》亦引，爲《大全》之所本，而《鉤沉》缺舉目。詳《輯佚》八〇四。

類上所舉六例者，檢尚另有七例：《鉤沉》卷十頁一四四〈小雅〉〈六月〉「元戎十乘」下、頁一四六〈采芑〉「方叔涖止，其車三千」下、卷十四頁二〇五〈桑扈〉「不戢不難，受福不那」下、卷十五頁二二四〈角弓〉「如蠻如髦」下、頁二二六〈都人士〉「臺笠緇撮」下、頁二二七〈黍苗〉「我徒我御至蓋云歸處」下、頁二二八〈隰桑〉「中心藏之，何日忘之」下：皆載《大全》引安石《詩義》文（其中有轉錄一條），而遺其所本——《通釋》之所引，不及舉目。簡萃於此。

以上《通釋》十三目。

《大全》引安石《詩義》，凡百五十七條，幾盡從《通釋》轉抄（詳拙輯本〈諸家載引佚文按書分條考計〉），故凡《通釋》引載者，《大全》幾亦必有。夷考《鉤沉》衹舉《通釋》而不及《大全》者廿九條，定是缺舉其目：

《鉤沉》於卷一頁七〈大序〉「〈關雎〉，后妃之德」云云下、於卷四頁六三〈大車〉「毳衣如菼」下、於卷七頁一〇三〈月出〉「勞心慅兮」下、於卷十七頁二四二〈生民〉「卬盛于豆，于豆于登」下，皆但舉《通釋》，而缺舉《大全》目，已分別詳上「誤輯」與「缺輯」節。

類此者，下再舉六例：

〈召南〉〈甘棠〉〈小序〉。

《鉤沉》卷一頁二二引《通釋》：「王介甫曰：『愛之篤，思之至，以其教明也。』」

敏案：《大全》亦載此條，而《鉤沉》缺舉目。詳《輯佚》五二。

〈鄘風〉〈定之方中〉（卜云其吉，終然允臧。）

《鉤沉》卷三頁四六引《通釋》：「王介甫曰：『言今信善如卜所言也。』」

敏案：《大全》亦引《詩義》此條，《鉤沉》缺舉目。詳《輯佚》一二八。

〈豳風〉〈七月〉八章通義。

《鉤沉》卷八頁一一一引《通釋》：「王介甫曰：『不作無益也至所能致也，風化而已。』」

敏案：《大全》亦引，《鉤沉》缺舉目。詳《輯佚》三二七。

〈小雅〉〈何人斯〉（作此好歌，以極反側。）

《鉤沉》卷十二頁一八四引《通釋》：「王介甫曰：『作此《詩》至心焉爾。』」

敏案：《大全》亦引，《鉤沉》缺舉其目。詳《輯佚》五五九。

〈大雅〉〈大明〉（天位殷適，使不挾四方。）

《鉤沉》卷十六頁二二五：「《詩傳通釋》同《讀詩記》『今紂所居之尊』條。」

敏案：《大全》亦引，同《通釋》（唯「保」誤作「深」），《鉤沉》缺舉其目。詳《輯佚》七〇七。

莫予荓蜂，自求辛螫。（〈周頌〉〈小毖〉）

《鉤沉》卷十九頁二九一：「《詩傳通釋》：『王介甫曰：「蜂善辛螫。」』」

敏案：《大全》亦引《詩義》，而《鉤沉》缺舉其目。詳《輯佚》九五九。

類上所舉諸例者，檢尚有十九例，總萃於此：《鉤沉》卷八頁一一七〈七月〉「宵爾索綯」下、頁一二三〈狼跋〉「赤舄几几」下、卷十一頁一六一〈無羊〉「其角濈濈」云云下、卷十三頁一九七〈信南山〉「疆場有瓜」下、卷十四頁二〇五〈桑扈〉「萬邦之屏」下、頁二一〇〈賓之初筵〉「籥舞笙鼓」云云下、卷十六頁二二五〈文王〉「聿脩厥德」云云下、頁二二六〈文王〉「在洽之陽」云云下、〈文王〉「俔天之妹」下、頁二二八〈緜〉「日止日時」下、頁二二九〈緜〉「迺立冢土」云云下、頁二三四〈皇矣〉「無然畔援」下、頁二三七〈下武〉「成王之孚」云云下、卷十七頁二四一〈生民〉「茀厥豐草」下、頁二四四〈既醉〉「籩豆靜嘉」下、頁二五一〈民勞〉「無俾正反」下、頁二五二〈板〉「不可救藥」下、卷十八頁二七一〈常武〉「三事就緒」下、卷十九頁二八五〈有瞽〉「簫管備舉」下：邱氏皆缺舉《大全》之目，依《鉤沉》體例，均當正補。

（八）誤舉目

《鉤沉》誤舉其目之書，見於五本——《李黃解》、《慈湖詩傳》、《段解》、《通釋》、《大全》，述論如下：

君子如怒，亂庶遄沮。君子如祉，亂庶遄已。君子屢盟，亂是用長。（〈小雅〉〈巧言〉）

《鉤沉》卷十二頁一八一：「《讀詩記》：『王氏曰：「不能如怒如祉至此亂之所以暴也。」』《李黃集解》同《讀詩記》。」

敏案：《李黃解》無此段文，《鉤沉》誤列其目。詳《輯佚》五五〇、五五二。

邱氏誤列《慈湖詩傳》二目，誤謂《詩義》佚文徑出是書，其情頗爲曲折：

日之方中，在前上處。（〈邶風〉〈簡兮〉）

《鉤沉》卷二頁三七引《慈湖詩傳》：「前輩曾云：『日之方中，則明而易見之時；在前上處，則近而易察之地。君猶不能見，況幽遠者乎？』」邱氏原自案：「《慈湖詩傳》所言，係據樓鑰《攻媿集》。『前輩』當指王安石。」

敏案：《慈湖詩傳》（卷三頁二〇）校刊者〔清〕張壽鏞曰：「此篇〈簡兮〉《永樂大典》缺卷，據《樓鑰集》載（《慈湖詩傳》）所解『日之方中』二句云：『時祭習舞，以日中爲斯，碩人在前列上處。方中，將中也。碩，大也；大德之人，俱具德容也。』鑰《論》

云：『前輩曾云：「日之方中，則明而易見之時；在前上（處），則近而易察之地。君猶不能見，況幽遠者乎？」此意甚切！』」余考《攻媿集》卷六七〈答楊敬仲論詩解〉多條，凡引楊簡字敬仲《慈湖詩傳》文槩頂格書寫，上張氏引其解云「時祭習舞至德容也」，具見《攻媿集》，正頂格書寫唯「時」作「將」、「斯」作「期」、「俱具」作「俁俁」，得正。，其次行低一格爲樓氏《論》答之文，而張氏援以發明《慈湖詩傳》者，且明著「鑰《論》」云云，則邱氏以爲是《慈湖詩傳》之言者，乃據《攻媿集》與壽鏞注文，蓋誤以校書者注文爲《慈湖詩傳》正文，不審壽鏞注文爲雙行小字，與《慈湖詩傳》本文作單行大字者迥異。亦太疎矣！詳《輯佚》九九及其評。

一之日觱發，二之日栗烈。（〈豳風〉〈七月〉）

《鉤沉》卷八頁一一一至一一二引《呂記》：「王氏曰：『風而寒，尚非其至也；無風而寒，於是爲至。』……《慈湖詩傳》……同《讀詩記》。」

敏案：《攻媿集》卷六七〈答楊敬仲論詩解〉：「王氏曰：『風而寒至於是爲至。』」張壽鏞於《慈湖詩傳》卷十頁一一「觱發、栗烈」下按曰：「樓鑰曰：『……王氏曰：「……。」』」則此「風而寒」云云，樓氏引安石說也；《鉤沉》云出《慈湖詩傳》，是又誤以校注文爲原文矣。又《大全》亦載引，《鉤沉》缺舉其目。詳《輯佚》二九九，竝參《輯佚》九九。

《段解》本未引安石《詩義》某條，而《鉤沉》誤列其目者，得二條：〈小雅〉〈六月〉「王于出征」下、〈大雅〉〈生民〉「克岐克嶷」云云下：竝已見上「誤輯」節。

《通釋》無引安石《詩義》，而《鉤沉》誤舉其目者，一條，見〈大雅〉〈生民〉「卬盛于豆」云云下，已詳上「缺輯」節。

既不我嘉，不能旋濟。視爾不臧，我思不閟。（〈鄘風〉〈載馳〉）

《鉤沉》卷三頁五〇引《李黃解》：「王氏云：『我思之歸至言於道通也。』《詩傳大全》同。」

敏案：《詩傳大全》卷三頁二三此經文下無引此條，《鉤沉》誤列（《通釋》固亦不見引）。詳《輯佚》一三九及其評。

（九）論《田間詩學》載引佚文

錢澄之（明萬曆四十年，一六一二至清康熙三十三年，一六九四）字飲光著《田間詩學》十二卷，卷首〈凡例〉稱「自乙卯（康熙十四年）春始事」，《四庫全書總目提要》（卷十六頁二一〈經部〉〈詩類〉三）謂「是書成於康熙己巳（二十八年）」。《鉤沉》〈自序〉謂「從錢飲光《田間詩學》輯出二十多條」。茲先依邱所引，分條簡記，並以《文淵閣》本錢書（臺灣商務印書館景印，《四庫全書珍本五集》本。）合前人《詩》學專著所引校異於下：

《鉤沉》卷五頁七八載其引王氏云一條，全同《呂記》。卷八頁一一四載其引兩條，改
易《通釋》引王介甫曰以成。頁一一六載其引一條，幾全同《呂記》。頁一一七載其引一
條，全同《通釋》。頁一二〇載其引一條，刪節《通釋》文，又自增末句。頁一二三載其
述一條，采自《朱傳》所引要旨。△卷九頁一二八載其引王氏云：「人情皆知保其室家，私
其妻子，而罕知厚其兄弟。然兄弟不和，以至毀其室家，危其妻子者，有之矣，管蔡是也。」
說詳下。頁一三〇載其引一條，全同《呂記》。頁一三四載其引一條，全同《通釋》。
卷十頁一四四載其引一條，全同《通釋》（《鉤沉》謂同《詩傳大全》，非窮本之說。）。頁一四七載其引一條，幾全同
《呂記》（至「後乃曰楚」止；「《穀梁傳》曰」以下，當是錢氏自言。）。卷十一頁一五七載其引一條，刪省《朱傳》文。頁一六
一載其引一條，裁取《呂記》下半截文。△卷十二頁一六九載其引王氏云：「唐太宗敗於高
麗，乃思郭元振；玄宗蒙塵入蜀，乃思張九齡：不用而思之，晚矣。」詳下說。頁一七四載
其引一條，全同《呂記》。卷十三頁一九一載其引一條，全同《呂記》。頁一九二載其引
一條，唯引文當至「則重而遲」止，全同《呂》記及〔明〕何楷《詩經世本古義》（卷十八之上頁三），下
「此言不思則已」以下三句爲何氏言，《鉤沉》誤輯入（錢氏「〈凡例〉」云：「何玄子先生作《詩經世本》，……持以示余，使爲校訂。……至於攷據精詳有洽，與《詩》旨合者，亦存之以備一說。」）。卷十四頁一九九載其引一條，幾全同《通釋》。卷十五頁二一三載其引
一條，幾全同《通釋》。卷十六頁二二九載其引王氏云：「乃者，繼事之詞。言畢民事而始
及之也。國以民爲本至先王之重民如此。」錢氏據《詩經世本古義》（卷九頁一四至一五）轉錄，「言畢」句

乃何氏言，其下則錢氏自言。　卷十七頁二四二載其引一條，全同《呂記》。　頁二四六載其引一條，全同《呂記》。　頁二五一載其引一條，全同《通釋》《鉤沉》錄錢氏引文，脫「爲」字。。　卷十八頁二七二載其引一條，裁取《通釋》上半，又改易三數字。

上記廿四條中，廿二條錢氏分據宋元明人專書轉錄，已詳各條下說明；有△者兩條不應例外，意者：或非安石《詩義》，錢氏誤抄；或自前人某書轉錄，顧今不知其所出耳。錢書「〈引用先儒姓氏〉」（據〔清〕《斟雉堂刊本》），雖列王氏安石（王氏者只列此一家），但《詩義》久佚，彼實未及見錢氏「〈凡例〉」云：宋元明三朝治《詩》者數百十家，……余所覽僅數十種，……未能徧及也。《四庫提要》論錢此書曰：「是書……採諸儒論說……二十家，其中王（安石）楊范謝四家，今無傳本，蓋採於他書。」是也。。余輯《詩經新義》，亦以清儒既不及見安石原書，故采者才二、三家，考其所引，莫非轉錄，今驗之錢氏書所載，又證余前說可信。

斟雉堂刊本《田間詩學》，余在美國普林斯頓大學葛思德東方圖書館及見，持與《文淵本》校，無大殊異。是本與《文淵本》皆別引有六條，亦安石《詩義》佚文而《鉤沉》缺輯者，茲仍用《文淵本》，盡補列討原於下，讀邱氏書者幸察焉：

《田間詩學》卷四頁三五：「王氏云：『韔必二弓，如有副馬，以備壞也。』」（〈秦風〉〈小戎〉；全同《呂記》，詳《輯佚》二六二。）

同上卷五頁三〇：「王氏云：『蠶長非一月，故不指定某月。』」（〈豳風〉〈七月〉；改易《通釋》文，詳《輯佚》三〇四。）

同上卷八頁一〇：「王氏云：『此以上述祭之酒食所自出：始而種，繼而收，連用五「我」字，言一粒皆我精神、則皆我孝思也。』」（〈小雅〉〈楚茨〉）；轉引自《詩經世本古義》卷十之中頁三九，疑非安石《詩義》，宋元人專書亦未見引。）

卷八頁四二：「王氏曰：『先王用酒，常以祭祀，必有禮樂。樂舞笙鼓，有備樂也；以洽百禮，有備禮也。』」（〈小雅〉〈賓之初筵〉）；刪節《通釋》文，詳《輯佚》六四五。）

卷八頁七二：「王氏云：『草既黃而死矣，歲暮之時，死而復生，其色既玄，則又改歲矣。』」（〈小雅〉〈何草不黃〉）；全同《呂記》，詳《輯佚》六九二。）

卷十頁四五：「王氏云：『（滔滔，）以其眾逝也。』」（〈大雅〉〈江漢〉）；幾全同《呂記》，詳《輯佚》八八五。）

《田間詩學》並無轉引《詩義》某條，而《鉤沉》誤著其目者，得一條，見〈大雅〉〈生民〉「卬盛于豆」下，已詳「缺輯」節。

（十）脫文、衍文

《鉤沉》載引安石《詩義》，亦頗有脫文，茲考得十四字，詳列五字，簡列九字，如後：

薄汙我私，薄澣我衣。（〈周南〉〈葛覃〉）

《鉤沉》卷一頁一二引《段解》：「王曰：『薄於汙澣，則苟潔而已，與好潔其衣服者。』」

敏案：「者」下脫「異矣」二字，文義遂不可通矣。詳《輯佚》二二二。

願言思子，不瑕有害。（〈邶風〉〈二子乘舟〉）

《鉤沉》卷二頁四一引《段解》：「王曰：『……故怨之曰「不瑕有害」也。』」

敏案：「之」下奪「詩人」二字。詳《輯佚》一一四。

价人維蕃^至大宗維翰。（〈大雅〉〈板〉）

《鉤沉》卷十七頁二五三引《呂記》：「王氏曰：『……王所以爲藩垣屏翰也。』」

敏案：「所」下脫「恃」字。詳《輯佚》八二三。

它如：《鉤沉》卷二頁二九〈綠衣〉《李黃解》「既綠則不〔可〕復黃矣」。脫「可」字。（記脫例，下倣此。）　卷三頁五一〈淇奧〉《呂記》「〔且〕其匪色必似鳴矣」。　卷六頁八九〈鴇羽〉《呂記》「疾〔也〕」。　卷八頁一一三〈七月〉《段解》「以及人之幼〔也〕」。　卷九頁一三二〈采薇〉《通釋》「〔而〕上知之。」　卷十二頁一七一〈十月之交〉《呂記》「然則皇父豈肯自以所爲〔爲〕不時乎」。　卷十四頁二〇一〈大田〉《呂記》「徐則入土〔也〕」。　卷十六頁二二八〈緜〉《通釋》「〔其〕後土漆沮而國復興〔」。　卷十七頁二五一〈民勞〉《田間詩學》「未盡反而〔爲〕不正」。簡列於此。

《鉤沉》引安石《詩義》，爰及它書，竝頗有誤衍。〈大序〉下引《周官新義》衍「雅」

字，〈大雅〉〈桑柔〉下稱《段解》衍「其劉殺也殺言盡之也」九字，分別詳上「誤輯」及下「案語繁誤」節。別考四所，又得衍文五：

〈邶風〉〈二子乘舟〉《鉤沉》卷二頁四一引《呂記》「王氏曰『不得爲之無瑕』」，衍「之」字。

〈王風〉〈葛藟〉《鉤沉》卷四頁六二引《呂記》「王氏曰『所謂不愛其親而愛其他人』」，衍第二「其」字。

《大雅》〈韓奕〉《鉤沉》卷十八頁二六八引《呂記》「王氏曰『又戒之使其無廢朕命』」，「之」字衍。

《大雅》〈韓奕〉《鉤沉》卷十八頁二六九引《段解》「王曰『則燕胥不特韓侯之身而已』」，衍「燕胥」二字。

（十一）誤字、誤作專名、誤倒

《鉤沉》載引佚文及它書，誤字甚多，前論見「缺輯」、「誤輯」節已舉者，有「長」誤爲「非」、「矣」誤爲「也」、「類」誤爲「美」、「者」誤爲「首」、「叚」誤爲「段」、「俟」誤爲「後」；而下論見「佚文失置」節又有「于」誤爲「以」：都七誤字。茲更舉其十三誤字，亦皆關係《詩義》之重大者：

〈周南〉〈漢廣〉〈小序〉。

《鉤沉》卷一頁一七引《段解》：「王曰：『……歸我焉耳。……』」

敏案：我，成之誤。詳《輯佚》三九。

父兮母兮，畜我不卒。（〈邶風〉〈日月〉）

《鉤沉》卷二頁三〇引《呂記》：「王氏曰：『人之患疾，痛極則未嘗不呼其父母者。』」

敏案：《呂記》作「人憂患疾痛極，則未嘗不呼其父母者」，《段解》同。《鉤沉》誤甚！詳《輯佚》七九。

微君之故，胡爲乎中露？（〈邶風〉〈式微〉）

《鉤沉》卷二頁三四引《呂記》：「王氏曰：『……而無所庇覆。』」

敏案：庇，當作芘，《詩緝》引亦作芘。《鉤沉》誤字。詳《輯佚》九一。

〈鄘風〉〈干旄〉〈小序〉。

《鉤沉》卷三頁四八引《呂記》：「王氏曰：『……其天位焉。……見恤於羣小。……』」

敏案：其、恤、於，當作共、慍、于，《鉤沉》抄誤；此慍字誤，甚害義！詳《輯佚》一三四。

舒懮受兮，勞心慅兮。（〈陳風〉〈月出〉）

《鉤沉》卷七頁一〇三引《呂記》：「王氏曰：『慅，言不安而慅動。』」

敏案：下慅，騷之誤，《段解》、《通釋》、《大全》皆作騷；唯《詩緝》誤作慅，而《鉤沉》引從之、以爲《呂記》作此。詳《輯佚》二八四。

來方禋祀，……以享以祀。（〈小雅〉〈大田〉）

《鉤沉》卷十四頁二〇二引《李黃解》：「王氏則謂：『來方禋祀，則禋祁四方而已；以享以祀，以偏于羣神。』」

敏案：祁、偏、于，當作祀、徧、於，原書如此作。

牂羊墳首。（〈小雅〉〈苕之華〉）

《鉤沉》卷十五頁二二二引《呂記》：「王氏曰：『牡羊則首大，牂羊則首小。』」

敏案：牡，牝之誤，義相反。詳《輯佚》六九〇。

千耦其耘。（〈周頌〉〈載芟〉）

《鉤沉》卷十九頁二九二引《通釋》：「王氏曰：『……耦，言其耕也。』」

敏案：其耕，並行之誤（《大全》作竝耕）。詳《輯佚》九六一。

再簡列十一譌文，不正則亦妨《詩義》：

《鉤沉》卷一頁九「《詩經大全》」，《經》爲《傳》之誤。《鉤沉》它引皆作《傳》。

卷二頁四一「怨之云爾」，怨爲恕之誤。卷三頁五〇「同《讀書記》」，《書》爲《詩》之誤。卷十一頁一五七「言歸思復」，思爲斯之誤。卷十四頁二七〇「而當速之使來」，而應作尚。頁二一〇「傾倒之貌」，倒當作側。卷十五頁二三〇「刺大臣」，刺當作則。卷十八頁二六〇「及更亂況斯削」，及當作反。頁二七一「此已見失聲也」，已見失當作以見先。卷二十頁二九八「薄采其茅」，茅當作茆。

別有誤字卅一，不若上舉之切要，但記其字如下：

之誤爲以、多↓都、玼兮玼兮↓玭兮玭兮、功↓工、之↓人、《詩緝》↓《詩輯》（兩次）、容↓客（兩次）、也↓之、矣↓也、謂↓以、手↓于、荅↓答（兩見）、速↓疾（兩見）、登↓登、固↓因、焉↓也、折↓摺、於↓乎、乃↓爲、祜↓祐、弈弈↓奕奕、扑↓樸、苟↓若、忘↓亡、話↓語。

《鉤沉》引書，頗易作通假字、俗字，而不盡遵用原文，故資其所輯《詩義》佚文研究安石經學，所獲結論有時不確。計其所改易，有：

涂改作塗（兩見）、考作攷（以上已見前論）、昬作昏（兩見）、昏作昬、婚作婚、昏作婚、昬作婚、閒作間（兩見）、並作并、鍾作鐘、歛作斂、脩作修、栢作柏、怜作憐、墻作牆、恥作耻、皇作遑。——二十字。

而以「於」與「于」互易最多：

於改作于，七十九文。

于改作於，十四文。

案：綜上所錄，《鉤沉》引書，誤字凡七十二字，易本字爲俗字、通假字凡一一三字。誤、改兩計，總爲一八五字。

至於《鉤沉》所載《詩經》本文（含〈大、小序〉），亦多誤字（茲舉數例：〈魏風〉〈葛屨〉「可以屨霜」、〈小雅〉〈六月〉「我車既飭」、〈頍弁〉「憂心奕奕」，屨、我、奕，爲履、戎、奕之誤。），唯余以其書之錄經文，非偏及三百十一篇之全部（《鉤沉》「例言」頁二：「……凡輯有佚文的《詩》，錄其全篇，不作刪節。沒有佚文的《詩》，則存其目而刪其《詩》。」），而資其書者，用考安石《詩義》而已，又未必準其所載經文，故略而不悉予校記也。

邱氏誤解文義，所作專名錯失者，茲舉切要者一例：

《鉤沉》卷十九頁二七六引《李黃解》：「王氏……以謂：『……而〈湯誥〉云「夏德若茲，今朕必往」。……』」於穆清廟。（〈周頌〉〈清廟〉）

敏案：此「湯誥」，言「商湯告民眾」，所告「夏德」二句，見《尚書》〈湯誓〉篇，而邱氏加書名號於其側，誤以「湯誥」爲書篇。夫〈湯誥〉，舊爲《尚書》之一篇，久佚，今《僞古文尚書》有，殆東晉人贋作，其中亦無「夏德」二句，邱氏病於未檢。詳《輯佚》九〇三。

《鉤沉》載引佚文誤倒，《周頌》〈載芟〉下引《慈湖詩傳》「整齊」爲「齊整」之譌，已詳上「誤輯」節。

（十二）案語繁誤

《鉤沉》本卷中，邱氏多加「案」語，計得六十三條。大約可分爲兩大類：第一類爲非必要者，存之繁冗，去之令佚文顯豁。此類有記安石及他人《詩》說非關切《詩義》者、有闡明佚文及用舊說者、有申述宋人李朱《詩》說者、有引《毛傳》以明《詩》意者、有說明〔宋〕李氏評《詩義》者、有載〔宋〕呂氏自注及《困學紀聞》翁《注》用申《詩義》者，又有如：

《鉤沉》卷一頁一二於「〈關雎〉五章，章四句。故言三章，一章四句，二章章八句」下，邱氏案曰：「五章是鄭所分。『故言』以下，是毛公本意。後放此。」　敏案：邱氏此案語全抄《經典釋文》見卷五及《毛詩疏》卷一之一載。夫安石《詩義》分章句未必盡依毛鄭，何必抄陸氏《釋文》於此？而各篇有佚文者邱氏又何必皆記毛鄭章若句數目耶？類此者，宜付刪卻。

第二類爲必要者，有註明總體例一、有指示佚文所解之經文四、有記佚文在原引書之分合二、有言兩書所引相同條數者一、有特明佚文見原載某書某所者三。而勘校誤字及異文者最夥，得卅九條，但其中勘校未精者，有若：

《鉤沉》卷三頁四四：「段氏《集解》：『王曰：「紲（邱氏原案曰：「紲，應作袢。」），……。」』

敏案：檢《段解》原書（卷四頁七）本作袢，不誤。

蟲飛薨薨，甘與子同夢。會且歸矣，無庶予子憎。（〈齊風〉〈雞鳴〉）

《鉤沉》卷四頁七五引《呂記》：「王氏曰：『蟲飛薨薨至無庶予子憎，義也。』」邱氏原自案：「此條在《讀詩記》中作『毛氏曰』，但段氏《集解》和《詩傳通釋》都作王氏曰，《讀詩記》當係錯刻。」

敏案：商務印書館《四部叢刊續編》本《呂記》正作「王氏曰」，字本不誤，邱氏失察。詳《輯佚》二〇八。

《鉤沉》於卷十二頁一七二〈小雅〉〈十月之交〉下謂《經苑》本《呂記》引《詩義》多八字，所據爲誤本，失考。已詳論「誤輯」節。

鼓鍾將將，淮水湯湯。憂心且傷。淑人君子，懷允不忘。（〈小雅〉〈鼓鍾〉）

《鉤沉》卷十三頁一九三至一九四引《朱傳》：「王氏曰：『幽王鼓鍾至久而忘反，聞者憂傷，而思古之君子不能忘也。』《詩傳通釋》、《詩傳大全》同《詩集傳》。案：《詩傳大全》無『而思古之君子不能忘也』十字。」

敏案：《大全》卷十三頁八有此十字，邱氏失檢誤校。詳《輯佚》五九二。

菀彼桑柔，其下侯旬至倉兄填兮。（〈大雅〉〈桑柔〉）

《鉤沉》卷十八頁二五九引《呂記》：「王氏曰：『及捋其劉，則其下民爲日所暴，不見芘蔭而瘼矣。王失德剝喪，無以芘蔭其民之譬也。劉，殺也；殺言盡之也。』王氏曰：『慘，則滋久也。（邱氏原自案：應作「慘惻滋久」也。）』」

敏案：「（則其之）其。劉，殺也；殺言盡之也」九字，《段解》無。王，《段解》作上。「慘，則滋久也」，非《呂記》文，卻見於《段解》卷二五頁一六引無「也」字：二書相異如此其甚，而邱氏謂此「段氏《集解》同《讀詩記》」，又誤字，又誤段說爲呂說，不知何以致斯！詳《輯佚》八四一、八四二。

（十三）誤校

《鉤沉》「〈例言〉」頁三曰：

釋同一章《詩》，從某書輯出的佚文又見他書，文字全同，絲毫不異，則于他書名下注曰「同某書」，不再附佚文。

案：檢本卷中，承引佚文諸書有互不同而邱氏謂之相同者，是校閱未精，茲略舉七例：

〈大雅〉〈卷阿〉下《鉤沉》卷十七頁二四九謂《段解》引佚文同《呂記》。其實不盡

同。（已別詳論「缺輯」節）

〈大雅〉〈板〉下《鉤沉》卷十七頁二五三亦謂《段解》引佚文同《呂記》。其實亦不盡同。（亦已別詳論「缺輯」節）

它如：

舒夭紹兮，勞心慘兮。（〈陳風〉〈月出〉）

《鉤沉》卷七頁一〇三引《呂記》：「王氏曰：『慘，言不舒而幽愁。』段氏《集解》、《詩傳通釋》皆同《讀詩記》。」

敏案：《通釋》「幽」作「憂」，《鉤沉》失察；《詩緝》、《大全》咸同《通釋》，而《鉤沉》竝缺舉。詳《輯佚》二八五。

天生烝民，其命匪諶。靡不有初，鮮克有終。（〈大雅〉〈蕩〉）

敏案：《鉤沉》卷十八頁二五四引《呂記》載王氏曰「民受天地之中以生至命靡諶矣」，謂《詩緝》所引同。其實《詩緝》「之中」下多「以生」，二書不同，而《鉤沉》所謂《呂記》引王氏曰，實乃《詩緝》所引。《段解》亦引，同《詩緝》（僅「鮮克有終」不疊），《鉤沉》缺舉目。詳《輯佚》八二四。

早既太甚，散無友紀。（〈大雅〉〈雲漢〉）

《鉤沉》卷十八頁二六三：「《李黃解》：『王氏謂：「人道相友，則吉凶弔慶有紀以合之；旱大甚且久，財不足以爲禮，則無友紀而人散矣。」』段氏《集解》同《李黃集解》。」

敏案：《段解》不與《李黃解》同：弔慶，《段》作慶弔。且久，《段》無。而，《段》作則。詳《輯佚》八五八。

王命召伯，徹申伯土疆。（〈大雅〉〈崧高〉）

《鉤沉》卷十八頁二六六引《呂記》：「王氏曰：『前日「徹申伯土田」者至則其疆定矣。』段氏《集解》同《讀詩記》。」

敏案：《呂記》「前日」之「日」原作「日」，《段解》作「日」；呂、段不同，《鉤沉》檢校未明。詳《輯佚》八七二。

婦有長舌，維厲之階。亂匪降自天，生自婦人。（〈大雅〉〈瞻卬〉）

《鉤沉》卷十八頁二七三：「《讀詩記》：『王氏曰：「……則荒昏故也。……婦言是用故也。」』……《詩傳通釋》同《讀詩記》。案：無『故』字。」

敏案：《通釋》兩「故」字皆有，邱氏失察。詳《輯佚》八九六。

（十四）不明《通釋》、《大全》體製，以轉引為直據

〈小雅〉〈出車〉〈小序〉。

《鉤沉》卷九頁一三三：「《詩集傳》：『王氏曰：「出而用兵，則均服同食[至]定眾志也。」』《詩傳大全》同《詩集傳》。」

爾羊來思，其角濈濈；爾牛來思，其耳濕濕。（〈小雅〉〈無羊〉）

《鉤沉》卷十一頁一六一引《朱傳》：「王氏曰：『濈濈，和也[至]安則潤澤也。』」下云：「《詩傳通釋》同《詩集傳》。」邱氏於《鉤沉》〈例言〉（頁四）下亦云：「他書轉引某書同條，如〈無羊〉之首章，『王氏曰：「濈濈，和也[至]安則潤澤也。」』《詩傳通釋》乃轉引《詩集傳》者，則佚文繫《詩集傳》下。于《詩傳通釋》下只言『引《詩集傳》同條』，以見初引與轉引之異。」

〈小雅〉〈何人斯〉〈小序〉。

《鉤沉》卷十一頁一八二引《朱傳》：「王氏曰：『暴公不忠于君[至]惟恐其復合也。』」下云：「《詩傳大全》同《詩集傳》。」

鼓鍾將將，淮水湯湯。憂心且傷。淑人君子，懷允不忘。（〈小雅〉〈鼓鍾〉）

《鉤沉》卷二十頁一九三引《朱傳》：「王氏曰：『幽王鼓鍾淮水之上[至]而思古之君子不能忘也。』」下云：「《詩傳通釋》、《詩傳大全》同《詩集傳》。」

以上四條，元敏總案：《詩傳通釋》之爲書也，主朱子《詩集傳》，旨在發明晦庵《詩》學，故其體例：每《詩》全載《朱傳》，大書於其上，而諸家之說則細書於其下（《大全》陰襲《通釋》，例亦同。）。上《鉤沉》所引四條，考皆《詩集傳》文，非《通釋》、《大全》直自安石《新義》引述。邱氏未考《通釋》、《大全》撰作體製，故例爲「同條轉引」，實非轉引、乃全錄；又一再謂二書「同《詩集傳》」，失之。且夫《通釋》直引安石說，幾全稱「王介甫曰」，而《大全》自《通釋》轉稗時，則幾全易作「臨川王氏曰」；今此四條，兩書槩稱王氏曰，則稱謂異常，邱氏宜質疑而考其端末，今亦未及，誠憾事也。詳《輯佚》三八一、四七二、五五六、五九二四條。

又朱子《詩經》舊說，亦頗載引安石《詩義》，今偶見於《呂記》轉引，《鉤沉》亦誤爲《呂記》直引（一條）：

《鉤沉》卷十頁一四五引《呂記》：「王氏謂會諸侯之師。」

方淑泣止，其車三千。（〈小雅〉〈采芑〉）

敏案：此《呂記》載「朱氏曰」引，非呂氏直引自《詩義》；朱氏云云，乃朱熹舊作《詩》說文。《鉤沉》當載明《呂記》出諸轉引。詳《輯佚》四二三一。

（十五）佚文失置

邱氏安置《詩義》佚文，《鉤沉》〈例言〉頁二曰：

《詩義》佚文，隨《詩序》及《詩》本文引入。各章佚文，分引各章之下。其佚文總釋全《詩》或釋若干章《詩》旨者，則量引于《詩》末或較合適章下。

案：邱氏發例，合輯佚者常經。但依此例以審《鉤沉》之安置佚文，誠有不盡貼切者七事：

安石《詩義》〈序〉爲《詩義》本書之分子（熙寧八年六月廿四日，「王安石上《詩》、《書》、《周禮義》〈序〉，詔付國子監置之《三經義》解之首。」（《續資治通鑑長編》卷二六五頁二四）可證。），〈序〉隨《詩義》原書亡佚，今據《臨川集》輯收，當視爲佚文。茲邱氏編列於《鉤沉》卷首，使與安石〈國風解〉、〈周南詩次解〉——不屬於《詩義》之著作同班，失例；竝缺輯佚文一條，宜補入《鉤沉》卷一。

邱氏〈國風解〉、〈周南詩次解〉雖非《詩義》之分子，但既爲安石論《詩》之作，故編列卷首。如謹依其「佚文總釋全《詩》或釋若干章《詩》旨者」例，宜分別繫附卷一〈周南〉十一篇之後與卷八〈國風〉百六十篇之後，尤便參看。

其它邱氏安置失宜者，皆見於輯佚本卷：

風，風也，教也；風以動之，教以化之。（〈大序〉）

《鉤沉》卷一頁七引《通釋》：「王介甫曰：『風之於物，……始以風之而動，終以教之而化。』」

敏案：於、以、以，當作于、于、于。又此條佚文不當繫「〈關雎〉，后紀之德」至「邦國焉」下。詳《輯佚》二。

至于王道衰，禮義廢，政教失，國異政，家殊俗，而變〈風〉變〈雅〉作矣。國史明乎得失之迹，傷人倫之廢，哀刑政之苛；吟詠情性，以風其上，達於事變，而懷其舊俗者也。（〈大序〉）

《李黃解》引《詩義》佚文九十四字（《段解》略同），曰：「世傳以為言其義者子夏也至況於子夏乎？」

《敏》案：《鉤沉》卷一頁一一引之於下「是以〈關雎〉」至「是〈關雎〉之義也」，置非其所。詳《輯佚》七。

〈桃夭〉，后妃之所致也。不妬忌，則男女以正，婚姻以時，國無鰥民也。（〈周南〉〈桃夭〉〈小序〉）

《李黃解》引《詩義》：「禮義明，則上下不亂，故男女以正；政事治，則財用不乏，故昏姻以時。」

敏案：〈小序〉及全詩各章經文，《李黃解》依例總錄於一篇之前，三百五篇皆然。李黃自解文，則槩總列於後。邱氏失察，誤此為解〈桃夭〉本經之文，見《鉤沉》卷一頁一六載。詳《輯佚》三一。

〈澤陂〉，刺時也。言靈公君臣淫於其國，男女相說，憂思感傷焉。（〈陳風〉〈澤陂〉〈小序〉）

《鉤沉》卷七頁一〇四引《李黃解》：「王氏曰：『〈東門之枌〉，〈宛丘〉之應也。〈澤陂〉，〈株林〉之應也。……苟以至誠爲之，則未必無應；苟無其應，則是誠之未至爾。』」

敏案：此釋〈小序〉之文，《鉤沉》繫詩三章之後，失置；《呂記》、《段解》、《詩緝》皆繫〈序〉下。詳《輯佚》二八七。

〈魯頌〉四篇通義。

敏案：《李黃解》卷四一頁一五於〈魯頌〉〈閟宮〉篇之末、亦即〈魯頌〉全四詩之末曰：「然觀是詩（謂〈閟宮〉），大抵其辭夸，王氏曰：『〈周頌〉之辭約；約，所以爲嚴、所美盛德故也。〈魯頌〉之辭侈；侈，所以爲誇，德不足故也。』……夫〈魯頌〉所以爲誇，……。」《通釋》、《大全》亦引王氏曰（小異二、三字），亦總繫「〈魯頌〉四篇二十四章二百四十三句」下。是矣，然而猶未盡也。夫輯佚書，欲其兼具索引功能，此王氏說既通貫〈二頌〉，宜分繫〈周〉、〈魯〉兩〈頌〉之末，使文悉見於此，而舉要於彼，云「見某下」可也。《鉤沉》（卷二十頁三〇〇）不從原所據之書，而易置於〈閟宮〉首章，用釋「閟宮有侐」至「纘禹之緒」，非也。詳《輯佚》一〇〇二。

註釋

一　《困學紀聞》卷一總頁四三、卷三總頁二六六，兩條（分詳《輯佚》二九八、五二五條）；《緗素雜記》卷六頁一、卷五頁二、又卷六頁一、卷五頁七、又卷五頁二、卷三頁四、卷六頁二、卷五頁三，八條（分詳《輯佚》一四三、一四七、二九八、三〇五、四八七、六四八、七六七、一〇〇九諸條）：邱本皆遺落未引，蓋衹偶爾參看兩書，不作輯取之主要依據，故多缺漏。附記其所在於此，不復錄其所缺原文。

二　余考邱氏所根據輯佚者，主要爲上記列目之十書，其中（一）（二）（三）（四）（六）（十）同板本書，臺灣皆有；（五）（八），臺灣有《文淵閣》本，邱氏所據殆《文瀾閣》本，二本同源，應無多異；（九），余在美國得見，已據以校《四庫文淵》本，無大異；（七），臺灣衹有《文淵閣》一本，但斯本據內府藏本（藏者疑即元刊本）傳鈔，今又有《詩傳大全》。（《大全》幾全襲《通釋》）參證，故所見與元刻本亦應大同。爰據以考校邱本，庶幾無大過。

——原載《漢學研究》第五卷第二期，民國七十六年十二月

Commentary on Ch'iu Han-sheng's Shih-i Kou-ch'en

YUAN-MIN CH'ENG

The original text of Shih-ching hsin-i（《詩經新義》）, Written by Wang An-shih of Sung dynasty, was lost for a very long time. Mr. Ch'iu Hansheng had gathered the incomplete text of this book which were quoted by scholars of Sung, Yuan, Ming, and Ch'ing dynasties in their individual works for over seven years. He compiled the incomplete text he gathered and then wrote a book entitled Shih-i Kou-ch'en（《詩義鉤沉》）.（The first edition of this book was published in September 1982 by Chunghua Book Co. on mainland China.）

According to the results of my research on Shih-ching hsin-i, I found the following questions when I looked at Ch'iu's work:

（1）There are mistakes about his views on the editions and spread of Shih-ching hsin-i.

（2）When he quoted text from a book, he never noted down the volume number where the text was from.

（3）The whole contents of his work were gathered from twelve books only. It seems his reference source material is very limited.

（4）A part of the text he gathered is not the origional text of Shih-ching hsin-i.

（5）There are mis-writings and ommissions in the text the gathered.

In this paper, I have discussed these questions one by one. Meanwhile, I have compared my work Shih-ching hsin-i chi-k'ao hui-p'ing（《詩經新義輯考彙評》）with Ch'iu's work in detail.（The first edition of my work was published in September, 1986 by National Institute of Compilation & Translation.）

三禮類

二十六　重輯《周禮》〈天官〉〈地官〉〈春官〉《新義》論錢儀吉本

《周禮新義》，〔宋〕王安石著，熙寧八年成書，遂以朝旨頒行，懸爲功令，迄宋國覆滅未已。原書元末明初亡佚，有清多士據《永樂大典》本殘卷抄輯，今存者唯乾隆間孔繼涵鈔校本、《四庫全書》及其衍生本而已。衍生本中，有嘉慶六年頃自《文瀾閣四庫全書》本傳抄、道光二十六七年刻、同治七年印行之「《經苑》本《周官新義》十六卷附《考工記講義》二卷」，流傳最廣（傳刻傳抄傳景者，都十有一本。），尤堪注意。

錢本與眾不同者，以其本卷中有儀吉補錄佚文百卅餘條；安石於《周禮新義》解釋經字，析分偏旁、計較點畫，似其另作——《字說》，錢氏偶引《說文》匡之正之；其餘錢氏校記誤字，語亦雜見舊有、新輯佚文之中（統據原書前儀吉「識後」）。其所以見重者此也。

錢氏補輯、校異，所據者才三數書，且多爲晚作，余因復詳考宋元明清人禮傳、史籍、筆記、文集廿八種，增輯佚文，都百卅一條；而錢本誤輯、失置、抄衍、奪文、譌校、體例疏失，與淆亂王安石、鄭宗顏兩解諸節，一一詳加辨正，作〈重輯《周禮新義》論錢儀吉本〉。

以便治宋學者；利用錢本者，幸惠參度，得失其間，必有以教我者矣。

先成〈重輯《周禮新義》論錢儀吉本〉（載《書目季刊》十八卷四期，民國七十四年三月。），竝考清人傳記、文獻志目，而於斯文詳徵錢氏生平及錢本抄刻印行端末；次作〈重輯《周禮》〈天官〉〈地官〉〈春官〉《新義》論錢儀吉本〉，而〈重輯《周禮》〈夏官〉〈秋官〉《新義》論錢儀吉本〉末焉。三文都六萬餘言。茲總敘其本末，弁三文之首焉。

〈天官〉

惟王建國，辨方正位，體國經野，設官分職，以爲民極。（〈天官〉〈敘官〉）

王安石《周禮新義》佚文（以下簡稱《新義》或「佚文」；概據《文淵閣四庫全書》本，臺灣商務印書館影印、《四庫全書珍本別輯》本，下簡稱《文淵本》。）「宮門、城闕、堂室之類」，〔清〕錢儀吉曰（以下簡稱「錢曰」）：「王氏與之《訂義》引此文作『宮城、門闈、堂室之類』。」（《經苑》本《周官新義附考工記解》（卷一頁一），以下簡稱《錢本》。）

元敏案：〔宋〕王與之《周禮訂義》八十卷（下簡稱「《訂義》」，此據《通志堂經解》本。）引與〔宋〕王昭禹《周禮詳解》（下簡稱《詳解》，此據《文淵閣四庫全書》本，商務印書館影印、《四庫全書珍本初集》本。）述皆作「宮城門闈」。（第（一）條（下概省略「第」、「條」兩字））

錢曰：「官言以下十二字，據《義疏》補。」（《錢本》卷一頁一）

敏案：《義疏》，謂〔清〕鄂爾泰等奉敕撰之《欽定周官義疏》四十八卷（下簡稱《欽定義疏》，此據《文淵閣四庫全

書》本，臺灣商務印書館影印、《四庫全書珍本五集》本。。十二字爲「官言所使之人，職言所掌之事」。使，《欽定義疏》

（卷一頁一）原作司，錢抄誤。（二）

宰夫，……上士八人，中士十有六人。（〈敘官〉）

《錢本》卷一頁三佚文「士之字與工與才，皆從二從丨」，錢曰：「《說文》：『士，从一十。孔子曰：推十合一爲士。』『工，象人有規榘，與「巫」同意。』『才，艸木之初也，从丨上貫一，將生枝葉也；一，地也』：三文皆不从二。」

敏案：錢謂「士之字」二句爲安石《字說》，故援《說文》以非之。夫《字說》晚作，《新義》先成，《新義》中安有《字說》？《新義》分文析字，錢氏別撰一文駁正庶可，今刻其書而令己意淆雜其中，頗乖刊書家軌範。（三）

酒人，……奚三百人。（〈敘官〉）

佚文「奚之字從系從大」，錢曰：「《說文》：『奚，从𦃃省聲；𦃃，籀文系。』」（《錢本》卷一頁六）

敏案：「从」下「𦃃」上，錢奪「大」字；本欲疏通《新義》，抄缺反使之晦。安石說奚字略合《說文》。（四）

大宰，……以八灋治官府：……四曰官常，以聽官治。（〈大宰〉）

〔補佚文一〕「八灋惟官聯官常曰官治者，以官之聯事官之常數特言一官爾，故不言邦而言官也。」（〔元〕毛應龍《周官集傳》（《文淵閣四庫全書》本，臺灣商務印書館影印、《四庫全書珍本四集》本。）卷一頁一七載歐陽謙之引王氏曰）（五）（註一）

以八則治都鄙：……四曰祿位，以馭其士；……七曰刑賞，以馭其威（〈大宰〉）

〔補佚文二〕「庶子，國子之未仕者。」（《周官集傳》卷一頁二〇載歐陽謙之引王氏曰）（六）

《錢本》卷一頁一四佚文「人有怨心」，錢曰：「元作『有怨而已』，今從《訂義》正。」

敏案：《詳解》（卷一頁一三）述《新義》同《訂義》。二本孰是未定，錢氏遽爾直改本文，校書有失謹嚴。（七）

以八柄詔王馭羣臣。（〈大宰〉）

《錢本》卷一頁一六佚文「王與大宰共之也」，錢曰：「王字原脫，從《訂義》增。」

敏案：〔清〕孔繼涵鈔《永樂大典》本《周官新義》（以下簡稱《鈔本》）、《文淵本》、《詳解》（卷一頁一四）述皆有王字；《錢本》與《墨海金壺》本（下簡稱《墨海本》）同。後二本竝出於《文瀾閣四庫全書》本；《文瀾》不若《文淵》善，其原脫「王」字。（八）

三曰予，以馭其幸。（〈大宰〉）

〔補佚文三〕「……非所以馭之也。」（《訂義》卷二頁二王氏曰，上承佚文「以私恩施焉」。）（九）

以八統詔王馭萬民。（〈大宰〉）

《錢本》（卷一頁一八）佚文「（馭羣臣曰柄，馭萬民曰統；）柄言操此而用諸彼，（統言舉此而彼從焉。）」錢曰：「原作『言操此而爲彼用』，《訂義》引作『（言）操此而彼爲用』，今據《義疏》校正。」

敏案：操此，君上執此八柄也。舉此，君上舉此八統也。二「彼」，羣臣、萬民也。彼爲用，羣臣爲君上所用也；彼從焉，萬民從朝廷之政教也。是作「彼爲用」得正，《鈔本》、《文淵本》、《詳解》（卷一頁一七）述，皆同《訂義》。《欽定義疏》乾隆十一年編成、十三年刊行，直據《永樂大典》本殘本《新義》，視《文淵本》爲早，載《新義》二二三條次，但頗多改易（約五十八條次）（詳拙著《周禮新義輯考彙評》〈諸家評論及載引佚文同佚文按書分條考計〉，下簡稱〈輯本分條考計〉）。錢氏所據爲改易本，又疎於推考經傳，直改本文非是。《墨海本》亦同《訂義》，疑《錢本》「爲彼用」乃誤鈔，《文瀾本》原亦作「彼爲用」。（十）

以九賦斂財賄：……七曰關市之賦，八曰山澤之賦。（〈大宰〉）

〔補佚文四〕「關市，邦畿之四面皆有關門及王之市廛三處山澤；山澤之中財物，其民以時取之，出稅以當賦也。」（〔元〕陳友仁《周禮集說》（下簡稱《集說》，《文淵閣四庫全書》本，臺灣商務印書館影印、《四庫全書珍本四集》本。）卷二頁三一王氏曰）

敏案：錢曰：「《義疏》『山澤之賦』下引王氏安石曰：『山澤之民以其物當邦賦。』當是此節注文，在『幣餘』之前而佚之也。」（《錢本》卷一頁二〇至二一）《欽定義疏》「引用姓氏」列〔元〕陳氏友仁，此其所引王安石曰乃隱栝《集說》成義。錢氏未考本源。（十一）

乃施灋于官府，而建其正，立其貳。（〈大宰〉）

〔補佚文五〕「貳者，所以副貳於六官，而專達其事之次者。」（《訂義》卷三頁六王氏曰、《詳解》卷二頁一三述）

敏案：參酌《詳解》（卷二頁一三）述，知此當塡補於「取正故也」下，而刪「則」上之「貳」字，錢氏以爲異文而署注於「大宰是也」下（《錢本》卷一頁二七），失例。（十二）

祀五帝，則掌百官之誓戒與其具脩。前期十日，帥執事而卜日，遂戒。（〈大宰〉）

《錢本》卷一頁二九將「散齋七日，致齋三日，凡十日也」塡補於「定之之謂戒」以下，云：「散齋以下十二字，從《訂義》增。」

敏案：參酌《詳解》（卷二頁一四）述，錢氏塡置適當。（十三）

小宰，……掌邦之六典、八灋、八則之貳，以逆邦國、都鄙、官府之治。（〈小宰〉）

《錢本》卷二頁二於佚文「都鄙官府之治也」下，錢云：「《義疏》引此文作『〈六典〉、〈八灋〉、〈八則〉之書，太宰、太史、司書掌其正，小宰、司會掌其貳』。」

敏案：《文淵本》佚文至此，凡四八〇字，而《欽定義疏》節略爲六十五字（《欽定義疏》「凡例」曰：「宋元明諸家，……有詞語冗蔓，無所發揮，及顯與理悖不足惑人者，概從薙芟，亦不置辨。」是此書所載引，果有刪節而不加明辨者矣。），錢祇引其中廿四字而已。且自「逆者，有所治正也」以下共六十九字，《詳解》（卷三頁二一）述（分二節）、《訂義》（卷四頁二）引竝全同《文淵本》，而《欽定義疏》（卷三頁三至四）約爲卅字，其「薙芟」之述尤確。（十四）

以官府之六職辨邦治：……二曰教職，以安邦國，以寧萬民；……五曰刑職，以詰邦國，以糾萬民。（〈小宰〉）

〔補佚文六〕「教官之屬，以其職推而行之，然後可以寧萬民也。」（《訂義》卷四頁六王氏曰；《詳解》卷三頁七至八述，可作有。）（十五）

〔補佚文七〕「刑之不能勝，然後有事。」（〔宋〕魏了翁《鶴山大全文集》（以下簡稱《鶴山集》，臺灣商務印書館影印《四部叢刊初編》本。）卷一〇九附一一〇頁四九〈師友雅言〉引王介甫以爲；又《鶴山集》卷一〇四頁二八〈周禮折衷〉引荆公謂，少之字。）（十六）

以官府之八成經邦治：……四曰聽稱責以傳別。（〈小宰〉）

《錢本》（卷二頁六）佚文「責有傅其事者」，錢云：「『有』字從《訂義》增。」

敏案：直增入本文，失謹；且下文「文保也」，《訂義》無也字，錢氏何不依刪？則其揆

不一。（十七）

佚文「以其償責或不能一而足故也」，錢曰：「《義疏》引『償』作『稱』，下句云『或不能一時而畢收也』意同。」（《錢本》卷二頁六）

敏案：稱責，舉債也。償責，還債也。償債者「或不能一而足」，即貸予者「或不能一時畢收」之意，《鈔本》、《墨海本》、《錢本》皆作償，《欽定義疏》（卷三頁二〇）作稱誤，其下句臆改成文，亦當正返。（十八）

〔補佚文八〕「（傅別，）即地傅判書也。判書者，著約束文書中，別爲兩，各其一，如今所謂合同分支也。」（《鶴山集》卷一〇四頁三一〈周禮折衷〉荆公謂）（十九）

凡禮事，贊小宰比官府之具。（〈宰夫〉）

〔補佚文九〕「凡禮事，五禮之事；小宰七禮是已。令百官共其財用，所謂官府之具也。」（《集說》卷二頁七七王介甫曰，〔明〕王志長《周禮註疏刪翼》三十卷以下簡稱《註疏刪翼》，臺灣商務印書館影印、《文淵閣四庫全書》本，《四庫全書珍本四集》本。卷三頁八臨川王氏曰略同。）（二十）

凡朝覲、會同、賓客，以牢禮之灋，掌其牢禮、委積、膳獻、飲食、賓賜之飧牽，與其陳數。（〈宰夫〉）

〔補佚文一〇〕「牢禮委積，若大行人五牢五積四牢四積三牢三積之屬；膳獻，則殷膳太牢及上介禽獻之屬；飲食，則饗禮九獻食禮九舉之謂也；賓賜，王所好賜也；陳數，以爵等爲牢禮之數。」（《集說》卷二頁七七王介甫曰、《註疏刪翼》卷三頁九臨川王氏曰；《欽定義疏》卷三頁四五載王氏安石曰，僅有「賓賜」等共七字。）（二一）

宮伯，……月終，則均秩。（〈宮伯〉）

〔補佚文一一〕「……依品秩予之。」（《集說》卷二頁八七王介甫曰、《註疏刪翼》卷三頁二六，上承「酒秩膳之類」）（二二）

膳夫，……大喪則不舉，大荒則不舉，大札則不舉，天地有烖則不舉，邦有大故則不舉。（〈膳夫〉）

〔補佚文一二〕「大荒，凶年也。大札，疫癘也。天災者，日月晦蝕也。地烖者，山崩地震川沸也。大故，寇戎之事也。」（舊題〔元〕吳澄《三禮考註》明成化九年建昌知府謝士元刊本卷三頁一六臨川王氏曰）（二三）

王燕食，則奉膳贊祭。（〈膳夫〉）

〔補佚文一三〕「餕餘不祭，王之所膳，有魚人辨物以共王膳；掌畜又掌膳獻之鳥，祭其魚鳥歟！」（〔宋〕王十朋《周禮詳說》王氏謂，載《訂義》卷六頁五。）（二四）

庖人，……共祭祀之好羞，共喪祭之庶羞，賓客之禽獻。（〈庖人〉）

〔補佚文一四〕「賓客禽獻，〈掌客〉所謂『乘禽九十雙』之屬，所獻禽於賓客之法也。令之則授以此法，使知所獻之物與其數，及其出以給用，受而入之，則亦以法焉。」（《集

說》卷二頁九六王介甫曰）（二五）

甸師，……王之同姓有辠，則死刑焉。（〈甸師〉）

〔補佚文一五〕「有罪謂犯五刑，則刑殺不必市朝。此言死刑焉，謂死及肉刑。」（《周官集傳》卷三頁一四載〔宋〕鄭鍔曰引王氏曰）（二六）

獸人，……令禽注于虞中。（〈獸人〉）

佚文「置虞旗所植之中野，謂之注，則眾赴而投焉，若水之注也」，錢曰：「《訂義》引此文『中』下無『野』字、『投』作『注』。」（《錢本》卷三頁一三）

敏案：野字當有，《詳解》（卷五頁四）述亦有；《詳解》述「投」作「往」，亦通，疑《訂義》「注」實「往」之形譌。（二七）

瘍醫，掌腫瘍、潰瘍、金瘍、折瘍之祝藥劀殺之齊。（〈瘍醫〉）

佚文「祝之不勝，然後舉藥」，錢曰：「《訂義》以王氏說爲己說，此文『舉藥』作『用藥』；今按：『舉』或『與』之誤。」（《錢本》卷四頁四）

敏案：舉訓用（《呂氏春秋》（臺北世界書局《諸子集成》本）〈不廣〉：「齊桓公舉事。」高誘注：「舉猶用也。」），與亦可訓用；《集說》（卷三頁八）、《註疏刪翼》（卷三頁七八）亦竝作用。《鈔本》、《墨海本》又竝作舉。此不煩改字。（二八）

酒正，……凡祭祀，以灋共五齊三酒，以實八尊。（〈酒正〉）

佚文「是所謂禮之敬文也」，錢曰：「敬字，疑或衍文。」（《錢本》卷四頁七）

敏案：《鈔本》、《墨海本》、《詳解》（卷六頁六）述皆作「敬文」，敬，疑非衍字。

（二九）

酒正……共賓客之禮酒，共后之致飲于賓客之禮，醫、酏、糟，皆使其士奉之。（〈酒正〉）

《錢本》卷四頁八佚文「建國，則王立朝至后蠶以爲祭服；王獻而后亞祼，王親牽射牲，后親徹豆籩；賓客，則亦王祼獻而后亞獻，則王致酒，后致飲，夫婦相成之義也」，錢氏曰：「建國以下六十五字，從《訂義》增。又王志長《删翼》引此『王獻而』作『王獻尸』、『后親徹』作『后薦徹』，是也。」

敏案：《註疏删翼》（卷四頁六至七）引全同《集說》（卷三頁一四）王介甫曰，自彼稗販，而錢氏不及窮原。作獻尸誠是，《詳解》（卷六頁七）述、《欽定義疏》（卷五頁二四）竝同《集說》。后親徹豆籩、王親牽射牲，禮也；「薦徹」，不言后自親其事，固非禮文之常經，《詳解》述作「后親薦徹」，亦不省「親」字，《集說》失之。錢說失考。

（三十）

酒正之出，日入其成，月入其要，小宰聽之。（〈酒正〉）

佚文「月入其要」下，《錢本》卷四頁八從《訂義》增「特謹其出，異於其餘物，毖酒之意也」十四字。

敏案：此十四字，《文淵本》原具十二字（少虛字二）、《欽定義疏》（卷五頁二六）亦具十三字（少一虛字）、《詳解》（卷六頁八）述略同，唯同出《文瀾本》之《墨海本》及《錢本》竝缺，是《文瀾》原缺也。（三一）

酒人，……凡祭祀，共酒以往，賓客之陳酒，亦如之。（〈酒人〉）

佚文「祭祀共酒以往，則自有奉之者，往共其陳而已」，錢曰：「《訂義》引此文（敏案：謂其末句。）作『往待其令而已』，《義疏》同。此『共其陳』，字之誤，或是下句『陳酒』注文。」（《錢本》卷四頁九）

敏案：共其陳，《詳解》（卷六頁九）述、《集說》（卷三頁一六）、《欽定義疏》（卷五頁二八）皆作待其令，但非「陳酒」注文；「陳酒」注文十四字見下。（三二）

《錢本》（卷四頁九）從《欽定義疏》增「陳酒，〈掌客〉職所謂『壺四十皆陳』，是也」，錢曰：「陳酒以下十四字，從《義疏》增。」

敏案：《欽定義疏》（卷五頁二八）從《集說》（卷三頁一七）轉錄，改末「之類」為「是也」。《永樂大典》系統本（《鈔本》、《墨海本》、《錢本》及《欽定義疏》），原皆無此十四字。錢氏失討厥原。（三三）

醢人，奄二人，女醢二十人，奚四十人。（〈敘官〉，依《訂義》次此。）

〔補佚文一六〕「醢以酸爲尙，然五齊、七菹皆醢物也；醢人職之矣，醢人復共醢何邪？蓋天下之味，不過於禽獸魚蜃之屬，其肉登俎則腐敗隨之，不以鹽醢之，其能久乎？鹽曰鹹醝，故醢之味專於鹹，鹹非酸不能收，故醢不可以無醯，此醢人之職所以設，而醯之爲用亦不過菹醢之閒。」（《訂義》卷九頁八王氏曰）（三四）

醯人掌共五齊、七菹凡醯物，以共祭祀之齊菹，凡醯醬之物。（〈醯人〉）

佚文「各有五齊、七菹」下，錢曰：「《訂義》引此句下云：『蓋齊菹有須醬以成者。』其下引『醯物』：『醯醬之物。』諸解皆刪潤其詞，疑『齊菹』句亦錄具大意，非《新義》本文。」（《錢本》卷四頁一四）

敏案：《訂義》（卷九頁八）所引王氏曰全文爲：「醢人、醯人各有五齊七菹者，蓋齊、菹有須醬以成者。九醯物，則凡以醯成之物；凡醯醬之物，則凡以醯成之醬也。五齊、七菹、三醬，皆謂之醬。」以校《文淵》等本，略同。古人引書，常加刪潤，不獨《訂義》，錢說出諸刪潤，是也。（三五）

幂人掌共巾幂。（〈幂人〉）

《錢本》卷四頁一五據《欽定義疏》（卷五頁四七）引王氏曰增「用以幂敏案：原書作冪。物、通上下而有之者巾也。以事言之，則主於覆冒敏案：原書作冒。；以禮言之，則主於設飾」卅一字。

敏案：《欽定義疏》引《新義》佚文二二三條次，概稱「王氏安石曰（以）」，絕無例外，則此「王氏曰」卅一字輯爲《新義》佚文可疑；因檢《詳解》（卷六頁一九）詳「輯本分條考計」

述，知此乃節取彼文而成，幾全同（《欽定義疏》引用姓氏列有〔宋〕王氏昭禹）。《欽定義疏》引書特多改易，〈御序〉（見原書頁二）有明詔：「……爰命校纂諸臣芟煩截浮，約文申義，敷暢厥旨。」錢氏誤輯。（三六）

掌次，掌王次之灋，以待張事。王大旅上帝，則張氈案，設皇邸。（〈掌次〉）

〔補佚文一七〕「邸，宿次，猶漢時諸侯王侯見天子之邸。」（《鶴山集》卷一〇六附一〇七頁三六〈周禮折衷〉荆公曰）（三七）

外府，掌邦布之入出，以共百物，而待邦之用，凡有灋者。（〈外府〉）

〔補佚文一八〕「百物者，百工之資，凡國家營作器物，以所受之布共給之，有官府之常法者給，非常法者不給。」（《周官集傳》卷四頁七王氏曰）（三八）

司書，……凡上之用財用，必攷于司會。（〈司書〉）

〔補佚文一九〕「……上之用財，但知多少而關之，非是會王用也。」（《鶴山集》卷一〇六附一〇七頁五一〈周禮折衷〉荆公（云），上承「入于職幣也」。）（三九）

司裘，……卿大夫，則共麋侯；皆設其鵠。（〈司裘〉）

佚文「卿大夫以養人爲事，養人則以除患害爲先故也」，錢曰：「《訂義》引作『不能除患，不足以養人』敏案：謂下句。。」（《錢本》卷五頁八）

敏案：《訂義》（卷十一頁一五）所引不同，不止下句，〔清〕王太岳《四庫全書考證》

（〔清〕武英殿《聚珍版叢書》本）卷八頁四曰：「案：王與之《周禮訂義》引安石說作『卿大夫之德，則能養人而已；不能除患，不足以養人』。與《永樂大典》不同，而義皆可通。《訂義》或別有據，今仍原本。」太岳（一七八五）及見《大典》，據以考異，則此條《文淵本》同《大典本》原文無誤。《訂義》殆刪潤之辭。（四十）

內宰，……祭之以陰禮。（〈內宰〉）

《錢本》卷五頁一〇佚文「祭之禮，以象其事焉」，錢曰：「《訂義》引此文作『祭之宜，象其事焉』。」

敏案：以，《鈔本》、《詳解》（卷八頁八）並竝作「宜」與《訂義》同，是。《文瀾本》非善，殆誤作「以」，《錢本》、《墨海本》因踵誤。（四一）

正歲，均其稍食，施其功事，憲禁令于王之北宮而糾其守。（〈內宰〉）

《錢本》卷五頁一一佚文「稍食，歲終至正歲又施焉」，錢曰：「此注元闕，據《義疏》增。」

敏案：《訂義》（卷十二頁九）、《詳解》（卷八頁九）並竝有，《欽定義疏》係據前者轉錄，錢氏不及窮本。（四二）

內小臣，掌王后之命，正其服位。……后有好事于四方，則使往，有好令於卿大夫，則亦如之。（〈內小臣〉）

〔補佚文二〇〕內小臣、閽人二官，奄者、墨者也。王后無外事，以貞潔為行，若外通諸侯，內交羣下，則將安用君矣？內小臣，閽人者；奄人，墨人也：一掌后之外事，一守宮中門禁。（〔元〕馬端臨《文獻通考》（臺北新興書局影印〔清〕武英殿刊本）卷一八〇總頁一五五三〈經籍七〉載〔宋〕胡宏引說者以爲；說者謂安石。）（四三）（註二）

九嬪，……凡祭祀，贊玉齍；贊后薦徹豆籩。（〈九嬪〉）

〔補佚文二一〕「（贊玉齍贊后，）下言贊后，則上言贊王，言之序也。」（《訂義》卷十三頁三載〔宋〕鄭鍔《周禮全解》引王安石乃謂；《詳解》卷八頁一五述，贊王作贊玉，餘略同；《欽定義疏》卷七頁二七王安石以爲，大旨同。）

敏案：錢氏於佚文「亦從后，帥之」下曰：「《訂義》引鄭氏鍔曰：『故書以『玉齍』爲『王齍』，王安石用其說，乃謂：『下言「贊后」，則上言「贊王」，言之序也。』案：今本經文正作『贊王』而佚其注。」余考：鄭玄《周禮注》：「故書『玉』爲『王』，杜子春讀爲『玉』。」是鄭、杜咸謂「王」爲三横等距之「王」，音義竝爲「玉」，而非上二畫相近不匀之「王」，音義竝君王也。〔日〕加藤虎之亮《周禮經注疏音義校勘記》（昭和三十二年手寫影印本）（卷七頁四二）：「董十本『玉』誤『王』。」它本無作君王字者。《詳解》（卷八頁一五）述因安石釋意、祇斷取鄭注上半——「故書『玉』爲『王』」，徑改經本字爲「王」，讀爲君王字，並非有見本可據。《墨海本》——與《錢本》同源——經文作「玉」，錢云「今本經文正作『贊王』」，故《錢本》亦徑改經字曰

「王」，殆據鄭注臆改，如《詳解》，非《文瀾本》原作「王」也。「下言贊后」云云共十三字，即安石「贊王」之注，《詳解》述略同，錢云「佚其注」，失考。（四四）

世婦，……及祭之日，涖陳女宮之具，凡內羞之物。（〈世婦〉）

《錢本》卷五頁一二佚文「籩人、醢人共內羞，世婦涖陳之」，錢曰：「此注據《訂義》增。」

敏案：《訂義》（卷十三頁四）本經下無此佚文；《欽定義疏》（卷七頁三〇）有，即錢氏之所據，誤舉出處。而《詳解》（卷八頁一六）述曰：「內羞則籩人、醢人爲王及后世子共之，及祭之日，世婦涖陳之。」又《欽定義疏》之所據以刪節者也。（四五）

典枲，……頒衣服授之，賜予亦如之。（〈典枲〉）

《錢本》卷五頁一五佚文「以典絲見之也」下，錢曰：「《訂義》引此文作『頒衣服賜予，皆以物授之，言賜予而不言上，以典絲見之。』」

敏案：錢引《訂義》此四句，係與《文瀾本》佚文「頒衣服授之，則亦以其物授之至以典絲見之也」六句校者，錢氏校異多不標確底本所關屬文字，易滋誤解。（四六）

〈地官〉

大司徒之職，掌建邦之土地之圖，與其人民之數，以佐王安擾邦國。（〈地官〉〈大司徒〉）

《錢本》卷六頁六佚文「即天下土地之圖，大司徒合而圖之（錢曰：「以上十四字，從《訂義》增。」），掌（錢曰：「《訂義》作建。」）土地之圖，……掌（錢曰：「《訂義》作建。」）人民之數」。……

敏案：錢徑增此十四字於本段之首，據《訂義》原引先後，亦與《詳解》（卷九頁五）述合。兩「掌」字，《詳解》述亦竝作「建」。（四七）

以土宜之灋，辨十有二土之名物。（〈大司徒〉）

《錢本》卷六頁八佚文「名，所以命其土，則邱陵、墳衍、原隰之屬。物，所以色其土，則青黎、赤埴、黑墳之屬」，錢曰：「『物所』以下，從《訂義》增。」

敏案：「名所」所，《墨海本》無，錢陰用《訂義》（卷十五頁一一）所引，非據《文瀾本》。邱，《墨海本》作丘，《鈔本》、《文淵本》同，錢誤增偏旁。「色其土」以下，《詳解》（卷九頁一三）述亦次「原隰之屬」下，同《訂義》。（四八）

征，以作民職，以令地貢，以斂財賦。（〈大司徒〉）

〔補佚文二二〕「征者，貢賦稅斂之總名。」（《訂義》卷十五頁一二王氏曰、《詳解》卷九頁一四述）（四九）

以土圭之灋，測土深，正日景，以求地中。日南，則景短多暑；日北，則景長多寒；日東，則景夕多風；日西，則景朝多陰。日至之景，尺有五寸，謂之地中，天地之所合也。（〈大司

徒〉）

〔補佚文二三〕「土圭之法，所以度天之高、四方之廣、測土之深，舉測土深則天與四方可知矣。」（《訂義》卷十五頁一三王氏曰；《詳解》卷九頁一五述，幾全同。（五十）

〔補佚文二四〕「以日景正其朝，則地之中得矣。以極星正其夕，則天之中得矣。《書》曰：『自服于土中。』又曰：『其自時配皇天。』則洛邑非特地之中，亦天之中矣。」

（〔宋〕王應麟《六經天文編》臺北文華書局影印〔元〕後至元三年慶元路儒學刊本卷下頁五「圭景」王氏曰）（五一）

凡建邦國，以土圭土其地，而制其域：諸公之地，封疆方五百里，其食者半；諸侯之地，封疆方四百里，其食者參之一；諸伯之地，封疆方三百里，其食者參之一；諸子之地，封疆方二百里，其食者四之一；諸男之地，封疆方百里，其食者四之一。（〈大司徒〉）

〔補佚文二五〕《孟子》據實封言之，《周官》則兼附庸言之也。（〔宋〕陳汲《周禮辨疑》王介父以爲，載《訂義》卷十五頁一六；《詳解》卷十頁一述曰：「《孟子》與《書》指邦國實封之地而言之也，《周官》則兼附庸之地而言之也。」旨略同。）

敏案：錢氏據《訂義》輯佚，亦嘗據其所引述它書所載安石《新義》，參看拙著〈重輯周禮考工記新義論錢儀吉本〉註二二），但頗多漏輯，此又一例也。（五二）

乃分地職，奠地守，制地貢，而頒職事焉。（〈地官〉〈大司徒〉）

〔補佚文二六〕「頒職事典田之官，各有所掌。」（《訂義》卷十六頁三王氏曰）（五三）

小司徒，……乃頒比灋于六鄉之大夫，使各登其鄉之衆寡六畜車輦，辨其物，以歲時入其數；以施政教，行徵令。（〈小司徒〉）

《錢本》卷六頁一二佚文「登者，上其籍也錢曰：「六字據《訂義》補。」。……有登而不校者，小司徒使鄉大夫各登其鄉之衆寡，而鄉大夫以歲時登之是也錢曰：「小司徒以下元闕，從《義疏》增；《訂義》引（敏案：謂末句。）作『鄉大夫以歲時登其夫家衆寡是也。』。」

敏案：《墨海本》視《文淵本》少「（有登而不校）者鄉大夫以歲時登其夫家衆寡是也；登之而不校」廿字，而《錢本》少於《文淵本》自「鄉大夫」以下凡十四字：兩本同據非善本抄，原缺文若是；抄時又或脫漏故也。「鄉大夫」上，當據《欽定義疏》（卷十頁五）補「小司徒至而」共十五字，至「鄉大夫以歲時登之是也」十字句，爲刪節成文，當依《文淵本》、《訂義》（卷十七頁三）作「鄉大夫以歲時登其夫家衆寡是也」十四字句，錢氏失裁。（五四）

凡起徒役，毋過家一人，以其餘爲羡；唯田與追胥竭作。（〈小司徒〉）

佚文「所役近，且不久故也」，錢曰：「《義疏》引此『故也』作『故可竭作』。」（《錢本》卷六頁一二）

敏案：《詳解》（卷十一頁五）述、《訂義》（卷十七頁一〇）竝作「故也」，《欽定義疏》（卷十頁一〇）改字。錢氏未考。（五五）

乃經土地，而井牧其田野：九夫爲井，四井爲邑，四邑爲丘，四丘爲甸，四甸爲縣，四縣爲

都；以任地事，而令貢賦，凡稅斂之事。（〈地官〉〈小司徒〉）

《錢本》（卷六頁一二至一三）佚文「九夫爲井（至）田井同邑故也（至）四邱爲甸者（至）四甸爲縣者（至）四縣爲都者（至）所治都也」，錢曰：「九夫以下，據《訂義》增。案：田井同邑，疑當作四井同邑。」

敏案：《訂義》（卷十七頁一三）引，原散爲六條，錢聚於一所，滾成一片，增「四邱、四甸、四縣」云云三句十五字以便解說者，但非原有，宜刪、或加括號、或表明。《詳解》（卷十一頁六）述：「四井爲邑，則民以里居、四井同邑故也。」錢疑田井當作四井，得之。（五六）

鄉師，……及葬，執纛，以與匠師御匶而治役；及窆，執斧以涖匠師。（〈鄉師〉）

《錢本》（卷六頁一四）佚文「已窆而涖匠師，則以防匶之傾戲，使戒飭焉，故執斧以爲威」，錢曰：「戲元作虧、斧字元闕，皆從《訂義》校正。」

敏案：《墨海本》不闕「斧」字，疑錢氏漏抄，非其所據之《文瀾本》元闕；經本文、《詳解》（卷十一頁一二）皆有，宜有也。傾戲，傾側險戲也。傾虧，傾側毀缺也（謝靈運〈山居賦〉：「棧道傾虧。」（清）嚴可均《全宋文》（臺北世界書局影印本）卷三一頁八）。防柩傾倒殘毀，於義爲的，《詳解》述亦作虧。《訂義》因形近致誤，而錢從改字，失之。（五七）

稽器展事，以詔誅賞。（〈鄉師〉）

《錢本》（卷六頁一五）佚文「稽器，稽其足否與良窳」，錢曰：「此注據《訂義》增。」

敏案：稽器二字，《訂義》（卷八頁九）原無，錢增文。《詳解》（卷十一頁一五）述，幾全同。（五八）

黨正，……正歲，屬民讀灋。（〈黨正〉）

〔補佚文二七〕「歲屬其民者五。」（臺灣中華書局《四部備要本》王安石《臨川集》卷四三頁四〈乞改周禮義誤字劄子〉：「黨正『歲屬其民者四』，『四』當作『五』。」）

敏案：宋神宗熙寧八年初頒本《周禮新義》作「歲屬其民者四」，元豐三年王安石上劄乞改爲「歲屬其民者五」，茲用改正本輯收。錢氏參考諸家傳義補輯，而不及《臨川集》，故類此者共四條，彼皆缺輯（餘三條詳後）。（五九）

鼓人，……以金錞，和鼓。（〈鼓人〉）

〔補佚文二八〕「以錞和鼓，蓋鼓則進；進則爲陽用事之時，陰出佐之而已。」（〔宋〕王黼等《宣和博古圖》臺北新興書局影印〔明〕黃氏亦政堂重刊本 卷二六頁二七王安石釋《周官》〈鼓人〉云）（六十）

均人，……凶札則無力政，無財賦，不收地守地職，不均地政。（〈均人〉）

〔補佚文二九〕「（無財賦，）荒政所謂薄征。」（《訂義》卷二一頁二四王氏曰；《詳解》卷十三頁一一述，未有也字。）（六一）

〔補佚文三〇〕「（不收地守地職，）荒政所謂散利也。」（《訂義》卷二一頁二四王氏

曰、《詳解》卷十三頁一一述）（六二）

保氏，掌諫王惡，而養國子以道，乃教之六藝。（〈保氏〉）

〔補佚文三二〕「道與之才，先王達之以爲藝；道與之貌，先王制之以爲儀。」（《訂義》卷二二頁九至一〇王氏曰、《詳解》卷十三頁一六述）

敏案：佚文「先王本道以達爲藝，緣道而制爲儀」，錢曰：「《義疏》同。」（《錢本》卷六頁二三）而以《訂義》所引「道與之才」四句爲異文。兩文異甚，茲輯補爲佚文。（六三）

使其屬守王闈。（〈保氏〉）

敏案：《錢本》（卷六頁二三）從《訂義》（卷二二頁一一）增「闈者，旁出之小門」，原書無「闈者」二字，錢氏自加。（六四）

司市，……凡市入，則胥執鞭度守門，市之羣吏，平肆、展成。（〈司市〉）

《錢本》（卷七頁一）佚文「器中度至禽獸魚鼈中殺，此謂成也」，錢曰：「此注據《訂義》增。」

敏案：《訂義》（卷二三頁一三）「禽」原作「鳥」，錢抄誤。（六五）

質人，……凡治質劑者：國中一旬，郊二旬，野三旬，都三月，邦國朞。期內聽，期外不聽。（〈質人〉）

佚文「質劑之治，宜以時決至故期外不聽，亦所以省煩擾」，錢曰：「省煩擾，《訂義》

同，《義疏》作杜欺誣。」（《錢本》卷七頁二）

敏案：各本無作杜欺誣者，《欽定義疏》（卷十四頁一九）臆改。（六六）

泉府，掌以市之征布。……凡民之貸者，與其有司辨而授之，以國服爲之息。（〈泉府〉）

〔補佚文三二〕「（泉府斂市之征布，其所得幾何？說者謂：）先王所以變通天下之財者在此。」（〔宋〕楊時《周禮義辨》，載《訂義》卷二四頁一二；說者，謂王安石。）（六七）

〔補佚文三三〕「國服爲之息，則民不輕貸矣。」（《龜山集》（《文淵閣四庫全書》本，臺灣商務印書館影印、《四庫全書珍本四集》本。）卷十三頁一三至一六《神宗日錄辨》載《（周禮）新義》又以）（六八）

司門，掌授管鍵，以啓閉國門。（〈司門〉）

〔補佚文三四〕「授鍵則以司門，總統諸門，故掌授之以啓門也。」（《周禮全解》王安石謂，載《訂義》卷二四頁一三。）（六九）

遂人，掌邦之野。以土地之圖，經田野造縣鄙形體之灋：五家爲鄰，五鄰爲里，四里爲酇，五酇爲鄙，五鄙爲縣，五縣爲遂，皆有地域溝樹之，使各掌其政令刑禁。（〈遂人〉）

〔補佚文三五〕「其縣鄙之地域有形，其井邑溝涂有體，其所以制而成之則有法。」（《訂義》卷二五頁三王氏曰）（七十）

佚文「比相保至閭相受至族相葬至黨相救至州相賙至鄉相賓至則遂亦相賓矣」，錢曰：「《義疏》引此作『相保、相受、相葬、相救、相賙、相賓之法，一與六鄉同』，蓋檃括之詞。」（《錢本》卷七頁五）（七一）

遂大夫，……三歲大比，則帥其吏而興甿，明其有功者，屬其地治者。凡爲邑者，以四達戒其功事，而誅賞廢興之。（〈遂大夫〉）

〔補佚文三六〕「明其有功者，則察舉其屬人之有功；屬其地治者，則聯比其地治之職事。」（《訂義》卷二六頁三王氏曰；《詳解》卷十五頁一一述，無事字，之有功下、職事下，各有「者也」二字。）（七二）

旅師，掌聚野之耡粟、屋粟、閒粟而用之，以質劑致民，平頒其興積；施其惠，散其利，而均其政令。（〈旅師〉）

佚文「掌聚野之耡粟、屋粟、閒粟而用之者」，錢曰：「王氏與之曰：『鄭氏改『而』爲『若』，無義；王氏連上讀之爲是。』」（《錢本》卷七頁九）敏案：評論雜注入佚文，非常格，宜別補佚文一條如下：（七三）

〔補佚文三七〕「『而用之』之『而』，連上『粟』字讀。（《訂義》卷二六頁一三述王氏意）（七四）

〔補佚文三八〕「（平頒其興積，）無問其欲否，槩與之也，故謂之平。」（《龜山集》卷六頁一五《神宗日錄辨》引《新義》曰；〔宋〕胡銓《周禮解》朱絲闌舊鈔本卷二頁九、《訂義》卷二六頁一四載《周禮辨疑》引介甫又以、〔明〕柯尚遷《周禮全經釋原》《文淵閣四庫全書》本，臺灣商務印書館影印、《四庫全書珍本三集》本。卷十二頁五六至五七王安石乃以，皆略同。）（七五）

稻人，掌稼下地。以瀦畜水，以防止水。（〈稻人〉）

《錢本》卷七頁一二佚文「以瀦畜水，待旱也；以防止水，待水也」，錢曰：「此注據《訂義》增。」

敏案：以瀦、以防二句八字，錢氏自增，《訂義》（卷二七頁五）原無。（七六）

誦訓，掌道方志，以詔觀事。（〈誦訓〉）

〔補佚文三九〕「以詔觀事。」（《臨川集》卷四三頁四〈乞改周禮義誤字箚子〉：「〈誦訓〉『以詔王觀事』，當去『王』字。」）（七七）

〈春官〉

大宗伯之職，……以祠春享先王，以禴夏享先王，以嘗秋享先王，以烝冬享先王。（〈春官〉〈大宗伯〉）

佚文「春物生，未有以享也，其享也，以詞爲主錢曰（見《錢本》卷八頁八，下同。）：「《刪翼》引作『主以詞達誠』。」，故春曰祠；夏則陽盛矣，其享也，以樂爲主，故夏曰禴；秋物成，可嘗矣，其享也，嘗而已，故秋曰嘗錢曰：「《義疏》引作『秋物初成，薦新曰嘗』。」；冬則物衆，其享也，烝衆物焉，故冬曰烝錢曰：「《義疏》引作『冬物大備，合衆物以享曰烝』。《刪翼》皆同。」。」

敏案：王志長，〔明〕萬曆間人，未見《新義》原書，其撰《註疏刪翼》，所載此段文在卷十二頁一八至一九，皆潤飾《集說》（卷四頁一七）所引而成（其全書載安石《新義》凡一五五條次，中一四九條次《集說》同有，詳「輯本分條考計」。），而《欽定義疏》（卷十八頁一九）又斷取志長轉引文之後十九字，可謂轉手中之轉手。錢氏未考。（七八）

以軍禮同邦國：大師之禮，用衆也；大均之禮，恤衆也；大田之禮，簡衆也；大役之禮，任衆也；大封之禮，合衆也。（〈大宗伯〉）

〔補佚文四〇〕「……九伐，有太師焉。地守、地政、地職，有大均焉。城池宮室之工，有大役焉。講武而田，頒國而封，有大田、大封焉。舉皆以車人之什伍行之，以伍兩卒旅之法制之，故曰軍。軍行之以禮，而後衆可用也。大師、大田，大司馬主之。大均、大役、大封，司空主之。司徒率民徒而至，其禮宗伯掌之。」（〔明〕徐即登《周禮說》〔明〕萬曆間原刊本卷七頁七王介甫曰，上承佚文「合衆，合其志」。）（七九）

以九儀之命正邦國之位：壹命受職，再命受服，三命受位，四命受器，五命賜則，六命賜官，七命賜國，八命作牧，九命作伯。（〈大宗伯〉）

〔補佚文四一〕「九儀之命，皆加命也。」（《周禮全解》王安石云，載《訂義》卷三十頁八；《詳解》卷十七頁一一述略同。）（八十）

大賓客，則攝而載果。（〈大宗伯〉）

佚文「大賓客攝而載果者，亦王后不與而攝也」，錢曰：「《義疏》引作『注以攝果爲代王，非也；亦謂王后不與而攝其事。』」（《錢本》卷八頁一三）

敏案：疑《欽定義疏》（卷十八頁四九）「注以」二句，乃潤飾之詞。「亦謂」句，陰襲《集說》或《詳解》（詳下條補佚文）。（八一）

〔補佚文四二〕「攝而載果者，亦謂王后不預而攝其事。載果，祼鬯載於圭瓚。」（《集說》卷四頁三八王介甫曰、《註疏刪翼》卷十二頁四八臨川王氏曰；《詳解》卷十七頁一九述，幾全同。）（八二）

雞人，下士一人，史一人，徒一人。（〈敘官〉，從《訂義》次此。）

〔補佚文四三〕雞於十二辰屬酉，於二十八宿屬昴，而反列於〈春官〉，蓋雞之爲物，向陰伏向陽鳴，主於司晨。日之晨猶歲之春，則雞東方之畜。（《周禮全解》王安石謂，載《訂義》卷三三頁一六；《詳解》卷十八頁一六述，幾全同。）

敏案：錢氏以此條作雙行小字注於佚文之下，今正作佚文一條，補列於此。（八三）

司几筵，……諸侯祭祀席，蒲筵繢純，加莞席紛純，右彫几；昨席，莞筵紛純，加繅席畫純。

筵國賓于牖前，亦如之，左彤几。（〈司几筵〉）

〔補佚文四四〕諸侯左彤几，爲祭祀之時下筵，國賓則不設几。（《周禮詳說》王氏以，載《訂義》卷三四頁一二；《詳解》卷十九頁二述同。）（八四）

天府，……凡吉凶之事，祖廟之中，沃盥執燭。季冬，陳玉，以貞來歲之媺惡。若遷寶，則奉之。若祭天之司民司祿，而獻民數、穀數，則受而藏之。（〈天府〉）

〔補佚文四五〕「民也、穀也、器也，在人而已，而所以制其生死，所以制其豐凶，天實有司之者焉。司民，所以制民之生死也；司祿，所以制穀之豐凶也。必祭之者，王之祈於天以求福之助者，乃所以爲守器之成。終成始者，與民數有登下，穀數有多寡，既祭，司民、司祿而後獻其數於王，王受而藏之於天府，所謂天實司之也。然則天府之所掌，豈徒然哉！凡以奉承天之所爲而已。則自天祐之，吉無不利，其於守器也何有？」（《詳解》卷十九頁五《新經》云）（八五）

典命，……王之三公八命，其卿六命，其大夫四命；及其出封，皆加一等，其國家、宮室、車旗、衣服、禮義，亦如之。（〈典命〉）

〔補佚文四六〕「自三命以下，則已卑，故雖言數，亦以命人臣。如王之上士三命，下士一命；公侯伯之卿三命，其士一命；子男之大夫一命，皆陽數，無所嫌焉。三公八命，加一等，則九命而爲上公。卿六命，加一等，則七命而爲侯伯。大夫四命，加一等，則五命而爲子男。蓋近於王則其勢有所屈，遠于王則其勢有所伸者。不言孤，則孤與卿同六命矣。」（《詳解》卷十九頁一三《新經》云）（八六）

外宗，掌宗廟之祭祀，佐王后薦玉豆，眡豆籩；及以樂徹，亦如之。……小祭祀，掌事；賓客之事，亦如之。大喪，則敘外內朝莫哭者；哭諸侯，亦如之。（〈外宗〉）

〔補佚文四七〕「……〈世婦〉言『掌弔臨于卿大夫之喪』，則王或使焉，乃往；〈內宗〉言『凡卿大夫之喪，掌其弔臨』，則凡喪皆往矣；掌弔臨，則亦同族故也。」（《鈔本》、《文淵本》）

敏案：「〈世婦〉言」以下共四十七字：《墨海本》、《經苑》本竝無；而其中四十二字，彼本則見於上〈世婦〉、〈內宗〉條下，但「矣掌弔臨則」五字彼無。安石解經，文字略同，而前後互出，宜分別輯收。《文瀾本》原缺此條，《錢本》遂亦缺矣。（八七）

冢人，……凡諸侯及諸臣葬於墓者，授之兆，爲之蹕，均其禁。（〈冢人〉）

佚文「授之兆，則死自竁窆」，錢曰：「《訂義》引作『授之兆，則使之自竁窆』。」（《錢本》卷九頁一七）

敏案：《詳解》（卷二十頁五）述、《欽定義疏》（卷二一頁五〇）亦竝同《訂義》——「死」作「使之」，「死自竁窆」不可通。（八八）

大司樂，……凡六樂者：一變而致羽物，及川澤之示；再變而致蠃物，及山林之示；三變而致

鱗物，及丘陵之示；四變而致毛物，及墳衍之示；五變而致介物，及土示；六變而致象物，及天神。（〈大司樂〉）

《錢本》卷十頁四佚文「象物恍惚無形，則其致之尤難。川澤以下之屬虛，故致之易」，錢曰：「以下之屬四字，元本無，據《義疏》增。」

敏案：經言致「物」，致羽、臝、鱗、毛、介、象六物也；言致「示」，致川澤、山林、丘陵、墳衍、土示、天神，是示亦六也。而介甫解所及，於致物才三——致羽、介、象也；於致示亦止三——致川澤、墳衍、天神也。故乃於節末曰：「其餘所致先後，蓋其大致如斯而已。」《欽定義疏》（卷二二頁一九）刪「其餘」二字，而增「已下之屬」四字於「川澤」下殆以包介甫之所未枚舉——山林、丘陵二示。《詳解》（卷二十頁一三）述、《集說》（卷五頁一四）、《註疏刪翼》（卷十四頁三五）皆無此四字。錢氏踈考經傳，又不及廣求它傳義，誤以彼妄增爲元有。（八九）

凡樂：圜鍾爲宮，黃鍾爲角，大簇爲徵，姑洗爲羽；靁鼓、靁鼗、……冬日至，於地上之圜丘奏之。……凡樂：函鍾爲宮，大簇爲角，姑洗爲徵，南呂爲羽。……（〈大司樂〉）

〔補佚文四八〕「此樂無商者，祭尚柔、商堅剛也。雷鼓、雷鼗皆八面，鼗如鼓而小，持其柄搖之，旁耳還自擊。孤竹，竹特生者。雲和，山名。」（《周官集傳》卷六頁二六王氏曰）（九十）

路鼓、路鼗、陰竹之管、龍門之琴瑟、九德之歌、九磬之舞，於宗廟之中奏之，若樂九變，則人鬼可得而禮矣。（〈大司樂〉）

〔補佚文四九〕「聲、陽也，以陰竹，則陰和於陽，所以致鬼。」（《周官集傳》卷六頁二七王氏曰）（九一）

大胥，……序宮中之事。（〈大胥〉）

佚文「以待致諸子者至于此而已」，錢曰：「《義疏》『序宮中之事』，王氏安石謂：『比國子宿衛宮中而學道藝。』案：此注今本佚。」（《錢本》卷十頁八）

敏案：《詳解》卷二二頁二：「序宮中之事，謂序王宮之中國子之宿衛而學道藝者。春秋之所學，各有其序如此，大胥之所掌是也。〈宮正〉言『比宮中之眾寡，會其什伍而教之道藝』，則大胥之序宮中之事者如此」，殆祖述《新義》；而《欽定義疏》（卷二二頁五八）因撮其大意爲「比國子宿衛」云云一句，即《錢本》所引者，句下尚有「者，其事乃宮正、宮伯掌之，與樂官無與」，爲其評《新義》失解之語。錢誤王昭禹解爲王安石解矣。（九二）

小胥，掌學士之徵令而比之，觵其不敬者，巡舞列而撻其怠慢者。（〈小胥〉）

〔補佚文五〇〕「肆師相祭祀，則誅其怠慢。小胥巡舞列，則撻其怠慢。有司則加呵責，學士則用教刑。」（《欽定義疏》卷二二頁五九王氏安石曰）

敏案：《錢本》卷十頁八僅補「有司」以下十二字於佚文「撻之，教也」與「堵言𢆉」間。考此「有司」以上四句《文淵本》亦無有，當一併補入。（九三）

瞽矇，掌……世奠繫，鼓琴瑟。（〈瞽矇〉）

《錢本》卷十頁九佚文「世奠繫，當從故書，（爲）世帝繫，古書有謂之帝繫者」，錢曰：「此注據《刪翼》增。」

敏案：錢引亦見《集說》（卷五頁三五）王介甫曰，《註疏刪翼》據轉錄，錢失考原本。《詳解》（卷二一頁九）述略同。（九四）

典同，掌六律六同之和，以辨天地四方陰陽之聲，以爲樂器。……凡爲樂器：以十有二律爲之數度，以十有二聲爲之齊量，凡和樂亦如之。（〈典同〉）

《錢本》卷十頁一〇佚文「天地四方至以爲樂器」，錢曰：「天地以下，據《刪翼》增。」

敏案：《註疏刪翼》據《集說》（卷五頁三八）轉錄，錢失考本原。（九五）

籥章，掌土鼓豳籥。中春，晝擊土鼓，歈豳詩，以逆暑；中秋，夜迎寒，亦如之。（〈籥章〉）

《錢本》卷十頁一二佚文「中春晝至故迎寒」，錢曰：「中春以下，據《刪翼》增。」

敏案：《註疏刪翼》據《集說》（卷五頁四六）轉錄。（九六）

大卜，……掌三㝱之法：一曰致㝱，二曰觭㝱，三曰咸陟，其經運十，其別九十。（〈大

卜〉）

《錢本》卷十頁一三「占夢，以歲時日月星辰占六夢之吉凶，則所謂經運，蓋歲時日月星辰之運」，錢曰：「此注據《訂義》增。」

敏案：《訂義》（卷四二頁四）載王氏曰無「占六夢之吉凶」六字；《欽定義疏》（卷二四頁七王氏安石曰有此六字（蓋參「〈占夢〉」職自加，非《新義》原具。），則實《錢本》之所據，但「則」下有「此」字，錢氏漏鈔耳。（九七）

占夢，掌其歲時，觀天地之會，辨陰陽之氣，以日月星辰占六夢之吉凶。（〈占夢〉）

〔補佚文五一〕「……此占夢之所以設也。」（《集說》卷五頁六二王介甫曰、《註疏刪翼》卷十五頁四三至四四臨川王氏曰，上承佚文「利貞」。）（九八）

眡祲，掌十煇之灋，以觀妖祥，辨吉凶：一曰祲，二曰象，三曰鑴，四曰監，五曰闇，六曰瞢，七曰彌，八曰敘，九曰隮，十曰想。掌安宅敘降。正歲，則行事；歲終，則弊其事。（〈眡祲〉）

〔補佚文五二〕「氣祥謂之祲，以日傍之氣相侵也。形本謂之象，謂氣在日傍未成形也。鑴，如『童子佩鑴』之鑴，謂傍氣刺日也。監，如『王啓監，厥亂』之監，謂雲氣在上而臨日也。闇，謂晝晦或日蝕也。瞢，謂日無光也。彌，如彌縫之彌，謂氣貫日也。敘，如時敘之敘，謂雲有次敘在日上也。隮，如『朝隮于西』之隮，謂虹氣見日傍也。想，謂雜氣有似，可形想也。」（《六經天文編》卷下頁一一「十煇」目王氏曰；《詳解》卷二二頁一三述，雲氣在上作雲氣在日，或作成，貫日下無也字。）（九九）

大祝，……凡大禋祀、肆享、祭示，則執明水火而號祝。（〈大祝〉）

〔補佚文五三〕「明水以鑑，取水於月；明火以燧，取火於日，至潔而清明者也。號六號，祝六祝。」（《集說》卷五頁七二王介甫曰；《詳解》卷二二頁一八述，幾全同，燧作遂。）（一〇〇）

甸祝，掌四時之田，表貉之祝號。舍奠于祖廟，禰、亦如之。師甸，致禽于虞中，乃屬禽；及郊饁獸，舍奠于祖禰，乃斂禽；禂牲禂馬，皆掌其祝號。（〈甸祝〉）

〔補佚文五四〕甸與田同，以包地而田，則謂之甸。甸祝，掌田之祝號而已，故甸祝名官。貉師，祭也；設表以祭，故謂之表貉。甸所以教戰，春蒐、夏苗、秋獮、冬狩；表貉以祭，甸祝則掌其祝號也。師甸皆以遷祖行，視民以用命也。（《詳解》卷二三頁三云見《新傳》）（一〇一）

男巫，……王弔，則與祝前。（〈男巫〉）

〔補佚文五五〕「弔用巫祝，臨死者故也。」（《集說》卷五頁八一王介甫曰、《註疏刪翼》卷十五頁八一介甫王氏曰）（一〇二）

保章氏，……以十有二風，察天地之和，命乖別之妖祥。（〈保章氏〉）

〔補佚文五六〕「十有二風，風之生於十二辰之位者也，蓋天地之氣，合以生風，八風本乎八卦：四維之風，兼於其月，故〈艮〉爲條風，而立春亦曰條風；〈巽〉爲清明風，而立夏亦曰清明風；〈坤〉爲涼風，而立秋亦曰涼風；〈乾〉爲不周風，而立冬亦曰不周風；故八風變而言之，又謂十二風。」（《六經天文編》卷下頁二六「十二風」目王氏曰）（一〇三）

〔補佚文五七〕「大宰八柄之序，先慶賞而後刑威。於慶賞，則先重而後輕；於刑威，則先輕而後重；勸賞畏刑之意。至於內史，則慶賞、刑威雜而不知其孰先，主於守法，而不預其道揆之意也。」（《集說》卷五頁九八至九九王介甫曰；《周禮全經釋原》卷八頁七二王氏曰，「之意至於」作「之意也」，預作與；《註疏刪翼》卷十六頁二八介甫王氏曰，勸、畏作貴、薄。）（一〇四）

內史，掌王之八枋之灋，以詔王治：一曰爵，二曰祿，三曰廢，四曰置，五曰殺，六曰生，七曰予，八曰奪。（〈內史〉）

御史，掌邦國都鄙及萬民之治令，以贊冢宰。凡治者受灋令焉。掌贊書；凡數從政者。（〈御史〉）

《錢本》卷十一頁二一佚文「凡數從政者，若今御史掌班簿」，錢曰：「此注據《刪翼》增。」

敏案：《註疏刪翼》（卷十六頁三二）據《集說》（卷五頁一〇三）轉抄。唯正《集說》

之「令」爲「今」（《詳解》卷二四頁四述「令」作「後世」），是也。（一〇五）

會同亦如之。（〈車僕〉）

車僕，掌戎路之萃、廣車之萃、闕車之萃、苹車之萃、輕車之萃。凡師，共革車，各以其萃；

《錢本》卷十一頁一五至一六佚文「此五車者，皆戎車，故各有萃，萃、隊也至各以其萃，則其車之萃伍，習睦焉」，錢曰：「《訂義》引作『各以其萃，以其車之卒伍睦焉』敏案：謂「各以其萃」以下共三句。。」

敏案：《欽定義疏》（卷二七頁二四）同《訂義》僅將末「焉」字改爲「也」；《詳解》（卷二四頁一一）述：「萃，隊也，《易》曰『萃，聚也』，蓋聚則有萃敏案：隊之誤，《訂義》卷四六頁三引作隊。矣。必各以其萃，則以其車之出入卒伍進退皆習穆焉。」萃伍，即隊伍；車之隊伍習爲和協。《詳解》「卒伍」以釋「伍」，非「萃伍」原作「卒伍」。《鈔本》、《墨海本》竝作萃伍。《訂義》改字句，不可從也。（一〇六）

司常，……皆畫其象焉：官府各象其事，州里各象其名，家各象其號。（〈司常〉）

《錢本》卷十一頁一八佚文「官府異事至故所畫象其名號以別之」，錢曰：「元作『亦如之』敏案：謂「以別之」。，從《訂義》正。」

敏案：亦如之，承上「官府事異，所畫象其事」而言，謂所畫州里及家各象某州里及某家之名號，一若所畫官府各因其事而象之也。《訂義》改爲「以別之」、《詳解》（卷二四頁一三）述同，反令安石傳義滯晦矣。（一〇七）

結論

綜上所述，得總結論多事；爲便觀省，下歸爲兩大類——補列《周禮新義》佚文、叢論《錢本》得失，類下更碎爲數小節目言之：

一　補列《周禮新義》佚文

《錢本》據《文瀾本》抄輯佚文，別僅參用《周禮訂義》、《周禮註疏刪翼》、《欽定周官義疏》三書補錄。余更詳考《鈔本》、《文淵本》、《臨川集》、《宣和博古圖》、《龜山集》、《周禮詳解》、《周禮解》、《周禮折衷》與《師友雅言》（二書載《鶴山集》中）、《周禮訂義》、《六經天文編》、《周禮集說》、《文獻通考》、《三禮考註》、《周官集傳》、《周禮全經釋原》、《周禮說》、《周禮註疏刪翼》、《欽定周官義疏》十九書（作者、板本、書之簡名，已見分論各條下。），得多佚文五十七條，作〔補佚文一〕至〔補佚文五七〕諸條是也。

自《鈔本》、《文淵本》輯補一條，〔補佚文四七〕是也。自《臨川集》輯補二條，二七、三九是也。取《宣和博古圖》載，得多二八一條。采《龜山集》載，得多三三、三八兩條；其中三八條，《周禮解》、《周禮全經釋原》亦同載。考諸《詳解》所述，又得四五、四

六、五四三條。魏鶴山《師友雅言》、《周禮折衷》共載七、八、一七、一九四條，已據補入。《六經天文編》引三條——二四、五二、五六，皆予錄補。取《周禮集說》引四、一四、五三三條，其中五三條，《詳解》述亦同載。《文獻通考》、《三禮考註》各祇載一條，即此二〇、一二是。自《周官集傳》所獲甚富，條一、二、一五、一八、四八、四九，凡六，盡其書獨有。入《周禮說》載四〇一條，它書亦未見引：以上載有佚文諸書，錢氏皆未援用，其缺輯固宜。

有其書雖為錢氏援用，但彼考視未周，因而漏輯者亦有焉：如《訂義》載王氏安石曰，三、六、一六、二二、二三、二六、二九、三〇、三五、三六凡十條之多；又如《欽定義疏》載王氏安石曰，五〇一條是也。更有《錢本》補輯所據之書晚作，其書佚文原悉自它書轉錄，而錢氏抄收轉錄《新義》佚文失周者，即《註疏刪翼》所轉載佚文九、一〇、一一、四二、五一、五五、五七七條，皆從《集說》稗販是也。猶有七條，咸在《訂義》，但為王與之引述它書之所載，而錢氏不及深考者：一三、四四，《訂義》引王十朋《詳說》所載也；二五、三八，《訂義》引陳汲《周禮辨疑》所載也；三一，《訂義》引楊時《周禮義辨》文載也；其餘三四、四一兩條，竝鄭鍔《周禮全解》引王氏曰，而此亦見於《訂義》者也。雖然，錢氏輯補，有時亦知據《訂義》引述它書所載安石《新義》，如於〈春官〉〈鬯人〉下曰：「此條見鄭氏鍔引王安石說。」（《錢本》卷九頁三）鄭鍔說謂《訂義》（卷三三頁一三）所載也。惜其稽考未周，致遺漏若是之多也。

《錢本》所據之《文瀾閣本》無有，第見於《訂義》或其書所引它書載則有佚文，而錢氏視爲異文，作爲注語，細字夾署其下，於常例未合，今特表而出之，獨立爲補佚文，以便參取，計五條：五、二一、三一、三七、四三是也。

二　叢論《錢本》得失

資料豐而實，輯佚者所貴，故貧乏而不眞，皆有妨研究，而學者以爲大失。錢氏於〈天官〉〈幂人〉、〈春官〉〈大胥〉下，從《欽定義疏》輯收兩條，即（三六）、（九二），竝誤取王昭禹解爲王安石《新義》。

爲便解說，錢氏常取經本文增雜佚文之中，而未加表明，亦頗害義，計〈地官〉〈小司徒〉（五六）、〈鄉師〉（五八）、〈保氏〉（六四）、〈稻人〉（七六），凡四條，平添廿七字。是亦不容不辨者也。

錢氏常以所增輯佚文與《文瀾本》原有佚文接合，連成一片：或加一條於原佚文之上，或綴其末，或插入其中，如（二）、（十三）、（三十）、（三一）、（三三）、（三六）、（四八）、（五五）、（八九）、（九三）是。間有安置適當者，如（十三）、（四八），有《詳解》可證其先後；亦有顯然失置者，如（八九），取《欽定義疏》潤色之辭嵌入原文中間，即其例也。蓋吾人所見《新義》，零縑殘簡，而錢氏所據書尤少，若遽以一斑爲全豹，憑己意湊接，得少失多，可以決言！

錢氏校刊，嘗徑改經本文而誤，見條（四四）；嘗直增多佚文而未必是，見（十七）；又直改佚文而有待論定，見（七）、（四八）；更有誤改佚文者，見（十）、（四八）、（五七）、（六六）：條或一字，或三、四字，或據後人潤飾之文，或出胸臆。夫校書者苟有所見，應注說其下，而存其本字，直改則謹嚴者有所不取也。

《錢本》抄錄佚文，偶有脫字，如條（五七）、（九七）各奪一字；誤抄亦有，如（二）、（六五）各誤一字，（十）誤三字：皆誤看《文瀾本》、或《訂義》、或《欽定義疏》，因萃論於此，以便檢省。

錢氏據三書載引《新義》佚文，僅各題其書簡名——《訂義》、《刪翼》、《義疏》，一概不著原書卷數，遑論葉次？夫收輯佚文，爲便學者檢閱原出處，實應具索引功能，故向來輯佚之作，莫不儘量著出卷次。《錢本》闕如，查考匪易。余歷考《錢本》所輯補，發見其有誤題出處者兩條：即（四五），出諸《欽定義疏》，譌作援據《訂義》；（九七），增益六字，亦出《欽定義疏》（《義疏》依〈占夢〉職自添），而誤作出自《訂義》。

《新義》元末明初亡佚，《註疏刪翼》明中葉以後成著，所引《新義》絕多自《集說》轉錄，少數則因襲《詳解》載述，而錢氏概以轉引爲直據，謂彼書作者得見原書，計有（三十）、（七八）、（八一）、（九四）、（九五）、（九六）、（一〇五），正之而後學者知循文討原，且有助於考塙《新義》亡佚時際。《欽定義疏》作者，雖直據殘本《永樂大典》本《新義》，但有時用宋元明人書轉引或潤飾，計有（四五），自〔宋〕《詳解》；（四二），自《訂義》；（十一）、（三三），自〔元〕《集說》；而（七八），自〔明〕《註疏刪翼》，竟為轉手中之轉手矣。今皆為補記諸書卷葉次，便追考原書。

古人引書多刪節潤色，《訂義》、《欽定義疏》引《新義》亦然，而不必恪依原文，而後者嘗自承改易舊說入注不諱（見《御序》及《凡例》書）矣。《錢本》前三官，一記《訂義》、再申《欽定義疏》引《新義》為刪潤隱栝之詞，而列之為小注，見於條（三五）、（七一），及（十四）、（十八）、（五五）、（六六）、（八一）亦然，竝是。唯有時竟依刪潤之詞輯錄，見（五四），則又忘其文詞或出於隱栝矣。當正。

錢氏《經苑》本《周官新義》，本文中間雜評文校語，如評鄭君改字（見條（七三）），校語尤多，大抵但記各本異說，不作案斷，第非欲有記無斷、設例自限者，如條（二八）、（二九）、（三二）、（一〇七），錢氏一一為作案斷，惜其說皆非。然缺斷者實多，如條（十八）、（二七）、（三十）、（八八），苟略考經傳，是非立見，乃考亦不及，似無意肆力於此。余尅就錢氏有繫校語諸條，廣援經傳子書，試為補證，計有（一）、（三二）、（三五）、（四十）、（四七）、（五六）、（八八）、（八九）、（一〇六）九條，庶幾有補於文獻徵存。

《四庫全書》七本，《文淵》最善，舊有公論；《文瀾本》《新義》不若《文淵本》，理固然也。余嘗取《鈔本》、《墨海本》、《錢本》，參諸禮傳（《訂義》、《詳解》等），以與《文淵本》校，知舊論信然。此不煩備舉，僅以前三官五條論之，即可徵其梗概：條（八）、（三一）、（四一）、（五四）、（八七），《錢本》及《墨海本》（二本共出於《文瀾本》）或誤字、或奪字、或缺文一節，而《文淵本》皆不誤、不奪、不缺（《鈔本》同）。

錢氏《經苑》本《周官新義》「識後」曰：

> （王安石）《字說》，久佚不傳，獨見於此注中，其於六書之義，違戾已甚，輒依許書正之，庶幾學者不爲所誤爾。（載原書前）

此注，謂《新義》。《字說》著成在後，有采《新義》解經字者入卷，《新義》安有取《字說》之文解《禮經》者？錢說失據。夫《新義》分文析字，偶合《說文》，非盡「於六書之義，違戾已甚」（黃復山君「《王安石字說之研究》」（新訂本），裒集《字說》佚文，與《新義》解字竝觀，引《說文》以證，可見。），唯其析分偏旁、支解點畫，確多與許氏六書踳駁。就此前三官覘之，其顯然解字者三十有六字（黃君文考計爲七十九字），先列下：

極冢宰佐佑邦國卿夫士工才旅徒府史胥奚嬪婦以上〈天官〉〈敘官〉 典郊縣神示天以上〈大宰〉 戒令糾禁

以上〈宮正〉禬禳以上〈女祝〉甸〈地官〉〈小司徒〉喪〈春官〉〈大宗伯〉米〈司服〉籥〈籥師〉。

上列諸字多悖六書義如府，《說文》：「文書藏也，从广付聲。」《新義》則曰：「府之字從广從付，广，則其藏也；付，則以物付之。」又如郊，《說文》：「距國百里爲郊，从邑交聲。」《新義》則曰：「其外百里謂之四郊，與邑交故也。」〔清〕胡玉縉《四庫全書總目提要補正》：「（安石）解……『極之字從木從亟；木之亟者，屋極是也。』解……『夫之字與天皆從一從大，夫者，妻之天故也。天大而無上，故一在大上；夫雖一而大，然不如天之無上，故一不得在大上。』諸如此類，極可哂！」，而錢氏援許書辨者止「士工才奚」四字二條——（三）、（四），何其疏歟！不謂斯編之大失，可乎？

註釋

一　補佚文凡意其爲原文者，佚文上下加「」。下皆同。

二　補佚文凡可能爲大意者，佚文上下則不加引號。下皆同。

——原載《國立中央圖書館館刊》新十八卷二期，民國七十四年十二月

二十七　重輯《周禮》〈夏官〉〈秋官〉《新義》論錢儀吉本

〔宋〕王安石手著《周禮新義》，熙寧八年廷旨，列爲科舉學校必讀之書；學者研治《禮經》，亦甚多引用。惜其書久佚。〔清〕四庫館臣自《永樂大典》抄出佚文，殘缺殊甚。錢儀吉復據三數書補輯，云得百卅條，共刻入《經苑》。

余病《錢本》未善，復據宋元明清人禮傳、史籍、筆記、文集十七書，增輯六十五條，而《錢本》誤輯、失置、衍文、奪字、譌校等，亦一一加以辨正，作〈重輯《周禮》〈夏官〉〈秋官〉《新義》論錢儀吉本〉；合前三官及〈考工記〉部分，總題爲〈重輯《周禮新義》論錢儀吉本〉。（參見全文總敘，冒〈重輯《周禮》〈天官〉〈地官〉〈春官〉《新義》論錢儀吉本〉文之首。）

〈夏官〉

大司馬之職，掌……以九伐之灋正邦國：馮弱犯寡，則眚之；賊賢害民，則伐之；暴內陵外，則壇之；野荒民散，則削之；負固不服，則侵之；賊殺其親，則正之；放弒其君，則殘之；犯令陵政，則杜之；外內亂、鳥獸行，則滅之。（〈夏官〉〈大司馬〉）

《錢本》卷十二頁六佚文「眚，若人之瘦眚，使其彊更弱，其眾更寡，所以正其馮弱犯寡之罪也。賊殺其親，則正之者，正以服屬之灋」，錢曰：「此注據《刪翼》增。」

元敏案：《註疏刪翼》（卷十八頁五、六）據《集說》（卷六頁一七、一八）王介甫曰轉錄，二引原作「正者」，錢改爲「賊殺其親，則正之者」，因本經也。（第一條下槩省略「第條」兩字）

〔補佚文一〕「（眚，）詘其爵命，削其土地，使強更弱，眾更寡，若人之眚瘦然。」（《周禮全解》，《訂義》卷四七頁一一載王氏注；《詳解》卷二五頁五述，強、眾上竝有「其」字。）（註一）

敏案：前兩句，《集說》（卷六頁一七）引無、後兩句，略同《集說》；不宜分割，故合補爲一條。（二）

中春，教振旅，司馬以旗致民，平列陳，如戰之陳。（〈大司馬〉）

《錢本》卷十二頁七佚文「中春教振旅者，春陽用事，非兵之時，雖如戰之陳，而平列陳，則無事於戰矣」，錢曰：「春陽以下，據《訂義》增。」

敏案：中春教振旅者，非《訂義》（卷四八頁一）所引，而錢氏以爲下「春陽」至「於戰矣」釋之，故取本經文弁其上，導讀者錯認即佚文《錢本》類此甚多，前已略辨。；矧「雖如」之下乃釋本經「司馬以旗致民至如戰之陳」（《訂義》如此，本別爲一條，錢合爲一。），今總冒之於前，下無所施。本經「列陳」陳，有作「陣」者《周禮經注疏音義校勘記》卷二九頁一五曰：「《後漢書注》、《通典》、《書鈔》、《御覽》『陳』竝作『陣』。」；而佚文，《詳解》（卷二五頁九）述作陣，《訂義》原亦作陣，是安石以陣釋本經陳，如鄭君破字解經而不改經本文之法，錢氏作陳，字誤抄也。（三）

中夏，教茇舍，如振旅之陳；羣吏撰車徒，讀書契，辨號名之用。（〈大司馬〉）

〔補佚文二〕「『教茇社』者，教以草舍之法，『撰車徒』所以具之，『讀書契』所以聲之，皆比軍事也。比軍事，爲將茇社焉。」（〔明〕何楷《詩經世本古義》（《文淵閣四庫全書》本，臺灣商務印書館影印、《四庫全書珍本四集》本。）卷十七頁一一二《詩經》〈小雅〉〈車攻〉「選徒囂囂」下王安石云（四）

中秋，教治兵，如振旅之陳；辨旗物之用：王載太常，諸侯載旂，軍吏載旗，師都載旜，鄉遂載物，郊野載旐，百官載旟，各書其事與其號焉；其他皆如振旅。遂以獮田，如蒐田之瀍，羅

弊，致禽以祀祊。（〈大司馬〉）

〔補佚文三〕「書詳於畫，既書又畫，使人易辨而已。」（《周禮全解》王安石謂，載《訂義》卷四八頁八。）（五）

〔補佚文四〕「火之利不若車，車之利不若羅。」（《訂義》卷四八頁一二王氏曰；《詳解》卷二五頁一二述，羅下有「之所取」三字。）（六）

〔補佚文五〕天地嚴凝之氣，始于西南；秋則陰用事、兵之時也，故教治兵，所謂「出曰治兵」是也。旗物，以作戰也，故于教治兵、辨旗物之用：日月爲常，天道之運也，王之涖兵，以道而已，故王載大常；交龍爲旂，君德之用也，諸侯之涖兵，以德而已，故諸侯載旂；軍吏，孤卿之爲將者也，以猛毅致其義，故軍吏載旗；師都，孤卿之位衆者也，以衆屬軍吏，故載旜，取其亶以事上而已；鄉遂，則鄉遂之大夫也，以其無所將，故載物，取特物其所屬而已；郊野，則公邑之吏將其衆者也，以完果致其智而已，故載旐；百官，則以其屬衛王焉，以摯速致其禮而已，故載旟；師都、鄉遂無所將而不謂之孤卿大夫，至稱百官焉。（《詳解》卷二五頁一一至一二見《新傳》）（七）（註二）

中冬，教大閱，前期，羣吏戒衆庶，脩戰灋。虞人萊所田之野，爲表。……田之日，司馬建旗于後表之中，羣吏以旗物鼓鐸鐲鐃，各帥其民而致。質明弊旗，誅後至者；乃陳車徒，如戰之陳，皆坐；羣吏聽誓于陳前，斬牲以左右徇陳，曰「乃不用命者斬之」。……遂以狩田，以旌

爲左右和之門。（〈大司馬〉）

《錢本》卷十二頁九佚文「羣吏以鼓鐸至聽於一也錢曰：「羣吏以下，據《刪翼》增。」。使民以其死刑誅至不用命者可斬至四時皆教而後田至而後可用也錢曰：「四時以下，據《刪翼》增。」」。

敏案：兩條皆原出《集說》（卷六頁三二至三三、三五）引王介甫曰，錢未求本原，以《註疏刪翼》轉引爲直據。（八）

〔補佚文六〕「名旗門曰和，師克在和故也。」（《集說》卷六頁三五王介甫曰；《詳解》卷二五頁一五述，幾全同。）（九）

及師，大合軍，以行禁令，以救無辜，伐有罪。若大師，則掌其戒令，涖大卜，帥執事，涖釁主及軍器；及致，建太常，比軍眾，誅後至者；及戰，巡陳眡事，而賞罰。若師有功，則左執律，右秉鉞，以先，愷樂獻于社。（〈大司馬〉）

《錢本》卷十二頁九佚文「鄉師致民至有所受之也錢曰：「以上據《訂義》增。」」。以先，愷樂獻于社，怒釋而爲愷故也錢曰：「據《刪翼》增。」」。

敏案：謂據《註疏刪翼》增「怒釋」句，原出《集說》（卷六頁四一）王介甫曰；「以先至于社」二句，則係經本文，《集說》、《註疏刪翼》兩書竝不以之爲傳文，錢自增也。《訂義》所引，釋經「及致，建太常」；《集說》所引，則釋「愷樂獻社」云云，而錢使兩文相接。第考安石更有釋「右秉鉞」一節（詳下補佚文），固原在其間（依本經次

序）。《錢本》誤合佚文，頗多類此。（十）

〔補佚文七〕「右秉鉞，示勝而不忘戰，司馬之事也。」（《集說》卷六頁四一王介甫曰、《註疏刪翼》卷十八頁三六臨川王氏曰；《詳解》卷二五頁一七述，幾全同。）（十一）

司勳，掌六鄉賞地之灋，以等其功：王功曰勳，國功曰功，民功曰庸，事功曰勞，治功曰力，戰功曰多。凡有功者，銘書於王之大常，祭於大烝，司勳詔之；大功，司勳藏其貳。掌賞地之政令，凡賞無常，輕重眡功。（〈司勳〉）

《錢本》卷十二頁一〇佚文「王有天下至以國功爲圭也錢云：「王有以下，據《刪翼》增。」。大烝，冬之大享至祭有功宜矣。事勞至故輕重眡功錢云：「事勞以下，據《訂義》增。」」。

敏案：《註疏刪翼》此引，原據《集說》（卷六頁四六）王介甫曰轉錄，《詳解》（卷二六頁一至二）亦述，略同。「爲圭也」下、「大烝」上，別見《新義》佚文兩條；「宜矣」下、「事勞」上，亦別有佚文一條（三條均詳下補）。則錢氏所獲未全，遽連合其僅見之佚文於一所，又可確徵其失矣。（十二）

〔補佚文八〕「（事功曰勞，）事成於勤勞故也。」（《集說》卷六頁四六王介甫曰，《詳解》卷二六頁一述略同。）（十三）

〔補佚文九〕「（治功曰力，）孔子言『禹盡力溝洫』，是也。」（《訂義》卷四九頁二王氏曰，《詳解》卷二六頁二述大同。）（十四）

〔補佚文一〇〕「大功，司勳藏其貳，則治功之約正掌於司約故也。」（《集說》卷六頁四七王介甫曰；《詳解》卷二六頁二述，幾全同。）（十五）

馬質，掌質馬，馬量三物：一曰戎馬，二曰田馬，三曰駑馬，皆有物賈；綱惡馬。（〈馬質〉）

〔補佚文一一〕「馬質掌成官中市馬之事，如市之有質人。」（《集說》卷六頁四八王介甫曰，《詳解》卷二六頁三述略同。）（十六）

《錢本》卷十二頁一一佚文「每馬各以三物量之，以知其所宜」，錢曰：「以上據《刪翼》增。」

敏案：《註疏刪翼》錄自《集說》（卷六頁四九）王介甫曰。各，兩書引竝作則，錢氏鈔誤。（十七）

量人，……凡宰祭，與鬱人受斝，歷而皆飲之。（〈量人〉）

《錢本》卷十二頁一一佚文「受斝，歷而皆飲之至達其氣臭以始之至制其量數以成之」，錢云：「《刪翼》引此，『始之』下有曰『交神以德者也』；『成之』下有曰『事神以禮者也』。」

敏案：《註疏刪翼》轉錄，原出《集說》。錢氏以佚文作小注，依其體例，當補作佚文一條如下：（十八）

〔補佚文一二〕「……交神以德者也。……事神以禮者也。」（《集說》卷六頁五二、《周

禮全經釋原》卷九頁六五、《註疏刪翼》卷十九頁九，上承「始之」、「成之」。）（十九）

射人，……王以六耦射，三侯三獲三容。（〈射人〉）

〔補佚文一三〕司裘之虎侯、熊侯、豹侯，即射人之侯；司裘之熊侯、豹侯，即射人之二侯；司裘之麋侯，即射人之一侯。（《周禮詳說》荆公以，載《訂義》卷五十頁一四；《詳解》卷三六頁一四至一五述曰：「三侯，熊、虎、豹也；二侯，則無虎；一侯，則麋而已。」）

敏案：《訂義》轉引，錢氏未及輯收。（二十）

射鳥氏，掌射鳥。祭祀，以弓矢敺烏鳶。凡賓客、會同、軍旅，亦如之。射，則取矢，矢在侯高，則以并夾取之。（〈射鳥氏〉）

〔補佚文一四〕掌畜，供膳獻之鳥，則射鳥氏掌射鳥、亦以共膳獻之用也。然掌畜以養鳥而共之，射鳥氏以射鳥而共之。烏善污人，敺之所以致潔；鳶善取物，敺之所以去害，故祭祀、賓客、會同、軍旅，皆敺之也。射則取矢，蓋以射爲事故也。并夾，則鍼矢之器也，故矢在侯高，則以并夾取之矣。（《詳解》卷二六頁一七《新經》云云）（二一）

司士，……正朝儀之位，辨其貴賤之等：王南鄉；三公北面，東上；孤東面，北上；卿大夫西面，北上；王族故士、虎士，在路門之右，南面東上；大僕、大右、大僕從者，在路門之左，

南面西上。（〈司士〉）

《錢本》卷十二頁一六佚文「所謂治朝也至詢眾庶之朝也」，錢曰：「『所謂』以下，據《刪翼》增。」

敏案：原出《集說》（卷七頁五）王介甫曰，《註疏刪翼》轉錄而已。（二二二）

諸子，掌國子之倅，掌其戒令與其教治，辨其等，正其位。國有大事，則帥國子而致於大子，惟所用之。（〈諸子〉）

《錢本》卷十二頁一七佚文「上言國子之倅，而下言帥國子致于太子至非特倅也」，錢曰：「『上言』以下，據《刪翼》增。」

敏案：《註疏刪翼》自《集說》（卷七頁九）王介甫曰轉錄；「上」與「言」間，錢漏抄「文」字，「帥」，《註疏刪翼》作「師」，錢見其字誤，乃徑改爲「帥」（本經、《集說》、《詳解》詳下皆作帥）。（二二三）

〔補佚文一五〕掌國子之倅，而名官謂之諸子者，蓋公卿大夫士之子、自其眾而言之，則謂之諸子也。國子之教，師氏掌其正者也，諸子則掌其倅而已。蓋國子之適，則爲正，而其庶之介於適者，則謂之倅也。掌其戒令，則所謂「國有大事，則帥國子而致於太子，惟所用之。甲兵之事，則授之車甲，合其卒伍」，是也。掌其教治，則所謂「使之修德學道，以攷其藝，而進退之」，是也。辨其等，所以明貴賤也；正其位，所以明上下也。公卿大夫則聽於王者也，其子則聽於太子者也。故國有大事，則帥國子而致於太子，惟所用之也。所謂國之大事，不必甲兵之事也；若有甲兵之事，則授之以車，而合其車之卒伍；授之以甲，而合其人之卒伍。置其有司，則若伍之有長、司馬之有公也。以軍法治之，則其坐作、其賞罰，若軍旅之事而已。（《詳解》卷二七頁四《新傳》云云）（二四）

凡國之政，事國子，存遊倅，使之脩德學道，春合諸學，秋合諸射，以攷其藝，而進退之。（〈諸子〉）

〔補佚文一六〕「國子服政，故事之遊倅，弗服政，故存之而已。」（《周禮全解》王安石謂，載《訂義》卷五一頁一六。）

敏案：《訂義》轉引，錢氏不及收。（二五）

〔補佚文一七〕「春合諸學，則修德學道也；秋合諸射，則以待兵甲之事也。」（《集說》卷七頁一二（王）介甫曰、《註疏刪翼》卷二十頁一九介甫王氏曰）（二六）

司右，掌羣右之政令。凡軍旅、會同，合其車之卒伍，而比其乘，屬其右。凡國之勇力之士，能用五兵者屬焉，掌其政令。（〈司右〉）

〔補佚文一八〕「車之卒伍，〈車僕〉所謂車之萃也。」（《訂義》卷五一頁一八王氏曰；《詳解》卷二七頁六述，車僕上有則字。）（二七）

〔補佚文一九〕羣右之長，所以謂之司右也。羣右，齊右、道右也，司右則掌其政令焉。政以正之，令以使之，車之卒伍，則〈車僕〉所謂「車之萃」也。車之萃，則有卒伍焉。……凡國之勇力之士，能用五兵者屬焉，則以車右必任勇力之士故也。五兵，則〈司兵〉所謂之「五兵」是也。蓋凡用五兵，遠則弓矢射之，近則矛者句之；句之矣，然後殳者擊之，戈戟者刺之。五者相須以爲用矣。（《詳解》卷二七頁六述《新經》云云）（二八）

節服氏，掌祭祀、朝覲，兖冕六人，維王之太常。諸侯則四人，其服亦如之。郊祀，裘冕，二人執戈，送逆尸，從車。（〈節服氏〉）

〔補佚文二〇〕掌祭祀、朝覲，袞冕六人，維王之太常，諸侯則四人，其服亦如之，而其官名之曰節服氏者，蓋中而不可不高者，德也；節而不可不積者，禮也。由禮之升而藏焉，則爲道之一，爲德之高；由道之降而顯焉，則爲禮之節。建常以象道，服袞以象德者，外王之禮也。若夫內聖之道，則蕩然无執，而人以維之，道之所以不敢也。故大常者，王建之，而維之者，在節服氏。袞冕六人，維王之大常，而諸侯則四人，其服亦如之也。所謂「諸侯則四人，其服亦如之」者，亦如諸侯之服也。然王則六人，諸侯則四人者，以禮言之，則諸侯當殺於王；以理言之，則六者水之成數，所以爲智也，四者金之生數，所以爲義也。降而絀，絀而生智，惟王則爲智之至，故維太常者以六人，取其智之成也。君德本於仁，而仁必制之以義，諸侯於義，爲未至焉，故維其旂者以四人，以其非義之成也。以道觀之，則何貴何賤，是謂反衍；維之以人，則遂分貴賤也。上德不德，是以有德，取節於彼，則不自有其

貴也。通乎此，則先王制禮之意，豈不微哉！（《詳解》卷二七頁八《新經》云云）（二九）

大僕，……建路鼓于大寢之門外，而掌其政，以待達窮者與遽令；聞鼓聲，則速逆御僕與御庶子。（〈大僕〉）

《錢本》卷十三頁一佚文「路鼓四面至欲其聞之速也。先言」，錢曰：「路鼓以下，據《刪翼》增。」

敏案：《註疏刪翼》據《集說》（卷七頁二四至二五）王介甫日轉錄。（三十）

〔補佚文二一〕祭祀，吉禮之事也。賓客，賓禮之事也，喪紀，凶禮之事也。事既不同，王之服位亦異。故大僕正之，詔法儀；法見于度數者，儀見于動容者，皆大僕以言告之也。贊王牲事，謂祭祀王射牲與割牲之事也。（《詳解》卷二七頁一〇《新經》云云）（三一）

祭祀、賓客、喪紀，正王之服位，詔灋儀，贊王牲事。王出入，則自左馭而前驅。（〈大僕〉）

御僕，掌羣吏之逆，及庶民之復，與其弔勞。大祭祀，相盥而登；大喪，持翣，掌王之燕令，以序守路鼓。（〈御僕〉）

〔補佚文二二〕「御僕，掌萬民之逆。」（《臨川集》卷四三頁四王安石〈乞改周禮義誤字箚子〉：「〈御僕〉，掌萬民之復，復當作逆。」敏案：今用新改本補輯。）（三二）

〔補佚文二三三〕僕，臣之附屬于尊者，如馬之在御，遲速緩急唯御者之聽，故以御僕名官。掌羣吏之逆者，羣吏自士以下言之也。若宰夫之言三公、六卿、大夫，然後言羣吏之位是也。宰夫掌治朝之法，故敘羣吏以待諸臣之復、萬民之逆；大僕掌王之大命，故掌諸侯之復逆；小臣掌王之小命，故掌三公、孤卿之復逆；御僕掌守路鼓達下情，故掌羣吏之逆。……大祭祀相盥而登者，相盥非沃也，若《儀禮》所謂「奉槃授巾」是也。登，謂爲王登牲體于俎也。（《詳解》卷二七頁一三至一四《新經》云云）（三三三）

隸僕，掌五寢之埽除糞洒之事。祭祀，脩寢；王行，洗乘石。掌蹕宮中之事。大喪，復于小寢、大寢。（〈隸僕〉）

《錢本》卷十三頁三佚文「王者七廟至其高祖之父與其祖與」，錢曰：「此注據《刪翼》增。」

敏案：《註疏刪翼》據《集說》（卷七頁二九至三〇）王介甫曰轉錄。（三三四）

司弓矢，……中春獻弓弩，中秋獻矢箙，及其頒之：王弓、弧弓，以授射甲革、椹質者；夾弓、庾弓，以授射豻侯、鳥獸者。（〈司弓矢〉）

〔補佚文二四〕「謂之夾，以其射至弱，必夾而輔之，然後可用；謂之庾，如露積之庾，須臾而爲廩，非可以爲久也。」（《周禮全解》王安石云，載《訂義》卷五三頁六；《詳解》卷二八頁三，第一夾下、庾下，竝有則字。）（三三五）

戎右，……會同，充革車；盟則以玉敦辟盟，遂役之；贊牛耳桃茢。（〈戎右〉）

〔補佚文二五〕「贊牛耳，取其順德也。」（〔宋〕孫升《孫公談圃》（《稗海》本）卷中頁五荆公言；《詳解》卷二八頁八述略同；《集說》卷七頁四六王氏曰、〔明〕王應電《周禮傳》（《文淵閣四庫全書》本，臺灣商務印書館影印、《四庫全書珍本三集》本。）卷四下頁一三王氏曰、《註疏刪翼》卷二一頁二四王氏曰，皆略同。）（三六）

〔補佚文二六〕「牛耳，尸盟者所執。」（〔宋〕王應麟《困學紀聞》（臺灣商務印書館《國學基本叢書》本）卷四總頁三八六《周禮義》云；《詳解》卷二八頁八述，尸作主；《集說》卷七頁四六王氏曰、《註疏刪翼》卷二一頁二四王氏曰，亦竝同；《周禮傳》卷四下頁一三王氏曰，尸作司，餘同。）（三七）

齊右，掌祭祀、會同、賓客，前齊車。（〈齊右〉）

〔補佚文二七〕「……齊，正所以承祭祀，……」（《集說》卷七頁四七王介甫曰，上承「齊車」、下接「王敬」。）（三八）

道右，掌前道車。王出入，則持馬陪乘，如齊車之儀。（〈道右〉）

〔補佚文二八〕「象路以朝夕燕出入，而謂之道車；王朝夕燕出入，無非道之故也。」（《集說》卷七頁四八王介甫曰、《註疏刪翼》卷二一頁二五王氏介甫曰；《詳解》卷二八頁九述，幾全同。）（三九）

大馭，掌馭玉路以祀，及犯軷。王自左馭，馭下祝；登，受轡、犯軷，遂驅之。及祭，酌僕；

僕左執轡，右祭兩軹，祭軌乃飲。凡馭路，行以肆夏，趨以采薺；凡馭路儀，以鸞和爲節。（〈大馭〉）

〔補佚文二九〕「有軓也。」（《臨川集》卷四三頁四〈乞改周禮義誤字箚子〉：「〈大馭〉『有軓也』，『軓』當作『軌』。」敏案：此從新改本輯收。）（四十）

〔補佚文三〇〕「僕，大僕祭祀則贊牲事；既祭，王使馭酌焉，明與之並受福也。」（《周禮全解》王安石謂，載《訂義》卷五四頁四；《集說》、《註疏刪翼》竝引，略同，詳下佚文。）（四一）

《錢本》卷十三頁六佚文「《書》曰至以詔贊至受福也」，錢曰：「此注據《刪翼》增。」

敏案：《註疏刪翼》據《集說》（卷七頁五〇）王介甫日轉錄，詔，《集說》作招，是。（四二）

〔補佚文三一〕五路以玉路爲大，故掌馭玉路以祀，其官謂之大馭也。及犯軷者，謂王出郊以祀，故有犯軷之事也。蓋行山曰跋，王將出，封土以爲山而祭之，驅車轢之而去，喻无險難也。王自左馭下祝登受轡犯軷，遂驅之也。（《詳解》卷二八頁一〇《新傳》云云）（四三）

〔補佚文三二〕夫王雖侔神天，而宰制禍福，然王之所以有福而無禍者，亦未始不本於神天之所爲，故出戶而巫覡有事，出門而宗祝有事，則幽闇之中固有默相之者矣。及既祭也，王使馭酌僕，僕左執轡右祭兩軹，軹謂兩轊也。又祭軓，軓謂軾前也。祭軹與軓既畢，然後飲，則僕雖與馭並受其福，而其所以受福者，亦固有道矣。（《詳解》卷二八頁一〇《新傳》云云）（四四）

戎僕，掌馭戎車；掌王倅車之政，正其服。犯軷如玉路之儀；凡巡守，及兵車之會，亦如之。掌凡戎車之儀。（〈戎僕〉）

《錢本》卷十三頁六佚文「戎車之副，謂之倅者，若眾子之倅其嫡，以備卒也；有時而佐焉。田車之副，謂之佐者，如眾臣之佐其君，謂之卿佐也；常以佐之為事。道車之副，謂之貳者，如世子之貳其父，謂之貳儲也；有故乃攝而伐（代）之：其義各有所主也。掌凡戎車之儀，戎以威為主，甲冑有不可犯之色，則戎車之儀可知矣」，錢曰：「此注見《刪翼》所引，但稱『王氏』；以《訂義》所引安石語證之，知為《新義》佚文。」

敏案：此大段文，《註疏刪翼》（卷二二頁二八至二九）自《集說》（卷七頁五一至五二）轉錄，但將中間「犯軷如玉路之儀者至亦乘戎車也」刪省，且兩書引皆稱「王氏曰」，與其習作「王介甫曰」、「臨川王氏曰」不類，可疑。及考之《詳解》（卷二八頁一一），乃知《集說》所引係節取王昭禹之說，僅「世子」上少「如」字，「其義」作「其儀」，餘悉同。則兩家引「王氏曰」，竝謂王昭禹光遠，非王安石介甫說也。昭禹多祖述《新義》，故此大段文有與《訂義》所引安石說相合者（見下補佚文），錢氏未考昭

禹《禮》學原委，遽援彼與此部分相合，斷此全體悉「爲《新義》佚文」，甚失！（四五）

〔補佚三三〕「（田車之副，謂之佐者，）如衆臣之佐其君。」（《訂義》卷五四頁六王氏曰、《詳解》卷二八頁一一述）（四六）

〔補佚文三四〕「（道車之副，謂之貳者，）若世子之貳其父，有故乃攝而代之。」（《訂義》卷五四頁六王氏曰，《詳解》卷二八頁一一述大同。）（四七）

校人，……春祭馬祖。執駒；夏祭先牧，頒馬，攻特；秋祭馬社，臧僕；冬祭馬步，獻馬，講馭夫。（〈校人〉）

《錢本》卷十三頁七佚文「攻特者至或不臧。講馭夫者，五馭之灋，講其藝也」，錢曰：「講馭夫以下，據《删翼》增。」

敏案：《註疏删翼》據《集說》（卷七頁六二）王介甫曰轉錄。（四八）

廋人，掌十有二閑之政教，以阜馬，佚特，教駣，攻駒；及祭馬祖，祭閑之先牧，及執駒，散馬耳，圉馬。正校人員選。馬八尺以上爲龍，七尺以上爲騋，六尺以上爲馬。（〈廋人〉）

〔補佚文三五〕下士閑二人，掌十有二閑之政教，而名官曰廋人者，廋、隱也，以閑者馬之所隱故也。掌十有二閑之政教，則政以正之，教以導之也。（《詳解》卷二九頁二見《新經》）（四九）

〔補佚文三六〕謂之「閑之先牧」，則始爲閑以養馬者也；與〈校人〉所謂「夏祭先牧」異矣。（《詳解》卷二九頁二見《新經》）（五十）

職方氏，掌天下之圖，以掌天下之地。辨其邦國、都鄙、四夷、八蠻、七閩、九貉、五戎、六狄之人民，與其財用、九穀、六畜之數要，周知其利害；乃辨九州之國，使同貫利。（〈職方氏〉）

《錢本》（卷十三頁九）佚文「大司徒建掌邦之土地之圖至特圖而已，職方氏（錢云：「大司徒以下，據《刪翼》增。」）（以上共卅八字）掌天下之圖，以掌天下之地至又掌其地焉（以上共廿三字）。邦國，諸侯之國也至而除其害也（錢云：「邦國以下百七十九字，據《刪翼》增。」）」。

敏案：上述前卅八字、後百七十九字，竝見《註疏刪翼》（卷二一頁四六至四七）引稱「臨川王氏曰」，當改作「王氏曰」，謂王昭禹曰；且非直據昭禹《詳解》，乃自《集說》（卷七頁七〇至七一）轉錄，《集說》正稱「王氏曰」。茲更以《詳解》（卷二九頁四）、《集說》、《註疏刪翼》、《錢本》合校，知：⑴《錢本》則其所掌，各本皆無所字，錢抄衍；⑵諸侯之采地，各本諸侯作邦國，錢誤抄甚塙；⑶西北曰貉，獨《詳解》西北作東北是，各本盡誤抄；⑷其下，《詳解》視三本文字爲多，因《集說》轉錄時多所刪省，及《註疏刪翼》照錄《集說》，而《錢本》從之也。中廿三字，見《文淵本》，亦見《詳解》（僅多「其」字，在「則」下。）。（五一）

職方氏，……東南曰揚州，其山鎮曰會稽，其藪澤曰具區，其川三江，其浸五湖，其利金錫竹箭，其民二男五女，其畜宜鳥獸，其穀宜稻。（〈職方氏〉）

《錢本》卷十三頁一〇「自揚之五湖，以至并之淶易，皆其地之水可引以浸灌也。然涇漳之屬，後世更引以浸焉，則民之利固有先王未之盡者；變而通之，存乎其時而已」，錢曰：「『然涇漳』以下，據《訂義》增。上二語敏案：謂「自揚」至「灌也」。乃王昭禹之詞敏案：錢據《訂義》轉錄，昭禹原文不盡同；錢氏未用《詳解》原編。，（王）與之刪節安石語以證昭禹，去之則詞意不明，故并錄焉。」

敏案：錢氏因欲暢詞意，多陰雜它文入《新義》，特加說明者，唯此一例而已。（五二）

形方氏，掌制邦國之地域，而正其封疆，無有華離之地，使小國事大國，大國比小國。（〈形方氏〉）

《錢本》卷十三頁一三佚文「華，與記『爲國君削瓜華之』同義」，錢曰：「此注據《義疏》增。」

敏案：瓜，爪之誤。《鈔本》、《文淵本》竝有此條文字微異，《墨海本》、《錢本》所據——《文瀾本》，竝非善本，原皆缺。（五三）

〔補佚文三七〕「華與『天子副瓜者華之』之『華』同義敏案：參上條《錢本》佚文。。地雖分析，亦當連亘不絕爲一國之界，故不可華絕而不屬者爲離。一國之地，當自爲封疆，若有國在此，而地斗絕在彼，則不能相統攝矣，故不可離。其所以使地不華離者，蓋使小國近大國事之以自立，大國近小國比之以自固。然非形方氏制其地形使各相聯屬，雖欲使小大相事相比，不相侵其疆埸，亦不可得也。」（《周禮全解》王安石云，載《訂義》卷五七頁一一至一二。）

敏案：《訂義》轉引，錢氏未及，此又一例。（五四）

〔補佚文三八〕「正其封疆，無有華離之地，則小國易以守，大國難爲侵；人各有土宇，可以無交矣。」（《訂義》卷五七頁一二王氏曰；亦略見《集説》、《註疏刪翼》，詳下條補佚文。）（五五）

〔補佚文三九〕「析而不絕爲華，絕而不屬爲離。（下云「正其封疆，使無有華離之地，則小國易以守，大國難爲侵；人各有其土宇而無交爭矣」。則亦略見上條補佚文。）」（《集説》卷七頁九二王介甫曰、《註疏刪翼》卷二一頁七二臨川王氏曰（爭下多「之患」二字）；《詳解》卷二九頁一四述大同。）（五六）

〔補佚文四〇〕邦國之地域，小大、廣狹各有形體，先王設官以制其形體，故謂之形方氏。〈大司徒〉「凡建邦國，以土圭土其地，而制其域」：自諸公而下，遞至於子男，其封疆各有多寡之數。形方氏又「掌制邦國之地域，而正其封疆」，則形方氏之所掌，凡以成大司徒之所建而已。謂之正其封疆，則非特制之地域而已。又正之使各止於一，而無侵土攘奪也。（《詳解》卷二九頁一三至一四見《新傳》）（五七）

山師，掌山林之名，辨其物與其利害，而頒之于邦國，使致其珍異之物。（〈山師〉）川師，掌川澤之名，辨其物與其利害，而頒之于邦國，使致其珍異之物。（〈川師〉）

〔補佚文四一〕山林、川澤皆有虞衡，而山師、川師又設於〈夏官〉者，則以其所掌有及於邦國故也。（《詳解》卷二九頁一四，段末《新經》云云。）（五八）

邍師，掌四方之地名，辨其丘陵、墳衍、邍隰之名，物之可以封邑者。（〈邍師〉）

〔補佚文四二〕大司徒辨山林、川澤、丘陵、墳衍、原隰之名；而辨其邦國、都邑之數，而溝封之，而邍師所掌如此，亦以輔成司徒之事而已。（《詳解》卷二九頁一四，段末《新經》云云；〔明〕貢汝成《三禮纂註》（〔明〕萬曆三年宣州刊本）卷六頁三五王氏曰，大司徒作大司空，川作山，司徒作司空，餘略同。）（五九）

《錢本》卷十三頁一三佚文「辨其名，以知平陂燥溼；辨其物，以知肥磽墽惡」，錢曰：「此注據《刪翼》增。」

敏案：《註疏刪翼》轉錄自《集說》（卷七頁九五）王介甫曰，《三禮纂註》（卷六頁三五）亦見引。（六十）

〈秋官〉

大司寇之職，……以五刑糾萬民：……四曰官刑，上能糾職；五曰國刑，上愿糾暴。（〈秋官〉〈大司寇〉）

《錢本》卷十四頁五佚文「故士能糾職，職所以致能；國刑、刑所錢曰：「所，《訂義》作也。」，故上愿糾暴」。敏案：士，上之抄誤，各本皆作上。所：《墨海本》作缺字——□，《鈔本》、《文淵本》作也；《錢本》所據非善本則作所，義不可通矣。（六一）

以肺石達窮民。凡遠近惸獨老幼之欲有復於上，而其長弗達者，立於肺石三日，士聽其辭，以告於上，而罪其長。（〈大司寇〉）

〔補佚文四三〕「民瀆於告，上煩於聽，其誠無告者，反無以信於上矣。」（《欽定義疏》卷三五頁一一至一二王氏安石曰）

敏案：錢氏以爲此《欽定義疏》所引，乃佚文「則又惡民之瀆上；民瀆其上，憒眊而不渫，雖誠無告，反不暇治矣」之異文，今補爲佚文一條，以二者主義不同故也。（六二）

凡邦之大盟約，涖其盟書，而登之于天府。（〈大司寇〉）

《錢本》卷十四頁九佚文「凡邦之大盟約至則刑之所取，刑官之事也」，錢曰：「刑官之事四字，據《刪翼》增。」

敏案：《集說》（卷八頁二一）王介甫曰，爲《刪翼》之所本。（六三）

若禋祀五帝，則戒之日，涖誓百官，戒于百族。（〈大司寇〉）

〔補佚文四四〕「誓百官」之誓，「戒于百族」之戒，互文見義。（《集說》卷八頁二三載王先生（十朋）曰引荊公謂；《詳解》卷三十頁七述《新經》云：「於百官言誓，於百族言

戒，亦互見也。」旨同。）（六四）

〔補佚文四五〕若禋祀五帝，則戒之日，涖誓百官，戒於百族者，精意以享，謂之禋；戒之日，謂散齋也；百官，則凡官府之執事者，皆是也；百族，則凡百官之族姓與祭者，皆是也。太宰之祀五帝，則戒百官，大司寇涖之而已；至於百族，則大司寇又戒之也。吾王方致其精意，以交乎神，則百官之執事、百族之於祭，可不致其嚴乎？《記》曰「獻命庫門之內」，戒百官也；太廟之命，戒百姓也，所謂百姓則百族也。……夫精禋之所盡，主之心進於道矣；誓戒之所嚴，臣之心進於禮矣。誓之至矣，有不用誓者，則司寇之刑從而加其慢誓者焉；戒之至矣，有不用戒者，則司寇之刑從而加其弛戒焉。……且夫莫親於王，猶親立於澤中以聽誓戒，況夫卑之爲臣屬者乎？莫卑於遂師，於祭祀且猶審其誓戒，況夫貴之爲官族者乎？惟其如是，然後可以佐王之禋祀也。……太宰稱祀，而司寇稱祭之日者，宰、天官，以道佐王事神，故稱祀；刑、制人之形焉，故稱祭。奉其明水火者，明水，謂以鑒取水於月也；明火，謂以燧取火於日也。（《詳解》卷三十頁七至八《新經》云云）（六五）

小司寇之職，掌外朝之政，以致萬民而詢焉：一曰詢國危，二曰詢國遷，三曰詢立君；其位，王南鄉，三公及州長、百姓北面，羣臣西面，羣吏東面。小司寇擯，以敘進而問焉，以衆輔志而弊謀。（〈小司寇〉）

〔補佚文四六〕王朝有三：有內朝，有治朝，有外朝。外朝在庫門之外，而致萬民以詢事之朝也；詢者，偏咨之謂也。〈洪範〉曰：「汝則有大疑，謀及乃心，謀及卿士，謀及庶人，謀及卜筮。汝則從、龜從、筮從、卿士從、庶人從，是之謂大同。」則所謂致萬民而詢者，卿士、庶人無不在也。詢及於庶民，則其謀也偏矣，故以致萬民為主也。國危，則謀安矣，若周公之討亂是也；國遷，則謀居矣，若盤庚之遷都是也；立君，則謀嗣矣，若文王舍伯邑考立武王是也。（《詳解》卷三十頁八至九《新經》云云）（六六）

以五刑聽萬民之獄訟，附于刑，用情訊之。（〈小司寇〉）

〔補佚文四七〕五刑，則司刑所謂墨也、劓也、宮也、刖也、殺也。聽訟，則其是非曲直能審能克也。能聽獄訟，然後於有罪者而麗之於法，以附於刑也。既得其罪，附於刑矣，又從而用情以訊之，恐其非心服而從也。（《詳解》卷三十頁九《新經》云云）（六七）

以八辟麗邦灋，附刑罰：一曰議親之辟，二曰議故之辟，三曰議賢之辟，四曰議能之辟，五曰議功之辟，六曰議貴之辟，七曰議勤之辟，八曰議賓之辟。（〈小司寇〉）

《錢本》卷十四頁一二佚文「出命制節至未定也。必情灋兩伸，而無所偏撓焉」，錢曰：「『必』下十一字，據《義疏》增。」

敏案：撓，《欽定義疏》（卷三五頁二六）原作橈，錢抄誤，宜正；「焉」下猶有「可知矣」三字，錢缺引，宜補入。《訂義》卷五九頁六云王氏以「法之不可撓於己私」，乃約取大意。（六八）

〔補佚文四八〕親，謂王之親族也；故，謂王之故舊也；賢，謂有德行者也；能，謂有道藝者也；功，謂臣之有大功者也；貴，謂臣之有爵位也；勤，謂羣吏之勤於事者也；賓，謂四方之賓客者也。以王之親故，則不可以眾人同例；以國之賢能，則不可以與庸常同科；有功，則或可以掩過；在貴，則不可以遽凌辱；吏之勤勞，則不可以沮抑；吏之尊貴，則宜有以優異：此所以用八辟以議之也。（《詳解》卷三十頁一〇，首句上《新經》云云）（六九）

及大比，登民數，自生齒以上登于天府；內史、司會、冢宰貳之，以制國用。（〈小司寇〉）

《錢本》卷十四頁一三佚文「及大比至之故也。民輕犯灋至以制國用也」，錢曰：「民輕以下，據《義疏》增。」

敏案：《詳解》（卷三十頁一一）述，大意同。（七十）

小祭祀，奉犬牲。凡禋祀五帝，實鑊水；納亨，亦如之。（〈小司寇〉）

〔補佚文四九〕大司寇大祭祀，奉犬牲，故小司寇小祭祀，奉犬牲。（《詳解》卷三十頁一二《新經》云云）（七一）

歲終，則令羣士計獄弊訟，登中于天府；正歲，帥其屬而觀刑象，令以木鐸，曰：「不用灋者，國有常刑。」令羣士，乃宣布于四方，憲刑禁，乃命其屬入會，乃致事。（〈小司寇〉）

〔補佚文五〇〕「官以歲終入其書，獨司寇以正歲入之，所以謹其始。」（〔宋〕易祓《周官總義》《文淵閣四庫全書》本，臺灣商務印書館影印、《四庫全書珍本二集》本。卷二一頁二五王氏謂；《詳解》卷三十頁一四述，幾全同。）（七二）

以五戒先後刑罰，毋使罪麗于民：一曰誓，用之于軍旅；二曰誥，用之于會同；三曰禁，用諸田役；四曰糾，用諸國中；五曰憲，用諸都鄙。（〈士師〉）

〔補佚文五一〕禁，止使勿爲，施於未然之前；戒，敕其怠忽，施於事爲之際。……五戒，先之則引而導之，使民無退而麗乎刑罰也。以五戒後之，則引而導之，使民無進而麗乎刑罰也，如此則固無麗罪之民矣。誓若〈湯誓〉、〈泰誓〉之類，誥若〈康誥〉、〈洛誥〉之類，禁若遂人之田役、掌其禁令，糾若刑典之糾萬民也，憲若布憲掌邦之刑禁是也。（《詳解》卷三十頁一四至一五《新經》云云）（七三）

掌官中之政令；察獄訟之辭，以詔司寇斷獄弊訟，致邦令。（〈士師〉）

《錢本》卷十四頁一五至一六佚文「掌官中之政令至致之於官府、邦國、都鄙也」，錢曰：「《義疏》作『致之於鄉遂都鄙』。」

敏案：官府二字衍文，《訂義》（卷六十頁五）無有，《欽定義疏》（卷三三五頁四三）刪卻。《鈔本》、《文淵本》、《墨海本》皆同作邦國，《欽定義疏》改作鄉遂。錢引《義疏》「都鄙」上脫「及」字。（七四）

王……祀五帝，則沃尸，及王盥，洎鑊水。（〈士師〉）

〔補佚文五二〕「沃尸及王盥，所以致潔除污穢。」（《訂義》卷六十頁九王氏曰）（七五）

遂士，……士師受中，協日就郊而刑殺，各於其遂，肆之三日；若欲免之，則王令三公會其期。（〈遂士〉）……縣士，……士師受中，協日刑殺，各就其縣，肆之三日；若欲免之，則王命六卿會其期。（〈縣士〉）

〔補佚文五三〕「至於大夫，則不復會其期。此所會之期，以尊者爲先，可知矣。」（《訂義》卷六一頁六王氏曰）

敏案：錢曰：「《訂義》引此文『六卿會其期』之下，曰『至於大夫，……』，凡增多廿三字，而無『則遠故也』句。」依其常格，宜補爲佚文一條如上。（七六）

朝士，……凡得獲貨賄、人民、六畜者，委于朝，告于士，旬而舉之：大者公之，小者庶民私之。（〈朝士〉）

〔補佚文五四〕「市所得貨賄、六畜，皆舉之而得者無私焉。以民之所會，其求必速，即終無求者，亦藏於官以待之，不可使民無故而得利也。委於朝，旬而不求者，則終無求者矣，故使庶民得私其小者，又所以興起其善心，而無或隱匿也。」（《欽定義疏》卷三六頁二三至二四王氏安石曰）

敏案：「得利也」以上，錢曰：「《義疏》引王氏此注曰：『市所得貨賄，……。』案：

王氏以司市之文與此職相比爲說，此以上皆釋〈司市〉『凡得貨賄六畜者，三日而舉之』之義。」「委於朝」以下，錢曰：「《義疏》引此注曰：『委於朝，……。』」（錢說竝見《錢本》卷十五頁六）兩引皆僅見此〈朝士〉職，不見於〈司市〉職，依例當補輯爲佚文一條。（七七）

司民，掌登萬民之數，自生齒以上，皆書於版。（〈司民〉）

敏案：《欽定義疏》（卷三六頁三〇至三一）王氏安石曰：「〈小司寇〉職王受民數以圖國用，而此言以贊王治，蓋生齒不蕃，以王無陪無卿。政教不修，所以治官治民者，多失其道，非特爲貧故也。」「政教」以下共十五字（字旁有△者），錢曰：「蓋潤色之詞，非本文。」（《錢本》卷十五頁八）是也。唯其餘「無陪無卿」以上，亦檃栝舊本成章，錢說未及。

（七八）

掌戮，掌斬殺賊諜而搏之。（〈掌戮〉）

〔補佚文五五〕殺而辱之謂之戮；殺而辱之，豈特惡其害人哉？將以懲衆而生之，故以下士二人充其職，而名官謂之掌戮。掌斬殺賊諜而搏之，賊、害人者，諜、反間者，斬、殺皆棄人之刑也。或斬以分其體，或殺而使之死，亦稱其罪而已。（《詳解》卷三一頁一七《新傳》云云）（七九）

條狼氏，掌執鞭以趨辟。王出入，則八人夾道；公，則六人；侯、伯，則四人；子、男，則二人。凡誓，執鞭以趨於前，且命之：誓僕右曰殺，誓馭曰車轘，誓大夫曰敢不關、鞭五百，誓師曰三百，誓邦之太史曰殺，小史曰墨。（〈條狼氏〉）

〔補佚文五六〕刑不上大夫，而此云「鞭五百」者，誓其大夫之屬。（《周禮詳說》王氏以爲，載《訂義》卷六五頁一五。）

敏案：錢氏於佚文「敢不關、鞭五百」下曰：「《刪翼》引此句，下云『刑不上大夫，則亦爲大夫誓其屬也』。」（《錢本》卷十五頁一八）《註疏刪翼》（卷二五頁一七）此引稱「王介甫氏曰」，實乃王昭禹《詳解》（卷三二頁一〇）言，當稱「王氏曰」（《集說》卷九上頁一七引正作「王氏曰」，僅上大夫前多及字。），非《新義》原文，錢誤。《訂義》所轉引，眞安石說要義，茲輯補一條。

（八十）

〔補佚文五七〕（誓僕右、誓馭、誓大夫、誓師、誓大史，）皆誓其屬也。（《周官總義》卷二三頁二二王氏《新傳》以爲；《集說》卷九上頁一七載王先生（十朋）曰引王氏以爲、《註疏刪翼》卷二五頁一七至一八載王先生（十朋）曰引王介甫以爲，竝旨同。）（八一）

翨氏，當攻猛鳥。各以其物爲媒而掎之，以時獻其羽翮。（〈翨氏〉）

《錢本》（卷十五頁一九）佚文「各以其物至孟子曰：『鳥獸之害人者消，然後人得平土而居之。』則正以除害爲主也」，錢曰：「末句據《刪翼》增。」

敏案：《註疏刪翼》著成之前，有《詳解》（卷三二頁一三）、《集說》（卷九上頁二

二）、《周禮全經釋原》（卷十一頁六九）或述或引《新義》，皆有此句，而《集說》爲《刪翼》之所本。（八二）

柞氏，掌攻草木及林麓。夏日至，令刊陽木而火之；冬日至，令剝陰木而水之；若欲其化也，則春秋變其水火。凡攻木者，掌其政令。（〈柞氏〉）

〔補佚文五八〕「先王之於林麓也，設虞衡爲厲禁以掌之，又置柞氏攻之者，欲其材木爲用，則設官爲厲禁以養蓄之；欲其地宅民稼穡，則刊剝而化之。『帝省其山，松柏斯兌，柞棫斯拔』，則虞衡之官修焉；『作之屛之，其菑其翳；修之平之，其灌其栵』，則柞氏之職用焉。」（《集說》卷九上頁二二至二三王介甫曰、《周禮全經釋原》卷十頁八五至八六王介甫曰、〔明〕丁克卿《周禮要義》〔明〕嘉靖四十一年原刊本卷十二頁四一王介甫曰（材木誤爲材用）；《註疏刪翼》卷二五頁二三臨川王氏曰、《周禮說》卷十三頁一一至一二臨川王氏曰，竝無「也設虞」以下共十七字；《三禮纂註》卷五頁四六王氏曰，則設官作則乃設官，養蓄作蓄養，餘同《註疏刪翼》；〔明〕鄧元錫《三禮編譯》〔明〕萬曆三十三年浙江刊本卷十五頁一九臨川王氏曰，平作屛，餘同《註疏刪翼》；《欽定義疏》卷三七頁三九王氏安石曰，據《註疏刪翼》而有所刪易。）

敏案：《註疏刪翼》刪卻中間十七字有△者，餘悉鈔襲《集說》，錢氏謂「先王」以下七十七字無△者據《刪翼》增，未究本原，不及用《集說》等書，致短輯佚文。（八三）

《錢本》卷十五頁一九佚文「變其水火者，其蘖薄於陰陽相沴之氣，化而爲土矣」，此廿字，錢氏謂據《訂義》（卷六六頁五）增，而加之於「先王之於林麓」之上。

敏案：首句有者，錢氏自取經本文、又添一「者」字，竝非《新義》佚文。餘十五字，釋本經「若欲其化也，則春秋變其水火」，次序應在釋「掌攻草木至而水之」之下，錢弁諸段首，失置。（八四）

蟈氏，掌去鼃黽。焚牡蘜，以灰洒之，則死；以其煙被之，則凡水蟲無聲。（〈蟈氏〉）

〔補佚文五九〕蟈，國虫也。尊者所居，惡其聒焉，故置官以去之，而謂之蟈氏。（《詳解》卷三二頁一五《新經》云云）（八五）

壺涿氏，掌除水蟲。以炮土之鼓敺之，以焚石投之。若欲殺其神，則以牡橭午貫象齒而沈之，則其神死，淵爲陵。（〈壺涿氏〉）

〔補佚文六〇〕「聖人變化驅除之術，非深窮物理之生克，孰能與於此？」（《三禮編繹》卷十五頁二〇臨川王氏曰；《詳解》卷三二頁一六述曰：「聖人所以變化驅除之術，非夫深窮物理之所以相治相克者，孰能與於此？」殆《三禮編繹》之所據以轉錄者，鄧氏未必及見《新義》原書。）（八六）

大行人，掌大賓之禮及大客之儀，以親諸侯。……歸脤，以交諸侯之福；賀慶，以贊諸侯之喜；致禬，以補諸侯之烖。（〈大行人〉）

佚文「言歸賑而不及膰，則膰有事而執焉，因以賜之，非大行人之所歸也；言致禬而不及弔，言禬而弔可知也錢曰：「《義疏》引作『言致禬而不及喪荒弔恤，舉一而四者可知也』。」謂字旁加△者以下。；言諸侯而不言兄弟，則兄弟乃大宗伯以禮親焉，大行人親諸侯而已錢曰：「《義疏》作『大宗伯以禮辨親疏，大行人則言親疏諸侯之通制耳』。」。」（兩「錢曰」竝見《錢本》卷十六頁二）

敏案：《欽定義疏》（卷三八頁一〇）述「恤」下有「者」字，錢奪。又自「言歸賑」以下，《欽定義疏》署於一節之末，作爲「總論」，蓋改易潤色成章，尤便騁詞也。（八七）

以九儀辨諸侯之命，等諸臣之爵，以同邦國之禮，而待其賓客。（〈大行人〉）

〔補佚文六一〕《傳》曰「名位不同，禮亦異數」，蓋人非禮不立，禮非儀不行。禮寓於刑名度數之間，於儀則爲體；儀見于周旋動容之際，于禮則爲用，先王以其用而合其體，故以九儀辨諸侯之命，等諸臣之爵，以同邦國之禮，而待其賓客。公侯伯子男之君，其命者五；孤卿大夫士之臣，其爵者四；以儀而辨其命、等其爵，故曰「九儀，諸侯之命」。諸侯之爵不同也，而謂之同邦國之禮者比之，謂以不同同之也。出于上，下聽而守之者，命也。資于尊，所入小而人所奉者，爵也。有命然後有爵，則命尊于爵矣，故諸侯則言命，于諸臣則言爵，與〈大宗伯〉言「王命諸侯，則儐」、〈小宗伯〉則言「王賜卿大夫爵，則儐」同意也。……上公九命，故其禮以九爲節；侯伯七命，故其禮以七爲節；子男五命，故其禮以五爲節；公侯伯子男所建，皆龍旗。……上公立當車軹，先儒謂轂末，車轅北向，在西邊也。侯伯立當前疾，先儒謂駟馬車轅前，若輈人所謂輈深四尺七寸、軾前曲木是也。衡謂在輈下，車軛兩服之領前是也。（《詳解》卷三三頁四《新經》云云）（八八）

王之所以撫邦國諸侯者：……七歲，屬象胥；諭言語，協辭命。……十有二歲，王巡守殷國。（〈大行人〉）

《錢本》卷十六頁四佚文「歲，徧存至然後辭命可協也。諭言語所以使之相通，協辭命所以使之相交」，錢曰：「二句據《義疏》增。」

敏案：《欽定義疏》（卷三八頁二七）釋此經引安石說僅此後二句，乃刪潤《詳解》（卷三三頁七）多文而成。（八九）

〔補佚文六二〕「王巡守則諸侯各朝於方岳，王不巡守則會諸侯而殷見。……」（《集說》卷九上頁五二王介甫曰、《註疏刪翼》卷二五頁五三臨川王氏曰、《詳解》卷三三頁七，竝下接「或巡守」。）

敏案：錢曰：「《刪翼》引此文，有曰：『王巡守則……』。」《註疏刪翼》係轉錄《集說》者；又當補爲佚文一條。（九十）

小行人，……使適四方，協九儀賓客之禮；朝覲、宗遇、會同，君之禮也；存、覜、省、聘、問，臣之禮也。達天下之六節：山國，用虎節；土國，用人節；澤國，用龍節；皆以金爲之。

道路，用旌節；門關，用符節；都鄙，用管節；皆以竹爲之。（〈小行人〉）

《錢本》卷十六頁六佚文「玉節守邦國，非其所達。邦國先門關至達內言之。道路用旌節、門關用符節、都鄙用管節，此惟上所制，期無失節而已，故以竹爲之」，錢曰：「此注據《訂義》增。」

敏案：《訂義》（卷六八頁四）引原作三小段（「其所達」以上，一；「內言之」以上，二；「此推上」以下，三也。），錢合於一所，不知條理順逆否乎。「道路」云云三句有者，乃本經，錢取以雜入佚文，失謹嚴。（九一）

〔補佚文六三〕朝覲、宗遇、會同，諸侯以禮致其敬于王，皆國君之事，故曰君之禮也。存、頫、省、聘、問，王以禮致其愛于諸侯，王使臣之事，故曰臣之禮也。掌節言「凡邦國之使節」；則使邦國者所執，王官所掌之節也，小行人所達，謂之天下之節，則所謂龍節、人節、虎節、管節，邦國、都鄙使者所執，非王官所掌邦節也。都鄙用管節，而掌節不言都鄙之管節，則使都鄙者无節矣，以旌節行之而已。虎節、人節、龍節，皆以金爲之，金不可變爲義故也。（《詳解》卷三三頁九至一〇，段末《新經》云云。）（九二）

合六幣：圭以馬，璋以皮，璧以帛，琮以錦，琥以繡，璜以黼，此六物者，以和諸侯之好故。（〈小行人〉）

〔補佚文六四〕六幣皆諸侯所用以享也。蓋君子雖不可以貨取，然亦不可以虛拘，有物而无誠，則禮有所不行，謂之貨取可也；有誠而无物，則情有所不伸，謂之虛拘可也。故諸侯之致享，內盡其誠心，外備其禮物，而行人所以合六幣也。兩謂之合，圭以馬、璋以皮、璧以帛之屬，皆兩相合也。（《詳解》卷三三頁一〇《新經》云云）（九三）

司儀，……凡行人之儀，不朝不夕不正其主面，亦不背客。（〈司儀〉）

《錢本》卷十六頁九至一〇佚文「每門止一相至事爲之節。此邦國之君臣所以相親也」，錢曰：「此邦以下十一字，據《義疏》增。」

敏案：十一字亦見《詳解》（卷三三頁一九），或自其書轉錄，改題安石說，亦未可知也。（九四）

行夫，……居於其國，則掌行人之勞辱事，焉使則介之。（〈行夫〉）

〔補佚文六五〕「（焉使則介之，）故書『夷使則介之』，當從故書爲正；夷使，使四夷也。」（鈔本《周官新義》卷十六。《詳解》卷三四頁一述曰：「焉，故書作夷。……夷使則介之者，謂行人若使於四夷，行夫則爲之介也。」大同；《訂義》卷六九頁一先儒謂（先儒謂鄭眾及王安石）大同。）（九五）

環人，掌送逆邦國之通賓客。（〈環人〉）

佚文「謂諸侯賓客之往來者」，錢曰：「《義疏》作『取道往來者』。」（《錢本》卷十六頁一〇）

敏案：《詳解》（卷三四頁二）述，「之」，亦作「取道」，於義爲長。（九六）

掌交，……以諭九稅之利，九禮之親，九牧之維，九禁之難，九戎之威。（〈掌交〉）

佚文「諭九稅之利，使知藝極」，錢曰：「《刪翼》作『使知樹藝』」（《錢本》卷十六頁一四）

敏案：極，誤字，《墨海本》作樹，《集說》（卷九下頁五〇）作種；藝樹、藝種竝可通。《周禮全經釋原》（卷十一頁一〇三）藝極作樹藝，當爲《刪翼》之所本。（九七）

結論

綜上所述，得總結論多事；爲便稽考，茲歸爲「補列《周禮新義》佚文」、「叢論《錢本》得失」兩大類，類下復析爲許多小節目言之：

一　補列《周禮新義》佚文

《錢本》據《文瀾閣本》抄輯佚文，復從宋、明、清人禮傳補錄者，《訂義》、《註疏刪翼》、《欽定義疏》三書而已。余更詳考《鈔本》、《臨川集》、△《孫公談圃》、《周禮詳解》、△《周官總義》、《周禮訂義》、△《困學紀聞》、《周禮集說》、△《三禮纂註》、《周禮全經釋原》、△《周禮傳》、△《周禮要義》、△《三禮編繹》、《周禮說》、《周禮註疏刪翼》、△《詩經世本古義》、《欽定周官義疏》十七〔凡記△八書，其作者、板本，統見分論各條下，其餘九書之作者、版本、書之簡名，則已見〈重輯周禮天官地官春官新義論錢儀吉本〉。〕，得多佚文六十五條，作〔補佚文一〕至〔補佚文六五〕條是也。

《臨川集》載兩條，茲輯補爲〔補佚文〕二二、二九。自《孫公談圃》多得二五一條，《詳解述》、《集說》、周禮傳同有。《詳解述》獨有者最多，檢補五、一四、一五、一九、二〇、二一、二三、三一、三二、三五、三六、四〇、四一、四五、四六、四七、四八、四九、五一、五五、五九、六一、六三、六四廿四條。《周官總義》載二條，前一條《詳解述》亦有，即五〇、五七，此從補入。從《困學紀聞》輯補二六一條，《詳解述》、《集說》、《周禮傳》同載。條六、八、一〇、一一、四四五條，《集說》、《詳解述》亦均有；二七條，《集說》獨有：咸據以錄補。《三禮纂註》引一條——四二，《詳解述》亦及，茲補列。《三禮編繹》引六〇一條，《詳解述》亦有，亦補收。《詩經世本古義》引二一條，已補列。賴《鈔本》孔校增，多得佚文六五一條，末也；《詳解述》旨同：以上諸書，載《新義》佚文，錢氏皆未援用，其缺輯宜也。

錢氏據《訂義》、《註疏刪翼》輯補佚文，檢索多疎略，〈天〉〈地〉〈春〉三官中，前文已舉廿四條，此〈夏〉〈秋〉二官中，彼漏輯者，亦得二十條：其中《訂義》直引者四、九、一八、三三、三四、三八、五二七條，《訂義》引述它書之所載者一、三、一六、二四、三〇、三七〔以上六條，引鄭鍔《周禮全解》所載。〕、一三、五六〔以上二條，引王十朋《周禮詳說》所載。〕八條；又有《註疏刪翼》轉錄自《集說》

所載者七、一七、二八、三九、五八五條，末條《三禮纂註》、《周禮全經釋原》、《周禮要義》、《三禮編繹》、《周禮說》亦共引。考《錢本》之校刊，儀吉輯補未竣，付其長子寶惠終卷，而寶惠尋嬰瘧，被疾從事，難盡心力。未幾，儀吉又卒，時書雖成梓而尚未印行，復校重訂，自無可能（參看拙著〈重輯《周禮》考工記《新義》論錢儀吉本〉，《書目季刊》十八卷四期。），則錢刻非善本者，可知矣。

《錢本》據刻之《四庫文瀾閣本》佚文無有，而《訂義》、《註疏刪翼》及《欽定義疏》雖有引，但錢氏視爲異文，附注作成細字於其下，既失輯佚常例，又不便參用，故今特立爲佚文，計補列五條：一二、四三、五三、五四、六二是也。

二　叢論《錢本》得失

輯佚者，在裨益學術研究。蒐集資料多寡，攸關研究之深淺，多則深廣，寡則淺狹，此盡人皆知者也。唯任輯者往往蔽於貪多而不知求眞，誤收他文，致學術研究結果失正。錢氏亦不免坐此失，其據《註疏刪翼》輯（四五）、（五一）、（八十）條，見〈夏官〉〈戎僕〉、〈職方氏〉、〈秋官〉〈條狼氏〉（末條《錢本》但署爲注語），本爲王昭禹說，咸謁收爲安石《新義》文。

錢氏輯佚，時而併它文——經本文或它傳文雜采，僅於條（五二）〈夏官〉〈職方氏〉下表明一次，其於（一）、（三）、（十）〈夏官〉〈大司馬〉、（八四）〈秋官〉〈柞氏〉、

（九一）〈小行人〉下，共添溢四十一字而不予表明，令學者誤認爲佚文。合辨正於此。

《錢本》迻錄《文瀾閣本》原佚文，而已所輯補之佚文則或加諸一條原文之上，或綴於原文之末，或插入一段中間，其意使舊有共新增融成一片，以便研讀，宅心至善。唯因所據書少，得見資料不足，致誤合者有之，（十）、（十二）即其顯例；又有疎於考察經本文先後，致顚倒次第者，（八四）是也。復檢〈夏〉〈秋〉二官《錢本》，以原有與新獲湊合，所在多有，所失必多，不如新舊分別，獨爲一條，庶免失謹之譏。

《錢本》抄《訂義》、《文瀾本》、《欽定義疏》各一條各誤一字，見（三）、（六二）、（六八）條；抄《註疏刪翼》二條——（十七）誤一字、（五一）誤兩字。錢氏抄錄《註疏刪翼》、《欽定義疏》奪字，見（二三）一字、（六八）三字、（七四）、（八七）各一字；衍文得一字，（五一）是也：合記其疎於斯。

錢氏據《周禮訂義》、《周禮註疏刪翼》、《欽定周官義疏》三書補佚，條下僅題其書之簡名，絕不著卷葉。學者如需檢索原出處，頗感不便。凡余辨及諸條，皆一一爲求原書卷葉，署注其下，俾便學者。

此〈夏〉〈秋〉二官《錢本》，多援據《周禮註疏刪翼》輯補佚文，蓋以爲《刪翼》所載，直自《新義》原書引用。其實非也，考彼《刪翼》所引，幾悉自《集說》轉抄，凡（一）、（十二）、（十七）、（十八）、（二二）、（二三）、（三十）、（三四）、（四二）、（四五）、（四八）、（五一）、（六十）、（六三）、（八二）、（八三）、（九十）十七條；而（九七）一條，尙自《周禮全經釋原》轉收，謂稗販中之稗販。今皆一一討其本原，標明各書卷葉，資學者稽考，《新義》亡佚時際，亦因賴以確考。《欽定義疏》作者，雖得據《永樂大典》本輯收《新義》，但所收亦非盡出《大典本》，《錢本》此據《義疏》增（八九）、（九四）兩條，彼皆襲自《詳解》，尊古者不可不究。

《新義》《四庫全書》系統本，據《永樂大典》本輯抄，而《大典本》則用宋熙寧初頒本（明初已殘缺）收輯，是《四庫本》近眞。至眾家傳義，引《新義》則頗多刪節，錢氏亦知之（見條（七八）），唯信道未篤，有時援《欽定義疏》以證《四庫本》，不置可否，如條（八七）之例，因識難於此。

錢刻《經苑》本《周官新義》，卷內常加校語，沾濡乾嘉樸學風尙，不唯傳刻原書而已。顧以非專意於此，用書又少，故但記校語，無作案斷者多條，如（七十）、（七四）、（七八）、（九六）、（九七）是，今一一爲之證廣。前修未密，後學轉精，徵存遺獻，予豈敢辭哉！

《四庫全書文淵本》《新義》，視《文瀾本》爲優；錢氏者清代藏書家，不容不知。第其《經苑》本《新義》，舍良而用劣何哉？蓋當時（嘉慶間）南本（《文瀾》其一）開放許士人鈔寫，北本（《文淵》）在禁中，入寫匪易，故就便傳鈔南本。在〈夏〉〈秋〉二官中，如條

（六一），《錢本》誤字一，《鈔本》、《文淵本》並不誤；如（五三），《錢本》別據《訂義》增佚文一條，檢《鈔本》、《文淵本》則原具此條，是不煩外求；（九五），〈秋官〉〈行夫〉下，《鈔本》有佚文十九字，《錢本》則無。是錢氏所宗，果非善本矣。

錢氏刻《經苑》本《新義》「識後」，謂安石它著《字說》，今見於《新義》中，違戾六書，輒依許愼書正之（見原書卷首）。夫《字說》後《新義》成著，乃謂前書中雜有後書之文，其說未的。矧檢〈夏〉〈秋〉二官，安石顯然析字解義者有「櫜鼓鐃棘槐梏桎拲」八字（黃君復山《王安石字說之研究》（新定本）頁八四考爲十字，別有「右鼎」二字，今未悉從。），而錢氏未依許書正之，或如〈天官〉〈酒人〉「奚」字例，引《說文》注其字之下。錢氏立言於全書完刊之後，不知何以致斯矛盾。論爲錢氏一失，其誰曰不然？

——原載《國立中央圖書館館刊》新十九卷一期，民國七十五年六月

註釋

一　補佚文凡意其爲原文者，佚文上下加「」。下皆同。

二　補佚文凡可能爲大意者，佚文上下不加引號。下皆同。

二十八　重輯《周禮》〈考工記〉《新義》論錢儀吉本

〔宋〕王安石手撰《周禮考工記新義》，舊有輯本流傳。余病其本未善，因廣搜故書，更爲輯焉，遂論《錢本》得失。先列重輯本全文如左：（經本文，頂格書寫；佚文，下一格著錄，且加條數。每條佚文下分別標明出處。）

國有六職，百工與居一焉。或坐而論道，或作而行之；或審曲面埶，以飭五材，以辨民器；或通四方之珍異以資之；或飭力以長地財；或治絲麻以成之。

〔王安石《周禮考工記新義》佚文，下簡稱「安石《新義》佚文」。〕（一）「民器各有宜，不可以不辨。」（〔宋〕鄭鍔《周禮全解》王安石以，載〔宋〕王與之《周禮訂義》卷七十頁四；〔宋〕王昭禹《周禮詳解》卷三五頁三述《周禮新義》曰：「民器各有宜焉，不可以不辨。」幾全同。）

〔安石《新義》佚文〕（二）「治絲爲帛，治麻爲布。」（《周禮訂義》卷七十頁四王氏曰，《周禮詳解》卷三五頁三述《新義》曰：「治絲而成之以爲帛，治麻而成之以爲布。」

大同。）

故一器而工聚焉者，車爲多。車有六等之數：車軫四尺，謂之一等；戈柲六尺有六寸，既建而迤，崇於軫四尺，謂之二等；人長八尺，崇於戈四尺，謂之三等；殳長尋有四尺，崇於人四尺，謂之四等；車戟常崇於殳四尺，謂之五等；酋矛常有四尺，崇於戟四尺，謂之六等；車謂之六等之數。

〔安石《新義》佚文〕（三）「五兵之用，遠則弓矢射之，近則矛者勾之，然後殳者擊之，戈戟刺之。《司馬法》曰：弓矢圍，殳矛守，戈戟助；凡用此者，皆長以衛短，短以捄長。令此戈殳矛戟皆置之車傍；不言弓矢，則乘車之人佩之。」（《周禮訂義》卷七十頁一八王氏曰；《周禮詳解》卷三五頁一一述《新義》，略同；〔明〕王志長《周禮註疏刪翼》卷二七頁一五王氏曰，略本《周禮詳解》。）

〔安石《新義》佚文〕（四）「槷其漆內而中詘之以爲長，則長短得矣。將論轂圍而先牙圍者，轂之小大長短以牙圍爲法。凡輪牙之氐踐地而行，固無事漆。牙之兩旁與土相摩，亦不必漆。漆者，指牙之兩旁而言，非計其踐地。」（《周禮訂義》卷七一頁六王氏曰）

〔安石《新義》佚文〕（五）「防者，二分之一也。圍既三尺二寸矣，取其四分之一以除藪，則藪凡八寸矣。然下文賢徑六寸五分寸之二，與此藪徑三寸九分寸之五，然後小大相稱以爲八寸，恐小大不等矣，則防當爲三分之一。」（《周禮全解》王氏謂，載《周禮訂義》

卷七一頁六；《周禮詳解》卷三五頁一六述《新義》說，略同。）

〔安石《新義》佚文〕（六）「謂之軹者，蓋轂以利轉，至軹而窮焉，有宜只之意。」（《周禮訂義》卷七一頁七王氏曰，《周禮詳解》卷三五頁一七述《新義》曰：「軹者，蓋轂有圍以利轉，至軹而窮焉，有宜只之意。」大同。）

軫之方也，以象地也；蓋之圜也，以象天也；輪輻三十，以象日月也；蓋弓二十有八，以象星也；龍旂九斿，以象大火也；鳥旟七斿，以象鶉火也；熊旗六斿，以象伐也；龜蛇四斿，以象營室也；弧旌枉矢，以象弧也。

〔安石《新義》佚文〕（七）「桯立於下，蓋之材賴之以呈露，故謂之桯。」（《周禮訂義》卷七一頁一六王氏曰；《周禮詳解》卷三六頁一述《新義》，桯下有者字，於作乎，露作焉，末有也字。）

築氏爲削，長尺博寸，合六而成規；欲新而無窮，敝盡而無無惡。

〔安石《新義》佚文〕（八）「合六成規，取乎地數之中。惟成爲能無窮，惟中爲能有常。書爲不刊之典，削所以載制其書，豈可苟哉？合六成規所以稱其書也。」（《周禮全解》王安石云，載《周禮訂義》卷七三頁三；《周禮詳解》卷三六頁一四述《新義》，略同。）

鳧氏，爲鍾，兩欒謂之銑。……長甬則震。是故大鍾，十分其鼓間，以其一爲之厚；小鍾，十分其鉦間，以其一爲之厚；鍾大而短，則其聲疾而短聞；鍾小而長，則其聲舒而遠聞。爲遂，六分其厚，以其一爲之深而圜之。

〔安石《新義》佚文〕（九）「（欒，）鍾上羽，其聲從紐，欒是紐貌，如《詩》〈素冠〉『棘人欒欒兮』，彼注云：『欒欒，瘦瘠貌。』蓋鍾兩角處尖細，故曰欒。」（《周禮訂義》卷七三頁一〇王氏曰）

〔安石《新義》佚文〕（一〇）「（長甬則震，）聲震而遠聞。」（《周禮全解》王安石以爲，載《周禮訂義》卷七三頁一五；《周禮詳解》卷三七頁四述《新義》，同。）

㮚氏，爲量，改煎金錫，則不秏；不秏，然後權之；權之，然後準之；準之，然後量之。量之以爲鬴，深尺，內方尺而圜其外，其實一鬴，其臀一寸，其實一豆，其耳三寸。

〔安石《新義》佚文〕（一一）「內方而外圓，則天地之象。一寸三寸，則陰陽奇耦之義。」（《周禮訂義》卷七四頁二王氏曰；《周禮詳解》卷三七頁五述《新義》，略同；而《周禮註疏刪翼》卷二八頁一三王氏曰本《詳解》。）

土以黃，其象方，天時變；火以圜；山以章；水以龍，鳥獸蛇；雜四時五色之位以章之，謂之巧。

〔安石《新義》佚文〕（一二）「《爾雅》曰（當作釋）山曰：上正章。謂畫山雖畫其章，亦必畫其上正之形；謂畫一坐山，上頭尖要正。」（〔宋〕趙溥蘭江《考工記解》引王解曰，載《周禮訂義》卷七五頁一一；《周禮詳解》卷三七頁一四述《新義》，大旨同；《周禮註疏刪翼》卷二八頁二七至二八王氏曰，略本《詳解》。）

〔安石《新義》佚文〕（一三）鳥獸虵，謂畫在旗上。（蘭江《考工記解》引王解謂，載《周禮訂義》卷七五頁一一；《周禮詳解》卷三七頁一四述《新義》，旨同。）

〔安石《新義》佚文〕（一四）龍瓚將爲雜名，言卑者下尊，以輕重爲差；玉多則重，石多則輕。公侯四玉一名，伯子男三玉二石。（《周禮全解》載王安石然鄭眾之說，見《周禮訂義》卷七六頁四。）

玉人之事，鎭圭，尺有二寸，天子守之；命圭九寸，謂之桓圭，公守之；命圭七寸，謂之信圭，侯守之；命圭七寸，謂之躬圭，伯守之。天子執冒四寸，以朝諸侯；天子用全，上公用龍，侯用瓚，伯用將，繼子男執皮帛，天子圭中必。……穀圭七寸，天子以聘女。

〔安石《新義》佚文〕（一五）「天子平旦而櫛冠，日出而視朝；一物不應，亂之端也。宜兢兢業業以致其謹焉，故執此以爲之戒。」（《周禮訂義》卷七六頁五王氏曰；《周禮詳解》卷三八頁三述《新義》，幾全同；〔元〕陳友仁《周禮集說》卷十頁四王氏曰、《周禮註疏刪翼》卷二九頁三王氏曰，竝幾全同。）

〔安石《新義》佚文〕（一六）「（穀圭七寸，天子以聘女，）以穀不失性，生生而不窮，故天子以納徵。」（《周禮訂義》卷七六頁一〇王氏曰，《周禮詳解》卷三八頁五述《新義》，略同；《周禮集說》卷十頁五王氏曰及《周禮註疏刪翼》卷二九頁八王氏曰，竝略同。）

匠人營國，方九里，旁三門；國中九經九緯，經涂九軌，左祖右社，面朝後市，市朝一夫。夏后氏世室，堂脩二七，廣四脩一；五室，三四步，四三尺，九階；四旁，兩夾窻；白盛；門堂，三之二；室，三之一。殷人重屋，堂脩七尋；堂崇三尺；四阿重屋。周人明堂，度九尺之筵，東西九筵，南北七筵，堂崇一筵；五室，凡室二筵。室中，度以几；堂上，度以筵；宮中，度以尋；野，度以步；涂，度以軌。廟門，容大扃七个；闈門，容小扃參个；路門，不容乘車之五个；應門，二徹參个。內有九室，九嬪居之；外有九室，九卿朝焉；九分其國，以爲九分，九卿治之。王宮門阿之制，五雉，宮隅之制，七雉；城隅之制，九雉。

〔安石《新義》佚文〕（一七）「（面朝後市，）朝，陽事；市，陰事，故前後之次如此。」（《寓簡》卷二頁二載侍講引王氏《新義》）

〔安石《新義》佚文〕（一八）「門阿長十五丈，高五丈。宮隅長二十一丈，高七丈。城隅長二十七丈，高九丈。城隅高於宮隅，宮隅高於門阿，內外高下之異制。」（《周禮訂義》卷七八頁一九至二〇王氏曰；《周禮集說》卷十頁三三王氏曰，九丈作九丈矢，異制作制異也；《周禮註疏刪翼》卷三十頁一九同《集說》，僅制異作異制；《周禮詳解》卷三九頁九述安石之說曰：「五堵爲雉，其長三丈，高一丈。……門阿之制五雉，則三丈之長者五。城隅高于宮隅，宮隅高於門阿，則外內高下之制異也。」略同。）

凡爲弓，各因其君之躬、志、慮、血、氣。豐肉而短，寬緩以荼，若是者，謂之危弓，危弓爲之安矢；骨直以立，忿埶以奔，若是者，爲之安弓，安弓爲之危矢；其人安，其弓安，其矢安，則莫能以速，中且不深；其人危，其弓危，其矢危，則莫能以愿中。往體多，來體寡，謂之夾臾之屬，利射侯與弋；往體寡，來體多，謂之王弓之屬，利射革與質；往體來體若一，謂之唐弓之屬，利射深。大和，無灂；其次，筋角皆有灂而深；其次，有灂而疏；其次，角無灂。合灂，若背手文，角環灂；牛筋，蕡灂；麋筋，斥蠖灂。和弓轂摩，覆之而角至，謂之句弓；覆之而幹至，謂之侯弓；覆之而筋至，謂之深弓。

〔安石《新義》佚文〕（一九）「多寡輕重等而後可以謂之均，剛柔強弱稱而後可以謂之和。多寡輕重不均，欲其和不可也；故均者三謂之九和。」（《周禮訂義》卷八十頁一六王氏曰）

〔安石《新義》佚文〕（二〇）「（覆之而角至，謂之句弓，）至，盡善也。」（《周禮訂義》卷八十頁二二王氏曰）

〔安石《新義》佚文〕（二一）「句弓言其體之曲不若侯弓之能遠，侯弓言其材之遠不若深弓之爲善：故其序如此。」（《周禮訂義》卷八十頁二三王氏曰；《周禮詳解》卷四十頁一三述《新義》，僅兩「不若」竝各作「而不若」，餘全同；《周禮集說》卷十頁六三至六四王氏曰及《周禮註疏刪翼》卷三十頁五八王氏曰，並同《周禮詳解》。）

神宗熙寧六年（一〇七三）三月，敕設經義局，命王安石提舉，子雱及呂惠卿等修撰，司修撰《周禮新義》、《尚書新義》、《詩經新義》（合稱《三經新義》）。八年（一〇七五）六月書成頒行（註一）。

《三經新義》久佚；其中《周禮新義》（書名一作《周官新義》）殘文，爲《永樂大典》所輯收（註二），今有傳鈔、傳刻本，而〔清〕錢儀吉（生平詳後）輯、道光二十六、七（一八四六、七）間大梁書院刊同治七年（一八六八）王儒行等印《經苑》本（詳下），其最著者也（註三）（以下簡稱《錢本》）。錢氏刊《周官新義》「識後」有曰：

昔王荊文公以《周官》〈泉府〉一言禍宋，迨南渡後，既已罷從祀，斥《新經》，盡棄其所學，然當時諸儒釋《周禮》者猶多稱述，知其言固有不可廢者已。顧傳本人間幾絕，近世藏書家亦鮮著錄。往，儀徵相國撫浙時，許諸生就杭州文瀾閣寫書，余錄得《經說》十數種，此其一也。是爲《永樂大典》本。……校讀一周，因識其後。（載《經苑》本卷首）

案：錢云南渡後罷安石從祀，排斥《新經》，言未盡正（註四）；然非本文所主，茲不深論。又稱此書為抄《文瀾閣四庫全書》本，則其淵源尚可稽考也。

乾隆三十八年（一七七三）二月二十八日，成立《四庫全書》修書處，至四十六年（一七八一），《四庫全書文淵閣本》修竣（註五），而《周官新義》及附卷皆在其中焉。考其《周官新義》乃據《永樂大典》所載此書之殘文纂抄（註六），而《四庫全書文瀾閣》本，則繼《文源》、《文津》、《文溯》三閣本之後，於乾隆五十二年（一七八七）六月與《文宗》、《文匯》二閣本亦告竣事（註七）。

文瀾閣在浙江杭州西湖聖因寺，位「孤山之陽，左為白隄，右為西泠橋」，乾隆四十九年（一七八四）成建（註八）。至此閣之受頒貯書竣事、許人鈔閱，乾隆五十五年（一七九〇）六月初一日上諭曰：

《四庫全書》，……不特內府珍藏，籍資乙覽，亦欲以流傳廣播，沾溉藝林。……茲已釐訂蕆工，悉臻完善。所有江浙兩省文宗、文匯、文瀾三閣應貯《全書》，現已陸續頒發藏度。該處為人文淵藪，嗜奇好學之士自必羣思博覽，藉廣見聞。從前曾經降旨，准其赴閣檢視鈔錄，俾資蒐討。但地方有司恐士子繙閱污損，或至過有珍秘，以阻爭先快覩之忱，則所頒三分《全書》亦僅束之高閣。……該督撫等諄飭所屬，俟貯閣《全書》排架齊集後，諭令該省士子，有願讀中秘書者，許其呈明，到閣鈔閱，但不得任其私自攜歸。……至文淵閣等禁地森嚴，士子等固不便進內鈔閱，但翰林院現有存貯底本，如有情般誦習者，亦許其就近鈔錄。（載《四庫全書總目》卷首）

則錢氏就文瀾寫此書，必在乾隆五十五年六月之後，而「識後」謂阮元撫浙時許士子就閣寫書，則尤後焉。考阮氏嘉慶二年（一七九七）巡撫浙江，六年（一八〇一）於浙立詁經精舍，錢氏抄《文瀾書四庫書》，宜在此頃。

錢氏刊《經苑》，其門人蘇源生〈書先師錢星湖先生事〉曰：

先生名儀吉，字藹人，號星湖，浙江嘉興人。……嘉慶辛酉舉人，戊辰進士。……授中憲大夫。庚寅（道光十年），因公累罷官。道光三十年（一八五〇）四月初七日卒，年六十八。

先生……於丙申（道光十六年，一八三六）春，應河南巡撫桂公聘，來主大梁講院。……道光辛丑（二十一年，一八四一），黃河決，水圍梁園，紳士皆恃先生以無恐。……康熙中，崑山徐健菴尚書刊宋元諸儒說經之書百四十種，爲《通志堂經解》。……先生以其未備，復集同人之資，刊〔宋〕司馬光溫公《易說》、……王安石《周官新義》十六卷附二卷、……。皆已寫清本末，未及授梓而先生卒矣。（收載於

〔民國〕閔爾昌編《碑傳集補》卷十頁四、八、一一至一二）

錢氏刊《周官新義》及它書，亦見自撰〈經苑小敘〉（載《經苑》卷首；亦載《術石齋記事續稾》卷六頁一，則題〈刻經苑緣起〉。）曰：

儀吉客授大梁，日惟以溫經爲事。辛丑河患，行笥故書瀸漬闕失，其存者僅十五，意甚惜之。河平，再告絃誦日興，曉瞻（張日晸）方伯、素園（王簡）廉訪兩先生思欲刊布古書，廣六藝之教，予因以所藏經解相質，兩先生開卷心賞，任爲剞劂。鵠仁（劉定裕）學使、子仙（庚長）、松君（陶福恆）兩觀察，皆欣然爲之助，郡邑賢大夫聞之，亦多分任而樂與有成也。於是鳩工開局，次第付梓。

案：錢氏道光十六年始北來主講大梁書院（蘇撰傳），教授「十有餘年」（詳後王儒行言），卒於任所。其間黃河決，當道光二十一年六月（註九），學校暫廢（註一〇）；次（二十二）年河平，又明（二十三）年，大梁書院絃誦復興（註一一），時方因諸公之助籌刊經解也。

籌刊《經苑》全書，錢氏〈題大兒手校周官新義〉（《術石齋記事續稾》卷七頁一二）謂作始於道光二十五年七月，云：

予㮊宋元諸儒經解，始於乙巳（道光廿五年，一八四五）七月，時大兒寶惠實佐予。此本予校補未竣，付兒終卷。今諸經㮊未及半，而兒亡也久矣。

案：其次子尊煌識《經苑》之刊刻，謂自道光乙巳孟秋始梓（詳下引文），與父所記相合。依治事常理，錢刊《經苑》，先《周易》，後《書》《詩》《禮》《春秋》……《琴譜》等（參看原著目錄），驗之錢氏「識後」良然：

《尚書精義》〈識後〉曰：「……余得此本四十年，……谷（鵠？）仁學使……一見欣賞，輒爲捐俸付梓。……道光丙午（二十六年）應鍾之月（十月）……。」（載《經苑》本原書卷首）

《詩總聞》〈識後〉曰：「……既竣事，略識其意，以質大雅。道光丙午黃鍾之月（十一月）……。」（載《衎石齋記事續稾》卷六及《經苑》本原書卷首）

《春秋纂例》〈識後〉曰：「……予子寶惠得明人舊本於京師。……子仙觀察見而善之，爲付剞劂。因略述此書之可寶貴者。……道光丙午黃鍾之月……。」（同上）

《琴譜》〈識後〉曰：「松君觀察……併鐫是譜。……余尤幸先人藏本之流布一時也。刊成，謹識其歲月。道光丁未（二十七年）林鍾之月（六月）……。」（同上）

案：錢氏一則曰「既竣事」，再則曰「刊成」，復據錢尊煌咸豐元年二月既望記此事云：

先大夫擬刻經解，原集書目凡四十一種，名曰《經苑》。自道光乙巳孟秋開局授梓，躬事校讎，丹鉛日夕。至庚戌（道光三十年）春夏閒，刻成二十五種；至堂河帥所資刊《呂氏讀詩記》付梓最後，未及校正，先大夫即攖時疾遽捐館舍。……原書集目，未刻尚夥。……爰就原目編次，概列簡端，而另列已刻之目於後。（載《經苑》原書卷首）

錢氏道光三十年四月七日卒（蘇氏撰傳，已見前。），即尊煌所言「庚戌春夏閒」。已刻二十五書（今全存，《呂氏家塾讀詩記》在內。），二十四書儀吉躬自校讎，及身得觀厥成，而《周官新義附考工記》在其中焉，則《新義》等當刊成於道光二十六年十一月《詩總聞》「既竣事」之後、二十七年六月《瑟譜》「刊成」之前。而錢寶惠二十六年夏嬰疾，夢寐猶誦《周官》之書（註一二），則爾時正助父刊校王氏《周官新義》也（參看上引文及下註〔註二七〕）。至蘇氏撰傳謂儀吉刊經解，僅寫清本末（謂錢氏「識後」等），未及付梓而卒，記之誤也。

《經苑》全書二十五種校理刊板完竣，王儒行〈經苑跋〉曰：

吾師錢新梧先生，愛古情深，尤邃經學。主講大梁十有餘年，諄諄以通經爲多士勗。……謂士欲通經，允宜博古。自書遭秦火，遺經闕如。歷漢晉唐宋諸儒，纂輯注疏，闡發古義，昭如日月，俾遺經晦而復明，有功經學，洵非淺鮮！惟古本流傳汴中，亦未概見，況地濱大河，河伯肆虐，行篋中書尚半淪瀸漬，何論其他？擬出夙藏古本，鐫補《通志堂》所未備，與多士共研經畬，粵稽列聖傳心之旨。講求實學，以裕實用。帙廣費繁，未果也。既當路諸賢大夫，資刊古經二十五種，顏曰《經苑》。版存大梁書院，嘉惠儒林。上爲國家作養人才，下爲中州轉移風化，甚盛事也。詎工方告蕆，吾師遽歸道山；經傳未廣，論者惜之。（載《經苑》原書卷首）

曰「詎工方告蕆，吾師遽歸道山」，亦足徵儀吉親見刊板事功竟成僅《呂氏家塾讀詩記》未遑校正而已。全書於後十九年乃刷印傳行。《經苑》卷首載〈續印經苑姓氏錄〉，列名廿九人，而王儒行其一，彼儒行〈跋〉又曰：

戊辰（同治七年，一八六八）春，與諸君子共論經籍，諸君子有志復古，醵金分印，請之書院監院龎星垣（建本）先生，慨然發版，無難色。俾多士得讀遺經，與吾師樂育雅懷，後先同揆焉。儒行總司鳩工，因敬綴數語，誌其顛末云，同治七年春正月，夷門王儒行謹跋。（同上）

余持舊孔繼涵鈔本該本直接傳鈔《永樂大典》本（註一三）、《文淵閣本》、《墨海金壺》本及《錢氏》此本參校，知《文瀾》不若《文淵本》爲善（註一四）。其中《考工記新義》兩卷，訾議者尤多，故先取而討論之；輒交付剞劂，餘五官則將次第論梓焉。

今傳各本《周禮考工記新義》，實爲鄭宗顏撰作，後世附合於安石殘本《周禮新義》之後（詳下），《錢本》亦然。即持此與舊鈔本相校，《錢本》見缺半條十二字（當是原《四庫書》抄手漏寫）當補：

（上承「黻，兩已相弗，而以丿爲守」）黑與青謂之黻，五采備謂之繡。（當補入《錢本》《周官新義》附卷上頁二該條之末）

其它與《文淵本》字異者甚多，度皆細節，不遑枚舉。

《錢本》「識後」又云：

（余錄得經說十數種，此其一也。）因參攷諸家傳義，有引王氏（安石）說而此本不及者，……爰爲補錄，凡得百三十餘條，悉注於下，稍爲增多矣。……《考工記注》二卷，爲鄭宗顏輯，前人言之致（至？）確，而舊本猶署安石名，豈以中用《字說》尤多，固爲王氏一家之學邪！

始謂安石《周禮新義》遺〈考工記〉不解者，〔宋〕晁公武《郡齋讀書志》也。其後，陳振孫《書錄解題》、〔明〕周夢暘《考工記通》（載〔明〕徐昭慶《考工記通》卷首述）、〔清〕全祖望〈荊公周禮新義題詞〉（《鮚埼亭集外編》卷二三頁七）、《四庫全書總目提要》（卷十九頁七）、《四庫全書考證》（卷八頁四八至四九）、甘鵬雲《經學源流攷》（卷四頁五），皆謂安石撰《周禮新義》不解〈考工記〉。既以安石書無〈考工記解〉，人因取鄭宗顏《周禮考工記講義》合附其後，用補所謂「闕典」矣。

鄭宗顏仕履不詳（註一五）。彼著《周禮講義》今作二卷，〔明〕楊士奇《文淵閣書目》始著錄，其後孫能傳等《（萬曆重編）內閣書目》、葉盛《菉竹堂書目》、焦竑《國史經籍志》、朱睦㮮《授經圖》皆著錄，而清儒因之（註一六）。宗顏《考工記講義》多解字，受安石《字說》影響（詳下說），而《三經義》、《字說》，立於學官，徽宗時極盛，則此書著成時代上不致越崇（寧）（大）觀之前；又其書頗襲〔宋〕王昭禹《周禮詳解》徽欽時際著成（註一七），則宜更在其後；書宋、元人書不見稱引，至明初始著錄，殆成著於元季。

初，安石《周禮新義》（前五官）與鄭宗顏《考工記講義》各爲一書，至孫氏等《萬曆重編內閣書目》，遂題其書爲王、鄭合注。（疑《永樂大典》已抄鄭講合併於王義之後）。

厥後，〔清〕全祖望亦附併宗顏書於安石《五官新義》之後（註一八）。舊鈔本、四庫《文淵本》以下諸閣本，至徑題宗顏書爲「〔宋〕王安石撰」，沿襲舊說而益歧誤矣。

安石《新義》原有《考工記解》，《永樂大典》本缺，世人不察，誤信晁、陳之說，反以爲原本無解，說略見拙著〈三經板傳〉一文。今更考安石之徒陳祥道（字用之），師承新學，有《考工記注》專著（註一九），以推安石《周禮》學，安石似不應黜〈考工〉不解。王昭禹，固亦荊公之學者，著《周禮詳解》四十卷，宗王氏新說（註二〇），余詳考其全編，幾至篇篇章章句句字字依傍而發揮之，眞「依阿過甚」（註二一）矣，而亦解〈考工記〉。何止亦解之而已，以今存安石《考工記新義》佚文廿一條（見上列）與相較，同者竟有十五條之多，茲類列論比如下：有二書全同者，佚文（一〇）是也；有幾全同者，佚文（一）（七）（一五）（二一）是也；有大同者，佚文（二）（六）（一二）是也；有旨同者，佚文（一三）是也；餘爲略同，佚文（三）（五）（八）（一一）（一六）（一八）是也。——昭禹解〈考工記〉，顯然依傍安石《考工記新義》而時有發揮，則荊公果六官全解，晁、陳說非也。

荊公《新義》未捨〈冬官〉，又可從《周禮訂義》等書引述確證之。上列佚文廿一條：見於〔宋〕鄭鍔《周禮全解》者五條，（一）（五）（八）（一〇）（一四）是也（皆見載《周禮訂義》）；〔宋〕趙溥蘭江《考工記解》二條，（一二）（一三）是也（亦皆見《訂義》載）；《訂義》直引則十三條，（二）（三）（四）（六）（七）（九）（一一）（一五）

（一六）（一八）（一九）（二〇）（二一）是也；凡此之類，堪爲安石解及〈考工〉增證。

而況〔宋〕沈作喆曰：

神宗皇帝御經筵，時方講《周官》，從容問「面朝後市」何義？侍講官以王氏《新義》對曰：「朝，陽事；市，陰事，故前後之次如此。」（《寓簡》卷二頁二，參看佚文（一七）條。）

沈氏明舉〈考工記〉〈匠人〉「面朝後市」王氏《新義》，則《新義》波及〈考工〉，夫復何疑？

《周禮》〈冬官〉向缺，〔漢〕河間獻王取〈考工記〉足之，亦先秦故書，歷漢唐至宋，經師視爲《禮經》舊矣。安石說字、治經，竝不鄙〈考工〉。說字者，得一例：

安石《字說》曰：「赤與白爲章，麞見章而惑者也。」（〔宋〕陸佃《埤雅》卷三頁一〇「麏」目引；〔宋〕黄朝英《靖康湘素雜記》卷六頁一「兔爰」目引，無末二字，餘同。）敏案：赤白句五字，出《周禮》〈冬官〉〈考工記〉畫繢：「赤與白謂之章。」

治經者，則《周禮》前五官，曾用其說，今殘本《周禮新義》（據《文淵閣本》）尚存四事可證：

卷五頁四：「〈考工記〉：玉人之事，大圭長三尺，天子服之。服玉則大圭之屬是也。」（〈天官〉〈玉府〉）

卷六頁八：「鄭氏以虎豹之屬爲贏物，正所謂毛物，贏物宜謂黿蠙之屬。然鄭氏所說，出於〈考工〉；不知〈考工〉所記，何據而然。」（〈地官〉〈大司徒〉）

卷七頁一三：「〈考工記〉（〈輪人〉）曰：『凡斬轂之道，必矩其陰陽。陽也者。縝理而堅；陰也者，疏理而柔。是故以火養其陰而齊諸其陽，則轂雖敝不藃。』所謂陽木，則縝理而堅者也；所謂陰木，則疏理而柔者也。」（〈地官〉〈山虞〉）

卷十一頁一七：「棧車則無飾矣，〈考工記〉（〈輿人〉）曰：『棧車欲弇，飾車欲侈。』墨車以上皆飾車也。」（〈春官〉〈巾車〉）

右除第二則微疑〈考工〉說無據，餘皆援以證經，蓋亦視之爲經、一若先儒，則又何致置之不解耶？

錢氏明知此《四庫》本《考工記解》二卷非安石撰，著說揭諸編首見上「識後」，然於書名之下題「王安石譔」，謂沿用舊本署名，則已矣，顧又將眞《考工記新義》佚文（《周禮訂義》引）雜入鄭宗顏書中，乖輯佚法度。錢氏補輯《考工記新義》佚文凡十二條，其署置方式有三：

一曰增佚文獨爲一條，繫經本文後，凡（四）（六）（九）（一一）（一五）（一六）（一八）（一九）（皆已見上列，下倣此。）八條是也。

二曰增佚文於鄭宗顏注文一段之末，凡（一）（二〇）二條是也。

三曰嵌補佚文於鄭宗顏注文一段之中，凡（二）（三）兩條是也。

一類分別立說，學者循文索原，分辨鄭王彼此，尙非難事；二、三兩類混同兩家，直令淄澠並泛、薰蕕同體，非施董理區別，則莫能辨識矣。

復審錢補十二條四零一字，皆自《周禮訂義》輯收，然與通志堂本《訂義》校，頗有異文，如條之（三）勾作句、法作灋、捄作救，條之（四）槸作槔，條之（一一）圓作圜：疑皆爲錢氏改字。今復校之，又有誤字焉，如條之（五）「防者，二分之一也」，「二」訛爲「三」。更有佚傳繫本經失所者，如條之（二）「治絲、治麻」等共八字，乃釋本經第一「治絲麻」者，宜從《訂義》原本置在前，今次於後一「治絲麻」之下，非也。

錢氏據《周禮訂義》輯補，以《訂義》直引「王氏曰」爲主，然有察考失周遺漏未收者，條（七）（二一）是也。錢氏輯補，有時亦知據《訂義》引述它書所載安石《新義》，見前五官〔註二三〕，然及輯《考工新義》，於《訂義》引它書一皆未加深考，致鄭鍔引四條（（五）條，《錢本》只輯首七字，餘缺；又有（八）（一〇）（一四）各全條。）、趙溥引二條（（一二）（一三））竝缺收。《寓簡》一條（見（一七））明舉書名，錢氏檢未及；及之，則安石不解〈考工記〉舊說，星湖或已辭而闢之矣！

從來合附鄭宗顏《考工記講義》於安石《周禮新義》五官之後者，辭曰：

（荊公之書，五官而已。）有鄭宗顏者，采其說別注《攷工記》二卷。（今《新義》已缺其二，）而〈攷工〉尚有存者，並附之。（全祖望《鮚埼亭集外編》卷二三頁七〈荊公周禮新義題詞〉）

（熙寧經義局三書，成于荊公父子之手，《周官》則安石所手裁。……《周官（新義）》舊二十二卷，此吾友周書滄（永年）從《永樂大典》錄出者，得十六卷。）……末附《考工記》二卷，蓋鄭宗顏輯安石《字說》爲之。其于《周官》，好以《字說》牽合，乃王氏說經通病，而發明大義，自有不可泯滅者。（〔清〕程晉芳《勉行堂文集》卷五頁一一〈周官新義跋〉）

（安石本未解〈考工記〉，而《永樂大典》乃備載其說；據晁公武《讀書志》，）蓋鄭宗顏輯安石《字說》爲之，以補其闕，今亦竝錄其解，備一家之書焉。（《四庫全書總

目提要》卷十九頁七〈經部〉〈禮類一〉）

案：（安石《新義》，止解五官，不及〈考工記〉。）其見於《永樂大典》者，乃鄭宗顏綴緝《字說》以附於〈考工記〉。故其解多係字義，而經義則未之及。（《四庫全書考證》卷八頁四八〈周官新義考工記〉）

（「車人爲車」，）案：王氏原無《考工記解》，鄭宗顏不過摘取《字說》之及于〈考工〉者，故〈車人〉以下多無解。（同上，頁四九。）

案：〈冬官〉〈考工記〉，《周禮》之一篇也。解〈考工〉爰及同書其它五官，但直舉某官云云可矣，乃鄭解不然，竟一稱「《周禮》」云云、三稱《周官》云云（註二三），其爲抄纂它書（該書亦非專解《周禮》之著）之原文何疑？尤有甚者，講〈考工記〉竟曰：「度土高深用仞，人以度之，刃以志之，〈考工記〉曰：『人長八尺，登下以爲節。』」（《周禮新義》附卷上頁八）解〈考工〉而稱〈考工〉曰，其文原襲它書，非解〈考工〉應有，的然無疑！（註二四）雖然，未必盡出自安石《字說》，因上述五事，雖爲解字，然皆無確證可證其出諸王金陵字書也。

又案：《四庫提要》及《四庫全書考證》咸謂鄭氏輯《字說》以成《考工講義》，而錢氏混同王鄭兩家書，亦固以鄭書「中用《字說》尤多，……爲王氏一家之學」（已詳上引錢「識後」）。余考鄭書，參看黃君復山《王安石字說之研究》，乃知鄭氏《講義》誠有與《字說》同義者。茲舉六例，度皆較爲明確，爭議不多者：

（一）**公**　《字說》曰：「公：公雖尊位，亦事人，亦事事。」（《楊龜山集》卷七頁四〈王氏字說辨〉）

《考工記講義》（《周官新義》附卷上頁二）曰：「王公之公，人臣尊位。……公又訓事；公雖尊人，亦事人，亦事事。」

（二）**戈**　王安石《字書》云：「戈，從一，不得已而用，欲一而已。」（《宣和博古圖》卷九頁二一，亦見卷六頁一八王安石云，從作从。）

《考工記講義》（《周官新義》附卷上頁一四）曰：「（弓，象弛弓之形，欲有武而不用。從一，不得已而用，欲一而止。）戈，兵至于戈，爲取小矣；從一，與弓同意。」

（三）**朱**　荆公《字說》曰：「于文合一爲朱，析而二之則爲非。」（《項氏家說》卷八頁一二《字說》目）

《考工記講義》（《周官新義》附卷上頁二二）：「夫丹所受一，乃木所含而爲朱者也。」

（四）**鴇**　《字說》云：「鴇，遠舉難中；中之則可以告，故射侯棲鴇，中則告勝矣。」（《埤雅》卷九頁八「鴇」目）

《考工記講義》（《周官新義》附卷下頁七）說「鴇」字，僅少一「可」字，餘盡同。

（五）**鍾**　王安石以：「鍾字从金从重，以止爲體。」（《宣和博古圖》卷九頁三四）

《考工記講義》（《周官新義》附卷上頁一六）曰：「于鍾，從金從重，則皆其體也。止爲體。」

（六）**甗**　王安石嘗釋其義，以謂：「鬲獻其氣，甗能受焉。」（《宣和博古圖》卷十八頁三二；又見頁二二王安石則曰，首句上多「從獻從瓦」四字。）《考工記講義》（《周官新義》附卷下頁三），說「甗」字，盡同。

上眎六字，皆確出《字說》本書，（六）與鄭講全同，（四）幾全同，餘亦莫不與相合無違，凡此，皆諸家堅信鄭輯《字說》以成《考工講義》之所據也。是矣。

雖然，余通察鄭氏《講義》說《字部》分六十九條（據黃君復山考計），頗多兙就安石《字說》而加發揮，往往達數十百言，即論上述六字中之（一）（五）二字申義，合計即視原文多出八十餘字。黃君復山嘗深考鄭氏注文，謂頗有與《埤雅》、《博古圖》等書所引之《字說》同者，其餘析字解義之文，又頗合《字說》體例（註二五）。豈非謂鄭書之所解字，文亦稍有異乎《字說》者乎？既非盡《字說》原文，謂之悉綴緝《字說》而成編者，考之未精之過也。

黃君復山謂鄭氏《考工講義》，十分之九說字（註二六）。其說果信，則餘十分之一仍得爲經解文，余考下列二條，大抵擺脫析字，以訓注經文：

金以陰凝，冶以陽釋之，使唯我所爲，能冶物者也。所謂冶容，悅而散，若金之冶。（《周禮新義》附卷上頁一四至一五，說冶氏「冶」字。）

工欲善其事，必先利其器。匠之負陰者，物也；負利者，人也，「面朝後市」，蓋取諸此。市尚利，朝尚義，尚義而無以帥之，則君子有犯義者矣；尚利而無以帥之，則小人有罔利者矣。夫者，以智帥人者也，「市朝一夫」，蓋取諸此。（同上附卷下頁一〇，說〈匠人〉「面朝後市、市朝一夫」。）

案：據此，《四庫提要》謂鄭輯《字說》成卷，《四庫全書考證》謂鄭書「多係解字敏案：此說得之。，而經義則未之及」，竝失。全氏謂鄭氏采安石說別注〈考工〉，固未嘗質言鄭從金陵《字說》采收，殆亦有見於鄭書頗多說經大義也。程氏稱揚鄭解「發明大義，自有不可泯滅者敏案：此竝王、鄭兩家書六官而評之，非獨論鄭一家。，斯亦就上述二事之類而言。而錢氏「識後」固亦承認鄭講稍有不用《字說》者以彼言「中用《字說》尤多」知之，是矣。鄭書非全采自《字說》，資料來源非一，五家者遽牽補於王氏書之後，失之。且王、鄭書不相蒙，金陵《考工記新義》佚文、當另輯別成一編，錢氏元子寶惠已知而行之，第儀吉忸於舊貫，不敢變革（註二七），又羼王入鄭，淆亂兩家，余因辨正於此，豈得已哉！

錢氏「識後」又云：

（安石）《字說》久佚不傳，獨見於此注中。其於六書之義違戾已甚，輒依許書正之，庶幾學者不為所誤爾。

案：錢氏「見於此注中」，此注謂所錄《文瀾閣本》安石《周官新義》（含鄭宗顏《考工記講義》二卷），以為其中皆有《字說》佚文。鄭書說字者非盡為安石《字說》，既辨如前節。夫《字說》神宗元豐五年（一〇八二）成進，遲後《周禮新義》頒行七年之久；此《新義》析字即與彼《字說》有合，亦不可謂《字說》佚文「見於此注中」（註二八），《四庫提要》同誤（註二九）；二家之言，皆本末倒置之論也。（註三〇）。

又案：安石《周禮（前五官）新義》十六卷，析文說字者六十六字（註三一），錢氏「依許（慎書《說文》）正之」者才三字（實止「士」一字而已，「工」、「才」因連類而及之。）（註三二），而後一官（實為鄭宗顏《考工記註》）寥寥二卷，引《說文》以與立異者，竟達十八字之多（註三三）；輕重失裁，豈以倉卒付梓，匡正不遑徧及全帙乎？又刊傳昔賢遺書，務存本眞，今錢氏又指瑕索瘢，條陳其下（註三四），使與相雜，要非著作家常經。蓋若以王金陵《字說》貽誤後學，別撰一編辨正可也，今龃龉於此，竊以為又刻書家之所不取也矣！

註釋

一　參看拙著〈三經新義修撰通考〉（《孔孟學報》第三十七期，民國六十八年四月三十日出版。）及〈三經新義修撰人考〉（《臺靜農先生八十壽慶論文集》，民國七十年十一月出版。）。

二 《周禮新義》殘文亦見它書載引，余將別有全輯本。又《三經新義》傳本及存佚情形，參看拙著〈三經新義版本與流傳〉（國立臺灣大學：《文史哲學報》第三十期）。

三 亦參看拙著〈三經新義版本與流傳〉（下簡稱〈三經版傳〉）。

四 詳參拙著〈王安石雱父子享祀廟庭考〉（國立臺灣大學：《文史哲學報》第二十七期，民國六十七年十二月出版。）及〈三經新義與字說科場顯微錄〉（見《屈萬里先生七十榮慶論文集》）（下簡稱〈顯微錄〉）。

五 參看拙著〈三經版傳〉。

六 《四庫全書總目提要》（卷十九頁五、七）初則於此書題下注曰：「《永樂大典》本。」再則曰：「《周禮新義》，……惟《永樂大典》中所載最多，……今亦竝錄其解（敏案：謂竝鄭宗顏《考工記解》而亦錄之，說詳下。），備一家之書焉。」〔清〕孫馮翼：《四庫全書輯永樂大典目》（見《永樂大典附編》）：台北世界書局影印本）及近人郭伯恭〈永樂大典內輯出佚書目一覽表〉（見所著《永樂大典考》附錄）亦皆列《周官新義》。

七 據郭伯恭《四庫全書纂修考》。

八 竝參《四庫全書纂修考》及〔清〕丁申《武林藏書錄》卷首「文瀾閣」。

九 錢儀吉代鄂中丞作〈河南重修省城記〉曰：「道光二十一年（辛丑）夏六月，河決張灣。」（《衎石齋記事續稾》卷一頁二七）又錢氏〈河南司備倉記〉曰：「道光辛丑（二十一年）夏

六月，河決祥符之張灣。」（同上頁三三）

一〇　蘇源生撰傳（《碑傳集補》卷十頁一五）曰：「辛丑夏，書院被水，先生避居周中丞第。」

一一　錢氏又代鄂中丞作〈河南重修貢院記〉曰：「辛丑之夏，張灣河決。……則此賓興校士之所不可緩也，遂於壬寅（道光二十二年）七月興工，明年四月蕆事。」大梁書院復課，宜亦在壬寅。

一二　《衎石齋記事續稾》卷十頁四七「〈告亡兒寶惠文〉」曰：「……猶憶汝丙午（道光二十六年）夏書謂：嘗患瘧，體若燔炭，夢誦《周官》，每至某篇，涊然汗出。」

一三　參看拙著〈三經版傳〉。

一四　錢氏南方人，就近抄寫而已；矧「文淵閣等禁地森嚴，士子等固不便進內鈔閱」，而翰林院底本，雖上諭准許「情殷誦習者」就鈔，度其獲准入院寫書，亦非易事，是錢氏或許未嘗不知南閣本之非善也。

一五　《宋元學案》卷九八總頁一八四七〈荊公新學略〉及《宋元學案補遺》卷九八頁一四二竝以其爲新學者，然皆未及其年籍。《經義考》卷一二五頁一〇著錄其《周禮講義》亦曰：「未詳何時人。」

一六　參看拙著〈三經版傳〉。

一七　鄭氏《講義》用王氏《詳解》者，茲撮舉五事，以示大槩（一）鄭曰：「鬲獻其氣，獻能受焉。」（見《文淵閣本四庫全書》《周官新義》附卷下頁三，下書名同。）王氏《詳解》卷三八頁一三全同。（二）鄭曰：「旊人爲瓦，瓦成有方也。」（附卷下頁三）王氏《詳解》

卷三八頁一三，僅「方」下多「者」字，餘全同。（三）鄭曰：「金以陰凝，冶以陽釋之，使唯我所爲，能治物者也。」（附卷上頁一四）王氏《詳解》卷三六頁一四幾全同。（四）鄭曰：「劔鍛者，斂其刃焉，服者又欲斂而不用。」（附卷上頁一五）王氏《詳解》卷三六頁一六幾全同。（五）鄭曰：「水始一勺，總合而爲川；土始一塊，總合而爲田，虛總合衆實而授之者也，皿總合衆有而盛之者也。若虛之無窮，若皿之有量，若川之逝，若田之止，其爲總合，一也。」（附卷下頁八至九）王氏《詳解》卷三九頁一，僅「授之者」作「受之」、「若田之止」在「若川之逝」之上，餘悉同。王氏《詳解》解全經六官，鄭氏《講義》祇講一官，依乎常理，是鄭襲王，王必有無從襲鄭者矣。

一八　參拙著〈三經版傳〉。

一九　祥道爲安石之徒，見《郡齋讀書志》卷四頁三「陳用之《論語解》」下；其嘗撰《考工記解》，見〔宋〕王與之《周禮訂義》卷首引用諸家姓氏下。

二〇　《直齋書錄解題》卷二頁二一：「《周禮詳解》四十卷，王昭禹撰。未詳何人。近世爲舉子業者多用之，其學皆宗王氏新說。」《周禮訂義》卷首引用諸家姓氏下曰：「王氏昭禹字光遠，有《〈周禮〉詳解》，用荆公而加詳。」《四庫全書總目提要》卷十九頁七〈禮類一〉云：「《周禮訂義》類編姓氏世次，列於龜山楊時之後，……當爲徽欽時人。」是書《宋史》〈藝文志〉〈經部〉〈禮類〉亦著錄，明《菉竹堂書目》卷一、《授經圖》卷四皆著錄。《三經新義》、《字說》行於學官，宋徽宗崇觀政宣間極盛，舉業多用之（詳拙著〈顯微錄〉），而王氏《詳解》極多據安石《周禮新義》、又多解析字義，蓋特因科舉而撰，當成書於徽欽時際，如《提要》所說。

二一　全祖望《鮚埼亭集外編》卷二七頁一六王昭禹《周禮詳解》跋：「嘗笑孔穎達於（鄭）康成依阿過甚，今觀此書（《周禮詳解》）亦然。」

二二　如〈春官〉〈𨛦人〉下，收「雲禜」云云一條五十九字，自注云：「此條見鄭氏鍔引王安石說。（鄭鍔）又解『廟用脩』曰：『王安石以脩爲飾之義，是也。』今本亦佚。」敏案：錢所稱鄭說竝見《訂義》卷三三頁一三、一四。

二三　（一）《周禮新義》附卷上頁二四曰：「《周禮》有『清酒、昔酒』。」（出〈天官〉〈酒正〉）（二）附卷上卷二五曰：「春獻素，秋獻成。」（出〈夏官〉〈稾人〉）（三）附卷下頁三曰：「《周官》〈掌客〉：諸侯之禮，用簠有差，唯簋皆十有二。」（出〈秋官〉）（四）附卷下頁末：「《周官》『六弓』有『弧弓』。」（出〈夏官〉〈司弓矢〉）

二四　《四庫全書考證》卷八頁四九曰：「……此條解伆字而引〈考工記〉云云，顯係《字說》原文，初非《考工記解》。」敏案：半是；確認爲《字說》原文，並無佐證，不如從蓋闕。

二五　見所著《王安石《字說》之研究》頁一八七第四章〈字說輯佚之依據〉第一節〈《周官新義》《周禮詳解》及《考工記解》〉。

二六　同上（註二五）。

二七　錢氏曰：「……王與之《訂義》引荊公說〈攷工記〉凡十二條（敏案：不止此數，詳上余所輯本。），皆發明大義，視鄭氏諓諓《字說》者殊不相蒙。兒（寶惠）因疑荊公本有注而佚，鄭乃自注，非爲荊公補遺。乃以所輯王氏注別爲卷，而〈攷工記〉下直注宗顏名。不爲無見。予以史館定本，當仍舊貫，

末之從也。」（《術石齋記事續稾》卷七頁一二〈題大兒手校周官新義〉）

二八　《字說》之撰成，參看拙著〈顯微錄〉。

二九　見卷十九頁六〈經部〉〈禮類一〉《周官新義》下曰：「今觀此書，惟訓詁多用《字說》，病其牽合。」

三〇　安石《字說》有纂集其自著經解之文爲素材者，《四庫全書考證》卷八頁三八曰：「（《周禮》〈天官〉「體國經野，設官分職，以爲民極」，安石《周官新義》曰：）『極之字從木從亟，木之極者，屋極是也。』案：《安石集》〈字說序〉云：『聲之抑揚開塞合散出入，形之衡從曲直邪正上下內外左右，皆有自然之義，非私智所能爲。余讀《說文》，時有所悟，因作《字說》，以所推經義附之。』則極字從木從亟云云，其初本用以解經，其後乃彙爲《字說》也。」是也。

三一　據《王安石字說之研究》頁七六至一八三第三章，《周禮新義》（不含鄭宗顏《考工記講義》）說字者一〇八條若干字，余考確爲解字者得若干條，爲「天示旅槐藉鴇什伍甗邑交令左佐右佑典冢宰則史喪士工才夫嬪婦巾徒戒旞旌旜棘極稾瀀璧琮甸神祠禴礿嘗烝禬禳米糾纁縣胥荒貨賦邦國隸奚饔飧刑圭府」凡六十六字。

三二　《周禮》〈天官〉〈敘官〉「上士、中士、下士」之「士」，王安石《新義》卷一頁四曰：「『士』之字與『工』與『才』，皆從二從丨。」錢儀吉曰：「《說文》：『士，从一从十。孔子曰：推十合一爲士。』『工，象人有規榘，與『巫』同意。』『才，艸木之初也，从丨上貫一，將生枝葉也；一，地也』；三文皆不从二。」

三三　凡「工商飭木時气（氣）車巨矢㒸鼓㮚量革爵燕盧遂」十八字。

三四　錢氏祗引《說文》異義，明鄭解之非，凡十一字；既引《說文》，又斥言鄭失者七字，如曰：「《說文》：『㮚，从肉木。』㮚、艸木實𠂹卤卤然，象形。此云『从口从重人从一从一』，非也。」（《周官新義》附卷上頁一六）又如曰：「《說文》：『燕，籋口，布翄，枝尾，象形。』不从圵北人八。」（《周官新義》附卷下頁七）又如曰：「《說文》：『盧，从田虍聲。』……此从川从田，誤也」（《周官新義》附卷下頁八）

——原載《書目季刊》十八卷四期，《屈萬里院士紀念論文集》，民國七十四年五月

二十九　評介野間文史《儀禮索引》

《儀禮》，又名《士禮》，今傳十七篇，五萬六千一百一十五字次（〔清〕南昌府學重刊宋本《儀禮注疏》本全書之末載計）。漢自景帝朝始列於學官，靈帝時刻入漢石經。茲後以迄清代，科舉往往定爲必考之科目。唐爲九經三傳之一，賈公彥據〔漢〕鄭玄注作疏。宋刻十三經，次爲第四經，流傳至今。

《儀禮》之有索引書，自燕京大學圖書館引得編纂處洪業主編之《哈佛燕京學社引得》中之《儀禮引得》最先（西元一九三二年一月初版鉛排本，下簡稱《哈燕本》），爲其《引得叢刊》之第六種。此書僅選擇《儀禮》本文中之單字及辭彙製爲引得，如面一：子，爲單字；子姓，爲辭彙。面七：束，爲單字；束帛、束紡、束錦，爲辭彙。辭彙以兩字組成爲常，多字者甚少；其於書篇名（如〈關睢〉、〈鹿鳴〉、〈南山有臺〉、〈由庚〉：《詩經》之篇）列入，人名（朝代名）有漏錄者（如〈士冠禮〉之夏后氏）。單字及辭彙均以五號鉛字分條排印，爲目；目下又有注文，均改以六號小字排印（所謂注，乃《引得》編者之說明文；非鄭《注》、賈《疏》）。條後標明原書卷、面。彼又據阮元《校勘記》標示異文，以外括方弧〔 〕列於卷面後。引得字及辭彙之排列，依其所創「中國字庋擷法」，書後附「拼音引得」、「筆畫引得」。此書作者又附撰「《儀禮》鄭注引書引得」、「《儀禮》賈疏引書引得」，插訂於書中。（《周禮》、《禮記》，哈燕社亦已編行《引得》，體製同《儀禮》）。

《哈燕本》初刊，行三十餘年，臺灣臺北成文出版社加以重（影）印，編爲《中文研究資料中心研究資料叢書》之一，一九六六年發行。約在同時（或略晚），中國東亞學術研究計劃委員會亦予重（影）印，僅供臺靜農、孔德成二先生領導之《儀禮》研究小組研者檢用。至民國六十六年二月，臺灣臺北南嶽出版社合印《十三經引得》，其第六種爲《儀禮引得》，亦據《哈燕本》以影印者。晚近，坊間行售別一《十三經引得》，題「燕京書社」印行，不記出書歲月，殆轉據《南嶽本》以影印者。

民國二三年八月，開明書店鉛排初版《十三經索引》行，葉紹鈞編。四四年六月臺灣開明書店再版，曰臺一版；其後猶有再版。其書將十三經本文混合通編，以一句爲一條，按句之首次編次，條下依次注經書名、篇名（《春秋經》及《三傳注》十二公名）及章節之序數，卷首著「檢字」索引一科。該店另有《斷句十三經經文》一書，特令與《索引本》參照。類似《開明本》者，又有李迺揚與〔日〕中津濱涉共編、臺灣臺北大化書局鉛排之《十三經注疏經文索引》，民國七十六年一〇月初版。此書亦打通《十三經》，以經句爲條，復依句之首字爲索引字，循筆畫簡繁編排；經文條下明出處，先經書名、次篇名，均一若《開明本》。唯篇名下注列原經書面碼，獲檢較易；且視《開明本》多四角號碼檢字，查索有時快速。

上述各本《儀禮索引》，或爲字彙索引，或爲文句索引，學者病其疏略；必逐字引得著作而後可。哈燕諸公夙鑒此，遂於經書，編《周易引得》、《春秋經傳引得》、《論語引得》等，而顧頡剛氏亦自編《尚書通檢》：諸書皆爲一字索引。顧編比《哈燕本》又多四角號碼檢字、分韻檢字二科，利用者稱快！至此，十三經唯《周禮》、《禮記》、《儀禮》三禮書之逐字引得未著，此日本學者野間文史氏《儀禮索引》之所以編也。

此書共六百九十八面，橫排，十六開本，精印精裝一冊。《野間本》卷首列有筆畫檢字，索引部分即依頭一字筆畫簡繁編排爲常，始於「一畫」（一），終於「二十九畫」（爨）。據其書「凡例」及參看全書，知其以「清嘉慶二十年江西南昌府學重栞宋本《儀禮》注疏」（即阮元刻本）爲底本，經文句讀依日池田末利編《儀禮》，熟語（即慣用語、成語、辭彙）之選取，參考哈燕本《儀禮引得》。計其筆畫檢字所錄列，知《儀禮》用單字共一千五百一十六個。復考其本索引編排方式：一、首列某字，外括以方弧，如三畫〔尸〕。二、字下條列語句，句前著經文原所在之卷、葉，句內凡爲首列之某字概作○，其餘概作原文，如「尸」字下「37－09奉○斂于棺，乃蓋」。三、一字索引既已，乃列辭彙索引，如「尸」字下，有「尸入」、「尸升」……「尸謖」等共十四個辭，每辭前著卷、葉數碼，與一字索引例同，無辭彙則從缺。四、遇有一條橫跨兩葉，則以左斜之線表示之，線左文字屬字前或辭前所標之葉碼，其右則為次葉，如「尸」字下，「42－08○取奠／左執之」之類。五、某字或某辭彙末條之後，彼偶有將辭彙會列於是者，如二畫「人」下會列「一人」、「二人」……「鐘人」共四十三個，用便參酌，於此則一概不標索碼。六、辭彙大抵為名詞片語、詞組、詞結、器物名、官職、書名、私名（《儀禮》載它書名甚少，私名尤少，僅有如《詩經》之〈周南〉、〈召南〉、〈關雎〉、〈南陔〉、〈白華〉、〈鹿鳴〉、〈南有嘉魚〉……等篇，及周（道）、周（弁）、夏后氏等名而已）。

野間文史先生此書，字字索引。一編在手，以求《儀禮》某字某辭，極為方便，斯舊作《儀禮引得》之所不及，嘉惠士林匪淺。余略讀全書，為簡介如上。因發見數事，願抒管見以與編者商兌，併以請教方家：一、此編所選用字體有原來誤製者，如筆畫檢字（頁一二）及索引頁六七九三「軆」字，皆「軆」之誤（見《儀禮》原書卷四六及四九），它類此者宜尚不免，應訂正。二、此編因字體缺字而使用手寫之字甚多，點畫之間，亦不免失之舛譌，如頁五二九「軷」字，當精正作「軷」（見《儀禮》原書卷二四頁四）、頁五三四「耇」字，當从老省作「耇」（見《儀禮》原書卷三頁八）；它類此者尚多，竝宜訂正，且最好盡量避免手寫，改製作標準字體列排。三、《儀禮》本文中有「記」（即「記曰」，《禮記》篇中作「記曰」，類此）十二見，又有「傳曰」九十二見。傳曰、記曰性質，大概為解釋《禮經》之語，為講師講論之詞，迄無定論，本書將記後及一部分傳曰後之《儀禮》本文往右降下一格編排，如頁一「15－24上射退于物○笥」及頁二四「15－24○○退于物一笥」：行款分別高下，似無必要。四、本書「凡例」謂熟語參考《哈燕本》選擇，余略取兩本對校，知野間氏損益頗多，不知標準維何，宜加宣明。五、《哈燕本》「辭彙」索引，皆依頭一字查求；本書不然，而以頭字編索爲常，第如三畫「于」下之「人于」、「反于」……「即位于」……共十八辭，皆不依頭字；又如四畫「日」下，辭彙有「日中」、「日劇」與「一日」、「卜日」……，或頭字或非。凡此甚多，宜皆於例中詳加敘明。六、本書據阮刻本，云凡《阮本》明顯誤刻字則逕予改正；於它本《儀禮》異文，則未暇表出。夫《儀禮》傳本甚多，長短互見，未必《阮本》全善，宜更取佳善而又通行易得者數本如《四部叢刊》本、《四部備要》本，特以《文淵閣四庫全書》本（有影印本，流傳甚廣，方便尋求）而仍以《阮本》爲準，另作各版《儀禮》卷數葉數推算表附前、如《哈燕本》所作者，俾便持有別本者利用本書，亦便擁有多本者校閱異字。七、本編之檢索，僅有「筆畫檢字」一科，最爲美中不足。夫方塊字四角號碼檢字，中外治漢學者普徧習用，而拼音檢字，又外國學者最常利用，故晚近製引得者多與筆畫檢字並作同陳於卷首或卷尾（如上述顧本《尚書通檢》），本編如再版，亟應將後二科增編訂入。八、爲省眉目，每面邊緣，應標示該葉之單字及辭彙，蓋此亦索引書之所必需，實不宜或闕，而本編亦未及。

三禮中之《周禮》、《禮記》之「一字索引」（Concodance）尚未有著作，而野間文史先生既研治中國《禮經》，敢爲先生籌謀：一則以便於身自查考，一則爲普益多士，踵此編之後，二編一字索引之早日成書行世，此固亦吾人之所殷望於先生者也。

——原載《漢學研究通訊》第八卷第一期，民國七十八年三月

三十 《禮記》〈中庸〉、〈坊記〉、〈緇衣〉非出於《子思子》考

《漢書》〈藝文志〉〈六藝略〉〈禮類〉著錄《禮古（文）經》、《（禮今（文））經》既已，緊接即著錄「《記》百三十一篇」，班固於其下自注其作者曰：「七十子後學者所記也。」《記》，《禮經》之記——傳記是也。

《漢》〈志〉〈諸子略〉〈儒家類〉著錄「《子思》二十三篇」，班亦自注其作者曰：「名伋，孔子孫，爲魯繆公師。」孔伋，《史記》〈孔子世家〉：「孔子生鯉，字伯魚，……伯魚生伋，字子思。」是也。同書同部同類又著錄「《公孫尼子》二十八篇」，班亦自注其作者曰：「七十子之弟子。」姓公孫，字子石，名尼（註一），孔子之弟子，非孔子弟子之弟子（班注誤），事迹詳下《公孫尼子》卷。

夫《記》百三十一篇之《禮》既與《子思》、《公孫尼子》二書分別著錄，而後兩子書亦復分別著錄，撰人又皆異，則《記》、《子思》、《公孫尼子》三籍各自爲書，不相糾葛，昭昭明也。

今傳《禮記》四十九篇（實四十六目，因其中〈曲禮〉、〈檀弓〉、〈雜記〉三目，各分上篇、下篇；多三篇，故爲四十九篇），相傳爲西漢戴聖（稱小戴）編。四十九篇來源，大部分取自上述之百三十一篇之《記》，一部分取自其它文獻（說甚紛紜，第非本文主題，姑置弗詳論。）。其中有編次相連之四目篇——〈坊記〉第三十、〈中庸〉第三十一、〈表記〉第三十二、〈緇衣〉第三十三，有謂取諸《子思（子）》，或《公孫尼子》者，請徵其說，更辨其然否於下。

子思事迹，散見記傳，其中不乏攸關學術之言論附見，然有如〈中庸〉等長篇近似專題之論說，當子思時代，載入記傳併以傳世者極罕，而大抵託專書以出。則是類似〈中庸〉等《禮》學論文，如眞爲子思所撰，則可能編入《子思子》以傳。果然，〔梁〕沈約即作是觀者，

《隋書》〈音樂志上〉：沈約於梁武帝天監元年（西元五〇二）奏對曰：「漢初，典章滅絕，諸儒捃拾溝渠牆壁之間，得片簡遺文與禮事相關者，即編次以爲《禮》，皆非聖人之言，……〈中庸〉、〈表記〉、〈防（坊）記〉、〈緇衣〉皆取《子思子》。」

《漢》〈志〉著錄之《子思（子）》二十三篇，原書久佚。考篇目可能有〈累德〉一目，《後漢書》〈王良傳〉論曰：「語曰：『同言而信，則信在言前；同令而行，則誠在令

外。』」〔唐〕李賢注：「此皆《子思子》〈累德〉篇之言，故稱『語曰』。」〔唐〕馬總《意林》引作（文字小異）「《子思子》」，但未記篇名；《中論》〈貴驗〉及《太平御覽》引則稱「子思曰」。其餘二十二篇，傳之後世但見書志著錄及多家輯編、稱引殘文。今祇擇其關切〈中庸〉等四篇者，略依年次，先綜述略如下：

曰〔三國〕〔魏〕徐幹《中論》引，見下。

曰〔梁〕沈約述（方見上引）。

曰庾仲容《子鈔》，摘取周秦以來一百七家雜記要語，為三十卷。原書佚。〔宋〕高似孫《子略》卷一錄列舊目，有〔梁〕庾仲容《子鈔》原目錄，庾目中有《子思子》七卷。〔唐〕馬總一遵庾目，增損成《意林》，詳下。

曰《隋書》〈經籍志〉〈子部〉〈儒家〉：「《子思子》七卷，魯穆公師孔伋撰。」殆即同庾書所據之七卷本。

曰《舊唐書》卷四七〈經籍志〉〈子部〉〈儒家〉：「《子思子》八卷，孔伋撰。」八疑七誤，《新唐書》卷五九〈藝文志〉〈子部〉〈儒家〉著錄同，作七卷是。殆即同於《隋》〈志〉之所著錄。

曰唐代他士亦多見稱引，略依時次為虞世南（《北堂書鈔》）、歐陽詢（《藝文類聚》）、李賢（方見上述）、李善（《文選注》）、徐堅（《初學記》）、司馬貞（《史記索隱》），而以馬總《意林》最重要。馬氏謹依庾氏《子鈔》列目，增損成書《意林》五卷，取錄視《子鈔》爲嚴。其卷一列目「《子思子》七卷」，目下集佚文十條（影〔清〕《武英殿聚珍版叢書》本）。

曰宋初，李昉《太平御覽》多引（詳下），殆亦庾《鈔》以下所見之七卷本。厥後，此編亡逸，僞七卷本乃作，即見下晁《志》。

曰〔宋〕晁公武《郡齋讀書志》卷十〈子類〉〈儒家〉：「《子思子》七卷，……孔伋子思撰。載：『孟軻問牧民之道何先？子思曰：先利之。孟軻曰：君子之教民者，亦仁義而已，何必曰利？子思曰：仁義者，固所以利之也。上不仁，則下不得其所；上不義，則（下）樂爲詐，此爲不利大矣。故《易》曰「利者，義之和也」，又曰「利用安身，以崇德也」，此皆利之大者也。』溫公采之，著於《通鑑》。」（〔元〕馬端臨《文獻通考》卷二〇八〈經籍考〉據鼂《志》著錄，全引鼂氏此文）謹案：此決是僞書。知者，孟子不及親炙於子思，而此書竟載思孟問答，又公然襲竄《孟子》〈梁惠王上〉載主客義利之辨，子思安得爲此？「孟軻問止大者也」九十三字，亦見僞《孔叢子》〈雜訓〉篇多四字，又文字小異。，則此書抄襲《孔叢》。《孔叢子》〈居衞〉篇另亦載思孟問答，都是僞者鑿空杜撰。夫《史記》〈孟子荀卿列傳〉：「孟軻……受業子思之門人。」《索隱》：「今言門人者，乃受業於子思之弟子也。」自劉向《列女傳》、班固《漢》〈志〉著錄「《孟子》十一篇」，自注曰：「名軻，鄒人，子思弟子。」、趙岐《孟子題辭》、高誘《淮南子注》、應劭《風俗通》皆謂孟軻親受業於子思（參看屈師翼鵬《古籍導讀》頁一一六、阮廷焯《先秦諸子考佚》頁九），〔隋〕王劭因謂「人」字衍（《索隱》引），則定孟軻親受業孔伋之門。〔清〕梁玉繩《史記志疑》力辨其非，以年世稽之，孟子不得登子思之門，執卷受業。錢賓四先生訂《孟子年譜》（見其《孟子研究》）亦證孟子不及親師事子思，又撰〈子思生卒攷〉（在其《先秦諸子繫年》頁一七二），此並參酌。（註一）

此一僞《子思子》七卷，文既見采於司馬光《資治通鑑》（余對勘《通鑑》卷二引文，見溫公是采自本七卷《子思子》，非采自《孔叢子》），是北宋神宗哲宗世已流傳，南宋孝宗世晁公武親撫是書著於錄目，其下〔元〕脫脫《宋史》〈藝文志〉〈子類〉〈儒家〉、〔明〕焦竑《國史經籍志》〈子類〉〈儒家〉、陳第（明中晚葉人）《世善堂書》〈諸子百家類〉均著錄。明初宋濂《諸子辯》（在《文憲集》卷二七）據此原書同引此思孟問答，尤爲確證，宋曰：「《子思子》七卷，亦後人綴緝而成，非子思之所自著也。中載『孟軻問牧民之道何先？子思子曰：先利之。軻曰：君子之告民者，亦仁義而已，何必曰利？子思子曰：仁義者，固所以利之也。上不仁，則不得其所；上不義，則樂爲詐，此爲不利大矣。他日，孟軻告魏侯罃以仁義』。蓋深得子思子之本旨。或者不察，乃遽謂其言若相反者，何耶？」比晁《志》引多「告魏侯罃」二句，的是實據原典，而僞《孔叢子》無此二句，是此本抄襲《孔叢子》而另又臆增十一字是也。（註二）

曰〔宋〕汪晫（一一六二至一二三七）輯《子思子》一卷，今具存，〔清〕《文淵閣四庫全書》本。此輯本南宋中晚葉著成，王應麟見及，云：「今有（《子思子》）一卷，乃取諸《孔叢子》。」（《漢藝文志考證》卷五《子思子》下自注）是輯分〈內〉〈外篇〉。〈外篇〉爲六，〈無憂〉第四、〈胡母豹〉第五、〈喪服〉第六、〈魯繆公〉第七、〈任賢〉第八、〈過齊〉第九，刺取僞《孔叢子》，又加點竄以成，王伯厚即指類此之部分，〈過齊〉輯有思孟答問，蓋以思孟親相授受。〈內篇〉爲三，〈天命〉第一、〈鳶魚〉第二、〈誠明〉第三，割裂〈中庸〉，增加名目以成，蓋汪承舊說，以〈中庸〉出《子思子》，故編入〈內篇〉。編次踳駁，鄙陋可哂（《四庫提要》、黃以周、胡玉縉評）！

《子思子》原本、北宋初中葉輯本既竝逸，清朝輯本不得不作，較早者，有曰洪頤煊（一七六五年至？，道光十三年年六十九）輯《子思子》一卷（在《經典集林》卷十九），今具存。所輯中有佚文三條，洪氏考謂分別合《禮記》〈坊記〉、〈中庸〉、〈表記〉，說併詳下。

其後，更有曰馮雲鵷輯《子思子書》六卷、卷首一卷，收入其《聖門十六子書》之內，道光十四年刊，後收入《孔子文化大全》，一九八九年版，今具存，據影印本。馮氏自跋曰：「《史記》：『……子思作〈中庸〉，』而《孔叢子》以爲『〈中庸〉四十九篇』，今所存於《小戴記》者〈中庸〉一篇。然則書之散失者多矣。茲……取《孔叢子》〈記問〉以下至〈抗志〉六篇，分爲二卷，又採馬氏《繹史》所載爲〈補遺〉一卷。……聊爲肄業者先河後海之一助云爾。」（又有卷首及附錄，不煩贅述）敏案：此輯先全抄僞《孔叢》，既而又自當代馬驌《繹史》（原書具存）稗販數條，不作固可。馮氏信子思作〈中庸〉，〈中庸〉出《子思子》，用舊說也。

曰顧宗伊《子思子遺編輯注》三卷，臺灣未見，大陸有書（見《叢書子目類編》）。

曰黃以周（一八二八年至一八九九年）輯《子思》七卷，光緒二十二年刊，今具存。〈自序〉：「……《毛詩譜》引〈中庸〉一事，《史、漢注》引〈中庸〉兩事，《文選注》引〈緇衣〉兩事，《意林》所採《子思子》十餘條，一見於〈表記〉，再見於〈緇衣〉，則〔梁〕沈約謂今《小戴》〈中庸〉、〈表記〉、〈坊記〉、〈緇衣〉四篇類列，皆取諸《子思》書中，斯言洵不誣矣。」氏於是全錄〈中庸〉爲其輯本〈內篇〉卷一（據舊說及佚文，詳下），定〈絫德〉爲其〈內篇〉卷二（證依《後漢書注》，已見上），又全錄〈表記〉爲〈內篇〉卷三（因《意林》、《御覽》引，說詳下），〈緇衣〉爲〈內篇〉卷四（因《文選注》、《意林》引，說亦詳下），〈坊記〉爲〈內篇〉卷五（並無佚文可資，但據沈約說耳）。卷六爲〈外篇〉，首揭〈重見〉，即彙列上述《史、漢注》、《詩譜》、《意林》、《文選注》、《御覽》所引殘文，多關涉《禮》書者；繼爲〈逸篇〉，亦從舊籍輯錄《子思子》殘文，無關《禮》書者。末卷七附錄子思事迹多條，引僞《孔叢子》文也。其前文方肯定思孟年不相及（已見〔註二〕），此又抄引《孔叢》〈居衛〉思孟答問語，踳駁乃爾！有胡玉縉者，於時襄黃氏輯逸（黃〈自序〉），退而自創輯本，懲黃《輯》僞雜，盡卻《孔叢》不列。

欲補舊輯之不足，又求更專（如關涉《禮》書者）更深之考證，民國輯本二家於是乎作，曰胡玉縉（一八五九年至一九四〇年）撰〈輯子思子佚文攷證〉（在其《許廎學林》卷六，鉛排本），今具存。是編專輯佚文，已見於經典（指〈中庸〉等四篇）者，不復贅列，則認定〈中庸〉等四《禮》篇原均各屬《子思子》之一篇，〈自序〉云：「沈約云『《禮記》〈中庸〉、〈表記〉、〈坊記〉、〈緇衣〉，皆取《子思子》』，證以馬總、李善所引，時時見於〈表記〉、〈緇衣〉，疑所稱『子云』、『子曰』、『子言之』者，皆《子思子》之言。……《漢》〈志〉〈禮類〉有《記》百三十一篇、〈中庸說〉二篇，當是〈中庸〉一篇本在《子思子》二十三篇中，而七十子後學者取以編入百三十一篇內。或欲區而爲二，非也。」所論皆可議，議詳下。惟所輯佚文，類爲「明引《子思子》」、但引「子思曰」二科，取材嚴謹。每條考校異文，見佚文關涉《禮》篇者，輒攷證於其下。即得〈表記〉、〈緇衣〉二篇與佚文攸關，說併詳下論。

曰阮廷焯〈子思子考佚〉一篇（在其《先秦諸子考佚》中，民國六十九年鉛排本），具存。是編最晚作，萃舊輯於一所（猶有兩輯未收，亦不見稱說。），檢討其得失。乃刊改漏缺，匡正謬誤，增輯佚文，考徵源委，用工深厚。得「佚文」四十六條、又記存疑一條。氏以謂：思孟之年，實無緣相値，則子思未曾親授孟軻（輯本〈考證〉）。然竟依《晁》〈志〉引羼僞之《子思子》與〔明〕陳士元《孟子雜記》，輯入佚文三條，均記思孟對話，實皆原出僞書《孔叢》，蹈輯逸者浮濫之通弊。又從舊說以謂子思作〈中庸〉，〈中庸〉爲《漢》〈志〉所著錄之《子思》二十三篇中之一篇。復徵以《詩譜》、《史索隱》、《後漢注》、《意林》、《書鈔》、《文選注》、《路史》引「佚文」，論〈中庸〉〈表記〉〈坊記〉〈緇衣〉皆取諸《子思子》，申沈約意見也。

〈中庸〉等四篇，是否源出於《子思子》、各屬其書之一篇，請謹審上揭馬本（《意林》）、洪本、黃本、胡本及阮本所輯佚文與考辨，參酌其所據之文獻（如類書、子書等），求實如下。

〈中庸〉源出案

一、天命之謂性，率性之謂道，修道之謂教。（《後漢書》卷四三〔唐〕李賢注引子思曰）黃本卷六據收，「教」下衍「也」字，當刪，黃曰：「《後漢書》〈朱穆傳〉〈注〉引，單稱『子思』，今見〈中庸〉篇，則唐人所引『子思』，即出『《子思子》』也。」阮本亦有收，亦衍「也」字，亦當刪，阮校注曰：「案《禮記》〈中庸〉：『天命之謂性，率性之謂道，修道之謂教。』文與此同。」以引文出《子思子》，同黃本。馬、洪、胡本均未收。

敏案：所謂《子思子》本之〈中庸〉篇，與《禮記》〈中庸〉篇，兩書分別傳鈔，上下千年，竟然無一異字，校勘學上極罕見。當是李賢引文即是據《禮記》〈中庸〉篇，因舊說《史記》、鄭《禮注》、王肅僞《孔叢子》。多定〈中庸〉乃孔子思伋作，故引〈中庸〉文直舉作者人名——子思，不稱原篇名——〈中庸〉，觀賢另注〈王良傳〉引「《子思子》〈累德〉篇」之辭（已詳上述），分別甚明。洪本未收，其或有見及此；阮本貪多，稍傷浮濫。胡本〈自序〉曰：「專就佚文輯之，凡見經典，概不贅列。」殆以文既見諸經〈中庸〉全同，故不復贅列，下放此。

二、喜怒哀樂之未發，謂之中；發而皆中節，謂之和。（〔宋〕羅泌《路史》〈後記〉卷十三下《子思子》曰，《四庫全書》本在卷十四）　阮校注曰：「案《禮記》〈中庸〉：『喜怒哀樂之未發，謂之中；發而皆中節，謂之和。』文與此同。」是以引文出《子思子》。馬、洪、黃、胡本均未見收。

敏案：北宋僞本《子思子》作者，見子思作〈中庸〉舊說，遂取〈中庸〉入其僞書，羅泌（南宋孝宗朝以後人）摭其文句以證古史耳。

三、天下之通道五，所以行之者三。（《史記》〈平津侯列傳〉：「（公孫弘）乃上書曰：『臣聞：（二句方見上引）。』」〔唐〕司馬貞《索隱》：「案此語出《子思子》，今見《禮記》〈中庸〉篇。」）　洪、黃、阮本均收。洪注云：「案《索隱》云：……。是《子思子》本有〈中庸〉篇。」阮校注云：「案《禮記》〈中庸〉：『天下之達道五，所以行之者三。』文與此同。」三家都以此引文出於《子思子》。馬本未收。胡炳黃本濫收，故斥去之。

敏案：《史》〈平津侯傳〉「所以行之者三」以下，弘續奏「五通道、三通德」八目：「曰君臣、父子、兄弟、夫婦、長幼之序。此五者，天下之通道也。智、仁、勇，此三者，天下之通德，所以行之者也。故曰力行近乎仁，好學近乎智，知恥近乎勇。知此三者，則知所以自治；知所以自治，然後知所以治人。天下未有不能自治而能治人者也。」小司馬既署注文於「天下止者三」二句下，明僅此十二字見於《子思子》原典，而當時傳本《禮記》〈中庸〉亦見此諸文同（惟通，作達。達，通也，無所不通曰達；義有狹廣之辨。），非指謂〈中庸〉出《子思子》；《子思子》、〈中庸〉共有此二句文而已。《子思子》既舉「八目」，下必有釋文如弘奏「曰君臣止治人者也」之類，但小司馬無有注說，明《子思子》釋文內容異乎弘所奏，故不作同異文辭。夫弘奏「五通道、三通德」——君臣、父子、兄弟、夫婦、長幼暨仁、智、勇，略同〈中庸〉（僅缺長幼，而多朋友。）（註四），則《子思子》說五倫、三德目必異乎〈中庸〉矣，不爾，小司馬將移其注語署於「治人者也」之下，曰「案此語出《子思子》」，今見《禮記》〈中庸〉」也。今既不然，《中庸》「八目」一段文（自「天下之通道」至「治人者也」，渾然一體，不容分割。），非出《子思子》矣。蓋「五、三」德目，儒家經典多著，公孫弘，《公羊》雜家，亦學曾子。聞諸〈中庸〉耳；〈中庸〉西漢已受重視，《漢》〈志〉《中庸說》二篇，即是論說〈中庸〉之作也。

四、於穆不已。（《詩》〈周頌〉〈維天之命〉：「維天之命，於穆不已。」孔《正義》：「（鄭玄）《（詩）譜》云：『子思論《詩》「於穆不已」。』……。」）

黃本收，阮本從之。馬、洪、胡三本均不錄。

敏案：《詩》〈周頌〉〈維天之命〉：「維天之命，於穆不已。」毛《傳》：「孟仲子曰：『大哉！天命之無極，而美周之礼也。』」孔《正義》：「《譜》云：『孟仲子者，子思弟子，蓋與孟軻共事子思，後學於孟軻，著書論《詩》，毛氏取以爲說。……』……《譜》云：『子思論《詩》「於穆不已」，仲子曰：「於穆不似。」』此《傳》雖引仲子之言，而文無『不似』之義。蓋取其所說，而不從其讀。」鄭玄向謂〈中庸〉子思作，又認孟軻親炙於子思，而孟仲子時代與軻近，兼師思、孟。鄭所記古昔子思、仲子師徒論《詩》本經「於穆不已」句義，仲子解「不已」爲「不似」，子思解義則未見引。此事甚可疑。且鄭記「子思論《詩》」，似據傳記，未必即據《子思子》一書，不應遽定爲其佚文。矧「於穆不已」乃《詩》本文，黃、阮本竝收爲《子思子》佚文，既失收；又先執《禮》〈中庸〉者《子思子》之一篇之成見，故或曰此「《詩》於穆不已」及「子思語，今見〈中庸〉」（黃本），或曰「《禮記》〈中庸〉：《詩》曰：『惟天之命，於穆不已。』文與此（於穆不已）同。」（阮校注）即謂引此《詩》句乃據《子思子》〈中庸〉篇，重非是也。

揆上揭所謂《子思子》佚文四事，或誤采北宋僞本《子思子》（二）；或注者用〈中庸〉

本文，誤定爲孔子思伋語（一）；或兩書一、二字句偶似，而要義大殊，竟誤會史家意，偏以槩全，定〈中庸〉篇出《子思子》書（三）；或徑取子思論《詩》本經爲《子思子》佚文，牽合〈中庸〉引《詩》，以謂同出一源（四）。咸無以確證〈中庸〉一篇爲《子思子》書二十三篇之一，審矣！

又上錄所謂佚文，分別見於今本〈中庸〉首章、二十章及二十六章。近人研究，此四章（合後半段其它多章）晚作，爲後人附加（說詳下），故此其諸所謂佚文不可能出子思之手。方述諸家（如汪馮黃胡阮氏）所引佚文，並不足以據證〈中庸〉篇出《子思子》書，爾乃堅持〈庸〉自《思》來者，以舊說如此，傳千餘年（即詳下），孰敢異議？夫〈中庸〉篇，解《禮經》之作也故《白虎通義》〈喪服〉篇引其文，稱《禮》〈中庸〉曰；又〈爵〉篇引其文，稱《禮》〈中庸〉記曰，記云者，傳注之誼也。，誠《禮記》之一目篇。〈中庸〉作者：

《史記》〈孔子世家〉：「……（孔）伋，字子思，……嘗困於宋。子思作〈中庸〉。」

子思何時作〈中庸〉，遷《史》未明；或逕刪去下一「子思」，令文意連屬上文變爲「子思困於宋，作〈中庸〉」，非也。僞《孔叢子》即爾，其〈居衛〉篇云：「（樂朔之徒）圍子思，宋君聞之，駕而救子思。子思既免，曰：『……吾困於宋，可無作乎？』於是撰〈中庸〉之書四十九篇（敏案：謂〈中庸〉有四十九篇，無論如何曲解，皆不可通，此不遑辨。）。」後世謂子思阨於宋乃著〈中庸〉，咸蹈其誤。

鄭玄《目錄》云：「〈中庸〉者，……孔子之孫子思伋作之，以昭明聖祖之德。」（《禮記》〈中庸〉孔《正義》引）

後世多從司馬、鄭說，定〈中庸〉出子思伋之手，如（梁）沈約（已詳上）、（唐）徐堅《初學記》卷二一〈文部〉〈經典一〉：「《禮記》者，本孔子門徒共撰所聞也。後通儒各有損益，子思乃作〈中庸〉，……。」至宋代，以程朱之說影響當世及後代（元明清）最大，今但依朱子《中庸章句》選錄數文，

子程子曰：「……此（〈中庸〉）篇乃孔門傳授心法，子思恐其久而差也，故筆之於書。」（《中庸章句》標題下）

右第一章，子思述所傳之意以立言。（《中庸章句》首章章旨）

第二章至第十一章，「子思所引夫子之言以明首章之義者止此。」（《中庸章句》第十一章下述前十章之章旨）

右第二十一章，子思承上章……而立言也。自此以下十二章，皆子思之言。（《中庸章句》第二十一章下述上下章旨）

末章旨，《中庸章句》曰：「子思因……推而言之。」

〈中庸〉誰作？何時作？出於《子思子》乎？請自全篇三十三章（分章依朱子《章句》）三千五百六十三字考稽：

經書篇名，絕多揀取本文首句（或首章）二、三字，今本〈中庸〉篇首章不見篇題——「中庸」二字，鄭玄《目錄》（孔《正義》引）釋其故曰：

名曰〈中庸〉者，以其記中和之為用也；庸，用也。

案：本經有「致中和」，鄭因牽合以說〈中庸〉，明中和之用猶中庸，是命篇之義尚暗託於首段文字羣之內。第首章不見標題字，二章以下乃迭出，此甚可疑，〔宋〕王柏（朱子之三傳弟子）釋曰：

今既以〈中庸〉名篇，而「中庸」二字不見於首章何也？曰道也者，非它道也，非可離之道也，即中庸之道也。曰不可離，豈非日用常行之道、是曰庸乎？……蓋中庸之義，已默寓於道之中。不然次章忽曰「君子中庸」，與首章全不相屬，恐子思子之文章決不如是之無原也。（《魯齋王文憲公文集》卷十〈中庸論下〉）

案：中庸是道，但道之意義中庸不能盡之，不可須臾離之道，即非中庸所能盡詮者，則魯齋釋而疑點仍在；首章可能爲後來竄入者。矧首次兩章全不相屬，啓人疑竇尤甚。

〔日〕武內義雄〈子思子考〉（一名〈中庸考〉）（江俠庵譯，收入其《先秦經籍考》中冊頁一〇六至一三一），以爲〈中庸〉之作也，

此等之篇（兼包〈坊記〉、〈表記〉、〈緇衣〉），必非一時一人所作，迨後由子思後學所編纂。想其中最原始之部分，只爲〈中庸〉之前半（自第二章至第十九章），至〈中庸〉之後半（第二十章以下至末第三十三章），乃後人從〈中庸〉之前半而傳演之者。……自其成立之前後論，最先出者當爲〈中庸〉之前半。……最後出者爲〈中庸〉之後半。……又〈中庸〉之首章，……其所述卻與下半截深有關係；……首章與上半，無直接關係。……故余推測〈中庸〉之首章與下半，乃韓非始皇之頃，是子思學派之人所敷演之部分，非子思原始的部分。

武內氏蓋以爲：上半二至十九章，文章係記言體，文字短小；下半首章加二十至末（三十三）章，係論說體，文字長大；且上、下思想固亦有異。上半是原始〈中庸〉，下半是後人附益之〈中庸〉。余謂：一篇之首章，不見篇題字，的是後增（今本〈緇衣〉首章無「緇衣」二字，固亦後人增添，說詳下。）；末章型式——七引《詩》，既而作七「故君子」云云，此種議論，綴屬容易；繫諸全篇之末，安置方便。的是後增。

馮友蘭作〈中庸的年代問題〉（載《古史辨》冊四頁一八三、四），亦將〈中庸〉分爲兩大截，微異武內；亦自義理、文體兩事著眼，云：

細觀〈中庸〉所說義理，首段自「天命之謂性」至「天地位焉，萬物育焉」（首章），末段自「在下位，不獲乎上」（二十章後半）至「無聲無臭，至矣」（末三十三章終），多言人與宇宙之關係，似就孟子哲學中之神秘主義之傾向，加以發揮。其文體亦大概爲論著體裁。中段自「仲尼曰，君子中庸」（二章）至「道前定，則不窮」（二十章前半，下即接後半「在下位」……），多言人事，似就孔子之學說，加以發揮。其文體亦大概爲記言體裁。由此異點推測，則此中段似爲子思原來所作之〈中庸〉，即《漢書》〈藝文志〉〈儒家〉中之《子思》二十三篇之類（馮氏自注：「此亦不過就其大概言之，其實中段中似亦未嘗無後人附加之部分，不過有大部分似爲子思原來所作之〈中庸〉耳。」）。首末二段，乃後來儒者所加，即《漢書》〈藝文志〉「凡《禮》十三家」中之

《中庸說》二篇之類也。

案：馮謂今〈中庸〉中段大部分似爲〈子思〉二十三篇之類，並無證據；又謂中段亦有後人附加部分，亦不違指明。至《中庸說》二篇，乃說〈中庸〉之專著，猶《明堂陰陽說》五篇，說明堂之專著也，同著錄於《漢》〈志〉，各爲「凡《禮》十三家」之一。而〈中庸〉中段，「中庸」二字出現九次，若首末二段如馮說係說此中段者，則何以不見其剋就中庸一義討論之文（僅章二十七一見「中庸」字），乃反「就孟子哲學中之神秘主義之傾向，加以發揮」？馮說待議。

〈中庸〉後半段文字，攸關篇之著成時代，引發討論最多者，有數事，討說於下：

(1)在下位，不獲乎上至誠之者，人之道也。（二十章）

〔清〕崔述以爲此文襲《孟子》，其《崔東壁遺書》〈洙泗考信餘錄〉卷三：「……（〈中庸〉第二十章）『在下位』以下十六句見於《孟子》（〈離婁上〉），其文小異，說者謂子思傳之孟子者。然孔子子思之名言多矣，孟子何以獨述此語？孟子述孔子之言皆稱『孔子曰』，又不當掠之爲己語也。其可疑三也。由是言之，〈中庸〉必非子思所作；蓋子思以後，宗子思者之所為書，故托之於子思，或傳之久而誤以為子思也。……嗟夫！〈中庸〉之文，采之《孟子》，……少究心於文義，顯然而易見也，乃世之學者，反以為《孟子》襲〈中庸〉，……顛之倒之，豈不以其名哉！」

〈中庸〉襲《孟子》，襲者文理詳明，而被襲者簡要，此學術思想發展進程，而辨偽者一準則，「少究心於文義，顯然而易見也」，

武內義雄曰：「（〈中庸〉）『在下位，不獲乎上（原誤引作於）至執之者也』一節，殆與《孟子》〈離婁上〉篇同文；《孟子》不說是子思之言。〈中庸〉比於《孟子》多出『誠者，不勉而中，不思而得，從容中道，聖人也。誠之者，擇善而固執之者也』數句。因此推測，〈中庸〉是本《孟子》之語而敷演之。」（〈子思子考〉）

馮友蘭曰：「〈中庸〉所論命、性、誠、明諸點，皆較《孟子》為詳明，似就孟子之學說加以發揮者。」（〈中庸的年代問題〉）

案：「在下位」一節，《孟子》不以為出於孔子，亦不言是子思曰，夫《孟子》述孔、思之言皆稱「孔子曰」、「子思曰」（《孟子》稱「孔子曰」及述「孔子」極多，此不必枚舉；稱「子思曰」二次，述「子思」十餘次。），此既不著，則是孟子自我發

言，而〈中庸〉襲之，益演詳明，是爲〈中庸〉者，發揮孟學，其人斷非孔伋子思明矣。《孟子》論「誠身」詛用「誠」字八，七在〈離婁下〉此章，一在〈盡心上〉「萬物皆備於我矣，反身而誠，樂莫大焉。」，的確簡要；〈中庸〉論「誠身」推衍爲「誠明」，用「誠」、「誠明」兩共二十四次，皆在後段章二至二六及三二。，的確詳明。〈庸〉之襲《孟》，彰彰明，而反以爲〈庸〉是子思作，《孟子》襲其文，顯之倒之，豈非以子思之名，舊以爲渠作〈中庸〉乎？

又案：至於命、性，〈中庸〉首章「天命之謂性，率性之謂道，修道之謂教」，明性乃天賦人受，本善，比《孟子》言人之善性天賦，尤爲統合明確；次章下亙至二十章上半「道前定，則不窮」一槩論中庸之道，與首章「性道教」疏離，首章的是後增，遙接二十章下半「在下位」亙至三三章終篇，大抵論性之本體與工夫，自是較《孟子》論命、性爲詳明，馮說信，有一例可茲比見：

《孟子》〈盡心上〉首章：「盡其心者，知其性也；知其性，則知天矣。存其心，養其性，所以事天也。」

「知其性」前面一段工夫，《孟子》教人「盡心」，不如〈中庸〉提出一「誠」字爲具體；《孟子》不及盡物之性，〈中庸〉論性則兼具人物（《孟子》〈盡心上〉第四章：「萬物皆備於我矣，反身而誠，樂莫大焉。」亦同是盡物之性，本體工夫兼具，但類此言論，《七篇》之書罕見），〈中庸〉二二章：

> 唯天下至誠，爲能盡其性；能盡其性，則能盡人之性；能盡人之性，則能盡物之性；能盡物之性，則可以贊天地之化育；可以贊天地之化育，則可以與天地參矣。

〈庸〉論心性，視《孟》詳明，〈庸〉義後出，申揚《孟》學，馮說洵是也。

(2)今夫地，……及其廣厚，載華、嶽而不重，振河、海而不洩，萬物載焉。（二六章）

> 華、嶽，〔清〕俞正燮《癸巳存稿》卷二：「（子思作〈中庸〉：）按〈中庸〉《釋文》：一本載山嶽而不重（敏案：陸德明《經典釋文》〈禮記音義〉卷四：「華、嶽，本亦作山嶽。」），今云『載華、嶽而不重』，《爾雅》〈釋山〉云：『河南華，河西嶽。』不是子思之文，當是西漢博士所改也。」

案：華、嶽，華山、嶽山也。華山，《尚書》〈禹貢〉「華陽、黑水惟梁州」，又「導岍及岐，……至于太華」，華（陽）、太華即華山，在今陝西省華陰縣，古屬雍州地，而南界梁州、東南交豫州；嶽山，即岍山，亦即吳嶽山，在今陝西省隴縣（參看屈師翼鵬《書傭論學集》〈岳義稽古〉）。《釋文》「河南、河西」，謂黃河之南、之西是也。俞氏以爲子思魯人，作〈中庸〉不應遠舉華、嶽爲證，必西漢《禮》學博士以其所習知之地名改「山嶽」爲「華、嶽」。余謂下文「河、海」，「在先秦時代，所有的河字都指黃河而言」（《書傭論學集》〈河字意義的演變〉），海，指謂齊魯以東之海域，河、海皆地有所實指，則對文之華、嶽亦應實指其地，不應泛作山嶽，鄭注《禮記》作華、嶽，吾恐妄改作山嶽者南北朝人，彼曹誤信子思作〈中庸〉舊說，故肊改以遷就之也。（註五）

〔清〕葉酉〈再與袁隨園書〉；以〈中庸〉有「華嶽」一詞，乃漢人所作，而託名於子思。（《古籍導讀》頁一七八引）

武内義雄曰：「以華、嶽爲山之代表，華山爲河南之華陰山，嶽山爲河西之吳嶽。此爲魯人子思之文，何以政治中心則移於秦乎？……則〈中庸〉之後半截，乃在秦時代。子思後學傳演其上半截之文。」

近人多家，稍持異論，

顧實《漢書藝文志講疏》《子思》下，「或曰『子思魯人，嘗居宋，而〈中庸〉稱華、嶽，是非所宜言也』。不知此正子思所以形容祖德之廣崇，〈二南〉、〈大雅〉嘗言江、漢矣，豈必囿於咫尺之間哉？宋鈃宋人、尹文齊人，作華山冠以自表。此亦可爲〈中庸〉稱華、嶽無可疑之例證。」

郭沫若《十批判書》頁一三九：「『載華、嶽而不重』一語，無關重要。請看與子思約略同時而稍後的宋鈃，便『作爲華山之冠以自表』，足見東方之人正因未見華山而生景慕。忽近而求遠，乃人情之常，魯人而言華、嶽，亦猶秦人而言東海而已。」

案：「載、振」諸句，形容地道博厚，文貫上下，立義甚明，非關孔聖之德，顧君玩鄭玄子思作〈中庸〉用昭明聖祖德語，而橫生是意。秦人居西鄙，東進齊魯之東盡海，奄有天下，爲其日夜企望，累世經營大業，若動言「東海」固宜。周人在遠西，朝夕所顒望者，豈非「海隅出日，罔不率俾」乎（《尚書》〈君奭〉周公曰）？舜禹在近西，「光天之下，至于海隅蒼生，萬邦黎獻，共惟帝臣」（《尚書》〈皐陶謨〉禹奏舜帝曰），豈非虞廷君臣樂道者乎？若夫子思，平生足迹，不外魯齊宋衛，華山恐非所至，西陲吳嶽諒非所知，而忽與海東共舉，誠非所宜言。《詩》〈周南〉〈召南〉，姬周南方之國也，詩人實見其「江之永矣，漢之廣矣」而興歌；〈大雅〉〈江漢〉，周宣王命召虎平淮南夷之詩也，詩人讚曰「江漢湯湯，武夫洸洸」，亦是直敘其人事地。咫尺之間，千里之外，一皆寫實，豈有人在魯宋，虛取渺不可知之作〈天下〉：「宋銒、尹文……作爲華山之冠以自表。」〔唐〕成玄英疏：「華山，其形如削，上下均平，而宋、尹立志清高，故爲冠以表德之異。」〈天下〉又記宋、尹之學行，曰「不累於俗，不飾於物，不苟於人，不忮於眾」，故作冠華山以自表其異行，取喻豈苟乎哉！山岳以爲喻哉？則〈中庸〉似秦人作，近身取譬耳。《莊子》

(3)今天下，車同軌，書同文，行同倫。（二八章）

武内義雄曰：車同軌二句，與〈琅玡碑〉「器械一量，同書文字」句同義，又與《史記》〈始皇本紀〉二十六年記新政云「一法度衡石丈尺，車同軌，書同文字」相似。行同倫句，即〈琅玡碑〉所謂「是維皇帝，匡飭異俗」、〈泰山碑〉「男女禮順，愼遵職事，昭隔内外，靡不清靜」暨〈會稽碑〉云「防隔内外，禁止淫佚」，是讚始皇之政。（〈子思子考〉）

馮友蘭曰：「〈中庸〉有『今天下，車同軌，書同文，行同倫』之言，所說乃秦漢統一中國後之景象。」（〈中庸的年代問題〉）

案：此第二八章首引「（孔）子曰」，至「行同倫」云云止，故鄭玄注「今（天下）」，曰：「今，孔子謂其時。」謂「今」是孔子春秋時代。朱子《章句》不然，謂「（孔）子曰」，僅至「載及其身者也」止，其下（含「今天下」等十二字）爲子思申明孔子意而發之言論，故《章句》曰：「今，子思自謂當時也。」謂「今」是子思戰國初中葉時代。細玩上下文，朱說良是。合觀三事，的是大一統以後景象；羣雄割據之戰國時代尚無有也。

又案：車同軌，春秋之初，似曾實行，《左傳》〈隱公元年〉：「秋七月，天王使宰咺來歸惠公、仲子之賵，緩，且子氏未薨，故名。天子七月而葬，同軌畢至；諸侯五月，同盟至；大夫三月，同位至；士踰月，外姻至。贈死不及尸，弔生不及哀，豫凶事，非禮也。」此記當時赴喪禮制，條理清晰，內容完備。孔《正義》：「鄭玄、服虔皆以軌爲車轍也。王者馭天下，必令車同軌，書同文；同軌畢至，謂海內皆至也。」軌既車轍，同軌即車轍相同；欲車轍同，必先同一車制；是故同軌即統一車制。天下諸侯駕相同型制之車輛咸集天朝赴喪，即同軌畢至。同軌遂衍義爲「諸侯」、「海內人士」。鄭、服釋暗用〈中庸〉「車同軌」兩句（外此，十三經未見。先秦典籍似僅《管子》〈君臣上〉一見而字異：「書同名，車同軌，此至正也。」亦是論統一車制文字。其上文猶有「衡石一稱，斗斛一量，丈尺一綧制，戈兵一度。」管仲之後學撰《管子》，戰國以後成書。），明《禮記》、《春秋傳》同謂此爲統一車文故事。其實非也。《左傳》此記周家禮度，是政治理想，一如上注述引《管子》，統一器制爲法家主張，純在學術理論階段；尚未實施者，海內猶未混一故也。至秦，而宇內爲一，故作「今天下，車同軌，書同文，行同倫」語，始皇呑八州臨萬國以後之景象也。

三案：書同文，大槩謂秦制小篆，詔天下共用。陳槃先生以爲：春秋以前的文字，雖因時地而有差別，但總是從「六書」發展下來的華夏民族文字，這就是「同文」（《大學中庸今釋》頁五）。郭沫若以爲「書同文，行同倫」，在春秋戰國時已有其實際，金文文字與思想之一致性便是證明，不必待秦漢之統一（《十批判書》頁一三九）。夫華夏民族文字之發展，自然漸向統一，但由出土竹帛覘之，至戰國末，東（齊魯）西（周秦）南（楚）文字差別猶大，必俟秦漢統一全國行篆隸而後一致，是也。

四案：行同倫，謂倫理思想統一（上述郭氏「金文文字與思想之一致性」，諒已考慮及此。），戰國初葉成書之〈堯典〉，作者發表其統一倫理之思想，託古帝舜事以出，云舜巡守天下，分別與東西南北四方面羣后「修五禮，如五器（同也）」，吉凶軍賓嘉五禮及其禮器，修治統一之，所爲者即是「行同倫」，唯實亦止限於理想；頒旨行之，須俟秦皇統一以後。

(4)仲尼曰：「君子中庸，小人反中庸。」（二章）

仲尼祖述堯舜，憲章文武。（三十章）

屈師翼鵬曰：「今按：〈中庸〉中可疑之處，……其書又有『仲尼祖述堯舜』之語，顯非子思之言。」

案：朱子《章句》：「（二至十一章，）子思所引夫子之言以明首章之義者止此。」又：

「（二二至三三章，）皆子思之言。」則兩「仲尼」，子思稱其祖父也。孔《正義》曰一是「子思引仲尼之言」，二是「（子思）以《春秋》之義說孔子之德」，竝同朱子《章句》。夫七十子之徒，乃至後學（如孟軻）引孔子言，或述孔子，偶爾稱「仲尼」云云，夫字號尊稱也，弟子固得稱之，第以嫡孫而稱親祖，不曰祖而直稱字，甚可疑，蓋本是孔門後學者言，非發自子思孔伋口也。武內及馮氏咸謂今〈中庸〉首尾後人附加，中段較信，今觀所謂中段（其中第二章）有「仲尼曰」，非子思當言，則中段亦後作，非出《子思子》也。

(5)〈中庸〉與《荀子》

戴師靜山論〈中庸〉有「愼獨」一詞，同於《荀子》〈不苟〉，兩文著成時代相近；又論二十一章以下，乃漢儒所加，舉兩文密切相關詞句，明〈中庸〉後《荀子》乃作：持論極精到，茲淬取其說如下：它說雖多，不敢以蕪蔓章段（註六）。戴先生曰：「〈中庸〉首段，……裏面也有愼獨一詞，與《荀子》〈不苟〉篇所用的同義。……愼獨即是致誠。……〈中庸〉『戒愼乎其所不睹，恐懼乎其所不聞。莫見乎隱，莫顯乎微，故君子愼其獨』這幾句話，是講功夫的；功夫即是致本然之誠。和《荀子》〈不苟〉篇的宗旨『夫此順命以愼其獨』無異。《荀子》致誠要唯仁唯義的專壹，爲學要『眞積力久則入』，和〈中庸〉的『誠之者擇善而固執之』、『人一己百，人十己千』亦無異。……

（〈中庸〉）二十三章『其次致曲，曲能有誠。誠則形，形則著，著則明，明則動，動則變，變則化。唯天下至誠爲能化』，和〈不苟〉篇『誠心守仁則形，形則神，神則能化矣。誠心行義則理，理則明，明則能變矣』，字句大致相同。……由《淮南子》（〈泰族訓〉講陰陽家氣類相感，〈中庸〉致曲章也有陰陽家的話）也可證〈中庸〉後半篇，是漢人所作。（《梅園論學集》〈荀子與大學中庸〉）

〈中庸〉襲《孟子》，受《荀子》影響，言車文彝倫，呈大一統景象，秦人作書，非孔伋手撰；所謂佚文同於〈中庸〉者，無一可信，〈中庸〉非出《子思子》信然。

〈坊記〉、〈表記〉、〈緇衣〉源出案

今本《禮記》〈坊記〉、〈表記〉、〈緇衣〉三篇，其開篇第一章都作「子言之（或子言之曰，同。）」，其後各章（或各段）開頭，或作「子曰」，或作「子云」，又間或再出「子言之」，三篇頗有異同。

先〈坊記〉，

《禮記》〈坊記〉開篇第一章：「子言之：『君子之道（至）命以坊欲。』」孔《正義》曰：「此一節發端起首，摠明所坊之事。但此篇凡三十九章，此下三十八章悉言『子

云』，唯此一章稱『子言之』者，以是諸章之首、一篇揔要，故重之特稱『子言之』也；餘章其意稍輕，故皆言『子云』也。諸書皆稱『子曰』敏案：僅一例外，猶是弟子記昔日所聞，《論語》〈子罕〉：「……牢曰：『子云吾不試，故藝。』」，唯此一篇皆言『子云』，是錄記者意異，無義例也。」

案：首章「子言之……禮以坊德，刑以坊淫，命以坊欲」，《正義》謂渠是「諸章之首，一篇揔要」。第余讀二至三十三章，皆記「禮以坊德」義，三十四至末三十九章，僅六章，記「禮，坊民所淫」孔《正義》曰：「自此以下終於篇末，揔坊男女奔淫之事。」蓋欲包在淫中。，不及「坊民之欲」，又不及「刑、命」。深疑此首章陋儒後增，尚不能統敘一篇大要也。

次〈表記〉，

《禮記》〈表記〉開篇第一章「子言之」，孔《正義》曰：「此一篇……稱『子言之』凡有八所，皇侃氏云：『皆是發端起義，事之頭首，記者詳之，故稱「子言之」。若於「子言之」之下更廣開其事，或曲說其理，則直稱「子曰」。』今檢上下體制，或如皇氏之言，今依用之。」

案：孔《正義》云「或如皇氏之言」，作疑詞，蓋見篇中體例未盡純一故爾，王夢鷗先生《禮記今註今譯》頁六八九〈表記〉：「按此篇所說的事，依次爲：君子行爲的根本、仁與義的相互關係、仁的要素、義的要素、虞夏商周的政教得失、事君之道、言行待人之道及卜筮等八項，其分段皆甚明顯，且各以『子言之』發端。唯『君子不以辭盡人』一節，作『子曰』，而此處實爲闡述『言行待人』之首；而『後世雖有作者』一節，本爲述『虞夏商周政教』之末，而稱『子言之曰』，非惟不合於行文的體例，且辭句突兀，與他處不同，孫希旦（《禮記集說》卷五十）疑爲傳寫之誤，蓋或近之。若將兩處『子言之曰』及『子曰』彼此迻換，正合皇氏所說的體例。」

案：迻換後，每「子言之」章下，皆領起數章用「子曰」開頭之文字，分別闡述其章首所起發之義，甚是合理。

後〈緇衣〉，

《禮記》〈緇衣〉開篇第一章：「子言之曰：『爲上易事也，爲下易知也，則刑不煩矣。』」孔《正義》曰：「此篇凡二十四章，唯此云『子言之曰』，餘二十三章皆云『子曰』，以篇首宜異故也。」

案：此子所言三句，既不足爲下二十三章之揔要，一若〈坊記〉首章然；又不能如〈表記〉，弁後數章之上，爲之發端起義，然而尸居全篇之首，特作「子言之曰」何哉？孔《正義》曰「篇首宜異」；徒以篇首何必立異？孔說尚未盡誼也。

夫古書篇名，絕多采取自本文首章（已見上論〈中庸〉篇名），今本〈緇衣〉篇名，不見於本文首章，乃出於次章，何故？

《禮記》〈緇衣〉首章，孔《正義》又曰：「此篇題〈緇衣〉，而入文不先云〈緇衣〉者，欲見君明臣賢如此，後乃可服緇衣也。」

案：今本〈緇衣〉，君明臣賢之誼，並未見諸首章，則《正義》「如何如何，後乃可服緇衣」形同虛說。有人奮筆黜卻今首章另估，升次章爲首矣，

黃以周《子思》〈內篇〉卷四〈緇衣〉：「此篇本以『好賢如〈緇衣〉，惡惡如〈巷伯〉』爲章首，書以『〈緇衣〉』名篇，即取章首之言；『子言之曰』云云，乃其序也。」

案：古書本文自帶序文，引起下本文而敘導之，如《周禮》之「序官」，先敘下所立官員之爵等員額，下方詳記其官職；又如《尚書》直記王侯言論「某王某公某諸侯曰」，記其人話言幾及通篇，但常導之以「書本敘」（非謂今傳千一百零一字之《書序》）於其上。黃斷此「子言之」云云乃其書本序，理論上可通，但非實情。

今本〈緇衣〉次章，題目二字入文，原本乃篇之首章，後人蓋見同倫兩篇——〈坊記〉、〈表記〉章首皆有敘起下所記言（子曰、子云）云云，冠「子言之曰」其上以提領之，淺人遂倣作「子言子曰」四句十九字添於篇耑。考公元一九九三年冬，湖北省荊門市郭店一號楚墓（葬墓年代當戰國中期偏晚），出土存竹簡八百餘枚，其中有〈緇衣〉（原無篇名，對照今本《禮記》〈緇衣〉，因擬加篇題。茲稱楚簡〈緇衣〉，相對《禮記》〈緇衣〉稱爲今本〈緇衣〉）。（依據及參酌〈荊門郭店一號楚墓〉，《文物》一九九七年七期、《郭店楚墓竹簡》，一九九八年五月版，文物出版社）。楚簡〈緇衣〉開篇第一章「夫子曰：『好娩（美）女（如）好〈茲（緇）衣〉，亞（惡）亞（惡）女（如）亞（惡）遖（巷）白（伯），則民臧（臧）㤭（它？）而型（刑）不屯。』《寺（詩）》員（云）：『㦤（儀）型（刑）文王，萬邦乍（作）孚。』」（楚簡釋文依參《郭店楚墓竹簡》《釋文》，下同）則今本〈緇衣〉首章十九字，乃後人見〈坊記〉〈表記〉提頭均有「子言之」云云，遂杜撰加諸原第一卓（帶有〈緇衣〉〈巷伯〉等文者）之上。孔《正義》「篇名二字退居第二位理由」、黃氏「子言之章乃全篇之序」，均非是也。唯楚簡〈緇衣〉首章作「夫子曰」，下二十二章只作「子曰」，首章立義，總爲下諸章發端，則《正義》「篇首宜異」近是。乃知古本之可貴，今本之羼雜竄文。

今本此三篇，記「子言之」、「子曰」、「子云」，出現位置不盡同，又有「曰」、「云」異文，則衆「子」者謂誰？「曰」、「云」有別，作篇者非出一手乎？

武内義雄〈子思子考〉：〈表記〉〈緇衣〉，「邵晉涵以爲其言『子曰』者，皆是孔子之言；其言『子言之』者，皆子思之言。」

黄以周《子思》〈内篇〉卷三〈表記〉：「凡曰『子言之』者，皆子思子之言，表明其恉趣之所在。……『子言之』與『子曰』必兩人之言。而『子曰』爲夫子語，則『子言之』爲子思子語，更何疑乎？」（黄於〈緇衣〉〈坊記〉之「子言之」及〈緇衣〉之「子曰」說同此）（顧實《漢書藝文志講疏》：「〈表記〉、〈坊記〉、〈緇衣〉開端皆稱『子言之』，蓋子思語而弟子述之也；稱『子云』『子曰』者，引孔子語也。」同黄，但〈坊〉篇「子云」，黄另有意見，下詳）

案：子，孔子也，七十子及後學者所共稱尊；「子曰」即孔子曰，弟子後學直述之幾無例外，見諸經書數百次；「子言之」，共見今本〈坊、表、緇〉三篇十次，等同「子曰」，以用於發篇或篇中更端，故別作「子言之」，寔同爲一人——孔子言，二之非是。多士執守沈休文〈坊〉〈庸〉〈表〉〈緇〉出《子思子》意，百計欲證成其說，欲益反損。

〔清〕錢大昕《潛研堂文集》卷十七〈論子思子〉：「〈坊記〉一篇引《春秋》者三、引《論語》者一。《春秋》孔子所作，不應孔子自引，而《論語》乃孔子沒後，諸弟子所記錄，更非孔子所及見，然則篇中云『子言之』『子曰』者，即子思子之言，未必皆仲尼之言也。……《子思》二十三篇，……今已邈不可得，獨此數篇附《禮記》以傳，其詞醇且簡，與《論語》相表裏。此固百世以下有志於聖賢之學者所宜講求。」

胡玉縉《許廎學林》卷六〈輯子思子佚文攷證〉：「疑（〈坊、表、緇〉）所稱『子云』『子曰』『子言之』者，皆子思子之言，故〈坊記〉引『三年無改於父之道』兩句，以《論語》爲別。」

〈坊記〉載「子言之」（一次）章首，一若〈表記〉、〈緇衣〉爾；未載「子曰」，而載「子云」（三十八次）。錢氏認爲「子曰」與「子云」義同，不煩區別，故舉〈坊記〉之「子云」合〈表記〉、〈緇衣〉之「子曰」，總論之爲「子曰」；胡氏則加區分。錢、胡竝篤信沈約子思子作〈坊記〉等三篇之說，故均極力欲證成篇中「子言子」、「子曰」（含「子云」）

皆子思子之言。

〈坊記〉：「《春秋》不稱楚越之王喪。」此引孔子《春秋經》也；又：「魯《春秋》記晉喪曰：殺其君之子奚齊及其君卓。」更：「魯《春秋》猶去夫人之姓曰吳，其死曰孟子卒。」此竝引魯國史記《春秋》也；三引假定都是孔子語，夫孔子於魯史記《春秋》爲何不可引用？錢氏失論；又孔子於自撰之書——《春秋（經）》，嘗曰：「知我者其惟《春秋》乎？罪我者其惟《春秋》乎？」（《孟子》〈滕文公下〉引孔子曰）固得自引，錢氏寧忘之歟？

〈坊記〉：「子云：『君子弛其親之過，而敬其美。』《論語》（〈學而〉、〈里仁〉均）曰：『三年無改於父之道，可謂孝矣。』（《尚書》〈無逸〉：）『高宗云：三年（不言）；其惟不言，言乃讙。』」胡氏以爲上「子云」，爲子思子之言；又下引「孔子云」，爲避免與上引之「子云」祖孫混淆，於是改引書（《論語》）名，不作人稱（子云）。元敏謹案：余檢〈坊記〉以「子云」起頭共三十八章，行文型式均如上引「子云：『……。』引書一種（或兩種）以證成子所云。」凡二十章，餘十八章只有「子云」，無引書。又檢〈表記〉、〈緇衣〉，行文型式竝同〈坊記〉。則此三篇引書，皆篇之作者之言，非所引上文「子云、子曰」（孔子）之言。分別甚晰，故胡氏謂作者以孔子《論語》別「子（子思子）云」之說，枉費心力。此「子云」既僅至「而敬其美」句止，下不及「《論語》曰」云云，則錢氏「孔子身不及見《論語》」，而此不可能稱其書名，因據斷上「子云」乃子思子云、非孔子云，亦徒費翰墨耳。是

〈坊記〉篇引魯《春秋》、《春秋（經）》、《論語》，均不害論定上之「子云（曰）」爲孔子之言也（註七）。

儒家經典——十三經及《大戴禮記》直引孔子語，除此〈坊記〉作「子云」外，絕無僅有，先秦其它典籍（不計僞書）似亦無有。祇〈坊記〉作「子云」不作「子曰」，黃以周已察其異，惜其解釋極不合理（註八）。夫〈坊記〉之爲文也，其作者一面因襲，議論型式倣依〈表記〉、〈緇衣〉；一面變易，將「子曰」槩作「子云」，故與舊異。亦或作者時代較晚，里貫不同，語言文字習慣特殊，並非務反舊制。要之，〈坊記〉與性質相近之〈表記〉〈緇衣〉，非出一手，殆無疑問。

先秦儒家經典引經，多《詩》《書》《易》，引《春秋》者極少，遑論魯《春秋》（《春秋傳》之見引自當例外），而〈坊記〉乃三引之，知其篇晚作。《論語》者，「孔子應答弟子、時人，及弟子相與言而接聞於夫子之語也」（《漢》〈志〉〈論語類〉），孔子既卒，門人輯纂而成（同上）。書中記曾參之死，夫曾參少孔子四十六歲，又老而死，是《論語》成纂，上去孔子三十多年，〔梁〕皇侃《論語義疏》謂《論語》是孔子歿後七十弟子之門人共撰錄（參屈師翼鵬《先秦文史資料考辨》），子思即使得見，亦在晚歲，但所見本猶未題書名——《論語》。先秦儒家經典，此〈坊記〉而外，曾無稱述《論語》（書名）者；同時代其它典籍亦無（斥僞書不算，如《孔子家語》〈七十二弟子解〉：「曾參……疾時禮教不行，欲修之，孔子善焉，《論語》所謂『浴乎沂，風乎舞雩』之下。」僞撰，稱《論語》，不數。），但有暗用《論語》（據今傳本知其引用）文或引稱「（孔）子曰」

者，即如〈緇衣〉「子曰：南人有言曰：『人而無恒，不可以爲卜筮。』」出今《論語》〈子路〉字小異。又如《大戴禮記》〈曾子本孝〉篇：「曾子曰：『孝子，……父死三年，不敢改父之道。』」亦暗用《論語》文。而〈坊記〉明言《論語》曰，著成必晚於〈緇衣〉（其著成時代，詳下）等。《論語》之成書名，當在漢文帝朝或略早，〔後漢〕晚葉趙岐〈孟子題辭〉曰：「漢興，除秦虐禁，開延道德。孝文皇帝欲廣遊學之路，《論語》、《孝經》、《孟子》、《爾雅》皆置博士。後罷傳記博士，獨立五經而已。」《論語》係傳記，爲百家，時與五經立立學官，至武帝獨尊儒術，罷黜百家，始不復立。（註九）〈坊記〉蓋作於西漢初葉。

或者檢據《子思子》佚文，證〈坊記〉從出，有〔清〕洪氏，而〔民國〕阮君本之，

（一）洪頤煊輯《子思子》：「七日戒，三日齊，承一人焉以爲尸，過之者趨敏案：洪氏誤寫作起，今徑正。走，以教敬也洪氏自注：「《北堂書鈔》九十。案俗本改作〈坊記〉，誤。」。」阮本同收，引《禮記》〈坊記〉文，云：「文與此同。」馬、黃、胡本俱不見收。

余檢善本《書鈔》，具如下，

（一之一）〔唐〕虞世南《北堂書鈔》卷九十：「七日戒，三日齋虞氏自注：「《禮》〈坊記〉云：「七日戒，三日齋，承一人焉以爲尸，過之者趨走，以教敬也。」」。」（〔清〕《文淵閣四庫全書》本）

案：洪據寔俗本《書鈔》（如〔清〕光緒十四年南海孔氏重刊本即是），竄改善本（如《四庫》本所據之內府藏本即是）之「《禮》〈坊記〉云」爲「子思子曰」，因誤輯入爲《子

思子》文。

《禮》〈緇衣〉作者，蚤有二說，先劉瓛云是公孫尼子，信者藐藐；後沈約云是子思，幾翕然從之。從者多舉《子思子》佚文以印證〈緇衣〉，振振有詞。茲駢列〈緇衣〉今、古（楚簡）本，逐事檢討如後文。

（一）子言之曰：「爲上易事也，爲下易知也，則刑不煩矣。」（今本〈緇衣〉）楚簡本無此章十九字，而以「夫子曰：『好媺（美）』云云」（即相當於今本第二章者）爲首章。

敏案：楚簡本首章具篇題字（〈緇衣〉），大義又能總括全篇，理居章首，以提領下二十二章義，作「夫子曰」以與下多章「子曰」分別。今本竄加「子言之曰」云云，當刪。說已詳上論。今人廖名春氏〈荊門郭店楚簡與先秦儒學〉談及，並未深論。

（二）小人溺于水，君子溺于口也。（《意林》卷一《子思子》）洪、黃、胡、阮本咸據收；後三輯本且均援〈緇衣〉證同。

今本〈緇衣〉有，兩于字均作於，字通；無也字。

楚簡本無。

敏案：今本〈緇衣〉多此（十六）一章，自「子曰：小人溺於水，君子溺於口（至）相亦惟終」，凡百六十三字，鄭玄注本已有。知乃鄭前漢人取《子思子》竄入者，故竝見於《禮》〈緇衣〉及《子思子》。馬總擇錄其中兩句，入文於其輯本。沈約在梁，見經禮、子竝有其文，遂認定經

〈緇衣〉出《子思子》。更後，人正信沈說，又見佚《子思子》文與〈緇衣〉有同，於是益信沈說。不知〈緇衣〉原無此文，亦非孔伋作，楚簡佐證，可珍在此。

（三）《昭明文選》卷五一王子淵〈四子講德論并序〉「君者中心，臣者外體」（唐）李善注：「《子思子》曰：『民以君爲心，君以民爲體，心正則體脩，心肅則身敬也。』」（影（宋）六臣本《文選》、影粹芬閣藏版李善注《文選》；李注本脩作修，字義同）

（四）《昭明文選》卷二四張茂先〈荅何劭詩〉二首之第二首「其言明且清」李善注：「《子思子》：『《詩》云：「昔吾有先正，其言明且清，國家以寧，都邑以成。」』」（版本同上）

上兩佚文，洪、黃、胡、阮本均據收，後三輯本且均援〈緇衣〉證同。馬本未收。

上兩佚文，今本〈緇衣〉有，文具同章（十七章）內，謹盡錄章文：「子曰：『民以君爲心，君以民爲體；心莊則體舒，心肅則容敬。心好之，身必安之；君好之，民必欲之。心以體全，亦以體傷；君以民存，亦以民亡。』《詩》云：『昔吾有先正，其言明且清，國家以寧，都邑以成，庶民以生。誰能秉國成，不自爲正，卒勞百姓？』〈君雅〉曰：『夏日暑雨，小民惟曰怨；資冬祈寒，小民亦惟曰怨。』」

楚簡本：僅有「民以君爲心，君以民爲體」兩句同（第三條）；「《詩》云：昔吾有先正」四句無（第四條）。

敏案：「民以君」二句，《子思子》有，楚簡〈緇衣〉亦有，是兩文作者取材同。蓋二句乃儒家政治學術要義，七十子及後學共誦，故不約而同用（阮本云：「《漢書》〈武帝紀〉元狩元年詔云：『蓋君者心也，民猶支體。』即本於此。」亦尊儒家大道。）。（註一〇）要義猶大經，弟子後學闡發詮解人人殊，《子思子》以「心正則體脩，心肅則身敬也」詮讀上二句，後人竄入今本〈緇衣〉而更訂二、三字，而楚簡本則無「心正」二句：而徑以「心好則體安之，君好則民忩（欲）之，古（故）心以體法，君以民芒（亡）」上申「民以君」二句義，比今本〈緇衣〉插入「心莊」二句簡該。又今本下文「心好之至亦以民亡」，文汗漫曲繞，遠不及楚簡精當。則是原始未經羼亂之〈緇衣〉篇（如此楚簡本即是）異乎《子思子》書，篇非出於彼書也。

又案：胡氏時楚簡尚未出土，彼見「昔吾有先正」四句略同《子思子》佚文，亟曰：「〈緇衣〉引同，休文謂〈緇衣〉取《子思子》，於此益信。」（胡本攷證曰）饒宗頤先生殆尚未見此楚簡，致亦誤信胡氏，引其說申同（註一一）。

又下文「誰能秉國成」三句，楚簡本亦有，作「隹（誰）秉寈（國）成，不自爲貞（正也），卒裳（勞）百眚（姓）。」少能字，同古文《毛詩》；〈緇衣〉引則合今文《齊詩》（〔清〕陳喬樅《齊詩遺說攷》卷六）。楚簡引《詩》〈小雅〉〈節南山〉三句申釋上「民以君」以下六句理洽義備；今〈緇衣〉因上多增文句，故增引逸《詩》五句用增加釋文意義，逸《詩》采從《子思子》，故二者合。原始未經羼雜之楚簡本〈緇衣〉，誠無關乎《子思子》也。

〈緇衣〉既非出於《子思子》中之篇，自亦非孔伋子思作，則沈約說可棄；劉瓛云公孫尼子作，理當檢討。彼公孫尼子何人斯？尤當先考。

《史記》〈仲尼弟子列傳〉：「公孫龍字子石，少孔子五十三歲。」郭沫若謂此「龍」爲「尼」誤，公孫龍即公孫尼，而「尼者泥之省，名尼字石，義正相應。」（據阮廷焯〈公孫尼子考佚〉引郭〈公孫尼子與其音樂理論〉；下說公孫尼事迹，亦有參酌阮本）楚人。尼與其他孔門高弟齊名，「曾子、子石盛美齊侯」（《春秋繁露》〈俞序〉）、「宓子賤、漆雕開、公孫尼子之徒亦論性情」（《論衡》〈本性〉）、「……子路請出，孔子止之；子張、子石請行，孔子弗許；子貢請行，孔子許之」（《史記》）、「子貢問子石，子不學《詩》乎」（《說苑》〈反質〉）？公孫尼與顏淵以下三十四人，俱「顯有年名，及受業聞見於書傳」（《史記》）。《韓非子》〈顯學〉所記孔門後學八儒之一「孫氏之儒」，孫氏即公孫氏之省（註二二），公孫尼也。

著《公孫尼子》二十八篇，阮本曰：「今本《禮記》〈樂記〉、〈緇衣〉，皆有取於此書。……案桓譚《新論》佚文『武帝時，河間獻王好儒，與毛生等共采《周官》及諸子言樂者，取《公孫尼子》以作《樂記》』。」（此《樂記》二十三篇，《漢》〈志〉著錄，今本《禮》〈樂記〉從中擇取十一篇、合爲一篇）沈約奏對云：「（《禮記》）〈樂記〉取《公孫尼子》。」（載《隋書》〈音樂志上〉）〔南齊〕劉瓛謂公孫尼子作〈緇衣〉，詳下。是公孫尼者，孔門後學傳禮樂之儒也。公孫尼誠孔子弟子（共見〔註一一二〕），《漢》〈志〉「七十子之弟子」，殆誤。《隋》〈志〉「尼，似孔子弟子」，史官疑不敢定。求其事迹，近人言之，頗有同異（註一一三）。

《公孫尼子》，《漢》〈志〉著錄二十八篇（註一一四），《隋書》卷三四〈經籍志〉〈子部〉〈儒家〉：「《公孫尼子》一卷。」《舊唐書》〈經籍志〉〈子部〉〈儒家〉：「《公孫尼子》一卷，公孫尼撰。」（《新唐書》〈藝文志〉同部同類著錄同，但不復題撰人姓名；彼認爲姓名已具書名中）《宋史》〈藝文志〉不著錄。原典殆南宋中葉少後亡佚。

〔梁〕庾仲容《子鈔》列書目，有「《公孫尼子》一卷」（見《子略》錄列舊目）。馬總《意林》卷二依酉庾本，損益成輯，具《公孫尼原作文，干上「《文子》」而誤。子》》一卷六條。宋初「《太平御覽》所引，雖有溢出唐人所見，然《御覽》一書多出鬻販，難以憑信」（阮本）。南宋初葉，鄭樵《詩辨妄》尚見引，迨中葉，洪邁已不見原典，其《容齋續筆》卷十六〈計然意林〉：「《意林》……所引書，如……《公孫尼子》……，今……不傳於世。」〔清〕馬國翰《玉函山房輯佚書》、洪頤煊《經典集林》竝有輯本，均作一卷；阮廷焯輯本後出，較勝。三本今均具存。

《禮》〈樂記〉取《公孫尼子》，漢（桓譚）梁人（沈約）說，無大爭議，馬國翰、洪頤煊兩輯本竝以：〈樂記〉全篇具載《禮記》，不錄入；只錄佚句。諸家所輯，《公孫尼》論樂佚句，《意林》一條、馬阮各增多相同之一條。

〈緇衣〉作者，則爭議大。鄭玄未言此篇作者，以渠明言子思作〈中庸〉推度，知鄭不認爲公孫尼作〈緇衣〉。斷〈緇衣〉公孫尼作，始〔南朝〕〔齊〕劉瓛（事迹詳後），

〔唐〕陸德明《經典釋文》卷十四〈禮記音義〉〈緇衣〉題下：「〈緇衣〉，劉瓛云：『公孫尼子所作也。』」（《通志堂經解》本；瓛，附《釋音禮記注疏》本誤作獻）

但少後，沈約以〈緇衣〉取於《子思子》（已屢見上《子思子》卷）。齊梁爾後，從劉從沈，議論紛紛。

考輯《子思子》三家——黃、胡、武內，從沈，

黃本〈自序〉曰：「《毛詩譜》引〈中庸〉……、《史、漢注》引〈中庸〉……、《文選注》引〈緇衣〉……；《意林》所采《子思子》……，一見於〈表記〉，再見於〈緇衣〉。則〔梁〕沈約謂今《小戴》〈中庸〉、〈表記〉、〈坊記〉、〈緇衣〉四篇類列，皆取諸《子思》書中，斯言洵不誣矣。」（胡本說大致同）

黃本又曰：「《文選注》引《子思子》……、《意林》載《子思子》……，則〈緇衣〉

篇出自《子思子》明矣。《釋文》引劉瓛說〈緇衣〉公孫尼子所作，不足據也。」

武內義雄〈子思子考〉：「〈表記〉、〈緇衣〉、〈坊記〉諸篇，乃子思後學所集成，而作爲子思之語者。」

〔民國〕顧實《漢書藝文志講疏》〈儒家〉說《子思》，謂〈緇衣〉等篇取諸，同黃本；說《公孫尼子》，云：「劉瓛曰：『〈緇衣〉，公孫尼子所作。』劉說非也。」

案：〈表記〉作者，詳最後。餘〈緇衣〉等三篇，論爲子思所作者，徒依所謂佚文；而佚文無一條可信（已見上考），則三篇非出自《子思子》。史遷、鄭玄定〈中庸〉子思作，沈約說〈緇〉、〈坊〉二篇出子思手，又別無其它堅強證據，故形同虛說。或察見〈緇〉、〈坊〉文字晚作，不可能出孔伋親筆，但仍不肯駁正沈約，於是創爲「諸篇乃子思後學所集成」，作爲子思之語者（如子曰、子云類），欲以解蔽。夫謂子思後學，斷年可晚至漢代或尤晚，如是討論，迂闊無埻，治絲而益棼之而已（註一五）。劉瓛、沈約俱言〈緇衣〉作人而人不一，胡爲認定劉言不如沈言可信，此不可曉！

唐、宋文獻專家——徐堅、王應麟從劉，

徐《初學記》卷二一〈文部〉〈經典〉一：「《禮記》者，本孔子門徒共撰所聞也。後通儒各有損益，……公孫尼子作〈緇衣〉，……其餘眾篇皆如此例。」

王《漢藝文志考證》卷五：「《公孫尼子》二十八篇，《隋、唐》〈志〉一卷。似孔子弟子。沈約謂〈樂記〉取《公孫尼子》，劉瓛曰：『〈緇衣〉，公孫尼子所作也。』馬總《意林》引之。」

從劉是也（詳下）。

清人兩輯佚專家——馬國翰、洪頤煊輯本均以〈緇衣〉作者是公孫尼，亦是劉非沈，

馬輯本《公孫尼子》一卷，首列〈樂記〉題目，下云：「（引沈約語。）今其〈樂記〉全篇具載《禮記》，不錄；錄（〈樂記〉之）佚句於後。」下即輯收〈樂記〉佚文兩條。次列〈緇衣〉題目，下云：「按劉瓛曰：『〈緇衣〉，公孫尼子所作。已具《禮記》，不錄。』下即輯收佚文十三條，皆非出於《禮記》〈緇衣〉，乃是〈公孫尼子〉它篇之文。

洪輯本（《經典集林》卷二十）《公孫尼子》一卷十七條，洪氏曰：「劉瓛云『〈緇衣〉，公孫尼子所作也原自注：「〈禮記釋文〉。案《初學記》三十一：『公孫尼子作〈緇衣〉、〈樂記〉。』〈樂記〉、〈緇衣〉文，並在《禮記》，今不錄。」。」

兩家之所以棄沈保劉，將〈緇衣〉全經論爲《公孫尼子》佚文之一篇，其故莫詳，且持二家所收佚文以與今《禮記》〈緇衣〉校，又無一事相契，故學者疑不敢質信，

屈先生曰：「（轉引劉瓛說。）按：《漢》〈志〉著錄《公孫尼子》二十八篇，原注謂公孫尼子爲『七十子之弟子』。〈緇衣〉蓋《公孫尼子》二十八篇之一，漢人取以入《禮記》。《初學記》、《意林》皆曾引《公孫尼子》，是其書至唐猶存。劉瓛南齊時人，得見《公孫尼子》，故所言如此。然沈約謂〈緇衣〉取於《子思子》，未詳其故。」（《古籍導讀》頁一七八至一七九）

先生又曰：「……劉瓛……說〈緇衣〉是公孫尼子所作，大概是因爲〈緇衣〉和《公孫尼子》有很多相同的地方。」（《先秦文史資料考辨》頁三五二）

李學勤曰：（陸德明稱劉瓛云〈緇衣〉公孫尼子所作，）前人顧實《漢書藝文志講疏》已指出不如沈約說可信。我曾推想，劉瓛的說法可能是因爲〈緇衣〉的觀點與公孫尼相似（〈荊門郭店楚簡中的《子思子》〉）。同師說。

唐代類書、清人輯本，雖引佚《公孫尼子》文多條，但覈其觀點，竟未發現其與〈緇衣〉相同，故饒宗頤先生寧從胡本，錄《文選》所引《子思子》佚文，言「〈緇衣〉文字，有不少

同于《子思子》，則是事實」，因謂：「劉瓛說未必可信。……〈緇衣〉是否《公孫尼子》作，則尚難獲確證。」（竝見〈緇衣零簡〉）

余謂確證獲矣！《公孫尼子》佚文、今本〈緇衣〉、楚簡〈緇衣〉，三事合一，是確證也，

古者長民，衣服不貳，從容有常，以齊其民。（〔清〕陳夢雷《古今圖書集成》〈經籍典〉卷一五一載〔宋〕鄭樵《詩辨妄》〈詩序辯〉曰：「……其文全出於《公孫尼子》。」）

阮輯本據收，校注曰：「《禮記》〈緇衣〉『長民者至則民德壹』，即本此文。」

子曰：「長民者，衣服不貳，從容有常，以齊其民，則民德壹。」（今本《禮記》〈緇衣〉；《毛詩》〈小雅〉〈都人士序〉：「古者長民，衣服不貳，從容有常，以齊其民，則民德歸壹。」題〔漢〕賈誼《新書》〈等齊〉：「孔子曰：『長民者，衣服不二，從容有常，以齊其民，德一。』」均略同）

子曰：「倀（長）民者，衣備（服）不改，𢀛（從？）頌（容）又（有）棠（常），則民悳（德）弌（一）。」（《楚簡》〈緇衣〉）

案：在楚簡、《新書》，首句上著「子曰（或孔子曰）」，係公孫尼所撰《公孫尼子》〈緇衣〉，託孔子之言以出者；《詩辨妄》節引《公孫尼子》〈緇衣〉，略去「子曰」，直稱書名——《公孫尼子》。既爲節引，故省末「則民悳弌」一句；其它文字小異，誼則無殊。今本〈緇衣〉比楚簡多「以齊其民」四字，乃後儒潤色語。楚簡多用借字，校讀今本，見其借倀爲長、借備爲服、借頌爲容、借祟爲常，俱是；其它一、二異文，誼均相通。《毛序》、《新書》抄襲今本〈緇衣〉。楚簡「則民悳弌」句下引《詩》證義，云：「其頌（容）不改，出言又（有）□，利（黎）民所信。」出〈小雅〉〈都人士〉。今本〈緇衣〉亦於同一處所引《詩》，云：「彼都人士，狐裘黃黃，其容不改，出言有章，行歸于周，萬民所望。」亦經後學潤色，據《詩》本經增文易字，使與之相同。則此條《公孫尼子》佚文，出該書〈緇衣〉篇，考楚簡、今本〈緇衣〉字句同異，允爲確證。鄭樵漁仲（一一〇四至一一六二）北宋晚南宋初人，尚及見原典，故其《通志》〈諸子略〉〈儒術〉著錄「《公孫尼子》一卷，七十子之弟子」，治《詩》作《詩辨妄》，自《公孫尼子》引文，故佚文可信。

阮輯本最後出（民國五十七年撰，六十九年版行），前輯《子思子》佚文，定其中三條與〈緇衣〉同，既用沈約說謂〈緇衣〉取《子思子》；今又見《詩辨妄》引《公孫尼子》文與〈緇衣〉合，則自度劉瓛說又當尊重，於是爲調停之說，云：

《禮記》〈釋文〉引劉瓛云：「〈緇衣〉，公孫尼子所作也。」今檢鄭樵《詩辨妄》引《公孫尼子》云：……。文與《禮記》〈緇衣〉同，則瓛之言爲不妄也。惟……沈約奏答云：「〈緇衣〉，取《子思子》。」瓛與沈約同時，其說不當有異。因疑〈緇衣〉之篇，不獨取自子思之書，而亦有取公孫之書。此所言不同者，特各就己見爲說耳。

案：楚簡本新出，阮君不及見，但據今本〈緇衣〉定所謂佚文出子思之書，故雖已明知瓛言不妄，約言可疑，仍作依違兩可之論，不能無疵！

〈緇衣〉作者，劉、沈異說，而劉說勝。知者，劉早沈晚；劉是當代碩儒，沈是詞府文士；劉畢生志業在經書，不慕榮利，沈生平志業在文章，縈心仕進；劉授經業，通羣經，而甚專《禮學》有專著，沈未嘗講經，無經學專著。職是，吾寧信專家之確說，不信文士之空談。

經《禮》學大師——劉瓛事迹，

瓛，字子珪，沛國相人。……宋大明四年（四六〇），舉秀才。……少篤學，博通五經，聚徒教授，常有數十人。……瓛……儒學冠於當時，京師士子貴遊莫不下席受業。……永明七年（四八九），（竟陵王子良）表世祖爲瓛立館，……生徒皆賀。……未及徙居，遇病。……及卒，時年五十六（四三四至四九八）。……母孔氏甚嚴明，謂親戚曰：「阿稱便是今世曾子。」……今上（梁武帝）天監元年，下詔爲瓛立碑，謚曰貞簡先生。所著《文集》，皆是《禮》義，行於世。初，瓛講〈月令〉畢，謂學生嚴植曰：「江左以來，陰陽律數之學廢矣。吾今講此，曾不得其髣髴。」時濟陽蔡仲熊《禮》學博聞，謂人曰：……。瓛亦以爲然。（《南齊書》本傳）

瓛爲當時儒士，負盛名，學徒眾多，杜栖「從儒士劉瓛受業」（《南齊書》〈孝義傳〉），「瓛儒學而有重名」（《南史》〈劉顯傳〉），「沛國劉瓛爲儒者宗」（《梁書》〈司馬褧傳〉），「劉瓛爲碩儒」（《南史》〈儒林〉〈何佟之傳〉），「瓛門下多車馬貴游」（《南史》〈范縝傳〉）。

瓛所講羣經，《南齊書》〈高祖十二王傳〉：「建元三年，……上遣儒士劉瓛往郡，爲（蕭）畢講五經。」《梁書》〈文學傳下〉：「劉瓛則關西孔子，通涉六經，循循善誘，服膺儒行。」何胤嘗從受三經，「胤師事沛國劉瓛，受《易》及《禮記》、《毛詩》。」（《南史》〈何胤傳〉）瓛撰《周易乾坤義疏》、《周易繫辭義疏》、《毛詩序義疏》、《毛詩篇次義》及《孝經說》，舊史志或著於錄，輯佚家或有輯本今傳。

瓛之經業，《禮》學謂其專門，上引本傳記渠講《禮記》〈月令〉，及授何胤《小戴禮記》外，《南史》〈隱逸下〉〈吳苞傳〉「瓛於褚彥回宅講《禮》」，《南史》〈齊高帝諸子傳上〉「瓛爲臨川王蕭映講《禮》」。南齊太祖從瓛問《禮》〈祭義〉，瓛對，太祖從之（《南齊書》〈禮志上〉）。瓛弟子司馬筠「尤明《三禮》」（《南史》〈儒林〉〈司馬筠傳〉）、又一弟子范縝「尤精《三禮》」（《南史》〈范縝傳〉），竝從師受。〔漢〕馬融注《三禮》；鄭玄注《三禮》（今具存），又有《禮》學論文。馬鄭師徒誠《禮》學兩鉅儒，瓛深於《禮》，故人以媲馬鄭，

梁元帝（蕭繹）《金樓子》卷一〈興王〉篇：「沛國劉瓛，當時馬鄭；上梁武帝每析疑義，雅相推揖。」

梁武帝亦深《禮》學，少時曾經服膺，至是推尊瓛學，後（天監元年）又詔爲立碑賜謚。史臣亦如是評論瓛《禮》學，

《南齊書》〈陸澄傳〉後，史臣曰：「建武繼立，……劉瓛承馬、鄭之後，一時學徒以爲師範。」

唯《南史》瓛本傳以擬曹、鄭，

瓛……儒業冠於當時，都下士子貴游莫不下席受業，當世推其大儒，以比古之曹、鄭。

曹，〔後漢〕曹褒（父充，治《慶氏禮》爲博士）也，受父業，治《禮》慶氏學，又傳《禮記》四十九篇（《後漢書》本傳），比鄭玄早。（註一六）

瓛有《禮》學專著，《隋》〈志〉著錄云：「梁又有《喪服經傳義疏》一卷，劉瓛撰。」此只解《儀禮》之一篇，書至唐而亡。至瓛之全《禮》論文，都收入其《文集》中，《南史》本傳「瓛所著《文集》行於世」，而《南齊書》本傳言「所著《文集》行於世」之外，更總述其篇義曰：「皆是《禮》義。」則純爲專經「《禮》學論文集」，當入經部經解類，《隋》〈志〉但觀「《文集》」名，故退次集部，云：「又有《劉瓛集》三十卷，亡。」失所部分。瓛此《文集》，唐代乃亡，陸德明歷陳、隋、唐初，又經學大家，親見瓛此《禮》學論文總集，即據其中《禮記》論文，述瓛說謂〈緇衣〉是公孫尼子作，寫入其《經典釋文》〈音義〉。夫人親孯公孫尼子經學，所論記《禮》篇作者，無可疑者也。而沈休文晚生（四四一至五一三），所著又盡文史科業，《晉書》百十卷、《宋書》百卷、《宋文章志》三十卷等，而無一爲經解。休文助梁帝奪天下，歷官要職，不遑經學，其奏對《禮》篇作者，類多得之傳聞，不如劉瓛說信，亦又何疑？吾從劉說，半以此。

〈表記〉取諸《子思子》，亦沈約倡始，後人從者乃援《子思子》佚文以證其是，

（一）繁于樂者重于憂，厚于義者薄於行。（《意林》卷一《子思子》；《太平御覽》卷五六五引《子思子》曰義作味）君子同則有樂，異則有禮。（《御覽》同上引《子思子》曰）

洪、黃、胡、阮咸據收不盡同，此不煩歷舉，下放此。；胡曰：「〈表記〉：『厚於義者薄於仁，尊而不親。』疑行亦當作仁。」阮曰：「今謂胡說是也。惟《說郛》本《意林》作『厚於義而薄於利』，與此不同，謹附誌於此。」

今本〈表記〉：「厚於義者薄於仁，尊而不親。」

敏案：佚文「厚于義」句，同〈表記〉；所多「繁于樂」之句，作用在陪襯下句，存廢均不影響主句之立意。蓋自《子思子》采編入《小戴禮》時，曾經刪潤，但枝葉雖去，根幹猶存。義作味、仁作利，淺人妄改，於上下文未適。胡、阮竝引〈表記〉證同佚文，得之。

（二）君子不以所能者病人，不以人之不能者愧人。（《意林》卷一《子思子》）洪、黃、胡、阮本咸據收；黃曰：「《意林》引《子思子》，今見〈表記〉。」胡曰：「〈表記〉所能上有其字，不能上有所字。」阮曰：「案《禮記》〈表記〉，……文與此同。」

今本〈表記〉：「君子不以其所能者病人，不以人之所不能者愧人。」

敏案：〈表記〉多其，字爲三身代；多所，虛字，去之均無傷文義。黃、阮竝稱〈表記〉之文證同，得之。

（三）《史記》〈高祖本紀〉：「太史公曰：『夏之政忠，忠之敝，小人以野，故殷人承之以敬；敬之敝，小人以鬼，故周人承之以文；文之敝，小人以僿。』」〔唐〕司馬貞《索隱》：「然此語本出《子思子》，見今《禮記》〈表記〉作薄。……僿猶薄之義也。」馬、黃、胡本咸無；洪、阮本竝據收，洪曰：「《索隱》云……。今《禮》〈表記〉文少異。」阮曰：「……《史記索隱》謂見今《禮記》〈表記〉，檢今本則無此文。」

今本〈表記〉：「夏道尊命，……近人而忠焉，……其民之敝，……喬而野。……殷人尊神，……先鬼而後禮，……其民之敝，蕩而不靜。……周人尊禮尚施，……其民之敝，利而巧，文而不慙，賊而蔽。」

敏案：所謂〈表記〉佚文，對勘今〈表記〉大異，上方擇取〈表記〉段文勉與所謂佚文略似者，依然格格不入，故阮元檢今本《禮》〈表記〉則無此文。阮說雖是，第余檢校證本，方知《索隱》遭淺人竄改，〔日〕水澤利忠《史記會注考證校補》卷八：「《索隱》『然此語本出《子思子》，』至『薄之義也』……，毛晉刻單《索隱》本、同治九年張文虎刊金陵書局本同。各本此注作『然此語本出（水澤自注：「中統、游本無出字。」）《禮》〈表記〉』，作『其民之敝，利而巧，文而不慙，賊而敝』也。」小司馬原謂太史公語本諸《禮》〈表記〉，第考〈表記〉一段文之中，亦僅「其民之敝，利而巧，文而不慙」三句與此史公語近似，淺人竟妄改「出《禮》〈表記〉」爲「出《子思子》」云云。此條作爲《子思子》佚文，當立刪。夏人教忠，其失野，殷人救以敬；殷人教敬，其失鬼，周人救以文；周人教文，其失薄，救薄莫若忠也：亦見《春秋元命包》、《白虎通義》〈三教〉篇等，與此史公語，殆皆同出一源，均未曾表示語出《子思子》。

（四）天下有道，則行有枝葉；天下無道，則言有枝葉。（《太平御覽》卷四〇三《子思子》曰）洪、黃、胡、阮本咸據收，馬本無；黃曰：「《太平御覽》……引《子思子》，今見〈表記〉。」胡曰：「〈表記〉：『君子不以辭盡人，故天下』云云，言作辭。」阮云：「案《禮記》〈表記〉，……文與此同。」

今本〈表記〉：「天下有道，則行有枝葉；天下無道，則辭有枝葉。」

敏案：言、辭字異誼同，佚文與今〈表記〉文幾全同。黃、胡竝有指說，甚是。梁啓超《飲冰室專集》（八十四）〈漢書藝文志諸子略考釋〉曰：「《太平御覽》四百三引《子思子》曰：『天下有道，則行有枝葉；天下無道，則言有枝葉。』即〈表記〉文，沈約說當可信。」

上舉三證（一）、（二）、（四），唐宋（初）人親見《子思子》而載引其文，與今〈表記〉合，甚至幾乎一字無訛（如（二）、（四）兩事。），且又無其他反證，則子思孔伋作〈表記〉，爲其大著作——《子思子》二十三篇中之一篇，信矣。

結論

《漢書》〈藝文志〉著錄經《禮》書「《記》百三十一篇」、「《中庸說》二篇」，又著錄子儒書「《子思》二十三篇」、「《公孫尼子》二十八篇」。斯四編既分別著錄，則各自爲一書。今傳《禮記》四十九篇，內含〈坊記〉、〈中庸〉、〈表記〉、〈緇衣〉四篇相連類，舊或說出於《記》百三十一篇，或謂取自《子思子》、乃孔伋字子思作，又說公孫尼字子石作、取自《公孫尼子》。若「《中庸說》二篇」一書，說「〈中庸〉一篇」之書也，是解經專著先須假定〈中庸〉是經篇，漢人所撰，與子思無關，不應混爲一談。

《子思子》原典，歷三國、南朝梁、唐至北宋初，書志著錄，方家稱引甚多，選萃本亦有兩家，惜原典至北宋初中葉之際亡逸。僞本於是乎作，溫公《通鑑》采其文，晁君《讀書志》著之錄，至明中葉猶存，後乃亡逸。輯本於是乎繼起，〔宋〕汪晫、〔清〕洪頤煊、馮雲鵷、顧宗伊、黃以周、〔民國〕胡玉縉、阮廷焯七家有本，今具存。《公孫尼子》原典，自梁歷至南宋初葉，著錄引稱著亦不絕，至中葉而亡逸，今傳輯本只有馬國翰、洪頤煊、阮廷焯三家。

〈表記〉，〔梁〕沈約謂取諸《子思子》，今據《意林》、《御覽》所載三條佚文，明言「《子思子》曰」，佚文又與今本〈表記〉合，證沈說信。至《史記索隱》謂〈高祖本紀〉太史公曰「夏殷周政」云云，「本出《禮》〈表記〉」，淺人妄改爲「本出《子思子》」，見今《禮》〈表記〉」云云，茲援善本正其謬，明棄不取之意。

〈坊記〉與〈表記、緇衣〉俱有「子言之」、「子曰」（「子云」），同是孔子一人語，經書載孔門後學尊稱孔子悉是如此；多家強生分別，或謂「子言之」是子思語，「子曰、云」，乃孔子語；或謂均是子思語，令與下引《論語》曰、《春秋》曰亦爲孔子語別，因定此三篇子思孔伋作。非也。蓋〈坊記〉稱「子云」不稱「子曰」，不同於〈表、緇〉甚至其它經書，作者爲另一人；該篇又直引《論語》曰，夫《論語》書名，先秦典籍不見稱，〈坊記〉蓋作於西漢初葉，故得稱之。沈說未信。洪阮二氏輯本據俗本《北堂書鈔》輯所謂《子思子》佚文同於〈坊記〉者一條，因定〈坊記〉子思作同沈約，第余檢善本《書鈔》，知虞世南此係直引《禮》〈坊記〉，淺人妄改爲《子思子》，今嚴正之。

〈中庸〉孔子思伋作，自《史記》、鄭《目錄》、僞《孔叢子》立說，〔宋〕程朱從申，天下幾翕然從之。於是多家輯本檢出所謂《子思子》佚文四條，謂合今〈中庸〉。第余覆查各條，或誤采〔北宋〕僞本《子思子》；或注者直用〈中庸〉本文，認是子思語；或所謂佚文與〈中庸〉要義大殊，竟強指謂兩者相合；或原是子思論《詩》本經，竟牽合〈中庸〉，以爲同出《子思子》一源。是無一足證適取者也。

〈中庸〉首章，不見篇題字（中庸），又說性命，爲後人附加；二十章以下，說心性誠明較爲詳贍。首尾呼應，呈論說體，同是一人附加。中段另一人作，爲記言體。以學術發展進程論之，當在《孟子》之後，文字且有直接因襲《孟子》者，崔述、馮友蘭、〔日〕武內義雄咸有說。又其言慎獨，即是致誠，與《荀子》〈不苟〉同義，輔證以它事，則其後半爲漢人所作，戴師靜山有說也。即是孟子後學者作，非出《子思子》確甚！

〈中庸〉云「載華、嶽而不重」，子思魯人，不宜出是言喻。又云「今天下，車同軌，書同文，行同倫」，明是嬴皇併六國後景象，子思作文焉得言此？清以來，多家持此二事以質疑，近人則多有爲駁復釋難者。余一一爲之更審再鞫，斷原控一方是。則是〈中庸〉喻事，舉秦氏統一後景物，子思戰國初焉得作是語哉！

〈中庸〉非子思作，不出於《子思子》二十三篇中，以上揭三大事證析，鐵案如山！

〈緇衣〉公孫尼作，敢恪守劉瓛而迕沈約說者，徐堅、陸明德、王應麟、馬國翰、洪頤煊，寥寥數家而已。信沈者多家，鉤聚所謂《子思子》佚文（均唐人引，三條），整合今〈緇衣〉，宜若無可置疑。顧余據新出楚簡〈緇衣〉與校討，所謂佚文，或楚簡本無有；或僅少半有，但係儒家政教大道，後儒共奉習誦之語，非直從《子思子》引，持曾經後人竄雜之今〈緇衣〉，以證所謂佚文源出，不足證也矣；而楚簡本，戰國中葉偏晚之際成編，純壹無摻雜，依之準之，宜乎！北宋末南宋初鄭樵《詩辨妄》引《公孫尼子》一條，正合今本〈緇衣〉，楚簡又同有，亦合。夫書本與地下資料與佚文三事合一，〈緇衣〉八儒之一大家公孫尼作，益信！

斷古書作者之人，時代愈迫近古愈可信，劉瓛子珪庚齒、學術年代及卒年均甚早於沈約休文，故劉說較沈可信度大；劉畢生精研經《禮》，尤深《禮記》，終身治學講授議禮，沈晚而留連仕途，治史籍詞章，經《禮》學經歷著作闕若，故沈不若劉說宏正；劉有《禮》學專著，其中以《文集》三十卷最切要，全是說《禮》義，史本傳載、史志著錄，陸德明親見而據引「劉瓛云：〈緇衣〉，公孫尼子所作也」，夫復何疑！

《禮記》〈表記〉，子思孔伋作，出其《子思子》諸篇中之一篇，沈約說偶得之；〈坊記〉，西漢初葉人作，〈緇衣〉，公孫尼子石作、出其《公孫尼子》眾篇中之一篇：沈說均失，劉瓛說〈緇衣〉作者得之；〈中庸〉，秦漢之際人作，史遷、鄭君竝誤，沈休文不考從失。

註釋

一　近人阮廷焯〈公孫尼子考佚〉（在其《先秦諸子考佚》頁三三至四五）：「《漢書》〈藝文志〉〈儒家〉載《公孫尼子》二十八篇，班氏不言名某，則尼者其名也。考班《志》著錄之例，其書以姓稱者，下必注云名某不知者闕；……以字稱者，下注云名某，如《子思》二十三篇，下云名伋；以名稱者，則不注字某，……故尼之字，為班氏所不言。」

二　〔清〕黃以周輯《子思》卷六〈逸篇〉黃氏自按曰：「孟子與子思年不相及。……鼂氏所見七卷本已有此條，即劉向所校二十三篇中亦似早有此文，故《列女》〈母儀傳〉、〈藝文志〉自注竝謂孟子師事子思。……蓋二十三篇中在秦漢閒已多後人附益之文，……劉氏父子校中秘書，信從其言，故向作《列女傳》、歆作《七略》皆本之爲說。是則謂孟子親受業於子思，其言固未覈實。謂劉向所校二十三篇無此條，亦似矯枉過正之論也。讀者知其爲後人附益之詞，斯可矣。」敏案：《列女傳》、《漢》〈志〉（本諸《七略》）定孟子親師事子思，殆別有所據史，未必依「後人附益」之《子思子》，黃謂秦漢閒二十三篇書已有後人羼入材料，未敢遽從。

三　此七卷本，〔宋〕末王應麟《漢藝文志考證》卷五，但據《漢》〈志〉，言「《子思》二十三篇」，又依《隋》、《唐》〈志〉稱「《子思子》七卷」，次引沈約語及《文選注》、《初學記》載佚文三條，寔未見原典，故〔清〕黃以周輯《子思》〈自序〉曰：「《意林》載《子思子》七卷，南宋以後，七卷本已難獲，而鼂公武猶及見之，其季遂亡。淵博如王伯厚已不得見。」敏案：鼂錄之七卷本，時尚在天壤閒，不惟「宋季」未亡，元明人猶及見，一如上述，黃失檢。

四　《漢書》〈公孫弘傳〉：「（公孫弘）乃上書曰：『臣聞：天下通道五，所以行之者三：君臣、父子、夫婦、長幼、朋友之交。五者，天下之通道也。仁、知、勇三者，所以行之也。故曰好問近乎知，力行近乎仁，知恥近乎勇。知此三者，知所以自治；知所以自治，然後知所以治人〔唐〕顏師古注：「自『好問近乎智』以下，皆《禮記》〈中庸〉之辭。」；未有不能自治而能治人者也。』」《史》、《漢》記弘上書文頗異，特以五倫無兄弟有長幼及三達德次序不同〈中庸〉，故師古乃斷自「好問近乎知」

以下始為〈中庸〉之辭。

五 陳槃先生《大學中庸今釋》頁五：「『華、嶽』一詞，也有人懷疑，因為《論語》、《孟子》上面說山，都只舉泰山為例，而〈中庸〉乃舉華、嶽，這自然會使人覺得奇怪。不過，據《釋文》說『華、嶽』本來也作『山嶽』。到底原來的本子作『華、嶽』呢？還是作『山嶽』呢？我們完全沒有法子知道。所以這一條是不能成為證據的。」敏案：作華、嶽是，陳先生維護經典，宅心忠厚，可敬！

六 武內義雄〈子思子考〉：「又從第二十章至二十四章說誠之文，與《荀子》〈不苟〉篇之文相似。〈不苟〉篇比〈中庸〉之文章為簡約，且彼以誠是養心之法；〈中庸〉更進一步，以誠為貫天地人之原理。恐〈中庸〉此等之章，比〈不苟〉篇尤為後出。」說頗淺略，附錄於此。又近人胡止歸（志奎）〈中庸章句淵源辨證〉（《大陸雜誌》二十一卷七、八、十期）亦論《荀》、〈庸〉同異，博而寡要。

七 〔宋〕王應麟《漢藝文志考證》卷五：「沈約謂《禮記》〈中庸〉、〈表記〉、〈坊記〉、〈緇衣〉皆取《子思子》王氏自注：「愚按〈坊記〉引《論語》曰『三年無改於父之道，可謂孝矣』，《論語》成於夫子之門人，則〈坊記〉所謂『子云』者，非夫子之言也。」。」敏案：〈坊記〉「子云」下不引書，引書之人為此篇之作者，篇內引《論語》不礙判「子云」為「孔子云」也。伯厚失讀。

八 其《子思》〈內篇〉卷五〈坊記〉案：「『子云』者，子思子之言，所以別『子曰』也。」又案：「篇內引《春秋》并引《論語》，則『子云』為子思子之言信矣。」敏案：黃以〈表記〉、〈緇衣〉之「子曰」為孔夫子語（已見上引），而此〈坊記〉之「子云」為子思子語以別。此說絕不可通，夫同一作者，一「曰」與「云」字異，竟歧一祖爲二祖孫，所據篇內引《春秋》、《論語》，實乃〈坊記〉作者之言（已詳上文），非子思孔伋自撰〈坊記〉文又於文內自稱「子云」又自引經書也。

九　〔清〕朱彝尊《經義考》卷二一一：著錄「孔鮒《論語義疏》二卷」，引〔宋〕王欽若《冊府元龜》云：「孔鮒爲陳勝博士，撰《論語義疏》二卷。」敏案：義疏之名，起於西晉，盛於南北朝，不應秦末孔鮒已以名其著書，《漢》〈志〉、《隋》〈志〉竝不著錄，必後世僞託之書。

一〇　饒宗頤先生作〈緇衣零簡〉（載《學術集林》卷九，一九九六年十二月上海遠東出版社）：「楚地出土戰國簡冊，不少流落海外，余所見楚簡有一條，文云『民𢛳（德）一，旹（詩）員（云）：「丌（其）㒳（容）不𢻱，出言……。」』……蓋即《禮記》……〈緇衣〉殘文。」敏案：一（壹）德，儒家學說要義，孔門後學作文常見援引，饒先生所見另一文獻內之楚簡，此郭店楚簡亦具，其文甚至引《詩》幾全同，如下：「則民惪弌（一），寺（詩）員（云）：『其頌（容）不改，出言又（有）□。』」可見但憑一、二句同文，不即考究，遽即認定此文出於彼書，極不可信。

一一　出處同上（註一〇）。

一二　《韓非子》〈顯學〉篇：「自孔子之死也，……有孫氏之儒。」〔民國〕陳奇猷《集釋》：「此孫氏以指公孫尼子爲是。蓋本篇乃詆儒者，諒韓非不致詆毀其師（——荀卿）。且韓非對其師頗愛護，……公孫氏本可省稱爲孫氏。」〔民國〕楊樹達《漢書窺管》卷三：

「《春秋繁露》……引公孫之養氣曰……。孫詒讓據《御覽》四百六十七引，定為《公孫尼子》文，是也。又按《韓非子》〈顯學〉篇云：『孔子死後，儒分為八，有公孫氏之儒。』蓋即尼子。」

一三 錢賓四先生：公孫尼子殆荀子門人，因其文〈緇衣〉多類《荀子》，〈樂記〉剿襲《荀子》（《先秦諸子繫年攷辨》〈諸子攟逸〉）。饒宗頤先生：《公孫尼子》言德壹，楚簡亦言，公孫尼子應先於荀卿（出處同前〔註一〇〕引）。饒是。郭沫若：「公孫尼可能是孔子直傳弟子，當比子思稍早，雖不必後于子貢子夏，但先于孟子荀子是無問題的。」（〈公孫尼子與其音樂理論〉，轉引自陳國慶《漢書藝文志注釋彙編》頁一〇二）是。李學勤：《論衡》載周人世碩論人性有善有惡，公孫尼子之徒亦論人性，與相出入，亦言性有善惡。碩撰《世子》，班固云碩陳人，七十子之弟子。長沙馬王堆帛書《五行》載「世子曰」，世子即世碩，與公孫尼同是孔子再傳弟子（〈荊門郭店楚簡中的《子思子》〉，《文物天地》一九九八年二期）。世碩與公孫尼同時，但不必定二人皆孔子弟子之弟子，李據班《志》定尼為孔子之再傳，恐失。

一四 〔宋〕高似孫《子略》卷一列「《漢書》〈藝文志〉著錄子書書目，有「《公孫尼子》一篇」，殆依後世書目如《子鈔》所列輯本一篇（卷）數以當《漢》〈志〉之所著錄之二十八篇數，甚失謹重。

一五 近人動輒論古書（如〈中庸〉）有後人增竄，茲舉一說為代表，郭沫若《十批判書》頁一四〇：「不過〈中庸〉經過後人的潤色竄易是毫無問題的，任何古書，除刊鑄於青銅器者外，沒有不曾經過竄易與潤色的東西。但假如僅因枝節的後添或移接，而否定根幹的不古，那卻未免太早計了。」約計〈中庸〉三千五百六十三字，近人多家認首章、二十章至末三十三章爲後人竄加，竄進約二千二百五十六字，占百分之六十三，且均屬精義，豈是枝節？餘僅百分之三十七，又是糟粕，豈得許爲「根幹」乎？

一六　曹，或係賈之誤，曹、賈字形近。賈，逵也。逵通五經，作《周官解故》，亦有《詩》學專著，亦是鄭玄前經學大家。

——原載〈《禮記》〈中庸〉、〈坊記〉、〈緇衣〉非出於《子思子》考〉，《張以仁先生七秩壽慶論文集》，民國八十八年一月；後又收入《古史考》七卷，海南出版社，公元二〇〇三年十二月；次後又收入《古史辨時代之中國古典學（中編）》，唐山出版社，公元二〇〇六年十一月

三十一　《郭店》、《上博楚簡》〈緇衣〉引書考

湖北省荊門市郭店一號楚墓，西元一九九三年冬發掘，出土竹簡八百餘枚，其中有文字者存七百卅枚，考斷墓葬年代當戰國中期偏晚。《郭簡》寫存之文章（或書本）十餘種，多關儒道兩大家學說，而儒家文獻尤多。《郭簡》長度，因文而異，其中〈茲（緇）衣〉篇長三十二點五釐米（約當漢一尺五寸，與同出之〈五行〉、〈成之聞之〉、〈尊德義〉、〈性自命出〉、〈六德〉五文同長），比同出之〈老子甲〉三十二點二釐米稍長。漢代五經簡長二尺四寸，雖〈緇衣〉所不及，然於同出簡本爲最長，亦可見其甚受尊重。

西元一九九四年，在香港市肆發現竹簡一批，其中亦有〈紂（緇）衣〉篇，亦爲戰國中期偏晚楚國竹書，簡凡二十四枚，總共九百七十八字，比《郭店楚簡》〈緇衣〉少百七十八字；簡今藏上海博物館。（影原簡片、楷定、釋文。均據《上海博物館藏竹書（一）》，馬承源等整理發表，上海古籍出版社，二〇〇一年十一月）簡長五十四點三釐米，視《郭簡》長甚，亦可見其極受尊重。兩竹本〈緇衣〉內容，絕多相同。

此宗儒籍，時時稱引六經，而引經證義最多者，非〈緇衣〉莫屬。今持《郭簡》及《上博》〈緇衣〉以與今傳《小戴禮記》之〈緇衣〉校大致相合。取兩竹一紙本〈緇衣〉校比，並參稽相關文獻，審知兩竹本優於今戴本，而持兩竹本互勘，又見郭本略長於上博本。及孳討三本所引書籍（幾全是經書），嚮來經師質難，絕多可立決無疑。

謹先全錄三板本〈緇衣〉引書，列引書表，簡別同異，用便考索，〈緇衣〉引書表如下：

〈緇衣〉引書表

編號	書名、篇名	《郭店、上博楚簡》〈緇衣〉引稱：引稱方式	《郭店、上博楚簡》〈緇衣〉引稱：引稱條、次	今本〈緇衣〉引稱：引稱方式	今本〈緇衣〉引稱：引稱條、次
詩 詩經					
23	國風．周南．關雎	詩云	一條．一次	詩云	一條．一次
21	周南．葛覃	詩云	一．一	篇名曰	一．一
1	鄭風．緇衣	篇名	一．一	篇名	一．一
20．5	曹風．鳲鳩	詩云	二．二	詩云	二．二

22	小雅·鹿鳴	詩云	一·一	詩云	一·一
19	車攻	小雅云	一·一	小雅曰	一·一
11·8	節南山	詩云	二·二	詩云	二·二
13	正月	詩云	一·一	詩云	一·一
25	小旻	詩云	一·一	詩云	一·一
7	巧言	小雅云	一·一	小雅云	一·一
2	巷伯	篇名	一·一	篇名	一·一
4	小明	詩云	一·一	詩云	一·一
12	都人士	詩云	一·一	詩云	一·一
17·3	大雅·文王	詩云	二·二	大雅曰	二·二
10	下武	詩云	一·一	大雅曰	一·一
24	既醉	詩云	一·一	詩云	一·一
6	板	大雅云	一·一	詩云	一·一
9·15· 18·16	抑	大雅云18，詩云 9·15·16	四·四	詩云	四·四

14	不詳（逸詩）篇名	詩云	一・一	（缺引）	○・○
書尚書					
35・37	商書・太甲	（缺引）	○・○	篇名曰	二・二
26・38	咸有一德	26篇名作尹誥，38則缺引。	一・一	篇名曰	二・二
36・39	說命	（缺引）	○・○	篇名曰	二・二
31	康誥	篇名云	一・一	篇名曰	一・一
33	君奭	篇名云	一・一	篇名曰	一・一
29・34	君陳	篇名云	二・二	篇名曰	二・二
27	君牙	篇名云	一・一	篇名曰	一・一
30・32・28	呂刑	篇名云	三・三	篇名曰	三・三
逸周書（＊視爲尚書）					
40	祭公	篇名云	一・一	篇名曰	一・一
易周易					
41	恒卦	（缺引）	○・○	書名曰	一。一

論語					
42	子路	子曰（未署書名、篇名）	一・一	子曰（未署書名、篇名）	一・一
通計	四部書三十篇		詩二十五條、次，書十條、次，易零條、次，論語一條、次。總共三十六條、次。		詩二十四條、次，書十五條、次，易一條、次，論語一條、次。總共四十一條、次。

※《漢書》〈藝文志〉〈六藝略〉〈書類〉著錄《（逸）周書》，師古《注》引劉向云：「周時誥誓號令也。」則劉、班視之爲《尚書》類文獻。而〈祭公〉於今存諸篇中文字較爲古奧，故〔明〕鄭瑗《井觀瑣言》云：「《汲冢周書》……文義古雅者僅有〈祭公解〉等一、二篇。」〔清〕唐大沛《逸周書分編句釋》云：「〈祭公〉，……西周眞古書，淵懿質摯，必出於當時良史。」是鄭、唐竝以爲此篇乃西周檔案、若《尚書》〈周誥〉然。案甄檢全篇，幾乎全襲《尚書》〈周誥〉，昔賢察未及此，誤以爲是原創。然其文字既自〈周誥〉

來，視之爲《尚書》，取便討論庶乎可也。

一（編號，下同）、夫子曰：「好媺（美）女（如）好〈茲（緇）衣〉。」（《郭簡》本〈緇衣〉），下同；括號內注字，絕多依據荊門市博物館出版《郭店楚墓竹簡》〈圖版〉〈釋文〉、〈注釋〉；本文考述時，稱之曰「《郭簡》本」云云：下倣此。上海博物館藏戰國楚竹書〈紂衣〉（以下簡稱《上博》本云云，考釋文絕多依陳佩芬先生作，別參看黃人二博士論文《上海博物館藏戰國楚竹書（一）研究》頁一一一至一六〇）。　夫子曰，《上博》本作子曰，但「子」上簡殘，殘竹當有「夫」字，宜補。媺，《上博》本作[illegible]，音義同。茲，《上博》本作紂，茲、紂音近可通。

子曰：「好賢如〈緇衣〉。」（今本《禮記》〈緇衣〉篇文，板本據〔清〕嘉慶二十年南昌府學重栞宋本（影印本），並參看《唐開成石經》本（影印本）；本文考述時，稱之曰「今本」云云：下倣此）

敏案：媺，媺之古字，省右旁，《郭簡》《老子》「天下皆知媺之爲媺」，則省左旁。媺，美也，《周禮》〈地官〉〈鄙師〉「察其媺惡而誅賞」。女*niag、如*ńi̯ag音近，古今字，《郭簡》《老子》、〈魯穆公問子思〉如亦竝作女。茲*tsi̯ag、緇*tsәg音近，緇借爲茲；緇，黑色，緇衣，卿士聽朝之正服（《詩》毛《傳》）。《郭簡》作「夫子曰」云云，以爲章首，用別於後各章「子曰」爲章首，今本增「子言之曰：『爲上易事也，爲下易知也，則刑不煩矣』」作爲章首，而降此爲次章，遂削去「夫」字，參詳下專論卷。《毛詩序》：「〈緇衣〉，美武公也，父子並爲周司徒，善於其職，國人宜之，故美其德。……」《郭簡》與合。今本變娩爲賢；又《詩》義既爲美鄭武公，則當作「如好〈緇衣〉」，今本刪下好字，非是。

二　亞（惡）亞（惡）女（如）亞（惡）〈湗（巷）白（伯）〉。（《郭簡》本）《上博》本湗作衖，音義同。惡惡如〈巷伯〉。（今本〈緇衣〉文）

敏案：三亞字，均古惡字。亞*ăg與惡（平聲）*âg、惡（去聲）*âg音近，義同。《說文》：「亞，醜也。」段《注》：「……亞與惡音義皆同，故〈詛楚文〉亞駞，《禮記》作惡池，《史記》……惡谷，《漢書》作亞谷，宋時玉印曰『周惡夫印』，劉原甫以爲即條侯亞父。」《郭簡》《老子》、《馬王堆帛書》〈經法〉惡字亦均作亞。女，已詳一。《郭簡釋文》：「……上述各形之巷字均从共，巷字从共聲。簡文的芇似爲共字的異構。」巷，从共（《說文》），共亦聲（《說文通訓定聲》），巷*γung、共*g'iung音近。湗，从辵（《說文》：辵乍行乍止也），有行走意，行於巷道中，《包山楚簡》有衖，亦表行於道中。伯長之伯，甲文或作白，金文作白尤習見，《魏石經》古文亦作白，二字古音同（《說文》：伯，从人白聲）。〈巷伯〉，《詩》〈小雅〉篇名，《詩》多摘詩中之語以爲篇名（極少例外，皆另有所取義），但本《詩》不見〈巷伯〉字，《毛序》乃曰：「〈巷伯〉，刺幽王也，寺人傷於讒故作是《詩》也。」《詩》本無篇名，先秦典籍亦不見引，乃《序》題曰〈巷伯〉，必有所據。巷伯，早期文獻僅見於《左》〈襄九年傳〉「令司宮、巷伯儆宮」，杜《注》：「司宮，奄臣；巷伯，寺人，皆掌宮內之事。」孔《正義》：「《周禮》無司宮、巷伯之官，唯有內小臣奄上士四人，掌王后之命，正其服位。」《周禮》〈天官〉〈敘官〉「內小臣奄上士」賈《疏》：「《詩》〈巷伯〉奄官也。《注》云：巷伯，內小臣。小臣於宮中為近，故謂之巷伯。……又稱伯，長也，內小臣又稱士，亦是長義，故知一人也。」是巷伯為內小臣，寺人之長。《郭簡》〈緇衣〉作者體《詩》義，取《左傳》「巷伯」以命《詩》篇，《毛序》本之，則《毛序》必戰國中期偏晚以後著成，舊說孔子子夏作《詩序》，《郭簡》出而可證其說必誤。今本刪下惡字非是。一、二兩條，《郭簡》為第一章，今本次之為第二章。

三　《寺（詩）》員（云）：「[我/心]（儀）型（刑）文王，萬邦乍（作）孚。」（《郭簡》本，下咸同）《上博》本孚作服，音近，服借字。

〈大雅〉曰：「儀刑文王，萬國作孚。」（今本〈緇衣〉引，下咸同）

引《詩》〈大雅〉〈文王〉。寺*z̦ieg、詩*śieg音近，借為詩，詩从言寺聲，古文作𧥺，聲从寺省。員、云同音yiwěn，員借為云，《詩》〈小雅〉〈正月〉「昏姻孔云」，陸《釋文》：「云本又作員。」《尚書》〈秦誓〉「若弗云來」，內野本云作員。引《寺》

員，今本作〈大雅〉曰，或稱《詩》，或稱篇類，傳本異耳。下《寺》員論悉同。悉、古儀度字作義（《郭簡》本下五儀度字槩作義），从羊我（《說文》），我當亦是聲，我*nga義*ngia儀*ngia音近。悉从心从我，我亦聲，即古義（儀）度字，字它文獻未見。型，鑄器之法也（《說文》〈土部〉），引申爲典型義，《郭簡》本用本字。甲文金文罕見型字；惟〈中山王鼎〉、《楚帛書》、《信陽楚簡》及下〈呂型〉之型（二八、三〇、三二）均有型字。型與刑同音*γieng，借刑爲之。邦，今本作國，諱改。乍*dzǎg作*tsâg音近，借爲則，乍，甲文作[illegible]，金文作[illegible]，作則義，習見。

四　《寺（詩）》員（云）：「情（靖）共尒（尔、爾）立（位），好氏（是）貞植（直）。」　《上博》本作靜龏尒立，好是正植，情與靜、共與龏（＝龔）、氏與是，貞與正，皆兩兩音近義通。

《詩》云：「靖共爾位，好是正直。」

引《詩》〈小雅〉〈小明〉。《寺》員，說已見上三，下均倣此。情，與靖竫从青聲（《說文》），借爲靖。尒（人隸作从入），詞之必然也（《說文》），〈中山王鼎〉、《魏石經》均有；爾，麗爾，猶靡麗也。爾从尒聲，爾尒同音*nįer，作爾汝皆借義。下五尒字（一一、一五、一六、三四）說同。立，甲金文均作象人立一之上（不从人作位），即古位字，《周禮》〈小宗伯〉「掌建國之神位」鄭《注》：「鄭司農云：立讀爲位，古者立位同字，古文《春秋經》公即位爲公即立。」立位古均緝部，音近。《郭簡》〈唐虞之道〉下位亦作下立。是，正是之是本字，此借氏爲之，是*z̑ieg氏*ȷ̑ieg音近古通用。《說文》氏字段《注》：「古經傳氏與是多通用，《大戴禮》『昆吾者衛氏也』以下六氏字皆是之叚借，而《漢書》漢碑叚氏爲是不可枚數。……」貞，《易》〈師〉〈彖〉：「貞，正也。」《廣雅》〈釋詁〉、《書》〈太甲下〉「萬邦以貞」《傳》竝同。正、貞義同，音近（*t̂ieng、*t̂ieng）。下八「不自爲貞」今本亦作正。植，《侯馬盟書》作[illegible]，直，《說文》古文作[illegible]，竝从木，植从直聲。植*z̑iək直*d'iək音近，此借爲直。

五　《寺》（詩）員（云）：「⿱弔口（叔?、淑）人君子，其義（儀）不弋（忒）。」

《詩》云：「淑人君子，其儀不忒。」兩本引《詩》，字全同。

引《詩》〈曹風〉〈鳲鳩〉。⿱弔口：將金文[illegible]（弔）釋爲叔，義爲淑善字，專師習說。弔下从口，它文獻未見。義爲儀度字，說已見三，《韓詩》引〈小雅〉〈楚茨〉「禮儀卒度」儀亦作義。忒*t̂ək弋*diək音近，忒（差也）《郭簡》本借弋爲之。下一〇亦有「弋」，借爲「式」，當時用字靈活至此。

六　〈大頙（雅）〉員（云）：「上帝板板，下民卒担（癉、癉）。」《上博》本前句四字同，下句四字殘失。

《詩》云：「上帝板板，下民卒癉。」

雅作顕，亦見七、一九，它獻未見。引《詩》〈大雅〉〈板〉担作癉。担（从旦聲，音*tân）瘽（从亶聲，音*tan）癉*tân音同。癉，勞病也，借為担、瘽（《説文》無瘽字），《詩》〈板〉沈本作瘽（見陸《釋文》）。

七 〈少（小）顕（雅）〉員（云）：「非其止之共，唯王恭。」《上博》本僅存上句惟王之功四字，其上八字殘失。共、恭音義同。

〈小雅〉云：「匪其止共，惟王之卭。」

〈小雅〉之小作少，亦見一九；小作少，亦見二七（小民作少民）、四〇（小謀作少謀），又《郭簡》《老子》大小作大少，同。大小之小，古亦借多少之少為之，金文小子、小臣或作少子、少臣，二字音近（小*siɡ少*śiɡ）義同（小，物之微也；少，不多也）。顕，已詳六。員，已詳三。引《詩》〈小雅〉〈巧言〉同今本〈緇衣〉所引。非，違也（《説文》），本字，借作匪（匪，器似竹篋：《説文》），《詩》〈邶〉〈柏舟〉「我心匪鑒」、「匪石」、「如匪澣衣」匪，均借為是非義。甲文無匪；金文亦無匪，一簠（〈中山王譽壺〉）借為匪（義亦為是非）。非匪同音*piwəd，故得通假。唯惟同音*diwəd，通。卭當正作邛，邛，訓病（《詩箋》），恭誼未曉。文字疑誤入上句。《魯》、《韓》、《毛詩》咸同今本〈緇衣〉引。

八 《寺（詩）》員（云）：「隹（誰）秉寈（國）成，不自為貞（正），卒裻（勞）百眚

（姓）。」㝉、貞，《上博》本作或、正，音義竝同。

《詩》云：「昔吾有先正，其言明且清，國家以寧，都邑以成，庶民以生。誰能秉國成，不自爲正，卒勞百姓？」

陸《釋文》〈禮記音義〉卷四：「從此（昔吾有先正）至庶民以生總共五句，今《詩》皆無此語，餘在〈小雅〉〈節南山〉篇，或皆逸《詩》也。」孔《禮記正義》：「《詩》云『昔吾有先正，其言明且清』者，此逸《詩》也。……詩人稱昔吾之有先君正長，其教令之言分明且清潔，國家所以安也，都邑所以成也，庶人所以生也。」均論「昔吾」五句爲逸《詩》。〔清〕齊召南《禮記注疏考證》：「陸氏說是，蓋逸《詩》散見傳記者，未必即是〈節南山〉之逸文也。」此逸《詩》五句，後人采之竄入〈緇衣〉者，《郭簡》本正無，詳參拙著〈緇衣考〉。「隹秉」三句詩，出〈小雅〉〈節南山〉。隹，鳥也，象形，音近借爲誰何字，誰从隹聲。或，邦也（《說文》），衍爲㝉从宀，國從口，義同，古音同之部。〈緇衣〉引多一能字，〔清〕胡承珙《毛詩後箋》卷十九：「（〈緇衣〉）《釋文》云『《毛詩》無能字』，承珙案：《箋》云『觀此君臣誰能持國之平乎？言無有也』，據此，是鄭《詩》見《毛詩》本有能字，與《禮記》同。《正義》既云『君臣不能持國乎』？又云『君臣已言並不能』（胡氏誤抄「已言並」爲「以竝言」，茲徑正。），疑《正義》本亦當有能字，與陸德明所據《毛詩》本異也。」是毛、〈緇衣〉引竝有能字。敏案：詩上文責師尹秉國之均，無有善政，此曰誰秉國成，不自爲正，照應上文，能字莫須有，從《郭簡》本是。貞、正音近義通，已見四。《毛詩》正作政，音義竝同。裻，金文有，義如勞（見《金文詁林》）。眚，目病生翳也（《說文》），生聲，姓亦从生聲，眚借爲姓。

《寺（詩）》員（云）：「又（有）[glyph]悳（德）行，四方怊（順）之。」《上博》本[glyph]作共，[glyph]即拱字，音義同共。方、怊，《上博》本作或（國）、川（省心），各兩兩義同。

九

《詩》云：「有梏德行，四國順之。」

引《詩》出〈大雅〉〈抑〉。又（[glyph]），有（从手持肉）之初文，又、有音義均同通用，經典、古文字習見。[glyph]，當爲[glyph]（𢍏）之異寫，从言从[glyph]，後改𢍏爲𢍜，告誥𢍏音義皆同。誥，由上告下，作𢍏，象双手捧言，以示尊崇之義（唐蘭說，見《金文詁林補》）。梏，手械也；拲，兩手同械也，或从木作桊。梏拲（桊）同字，亦即拱字（亦上唐說）。是梏有拱手上告尊者之義。梏𢍜𢍏古音同。𢍏、梏，《毛詩》作覺，覺*kok、梏*kôk音近義通，均訓直（參〔清〕馬瑞辰《毛詩傳箋通釋》卷二六）（註一）。道悳之悳初文，孳乳爲德，悳德音同，德於是又有升義。《毛詩》〈抑〉「無競維人，四方其訓之；有覺德行，四國順之」，四方義即四國，天下也，二詞互文。怊，金文有（如〈中山王嚳壺〉），即訓字（見《金文詁林補》），訓，經典習作順義（參《毛詩傳箋通釋》卷二六），《左》〈哀二六年傳〉引此詩「四方其訓之」訓正作順，訓順音近。

一〇　《寺（詩）》員（云）：「成王之孚，下土之弋（式）。」《上博》本殘失前六字；弋作式，音近通讀。

引《詩》〈大雅〉〈下武〉。弋，裘錫圭曰：「用作虛詞的弋，應該讀爲《詩經》中常見的虛詞式。」（見《金文詁林補》）弋*djək式*śjək音近，通讀。

〈大雅〉曰：「成王之孚，下土之式。」

一一　《寺（詩）》員（云）：「虩（虩）虩（虩）帀（師）尹，民具尒（尔、爾）贍（瞻）。」虩虩、贍，《上博》本作虩虩、詹，各音義皆同，寫法異耳。

《詩》云：「赫赫師尹，民具爾瞻。」

引《詩》出〈小雅〉〈節南山〉。赫赫，顯盛貌（《毛傳》）。虩虩，〈秦公簋〉「虩虩在上」、〈叔夷鐘〉「虩虩成唐」，均指神靈赫耀之語也，與《詩》〈魯頌〉〈閟宮〉「赫赫姜嫄」、〈小雅〉〈節南山〉「赫赫師尹」及〈出車〉「赫赫南仲」者同（〔日〕白川靜說，見《金文詁林補》）。赫*xăk虩从㒸聲，音*k‘iak，二字音近，竝以狀威嚴。虩，从虍从㒸省，與相同之字形亦見《包山楚簡》（《郭簡釋文》）。《郭簡》〈五行〉篇引《詩》〈大雅〉〈大明〉「虩虩在上」，赫赫亦作虩虩。帀，師之省文，金文習見，三四師亦作帀，《郭簡》〈窮達以時篇〉師亦作帀。尒字同爾、尔，已詳四。見，金文象人張目視，作目則省下人，故目、見同義，均从詹聲，是瞻、贍亦同義，唯其他經典器物文字未見贍字。

《上博》本殘失前十二字，僅存後「民所信」三字。

一二 《寺（詩）》員（云）：「其頌（容）不改，出言又（有）ㄱ，利（黎）民所信。」

《詩》云：「彼都人士，狐裘黃黃，其容不改，出言有章，行歸于周，萬民所望。」引《詩》出〈小雅〉〈都人士〉首章，少三句，字又多異。頌，容貌之容本字，容乃借字，〔清〕阮元〈釋頌〉備說矣（《揅經室一集》卷一）。又（ㄱ），有字初文，古字習見。ㄱ《郭簡釋文》：「疑爲字之未寫全者。」ㄱ，周鳳五先生直寫作❩，云：「此蓋玉璋省體之形，《詩經》〈小雅〉〈斯干〉『載衣之裳，載弄之璋』，《毛傳》：『半圭曰璋。』《說文》：『剡上爲圭，半圭爲璋。』簡文此字，正象半圭、即璋之右側外廓也。省體象形，奇詭如此。」（〈郭店楚簡識字札記〉，其弟子陳高志君〈郭店楚墓竹簡緇衣篇部分文字隸定檢討〉說旨同，二文竝見《張以仁先生壽慶論文集》）。如周先生說，則璋金文或不从玉作章（〈𦳃𣪘〉「𠂤黃賓𦳃章一」即其例），則章是璋之初文，❩爲章之「省體象形」，璋章古音同*ti̯ang。唯本詩「出言有章」，章當訓法度（鄭《箋》），不作半圭解，且《郭簡》本二、四句爲韻，此當缺引一句（第三句）。而陽部章*ti̯ang與眞部信*si̯en古不協，則❩作章可疑。又《毛詩》五句弁首章，孔《正義》：「〈襄十四年〉《左傳》引此二句（敏案：謂行歸、萬民二句。），服虔曰：『逸《詩》也，〈都人士〉首章有之。』《禮記注》亦言『毛氏有之，三家則亡』（敏案：即〈緇衣〉鄭〈注〉。），今《韓詩》實無此首章；時三家列於學官，《毛詩》不得立，故服以爲逸。」〔清〕胡承珙《毛詩後箋》卷二二：「賈誼《新書》〈等齊〉篇引《詩》云『彼都人士，狐裘黃裳，行歸于周，萬民之望。』賈時《毛詩》未行，又所引字亦小異，疑同於三家。然則三家無此首章，或後漢時逸之，亦未必本無也。」〔清〕王先謙《詩三家義集疏》卷二十：「此《詩》毛氏五章，三家皆止四章。……細味全《詩》二、三、四、五章士、女對文，此章單言士並不及女，其詞不類，且首章言『出言有章』，言『行歸于周，萬民所望』，後四章無一語照應，其義亦不類，是明明逸《詩》孤章，毛以首二句相類，強裝篇首。……《左傳》如『翹翹車乘，狐裘蒙茸』本有引逸《詩》之例，《漢書》〈儒林傳〉：『客歌〈驪駒〉，主人歌〈客毋歸〉』，王式謂：聞之於師，是魯家亦本有傳逸《詩》之例。……《毛詩》自有，三家自無。」

案：鄭時三家《詩》猶存，言毛有三家亡（無）；孔時《韓詩》猶存，言韓無，是鄭孔說不可易，胡氏或疑三家未必無此章，失之；王氏定毛有三家無，是也。《左傳》節取此章，賈生亦見此章，證以《郭簡》所節引，則《毛詩》此章固有所本，「強裝篇首」云云，說尚可議。《郭簡》𥝢（利），《說文》〈刀部〉利：「𥝢，古文利。」又〈黍部〉

𥝩（黎）：「从黍，㔿省聲；㔿，古文利。」則𥝩即𥝩（右多一撇）即𥝩（禾形小異），亦均是利。黎从利聲，故黎利義通。利先造而黎後，二字皆無眾、黧黑義，同是借字。殆原作利民，其後《詩》家潤色作萬民（《書》〈周誥〉、《毛詩》他篇、《易》〈傳〉已見萬民辭）。信、望異字，所據《詩》之版本不同故也。

一三　《寺（詩）》員（云）：「皮（彼）求我則，女（如）不我得，執我𢦏（仇、逑）𢦏（仇、逑），亦不我力。」得、執，《上博》本作㝵、埶，字同，寫法異。𢦏𢦏从考聲，《上博》本作𢦴𢦴，从各聲，各、考聲母近，故𢦏、𢦴義通。

《詩》云：「彼求我則，如不我得，執我仇仇，亦我不力。」

引《詩》〈小雅〉〈正月〉。皮，「剝取獸革者謂之皮」（《說文》），此本義，借爲彼我義，皮彼音近故（《說文》彼从皮聲）；皮作彼，亦見金文（〈郘䵼尸鉦〉「皮吉人亯」）《石鼓文》（「烝烝皮淖淵」）。如、女今古字，已見一。𢦏：《郭簡釋文》隸定𢦏，云：「𢦏，从戈考聲，在簡文中借作仇，（《包山楚簡》……有此字。……文中之𢦏讀作考，《廣雅》〈釋詁〉二：考，問也。裘按：此字似不从考，待考。）敏案：仇、考古同在幽部，𢦏借爲仇，亦見二三（「君子好逑」）。此𢦏無問義。黃德寬等〈郭店楚簡文字考釋〉（《吉林大學古籍整理研究所建所十五周年紀念文集》）、顏君世鉉〈郭店楚簡淺釋〉（《張以仁七十壽慶論文集》）均釋作戴，讀音𣏵，仇（逑同）羣母，戴（𣏵音同）精母，且同屬幽部，音近可通。依焉。按棗*tsôg仇（逑）*g'iôg韻母近，得通假。

一四　《寺（詩）》員（云）：「虗（吾）大夫共叡輸，𣏟人不歙。」（《郭簡》〈緇衣〉引）虗、叡、輸，《上博》本作虗、虘、奢，同字異寫。共，《上博》本作龏，已見四。

今本〈緇衣〉篇無引此十二字。

《郭簡釋文》：「以上《詩》句爲逸《詩》。裘按：第一句疑當讀爲『吾大夫恭且儉』。」此逸《詩》新出，昔賢輯本絕未見。虗，《郭簡》《老子》「虗強爲之名曰大」，《釋文》：「虗，从虍聲，讀作吾，在本批簡文中屢見；《信陽楚簡》『虗聞周公』之吾也作此形。」敏案：虗从虍聲，虍吾同魚部，疊韻，通假。共，音義竝同恭，經典通用習見。且，又也（參《經傳釋詞》）；虘，从且聲；叡，从虘聲，則虘叡與且音同（皆古魚部）。此叡借義作又且，金文〈王孫鐘〉「中翰叡揚」，亦見相同用法。儉字从章作輸，它獻未見。輸、歙韻，竝古談部。𣏟，《郭簡釋文》無讀解，徐在國等〈郭店楚簡文字續考〉（打字稿本）：「𣏟，即麻之本字，《說文》：『𣏟，葩之總名。』『麻與𣏟同（敏案：段《說文注》：𣏟、麻古蓋同字。）。』〈緇衣〉『白珪之石，尚可𥖐（磨）也（敏案：見下一八。）。』磨从麻作𣏟；〈成之聞之〉『君衰𢗋而處立』句，裘按：『衰下一字，其下部即麻所从之𣏟，其上部疑是至之省寫，此字似當釋絰，麻絰爲喪服。』……絰从麻，也省作𣏟，〈六德〉『戊（牡）𣏟（麻）實（絰）』麻作𣏟，因此『林人不歛』當即『麻人不斂』，此簡麻當通靡，《呂氏春秋》〈任數〉『西服壽靡』，《山海經》〈大荒西經〉作『壽麻』可證。『麻（靡）人不斂』猶『無人不斂』也。《詩》〈大雅〉〈蕩〉『靡不有初，鮮克有終』、〈邶風〉〈泉水〉『有懷于衛，靡日不思』，均屬其例。」茲從其說。麻林*mwa；靡，从非麻聲*mi̯wa，音近。靡，無也（《詩》〈鄘風〉〈柏舟〉毛《傳》）。《詩》「靡人不X」句例，〈小雅〉〈正月〉「靡人弗勝」《箋》：「無人而不勝」也；〈大雅〉〈雲漢〉「靡人不周」，朱《傳》：「言諸臣無有一人不周（賙）救百姓者」也。《郭簡》〈緇衣〉上文曰：「子曰：『長民者，教之以德，齊之以禮，則民有懽心；教之以政，齊之以刑，則民有[illegible]（今本作遯）心。故慈以愛之，則民有親；信以結之，則民不倍；恭以莅之，則民有遜心。』」（今本大同）緊接下即引此《詩》，《詩》下再引《書》〈呂刑〉文。引〈呂刑〉申明徒以刑政齊民，國不得治；而其上引《詩》旨在證成上文導民以禮義，以恭敬臨民，民乃遜謙，《詩》云「吾大夫恭且儉，靡人不斂」正是重申上文之意。淺儒蓋見此《詩》傳本（如《毛詩》系之先秦本）無有，又不甚了解《詩》誼，於是刪黜之，當準《郭簡》補入此十二字。

一五　《寺（詩）》員（云）：「誓（慎）尒（尔、爾）出話，敬尒（尔、爾）愄（威）義（儀）。」《上博》本殘失前六字，餘敬尒愄義作敬尒威義，愄、威音義同。

《詩》云：「愼爾出話，敬爾威儀。」

引《詩》出〈大雅〉〈抑〉。誓，謹也（《爾雅》〈釋言〉）；慎，謹也（《說文》）。二字同義，《郭簡》本異文。下一六亦見，《郭簡》《老子》慎亦作誓。兩尒字竝同爾，已見四。畏，惡也（《說文》），申之有威厲義；孳加心為愄，心生畏懼，則威厲義尤著。威（《說文》：姑也）借為畏（二字音同），經典畏、威通用習見（《尚書》尤偏具）。愄義（儀）視威儀尤近本義；愄義，亦見二四。義為儀度字，已詳三、五。愄，它文獻未見。

一六　《寺（詩）》員（云）：「吊（晢?淑）誓（慎）尒（尓、爾）止，不侃（諐）于義（儀）。」《上博》本殘失于義二字，餘全同。

《詩》云：「淑慎爾止，不諐于儀。」

引《詩》亦出〈大雅〉〈抑〉。弔，金文家多釋為叔，叔加口作淑善義（說已見五），它獻未見。誓為慎，方見一五。尒同爾，已見四。諐：《毛詩》作愆。愆，《說文》：「過也，从心衍聲。寒，或从寒省。諐，籀文。」〔清〕陳喬樅《齊詩遺說攷》卷九：「諐，……元應《眾經音義》云：愆古文寒、遃二形，籀文作諐，今作愆，同。」余培林先生《羣經引詩考》：「諐愆為古今字。……《一切經音義》曰：古文寒愆二形，籀文作諐，今作愆，同。《詩》〈氓〉『匪我愆期』，《釋文》曰：愆字又作諐。《詩》〈蕩〉『既愆爾止』，《釋文》曰：愆本又作諐。《漢書》〈蕭望之傳〉《注》：諐古愆字。皆其證也。」則古文《毛詩》作愆，先秦典籍（《禮記》）作侃或諐，《齊詩》（《魯》《韓》或同）從《禮記》作侃諐。《詩經》字當是初作侃，演爲諐，諐从侃聲。亦演爲⿺辶侃，自亦从侃聲。侃*k'ân愆*k'ian古音近。儀，古作義，已見三。

一七　《寺（詩）》員（云）：「穆穆文王，於偮（緝）⿺辶𦣞（熙）敬止。」《上博》本幾，讀兩音，等於偮⿺辶𦣞；義，疑爲敬訛；止、之音近，通爲句末語詞。（黃人二文）

〈大雅〉曰：「穆穆文王，於緝熙敬止。」

引《詩》〈大雅〉〈文王〉。偮字，先秦至唐其它典籍未見，《集韻》「人眾皃」，非此《詩》義，置勿論。《郭簡釋文》隸定作偮，又引裘按：「『於』下一字似非从人，《說文》有咠字，疑即由此字訛變而成。」《說文》〈十部〉「咠」，許君訓和集，非此《詩》義。⿺辶𦣞：其它典籍未見，熙从巸聲，巸⿺辶𦣞亦均从𦣞聲，熙巸⿺辶𦣞𦣞同韻（之部）。緝熙，光明也（《詩毛傳》），偮⿺辶𦣞，借字。

一八　〈大虽（雅）〉員（云）：「白珪之石，尚可⿱林⿱石日（磨）也，此言之玷，不可爲也。」

《上博》本砧省作石；⿱林⿱石日作⿱石林，異寫，義符上、下通作。《上博》刪省兩虛字也，磨、爲蓋協韻。

《詩》云：「白圭之砧，尚可磨也，斯言之玷，不可爲也。」

虽，《郭簡釋文》：「虽，即夏之簡體，讀爲雅。湖南省文物考古研究所張春龍同志以

《慈利楚簡》與古書對勘，發現虽常釋夏，並謂即《楚簡》夏字作顕一體之省寫。其說可從。」參看上六、七兩顋字。夏雅皆古魚部。屈師翼鵬《詩經釋義》〈敘論〉：「雅和夏古音相近，往往通用，《荀子》〈榮辱〉篇『越人安越，楚人安楚，君子安雅』，又〈儒效〉篇『居楚而楚，居越而越，居夏而夏』，把這兩段話對照來看，可知雅就是夏。《墨子》〈天志下〉引〈大雅〉〈皇矣〉篇……六句，謂之大夏，更是顯明的證據。」今證以古本，師說確切不可易。引《詩》亦出〈大雅〉〈抑〉。珪，《毛詩》亦作圭，金文有圭無珪；珪，《說文》「圭」下曰：「珪，古文圭从玉。」《說文》云古文，孔壁古文也。砧，《說文》引《詩》作刮，砧刮皆訓缺；作砧，它本未見。《郭簡釋文》：「砶，从石从麻省，即磨字。」（參看一四𣏟字解說）麻*mwa磨*mwâ音近通假。它獻未見砶字。

一九　〈少（小）顋（雅）〉員（云）：「皛（允）也君子，𡐦（厕）也大成。」《上博》〈小雅〉曰：「允也君子，展也大成。」

本顋作虽，同字異寫；𡐦作㙍，不解，待考。

引《詩》〈小雅〉〈車攻〉。〈小雅〉作〈少顋〉，已詳七。皛，《郭簡釋文》：从㠯聲，讀作允，允亦从㠯聲，是皛允二字音近通假。參詳下二六。《郭簡釋文》：「簡文从厂从土从則省，讀作則，《爾雅》〈釋詁〉：則，法也。……裘按：……也上一字似當釋廛，廛展音近可通。」二說皆多扞格不通處。《毛詩》允展，《箋》：「允，信；展，誠也。」是《郭簡》本也上一字當爲訓誡之字，而則塵俱無此義，且塵形又不甚似壓。

二〇 《寺（詩）》員（云）：「叴（晢?淑）人君子，其義（儀）弌（一）也。」《上博》本殘失寺員叴三字；弌作一，同字，古今字。

《詩》云：「淑人君子，其儀一也。」

引《詩》亦〈曹風〉〈鳲鳩〉。淑作叴、儀作義，已見五。弌，《說文》一之古文，古文出孔壁。《郭簡》〈窮達以時〉「悳行弌也」，一同作弌。

二一 《寺（詩）》員（云）：「備（服）之亡（無）懌。」《上博》本懌作臭，懌、臭同字，均音亦。

〈葛覃〉曰：「服之無射。」

引《詩》〈葛覃〉屬〈國風〉〈周南〉。備、服聲母古近，讀備爲服。《郭簡》〈成之聞之〉「身備善以先之」備善，服善也，亦讀備爲服。亡音義竝同無，經典習見，亦見下四二。射、懌竝音亦，均借爲厭義。懌（射）《毛詩》作斁，斁音亦同，毛《傳》：「斁，厭也。」

二二 《寺（詩）》員（云）：「人之好我，旨我周行。」 旨，《上博》本从見作䚷；音同，義均爲示。

《詩》云：「人之好我，示我周行。」

引《詩》〈小雅〉〈鹿鳴〉。《郭簡釋文》：「旨，似讀作指。《爾雅》〈釋言〉：指，示也。」旨指音同，與示古音同部，三字通用。

二三 《寺（詩）》員（云）：「君子好敎（仇、逑）。」 《上博》本敎作戟，讀仇（黃人二文）。

《詩》云：「君子好仇。」

引《詩》〈國風〉〈周南〉〈關雎〉。仇作敎，已見一三。

二四 《寺（詩）》員（云）：「倗（朋）友卣（攸）嬰（攝），嬰（攝）以悞（威）義（儀）。」《上博》本倗作堋，均从朋聲，通用；友从甘作舂，音義同；嬰作囡，《說文》：「囡，下取物縮藏之。从口从又，讀若聶。」段注：「謂攝取也。」是囡同嬰；悞作威，已見一五。

《詩》云：「朋友攸攝，攝以威儀。」

引《詩》〈大雅〉〈既醉〉。朋，朋貝之朋正字。倗，《說文》：「輔也，从人朋聲。」乃朋友之倗正字。堋，从土朋聲，與此《郭簡》从人之倗同字。倗，从人堋（堋）聲，即朋友之朋。倗堋堋倗皆从朋得聲，通用。《說文》堋下引〈虞書〉曰「堋淫于家」，今《尚書》〈虞書〉〈皋陶謨〉堋作朋，許君引《古文尚書》文，則从倗之朋近孔壁古文。逌，經典及彝銘常作語辭用，逌从卣聲，卣逌攸同音*diǒg，攸卣皆語辭。嬰，《郭簡釋文》引裘按：「聑字从聑聲，聑攝古音相近。」聑攝同葉部，則攝聑古音誠近。威作愄、儀作義，已詳一五。

二五 《寺（詩）》員（云）：「我龜既猒（厭），不我告猷。」 《上博》本員上殘失一詩字，餘全同。

《詩》云：「我龜既厭，不我告猶。」

引《詩》〈小雅〉〈小旻〉。猒，飽足也（《說文》），申爲厭倦義；厭，笮也、合也，从猒聲（《說文》），借爲猒足字，猒厭古今字。金文有猒無厭，〈毛公鼎〉「皇天弘猒氒德」等均是。猷猶同形（犬或左或右，古不分），金文謀猷之猷多作猷間作猶，經典亦猷猶同義錯出。後世多以玃解屬猶（《說文》），而猷則釋謀（《爾雅》）。則無論古今，作謀猷爲正，《詩》毛《傳》：「猶，道也。」猶，本經當作猷。

二六 〈尹[illegible]〉員（云）：「隹（惟）尹（伊）躳（躬？）及湯，咸又（有）一悳（德）。」

《上博》本湯作康，康或唐誤，成湯一名成唐，彝銘有見。

〈尹吉〉曰：「惟尹躬及湯，咸有壹德。」

引《尚書》〈商書〉〈咸有一德篇〉。員同云，已詳三。云、曰同義通用。〈咸有一德〉篇，《尚書》逸篇也，漢世猶完存（出諸孔壁），後乃亡；《書序》：「伊尹作〈咸有一德〉。」[illegible]，从言从[illegible]，後改[illegible]爲[illegible]，上告下、下告上皆得作誥（說已詳九）。是篇伊尹告戒帝太甲，故《禮》〈緇衣〉題〈尹告〉（吉，告之誤，誥、告通，說即見下。）；本經有「咸有壹德」，故《書序》題篇〈咸有一德〉。凡篇名，及惟作隹、躬作船、有作又、壹作一、德作悳等事，考索具如下：《禮記》〈緇衣〉：「〈尹吉〉曰：惟尹躬及湯，咸有壹德。」鄭《注》：「吉當爲告，告、古文誥，字之誤也。〈尹告〉，伊尹之誥也；《書序》以爲〈咸有壹德〉。」〈緇衣〉又曰：「〈尹吉〉曰：惟尹躬天見于西邑夏，自周有終，相亦惟終。」鄭《注》又曰：「〈尹吉〉亦〈尹告〉也。」今本作吉，乃告之誤。〔清〕俞樾《禮記鄭讀考》：「《周禮》〈大宗伯〉『以吉禮事邦國之鬼神示』《注》曰：『故書吉或爲告。』又《尚書》〈呂刑〉篇『度作刑以詰四方』，《漢書》〈刑法志〉作『度時作刑以誥四方』，此告與吉形近相混之證。」周桂鈿〈郭店楚簡緇衣校讀札記〉（《中國哲學》第二〇輯，一九九九年一月）：「……篇名應寫爲〈尹誥〉，後來可能篇名遺失，就從中找出一句作爲篇名；眞正的〈咸有一德〉篇遺失，把〈尹誥〉當作〈咸有一德〉、安上篇名留下來。因此，此篇名可能張冠李戴，而篇中內容，卻可能基本保存了戰國時代的內容。」案：《尚書》篇名，必至秦漢之際乃漸固定，故〈堯典〉篇《孟子》引同，而《禮記》引作〈帝典〉；〈甘誓〉篇《墨子》引作〈禹誓〉，……《書序》作者見本篇經文有「咸有壹德」云云，因定其篇名曰〈咸有一德〉，孔壁古文同，《史記》、鄭玄依焉，而《禮記》〈緇衣〉作者見此篇伊尹誥太甲，因題篇名〈尹誥〉，《郭簡》亦如此。〈尹誥〉篇名從未摩滅，〈咸有壹德〉至漢猶存全，《禮記》〈緇衣〉兩引〈尹誥〉文，即〈咸有壹德〉文也。周君說未是。隹、惟古今字，語詞惟，甲骨金文習作隹，二七、三〇亦見惟作隹例，隹惟古音同部。〈尹告〉之尹，鄭《注》孔《疏》均釋爲伊尹之名（下文尹躬之尹釋同），《郭簡釋文》則解尹作伊，於躳方解作尹，以尹躳解作伊尹，而今本躬是躳之形誤云：「躳，簡文从身㠯聲，今本作躬。簡文中多次出現躳字，一般讀作躬，與躳形、聲均不相同，今本躬應爲躳之誤。躳讀作尹，㠯屬之部，尹屬文部，音近可通假。最明顯的例子如允字，从㠯聲，屬文部。簡文的尹躳當讀作伊尹，全句貫通。」之、文二部主元音均是ə（惟韻尾距離少遠），口讀諒非太嚴，宜可通假。故茲從之。裘錫圭則曰：「『尹』下一字可能是『允』之繁文。《長沙楚帛書》有此字，舊釋夋，夋从允聲。『惟尹允及湯咸有一德』，於義可通，似不必讀『惟』下二字爲『伊尹』。《僞古文尚書》『尹』字下一字作『躬』也可能是訛字。後三六號簡亦有此字，今本正作允。」「允及」費解。有作又，已詳九、一二。壹、一音義古今一致。悳：《說文》：「悳，外得於人，內得於己也，从直从心，𢛳（亦上直下心），古文。」此道德本字。金文亦有从直从心之悳，義爲道德（參《詁林》）。悳，孳乳爲德，《說文》：「德，升也，从彳悳聲。」則悳初字，德後造字，惟金文已頗用从彳之德表示道德意義（寫作𢛳）。

二七 〈君𦥑（牙）〉員（云）：「日傛雨，少（小）民隹（惟）日悁（怨）；晉冬旨（耆）

滄，少（小）民亦隹（惟）曰情（怨）。」　俗、俱（《上博》本），黃人二均釋作暑。兩情，《上博》本均作命（或作令，同命）。冬，《上博》本从日作㫡，字同。旨《上博》本作者，音近義一。滄，《上博》本寒，義近。下二日字，《上博》本俱作曰，從《郭簡》作曰是。

〈君雅〉曰：「夏日暑雨，小民惟曰怨；資冬祁寒，小民亦惟曰怨。」

引《尚書》〈周書〉〈君牙篇〉，〈君牙〉篇原典今佚。䛦，《說文》〈牙部〉：「牙，牡齒也，象上下相錯之形。……𤘗，古文牙。」段《注》：「（古文牙）从齒而象其形也；𠚕，古文齒。」是《尚書》篇名古文本作〈君䛦〉，後傳寫改為牙，《書序》作〈君牙〉，《偽古文尚書》從《書序》篇名作〈君牙〉。今本〈緇衣〉改牙或改䛦為雅，雅借為牙，古音同故也，鄭玄《禮注》：「雅，《書序》作牙，假借字也。」《經典釋文》：「〈君牙〉或作〈君雅〉。」俞樾《禮記漢讀考》：「……《呂氏春秋》〈本味篇〉『伯牙』，《注》亦云或作雅。」周君桂鈿曰：「篇名應為〈君牙〉，《禮記》作〈君雅〉，不妥。」不妥之故，未及說。《郭簡》無夏字。暑雨，作俗雨，《郭簡釋文》：「俗，簡文左旁與《汗簡》容字作[illegible]者形同。俗，讀作溶，《說文》：「溶，水盛貌。溶雨，雨盛。」俗，《說文》：「不安也，从人容聲。」《繫傳》：「俗，動也，與溶同義。」《說文》段《注》：「（俗）與水波溶溶意義略同，皆動盪皃也。」是俗溶音同通借，二字申義皆有水盛義。暑（熱也）雨，熱雨也，不如㝊雨義勝。意者「日㝊雨」，今本〈緇衣〉作者改字整齊爲「夏日暑雨」，而《僞古文尚書》作「夏暑雨」，襲之。黃德寬等〈郭店楚簡文字考釋〉：「[glyph]，此字右部所从[glyph]，絕非容字。[glyph]，亦見於信陽簡[glyph]字中，舊多誤釋，李家浩先生改釋爲『几』（〈包山二六六號簡所記木器研究〉，《國學研究》第二卷，北京大學出版社，一九九四年版），甚確。如此，此字當分析爲从尸从几，隸作凥，釋爲處。《楚簡》楚字習見，或作[glyph]、[glyph]（《簡帛編》頁一〇〇七），并从尸从几。古音處屬昌紐魚部，暑屬書紐魚部，故處字可讀爲暑。〈緇〉九『日處雨』而今本正作『日暑雨』。由此亦可反證李家浩先生釋[glyph]爲几是正確的。」案：諦此簡書，似从人从容之㝊，形遠於从尸从几之凥，且暑雨（熱雨）不如㝊（讀溶）雨相對祁寒義洽。兩小字，《郭簡》同作少。小，《說文》：「物之微也。」少，《說文》：「不多也，从小。」二字義近。小*sicg少*śicg音近，參上七、一九。音義竝近，故通。金文「小子、小臣」習見，間亦作「少子、少臣」。兩惟字，《郭簡》皆作隹，已詳上二六。此及下兩日字，今本都作曰。曰怨，出怨言；日怨，日日怨，作日義長。《僞古文尚書》〈君牙〉篇引兩日字，古本均作曰（阮元《校勘記》），所據本作日不誤。兩怨字，《郭簡》皆作悁，《郭簡釋文》：「悁，裘按：此字應從今本釋作怨，字形待考。此字又見二二號簡，今本亦作怨。」黃德寬等曰：「〈緇〉一〇有字作[glyph]，又見於〈緇〉二二作[glyph]，原書隸作『悁』。

此字應該分析爲从心肙聲，釋爲悁。□乃楚文字之肙，〈緇〉四六『我龜既猒（厭）』，猒从肙作□可證。悁讀爲怨。悁、怨古音同屬影紐元部，故悁字可借爲怨。《包山簡》一三八反有字作□，《簡帛編》隸作悁（頁八〇三），……此字亦應釋爲悁，讀爲怨。簡文『又悁不可誁』即有怨不可證。」從釋。資冬祁寒句，鄭《注》：「資當爲至，齊魯之語，聲之誤也。祁之言是也，齊西偏之語也。」孔《正義》：「至於冬日，是大寒之時。」《禮記鄭讀考》：「資、至聲近，祈（祁）從示聲，與示亦聲近，此皆聲之誤耳。鄭以爲齊魯語，蓋鄭君親驗當時語言如此。」三家均謂資爲至誤字，祁借爲是非之是（孔亦釋祁爲大，詳下。）。《郭簡釋文》：「晉，簡文从臸省。《汗簡》晉字與簡文形同。《說文》：晉，進也。滄，訓爲寒。此句今本作『資冬祁寒』，鄭《注》：『資當爲至。』裘按：簡文旨讀爲耆，耆、祁音同可通。祁寒猶言極寒、嚴寒。」資至，古同脂部，聲母（*ts-*t-）亦近，及漢代，聲韻未變，鄭君度上下文義，據當時齊魯學者讀音，斷資爲至誤，得之。臸，从二至，音義同至，而晉从二至，義爲進也，亦從至臸衍申，《郭簡》晉作□，而甲文作□，金文作□，□，《郭簡釋文》云簡文从臸省者，謂二「至」部分省略筆畫。金文或作□，則竟同《郭簡》。晉、至也，正合鄭君「晉冬」爲「至冬」義，古本可貴，惜鄭未及見。上「滄雨」滄，形況詞，對下「祁寒」祁，自亦形況詞，鄭讀祁爲是，則不洽。耆旨同脂部音近，《說文》耆从旨聲。旨借爲耆，祁*gied耆gied音同，耆又借爲祁，祁、大也（《詩》

〈小雅〉〈吉日〉毛《傳》），大寒對淫雨。裘說是也。

二八 〈郘（呂）型（刑）〉員（云）：「一人又（有）慶，噧（萬）民贎（賴）之。」

郘、慶、贎，《上博》本作呂，音同，作爲《書》篇名，字異，即詳下；作慮，同慶；作訙，音近可通。

〈甫刑〉曰：「一人有慶，兆民賴之。」

引《尚書》〈周書〉〈呂刑〉篇。郘，字見金文（如〈郘鐘〉），金文亦作呂（習見），與書本文獻經典合。作呂得正。《郭簡》〈窮達以時〉有「郘望」，字亦當正作「呂望」。先秦經典引〈呂刑〉稱篇亦作〈甫刑〉，呂甫音近，傳寫異字，當正作〈呂刑〉（詳參拙著〈尚書呂刑篇之著成〉，《清華學報》新十五卷一、二期合刊，民國七十二年十二月，下拙見多詳此文）。下三〇、三二兩引此篇名則均作〈呂型〉，呂得之。刑，《說文》：「罰辠也，从井人从刀。」此刑罰本字，當隸寫作荆，金文亦从井不从开，今多俗定作刑。从土之型（《說文》：鑄器之法也。），晚作字，音同刑，《郭簡》借爲刑，金文有刑無型。下三〇、三二兩引此篇名作〈呂型〉，皆用借字。有作又，已見九、一二、二六。《左》〈襄十三年傳〉、《孝經》〈天子〉章、《荀子》〈君子〉篇引均同作兆，《大戴禮》〈保傅〉篇引（《淮南子》〈主術〉篇、《漢書》〈刑法志〉、《後漢書》〈安帝紀〉、張衡〈東巡誥〉述引同）則均作萬民。按作數目義之兆，金文無有，早期著成之書本文獻《易》、《詩》二經未見兆字。萬作數目，金文極多（如萬年），《尚書》「萬民」三見（〈盤庚〉一、〈無逸〉二），兆民僅見本〈呂刑〉。疑《郭簡》引〈呂刑〉作⿰土萬（萬）民是，僞孔本及〈緇衣〉引〈呂刑〉作兆民，兆是後人妄改。《郭簡》萬从土作⿰土萬，金文（〈邾公牼鐘〉、〈邾公力鐘〉）亦有見。《郭簡》〈太乙生水〉「萬物」之萬亦从土作⿰土萬。贎，字不見金文、先秦書本文獻及兩漢其它文獻，《說文》有，〈貝部〉：「貨也，从貝萬聲。」《繫傳》：「臣鍇曰：人所賴也，魯械反。」萬無魯械反音，當作从厲省聲（《集韻》：贎，貨也，或省）。厲賴古音同祭部，聲母均*l-，故从厲之字可借爲賴。《郭簡》多獨存先秦古字，眞可貴也。

二九　〈君迪（陳）〉員（云）：「未見聖，如其弗克見；我既見，我弗迪聖。」　迪、聖、其、迪、聖，《上博》本迪作紳，均从申聲，作《書》篇名；兩耶，均兩聖之簡字；其作其其（丌丌），殆衍一字；迪作貴，殆冑之誤，迪、冑俱从由，宜通。

〈君陳〉曰：「未見聖，若己弗克見；既見聖，亦不克由聖。」

引《尚書》〈周書〉〈君陳〉篇，〈君陳〉篇原典今佚。篇名作〈君迪〉，亦見下三四。陳，《說文》：「从𨸏从木申聲，𨸏古文陳。」段《注》：「古文从申不从木。」迪，《石鼓文》、《古鉢》（見《正字通》）均有从辵从申之迪。迪陳同音（古眞部）。迪，甲金文未之見，《郭簡》竟有，近古可珍。甲金文均無「如」（《石鼓文》、《秦詛文》

乃有），如、若音近（魚部），作「似像」解，竝是借義。其，稱代詞，可稱自我，義同己，其己同之部舌根音，通假。弗不音近義同，經典習互用。迪，甲金文竝無，从辵由聲（《說文》），由，《說文》〈新附〉字乃有，迪*d'iok借爲由*diǒg，由、用也（〈緇衣〉鄭《注》、《僞古文尚書》〈君陳〉《傳》）。《郭簡》本筆率近口語，今本更加錘鍊，詞文整飭。疑今本改字（刪兩我字聖字，潤色弗迪爲亦不克由，期令文意淺明）。

三〇 〈呂型（刑）〉員（云）：「非甬（用）臸，折（制）以型（刑），隹（惟）乍（作）五瘧（虐）之型（刑）曰法。」　「非甬」上，《上博》本有䏊（苗）民，今本亦有苗民，《郭簡》本當補此二字。臸、乍、瘧、法、臸，《上博》本作霝（靈），善也，臸訓至善，義同靈，靈又同令，令亦善義（說即詳下）；乍，作，作复，字同；瘧，作虗，義殆同；法，作金，金，古文法字（見《說文》）。

〈甫刑〉曰：「苗民匪用命，制以刑，惟作五虐之刑曰法。」

引亦《尚書》〈周書〉〈呂刑〉篇。三刑字皆作型，已詳二八。〈呂刑〉本經上文方說苗君蚩尤作亂，其民化其惡而弗用靈，故制刑以懲之，是「苗民」二字不可缺。匪，本經作弗，《郭簡》引作非，《墨子》〈尚同中〉引作否，匪弗否非，音近，義同爲不，古獻習見。用作甬，《郭簡》《老子》亦見（甬用兵）。用甬本爲一字，用是初文，甬是分別字，于省吾曰：「……用字初文本象日常用器的桶形，因而引申爲施用之用，用甬本是一字。……周代金文甬字作「甬」，上端加半圓形以區別于用，是後起的分別字。但〈江小仲鼎〉的『自作甬器』、〈曾姬無卹壺〉的『後嗣甬之』，仍以甬爲用。……周代金文由用字分化出甬字……。秦漢以來，用甬並行，後世遂不知用與甬之初文本是一字。（《甲骨文字釋林》〈釋用〉，自《金文詁林補》頁一一〇九轉錄）用甬古義既同，古音且無殊。至，極也，極善極美之意（作名詞），《周禮》〈地官〉〈師氏〉「以三德教國子，一曰至德」，鄭《注》：「至德，中和之德。」《荀子》〈正論〉「夫曰堯舜擅讓，……陋者之說也；不知逆順之理、小大至不至之變者也」，楊《注》：「至不至，猶言當不當也。」中和、當，皆言美善。䢀，《郭簡釋文》：「䢀，此處不知用爲何義。」案䢀从二至（《說文》），義同至而益大，是爲至善至美。非甬䢀，即弗用靈（行善也：《僞孔傳》）也，亦即匪用命（令之訛字。）。令靈䢀皆善也，《墨子》靈引作練，練亦訓善，〔清〕錢大昕《十駕齋養新錄》：「靈練聲相近，……命當是令之譌，令與靈古多通用，令靈皆有善義。」（顏君世鉉亦釋䢀爲善，論證過程不同）段玉裁《古文尙書撰異》：「靈作練者，雙聲也；依《墨子》上下文觀之，練亦訓善，與孔正同。〈緇衣〉作命者，古靈令通用（敏案：二字同*lieng）皆訓善；令之爲命，字之岐（歧）變也。」制作折，《墨子》引亦作折，義爲裁斷，折制音近（均祭部），《古論語》「片言可以折獄」作折，金文折字多而制極少。疑〈呂刑〉「折」字是古本，如《郭簡》及《墨子》所引亦是；作「制」後改本也。惟作隹，數說已詳上文。虐，殘也（《說文》），金文及《說文》古文均有字，瘧从虐聲，寒熱休作也，金文無此字。虐與瘧同音，《郭簡》瘧借爲虐。

三一 〈康𢍰（誥）〉員（云）：「敬明乃罰。」 《上博》本全同。

〈康誥〉曰：「敬明乃罰。」

引《尚書》〈周書〉〈康誥〉篇。誥作𢍰，已詳九、二六。《郭簡》〈成之聞之〉亦引「〈康誥〉曰」一條，誥亦作𢍰。

三二 〈呂型（刑）〉員（云）：「翻（播）型（刑）之迪。」 《上博》本翻作釆，翻之古文；迪作由，省形。〈甫刑〉曰：「播刑之不迪。」

引《尚書》〈周書〉〈呂刑〉篇。〈甫刑〉與〈呂刑〉之異，說已詳二八。《郭簡釋文》：「翻从番聲，讀作播。」甲金文及早期書本文獻（如《易》、《書》、《詩》）均無翻字，翻字後起，《說文》：「翻，飛也，从羽番聲。」翻借爲播；播，布也，从番聲，播翻均从番聲，古音宜近。今本引迪上有不字，周君桂鈿比較今本、簡本及《尚書》〈呂刑〉云：「今本不字是衍文。」更無考徵。案：不字的是衍文，鄭《注》：「不，衍字耳。」孔《疏》：「不，爲衍字。」《郭簡》同〈呂刑〉本經無不字，古本可珍如此。清人（未及見《郭簡》），多家討論此不字之有無，累數百千言，說另詳拙著〈尚書呂刑篇義證〉。《郭簡釋文》：「今本作『播刑之不迪』，《尚書》〈康誥〉作『布刑之迪』。」案《尚書》〈康誥〉無此文，《尚書》亦無此文，係誤引。

三三 〈君奭〉員（云）：「昔才（在）上帝，戩（割）紳（申）觀文王悳（德），其集大命于氒（厥）身。」《上博》本殘失「昔才」至「悳，其」十一字，氒，《上博》本省作氏。

〈君奭〉曰：「昔在上帝，周田觀文王之德，其集大命于厥躬。」

引《尚書》〈周書〉〈君奭〉篇，《郭簡》〈成之聞之〉篇亦引「君奭曰」（兩見）。在，《說文》：「存也，从土才聲。」存在之在，甲文槩作才（才）不从土，金文亦絕多借才爲在（才在同音*dzə̌g），惟亦偶作从土之在（如〈盂鼎〉「在珷王嗣玟作邦」、〈杕氏壺〉「纂在我車」），但書本文獻借才爲在例未之見。《郭簡》引經在作才，所見古本固如此，後人（〈君奭〉本經傳寫者及〈緇衣〉作者）改古从今。「周田」句爭議多，需先置集各本異文於一所，用便察比：

割申勸寧王之德（今本《尚書》〈君奭〉篇本經）

厥亂勸寧王之德（漢代《今文尚書》博士讀《尚書》〈君奭〉篇本經「割申」爲「厥亂」）餘字如

戩紳觀文王悳（《郭簡》〈緇衣〉引《尚書》〈君奭〉篇）

周田觀文王之德（今本《禮記》〈緇衣〉引《尚書》〈君奭〉篇）

敏案：割*kât、厥*kiwăt上古同在祭部，音近得通假。亂，古文作□，敦煌本《尚書》作□，內野本《尚書》作□，而率，金文作□、小篆作率；亂、率形似易淆。率*swət微部，申*śien眞部，先秦雖不可通假，但吾人可於漢人口音求解。若漢博士口讀果爲當時音，則割、厥皆屬漢韻祭部，一如先秦，可通無變。先秦眞部、文部，至兩漢合爲眞部，則申、先秦兩漢皆在眞部。先秦脂部、微部，至兩漢合爲脂部，則率、先秦原在微部，兩漢則屬脂部。先秦脂部與眞部可陰陽對轉，微部與文部可陰陽對轉，但當時申在眞部、率在微部，故不得對轉；至兩漢，先秦之脂、微兩部合爲脂部，而先秦之眞、文兩部合爲眞部，則此時在脂部之「率」自得與在眞部之「申」通假矣。借「厥率」爲「割申」訓「其用」（用，以也，所以也），斯博士之說而鄭玄注《禮》述之者也。

《郭簡》〈緇衣〉割作戠，《郭簡釋文》：「戠，从戈害聲，讀作割。」割，从刀割聲（《說文》），刀戈均爲義符，兵器足爲害，則割戠同字，唯其它文獻未見戠字。割（戠），初文或作害不从刀（或亦不从戈）借爲「曷」義（《郭簡》〈成之聞之〉「〈君奭〉曰『唯冒不單爯悳』害?」）。害*γâd曷*γât音近義通。害，今本誤作周，形近故，如〈師害毁〉害一作□；周，〈善鼎〉作□，〈毛公鼎〉作□，二者形尤近，易相混也。申，重也（《尚書僞孔傳》），《郭簡》本紳，大帶也（《說文》），从申聲，借爲申。田爲申之誤：田金文作田（〈舀鼎〉）、田（〈作且乙簋〉），申亦偶有作申（〈兄癸卣〉，〔宋〕王俅《嘯堂集古錄》卷上）者。則申壞字得訛爲田。二字篆隸形近，更勿論矣。勸觀異字者，夫甲骨文有雚（□）無从見之觀，依卜辭上下文，知彼雚爲觀（察）義。金文从見之觀才一見（〈中山王譽壺〉：「明□之于壺而峕時觀焉。」），當是戰國時器銘。雚字則四見，如〈效卣〉：「王□于嘗。」此「雚」，專家多釋爲「觀」。夫殷甲周金文雖竝未見有从力之勸，或雚作勖勉義者，但《尚書》西周著成之〈盤、誥〉篇勸字凡十一見，其中九字是勉義，則《尚書》「觀察」觀、「勸勉」勸，西周初葉未經改寫之器物文獻義有別而字無殊，只作一「雚」字，後（大概東周以來）「雚」凡有「勉」義者旁加「力」、凡有「察」義者旁加「見」。〈大誥〉「民養其勸弗救」及此「割申勸」勸，皆當於「雚」旁加「見」作觀；但以誤識爲「勉」義，故竟加「力」造成譌字勸。《呂覽》「雚水」雚，乃初文，《山海經》加「見」作成「觀」，《太平御覽》卷九三九引《呂覽》作成「灌」——則加「水」之版本也。是觀誤爲勸，因誤加偏旁，非篆隸以下之觀、勸形近致譌也。寧王之寧爲文王之文誤，寧當作文，文王，周姬昌是也。考寍，甲文作□、金文作□、古文作□；亦寫爲寧，甲文作□、金文作□，皆从心；而文，亦有寫爲从心者，甲文作□、金文作□。於是从心之文遂誤識爲从心之寧：〔清〕吳大澂《字說》〈文字說〉、孫詒讓《尚書駢枝》、方濬益《綴遺齋彝器攷釋》均有說。余曩撰〈《尚書》寧王寧武寧考前寧人寧人前文人解之衍成及其史的觀察〉（中央研究院《中國文哲研究集刊》一、二兩期，民國八十年三月、八十一年三月）、〈《尚書》〈君奭〉篇「在昔上帝割申勸寧王之德其集大命于厥躬」新證〉（《臺大中文學報》三期，民國七十八年十二月）多方考證，證成其說，爾時《郭簡》尚未出土，今得《郭簡》「寧王」果作「文王」端正無舛。德作悳，已詳九、二六。德上「之」字有無，余舊作論此曰：阮元《禮記校勘記》：「今博士讀爲『厥亂勸寧王之德』，閩、監、毛本、岳本、嘉靖本同；段玉裁校云：『宋監本無「之」字。』」段氏《古文尚書撰異》：「厥亂勸寧王之德，傳是樓所藏宋本《禮記》——岳珂所謂舊監本也——作『厥亂勸寧王德』，無『之』字。」案：今古文各本《尚書》此句皆有「之」字（唯敦煌本《尚書》伯字二七四八脫「之」字），漢博士所據本亦當有「之」字，舊監鄭注《禮記》本脫字。今得《郭簡》，更加思索，深疑《尚書》〈君奭〉本經及《禮記》〈緇衣〉善本原均無「之」字，宋監本《禮記》引、《尚書》本經敦煌本均合《郭簡》是，各本「之」字後增。

厥作氒：甲金文皆無厥字，厥字槩作氒（[glyph]），《說文》：「氒，木本，从氏大於末，讀若厥。」厥氒音近，都借爲「其」字，金文氒作領位之「其」字極多，經典則用

「厥」字，此「厥躳」，「其身」也。躳（重文躳），身也；身，躳也（均《說文》），身躳義同，故《尚書僞孔傳》《疏》及《禮記注》皆解躳爲身。甲金文皆無躳（或躳）字（僅《古鉥》有躳字），凡「厥躳」皆作「氒身」（或作其）。因疑此簡本「身」字爲初原，而一切作躳之版本，皆後改。

三四　〈君迪（陳）〉員（云）：「出內（入）自尒（尔、爾）帀（師）于（虞），庶言同。」《上博》本于作雩，音同，均借爲虞。

〈君陳〉曰：「出入自爾師虞，庶言同。」

引《尚書》〈周書〉〈君陳〉篇，〈君陳〉篇原典今佚。入，甲金文俱作人，《說文》：「入，內也。」又：「內，入也。」入、內互訓古通用，《說文句讀》：「《釋名》：入，納也。《尚書》『內于大麓』，《列女傳》引內作入。」甲金文俱有內（內）無納，从糸之納即以內爲之，如〈師虎簋〉「井伯內（納）右師虎即位」是。入*n'iəp內*nwə̌b納*nə̌p音近義同。今本〈緇衣〉引此兩句，鄭《注》：「……言出內政教，當由女眾之所謀度，眾言同乃行之。」似鄭所據《禮記》本入作內，不然則鄭注經改字；《僞孔傳》釋「出入政教」爲「出納之事」，陰襲鄭也。出，宣出、內，言採納眾意也。作入，則義恐失精準，從《郭簡》本作內是。爾作尒，已詳四。帀，《說文》：「匊也，从反㞢而帀也。」帀爲周帀（子荅切）字。金文師眾師父之師作師（極多），第亦頗作帀，如「大司馬邵陽敗晉帀[師]于襄陵之歲」、「咸陽工帀田」。帀，孳乳爲師；帀師古音非近。先秦書本文獻未見師作帀例，《郭簡》引經竟有，且亦見〈成之聞之〉篇「允帀淒悳」，與金文合，今書本文獻後人改字。虞，度也（《爾雅》〈釋言〉、《禮記》鄭注），音*ngiwag，此于*yiwag與之音極近，借爲虞。于是語詞，決無度義，字形又甚異於虞，楚人（？）用借字不拘如此。

三五　《郭簡》本、《上博》本均缺。

〈太甲〉曰：「毋越厥命以自覆也。若虞機張，往省括于厥度則釋。」（今本〈緇衣〉引）

三六　《郭簡》本、《上博》本均缺。

〈兌命〉曰：「惟口起羞，惟甲胄起兵，惟衣裳在笥，惟干戈省厥躬。」（今本〈緇衣〉引）

三七　《郭簡》本、《上博》本均缺。

〈太甲〉曰：「天作孽，可違也；自作孽，不可以逭。」（今本〈緇衣〉引）

三八　《郭簡》本、《上博》本均缺。

〈尹吉〉曰：「惟尹躬天見于西邑夏，自周有終，相亦惟終。」（今本〈緇衣〉引）

上所裒列三五至三八等四條，均出《尚書》〈商書〉，其中屬〈太甲〉篇二，〈太甲〉原典久佚；屬〈尹誥〉篇（即〈咸有壹德〉篇，已詳二六。）一；屬〈兌說命〉篇一，〈說命〉原典亦久佚。四引者，均見今本〈緇衣〉，《郭簡》均無有。

下請先全錄相關經文，繼爲甄說如其後：

子曰：「小人溺於水，君子溺於口，大人溺於民，皆在其所褻也。」夫水近於人而溺水，德易狎而難親也，易以溺人；口費而煩，易出難悔，易以溺人；夫民閉於人，而有鄙心，可敬不可慢，易以溺人，故君子不可以不慎也。〈太甲〉曰：「毋越厥命以自覆也；若虞機張，往省括于厥度則釋。」〈兌命〉曰：「惟口起羞，惟甲胄起兵，惟衣裳在笥，惟干戈省厥躬。」〈太甲〉曰：「天作孽，可違也；自作孽，不可以逭。」〈尹吉〉曰：「惟尹躬天見于西邑夏，自周有終，相亦惟終。」（今本〈緇衣〉）

此一章百六十三字，乃戰國中期後之人竄入者，《郭簡》本尚無有。考〈緇衣〉、孔子弟子公孫尼字子石作，上方引「小人溺於水，君子溺於口」二句，乃漢人取《子思子》文竄入者，余已爲文證實（說已另詳拙作〈緇衣非出於子思子考〉），餘「大人溺於民」以下至「相亦惟終」殆亦漢人竄入者，知者：夫〈緇衣〉廿餘章，通論治道，不外禮樂刑政教化，其中論君民言必行，謹言愼行，言有物行有格，獨此章首戒君子所以陷溺於言語（口），由於褻慢，所謂

「口費而煩，易以溺人」是。語不宏正，陋儒妄作。夫言語繁多，未必便是煩費褻慢，周公之誥繁而悉，何曾有半句輕慢？下四引《尚書》，僅引〈說命〉「惟口起羞」照應上文「溺口」、「口費，易出難悔」，勉適爲其立論根據；餘所引全與上文「溺於水」、「溺於民」、尤其是主旨一「褻」字漠不相干。陋儒不深《書》之精誼，漫摭經句，汨陳於段文之末，求協《禮書》引經證孔子之常格，甚無謂也。又考此其引〈太甲〉「毋越厥命以自覆也」、「天作孽，可違也；自作孽，不可以逭」二「也」字，都淺儒妄加，因《孟子》〈公孫丑上〉及〈離婁上〉竝引〈太甲〉曰均無「也」字；今傳廿九篇《尚書》亦無「也」字，其句末語助詞亦例不用「也」字。《僞古文尚書》作者陰襲《孟子》所引〈太甲〉「天作孽，猶可違」，而捨〈緇衣〉「天作孽，可違也」、又襲此「無越厥命以自覆也」，徑刪「也」字，留心《尚書》用字常例，猶勝《禮》學末流。

三九　《郭簡》本、《上博》本均缺。

〈兌命〉曰：「爵無及惡德，民立而正，事純而祭祀，是爲不敬，事煩則亂，事神則難。」（今本〈緇衣〉引）

引《尚書》〈商書〉〈說命〉篇，〈說命〉原典久佚，《僞古文尚書》有。此條將併見下四一、四二討論。

四〇　〈晉（晉）公之㝸（顧）命〉員（云）：「毋以少（小）悔（謀）敗大愭（作），

毋以卑（嬖）御息（塞）妝（莊）句（后），毋以卑（嬖）士息（塞）大夫，卿事（士）。」

《上博》本𧮫作辥，疑是省筆字，均宜隸定爲祭；兩卑均作辟，音近通，今本作嬖，音同辟；句作后，句是借字，今本正作后（詳下）。兩息均作盡，當是盡之省文，息、盡，塞也，息盡塞，古音同之部。事作使，音近義通。

〈葉公之顧命〉曰：「毋以小謀敗大作，毋以嬖御人疾莊后，毋以嬖御士疾莊士、大夫、卿士。」

《（逸）周書》〈祭公〉篇，祭公謀父不豫，對周穆王曰：「汝無以嬖御固莊后，汝無以小謀敗大作，汝無以嬖御士疾大夫、卿士。」（〔清〕朱右曾《集訓校釋》本；右曾校云：「莊士二字舊脫，據〈緇衣〉篇訂。」校誤，茲不從，說見下）文與今本〈緇衣〉引〈葉公之顧命〉幾乎全同，而篇「葉公之顧命」五字名，作「祭公」二字篇名。

篇名〈葉公之顧命〉：鄭玄《禮注》：「葉公，楚縣公葉公子高也。臨死遺書曰顧命。」孔《正義》：「葉公，楚大夫沈諸梁也，字子高，爲葉縣尹，僭稱公也。」葉爲祭誤，〔宋〕王應麟《困學紀聞》卷五：「……葉公當作祭公。」〔明〕楊愼曰：「此文載《逸周書》〈祭公解〉，蓋祭公疾革告穆王之言，祭字誤作葉耳。」（〔清〕朱彬《禮記訓纂》卷三三引）〔清〕惠棟《九經古義》卷一二：「……其《禮記》〈緇衣〉引辭有『莊后、大夫、也，祭公名謀父，周公之孫，于穆王爲從祖。」祭公君前自稱名曰：「天子，謀父疾，本文時王呼祭公爲祖，曰「祖祭公」、曰「公朕皇祖」，朱右曾《訓釋》：「王，穆王書》〈序〉：「周公云歿，王制將衰，穆王因祭祖不豫，詢謀守位，作〈祭公〉。」篇爲一篇，後者節取前者四句文字以作前文尊敬大臣、愼選近臣之立論根據。《（逸）周於仲尼曰：王使諸梁也甚重。」是也。而《周書》〈祭公〉與此所謂〈葉公之顧命〉同〈耕柱〉：「葉公子高問政於仲尼。」《莊子》〈人間世〉：「葉公子高將使於齊，問（《韓非子》〈難三〉略同）……葉公語孔子曰：「吾黨有直躬者，……。」《墨子》而〉：「葉公問孔子於子路。」又〈子路〉：「葉公問政，子曰：近者說，遠者來。沈戌（一作戍）之子，而楚莊王玄孫也（註二一）。與孔子同時而畧晚，《論語》〈述

敏案：葉公，姓沈，名諸梁，字子高，楚大夫。食采於葉（一謂爲葉縣尹），僭稱公，

二句作『葉公之顧命』，（葉公）乃『祭公』之訛也。」

也。」〔清〕唐大沛《逸周書分編句釋》頁一一二：「盧云：《禮記》〈緇衣〉引此及下官人〉，皆采自《周書》。」〔清〕孫希旦《禮記集解》卷一三：「葉，當作祭，字之誤故謂之顧命。」又曰：「此傳寫之誤，非傳《禮》之誤；二《禮》如〈明堂位〉、〈文王其告予懿德。』祭公拜手稽首曰：『嗚呼！天子，女無以……』。祭公將歿，而作此篇，卿士』，非葉公之言也，此《周書》祭公謀父之辭。穆王時，祭公疾，不瘳，王曰：『公

維不瘳。」是祭公名謀父，非葉公沈諸梁子高也。時王又曰：「公稱丕顯之德，以予小子揚文武大勳，弘成康昭考之烈。」此陰仿《尚書》〈洛誥〉成王推重周公旦語，是直以天子之冢宰視祭公，而葉公至多藩國一大夫耳，安得當此榮尊？葉公與仲尼、子路對言，約當周敬王時，上去穆王祭公且五百歲，祭公非葉公，彰彰明矣。惠徵君因其「莊后大夫卿士辭」，斷非葉公之言，夫后大夫卿士藩國亦具，楚大夫亦得引陳以戒國君，惠氏摭以證祭公非葉公，舉證無效。

又案：上述王、楊、孫、盧四家俱判葉爲祭誤，惠則謂傳寫《禮》書者手誤，惜均未遑考祭葉字形爲證。祭，祀也，从示以手持肉（《說文》〈示部〉）。蔡，艸丰也，从艸祭聲（《說文》〈艸部〉）。則祭初字，蔡孳乳字也。兩字作姓氏字，均是假借義。唯先有祭，甲文[字形]金文[字形]（竝常見），而从艸祭聲之蔡未見，於是知也。而蔡，甲文[字形]金文[字形]、[字形]，其字體構造，說頗紛歧，但已頗作姓用。故早期以[字形][字形]作姓氏，其字形與金文[字形]（不从艸）[字形]非肖難混。祭葉相混後來始發生，〔清〕王引之《經義述聞》〈國語下〉：「諏於蔡原，……案蔡讀爲『祭公謀父』之祭。……《逸周書》〈祭公〉篇（「祭公」），《禮記》〈緇衣〉引作葉公，亦是借葉爲祭，因譌而爲葉也。」王氏以謂《周書》〈祭公〉原典作本字祭，《禮記》〈緇衣〉作者引用時改作蔡，傳寫者形譌作葉。說純出臆測。夫《周書》〈祭公〉原典，篇題、篇序、本文，各板皆作祭，無有作蔡者，直接引之者亦無作蔡者。〈緇衣〉作者蓋通讀

〈祭公〉原典，據其文意如：祭公曰：天子，謀父疾維不瘳。又如：三公予維不起，朕疾，汝其皇敬哉，茲皆保之。，陰倣《尚書》〈顧命〉，因定篇題曰〈祭公之顧命〉朱右曾《校釋》曰：「（《序》「祭公」）據《禮》〈緇衣〉篇當作〈祭公顧命〉。」（註二）。祭，祭部*tsäd或*tsi̯äd；葉，葉部*śi̯ap，二組聲母不遠，主要元音aa同類。則祭、葉口語宜近（唯韻尾d、p遠，但口語中自非最要），兼葉、祭皆地人姓名，遂聯想誤將祭公寫作葉公。葉，唐以後又諱改作蒅，《論語》〈子路〉「葉公問政」，劉寶楠《正義》：「《釋文》：蒅，舒涉反，本今作葉。盧氏《考證》以蒅爲唐人避諱所改。」《唐石經》本《禮》〈緇衣〉、《論語》〈述而〉及〈子路〉「葉公」槩諱改作「蒅公」。甲金文《說文》及唐以前其它文獻無蒅字，後之《字彙補》、《康熙字典》始收。

□，《郭簡釋文》不定隸，只摹寫原形字。陳君高志定爲晉字（出處已同見一二陳君說璋字）。案《郭簡》上文已見晉字作□，異乎此□，則此字釋晉字非，余先有此意，後見李學勤《釋郭店簡祭公之顧命》（註四），益信己見。李先生定寫爲□字，以謂：《說文》「彗，埽竹也，从又持□，□，彗或从竹。」□之上半□，相當□之上半□，故□□俱視爲省略下半ヨ之彗，省略之彗——□□作爲□之聲，故祭與彗及从彗聲之□□音近通假（註五）。且從之，按彗祭同祭部，一音*zi̯wäd一音*tsi̯äd，相近，當是原作蚤已借作姓氏之祭（＝蔡）傳寫異作□（音彗）。古人地姓名固多寫異，唯祭傳寫作葉，致後人誤認祭公謀父爲葉公子高，亟需辯正。□，《郭簡釋文》定隸作𡨄，云是「寡字異體」。案《說文》：「寡，少也，从宀从頒。」〈中山王礨壺〉銘文「[古文字]（𩒨）」，張政烺曰：「𩒨，从頁八聲，讀若頒。」同器銘文「[古文字]」（顚），近人或釋爲「顧」，此[古文字]或是顚（顧）之右傍，記此以存疑。小作少，已詳七。謀作悔：謀，从言某聲，古文謀作𠮢，从口母聲；古文謀又作𧦝，从言母聲（《說文》）。〈中山王礨壺〉銘文「[古文字]忌皆從」，正是从心母聲。母、某同音*mwəg，故从母聲之字亦同音，如每敏同*mwəg；而與从某聲之字音近義同，如《尚書》〈洪範〉「聰作謀」謀，敏也。《經義述聞》：「謀與敏同，敏古讀若每，謀古讀若媒，謀、敏聲相近，故字相通。」又如〈洛誥〉「拜手稽有誨言」，近人于省吾《雙劍誃尚書新證》卷三：「吳大澂謂古謀字从言从每，是也，〈王孫鐘〉『誨猷不飤』可證。謀字猶云咨言、問言。」類例甚多。⿰忄者，《郭簡釋文》僅譯字，更無考釋。甲金文《說文》均無字（後世《字彙補》有收，東果切，嬾惰也），其相當字，今本〈緇衣〉及《周書》竝作「作」，爲也（《禮》鄭《注》），事也（《禮》孔《正義》、《周書》孔晁《注》）。當是戰國時新造字，从心者聲，者*tiăd、作*tsâg、*tsâk，同屬魚部，通假。者聲兼義，《說文》：「別事詞也。」則此大⿰忄者，大事也。小謀大作（⿰忄者），孔晁《注》：「小謀，不法先王也；大作，大事也。」唐大沛曰：「〈緇衣〉《注》『小謀，小臣之謀（也）；大作，大臣（原抄誤作人。）之所爲（也）』，義與下條相類，似非。」唐釋得之。卑，賤也，謂執事者賤（《說文》），金文有，西周著成之經典有（如《尚書》〈無逸〉「文王卑服，即康功田功」卑，下也）；嬖*pieg音同卑*pieg，今本〈緇衣〉因潤卑爲嬖，蓋取其寵愛之義，甲金文均無嬖字。御，治事之臣，名詞，下文「卑士」士亦是名詞，可證。「御」下「人」字，蛇足，當刪，《周書》、《郭簡》竝無「人」字；又陋儒因上句「嬖御人」而於下句增「御」字爲「嬖御士」，期使一律，故其「御」字亦當刪，《郭簡》正無御字。《郭簡》兩息字，今本作兩疾字，《郭簡釋文》：「息，簡文从䏌从心，借爲塞。」黃德寬等〈郭店楚簡文字考釋〉：「……頗疑悤字應分析爲从心䏌聲，古音自疾并爲從紐質部字，故悤字可假爲疾。」息（之部）疾（脂部）音非近不便通假；今本疾字後人潤息爲之。當依《郭簡》本作息*siək，音近借爲塞*sək，阻不通也；《周書》作固（同錮義），亦閉不通之意（註八）。妝，先有字（〈鄦子妝簠〉）；莊（金文無，乃借𤖅爲之），後起，从艸壯聲。妝借作莊嚴義，妝莊同音*tsang。后*ɣûg，繼體君也（《說文》），借句*kûg爲之。嬖御士疾莊士、大夫、卿士，比《郭簡》多「御、莊士」三字，（清）俞樾《羣經平議》卷二二：「《禮記》原文當作『毋以嬖御士疾莊士』，與上文『毋以嬖御人疾莊后』兩句一律，鄭《注》『今爲大夫卿士』當作『或爲大夫卿士』，蓋鄭所據本作『莊士』，而別本有作『大夫卿士』者，故鄭記其異如此。《周書》〈祭公〉篇作『汝無以嬖御士疾大夫卿士』，無『莊士』二字，鄭所見別本蓋亦如此矣。乃《注》中『大夫卿士』四字傳寫誤入正文，又改《注》文『或爲』作『今爲』。《正義》乃從而曲爲之說，其義殊不可通，當訂正。」（氏另著《禮記異文釋》亦有說同，少簡）案俞說非也。鄭《注》此二句全文曰：「嬖御人，愛妾也。疾，亦非也。莊后，適夫人齊莊得禮者。嬖御士，愛臣也。莊士，亦謂士之齊莊得禮者，今爲大夫卿士。」鄭所見本只此一本，正文原有「大夫卿士」四字，第鄭見「大夫卿士」與上「莊士」二字義涉雷同，但卻連文共見，必另有用意，因斷下「大夫卿士」爲上『莊士』之釋文，乃解曰：「莊士，……今爲大夫卿士。」正文有「大夫卿士」者，孔《正義》以謂：「覆說言莊士即大夫、卿之典事者；士，事也。」非誤抄入注爲經也。夫強調「今爲大夫卿士」，指莊士今世（漢代）爲大夫卿士也。今本《禮》「人」、「御」、「莊士」（註七）字、《周書》「御」字，皆當依《郭簡》刪正。卿士作卿事：士、事同音*dźəg，義又同，《說文》：「士，事也。事，職也。」《詩》〈豳風〉〈東山〉：「勿士行枚。」毛《傳》：「士，事也。」《論語》〈述而〉：「執鞭之士」《集解》：士，職也。金文有卿事，如云「卿事」（〈番生簋〉）、「卿事寮」（〈毛公鼎〉）。卿事，卿之有事也。亦單作卿，如〈卿鼎〉、〈邾公釛鐘〉均見字。卿即如《周禮》六卿：冢宰、司徒、宗伯、司馬、司寇、司空是也，不可與「公、大夫、士」之「士」名相淆，故金文無卿士。卿士詞後起，是借士爲事，但厥義仍爲單一卿職，非兼稱卿職、士職也。《尚書》〈牧誓〉「是以爲大夫、卿士」、《左》〈隱三年傳〉「鄭武公、莊公爲平王卿士」，杜注：「卿士，王卿之執政者。」《郭簡》此作卿事，得經正；今本《禮》及《周書》作卿士，淺人妄改。

四一、《郭簡》本缺。

《易》曰：「不恆其德，或承之羞。恆其德，偵，婦人吉，夫子凶。」（今本〈緇衣〉引）

節引《周易》〈恆卦〉九三及全引同書同卦六五爻辭。

四二　子曰：「宋人又（有）言曰：『人而亡（無）亙（恆），不可爲卜箸（筮）也。』其古之遺言歟？龜耆（筮）猷（猶）弗智（智、知），而皇（況）於人虖（乎）？」（《寺（詩）》員（云）：「我龜既猒（厭），不我告猷。」《寺》員以下，說已詳二五，下倣此。）《上博》本亙作死，同字寫異。「不可爲卜箸」至「而皇於人虖？詩」二十三字殘失。

子曰：「南人有言曰：『人而無恆，不可以爲卜筮。』古之遺言與？龜筮猶不能知也，而況於人乎？」（《詩》云：「我龜既厭，不我告猶。」「《詩》云」以下，已略見二五。）〈兌命〉曰：「爵無及惡德，民立而正，事純而祭祀，是爲不敬，事煩則亂，事神則難。」「〈兌命〉」以下，已略見三九。《易》曰：「不恆其德，或承之羞。恆其德，偵，婦人吉，夫子凶。」「《易》曰」以下，已略見四一。

引《論語》〈子路〉篇；〈子路〉篇原文曰：「子曰：『南人有言曰：「人而無恒，不可以作巫醫。」善夫！「不恒其德，或承之羞」。』子曰：『不占而已矣！』」勘比上列三引文，知：（一）《禮》〈緇〉作者明引《論語》篇文而不明稱其書名、篇名者，時戰國中葉頃《論語》書名、篇名猶未具故也《論語》作爲書名，至早在西漢初。。（二）《論語》孔子述古成語，明「巫醫雖賤役，猶不可以無常」（朱《注》），遂暗引《易》〈恒卦〉爻文，用申恒之於業重要，末結以「不占而已矣」，此末句義不詳，要之，亦自《易》辭衍繹。乃《禮》〈緇衣〉作者見巫者掌卜筮又治人疾，兼下文波及《易》占，乃改「巫醫」爲「卜筮」，遂即再引《詩》「龜厭」云云，證成無常不可爲卜筮人之義，義論已告完足（註八）。乃今本〈緇衣〉增原本〈緇衣〉文，別取《尚書》〈兌命〉語祭祀重在貴德敬神，不在煩事亂禮，上證「恒」義，失證無用；既而又轉錄《論語》孔子引〈恒〉九三文，則已矣，又橫增〈六五爻〉「恒其德」，猶可也；并錄「婦吉、夫子凶」，重失前義矣。（三）各本《論語》、各本《禮記》皆作南人，獨《郭簡》、《上博簡》竝作宋人。何晏《論語集解》：「孔安國曰：南人，南國之人。」等同未注。劉寶楠《論語正義》：「南人爲南國之人，猶《詩》言『東人、西人』之比。」敷衍了事。《禮》〈緇衣〉孔《疏》：「南人，殷掌卜之人。」則南人，殷人也。夫微子啓——故殷國之後，封於宋，宋在魯國西南，則南人即謂宋人，亦即殷人。孔子，「其先宋人也」（《史記》〈孔子世家〉），《史記索隱》：「《家語》……孔子，宋微子之後。」孔子系出宋大夫，自亦是殷裔，嘗自表云：「……而丘也殷人也。」（《禮記》〈檀弓上〉）固嘗居於其父母之邦，弟子子游曰：「昔者夫子居於宋。」（同上）及聞故宋卜筮人遺言，述以戒弟子也。而魯南方之國不止一宋，猶有荊楚等方國，故稱南人不如直稱宋人爲明確，《郭簡》、《上博簡》竝獨優於各本南作宋，是誠經學瓌寶也。一曰，周鳳五兄語我曰：「南人」之南，蓋「商」之形誤，商人即殷人，宋人其後也。發前人所未發，卓見令人佩服。顧余檢十四經、《墨子》、《荀子》、《韓非子》、《呂覽》、《孔子家語》、《尚書大傳》、《韓詩外傳》索引，稱「殷人」甚多，引出孔子之口者亦頗有之（《禮記》最常見），稱「商人」極少，僅《尚書》、《禮記》、《呂覽》各一見、《左傳》兩見，且均不出於孔子之口，乃獨於此一稱「商人」？併誌疑更俟知者。南人，又饒宗頤先生謂是楚人，來可泓先生謂是吳、楚之間人，孫以楷〈論語子路中南人有言曰之南人考〉（《孔子研究》，二〇〇一年六期）曰：「不僅南人是老子，而且這位老子是宋人而不是陳人。……今本〈緇衣〉中的南人，在楚簡〈緇衣〉中明確寫爲宋人。南人、宋人，都是指老子。……老子是宋之相人。」黃人二文頁一八三則推闡若璩意，謂楚簡作宋不作南，示不忘在宋時之隱約困窮也；均記以廣義。有作又，說已見九、一二。無，从亡無聲；無（魚部）、亡（陽部），陰陽對轉。有無之無古無正字，作無作亡均是假借（李師陸琦說），金文有無字作「無」甚常見，亦假作「亡」，如〈師遽方彝〉「萬年亡疆」、〈中山王嚳壺〉「其永保用亡疆」，經書如《禮》〈檀弓上〉「稱家之有亡」，有亡即有無，《論語》〈雍也〉「今也則亡」，亡即無。恒字形奇異，甲金文均不作此形。簭筮：《說文》作簭：「簭，《易》卦用蓍也，从竹从𢍰。𢍰，古文巫字。」段《注》：「从竹者，蓍如筭也，筭以竹爲之，从𢍰者，事近於巫也。」或省二口作筮（〈史懋壺〉）筮（《侯馬盟書》）筮（《魏石經》），或省一口變形作筶（《周禮》〈春官〉〈筶人〉；《周禮》另篇多見亦悉作筶），《郭簡》則省一口及井作筶（𢍰字，甲金文作王；《侯馬盟書》作䇺、《魏石經》作䇺均从口，同《郭簡》竹頭下之䇺），《郭簡》又省變作䇺。巫人司占，事神必有祝，此所以从口，爲正，今俗去口作筮，失厥正矣。其，將然辭，助疑問語，有勝於無。與，黨與也，金文作㽞（〈齊鎛〉），从口與聲；《郭簡》从止與聲，借爲句末語詞「歟」（見《說文》），从欠與聲。與㽞舉歟同音，舉字它文獻未見。尙猶之猶亦作猷、謀猷之猷亦作猶，二字音同義通，已見二五。不*pjəĝ弗*pjət音近（聲母、主元音均同）義通。甲金文均無知字（只有从知从于之𥏼字），有智（〈毛公鼎〉），《郭簡》同金文合本眞，今本作知後改。此句「能、也」二字，後人增益。兄，況之初文，均音*xiwang，音近皇*ɤwâng，同在陽部，皇借爲況，《詩》〈小雅〉〈常棣〉「況也永歎」，陸《釋文》：「況或作兄。」〈大雅〉〈桑柔〉「倉兄塡兮」，陸《釋文》：「兄本亦作況。」《尙書》〈大誥〉「若兄考」云云，兄考，皇考也。〈無逸〉「無皇曰，……則皇自敬德」，《漢石經》兩皇字皆作兄；而下一皇字，王肅本則作況（孔《正義》引）。〈秦誓〉「我皇多有之」，《公羊》〈文十二年傳〉皇作況。都可證也。乎作虖，亦見《郭簡》《老子甲》「或虖屬」，彼《釋文》曰：「裒按：……虖从口虎聲，虎、乎音近，簡文多讀爲乎。」案：乎，甲金文竝絕多作评召字義，字不从口（註九），如〈利鼎〉：「王乎（呼）乍命內史冊命利。」（類此「王乎某」、「乎某」極多，不遑多舉）別有虖字，从虍乎聲，金文作句末或片語末感歎詞「烏虖」或「於(烏)虖」誼，字形作虖（即上虍下ヶ，ヶ即乎），但亦偶有下从口作䖒，如䖒（〈余義編鐘〉）䖒（《矦馬盟書》），構字竝同《郭簡》此䖒字。从口或乎皆表示出氣，虎（或虍）䖒*xâg與虖乎*ɣâg音近，此「而皇於人䖒」䖒語氣，兼疑問與感歎。

◎二十又(有)三（《郭簡》本〈緇衣〉篇末）。　《上博》本篇末無此四字。

今本〈緇衣〉篇末無此四字。

《郭簡釋文》：「這是簡本〈緇衣〉全文的章數。」

敏案：經書分篇，先秦已然，《毛詩序》：「正考父者，得〈商頌〉十二篇於周之大師，以〈那〉爲首。」〈那〉，《詩》三百十一篇中之一篇也。累句爲章，統於篇下，《左》〈定十年傳〉：「駟赤……對曰：『臣之業在〈揚水〉卒章之四言矣。』」又〈昭四年傳〉：「申豐……對曰：『……〈七月〉之卒章，藏冰之道也。』」《詩》〈唐風〉〈揚之水〉末章中之「我聞有命」四個字，及〈豳風〉〈七月〉末章中之「鑿冰、納凌陰、獻羔」云云，諸句之謂也。《毛詩序》：「〈東山〉，……一章，言其完也；二章……；三章，……；四章，……。」《禮記》〈學記〉：「一年視離經辨志。」鄭注：「離經，斷句絕也。」孔《正義》：「離經，謂離析經理，使章句斷絕也。」是謂入學一年習分章也。《毛詩》、《孝經》

（不分篇）及（漢）趙岐《孟子章句》分章，原典猶存，唯三書今傳本恐多失先秦之舊，若據考古本體製，未必盡得本眞。《郭簡》〈緇衣〉出，乃的知自戰國中期以來，的已有分篇分章之實。《郭簡》本〈緇衣〉每章末記一■，與今本略合，今本每章一「疏」，孔《正義》：「此篇凡二十四章。」（陸《釋文》同）但常稱一章爲一「節」；《郭簡》全篇正文既盡，乃記全篇總章數曰「二十又三」有；記章數於全篇經本文之末，同《毛詩》，如今《毛詩》〈關雎〉末，有曰：「〈關雎〉五章，……；『故言』（毛公之言）三章。」型式全《詩》同一。漢本經書分章，法度承古，由《郭簡》而證實。

◎專論卷

持《郭簡》與《上博》本互校，見兩本〈緇衣〉引書用字大抵一致，惟一部分寫異（具一至四二各碼下）。

兩本〈緇衣〉引書文字全同者，亦得五、六、一二、一六、二五、三一六碼。《上博》本〈緇衣〉引書省三字，一爲雙音節字（一七），一爲兩虛字（一八）。而《郭簡》本引書缺二字（三〇），《上博》本不缺。《上博》本引書，有一字不可識（一九）。

《上博》本〈緇衣〉引書，與《郭簡》勘校，殘失五十八字：一　一字、六　四字、七　八字、八　四字、一〇　六字、一二　十二字、一五　六字、一六　二字、二〇　三字、二五　一字、三三　十一字。

比較《郭簡》本及《上博》本（古本）與今《禮記》〈緇衣〉本引書體例異同，推考今本變古離眞。

相較古、今本，知其同異，舉要事有五，謹逐事立目並討說如下——

（甲）古本每章立議題一，章首引「子曰……」，但第一章作「夫子曰……」；今本同，唯其第十八章引兩「子曰……」，而第一章作「子言之曰……」。

今本首章：「子言之曰：爲上易事也，爲下易知也，則刑不煩矣。」此十九字乃後儒妄增，古本無有。古本首章，爲今本之第二章，云：「夫子曰：好美如好〈緇衣〉，……。」首章獨作「夫子曰……」者，用別於後之各章「子曰」之爲章首也，今本既別造「子言之曰」爲首章，降此爲次章，遂削去「夫」字，取與後之各章章首「子曰」一律。夫〈緇衣〉，《詩》〈鄭風〉篇名也，古書絕多取首章中文二、三字爲篇名，今本既另造一段文列爲首章，原來之篇名字便不在首章，而降在次章（參拙著〈《禮記》中庸、坊記、緇衣非出於子思子考〉，《張以仁先生七秩壽慶論文集》，民國八十八年元月）。

今本第十八章章首：「子曰：下之事上也，身不正，言不信，則義不壹，行無類也。」緊接此廿一字之下，又出「子曰：……。」兩「子曰……」合爲一章，孔《正義》云：「此一節以節當章，下同。明下之事上當守其一。」一章兩「子曰……」戾全篇它章體例，上「子曰……」乃後儒竄入，當刪，古本正無；又此廿一字及第一章竝無引書證成，係淺人不識全篇體例（參看下

（丙）例），但空造議論文字而不識引書證事。又此章引書次序顛倒，見下（戊）例。

（乙）每章「子曰……」，畫分爲「命題」——「推論」兩段式，其「推論」語弁以「故」、「則」、「必」、「以」，俾引起下文案斷（其中僅第二十章例外，又第七、二十三兩章「推論語」作疑問句（句末有「豈」、「與、乎」）亦屬例外），遂引書答斷（註一〇）；今本同古本，惟其第七章異常：

今本第七章：「子曰：王言如絲，其出如綸；王言如綸，其出如綍，故大人不倡游言。可言也，不可行，君子弗言也；可行也，不可言，君子弗行也。則民言不危行，而行不危言矣。《詩》云：『淑愼爾止，不僭于儀。』」孔《正義》定爲一章。夫一章之內，不煩兩次推斷——先「故……」後「則……」，此其一；「可言也」以下，文意不與上屬連，似爲另一章始文，而「游言」以上固自爲一章，此其二；「游言」既爲議題之終，其下當有引書（參（丙）例），而「可言也」既係章端，當弁以「子曰」（參（甲）例），此其三也。比對古本，「子曰：王言如絲至游言」在其第十四章，下果引「《詩》云：愼爾出話，敬爾威儀」，而今本錯在其第八章，應上移至第七章「游言」下，以證成「王言如絲」四句；而「可言」上，古本（在其第十五章）果弁「子曰」。今本誤合兩章爲一章，妄刪下一「子曰」，錯置一引《詩》於其次章，當準古本正其謬（註一一）。

（丙）古本每章「推論」方已，即引書證成之，以終章；今本同，唯其第一、四兩章無引書，而第三章引書既已，復又綴文。

第一章末引書，說已詳（甲）。第四章：「子曰：下之事上也，不從其所令，從其所行。上好是物，下必有甚者矣。故上之所好惡，不可不慎也，是民之表也」終章。孔《正義》見其終章後無引書，戾它章體例，因併合下第五章視爲一章云：「此一節申明上文，以君者民之儀表，不可不慎。」案：今本此章，見於古本第八章，「推論」方已，即引《詩》云：「赫赫師尹，民具爾瞻。」詩句正證成上文「在上者，民之表也」義。是今本脫此「《詩》云……」十字，脫錯在其下（第五）章。於是考第五章：「子曰：禹立三年，百姓以仁遂焉，豈必盡仁？《詩》云：『赫赫師尹，民具爾瞻。』〈甫刑〉曰：……。〈大雅〉曰：……。」引《詩》云「赫赫」二句既不適證成上文「禹立」云云，又先引《尚書》後《詩》重違常格（參下（戊）例），尤其重要者，古本此章（在第七章）正無引此《詩》（註一二），是今本此引《詩》當上移第四章末。

第三章引「〈甫刑〉曰：『苗民匪用命，制以刑，惟作五虐之刑曰法。』」引《書》以申明上文治國宜尚德輕刑，當終章於此，古本（在第十二章）即是；詎今本下復綴以「是以民有惡德，而遂絕其世也」二句十二字，竟襲自《尚書》〈呂刑〉下文「皇帝哀矜庶戮之不辜，報虐以威，遏絕苗民，無世在下」，誤解原典文義，取以證上文議題又甚不適切，當準古本削去。

（丁）古本每章引書，明舉書名或篇名者，止限《詩》、《尚書》（《逸周書》視同《尚書》，上表末已論具。）；今本同，唯末章引更及它書。

今本末章前半同古本末章，均至引「《詩》云」二句止，今本又於其下一引《易》（及一引《尚書》），乃後人妄添，當準古本盡行削去，說已詳四二。

（戊）古本每章若引《詩》、《尚書》，必《詩》先《尚書》後，引《詩》若兩見，必上〈大雅〉下〈小雅〉，且一章兩引〈大雅〉者絕無，苟兩引《尚書》，必依該篇所載史實時代次其先後，一章兩引《尚書》同一篇者，亦絕無僅有。

夫孔子設科授徒，《詩》、《尚書》爲基礎教材，進學次序，初《詩》，次《（尚）書》，故夫子雅言「《詩》、《（尚）書》」，《禮》〈緇〉引書，《詩》先《尚書》後者以此，〈二雅〉言王政興廢有輕重，「逑大政爲〈大雅〉，逑小政爲〈小雅〉」（《詩大序》孔《疏》）故此引〈雅〉大先小後。乃今本第五章引則大異——先《詩》，而《尚書》，而又《詩》殿焉，且任〈小雅〉凌踞〈大雅〉之上。考其所引《詩》「赫赫」二句，原爲其上（第四）章文，錯寫在此，古本可證，當移正（說已詳（丙）例）；又引《尚書》、再引《詩》，當乙轉，古本（第七章）正是先《詩》後《書》，同誤者：另有第十及十八兩章，均是《尚書》先乎《詩》見引，見於古本（第三及十八兩章）則均是《詩》先《尚書》後引，今本錯置，亦均當乙正。

今本第八章竟兩引〈大雅〉，且令周厲王世《詩》篇〈抑〉，凌躐文王世《詩》篇〈文王〉之上。前文（乙）例，已舉古本（第十四章），證今本此引「《詩》云：愼話」二句，乃其上（第七）章錯簡，當移正。今本第十六章——〈緇衣〉最長之章，古本無有，淺儒後竄入，胡亂引《尙書》，絕多不足申證上義（說已詳三八），同章且兩引〈太甲〉文，重失常格。全章當盡削斥。

結論

研覈《郭簡》〈緇衣〉，大有益於經學者，得七事，臚陳如下：

經籍成書年代問題：孔壁出《眞古文尙書》〈咸有一德〉，在昔或以爲漢人僞撰，《郭簡》、《上博簡》今既稱引，則其著成斷在戰國中期之前。又引《逸周書》〈祭公〉，則是篇末世僞撰之說可破。又暗用《論語》子曰，不明舉書名篇名，顯示是書戰國中期猶未立名。

經板問題：《郭簡》〈緇衣〉分章，又將全篇章數總記於篇末，此制，漢代經書猶沿用，治板本學者不可忽視《郭簡》。《上博》本亦有分章，總章數同《郭》，但篇末總章數缺記。

簡本用字問題：《郭簡》常用本字，如倗（朋友之朋）、智（知）；亦多用借字，不拘常格，如借「于」爲「虞」度也，「眚」借爲「姓」，「弋」兼借爲「忒」、「式」；借字活用，旁徵諸經傳亦若合符契，如「皇」借爲「況」，併通「兄」，《詩》、《書》、《公羊傳》、《漢石經》交證無滯。《郭簡》用字，合甲骨、金文，此其常也，又頗合孔壁古文，如珪（圭）、弌（一）；又簭从一「口」，合《周禮》、《侯馬盟書》及《魏石經》，系統當同孔壁古文。《郭簡》用字，其它文獻不見或極罕見，如悉（儀）、吾（淑）、頣（雅）、贍（瞻）、敤（攝）、悹（威）、貣逗（緝熙）、䃺（磨）、購（賴）、迪（陳）、慥（作）、譽（歟），……，觸處可見，治經小學者得之，豐富其研究領域，光大其眼界，誠不世之珍也。《上博》本用字例，略與《郭》同，不煩枚舉。

經今古文問題：漢古文《毛詩》〈小雅〉〈都人士〉首章，今文《三家詩》無有，經師質疑，而《郭簡》、《上博簡》節引有之（自《詩》古文），明《郭》、《上簡》非三家本之所從出，而《郭》、《上簡》與古文毛本合；毛本此章固有所據；非嚮壁虛構也。《毛詩序》「〈緇衣〉，美武公也」，合《郭》、《上簡》「好美如好〈緇衣〉」；又題〈巷伯〉，係據古本〈緇衣〉（如《郭》、《上簡》本）引《詩》定篇名，《禮記》作者之《詩經》學近漢代古文，又得二證，且足證《毛序》必非孔子、卜子夏撰，必出戰國中期以後斷斷乎也。今本〈緇衣〉三引《尚書》〈甫刑〉，《郭》、《上簡》引甫槩作郘（呂），作呂得正。經師動以凡《禮記》引屬《今文尚書》，異字則悉歸屬《古文尚書》，驗以〈緇衣〉今、《郭》、《上》兩《禮》本異字，說不可通矣。

勘正今本重大錯誤：今本引〈呂刑〉「播刑之不迪」不，衍文；引〈君牙〉「曰」曰，日之誤也：得《郭簡》而經正爭息矣。今本誤合兩章爲一章，第七章當準《郭》、《上簡》析分爲二；今本引《詩》錯簡，第四章、七章各一引《詩》，分別錯入下第五、八章，資《郭》、《上簡》正復；今本引書次序顚倒，第五、十、十八三章，均先引《尚書》後《詩》，宜依《郭》、《上簡》乙轉。更有訛字千古疑難，關乎經義至大者，得《郭簡》而立決，今本引《尚書》，〈君牙〉篇作〈君雅〉，應從《郭》、《上簡》雅作牙；兩引〈尹吉〉，鄭玄兩注吉告之形誤，多士響應，惜無善本資證，《郭簡》作弆（＝㢸），本出而鐵案如山。又引〈葉公之顧命〉葉，當作祭，昔賢取《逸周書》〈祭公〉對勘，論葉是誤字或否，羣言未定，幸有《郭》、《上簡》本正作祭，眾爭可息；《郭簡》本〈緇衣〉引《尚書》〈君奭〉「𢦏（割）紳（申）觀文王悳」（《上博》本殘失），完美無疵，準以勘正另外三本、一「讀」之誤，亭千古大獄。《論語》子曰「南人有言曰」，今本〈緇衣〉照引，兩書各本咸同，古今無異，《郭簡》本獨作「宋人」，合理，可正兩千餘載以下誤經。

今本擅改經字：《郭》、《上簡》本引書，一律作「某書云」之「云」，若刻意與各章章首「夫子曰、子曰」之「曰」相避然；今本則「某書云」之「云」或「某書曰」之「曰」錯出，不避其各章章首「子言之曰、子曰」之「曰」。今本淺人妄改。竄亂今本之人，誤解「卿事」義，改寫爲「卿士」，令後人誤讀「卿士」爲「卿大夫」與「士」兩職官，古本不誤，吻合彝銘。

今本所潤飾、刪削、增益者：《郭》、《上簡》本近口語，今本文字更加潤飾，留心篇什，隨時可見。《郭》、《上簡》載逸《詩》句十字，新出，前所未見，極爲珍貴，今本竟予刪去；《郭》、《上簡》第十五章首「可言不可行」上「子曰」，今本削去，遂誤合兩章爲一。今本增文，尤其習見，若引《詩》〈節南山〉增「能」字、又增加五句；引《尚書》增二「也」字，增「苗民」二字；又引《尚書》以卒章，復贅增十二字。引《周書》〈祭公〉增「人、御、莊士」四字，致經師不察，從誤本爲之說。橫添其所謂首章、十六章兩章，文多百餘字，又致引《尚書》平添四條次。

則今本背古失眞，古本優勝。

註釋

一　周鳳五先生釋[illegible]爲璧，玉像，[illegible]雙手拱之，見其〈郭店楚簡識字札記〉，載《張以仁先生七十壽慶論文集》，民國八十八年元月。存參。

二　《左》〈定五年傳〉：「葉公諸梁之弟后臧從其母於吳，不待而歸，葉公終不正視。」杜《注》：「諸梁，司馬沈尹戌之子葉公子高也。」《左》〈哀十六年傳〉杜《注》：「葉公，子高沈諸梁也。」《論語》〈述而〉《集解》孔安國曰：「葉公名諸梁，楚大夫，食采於葉，僭稱公。」〔清〕劉寶楠《論語正義》：「杜預《左》〈宣三年傳〉《注》：葉，楚地，南陽葉縣。……據《左傳》葉公是縣尹，非食采之邑，故鄭注《禮》〈緇衣〉云『葉公，楚縣公』是也。」《莊子》〈人間世〉〔唐〕成玄英《疏》：「楚莊王之玄孫尹成子，名諸梁，字子高，食采於葉。」《荀子》〈非相〉〔唐〕楊倞《注》：「葉公，楚大夫沈尹戍之子，食邑於葉，名諸梁，字子高；楚僭稱王，其大夫稱公。」

三 周桂鈿曰：「簡本第十一章引〈葉公之顧命〉，今本同，《尚書》有〈顧命〉一篇，非葉公作，并无此文內容。」〈緇衣〉（《郭簡》與今本）所引，出《逸周書》〈祭公（之顧命）〉篇，非葉公作，《尚書》〈顧命〉周成王末年史官作。周君偶疏！

四 李先生文云：「《郭店簡》上相當祭的那個字相當特別，乍看時容易認爲是晉字，不過簡同篇上文就有晉字，寫法完全不一樣。」

五 同（註四）。

六 〔清〕王念孫《讀書雜志》一之四：「固讀爲婟音護，《說文》：婟，嫪也。《廣雅》作嫭，云：嫉嫪，嫭，妒也。是婟與嫉妒同義。……婟之通作固，猶嫉之通作疾。下文曰『女毋以嬖御士疾莊士大夫卿士』，疾亦固也。〈緇衣〉引此作『毋以嬖御人疾莊后』，是其證。」王氏以潤改本作「疾」及參酌《周書》上「固」下「疾」定「固」字義，勞而少功。

七 唐大沛曰：「〈緇衣〉所引『大夫卿士』上有『莊士』二字，蓋衍文。」是。

八 梁元帝蕭繹《金樓子》〈立言〉篇上：「《易》言『不恒其德，或承之羞』，《論語》言『無恆之人，不可卜筮』。」帝引《論語》巫醫作卜筮，又引《易》曰云云，均係據今本〈緇衣〉

文轉引，非據《論語》、《易》原典直引。

九　郭沫若檢得一「乎」字作句末疑問語助詞。但該字字形似作亐（兮）非乎（李師陸琦《甲骨文字集釋》卷五乎字下）。

一〇　陳佩芬釋文曰：「全篇二十三章均以『子曰』起首，進一步敘述稱『則』或『故』。」說未臻周密。

一一　《郭簡釋文》：「簡本此（第十四）章及下一（第十五）章，今本合爲第七章，簡本此章爲其前半，但此章所引詩句（「愼爾出話」二句）則不見於今本第七章而見於其第八章。」僅記兩本異象，未遑深考。周桂鈿曰：「今本第七章『子曰』有兩層意思，……只有一句詩似乎反映不了這兩個主題。第八章又引了『詩云』和『大雅曰』，文中很容易發現……『詩云：愼爾出話，敬爾威儀』應該是在第七章的『游言』之後，被錯簡弄到了現在這個位置上。如果把這個『詩云』移回去，下面加個『子曰』另立一章，就基本上與簡本大體一致了。」兩個主題，即應爲兩章，引《詩》「愼爾」云云用證成上文「王言」云云，古本原有「子曰」，不煩「另加」。周君說猶未明，試補釋於此。

一二　《郭簡釋文》：「（簡本第八章引《詩》〈小雅〉〈節南山〉「赫赫師尹，民具爾瞻」）這兩句詩今本見於第五章。該章中的引文有兩段《詩》、一段《尙書》，而在今本相當於簡本此章的第四章中卻無任何引文，與〈緇衣〉各章體例顯然不合。據簡本，今本第五章中的《詩》云『赫赫師尹，民具爾瞻』，應移至第四章。」是，但不及深說，附記於此。

——原載輔仁大學中國文學系《先秦兩漢學術》十一期，西元二〇〇九年三月

春秋左氏傳類

三十二　《左傳》「晉趙盾弒其君夷皐」註譯

晉靈公（註一）不君（註二）：厚斂（註三）以彫牆（註四）。從臺上彈人（註五），而觀其辟丸也（註六）。宰夫（註七）胹（註八）熊蹯（註九）不熟，殺之。寘（註一〇）諸畚（註一一），使婦人載以過朝（註一二）。趙盾（註一三）、士季（註一四）見其手，問其故而患之（註一五），將諫（註一六）。

士季曰：「諫而不入（註一七），則莫之繼（註一八）也。會請先（註一九），不入（註二〇），則子繼之。」三進及溜（註二一），而後視之，曰：「吾知所過（註二二）矣，將改之。」稽首（註二三）而對（註二四）曰：「人誰無過；過而能改，善莫大焉（註二五）！《詩》曰：『靡不有初，鮮克有終（註二六）。』夫如是（註二七），則能補過（註二八）者鮮矣！君能有終，則社稷之固也（註二九），豈惟羣臣賴之（註三〇）？又曰（註三一）：『袞職有闕，惟仲山甫補之（註三二）。』能補過也。君能補過，袞不廢矣（註三三）！」

猶不改。宣子（註三四）驟（註三五）諫，公患（註三六）之，使鉏麑（註三七）賊（註三八）之。晨（註三九）往，寢門闢矣（註四〇），盛服將朝（註四一），尚早，坐而假寐（註四二）。麑退，歎而言曰：「不忘恭敬（註四三），民之主（註四四）也。賊民之主，不忠；弃（註四五）君之命，不信。有一於此（註四六），不如死也。」觸槐而死（註四七）。

秋九月（註四八），晉侯飲趙盾酒（註四九），伏甲（註五〇）將攻（註五一）之。其右（註五二）提彌明（註五三）知之。趨登（註五四），曰：「臣侍（註五五）君宴，過三爵，非禮也（註五六）！」遂扶以下（註五七）。公嗾夫獒焉（註五八），明搏而殺之（註五九）。盾曰：「弃人用犬，雖猛何爲（註六〇）！」鬬且出（註六一），提彌明死之。

初（註六二），宣子田（註六三）於首山（註六四），舍于翳桑（註六五），見靈輒（註六六）餓，問其病（註六七）。曰：「不食三日矣！」食（註六八）之。舍（註六九）其半。問之。曰：「宦（註七〇）三年矣，未知母之存否。今近焉，請以遺（註七一）之。」使盡之（註七二），而爲之簞食與肉（註七三），寘諸橐以與之（註七四）。既而（註七五）與爲公介（註七六），倒戟（註七七）以禦（註七八）公徒（註七九）而免之（註八〇）。問何故，對曰：「翳桑之餓人也。」問其名、居（註八一），不告而退，遂自亡（註八二）也。

乙丑（註八三），趙穿（註八四）攻（註八五）靈公於桃園（註八六）。宣子未出山而復（註八七）。太史書（註八八）曰：「趙盾弒（註八九）其君。」以示於朝。宣子曰：「不然！」對曰：「子爲正卿（註九〇），亡不越境（註九一），反不討賊（註九二），非子而誰？」宣子曰：「烏呼！『我之懷矣，自詒伊慼（註九三）！』其我之謂矣！」孔子曰：「董狐，古之良史也。書法（註九四）不隱（註九五）；趙宣子，古之良大夫也，爲法受惡（註九六）。惜也！越竟乃免（註九七）。」

題解

本篇選自《春秋左氏傳》（簡稱《左傳》，參看「作者」欄）魯宣公二年（當周匡王六年，西元前六〇七）下，在清嘉慶二十年（西元一八一五）江西南昌府學重刊宋本《十三經注疏》《春秋左氏傳注疏》卷二十一。篇題作「晉趙盾弒其君夷皐」者，據孔子《春秋（經）》魯宣公二年下「秋九月乙丑晉趙盾弒其君夷皐」定也。趙氏世爲晉國重臣，多所匡濟。至盾，代父衰爲襄公執政大夫。襄公卒，靈公幼立，繼秉國鈞。靈公末年，淫虐不度，大失君道。盾數進忠諫，不爲所容，於是亡出。未出國疆，聞族姪穿已弒靈公而即返。返而不誅逆賊，故太史董狐書「趙盾弒其君」，筆諸簡冊，示於國人，告之天下。魯史承之，備載其事。左丘明據魯史作《左氏春秋》，欲表章良史，故悉沿其舊。孔子因魯史作《春秋》，欲示君君臣臣之道，遂亦直書無隱：書「夷皐」，明君必無道；書「趙盾」，明臣必有罪。君子曰：「凡弒君稱君（之名），君無道也；稱臣（之名），臣之罪也。」（語見〈宣公四年〉《左傳》）即夫子寓譏貶、正名分之義也。

作者

《春秋左氏傳》（簡稱《左傳》），原名《左氏春秋》，〔漢〕劉歆始更爲今名。孔子據魯史作《春秋》（後世習稱《春秋經》），左丘（一作邱）明（詳後文）亦據魯史作《左氏春秋》。《春秋經》與《左氏春秋》（書名與《晏子春秋》、《呂氏春秋》類似。）本各自爲書，不相麗附。及劉歆治《左氏春秋》學，既變舊名爲《春秋左氏傳》，又引《傳》文（謂《春秋左氏傳》之文，下同。）與《春秋經》轉相發明（見《漢書》〈楚元王傳附劉歆傳〉）。其後，〔晉〕杜預復分《經》之年與《傳》之年相附，比其義類，各隨而解之（見杜預《春秋左氏經傳集解》〈序〉），《經》、《傳》於是相連，而後人遂漸以《左傳》爲釋《經》而作矣。《左傳》非專爲釋《經》而作，〔晉〕王接已謂「《左氏》自是一家書，不主爲《經》發。」（見《晉書》〈王接傳〉）宋人及晚清今文學家舉「有無《經》之《傳》」、「有有《經》而不釋《經》之《傳》」等事，證明其說之是。已確鑿不可移。

〔漢〕司馬遷《史記》〈十二諸侯年表〉謂左丘明作《左氏春秋》，劉向（《別錄》）、歆（〈移太常博士書〉）父子並從《史記》，以爲丘明作。然據唐宋以來先儒所考，其書爲戰國時著成，其作者或爲戰國時左丘明，而非《論語》〈公冶長〉篇孔子所稱之賢者。因《左傳》記事，辭及趙襄子，而襄子之卒，後孔子五十三年，豈有與孔子同時稍早之賢者，而享年如是其久者乎？

註釋

一 晉靈公：晉文公（重耳）之孫，晉襄公（歡）之子，名夷皐（或作皋，又作皐。），自周襄王三十二年（當魯文公七年，西元前六二〇）立爲晉國國君，在位十四年，於周匡王六年（當魯宣公二年，西元前六〇七）爲趙穿所弒。

二 不君：君，國君。不君，行爲不配當君主；《論語》〈顏淵〉篇「君不君」之「不君」，與此義同。

三 厚斂：厚，繁重。斂，聚收。厚斂，即徵收繁重之賦稅。

四 以彫牆：以，用（徵得之錢財）來……。彫，刻琢與飾畫皆可謂之彫（字一作雕）。牆，指宮殿之牆壁。

五 從臺上彈人：臺，形方，築土爲之。此指觀臺，蓋靈公遊憩之處。彈，（以彈弓加彈丸）射擊；動詞。人，經過臺下的行人。然據《春秋穀梁傳》〈魯宣公二年〉：「靈公朝諸大夫而暴彈之。」則人指晉大夫。（參看〔註六〕）

六 而觀其辟丸也：其，指被彈者。辟，讀音及意義皆同「閃避」之「避」。丸，彈子。言自臺上彈射臺下人，而觀其驚惶走避以爲樂。（參看《公羊》〈宣公六年〉《傳》）

七 宰夫：宰，本義爲屠殺。夫，人。宰夫，官名，《史記》〈趙世家〉稱宰人，曰：「（晉）靈公……食熊蹯，胹不熟，殺宰人。」其所掌爲君王膳食（似包括殺牲畜及烹調，由《禮記》〈檀弓下〉篇「（杜）蕢也，宰夫也，非刀匕是共，又敢與知防，……」、《莊子》〈養生主〉篇「庖丁解牛」一段及《春秋公羊傳》〈宣公六年〉「曰膳宰也，熊蹯不熟，……」可見。）之事。

八　胹：煮。《史記》〈趙世家〉云：「及食熊蹯，胹不熟。」「胹不熟」，即「未煮熟」。

九　熊蹯：蹯，獸腳掌。熊蹯，即熊掌；其味美。

一〇　寘：同「置」，放。下「寘諸畚」之「寘」同。

一一　畚：筐，以草索編製，用以盛物。

一二　使婦人載以過朝：載，本義爲以車承裝；此蓋指一人肩扛或二人對舉。《史記》〈晉世家〉、〈趙世家〉「載」皆作「持」。而《公羊》〈宣公六年〉《傳》則作「荷」。「荷」，古字作「何」，大致象人以戈斜加一肩之上，而以一手持戈之一端。引申爲扛物之義。按：當從《公羊傳》。朝：朝廷，君臣議國事之處。

一三　趙盾：趙衰之子，翟女所生。晉襄公六年（當周襄王三十一年，魯文公六年，西元前六二一），趙衰卒，盾代執晉國國政。及晉靈公立，盾益專擅。（參看〔註三四〕）

一四　士季：晉大夫，名會（下自稱「會（請先）」可證），字季，食邑於隨，故又稱隨會、隨季。後受封食邑於范，因亦稱范季。卒謚武子，故更有隨武子、范武子之號。

一五　患之：患，憂慮。之：指事詞，指上述殺宰夫使婦人載屍過廷之事。

一六　諫：勸諍。

以上爲第一段，舉苛斂、彈人以戲及濫殺三事，以見靈公失君人之道。

一七 不入：入，接納。不入，謂若靈公不聽從。

一八 莫之繼：莫，無人。之，指先入諫者。莫之繼，即「莫繼之」；爲否定句，將止詞「之」提置動詞「繼」之前，此古語習慣。

一九 會請先：請先，意謂「請您讓我（會）先去……」。

二〇 不入：與（註一七）義同。上省略關係詞「苟」、「若」類字；《左傳》於關係詞常予省略。

二一 三進及溜：溜，音義同霤。（屋）簷水滴落之地面曰霤。謂士會入門進諫，靈公知其來意，佯作未之見。士會止而後前進，如是者三，直至簷水滴落處，逼近靈公眼前。

二二 知所過：知道錯（在何）處。

二三 稽首：叩頭觸地，至地而留止，不即起舉。此臣謁君之禮，亦拜禮之最重者。

二四 對：回答。下皆同。

二五 善莫大焉：善，美；此指美德。焉：句尾語助詞，或作「此」解，亦通。

二六 詩曰……有終：詩，謂《詩經》。周、秦人引《詩經》論事，只稱「詩」或「詩三百」；於古書中常見。漢以後，儒者始慣稱「詩經」。「靡不」二句，見《詩經》〈大雅〉〈蕩〉篇。原詩上更有「天生烝民」云云二句，連下二句謂能慎始而難善終，乃常人之通病。靡不，無不。初，開始。有初，有良好的開頭。鮮，稀少。克，能夠。終，終結。有終，敬慎其事，直到最後。

二七　夫如是：夫，句首發語詞，在本句有「要是……」意味。如，像。是，此，指像上面所引述之詩義。

二八　補過：補，救；糾（正）。補過，謂救治闕失。〈宣公十二年〉《左傳》曰：「林父之事君也，進思盡忠，退思補過，社稷之衛也。」補過與此義同。

二九　社稷之固也：社，土地之神。稷，百穀之神。社稷，此指國家；用其引申義。固，安穩。按：此句與下「豈惟羣臣賴之」並看，則其爲「國家賴以安定」之義便顯。

三〇　豈惟羣臣賴之：豈惟，豈止。賴，依靠。《左傳》作者變此句與上句常序，以加重「社稷之固也」意義，用警勉人君。原意爲：「……豈惟羣臣賴之以安，國家亦因而安矣。」

三一　又曰：謂《詩（經）》又說。下引「袞職」二句，出〈大雅〉〈烝民〉篇。兩引非出同一詩篇，而作「又曰」者，古人熟誦《詩經》警句，隨時斷取之以爲立言之依據，蓋明其出於三百篇足矣，而於何什何篇，則不暇斤斤較量也。

三二　袞職有闕，惟仲山甫補之：袞，指袞衣；天子之禮服，繡龍於其上，謂之袞衣。袞職，以「袞」代表天子，則袞職爲天子之職務。闕，差失；同「缺」。仲山甫，周宣王賢大臣，封於樊邑，侯爵；仲山甫是其字。《國語》〈周語〉稱之爲樊仲山甫，又稱樊穆仲（穆是謚號）；而同書〈晉語〉則稱之爲樊仲。惟，只有。按：〈烝民〉詩，尹吉甫作以美周宣王；「仲山甫補之」者，謂宣王能任使賢臣，而仲山甫亦能善盡言責，補宣王之過。以諷靈公：如亦能任使賢能，則左右豈無忠藎之臣如仲山甫者乎？

三三　袞不廢矣：謂君王之職務不廢失。

以上爲第二段，載士季先入諫，引詩戒靈公應納言遷善。

三四　宣子：趙盾卒謚宣子。

三五　驟：屢次。

三六　患：畏懼。（公）「患」（之），《史記》〈趙世家〉作（靈公由此）「懼」，可證。

三七　鉏麑：晉國之力士（《史記》〈晉世家〉《集解》引賈逵說）。《公羊》〈宣公六年〉《傳》但言「勇士」而不著其名。

三八　賊：害；此指行刺暗殺。《史記》〈晉世家〉曰：「使鉏麑刺趙盾。」可證。

三九　晨：天色微明時。

四〇　寢門闢矣：寢門，臥室之門。闢，打開。寢門闢，《史記》〈晉世家〉作「閨門開」。

四一　盛服將朝：盛服，謂端正衣冠。朝，上朝廷。

四二　假寐：不解衣冠（和衣）而睡，猶今語「打瞌睡」。蓋已穿朝服，恐被摺皺，有損威儀，不敢就床臥，故坐而假寐。

四三　恭敬：謂敬謹於國事。

四四　民之主：主，長也，官長也。民之主，謂民眾之官長。

四五　弃：古棄字，謂廢置不執行。

四六　有一於此：此，指事詞（複數），指上述之「不忠」與「不信」。有一於此，即「於此有一」，謂於「不忠」、「不信」，若行之，必有其一焉。

四七　觸槐而死：觸，（以頭）碰撞。槐，落葉喬木，高七、八公尺。葉小，作長卵形。夏開花，色黃白，蝶狀，可食。果實爲長莢。木質堅密，爲建築器用之良材。此趙宣子庭中之樹。《公羊》〈宣公六年〉《傳》謂刺客刎頸而死。按：鉏麑入宣子宅，見其易儉，感而不殺，《公羊傳》曰：「勇士入其大門，則無人門焉者；入其閨，則無人閨焉者；上其堂，則無人焉；俯而闚其戶，方食魚飧。勇士曰：『嘻！子誠仁人也。吾入子之大門，則無人焉；入子之閨，則無人焉；上子之堂，則無人焉：是子之易也。子爲晉國重卿而食魚飧，是子之儉也。……吾不忍殺子也。』」

以上爲第三段，記靈公陰遣鉏麑謀刺趙盾，鉏麑義其忠上愛民，故不忍加害。

四八 秋九月：即魯宣公二年秋九月。《左傳》記事，同一年之下，祗於此年之首著某年春（或某年夏、某年秋、某年冬），其後則蒙上省略「某年」，但作「秋九月」（或春二月、夏四月、冬十一月之類。）。

四九 晉侯飲趙盾酒：晉侯，晉靈公夷皋也。周成王始封弟叔虞於唐，子燮，是爲晉侯；其爵爲侯。傳至緡，世世稱侯。至曲沃莊伯之子稱，始更號曰武公，自是晉國國君莫不稱公，以迄靜公而國亡。此「晉侯」之侯，稱其封爵也。飲，以飲物使人飲；謂晉靈公設酒宴待趙盾。

五〇 伏甲：伏，隱藏。甲，軍服；此指武裝軍人。

五一 攻：襲殺。

五二 其右：右即車右之簡稱，謂趙盾座車上右立之武士。古將帥所乘之兵車，一車三人：御者在左，將帥居中，武士則披甲執兵於右以護衛之。或車前正中爲御者，車後左爲主人，右爲衛士。又大夫驂乘，亦有車右及御者，其制略同戎車。

五三　提彌明：《公羊》〈宣公六年〉《傳》作「祁彌明」，且曰：「（晉）國之力士也。」提彌蓋其姓，明是名，參看（註五九）。

五四　趨登：趨，疾行。登，上前；謂走上殿堂。

五五　侍：奉陪。

五六　過三爵，非禮也：爵，古飲酒器；猶今酒盃。飲酒過三爵非禮者，《禮記》〈玉藻〉篇：「君若賜之爵，則越席再拜稽首受，登席祭之。飲卒爵而俟君卒爵然後授虛爵。君子之飲酒也，受一爵而色洒如也，二爵而言言斯，禮已三爵而油油，以退。」

五七　遂扶以下：趙盾聞語，猶豫未即起走，提彌明見事急，遂扶盾下；非扶醉之謂。

五八　公嗾夫獒焉：嗾，使犬噬人之聲。夫，彼；猶今言「那個」。獒，猛犬（由下「弃人用犬，雖猛何爲」文，知爲猛犬。《尚書》〈旅獒〉篇《傳》曰：「犬高四尺曰獒。」）

五九　明搏而殺之：明，省略其姓（提彌，或謂姓「提」，疑誤。）而祇稱其名（明），如下文稱「趙盾」爲「盾」之例，《史記》〈晉世家〉同。搏，徒手撲擊。

六〇　弃人用犬，雖猛何爲：何爲，猶言「何用」。此二句責靈公不知養士，反縱猛犬以害賢者，於治平之道何益！

六一　且出：將要脫出包圍。以上爲第四段，記靈公伏甲兵，縱猛犬，欲於宴間擊殺宣子。

六二　初：以前。《左傳》追述往事，慣用一「初」字冠於其首。

六三　田：打獵，字亦作「畋」。

六四　首山：大約在今山西省永濟縣境。

六五　舍于翳桑：舍，止息，作動詞用。翳，蔭。翳桑，蔭翳密多之桑樹下。謂宣子獵於首山，息于山之桑蔭下。（《公羊》〈宣公六年〉《傳》翳桑作「暴桑下」。）或謂翳桑亦爲地名，恐非是。

六六　靈輒：晉國人（見《左傳》杜預注），後爲晉靈公衛士（見下文）。

六七　病：困也。（困於飢餓亦謂病。《論語》〈衛靈公〉篇：「（孔子）在陳絕糧，從者病，莫能興。」〔梁〕皇侃《疏》：「病，飢困也。」）

六八　食：以食物予人食。

六九　舍：同「捨」，留下。

七〇　宦：爲臣隸。

七一　遺：贈送。

七二　使盡之：盡，完。叫靈輒吃光不要留。

七三　爲之簞食與肉：之，指靈輒。簞，竹器，用以盛食物。簞食與肉，謂簞中盛飯與肉。《史記》〈晉世家〉曰：「盾義之，益與之飯、肉。」

七四　寘諸橐以與之：橐，口袋。與，給予。入橐則便于攜取。

七五　既而：既，已也。謂舊事（受食之事）已過不久，而後（靈輒）爲公介。既而，《史記》作「已而」。

七六　與爲公介：與，加入。介，義與「甲士」之「甲」同；衛士也。

七七 倒戟：反轉戟頭。（戟，兵器。）

七八 禦：抵擋。

七九 公徒：徒，人衆。公徒，謂靈公之衛隊。

八〇 免之：使之（趙盾）得免於殺身。

八一 名、居：姓名、住所。

八二 遂自亡：遂，輒，就。亡，逃。

以上爲第五段，因記靈輒倒戟救難遂及宣子桑翳餽食濟困之往事，且以見其慈厚。

八三 乙丑：春秋時代以干支紀日，據杜預注爲九月二十七日；「九月」，承上「秋九月」省略。

八四 趙穿：《左傳》杜預注：「穿，趙盾之從父昆弟（之）子。」從父昆弟，謂族兄弟；盾之族兄弟之子，即其族姪。

八五 攻：襲殺（見《史記》〈晉世家〉）。

八六 桃園：園名，蓋晉君遊觀之所。

八七 宣子未出山而復：山，晉國邊境之山。復，還歸國都。《穀梁》〈宣公二年〉《傳》謂宣子「出亡至于郊」，《史記》〈晉世家〉謂「盾遂奔，未出晉境」（〈趙世家〉略同），及本篇下文「（宣子）亡不越竟」，可證「未出山」義即未嘗越國境。

八八 大史書：大史，史官，時董狐爲之（見下文）。書，寫在史冊上面。

八九 弑：以下殺上。

九〇 正卿：卿，官職。正，長也。正卿，卿之長。晉置六卿；時趙盾以卿執國政（參看〔註一四〕），於諸卿權最大，故大史以正卿稱之。

九一　竟：同「境」，國界。

九二　反不討賊：反，同返。討，伐。賊，叛逆；指趙穿。討賊，《史記》〈晉世家〉作「誅國亂」。

九三　我之懷矣，自詒伊慼：此二句，《左傳》杜預注以爲逸詩（凡不在《詩經》三百零五篇之內之詩曰逸詩），王肅以爲二句出於《詩經》〈國風〉〈邶風〉〈雄雉〉篇（有異文一），並非逸詩（參〔清〕王先謙《詩三家義集疏》卷三上）。疑王肅說是。懷，思念；引申爲「眷戀」義。「我懷矣」，爲完整句，主語下加「之」，遂由句變爲片語。宣子自引詩見志，謂我由于懷戀國家，……。詒，遺留；字通貽。伊，其也；猶言「這些」。慼：憂。《詩經》〈雄雉〉篇作「阻」；阻，憂也，義與慼同。

九四　書法：寫國史之法度。

九五　不隱：隱，曲。不隱，謂不枉曲撰史之原則。

九六　受惡：蒙被惡名。

九七　越竟乃免：按：太史以弑君罪責盾，不過謂盾以正卿在國，有討逆之責，力亦能誅賊而不爲，是與賊志同（《穀梁》〈宣公二年〉《傳》：史狐曰：「君弑，反不討賊，則志同。」）。若亡出晉疆，即失爲正卿，雖返國而誅逆之責不復在己，且力權亦不逮。今宣子亡不遠君，故仲尼惜其不免也。

以上爲末段，記趙穿弑靈公，史狐據法直書，更引孔子之言爲斷。

語譯

晉靈公的行爲，不像個君主的樣子：他向老百姓徵收重稅，用稅金來彫刻繪畫宮殿的牆壁。又在臺子上用彈丸射擊下面的行人，看他們驚慌閃避，以取笑樂。廚師做熊掌，沒有煮熟就拿給他吃，他就殺掉廚師；而且把他的屍體裝在畚箕裏，叫婦女扛著打殿堂前面走過。趙盾和士季發現露在畚箕外面的死人的手，就去查問；知道了究竟。對於靈公的殘虐，非常憂慮。兩人打算去勸諍。

士季提議說：「（我們兩人一齊進朝勸諫君主，）假使他不肯接納，那就沒有人能繼我們之後再去進諫了。不如讓我先去勸他，倘若他不聽從，隨後您再去勸吧。」（趙盾同意了。）士季進了大門，向前走一段，停了下來，（靈公假裝沒看見他）；再向前走一段，又停了下來，（靈公還是假裝沒看見他）；最後一直走到簷水滴落的地方，逼近靈公的眼前，靈公只好看著他，說：「我知道我的錯處了，我會改過的！」士季磕了頭，回答說：「誰能沒有過錯呢？犯了過錯而能改，是最大美德啊！《詩經》說：『在事情開始的時候，人們沒有不是兢兢業業的；而到了最後，就很少有人能堅持到底了。』要是只能愼始而不能善終，像上舉詩文所說的那樣，過失就很少能夠得到補救。君主您立志改過，如果能夠堅持到底，豈只我們臣下依靠您安定，就連國家也因而安定了。《詩經》又說：『周宣王的職務有了缺失，仲山甫就予以補救。』這是說能夠補救過失。君王能補過，王職也就不致廢失了。」

靈公還是不改過。趙宣子一再地勸戒，靈公怕他，就派鉏麑去暗殺他。天朦朦亮，刺客到了趙家。這時候，宣子臥室的門已經開了，宣子穿戴整齊，準備上朝，由於時光還早，坐著打盹兒。鉏麑見了，退回來，感歎說：「趙宣子不忘敬謹國事，眞是老百姓的官長。殺害百姓的官長，是對國家不忠誠；不執行君主（刺趙盾）的命令，是不守信用。（假如我再活下去，）不忠、不信的惡名，我必占其一。倒不如死了還好些！」於是他就頭碰槐樹自盡。

當年秋天九月，晉靈公招趙盾宴飮，預先埋伏了武裝兵士，想要於席間擊殺他。被他車右衛士提彌明窺見，趕忙跑上殿堂，說：「臣下陪奉君上喝酒，超過三杯，就不合禮制！」說著就扶趙盾下殿堂。靈公招喚大狗咬他，狗被提彌明空手撲殺。趙盾說：「人不用用狗；狗雖凶猛，能有甚麼作爲？」打著打著，快要突圍的時候，提彌明戰死。

以前，趙宣子到首山打獵，在桑蔭下休息，看見靈輒挨餓。宣子便垂問他的困難。回答道：「我已經三天沒有吃飯了！」宣子就給他飯菜吃。靈輒吃一半，留下一半。宣子問他緣故。答道：「我在異鄉當三年差了，不知老娘還活著不。現在離老家近了，請您准許我把這一半飯菜帶給她老人家吃吧！」宣子叫他全吃光，另外用竹簞盛些飯和肉，裝在口袋裏，給他捎回去。過了不久，靈輒加入靈公的衛隊，當一名武士。（在這場打鬭中，）他掉轉戟頭去抵擋衛隊的衛士們，解免宣子殺身之難。宣子問他救己脫禍的緣故，回答說：「我是當年桑蔭下受餓的人。」再追問他的姓名和住所，靈輒不答覆，掉頭走開，於是就自己逃亡了。

當月二十七日，趙穿在桃園擊殺靈公。這時趙宣子逃亡還沒有越過本國邊境的山，聽到消息就立即回歸國都。太史就在史冊上寫道：「趙盾弒他的國君。」拿上朝給大家看。宣子說：「人不是我殺的！」太史答道：「您身爲國家的執政，逃亡沒有出國疆，回歸朝廷又不誅伐叛賊，國君不是您弒的是甚麼人？」宣子說：「哎呀！『我因爲懷戀國家，沒有遠去，竟給自己留下了這些憂煩！』這兩句詩，說的就是我呢！」孔子說：「董狐是古代的好史官，他不枉曲寫史的法則；趙宣子是古代的好大臣，爲了寫史的法則蒙受壞名聲。可惜呀！要是他越過國界，就能免受弒君的罪名了。」

——原載《國語日報》〈古今文選〉新第三二五期，民國六十三年八月

四書類

三十三　陸九淵講《論語》「君子喻於義小人喻於利」註譯（註一）

某（註二）雖少服（註三）父（註四）兄（註五）師友（註六）之訓（註七），不敢自棄（註八），而頑鈍踈拙（註九），學（註一〇）不加進（註一一），每懷愧惕（註一二），恐卒（註一三）負其（註一四）初心（註一五），方將（註一六）求鍼砭鐫磨（註一七）於四方師友（註一八），冀（註一九）獲開發（註二〇），以免罪戾（註二一）。比來（註二二）得從郡侯祕書（註二三）至白鹿書堂（註二四）；羣賢畢（註二五）集，瞻覩（註二六）盛觀（註二七），竊自（註二八）慶幸（註二九）。祕書先生、教授（註三〇）先生不察（註三一）其愚（註三二），令登講席（註三三），以吐所聞。顧惟（註三四）庸虛（註三五），何敢當此？辭避再三，不得所請（註三六），取《論語》中一章（註三七），陳（註三八）平日之所感，以應（註三九）嘉命（註四〇）。亦（註四一）幸有以教之（註四二）！

子曰：「君子（註四三）喻（註四四）於義（註四五），小人（註四六）喻於利（註四七）。」

此章以義、利判（註四八）君子、小人，辭旨（註四九）曉白（註五〇）。然讀之者苟不切己觀省（註五一），亦（註五二）恐未能有益也。某平日讀此，不無所感（註五三），竊謂（註五四）：學者於此，當辨其志（註五五）。人之所喻，由其所習；所習由其所志（註五六）。志乎（註五七）義，則所習者必在於義；所習在義，斯喻於義矣（註五八）。志乎利，則所習者必在於利；所習在利，斯喻於利矣（註五九）。故學者之志，不可不辨也。

科舉取士久矣（註六〇），名儒鉅公（註六一）皆由此出（註六二）。今爲士者，固不能免此。然場屋（註六三）之得失（註六四），顧（註六五）其技（註六六）與有司好惡如何耳（註六七）；非所以爲君子、小人之辨也（註六八）。而今世以此相尚（註六九），使汨沒（註七〇）於此而不能自拔，則終日從事者雖曰（註七一）聖賢之書，而要（註七二）其志之所鄉（註七三），則有與聖賢背而馳者矣（註七四）。推而上之（註七五），則又惟（註七六）官資崇卑（註七七）、祿廩厚薄（註七八）是計（註七九），豈能悉心力（註八〇）於國事民隱（註八一），以無負於任使之者（註八二）哉？從事其間（註八三），更歷（註八四）之多，講習（註八五）之熟，安得不有所喻？顧（註八六）恐不在於義耳。誠（註八七）能深思是身不可使之爲小人之歸（註八八），其（註八九）於利欲之習，怛焉（註九〇）爲之痛心疾首（註九一）；專志乎義而勉焉（註九二），博學、審問、謹思、明辨而篤行之（註九三）。由是（註九四）而進於場屋，其文必皆道（註九五）其平日之學、胸中之蘊（註九六），而不詭於聖人（註九七）；由是而仕（註九八），必皆共其職

（註九九），勤其事，心乎國（註一〇〇），心乎民，而不爲身計（註一〇一），其（註一〇二）得不謂之君子乎？

祕書先生起廢以新斯堂（註一〇三），其意篤（註一〇四）矣！凡至斯堂者必不殊志（註一〇五），願與諸君勉之，以毋負其志（註一〇六）！

題解

這篇文章是從商務印書館縮印明代刊刻《四部叢刊初編》本的《象山先生全集》選出來的。《象山先生全集》共三十六卷，是在陸九淵死後，後人陸續輯編而成的。除掉最後四卷〈論議〉、〈行狀〉、〈語錄〉、〈年譜〉等或爲門人所記，或爲它人所撰，其餘三十四卷，按照文章體裁，區分爲若干類，大抵都是九淵的作品。它的第二十三卷是「雜著類」，包含三篇文章，都是「講義」，而〈君子喻於義小人喻於利〉講義，是該卷的首篇。

「子曰：『君子喻於義，小人喻於利』」，本來是《論語》〈里仁〉篇的文字。因爲《論語》是孔子的語錄，有時候三言兩語，意義便已完全，古人往往把它們看做一章，到了（宋）朱熹作《論語集註》便把這些類語用小圈隔開，各成一個體系，明白地稱它們爲章，而這一章通常叫做「〈喻義喻利章〉」。這章書曾由南宋一位大宗師——陸九淵——作爲一次專題演講的題目，所以提起〈喻義喻利〉章，朱（熹）、陸（九淵）兩派的學者，沒有不知道的。

這篇講義是宋理宗淳熙八年（西元一一八一，當時九淵四十三歲。）春二月他在南康（今江西省南康縣）講的。當時朱熹爲南康守，九淵來訪，請書其兄墓誌銘，朱熹遂請他登白鹿洞書院講席，九淵遂講此章，所以在《文集》中的標題是〈白鹿洞書院講義〉。據《年譜》記載，講得非常動人，當時聽講人有泣下者，而朱熹也深爲感動，故雖天氣微冷而竟不免汗出揮扇。事後朱熹要求九淵整理講詞成爲一篇文章，叮囑他的門人研讀，又把它刻在石板上，而且自己還寫了一篇「跋」附在原文之後。跋曰：「……其所以發明敷暢，……懇到明白，而皆有以切中學者隱微深痼之病。」

本文自「某雖少」至「有以教之」原集皆頂格書寫，是講演時的開場白，好像序言；緊接著是「子曰」至「喻於利」爲講題。從「此章以義」直到「毋負其志」才是正文，正文在原書上較「序言」各低一格書寫，且不分段落。正文以下就是上述朱熹的跋文，它在原書上則比「正文」更低一格書寫。

作者

〔宋〕陸九淵，字子靜，號存齋。他的八世祖希聲，做過唐昭宗的宰相。本來是吳郡吳縣人，六世祖德遷五代末因爲避亂才搬到撫州金谿縣（今江西省金谿縣），以後陸家就住在金谿了。他小時候就與普通兒童不同，一天忽然問他父親：「天地何所窮際？」父親只笑不答，他卻深思「至忘寢食」。常聽尊長談論靖康間事，慨然有復仇的心願。宋孝宗乾道八年（一一七二）三十四歲，中進士。淳熙六年（一一七九）朝廷派他做建寧府崇安縣主簿。九年，又任命他爲國子正；而當年秋天，就到國學去授課，講《春秋》。第二年冬天，調任勅令所刪定官。十三年冬季，奉朝旨主管台州崇道觀——這在宋朝叫做祠祿，沒有什麼公務，於是他便回歸江西。不久，登信州貴溪的應天山講學。應天山山形如象，他便改山名爲象山，又自號象山翁；而當時四方學徒數百人齊集山上學舍聽講，大家就尊稱他爲象山先生。一直到十六年光宗即位才結束祠秩，派他知荊門軍事。光宗紹熙三年（一一九二）十二月十四日病卒，五十四歲。寧宗嘉定十年賜謚文安。

象山學問的宗旨，首先在發明本心，也就是孟子所說的「先立乎其大者」。他認爲理本具於吾心，非由外鑠。理既具於吾心，吾人只要向內窮此心之理使心體光明就可以了；心體既明，則「事父自能孝，事兄自能弟」（《象山語錄》），則「是知其爲是，非知其爲非」，則「外物不能移，邪說不能惑」（上兩引都見《象山集》卷一〈與曾宅之書〉）。因爲理不須它求，所以向心以外的事物上窮理，如朱熹讀書窮理的主張，他認爲那是捨本逐末。對此，他有兩句名言：「學苟知本，六經皆我註腳。」（《象山語錄》）。更反對著書，《象山語錄》：「或問先生何不著書？（象山）對曰：『六經註我，我註六經。』」所以淳熙二年（一一七五）鵝湖之會時，他吟詩批評朱熹著書講學爲「支離事業竟浮沉」，而自信先發明本心爲「易簡工夫終久大」。（《象山全集》卷二五）。

大體上說，象山之學，以尊德性爲宗，重視踐履，雖然也教人讀書，也聚集師友講學，但所要講明的總在此心；此心即理，理即此心。因此，後世稱這一學派爲心學派——它的學旨與程明道（顥）接近，而朱熹學旨則與程伊川（頤）相似，所以心學大師的象山「丱角時，聞人誦伊川語，自覺若傷我者。」（《象山全集》卷三三楊簡撰〈行狀〉）他的弟子，最著名的有楊簡、袁燮、舒璘、沈煥。到了明代有王守仁（陽明）的倡導，心學派日益光大，至今不衰。而朱子之學，大抵以道問學爲主，教人首先要讀書窮理，泛觀博覽，自外而內，由博返約。兩派學者爭辯不休，形同水火。其實各有短、長，朱子說的很中肯，他說：「……今子靜所說，專是尊德性事，而某平日所論，卻是問學上多了。所以爲彼學者，多持守可觀，而看得義理全不子細。……而某自覺于義理上不敢亂說，卻于緊要爲己爲人上多不得力。今當反身用力，去短集長，庶幾不墮一邊爾。」（見《宋元學案》卷四八〈晦翁學案〉下。）朱子認爲朋友講習可以互補短長，所以他後來和象山的詩說：「舊學商量加邃密，新知培養轉深沈。」而鵝湖之會後六年，象山這篇〈喻義喻利章講義〉勉人學、問、思、辨，我們又怎能拿陸學末流「束書不觀」的罪名責象山呢？

註釋

一 君子……於利：語出《論語》第四〈里仁〉篇第十六章（依〔宋〕朱熹《論語集註》分章）。象山此講，大致在針對時弊發抒己見，未必皆符合孔子旨意，而《象山先生全集》卷三十二〈拾遺〉另有〈「君子喻於義」說〉一篇，可與本篇參看。

二 某：本爲臣諱君名時稱謂，如《尚書》〈金縢〉篇「惟爾元孫某」，不稱「發」（周武王名），而稱「某」。後來演變爲自稱之辭，宋人習用，《象山語錄》亦有，如：「某之取人，……某甚惡之。」皆陸九淵之自稱。下「某平日讀此」之「某」同義。

三 服：遵行。

四 父：九淵父名賀字道鄉，不仕，曾酌定古人禮儀行於家；家道嚴整，聞於州里。卒贈宣教郎。

五 兄：陸賀生六子：長九思字子彊，次九敘字子儀，三九皐字子昭，四九韶字子美號梭山，五九齡字子壽號復齋，末即九淵。論學問切磋，以九淵與九齡最密，《宋元學案補遺》卷五十七：「公（象山）與季兄復齋講貫理學」，時號「江西二陸」。而與九韶亦常討論，故包恢撰〈祠堂記〉，又併入梭山，合稱「三陸」。

六 師：象山之學，得之程顥（明道）及謝良佐（上蔡）爲多，《宋元學案補遺》「象山師承」列同縣吳漸（亦九淵岳父）一人。友：九淵講友有林光朝、劉清之、李浩、王厚之及呂祖謙、朱熹。

七　訓：教誨。與朋友講習象山在此亦謙稱受教。

八　自棄：棄，絕。謂自行棄絕進德修業之事而不為。語出《孟子》，〈離婁上〉曰：「……自棄者，不可與有為也。……吾身不能居仁由義，謂之自棄也。」

九　頑鈍踈拙：頑，愚；鈍，遲。頑、鈍義近，為複詞，古書常連用，如《白虎通》〈辟雍〉篇：「頑鈍之民，亦足以別禽獸而知人倫。」踈，粗淺。拙，呆笨。踈拙語出《韓非子》〈難四〉：「事以微巧成，以疏（踈）拙敗。」頑鈍踈拙四字義近，象山自謙天資愚魯，雖黽勉而學不加進。

一〇　學：學問，包括知識與品德。

一一　加進，猶今語「增進」。

一二　愧惕：愧，慚愧。惕，恐懼。愧、惕為複詞，同表情緒。

一三　卒：終於，到底。

一四　其（初心）：父兄師友之（初心）。

一五　初心：當初之善意。

一六　方將：方，將；方、將義同，為複詞。猶今語「正要」。

一七　鍼：同針，金屬鍼。砭，本義為石鍼。鍼砭，本為名詞，引申作動詞用，意謂矯治錯謬、規勸過失。鐫：本義為琢石。磨：本義為磨石。鐫磨：引申為學問之商量研究。

一八　上言「師友」，著重於鄉里學者；此又言「師友」，則著重於天下賢俊。

一九　冀：期望。

二〇 開：開導（己之蒙昧）；發，啓發（己之愚魯）。開發義同，爲複詞。

二一 罪戾：戾，罪也。罪、戾義同，爲複詞。

二二 比來：比，近也。比來，猶近來。

二三 郡侯：郡：古代地方行政單位名，比縣大，與州髣髴。侯，五等爵之第二等，此謂首長。宋代地方行政單位大約分三級：路、軍或州及縣。軍與州大約相當郡，而當時朱熹正知江南東路之南康軍，故象山稱之曰「郡侯」。祕書，謂祕書郎，宋官名。朱熹於淳熙二年除祕書郎（見〔宋〕黃榦《勉齋集》卷八〈朱子行狀〉。），五年，差知南康軍（見〔清〕王懋竑《朱子年譜》卷二上。），故又連稱之曰「祕書」。末段稱「祕書先生」亦謂朱熹。

二四 白鹿書堂：即白鹿洞書院，在廬山之南五老峯之麓有白鹿洞，〔唐〕李渤嘗隱居於此，南唐闢爲養士之地，宋太宗太平興國中，賜經而官其洞主，後寖廢，朱熹守南康時復建爲書院（參看〔註一〇三〕。時朱熹講學於此。據《象山年譜》，淳熙八年，象山年四十三，春二月訪朱熹於南康，「時元晦爲南康守，與先生（象山）泛舟樂，曰：『自有宇宙以來，已有此溪山，還有此佳客否？』乃請先生登白鹿洞書院講席。先生講……畢乃離席。」故本文有「得從郡侯至書堂」云云。

二五 畢，盡。

二六 瞻：視。覩同睹，見。瞻覩義近，爲複詞。

二七 盛觀：猶言「偉大的場面」；此讚人才薈萃，學術氣氛濃厚。

二八 竊自：竊，私心，私下裏。竊自，猶言私自。

二九 慶幸：慶賀（自己的）幸運。

三〇 教授：宋代中央有國學，地方州與軍亦皆有學；州、軍學設置教授，主持學政。南康軍學教授大概是楊大法，見呂祖謙〈白鹿洞書院記〉（《呂東萊先生遺集》卷六）。

三一 察：明瞭。

三二 其愚：象山謙辭，謂自己愚鈍。

三三 講席：師儒講課的地方，古稱講席。

三四 顧惟：顧，念；惟，思。顧、惟義同，爲複詞。

三五 庸，才質庸下；虛，胸無學識：皆象山自謙之辭。

三六 請：要求。

三七 即下「子曰：『君子喻於義，小人喻於利』」章，參看解題。

三八 陳：「述說」之敬語，象山自謙之辭，猶今人應邀作學術演講云：「我不敢說講演，這只是個讀書報告。」

三九 應：當；與上「何敢當此」之「當」相照應。

四〇 嘉命：美善的命令。

四一 亦：語助詞，無承上之義；《詩經》、《尚書》中多此類例。

四二 之：人稱代名詞，象山自指。

首段象山聲明來此演講之經過，及取《論語》〈喻義喻利章〉爲題之緣由。

四三 君子：《論語》所言君子，多謂德業高尚者；所言小人，義則相反。

四四　喻：曉；明白。吾人常言「家『喻』戶『曉』」，喻、曉複文。

四五　義：公允合宜。象山曰：「義也者，人之所固有也。」（見《象山先生全集》卷三十二〈「君子喻於義」解〉。）

四六　小人：見（註四三）。

四七　利：此謂私益，營之足以害平正，象山曰：「孰利於吾身，孰利於吾家——自聲色貨利至於名位祿秩，苟有可致者，莫不營營而圖之，汲汲而取之。」（語亦出《象山集》，同（註四五）。）

四八　判：分別。

四九　辭旨：猶言文辭之要義。

五〇　曉白：曉，明白；白，義同曉。曉、白爲複詞。

五一　切己觀省：切，迫近；己，謂親身。觀省：審察反省。切己觀省一類話，宋理學家習用。象山爲學：以察識爲始事，察識即觀省；其法即躬行，躬行猶切己也。

五二　亦：語詞，見（註四一）。

五三　某：見（註二）。第一段「陳『平日』之所『感』」，與此「某『平日』讀此，不無所『感』」遙接。

五四　竊：私自，參看（註二八）。謂：以爲。

五五　辨其志：辨，別也。其志，謂學者自身之志。辨其志，謂辨別其心志之趨嚮。立志嚮於義，則成德爲君子；立志嚮於利，則淪敗爲小人矣。

五六　習：謂經由學習（從事）至於熟習，故下文曰：「從事其間，更歷之多，講習之熟。」又通篇八「習」字義皆如此。「人之所喻」至「所習由其所志」：謂人志於某事，即習為某事；習為某事，知曉（由身體力行所得之知曉。）某事；而與其相反之事（如私利與公義相反之類。），則不可責之為矣，象山曰：「非其所志而責其習，不可也；非其所習而責其喻，不可也。」（語亦出《象山集》，同〔註四五〕。）

五七　乎：介係詞，義同「於」，《論語》〈先進〉：「浴乎沂，風乎舞雩」，兩「乎」字皆訓為「於」。下句「則所習者必在『於』義」之「於」，與此「乎」字複文。又：後「志乎利」及「專志乎義」之「乎」同義。

五八　斯：「猶則」，而語意較強。猶今語「這就」。下「斯喻於利矣」之「利」同義。斯喻於義矣，點出本題之上半「君子喻於義」。

五九　斯喻於利矣：此句點出本題之下半「小人喻於利」。

次段象山語學者，首重辨志，且提示喻義、喻利為賢、不肖之判以起下文。

六〇　科舉：謂依照訂定之科目選舉人才。士，謂讀書人。選舉賢俊，自古有之，惟至唐而始定為制度。宋代重視科舉，以進士出身為正途，上至卿相，下訖州倅縣丞，絕多由考試及格者出任。

六一　名儒鉅公：名儒：有名的學者，北宋如歐陽修、蘇軾；南宋如呂祖謙及在座者朱熹。鉅，大也，一作巨。鉅公：大人物，尊者之通稱，此蓋指居顯官有勳績者，北宋如王旦、范仲淹；南宋如李綱、宗澤。

六二 此：謂科舉。皆由此出：謂莫不由科舉出身，如上述歐陽修爲天聖八年進士，官至參知政事；蘇軾嘉祐二年進士，官至翰林承旨；呂祖謙隆興元年進士，官至國史館編修。又如王旦爲太平興國五年進士，官至丞相；范仲淹大中祥符八年進士，官亦至參知政事；李綱政和二年進士，官亦至丞相；宗澤元祐六年進士，官至東京留守。即峻拔如象山者亦不能免此。

六三 場屋：貢院之別名，即考試場所，蓋考試於屋舍中舉行，故稱場屋。

六四 得失，得謂登第，失謂落榜。

六五 顧：但，祇。此有「只不過靠……」之義。

六六 其：應考人的。技：謂作程文的技巧。註者案：舉子每摭經籍中段片，發爲奇論，甚至迎合試官癖嗜，故立異議，凡此皆無關於道，特技耳。

六七 司：掌理。有司，原義爲「有其專門職掌」，引申爲「職有專掌的官吏」，此官吏指考官。場屋得失與有司好惡，茲以象山進士試爲證：時呂祖謙爲考官，見象山卷，擊節嘆賞，遂囑同官趙汝愚及知舉尤袤：此卷超絕，有學問者，必是江西陸子靜之文，此人斷不可失！趙、尤亦嘉其文，遂中選（見《年譜》）。當日使無呂伯恭，彼或失意科場，亦未可知。

六八 非所以爲句：君子、小人之判，非以場屋得、失，而以義、利，故《象山語錄》曰：「凡欲爲學，當先識義利公私之辨。」

六九 尚：重視。

七〇 使：假若。（觀下句「則終日」云云，知此「使」宜如上解。）汩：沒也。汩沒：同義複詞，謂沉淪陷溺。（或作汩，疑誤。）

七一 曰：爲，是。《尙書》〈洪範〉篇：「五行：一曰水，二曰火，三曰木」，「曰」皆訓「是」，可證。

七二 要：求，此有「探討」之義。

七三 鄉：同嚮，謂趨向。

七四 與聖賢背而馳：謂朝夕呻吟於占畢，其志（在利）與聖賢之志（在義）者背道而馳也。

七五 之：謂夙夜勤力於學業，而務在私利者。其上，謂已試中入爲官職者。

七六 惟：只。

七七 資：資歷，經歷，引申義爲「（地）位」。官資崇卑，言官位之高（崇）低（卑）。

七八 祿：俸給。廩（原書作「稟」，字誤）：原義爲穀倉，引申義亦爲俸給。祿、廩同義複詞。

七九 計：謀劃。

八〇 悉：盡竭。悉心（悉）力，謂盡心竭力。

八一 民隱：人民之疾苦。

八二 任：任命。使，派遣。任、使同義複詞。之：謂受政府任命之官員。者：謂國君。案：宋代行中央集權，官無分崇卑，皆由天子委派，人事命令多出翰林學士手筆，如《蘇東坡集》即有外內制集合十三卷。

八三 其間：謂習舉業及任官事時期。

八四 更歷：更，歷。更歷同義複詞，猶言經歷；就居官言。結上「推而上之」至「任使之者哉」。

八五 講習：互相討論研習。語出《周易》〈兌卦〉〈大象傳〉「麗澤〈兌〉君子以朋友講習」，宋理學家習用，師弟子、朋友、父兄子弟間，凡學問研討，統可稱爲講習。

八六 顧：但，祇（參看〔註六五〕）。

八七 誠：（要是）眞的（能夠……的話）。

八八 歸：言己身之寄托。

八九 其：（那）就（會）。此將然之詞，古書中習用，非第三身代名詞。

九〇 怛：痛的樣子。怛也可以表現「驚」、「憂」、「惡」等情緒，但在此地，它是修飾下面「痛心疾首」的「痛」，所以只能作「痛的樣子」解。焉：形容詞語尾，如《尚書》〈秦誓〉篇：「其心休休焉，其如有容」，「休休焉」即「休休然」。焉同然，怛焉即怛然，《後漢書》〈譙玄傳〉：「臣聞之，怛然痛心傷剝」，可證。

九一 疾：痛。痛、疾同義複詞，交替爲文。痛心疾首，語出《左傳》〈成公十三年〉，猶言心痛頭疼，形容傷痛至極。

九二 焉：句尾語氣詞。或釋爲代名詞「之」；勉焉，即勉之，亦通。

九三 「博學」至「篤行之」：語出《禮記》〈中庸〉篇而略。其文義參看朱熹《四書集註》〈中庸章句〉第二十章註解。

九四 由是，謂由公義不由私利。下「由是而仕」之「由是」義同。

九五 道：闡明，動詞。

九六 蘊：蓄積存儲。

九七　詭：乖異。案：宋儒以疑古相尚，其末流至于誣經毀聖，而科舉時文，矜奇炫博，詭異尤甚，象山儆諸生勿詭於聖人，或亦針對時弊而發。又案：象山亦教學者習舉業，《語錄》曰：「某今亦教人做時文，亦教人去試，亦愛好人『發解』之類，要曉此意是爲公，不爲私。」

九八　仕：做官。

九九　共：古「供」字，給。共其職，言「從事其職分」，今猶習言「供（共）職於某所」。或讀共爲恭：恭，敬；謂敬謹其職事，疑非象山本意。

一〇〇　心：作動詞用，謂「用心（於國事）」。「乎」與下句「乎」，皆「於」也，參看（註五七）。

一〇一　不爲身計：猶言不爲私計，與上「惟官資崇卑、祿廩厚薄是計」者相反。

一〇二　其：與「豈」同義，爲表示反詰的語氣詞。三段言當世學者自習舉業至入宦途，所計度者，無非身己之私，因勉諸生當專志乎義，且示之道焉。

一〇三　起：興也。廢：毀棄。起廢以興斯堂，謂「重建」、「復建」，朱熹於淳熙五年知南康軍事，次年冬十月，始復建白鹿洞書院，由軍學教授楊大法、星子縣令王仲傑董其事，明（七）年三月訖工，呂祖謙撰〈白鹿洞書院記〉記其大略（見《呂東萊先生遺集》卷六）。黃榦〈朱子行狀〉、王懋竑《朱子年譜》（卷二上）並有記。（參看〔註二四〕）。

一〇四　篤：深厚。

一〇五　殊志：異心，謂邪僻之心志。

一〇六　其志：朱祕書的厚意。末段象山勉諸生篤志。

語譯

九淵年少的時候，雖然就已遵從家父、家兄及師長、朋友的教訓，不敢絕棄德業的進修，然而天生愚魯遲鈍加上粗疎呆笨，所以學問沒有長進，常常感覺慚愧恐懼，只怕最後會辜負他們當初的一番善意。正想要到四方尋找師長和朋友，求他們糾正我的過錯，和他們商量研討；期望得到他們的啓發開導，（使學問增進），用來免除我的罪愆。最近，有機會隨從本軍首長（朱）祕書到白鹿書院來；賢俊全都聚集在這兒，看到這裏研習的環境，我不禁暗自慶賀自己的幸運。祕書（朱）先生跟教授（楊）先生並不曉得我蠢笨，叫我上講臺把所知道的報告出來。我自忖庸下無學，怎麼敢接受二先生的盛意，三番兩次辭謝規避，他們總不答應。（不得已，姑且）拿《論語》中的一章作題目，述說我平時的一點感想，用來報答二先生的美命，要是藉這次報告的機會能獲得諸位的教正，那我就幸福了。這一章就是「〈子曰：『君子喻於義，小人喻於利。』〉」

這章用義、利來分別君子、小人，雖說文辭的要旨已清楚明白，然而讀它的人，假如不能夠親身觀察反省它的義蘊，恐怕也沒有多大用處。九淵平時讀這章，有些感想。私意以爲：學者研究義、利的分辨，應該辨別自己心志的趨嚮。人們所以對某事明瞭，是由於他們對某事的熟習，而所以會熟習某事，那是由於他們的心志。例如志向在「義」上面，所學習的就一定是「義」；對「義」熟習，自然會明瞭「義」了。志向在「利」上面，所學習的就一定是「利」；對「利」熟習，所明白的，當然就只有「利」了。所以說學者心志的趨嚮不可不分辨。

設置科目選取人才的制度，老早就實行了。有名的學者和大人物都由科舉出身。當代的讀書人，固然不能不參加科舉。然而考試成績的好壞，只不過靠應考人答卷的技術和考官的喜愛或憎惡來決定，而與成爲君子還是小人沒有關係。不過時下大家都太看重考試成績的好壞，假如爭取考試錄取，竟至沈淪陷溺，不能自拔，那末，一天到晚唸的雖是聖賢之書，但探究他們心志的趨向，卻有跟聖賢意向背道而奔馳的了。從學習舉業的生徒向上推究，便是那些在官的人了，他們一心一意地關注官位的高低和俸給的多寡，那裏還能對國家政事和人民疾苦盡心竭力，也好不幸負派他們來做官的國君呢？再說這些官員有過那麼多資歷，那些生徒熟讀過這麼多典籍，他們怎麼會一無所知呢？只不過所明瞭的怕不在公義上罷了。一個人要是眞的能夠深切的考慮到不讓己身歸屬於小人類，那就會對於私利和物欲的追逐深惡痛絕，反過來專心致志在公義上，而且一天到晚勉勵自己去探索它（「義」）了。（探索的方法是：）廣泛的學，清晰的考問，謹愼的思慮，明白的辨別，加上力行不懈。秉持著公義進考場考試，他們作文章一定都是闡述自己平時所學和胸中的義蘊，而不故與聖道立異；懷抱著公義當官，他們一定都能克盡職責，勤勞政事，用心於國家大計，關心於黎民疾苦，而不會光爲自己打算了。（像這樣的讀書人和公務員，）不敬稱他們爲君子，行嗎？

祕書（朱）先生把已經廢毀的書堂重新建造起來，他的用心深厚啊！凡是到這個書堂來求學的，一定不要有邪僻的心意，而我願意就這一點和大家共同勗勉，也好不辜負朱先生的厚意。

——原載《國語日報》〈古今文選〉新二九一期，民國六十三年三月

三十四　張栻《洙泗言仁》編的源委

一　類聚言仁的淵源

我國的公私著述，積累到漢代，已經不是「兼兩」、「充棟」所能稱量的了。劉歆《七略》、班固〈藝文志〉可見梗概！而第一個感到典籍繁重，有條其門類，以便於省覽的是那位素以文章爲經國大業的魏文帝，於是（黃初中）尚書郎劉劭便「受詔集五經、羣書，以類相從，作《皇覽》」。在我國類書史上，《皇覽》稱得起始祖，正因爲它才脫胎便跟皇帝發生了關係，連帶著它的子孫雲仍，幾乎都不免跟帝王沾親帶故：劉孝標《類苑》、徐勉《華林遍略》，乃至（唐）歐陽詢的《藝文類聚》，莫不皆是。

不過《皇覽》以下諸書，究竟偏重事藝，且編纂當時，既藉憑政治力量以前，又專擅於宮廷在後。至獨取經之文比類相從，且加以訓注，首當以魏徵的《類禮》爲顯著。魏書的著成，是唐貞觀間的事，僅錄「賜皇太子及諸王，並藏本於內府」（《唐會要》〈貞觀十四年五月二十六日詔〉）。到了開元，元行沖復爲之作疏，稱《禮類義疏》，遂引起了一場爭辯，《舊唐書》〈元行沖傳〉載張說的駮奏，云：

> 魏徵因孫炎所修，更加整比，兼爲之注，……今行沖等解徵所注，勒成一家，然與先儒第乖，章句隔絕……。

結果張奏勝訴，而元僅得賜絹，留書貯於內府，較諸魏書，命運尤慘！

二　程子及門人的啓示

章句隔絕，以類比從的目的，不外是便於省覽，（《舊唐書》謂魏徵以戴聖《禮記》編次不倫，遂爲《類禮》，直是爲古人遮掩！）眞正拿類比來作探究經義的方法，不得不等到〔宋〕程頤和他的一些門弟子了。

> 問仁。曰：「此在諸公自思之，將聖賢所言仁處類聚觀之，體認出來。」（劉元承編《二程語錄》，卷十一，頁一。）

這幾句話，他的高第弟子楊時把他編在《二程粹言》裡：

或問仁。子曰：「聖賢言仁多矣，會觀而體認之，其必有見矣。」（原書卷上，頁八。）

程子的意思：聖賢言仁，不止一端，當通觀全體，以免拘攣偏踞。他舉了一個不前後照應，以致差失的例子：

孟子曰：「惻隱之心，仁也。」後人遂以愛爲仁。惻隱固是愛也，愛自是情，仁自是性，豈可專以愛爲仁？孟子言惻隱爲仁，蓋爲前已言「惻隱之心仁之端也。」既曰「仁之端」，則便不可謂之仁。退之言博愛之謂仁，非也。仁者固博愛，然便以博愛爲仁則不可。（劉元承編《二程語錄》，卷十一，頁一。）（案：亦略見《二程粹言》卷上頁六、八。）

這種類聚通觀的體仁方法，雖由程子倡揭，然《語錄》《文集》中僅此寥寥數條。他的高第弟子們，也沒有十分重視它。僅楊時把他的老師們的話類粹爲十篇，旨在整頓舊錄之牴牾龐雜，固與「類聚」無關。至謝良佐雖曾「因《論語》中說仁事致思，久之，忽有所得」，亦未類聚成編。到了他的三傳弟子張栻，才有所謂《洙泗言仁》的成書。

三　《洙泗言仁》編的內容

張栻字敬夫，號南軒，從胡五峰宏學。《宋史》本傳說「五峯一見，知其大器，即以孔門論仁親切之指告之。栻退而思，若有得焉。」他的「類聚」的方法，得諸程氏遺書，但偏巧也選定「仁」下手，一方面固是由於胡宏的啓示，一方面《論語》中的仁委實太重要了。《洙泗言仁》〈序〉說：

昔夫子講道洙泗，示人以求仁之方，蓋仁者天地之心；天地之心而存乎人，所謂仁也。人惟蔽於有己而不能以推夫其所以爲人之道，故學必貴於求仁。……某讀程子之書，其間教門人取聖賢言仁處類聚以觀而體認之，因裒《魯論》所載，疏程子之說於下而推以己見，題曰《洙泗言仁》，與同志共講焉。（張栻《南軒文集》卷十四頁四至五。）

《洙泗言仁》一書，《宋史》〈藝文志〉不載，各家書目、書志亦併未及，恐佚已久。然細繹序文可知是書：

（一）取《論語》言仁處裒爲一編，次錄以程子之解，再申以己意；

（二）用作教本，以備講研；

又據《朱子語類》「南軒《洙泗言仁》編得亦未是。聖人說仁處固是仁，然不說處，不成非仁？天下只有這個道理，聖人說許多的話，都要理會，豈可只去理會說仁處，不說仁處，便掉了不管？」（《宋元學案》卷五十，〈南軒學案〉頁九二四引）知道《洙泗言仁》是把「不說仁處，掉了不管」的。因此斷定是書：

（三）只裒集《論語》中有「仁」字的章句；

栻曾以《洙泗言仁》編就教朱子，往返論辯，當時朱子曾要求「作一〈後序〉」或「盡載此諸往返議論以附其後」（均見《朱子大全集》卷三十頁八〈答張敬夫書〉）。南軒接受了後者。是以是書：

（四）後附朱、張往返議論的書札；

《論語》中言仁者凡百處，這編摘撮下來的文字是怎樣安排的呢？據朱子的答書「今此錄所以釋《論語》之言而首章曰：「仁其可知」，次章曰：「仁之義可得而求」。又如首列二先生之說而所解實用上蔡之意，正伊川說中問者，所謂「由孝弟可以至仁」而先生非之者。（《朱子大全集》卷三十一頁五，〈答張敬夫〉）

得知是編

（五）可能按照《論語》「仁」出現的先後次序截分章句；（因「孝弟可以至仁」正是

〈學而〉篇中第一個出現的「仁」字。）

（六）篇中訓釋多本二程子之意，然亦不免駁采他說；非盡如〈自序〉所言；

同時，知道：

（七）篇中經與朱子切磋而改正者，亦復不少。

因為張栻自己說：

來書披玩再四，所以開益甚多，所謂愛之理，發明甚有力。……《洙泗言仁》中當仁不讓於師之義，舊已改；孝悌為仁之本、巧言令色鮮仁之義，今已正。並〈序〉中後來亦多換卻。……（《南軒文集》卷二十頁一〇至一一，〈答朱元晦〉。）

《朱子語類》中亦可見及：

問：「先生舊與南軒論仁，後來畢竟合否？」曰：「亦有一、二處未合。」（《朱子語類》卷一〇三頁四二〇〇）

四　朱、張的爭辯

張栻把《論語》中的「仁」摘抄出來，聚爲一篇，爲之注疏，起初遭到他的講友朱子的激烈的反對，反對的文字雖多，歸納起來，不過二端：

第一　編類未盡得體

在朱子看來，聖人無非是說仁，根本沒有類聚的必要，「聖人說仁處固是仁，然不說仁處，不成非仁？」（見前引）眞德秀也說：「《魯論》二十篇……實無一語之非仁。」（《眞西山文集》卷三十六，頁二五，〈跋孔從龍洙泗言學〉。）即使非類編不可，也逃不了歸類不精的毛病，朱子批評他的太老師說：

> 某舊見伊川令將聖賢所言仁處類聚看，看來恐如此不得，古人言語各隨所說見意，那邊自如彼說，這邊自如此說，要一一來比並不得。（《朱子語類》，卷九十五，頁三九〇六）

他不但反對類聚聖人的言語，並且反對類次任何書籍。門人問他：

欲取程氏遺書中緊要言語分爲門類作一處看，庶得前後言語互相發明，易於融合，如何？（《朱子語類》卷九七，頁三九九八）

他回答道：「若編得也好，只恐言仁處或說著義，言性處或說著命，難入類耳。」（引書同上）

第二　恐長學者好速求徑之心，失操存涵泳之功。

〈答張敬夫書〉中，云：

類聚孔孟言仁處，以求夫仁之說，程子之意，可謂深切，然專一如此用功，卻不免長欲速好徑之心，滋入耳出口之弊，亦不可不察也。大抵二先生之前，學者全不知有仁字，凡聖賢說仁處，不過只作愛字了，自二先生以來，學者始知理會仁字，不敢只作愛說。（《朱子大全集》卷三十，頁四至五）

這些話是給程伊川所舉要人類聚觀仁的例證（見前引）下了一個註腳。言外之意：程子怕學者錯解「仁」，才教人類聚以觀之；並無成篇以貽後世的意思。

編類不妥貼，弊在使知見差誤；失操存涵泳之功，其禍在陷人於不仁：朱子耿耿於懷者再：

> 荟專務說仁而於操存涵泳之功，不免有所忽略。故無優柔厭飫之味、克己復禮之實。……熹竊嘗謂：若實欲求仁，固莫若力行之。近但不學以明之，則有擿埴冥行之患，故其蔽愚。（《朱子大全集》卷三一頁五，〈答張敬夫〉）

另書答張栻的，說的更明了：

> 至謂類聚言仁，亦恐有病者，正爲近日學者厭煩就簡，避迂求捷。此風已盛，方且日趨於險薄，若又更爲此以導之，恐益長其計獲欲速之心，方寸愈見促迫紛擾，而反陷於不仁耳。（《朱子大全集》卷三一頁七）

五　對宋元程、朱學者的影響

朱子的力阻，並沒有發生什麼作用，南軒於《洙泗言仁》編之外，又作了一部《希顏錄》——類聚顏回平日言行爲一編（《南軒文集》卷三三頁八，〈跋希顏錄〉）。和呂祖謙一樣，張栻也是英年早逝。其門弟子雖眾，但不甚傳其學。唯類聚究經一法，卻時爲門人弟子所遵用。就連起初和他爭的最厲害的朱子，也似乎被他說服，修正了原先的立場，《朱子大全集》：

然卻不思所類諸說，其中下學上達之方，蓋已無所不具。苟能深玩而力行之，又安有此弊？今蒙來諭，始悟前說之非。敢不承命！（《朱子大全集》卷三一頁八，〈答張敬夫〉。）

豈止不再堅持原初主張，簡直暗中採用南軒的方法來教誨人弟子輩了：

承喻：「編次程書以類相度。」此亦用功之一端。若求之於此而驗之於日用思慮作爲之間，玩索操存，無所偏廢，則窮理居敬之功交相爲助而造其極矣。（《朱子大全集》卷五八頁八，〈答王欽之〉）

承認以類相從爲用功之一端，尚須驗之於日用思慮作爲之門，不如下文說的直截了當，其答呂祖儉云：

所論主一主事之不同，恐亦未然。主一只是專一。蓋無事則湛然安靜而不鶩於動；有事則隨事應變而不及乎他：是謂主事者，乃所以為主一者也。觀程子論敬處，類集而考之，亦可見矣。（《朱子大全集》卷四七頁八，〈答呂子約〉。）

門人後學，服從張南軒的，宋元兩代，頗不乏人。茲鈎稽舊獻，擇要表出數家：

周　奭　宋　（類編）《鬼神說》（《南軒文集》卷三三頁一〇）

楊泰之　宋　《易》類、《詩》類、《公羊穀梁》類等（《鶴山先生大全集》卷八一頁二〇）

宋文叔　宋　《編仁》（《眞西山文集》卷三五頁一三至一四）

孔從龍　宋　《洙泗言學》（《眞西山文集》卷三六頁二五）

王　柏　宋　《魯經章句》、類聚《朱子讀書法》（《魯齋集》、《吳禮部集》卷十七頁一〇）

楊　汲　元　《河洛言敬》（《桐江續集》卷三四頁八）

嚴　肅　元　《類聚言仁》（《吳文正集》卷十頁一六）

朱公遷　元　《四書通旨》（《經義考》等）

所謂「易類」、「詩類」、「言敬」及「言學」，只是元襲舊式把「類聚」的方面擴展到「仁」以外，至於方法、觀念上並無新穎可言。能夠從張栻身上得到「通觀類聚」以探求經義——特別是《四書》——的勇氣，從朱子遺書中擷取「以經統傳，以傳附經」的方法，而把全部《論語》重新編排，且解散〈學〉、〈庸〉、《孟子》以爲之傳注的，王柏的《魯經章句》是第一部書了。

由《魯齋集》和葉由庚所撰的〈王柏壙誌〉中知道《魯經章句》的編排和內容，大約爲：

（一）按義理編訂排列；（如《文集》云：「首以『溫而厲』者，以此章包含夫子之德容。可見。」）

（二）按年代先後，（《論語》出諸門人雜錄，殊難劃分時早晚，然觀王柏他書體例，其或當於義理之外，儘所知求其先後。）

（三）保存全經，反對張栻的「摘撮看文字」；

（四）打通《論》、《孟》、〈學〉、〈庸〉爲一片。

《魯經章句》初出，世人大駭，以爲動搖聖經，均不韙之。書亦旋佚。直到他的三傳弟子朱公遷才把王柏所用的方法加以充拓，六卷本的《四書通旨》，朱彝尊替它作了統計：其分析歸併《四書》爲九十八類（見《經義考》卷二五三，頁二）。

有天類，有天地類：有中類，有中和類；有仁義禮智信各類，又有仁義禮智信類；更有富貴貧賤、困窮患難與夫辭受取予、出處去就類。由天命下遞人事，由行己推及待人，怡然理順。就部分門類之精密來說，張栻以下都以一條歸入一類，公遷則以兼有數義的一條分別歸入數類之中，書中再再皆見。他取前人之長，矯舊編之弊，既救正了張栻的駁雜，又彌補了朱子所擔心的「言仁處或說著義，言性處或說著命」的弊憾。同時，王柏妄把三書視爲「傳」，用以解釋所謂《魯經》，他卻解散《四書》，分別歸類爲「經」而粹後儒訓釋爲「傳」。就便於探究經義上來說，自有貢獻，然而因此給孔孟學說帶來的災禍，實非戔戔。

六　季末的變質

程門師弟對於先哲遺經研究的態度，向來主張優游涵泳，心通神會的。程頤最欣賞杜預的「優而柔之，使自求之；厭而飫之，使自趨之。若江海膏澤之潤，渙然冰釋，怡然理順，然後爲得也。」以爲「煞好！」張南軒《類聚言仁》，雖有鼓勵後學長躐等求進之心之弊，然其遺編中「下學上達之方，蓋已無所不具」（《朱子語類》見上引），又《文集》中推本程子之意，勸人「讀書須平心易氣，涵泳其間」（《南軒文集》卷十九頁九，〈答潘端叔〉）之語，觸處俱是。朱子生平最忌人才讀書便誅求功效。《語錄》中說：

讀書看義理……第一不可先責效……只專心去玩味義理，便會心精；心精便會熟。（卷十頁三二〇）

他憂慮張栻的《類聚言仁》會導致後世責效求功資爲出口入耳之學。果然他所憂慮的事實，次第發生在元明兩代，特別是明代了。徐常吉的《六經類聚》、張雲鸞的《五經總類》、羅萬藻的《十三經類語》：分門別類，不爲經義立言，徒供舉業時文剽竊之資，場屋徒知有「類聚」，不知有聖經，正如歸有光之所譏：

終日呻吟，不知聖人之書爲何物！（《震川先生集》卷七頁一四，〈山舍示學者〉）

程門師弟用以探求經義的良方——「類聚」，變質到這般，我們不得不由衷地佩服朱子的洞燭機先而嘆其防微杜漸不爲過計了。

——原載《孔孟學報》第十一期，民國五十五年四月

三十五　談《四書》原來的編次：〈大學〉《論語》《孟子》〈中庸〉

〈大學〉、〈中庸〉是《禮記》裏的兩篇，跟其它四十七篇一樣，在漢代便取得了「經」的尊號。《論語》在漢文帝朝曾立學官，然而當時僅附於六經之末，身價不太高。《孟子》爲儒家諸子之一，從先秦到漢，地位沒有多大差別，所以王充才敢「刺孟」；〔唐〕韓愈雖把他跟堯、舜、禹、湯、文、武、周公、孔子連成一脈相承的道統，並沒有嚇阻宋人馮休「刪孟」，司馬光「疑孟」。〈學〉、〈庸〉是兩個短篇文章，《論》、《孟》是兩部近似語錄的小書。它們能有今天這末崇高的地位，宋儒，特別是朱子的努力，是不可泯沒的。

替〈大學〉、〈中庸〉、《論語》和《孟子》作訓解，是朱子畢生的事業。大約在宋孝宗淳熙年間，他的初稿完成；這就是有名的《大學章句》、《論語集注》、《孟子集注》、《中庸章句》，也就是通稱的《四書集注》。從元仁宗延祐年間指定用朱子的《四書集注》命題，到明永樂《四書大全》頒行，《四書集注》幾乎爲家戶所誦習。功名利祿擺在眼前，逐鹿場屋的，誰能不讀國定教本？然而翻開《大學章句》的第一頁，便看到：

子程子曰：〈大學〉，孔氏之遺書，而初學入德之門也。於今可見爲學次第者，獨賴此篇之存，而《論》、《孟》次之，學者必由是而學焉。……

讀完了這一段文字，約略一想，問題就來了。〈大學〉既爲「初學入德之門」，而篇第又恰好居於《四書》之首，先讀它，然後讀《論》、《孟》等三書，毫無疑問。至「於今可見爲學次第者，獨賴此篇之存，而《論》、《孟》次之」，就得加以推敲了。爲什麼有了「此篇」——〈大學〉——存世，便能見到爲學次第，非本文所主，這裏不去詳辨。「《論》、《孟》次之」，「之」，指的〈大學〉；《論語》、《孟子》次〈大學〉之後，亦文義明白，不須深辨。關鍵在「學者必由是而學焉」，「是」，假如單指〈大學〉，則學由〈大學〉入門；但是，「是」字似乎也包涵《論》、《孟》一起說的。依前一說，被這段文字漏了沒說的〈中庸〉，可以在〈大學〉之後，《論》、《孟》之前，也可以在《論》、《孟》之後，居《四書》之末；依後一說，則必由是——〈大學〉、《論語》、《孟子》——而學。〈大學〉和《論》、《孟》之間，不容〈中庸〉插足。兩說孰是孰非，有待論定。

要解決這個問題，就必先找出這段結構不太嚴謹的文字的娘家。細檢二程子全書，才知道它並非子程子所「曰」的本來面目，而是朱子把程子零零星星的語錄，湊合起來，稍加潤色：中間添幾個介字、連字；截斷處加些語氣詞，列在篇端，以明入學次第。原來的文字，既非一氣呵成，自然顯得散漫。最重要的是：二程立意教人先看〈大學〉、次看《論》、《孟》，書有明文，而〈中庸〉應否殿於三書之後，則從來沒有過十分清楚的表示。朱子明知道二程先〈學〉，次《論》、《孟》之意。至於〈中庸〉，程子既未明說，朱子不便妄加，於是〈中庸〉的序次，就成爲問題了。

前人喜歡討論表章《四書》的問題。朱子以表章《四書》之功推許二程，後人多不服。有人根據舊志，把目存文佚的戴顒《中庸傳》和梁武帝的《中庸講疏》抬出來，有人把北宋仁宗寫〈大學〉、〈中庸〉的故實舉出來，和程氏抗衡。更有人揑造史事說《四書》漢代已稱小經，毋俟程、朱之出。其實，二程子只有〈大學〉改本，就《禮記》原次略加移動。〈中庸〉：明道不及爲書；伊川成書以後，自不滿意，燒燬了。至於《論》、《孟》，二程也沒有整編的替它們注釋，散見其《語錄》、《文集》札記式的說解，實在當不起表章它們的榮譽。但是，無論就《四書集注》本身和對當代及後代的影響來講，我們都該把表章的功勞歸於朱子。

由上文可知，《四書》的次第跟二程本來沒有密切的關係，所以他們才沒有表示明確的態度。因之，論《四書》之次第，撇開二程未嘗不可，但撇開朱子就不行了。因爲《四書》由於朱子的表章，才能和六經相提並論，爲儒林重視；由於被學者重視，始漸有人關心它們的次第；更由於童蒙普遍的習讀，和《四書合訂本》的問世，才造成《論》、《孟》和〈中庸〉爭先後的公案。這樣說來，解決《四書》次第的爭議，直接求之朱子遺著，豈不省事。朱子說：

學問須以〈大學〉爲先，次《論語》，次《孟子》，次〈中庸〉。〈中庸〉工夫密、規模大。

這幾句話似乎針對「入德之門」和「而《論》、《孟》次之」等語的含渾不清而發，同時也鄭重的交代了一點：研讀《四書》的次序，〈中庸〉放在最後。朱子定這個步驟的理由，「〈中庸〉工夫密，規模大」，僅居一端，還有更深一層的解釋：

某要人先讀〈大學〉以定其規模，次讀《論語》以立其根本，次讀《孟子》以觀其發越，次讀〈中庸〉以求古人之微妙處。

朱子一向以爲〈中庸〉一書爲孟子之所自出。若按時代早晚，則〈中庸〉應先於《孟子》，理尙可通。但絕不應該和只「經一章，曾子所述；傳十章，曾子之意，而門人記之」的〈大學〉一起壓在《論語》的頭上，以此知以時之先後作爲《四書》編次之說非是。若依文字淺深爲序次之說，《孟子》容易瞭解，姑不必說，即《論語》也比〈大學〉好懂，是〈大學〉不應領先《論》、《孟》。則朱子的「讀書且從易曉易解處去讀」，亦非指始學〈中庸〉而言。然則前所謂「規模」、「根本」、「發越」和「微妙處」，自有其別義。這留到後面再說。

在朱子及朱門高弟的遺書裏，對於《四書集注》這部書，有時候舉其全，稱《大學章句》、《論語集注》、《孟子集注》、《中庸章句》；有時候歸其類，稱《大學》、《中庸章句》，《論語》、《孟子集注》。在《語錄》裏：言「章句」統指《學》、《庸》；道「集注」屬之《論》、《孟》。雖然口頭上也常用「集注」概括章句；用「《四書》」包舉章句與集注，而不純指《四書》白文，但以《四書集注》連稱，則《宋史》〈劉爚（一一四四至一二一四）傳〉謂爚疏請「取熹《四書集注》刊行之」爲早。

假如《大學章句》、《中庸章句》有爲卷帙，《論》、《孟集注》也自爲起迄的話，那只要參考〈學〉、〈庸〉篇首程子的話，對照《朱子語類》，就根本不會發生讀《四書》次第的問題。但有了《四書集注》連稱，名義混淆在先；《四書集注》合訂本——或共裝爲冊，或四種書卷數統爲起迄——刊行在後，麻煩就逐漸發生了。

最早的合訂本，求之宋刊，已不可得，無從據以實校。不過從〔宋〕趙悳的《四書箋義纂要》〈自序〉特別把〈大學〉爲先，次《論語》，次《孟子》，末〈中庸〉的話提出來重說及「今是書之編次亦然，庶學之有序，而不失朱子教人之意」的話來看，趙氏此書以前，《四書》次序就已亂了，趙氏想挽回原序，才這樣做的。

至於合訂本行世以後，篇次前後誤置的原因，昔人揣測，不越二端：

一、〈中庸〉是孔門傳授心法，又是子思的書，理當在《孟子》之前；

二、〈中庸〉、〈大學〉卷帙較少，宜其合訂爲一。

第一說似是而實非，子思的書可以駕越《孟子》，不能睥睨孔子的《論語》。第二說最有勢力，也不可全通。因爲《四書集注》的合訂，大約是宋末元初才盛行的，〈大學〉、〈中庸〉的本文雖少，但因爲它們義理隱微，宋末元初人引輯《朱子語錄》、《文集》發明文義，文字增多，卷帙擴張，往往多於《論》、《孟》（〔元〕史伯璿《四書管窺》便是一例）。把已經厚重的〈中庸〉與〈大學〉合併爲冊，卷帙豈不更繁？而且，《論語》連注釋文算起來，有時多於《孟子》，儘可讓〈中庸〉、《孟子》合訂，《論語》、〈大學〉合訂，一方面卷帙平衡了，一方面所謂「子思、孟子師弟子」也可以連成一氣。爲什麼偏要把〈中庸〉插在〈學〉、《論》之間？這要從幾方面去推：

朱子解《論語》、《孟子》稱集注，意謂集前人之說爲注；解〈大學〉〈中庸〉稱章句，意謂僅有離章辨句之工，蓋自謙不居而已。其實、章句也取前人成說，並非純粹分章截句；《論》、《孟》也分章截句，非衹集前人成說便罷。不過，朱子解說它們的體例，兩個章句爲近，所以他才張口章句，閉口章句；兩個集注相像，所以他才橫也集注，豎也集注。章句、集注分開說慣了，兩者無形中各成一組。懂得朱子本意的學者，因其故常，合〈學〉、〈庸〉兩個章句視爲一體；不懂得朱子的淺人，習其利便，把兩個章句訂合爲一。起初是章句和集注對立，進而集注吞噬章句，〈學〉、〈庸〉也變名爲集注了（〔明〕黃佐《南廱志》〈經籍考〉竟有「〈大學〉、〈中庸集注〉二本」）。最後《四書》都叫集注，遂渾稱《四書集注》。除了〈大學〉、〈中庸〉的標題還保留章句字樣，《永樂大全》以後，很少人細辨那是章句，那是集注了。

南宋晚期的學者研究《四書》，多以朱子《集注》爲本，而參考古注；宋末元初的士子習讀《集注》，才以《集注》本書爲據，而多誦經疑、貫通等抄撮的篇章；明人則併孔、曾、思、孟及朱文公亦棄置不顧，而專守兔園冊子：「終日呻吟，乃不知《四書集注》之爲何物」。文士不考訂，坊賈胡亂裝訂，一部倪士毅的《四書輯釋》，層累到明人的翻刻本，幾乎無法理出端緒。豈止《四書》的次序錯置呢？我們今天所通見的《四書集注》本子，次第訛亂已久，早已積重難返。趙悳曾把錯誤的序次改正過來，今本還是照錯刻；史伯璿《四書管窺》解〈中庸〉引述他自己在同書解《孟子》的文字，一再稱「前篇」，而今《敬鄉樓叢書》本則仍置《孟子》後於〈中庸〉。

六經是儒家最重要的經典，《四書》爲探索六經旨義的階梯，朱子謂「若理會得《四書》，何書不可讀？何理不可究？」他不許初學的人先讀〈中庸〉，惟恐人越階登進，致遭顚蹟。其答門人問云：

（〈中庸〉）而今都難恁理會。某說個讀書之序：須是著力去看〈大學〉，又著力去看《論語》，又著力去看《孟子》，看得三書了，〈中庸〉半截都了不用問。

〈中庸〉說性命，說鬼神，說費隱，說參天地化育。下學處少，上達處多，朱子在紹熙元年就怕人錯會先思後《孟》的實詣，越《孟子》而取〈中庸〉，所以在〈書臨漳所刊四子後〉中，特別叮囑幾句話：

〈中庸〉雖七篇之所自出，然讀者不先於《孟子》而遽及之，則亦非所以入道之漸也。

不管就入道之序，抑就文義淺深來講，都該把〈中庸〉放在最後讀，才能體察其「微妙處」。但是〈大學〉該不該先乎《論》、《孟》，我想分三方面去說：

第一、假如讀《四書》旨在粗識文義，稍諳事理，略通性命之說者，且不主據《四書集注》爲本，則不妨先讀《論語》，次《孟子》，次〈大學〉，最後〈中庸〉。因爲《論語》論爲學，說禮樂，臧否人物，譏評時政，類皆近身取譬，實指厥事，比〈大學〉開宗明義就講存養、識察，親切多了。《孟子》文義更易了解，但以時代較後，又多引徵《論語》事例，仍以次《論語》爲宜。

第二、假如抱著研究的態度去讀《四書》，且不以《集注》爲主，儘可參伍得失，不必拘拘於孰先孰後。

然而，從事於《四書》的研究，不以朱書爲主行嗎？答案幾乎是否定的。因爲《四書》之學著重在義理的探討，孔、孟思想的闡發，朱子在這一方面有極高的成就，他作《集注》以前，先有《論孟精義》、《中庸輯略》等書，把前人的說法，約爲一編細爲琢磨，裁汰粗濫，提取精核，再親身體驗其中的道理，注成是書。書成屢經改訂。又撰《四書或問》，以抉發《集注》之幽微。直到目前爲止，還沒有一部書可以取代它。所以

第三、研究《四書》，必由朱注。

既由朱注，則必「先讀〈大學〉以立其規模」，這規模就是明明德；「次讀《論語》以立其根本」，《論語》的根本爲仁；「次讀《孟子》以觀其發越」，《孟子》發越了仁裏面的義；最後讀〈中庸〉「以求古人之微妙處」，一理應萬事，就是這微妙處：朱子這樣序注，層次分明，終始照應；後人也這樣讀，則庶乎不差矣。

——原載《孔孟月刊》五卷三期，民國五十五年十一月

讖緯類

三十六　東漢蜀楊厚經緯學宗傳（上）

蜀，大略古益州地。班固《漢書》〈地理志〉：漢中、巴郡、廣漢、蜀郡、犍爲、牂柯、越巂、益州八郡；司馬彪《續漢書》〈郡國志〉益州，轄班〈志〉八郡，增永昌郡、三屬國——廣漢屬國、蜀郡屬國、犍爲屬國。至三國蜀漢，「先主取巴蜀，定漢中。後主得陰平、武都。其時巴分爲四，犍爲、廣漢分爲二，南中分爲雲南、興古；有州一、郡二十、屬國一、縣一百四十六。」（〔清〕謝鍾英《三國疆域表》下）至晉，建制多所變革。要之，大抵括地今四川全部，甘肅、陝西、雲南、貴州一部分。本文所論蜀經緯學家，上宗於〔西漢〕楊仲續，更歷新莽、東漢，下傳及乎〔晉〕初高玩。

蜀地處西陲，風氣否閉，學術未興。第自廬江文翁守蜀，當漢景、武之世，修起學官，廣招生徒，又選開敏有材者，遣詣京師，受業博士，郡遂彬彬多文學之士矣。

初，文守選入京師習經業者十八人，張寬、司馬相如其最著者也。相如淹貫五經，絢發於章藻間；寬致精《公羊》，作《春秋章句》，爲博士，至揚州刺史。武帝世，洛下閎明曉天文，與定《太初曆》。少後，臣君子治黃老，撰書二篇，《漢》〈志〉著錄；而楊王孫及元、成間鄭樸、嚴遵，竝儒兼道術，遵且著《老子指歸》傳至今。迨乎宣、元，趙賓習孟《易》，長於術數。成、哀之際，《公羊》博士胥君安，與劉歆爭《公》《左》優劣。至於平皇新莽時，揚雄崛起，從嚴遵、林閭遊，深小學、尙古文、薄今文章句、治黃老，著《太玄》、《法言》、《訓纂》、《州箴》等，影響蜀之經學者尤大。十一子者，一皆蜀人，指其經學要義，於楊厚經學宗傳，莫不息息相關。

蜀學育啓於西京，蕃長於東都。以西陲一隅之地，無論學者之多，學風之盛，專業成就，咸可媲隆中州。東漢蜀士，大家如張霸，兼明五經，獨深《公羊》嚴氏，名「張氏學」；又治《老子》。子楷承父業《春秋》，別習《古文尙書》，有注作傳世；弟子多人。李頡既以儒學爲博士，傳子郃，通五經；郃子固亦羣經淹貫，竝習《老子》；下傳子燮，好《左氏》、《周禮》，而固弟子多人，又頗有遠自它州郡來學者。翟酺家四世傳《韓詩》，又好《老子》，上疏修繕太學。景鸞，《齊詩》學大家也，作《詩解文句》；兼治施《易》，著《易說》；又學《禮》，撰《禮略》、《月令章句》。此多家所處之世，鄰近楊厚父祖師弟子，影響楊氏經學宗傳，尤其切至！

蜀中內學——讖緯學，特盛，其來舊矣。哀平、新莽間，有哀章者，僞以符讖干莽篡漢，揚雄亦長斯道，嘗以《圖》《書》贊《易》。東漢蜀士好圖讖者，楊由、杜撫、李郃固父子、段翳、翟酺（著《孝經援神契》、《鉤命解詁》）、景鸞（著《河洛交集》），而楊厚宗傳廿餘人尚未與焉。厚之父祖師弟子，無不涉讖緯以治者，洎蜀漢國危，士之不能申明大義者竟以圖讖，考其學宗，竟出於厚，厚之讖緯學宗傳，受當地舊學影響與影響及乎本蜀後學，不爲不大，從可知矣。

本文以〔東漢〕楊厚家世之學爲中心，上溯達其高祖，下述其弟子，覃及三傳，併旁師授受五人，得名者二十又八家（其中一家姓存名佚），具論其經學、緯學。卷內引《華陽國志》有「何宗通經緯」，命題曰「東漢蜀楊厚經緯學宗傳」，即取名於此。

二十八家宗傳，茲先總表於左：

東漢蜀楊厚經緯學宗傳總表

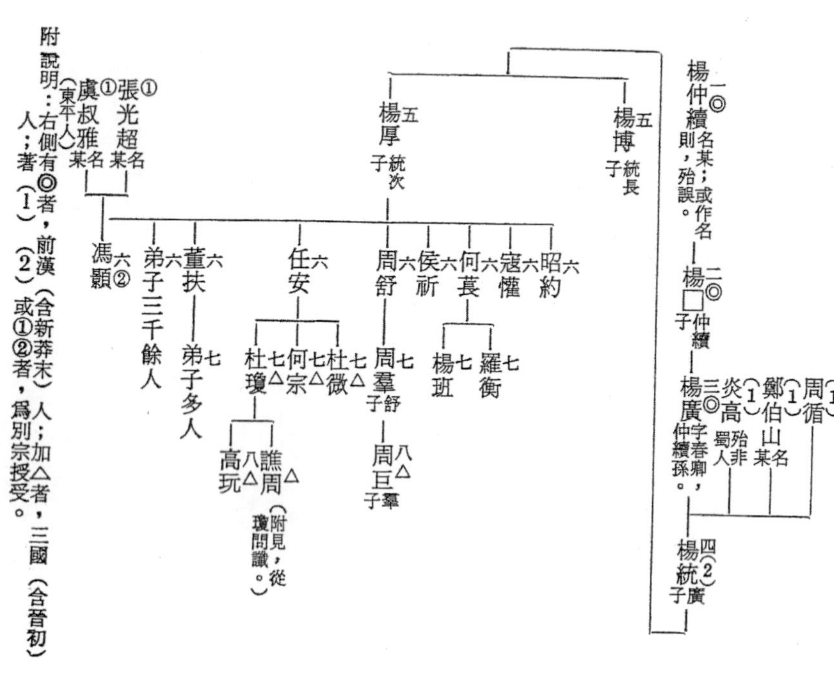

附說明：右側有◎者，前漢（含新莽末）人；加△者，三國（含晉初）人；著(1)(2)或①②者，爲別宗授受。

楊仲續（前漢時人），

楊某字仲續（註一），楊統子——楊厚之高祖父，廣漢新都人，《益部耆舊傳》（《後漢書》卷六十上〈楊厚傳注〉引）：「（楊）統字仲通。曾祖父仲續，舉河東方正，拜祁令，甚有德惠，人爲立祠。樂益部風俗，因留家新都。代修儒學，以夏侯《尚書》相傳。」

《華陽國志》（卷十二）〈廣漢士女目錄〉：「道德三老楊統字仲通，新都人也。曾祖仲續（續？），祁令。父春卿，爲公孫述將。」

仲續舉爲河東方正，是本爲河東人。前漢置河東郡（《漢書》卷二八上〈地理志〉八、約在今山西省境）；令祁，在太原郡（同上，今山西省祁縣東南。）。不知緣何美益部風俗徙家廣漢新都。且以孫廣（見下）及曾孫等歲月推之，仲續膺舉、拜祁令，皆當西漢之世。

「代修儒學，傳夏侯《尚書》」（註二），《傳經表》（頁五五至六二）傳《尚書》欄：

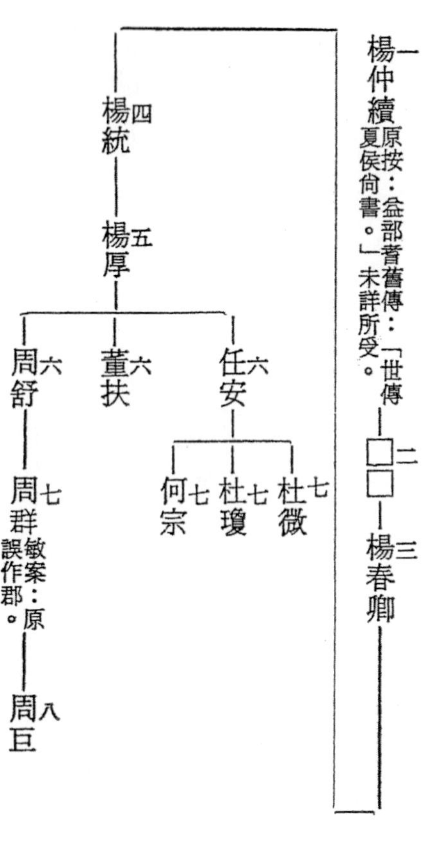

表列春卿子孫三人、任、董、三周、二杜及何氏，分詳各家節下說。

圖識謂之祕記，亦此楊家世學，仲續孫春卿（名廣）遺命子統曰「吾綈袠中有先祖所傳祕記，爲漢家用，爾其修之」。其後，統遵命從周循習「先法」（並詳統節），謂賡習父祖之讖業也。

楊廣（新莽末世人），

楊統之父春卿，其事迹，

《後漢書》（卷六十上）〈楊厚傳〉：「楊厚字仲桓，廣漢新都人也。祖父春卿，善圖讖學，爲公孫述將。漢兵平蜀，春卿自殺。臨令，戒子統曰：『吾綈袠中有先祖所傳祕記，爲漢家用，爾其修之。』統感父遺言，……。」（參看楊統節引《華陽國志》）

案：楊春卿疑即楊廣，春卿其字也（註三）。

顧櫰三《補後漢書藝文志》（卷十）〈經學師承〉著錄「楊春卿祕記，楊統《家法章句》一卷、《內讖解說》二卷」，是以統二書之學受自春卿也。夫春卿帙中「先祖所傳祕記」，統後修之，《家法章句》乃以著也（註四）。

廣亦傳其父、祖《尙書》夏侯學，《傳經表》著錄，已具楊仲續節。

周循（光武帝世人），

周循字某，犍爲人，其事迹僅見於〈楊厚傳〉，才十餘言，

《後漢書》（卷六十上）〈楊厚本傳〉：「楊……春卿，善圖讖學，臨命戒子統（廣漢新都人）曰：『……。』統感父言，服闋，辭家從犍爲周循學習先法，又就同郡鄭伯山受《河》《洛書》及天文推步之術。」

案：楊氏家世相傳圖讖，統初習「先法」於父廣，以爲不足，又負笈異郡，從周循學深（詳厚節），則循必以內學名於州郡，雖其說盡佚，顧《志》當據〈厚本傳〉錄周氏於〈經學師承〉〈圖讖門〉，今闕，致原委不明，宜增入。

鄭伯山（光武帝世人），

鄭某字伯山，廣漢人，同郡楊統之師也。知者，《後漢書》（卷六十上）〈楊厚本傳〉記統辭家從犍爲周循學，「又就同郡鄭伯山受《河》《洛書》及天文推步之術」。犍爲，異郡，故「辭家從學」；鄭是同郡（廣漢）人，乃就近從受，故不言「辭家」。（參看周循、楊統節）

統初業家學圖書，嫌於未足，復從鄭氏受《河》《洛書》，即《河圖》、《洛書》八十一篇之類，固亦讖緯書也。天文推步者，輔讖緯之術而精之之學也，故統更就伯山肄斯業。顧《志》〈經學師承〉〈圖讖門〉不列伯山，當補闕，則蜀讖緯學傳受益大明矣。

炎高（光武帝世人），

楊統師事炎高，高正史無傳，其事迹，

《華陽國志》（卷十中）〈廣漢士女讚〉：「楊統字仲通，新都人也。事華里先生炎高，高戒統曰：『漢九世王，出《圖》、《書》，與卿適應之。』」（顧懷三《補後漢書藝文志》卷十〈經學師承〉炎高兩作弓高，不詳其所本。）

華里先生炎高，仕籍不詳（註五）。《圖》，《河圖》、《書》，《洛書》也。《隋書》

《經籍志》著錄讖緯書十三部九十二卷既畢，〈後序〉云：

……其書出於前漢，有《河圖》九篇、《洛書》六篇，云自黃帝至周文王所受本文。又別有三十篇，云自初起至于孔子，九聖之所增演，以廣其意。又有七經緯三十六篇，並云孔子所作，并前合爲八十一篇。

云「漢九世王，出《圖》、《書》」，九世王應光武帝劉秀，

《續漢書》〈志七〉〈祭祀上〉：「建武三十二年，……上（光武帝）齋，夜讀《河圖會昌符》，曰『赤劉之九，會命岱宗。不愼克用，何益於承；誠善用之，姦僞不萌』。……感此文，乃詔（梁）松等復案索河雒讖文言九世封禪事者。松等列奏，乃許焉。……《河圖會昌符》曰：『赤帝九世，巡省得中，治平則封，誠合帝道孔矩，則天文靈出，地祇瑞興。……赤漢德興，九世會昌，巡岱皆當。天地扶九，崇經之常。漢大興之，道

在九世之王，封于泰山，刻石著紀，禪于梁父，退省考五。』《河圖合古篇》曰：『帝劉之秀，九名之世，帝行德，封刻政。』《河圖提劉予》曰：『九世之帝，方明聖，持衡拒，九州平，天下予。』《雒書甄曜度》曰：『赤三德，昌九世，會修符，合帝際，勉封刻。』……河雒命后，經讖所傳。」

《河圖》：「《圖》出代，九天開明，受用嗣興，十代以光。」（《後漢書》卷三〈章帝紀〉注引）

《河圖》：「赤九會昌，十世以光，十一以興。」（《後漢書》卷六五〈曹褒傳〉引）

案：所謂「九世會昌」、「昌九世」、「九名之世」、「九世之帝」、「九世封禪」、「九天開明」，光武帝者，「高祖九世之孫也」（《後漢書》〈光武帝紀〉一）、《東觀漢記》一：「光武皇帝諱秀，高帝九世孫也。」又正相應。所謂「赤劉之九」、「赤帝九世」、「赤三德」，自茲漢家確認本朝以火德王，故云。則炎君教楊統當治讖學，以佐天命之君也（註六）。

楊統（明帝永平〔五八至七五〕時人）（註七），

楊廣之子統，其事迹，

楊春卿（名廣）……善圖讖學。……臨命，戒子統曰：「吾綈袠中有先祖所傳祕記，爲漢家用，爾其修之。」統感父遺言，服闋，辭家從犍爲周循學習先法，又就同郡鄭伯山受《河》《洛書》及天文推步之術。建初中，爲彭城令，一州大旱，統推陰陽消伏，縣界蒙澤。太守宗湛使統爲郡求雨，亦即降澍。自是朝廷災異，多以訪之。統作《家法章句》及《內讖》二卷解說。位至光祿大夫，爲國三老。年九十卒。統生厚。（參看楊廣節）

《華陽國志》（卷十中）〈廣漢士女讚〉：「楊統字仲通，新都人也。事華里先生炎高，高戒統曰：『漢九世王，出《圖》《書》，與卿適應之。』建武初，天下求通《內讖》二卷者不得，永平中，刺史張志舉統方正，司徒魯恭辟掾，與恭共定音律，上《家法章句》及《二卷解說》。遷侍中光祿大夫。以年老道深，養於辟雍，授几杖爲三老卒。《內讖》二卷竟未詳。」（同書卷十二〈廣漢士女目錄〉：「道德三老楊統字仲通，……父春卿，爲公孫述將。」又統讖學參看炎高節）

統業師——周循、鄭伯山，竝蜀人；炎高，則仕籍不詳，唯知以讖緯學授統，諭以將爲漢家用（參看三子各節），一若厚父廣授以先祖（楊仲續等）所傳祕記（即讖緯書），命其修治，俾資之匡輔劉氏。統從周氏學習先法，亦即楊家先祖遺法，今持就明師研精者；所受《河洛書》，即《河圖》、《洛書》八十一篇之類，實亦讖緯。夫欲深讖學，必通天文推步，統故又從鄭君學斯術也。

統撰《家法章句》：

正史傳、《華陽國志》，或曰「統作《家法章句》」，或云「統上《家法章句》」，〔清〕侯康《補後漢書藝文志》、〔清〕曾樸《補後漢書藝文志》并考，遂據以著錄定題書名。〔清〕姚振宗《後漢藝文志》但據正史傳，且見前文有其父語「綈袠中有先祖所傳祕記」，又感徒著《家法章句》文，則其書性質不明，因添「祕記」於其上，全作《祕記家法章句》。敏案：讖緯書記義隱祕，故楊氏概括名之曰「祕記」，則「祕記」尚不得視爲專名，姚題失正。統圖讖學，半自家世傳授，半從師學，洎著書立言，自成一家，故曰《家法章句》（章句者，經今文家著書常用體裁，統家世傳《尙書》今文學，見下。），姚《志》曰：「《家法章句》者，猶言別自名家也。」說甚是。

統又撰《內讖二卷解說》：

正史傳明言「統作《內讖二卷解說》」；《華陽國志》上云「天下求通『《內讖二卷》』者不得」，下以「統上『《二卷解說》』」照，則《二卷解說》，自是解說《內讖》者。「二卷」是《內讖二卷》之省稱，固是卷數，亦爲書名（猶後人稱「七篇」，即謂孟軻書也。），必當時天下共知共喻之書。侯《志》、姚《志》並著錄《內讖二卷解說》不變。曾《志》著錄作《內讖解說》，去「二卷」字，題下加小注曰：「范書二卷，《華陽國志》同」；《經義考》（卷二六七）著錄逕題《內讖解說二卷》。夫《內讖二卷》爲原書；《解說》爲另一書，且準經、傳分別爲書之例，未必《解說》亦爲二卷。曾、朱並失考。

《經義考》著錄此書引《益部耆舊傳》曰：「統字仲通，家新都。建初中，爲彭城令。代以夏侯《尚書》相傳，作《內讖二卷解說》。朝廷災異，多以訪之。位至光祿大夫，爲國三老。」若據此爲準，統斯撰受自世家相傳夏侯之學。正史〈楊厚傳〉引《益部耆舊傳》無「作《內讖二卷解說》」（引文已詳楊仲續節），朱氏引文可疑（註八）。

《內讖》：《後漢書》（卷一一二）〈方術傳〉〈序〉：「……及光武尤信讖言，士之赴趨時宜者，皆騁馳穿鑿，爭談之也。……自是習爲內學，尚奇文，貴異數，不乏於時矣。」李賢注：「內學，謂圖讖之書也；其事祕密，故稱內。」〈楊厚傳〉惠棟《補注》（卷八）：「《巴漢志》：《內讖》者，孔子內讖，桓譚書所云『矯稱孔邱，爲讖記』（敏案：亦見《後漢書》〈桓譚傳〉注引《東觀記》載譚書。），是也。」《內讖》，內學讖緯書也，相對則經學章句、解故等爲外學。

二書悉佚。

西漢經師治學論政，每以陰陽五行學，上言災異，出匡救之策，用感動人主，時至後漢，又益以讖緯說。讖緯與陰陽五行皆預言將來，神祕荒誕，臭味相投，經師揉合二術，解說災異，楊氏統、厚父子，其顯者也。

伏生撰〈洪範五行傳〉，衍說災異。大夏侯勝「從（夏侯）始昌受《尙書》及〈洪範五行傳〉，說災異」（《漢書》卷七五〈勝本傳〉），同書（同卷）〈眭兩夏侯京翼李傳贊〉：漢興推陰陽言災異者，孝武時有夏侯始昌，昭、宣則夏侯勝；小夏侯建，事大夏侯（同書〈建本傳〉），五行災異學，師必授之，故同書（卷二七中之上）〈五行志〉曰：「孝武時，夏侯始昌通五經，善推五行傳，以傳族子夏侯勝，下及許商，皆以教所賢弟子。」而楊氏家世習夏侯《尙書》（已見上引《益部耆舊傳》），深曉陰陽五行，復挾其讖學，至統乃以推說天變，因以名家，故「朝廷災異，多以訪之」。「爲郡求雨，亦即降澍」。「爲令，一州大旱，推陰陽消伏，縣界蒙澤」，李賢注引袁山松《後漢書》亦曰：「統在縣，休徵時序，風雨得節，嘉禾生于寺舍，人庶稱神。」

所謂「陰陽消伏」，謂變理陰陽，滅除災異，《後漢書》（卷二）〈明帝紀〉：

永平十三年冬十月，……制曰：「……災異屢見，咎在朕躬，憂懼遑遑，未知其方。……今何以和穆陰陽，消伏災譴？」

是即以陰陽五行學說應付天變之術。惠棟《後漢書補注》（卷八）：「統傳夏侯《尙書》，〈洪範〉中有陰陽消伏之法，今不傳，而畧見于伏生〈五行傳〉。」考之伏生《尚書大傳》〈洪範五行傳〉（陳壽祺《輯校本》二），自五事「一曰貌，貌之不恭，是謂不肅，厥咎狂」云云至王極（即皇極）「時則有日月亂行，星辰逆行」云云，大抵言五事某事失或王極某極乖則天各皆以災眚一一應之，而尚未及消救之道。「星辰逆行」下繼以「維五位復建，辟厥沴」，至「我民人無敢不敬事上下王祀」，乃略抒消濟之道，茲節引數事：

維五位復建，辟厥沴。曰二月三月維貌是司，四月五月維視是司，六月七月維言是司，八月九月維聰（聽？）是司，十月十一月維思心是司，十二月與正月維王極是司。……御貌于喬忿，以其月從其禮祭之，參乃從；御言于訖眾，以其月從其禮祭之，參乃從；御視于忽似，以其月從其禮祭之，參乃從；御聽于怵攸，以其月從其禮祭之，參乃從；御思心于有尤，以其月從其禮祭之，參乃從；御王極于宗始，以其月從其禮祭之，參乃從。

而此文首二句下，鄭玄注曰：「君失五事，則五行相沴，違其位；復立之者，當明其吉凶變異，則知此爲貌邪、言（下有缺文），輒改過以共禦之。至司之日月，又必齋肅祭祀以撫其神，則凶咎除矣。」「除凶咎」、「改過禦違」，正謂察變修省弭災伏譴之方。則楊君「推陰陽消伏，縣界蒙澤」，其法果得夏侯《尚書》〈洪範〉義家法，而宗本於老儒伏生也。

魯恭兩爲司徒：和帝永元十三年任，十六年罷，一也；安帝永初元年任，三年免，二也（據《後漢書》〈兩帝紀〉、《後漢書》卷五五〈恭本傳〉）。其第二度爲司徒，「選辟高第」，統辟掾。與共定音律，宜在此頃。其詳不得而知，唯統亦洞曉音律，可以確言者也。

楊博（章帝、和帝世人），

楊博事迹，

《華陽國志》（卷十二）〈廣漢士女目錄〉：「光祿大夫楊博字仲達，統長子。」

博，厚異母弟，仕至光祿大夫，

《後漢書》（卷六十上）〈楊厚本傳〉：「統生厚。厚母初與前妻子博不相安，……。博後至光祿大夫。」（詳楊厚節；《華陽國志》卷十二〈廣漢士女目錄〉：「楊序（厚之誤）字仲桓，……博弟。」）

案：博得仕至光祿大夫，秩比二千石（註九）者，應以其經緯之學，則楊氏家學——圖讖與夏侯《尚書》，父統必以傳長子無疑。惜正史不爲立傳，《傳經表》《書》夏侯學下，亦不繫之於楊仲續下，顧《志》〈經學師承〉〈圖讖門〉下，亦有弟厚而闕兄博，並當增補。

楊厚（明帝永平十五年，七二至桓帝永興元年，一五三）（註一〇），

厚祖父廣、父統、兄博、師祖周循與鄭伯山，五人事迹，大體均載於此〈厚本傳〉、前已分引見於各人節。第爲通觀楊氏生平學術，茲不避繁復，併厚仕履，全引於下：

《後漢書》（卷六十上）〈楊厚傳〉：「楊厚字仲桓，廣漢新都人也。祖父春卿，善圖讖學，爲公孫述將。漢兵平蜀，春卿自殺，臨命戒子統曰：『吾綈袠中有先祖所傳祕記，爲漢家用，爾其修之。』統感父遺言，服闋，辭家從犍爲周循學習先法，又就同郡鄭伯山受《河》《洛書》及天文推步之術。建初中爲彭城令，一州大旱，統推陰陽消伏，縣界蒙澤。太守宗湛使統爲郡求雨，亦即降澍。自是朝廷災異，多以訪之。統作《家法章句》及《內讖二卷解說》，位至光祿大夫，爲國三老。年九十卒。統生厚。厚母初與前妻子博不相安，厚年九歲，思令和親，乃託疾不言不食。母知其旨，懼然改意，恩養加焉。博後至光祿大夫。厚少學統業，精力思述。初，安帝永初三年，太白入（北）斗，洛陽大水。時統爲侍中，厚隨在京師。朝廷以問統，統對年老耳目不明，子厚曉讀《圖》《書》，粗識其意。鄧太后使中常侍承制問之，厚對以爲『諸王子多在京

師，容有非常，宜亟發遣各還本國』。太后從之，星尋滅不見。又剋水退期日，皆如所言。除爲中郎。太后特引見，問以圖讖，厚對不合，免歸。復習業犍爲，不應州郡、三公之命，方正、有道、公車特徵，皆不就。永建二年，順帝特徵，詔告郡縣督促發遣。厚不得已，行到長安，以病自上，因陳漢三百五十年之戹，宜蠲法改憲之道，及消伏災異，凡五事。制書褒述，有詔太醫致藥，太官賜羊酒。及至，拜議郎，三遷爲侍中，特蒙引見，訪以時政。四年，厚上言『今夏必盛寒，當有疾疫蝗蟲之害』。是歲，果六州大蝗，疫氣流行。後又連上『西北二方有兵氣，宜備邊寇』。車駕臨當西巡，感厚言而止。至陽嘉三年，西羌寇隴右，明年，烏桓圍度遼將軍耿曄。永和元年，復上『京師應有水患，又當火災，三公有免者，蠻夷當反畔』。是夏，洛陽暴水，殺千餘人；至冬，承福殿災，太尉龐參免；荊、交二州蠻夷賊殺長吏，寇城郭。又言『陰臣、近戚、妃黨當受禍』。明年，宋阿母與宦者褒信侯李元等遘姦廢退；後二年，中常侍張逵等復坐誣罔大將軍梁商專恣，悉伏誅。每有災異，厚輒上消救之法，而閹宦專政，言不得信。時大將軍梁冀威權傾朝，遣弟侍中不疑以車馬、珍玩致遺於厚，欲與相見。厚不答，固稱病求退。帝許之，賜車馬錢帛歸家。修黃老，教授門生，上名錄者三千餘人。太尉李固數薦言之。太（本）初元年，梁太后詔備古禮以聘厚，遂辭疾不就。建和三年，太后復詔徵之。年八十二，卒於家。策書弔祭。鄉人謚曰文父。門人爲立廟。郡文學掾史春秋饗射常祠之。」

常璩亦略記厚事迹，特詳其弟子里貫名字，

《華陽國志》（卷十中）〈廣漢士女讚〉：「楊序字仲桓，統仲子也。道業侔父，三司及公車連徵辟，拜侍中。上言『四方及荊、揚、交州當兵起，人民疫蝗，洛陽大水，宮殿當災，三府當免（原注：舊空二格，當是「陰臣」二字，見《後漢書》。），近戚謀變』，皆效驗。大將軍梁冀秉權，自退（原注：舊空六格，當是「歸家，遂修黃老」六字，見《後漢書》。），授門徒三千人。本初元年及建和中，特徵聘，不行。年八十三卒。天子痛惜，詔謚曰文父。弟子雒昭約節宰、緜竹寇懽文儀、蜀郡何萇幼正、侯祈升伯、巴郡周舒叔布及任安、董扶等，皆徵聘辟舉，馳名當世。」（《華陽國志》（卷十二）〈廣漢士女目錄〉：「文學侍中楊序字仲桓，博弟。」）

楊厚，一作楊序（註一一）；以兄名博推度，作厚是。厚、桓並大也（《戰國策》〈秦策〉《注》、《詩》〈商頌〉〈長發〉《毛傳》），而「序」無「大」義。名、字相副，名厚字仲桓，是也。

厚家世相傳夏侯《尚書》（已詳高祖仲續、父統節），本傳雖無明文，然觀其屢陳消救災異之方，確承夏侯學。謝承《後漢書》曰：「厚潛身藪澤，耦耕誦經。」（《後漢書補注》卷八引）考其言論，有典據《公羊傳》者（詳下），則所誦又不止家學——夏侯《尚書》而已。故范《書》（卷九一〈左周黃傳〉）論曰「楊厚以儒學進」，而謚之曰「文父」（註一二），竝以其經業也。圖讖，楊氏家藏祕籍，溯自仲續蚤以斯學傳諸子孫，欲其爲漢家用，諄諄囑戒；至統而隆先業。至於厚，「少學統業，精力思述」，故年未四十（永初三年），即因父薦「曉讀《圖》《書》，粗識其意」承制對問。後「復習業犍爲」，蓋承父命（時統尚健在），益求精深讖學而已。犍爲有周循者，父統嘗從習斯學，疑子厚今茲所師，亦周氏或其徒。

厚對朝廷問：第一次永初三年，以父薦，對中常侍承制問，除爲中郎。第二次，約在同時稍後，對鄧太后問，不合，免歸。其後隱居，至永建二年之前，「不應州郡、三公之命，方正、有道、公車特徵，皆不就」（《華陽國志》省作「三司及公車連徵辟」），謝承《後漢書》（《後漢書補注》卷八引）曰：「司徒楊震表薦其高操，公車特徵，不就。」即在此諸徵命之中（註一三）。第三次，永建二年特徵，至陳五事，拜議郎，三遷侍中（《華陽國志》省作「拜侍中」），此事亦見：

> 《後漢書》（卷九一）〈黃瓊傳〉：「永建中，公卿多薦瓊者，於是與會稽賀純、廣漢楊厚俱公車徵。」

《後漢書》（卷九三）〈李固傳〉：「（固）上疏陳事曰：……『陛下……初登大位，聘……廣漢楊厚、會稽賀純，策書嗟歎，待以大夫之位。』」

黃瓊薦厚才能，度亦在此數年中，

《後漢書》（卷九一）〈黃瓊傳〉：「瓊上疏順帝曰：『臣前頗陳災眚，并薦光祿大夫樊英、太中大夫薛包及會稽賀純、廣漢楊厚，未蒙御省。』。」

此後，又多次（茲敘列爲第四、五、六、七次）上言災異及消救之法。在朝約十三年，至永和六年，稱病退。此後，李固數薦（薦疏一封僅存〈固本傳〉），本初、太和詔徵皆不行。

厚第一次對制問，亦見，

《續漢書》〈志〉十一〈天文〉中：「孝安永初三年正月庚戌，月犯心後星。己亥，太白入斗中。……是時鄧氏方盛，月犯心後星，不利子。心爲宋。五月丁酉，沛王牙（《集解》惠棟曰：牙當作正，傳寫誤也。）薨。太白入斗中，爲貴相凶。」

〔梁〕劉昭注：「楊厚對曰：以爲『諸王子多在京師，容有非常，宜亟發遣還本國』。

太后從之，星尋滅不見。以斯而言，太白入之，災在貴相。」

月犯心後星，〔梁〕劉昭注：「《河圖》曰：亂臣在旁。」

案：星變、京師大水，是天譴；厚陳消伏之法——諸王子發遣本國；水退、星滅，皆如所言，是其術驗矣。所根有《河圖》，讖緯書也，則厚以圖讖學對策，即其父嚮薦於朝廷者（云「子厚曉讀《圖》《書》，粗識其意」）。《圖》日「亂臣在旁」，謂君側當時有臣謀欲伐上，此髣髴夏侯《尚書》學，而厚傳之者也，

《漢書》（卷二七下之上）〈五行志〉：「（昌邑王）賀即位，天陰，晝夜不見日月。賀欲出，光祿大夫夏侯勝當車諫曰：『天久陰而不雨，臣下有謀上者，陛下欲何之？』……（霍）光時與車騎將軍張安世謀欲廢賀。光讓安世，以爲泄語；安世實不泄，召問勝。勝上《洪範五行傳》曰：『皇之不極，厥罰常陰，時則有下人伐上。』不敢察察言，故云臣下有謀。」（同書卷七五〈夏侯勝傳〉亦載，略同，欲出作數出。）

厚第二次對鄧太后問，太后徑以圖讖質之，袁山松《後漢書》（范書〈厚本傳〉《注》引）：

鄧后問厚曰：「大將軍鄧騭應輔臣星不？」對曰：「不應。」以此不合其旨。

於是，厚擅圖讖，精推說災異，公卿交譽。以此應徵辟，與魯陽樊英竝先後受朝廷禮遇，「猶待神明」（註一四）。遂「陳漢三百五十年之戹，宜蠲改憲之道，及消伏災異，凡五事」，而制書褒述。此其第三次陳法也。「五事」目不詳，知其有本《春秋緯》制作者：

此亦關涉天文（星相）。

漢三百五十年之戹，《春秋命厤序》曰：「四百年之間，閉四門，聽外難，羣異並賊，官有孽臣，州有兵亂。五七弱，暴漸之効也。」宋均注云：「五七三百五十歲，當順帝漸微，四方多逆賊也。」（竝〈厚本傳〉《注》引）

改憲，錢大昭曰：「《春秋保乾圖》曰：『三百年斗厤改憲。』」（《後漢書辨疑》卷六）

案：漢自高帝元年（西元前二〇六），至順帝登基改元永建，歷三百三十三年，略合「三百五十年」之期。

第四次，厚上預言夏寒，有疾疫，蝗害。夏寒、蝗害：《續漢書》〈志〉十五〈五行〉

三：「《五行傳》又曰：『聽之不聰，是謂不謀。……厥罰恆寒。……時則有魚孽。……』魚孽，〈劉歆傳〉以爲有介蟲之孽，謂蝗屬也。」夏寒，則以《五行傳》「恆寒」釋之，如曰：「庶徵之恆寒，……獻帝初平四年六月，寒風如冬時。」蝗害，〈五行志〉此傳後實載永建五年、永和元年蝗。此卷末且引蔡邕〈對策〉曰：「……《河圖》〈祕徵〉篇曰：『帝貪則政暴而吏酷，酷則誅殺必深，主蝗蟲。』」是厚說參取《洪範五行傳》及圖讖甚確。

厚第五次上言，西、北將有邊寇（《華陽國志》作「四方兵起」），車駕西巡當止。〈順帝紀〉：陽嘉三年，鍾羌寇隴西。次年，烏桓寇雲中，圍耿將軍。厚推陰陽災異，止車駕西征，學大夏侯也。勝諫昌邑王勿出（已見厚第一次對問下引說），《漢書》（卷三六）〈楊惲傳〉載戴長樂曰：「（楊惲）又語長樂曰：『正月以來，天陰不雨，此《春秋》所記，夏侯君所言。行必不至河東矣。』」夏侯君謂勝。則厚此說，果大夏侯學也。

第六次厚言，京師水火、三公有免者、蠻夷畔（《華陽國志》作「洛陽大水、宮殿災、三府免、荊揚交州兵」）。水患，《續漢書》〈志〉十五〈五行〉三：「《五行傳》曰：『簡宗廟，不禱祠，廢祭祀，逆天時，則水不潤下。』」火災、免大臣、蠻夷畔，《續漢書》〈志〉十四〈五行〉二：「《五行傳》曰：『棄法律，逐功臣，殺太子，以妾爲妻，則火不炎上。』謂火失其性而爲災也。」〈五行志〉此傳後即實載「永和元年十月丁未，承福殿火。」（〈順帝紀〉同）「十一月丙子，太尉龐參罷。十二月，象林蠻夷叛。」則所陳仍以陰陽五行推說災異也。

厚第七次言「陰臣、近戚、妃黨當受禍」。陰臣，婦人也，謂宋阿母（名娥）。近戚、妃黨，殆謂宦者李元、中常侍張逵（《華陽國志》以「近戚」涵括「陰臣近戚妃黨」，曰「近戚（謀變）」。）。宋娥，順帝乳母，與李元等九人更相賄賂，求高官增邑，誣曹騰等。永和二年，事發，並遣就國，娥奪爵歸田舍（《後漢書》卷一〇八〈宦者傳〉）。《續漢書》〈志〉十六〈五行〉四：「《五行傳》曰：『……內淫亂，犯親戚，侮父兄，則稼穡不成。』謂土失其性而爲災也。」土失性，致震災。〈五行志〉此傳後實載陽嘉二年四月及永和二年四月，京都皆地震。五月，宋娥等構姦誣罔事覺，收印綬，歸田里。厚永和元年預警陰臣將受禍，蓋屢見災異，依陰陽五行學說推致也。永建二年、陽嘉四年各有日蝕，洎三年日又蝕之，明年張逵等以誣梁商，坐伏誅（日蝕、誅逵事見《續漢書》〈志〉十八〈五行〉六，參看《後漢書》卷六四〈梁商傳〉。）。厚永和元年預警近戚將受禍，所藉者，其五行災異學，總得之家世所傳也。

《華陽國志》論厚「道業侔父」，道謂節概，業即「厚少學統業」之業，謂圖讖陰陽消伏之學。父以此仕至光祿大夫，爲國老，子拜侍中，後朝廷備禮迭聘，榮寵亦足侔乃翁也。

厚亦治《春秋公羊》學也，所上言「陰臣」等當受禍（已詳上引〈厚本傳〉），正出《公羊》，

《後漢書補注》（卷八）：「顧炎武曰：『陰臣謂婦人，下文「宋阿母」是也。』棟案：《公羊春秋》曰：『定十四年，城莒父。』何休曰：『或說：無冬者，坐受女樂，令（今）聖人去冬，陰臣之象。』則陰臣爲婦人，審矣。」

案：「或說」，不知謂誰，宜爲何休前《公羊》先師，蓋厚所從受者（何邵公比厚晚生五十七年）。

史稱「每有災異，厚輒上消救之法」，考上述三至七次厚言災變，當已竝陳消救之法，惜今未見載。

圖書讖緯之學，與老莊自然主義本不相容，第東漢圖讖學熾盛，或隨俗習尚，或受自家庭，士人多講讖緯，而亦不斥老莊。重以《道德經》玄言，頗有可援以說讖、或以讖合之者，故蜀人翟酺，好《老子》，而尤善圖讖，大儒馬融《尚書傳》、《論語注》，偶用緯書（註一五）。於是桓帝之世，少晚於仲桓年歲，《老子讖》之類書首出焉（註一六）。且夫老書原有避世思想，發展至漢，遂形成遁隱不仕一宗，前漢蜀士楊王孫、鄭樸（原爲谷口人，寓蜀。）、嚴遵，皆治黃老而遯世，厚五十五歲（永建元年）前，志懷高蹈，淡意仕進（註一七），其留心道家，宜自是已始。洎告病見許（當梁冀爲大將軍之初——永和六年，〈順帝紀〉。），歸而益治黃老。晚年通合老讖，教授門生，登名錄者三千，媲隆仲尼之徒，其賢而今可考者，昭約、寇樌、何萇、侯祈、周舒、任安、董扶、馮顥是也。

昭約（桓帝、靈帝世人），

昭約字節宰，雒人，楊厚弟子（引《華陽國志》文已見厚節）。《華陽國志》（卷十二）〈序傳〉：「〈廣漢士女目錄〉：「高士昭約字節宰，雒人也，序（厚之誤，下亦誤。）弟子，……見〈序傳〉。」顧櫰三《補後漢書藝文志》（卷十）〈經學師承〉〈圖讖門〉錄列，以爲傳楊厚讖學。《傳經表》（頁一一七）誤列入楊宣門下；如論其傳經，當爲夏侯《尚書》學。

寇樌（桓帝、靈帝世人），

寇樌字文儀，綿竹人，楊厚弟子（引《華陽國志》文已見厚節）。《華陽國志》（卷十二）〈廣漢士女目錄〉：「高士寇樌字文儀，綿竹人，序（厚之誤）弟子也。」《傳經表》正列厚下。則所傳應爲夏侯《尚書》學。顧櫰三《補後漢書藝文志》（卷十）〈經學師承〉〈圖讖門〉列之，以爲傳厚讖學，是也。

何萇（桓帝、靈帝世人），

何萇字幼正，楊厚弟子，《華陽國志》（卷十中）〈廣漢士女讚〉〈厚傳〉曰：「弟子……何萇幼正，……徵聘辟舉，馳名當世。」萇以經（《書》夏侯）緯學授楊班、羅衡，《華陽國志》（卷十上）〈蜀都士女讚〉〈班、衡傳〉：「楊班、……羅衡，俱師事徵士何初山原校注：初山當作幼正，《後漢書》〈楊序（厚之誤）傳〉注「何萇幼正」是也。敏案：《後漢書》李注無此條，此是惠棟補注文。。」（並參看楊班、羅衡節）顧櫰三《補後漢書藝文志》（卷十）〈經學師承〉〈圖讖門〉錄列，謂傳楊厚讖學，是也。《傳經表》楊仲續傳夏侯《尚書》學下宜增列，爲其六傳。

羅衡（獻帝世人），

《華陽國志》（卷十上）〈蜀都士女讚〉：「羅衡字仲伯，郫人也，（與楊班）俱師徵士何初山原注：按初山當作幼正，《後漢書》（楊序（厚）傳）注何萇幼正是也。敏案：參看何萇節。……衡爲萬年令，路不拾遺，人家牛馬皆繫道邊，曰屬羅公。三府爭辟，拜廣漢長。二縣皆爲立祠。」同書（卷十二）〈蜀都士女目錄〉：「公府辟士羅衡字仲伯，郫人，亦（何）萇弟子也。」

《傳經表》收錄，未著其經學家法。意者，其傳《書》夏侯學，宜列爲楊仲續下爲第七代。顧櫰三《補後漢書藝文志》（卷十）〈經學師承〉〈圖讖門〉錄列，以爲續傳楊厚讖學，得之。

楊班（獻帝世人），

《華陽國志》（卷十上）〈蜀都士女讚〉：「楊班字仲桓，成都人也，（與羅衡）俱師徵士何初山，原注：按初山當作幼正，《後漢書》（楊序（厚）傳）注何萇幼正是也。敏案：參見何萇節。班爲不韋、茂陵令，治化浹洽，徙西城、閬中令，號時名宰。」

班嘗爲博士，

《華陽國志》（卷十二）〈廣漢士女目錄〉：「篤愛博士楊班字仲桓，成都人也，何萇弟子。」

張金吾《兩漢五經博士考》（卷三）、《傳經表》（未及其爲博士），竝據以著錄，咸未明言其經學家法；非夏侯《尚書》、傳師祖楊仲桓之業乎？顧櫰三《補後漢書藝文志》（卷十）〈經學師承〉錄入〈圖讖門〉，云何萇所授，其源出於楊厚，是矣。

侯祈（桓帝、靈帝世人），

侯祈字升伯，繁人，楊厚弟子（引《華陽國志》文已見厚節）。《華陽國志》（卷十二）〈蜀都士女目錄〉：「篤愛高士侯祈字升伯，繁人，……楊序（厚之誤）弟子。」《傳經表》正列爲厚弟子（祈誤作祚）。《表》當明其爲傳楊家世習夏侯《尚書》學之徒，乃備。顧櫰三《補後漢書藝文志》（卷十）〈經學師承〉〈圖讖門〉有列，以爲傳師門讖學，洵是，則亦楊家世學也。

周舒（桓帝、靈帝世人）（註一八）,

周舒，《後漢書》未爲立傳。其事迹，陳壽以子羣傳附見之，

《三國志》（卷四二）〈蜀書〉〈本傳〉：「周羣，……巴西閬中人也。父舒，字叔布，少學術於廣漢楊厚，名亞董扶、任安。數被徵，終不詣。時人有問：『《春秋讖》曰「代漢者當塗高」，此何謂也？』舒曰：『當塗高者，魏也。』鄉黨學者私傳其語。羣少受學於舒，專心候業。……」

案：舒被徵，雖不應，尙得稱徵士，《華陽國志》（卷十二）〈巴郡士女目錄〉：「玄貞徵士周舒，字叔布，閬中人也。」受學於楊厚，亦見同書（已詳上楊厚節），唯此云舒「學術於楊厚」，多一「術」字；術謂讖緯，讖緯學正是術數。上引舒答人問《春秋讖》，已可明見。任安從「厚學圖讖，究極其術」、董扶亦「事厚學圖讖」（分詳任、董節），舒與二子齊名，故《宋書》〈符瑞志〉有「漢有周舒者，善內學」。內學謂讖緯。復徵諸杜瓊言行（瓊，任安弟子，亦續傳楊厚讖學。），

《三國志》（卷四二）〈蜀書〉〈杜瓊本傳〉：「杜瓊……雖學業入深，初不視天文有

所論說。……譙周常問其意，瓊答曰：『欲明此術甚難，須當身視，識其形色，不可信人也。晨夜苦劇，然後知之。……』（譙）周因問曰：『昔周徵君（敏案：謂周舒。）以爲當塗高者魏也，其義何也？』瓊答曰：『魏，闕名也，當塗而高，聖人取類而言耳！』……」

杜氏此論讖學同周舒，而亦謂爲「術」，〈志〉又言杜「內學」無傳，內學固即圖讖（此義前已數及），是「術」亦圖讖學矣。治讖者，必曉天文推步之術，用鈎合圖讖，逆言世運，杜氏「雖學業入深，初不視天文有所論說」，是其所精深者天文術也。舒子羣少受業於舒，「專心候業」，候謂天象，故晨夕窺天，舉見星變怪異，輒預測將來（詳《三國志》〈周羣本傳〉、《續漢書》〈天文志〉下與〈五行志〉五。），總是讖學，楊家累世討治，薪火遞傳，及於異姓者。顧櫰三《補後漢書藝文志》（卷十）〈經學師承〉〈圖讖門〉列傳厚讖學者有舒，是也。

舒言「代漢者當塗高」，此舊說也，光武帝建正六年頃已見乎圖讖，

公孫述……又引《（河圖）籙運法》曰：「廢昌帝，立公孫。」……《（孝經）援神契》曰：「西太守，乙卯金。」謂西方太守乙絕卯金也。《河圖括地象》曰：「帝軒轅

受命，公孫氏握。」（光武）帝患之，乃與述書曰：「圖讖言『公孫』，即宣帝也。『代漢者當塗高』，君豈高之身邪？」（李注引《東觀記》曰：「光武與述書曰：『承赤者，黃也；姓當塗，其名高也。』」）

《華陽國志》（卷五）〈公孫述志〉：「世祖（光武）報曰：『西狩獲麟讖曰「乙子卯金」，即以（乙？）未歲授劉氏，非西方之守也。光「廢昌帝，立子公孫」，即霍光廢昌邑王立孝宣帝也。黃帝姓公孫，自以土德。……漢家九百二十歲「以蒙孫亡」，受以丞相，其名當塗高，高豈君身邪！』」

案：代漢者當塗高，屬《春秋讖》，光武稱「圖讖言」。帝但曰斯人名高，當塗其姓，又云漢當享國九百二十歲，不言魏將承祚也。蒙孫亡云云，亦出圖讖，須見下文。

以當塗高應闕，約後百六十年，至獻帝初平四年乃出，

《後漢書》（卷九）〈獻帝紀〉：「初平四年六月，下邳賊闕宣自稱天子。」惠棟《補注》（卷四）引顧炎武曰：「讖文言『代漢者當塗高』，當塗而高者闕也，故闕宣自稱天子。」

又有袁術（?至建安四年）字公路者，剜取「塗」字，以爲驗在其名若字，名、字應之。又以袁氏出陳爲舜後，以黃代赤，德運之次，遂有僭逆之謀。

《後漢書》（卷一〇五）〈袁術傳〉：「（術）少見讖書，言『代漢者當塗高』，自云名、字應之。」李賢注：「……自以術（《說文》：邑中道也。）及路皆是塗，故云應之。又以袁氏出陳爲舜後，以黃代赤，德運之次，遂有僭逆之謀。」

闕，觀也（《說文》）；《周禮》〈天官〉〈大宰〉「乃縣治象之灋于象魏」，賈《疏》：「雉門之兩觀闕，高魏魏然。」說當塗高應在巍（魏），援《周禮》也。遂衍生曹氏將繼漢，其言甚邇，獻帝延康元年（西元二二〇）十月辛亥（同年月庚午，魏改元黃初。），太史丞許芝條魏代漢見讖緯于魏王（曹丕）曰：「……《春秋漢含孳》曰：『漢以魏，魏以徵。』《春秋玉版讖》曰：『代赤者魏公子。』《春秋佐助期》曰：『漢以許昌失天下。』故白馬令李雲上事曰：『許昌氣見于當塗高，當塗高者當昌於許；當塗高者，魏也。象魏者，兩觀闕是也，當道而高大者魏。』……《佐助期》又曰：『漢以蒙孫亡。』說者以蒙孫漢二十四帝，童蒙愚昏，以弱亡。或以雜文爲蒙，其孫當失天下，以爲漢帝非正嗣，少時爲『董侯』，名不正，蒙亂之荒惑，其子孫以弱亡。」（《三國志》卷二〈魏書〉〈文帝紀〉注引〈獻帝傳〉載；文亦略見《宋書》卷二七〈符瑞志〉上引，孫下有直字；又《文選》卷十一何晏〈景福殿賦〉注引〈獻帝紀〉李雲語略同，後多「今魏基昌於許，漢微絕於許」二句。《後漢書》卷十下〈皇后紀〉〈靈思何皇后傳〉：「王美人……生皇子協。……董太后自養協，號曰『董侯』。」）

當塗高應魏，又見它《春秋緯》書，

《春秋緯保乾圖》曰：「漢以魏徵，當塗在世，名行四方。」（《文選》卷三十謝朓〈和伏武昌登孫權故城〉詩注引）

又：「……黃精接期，天下歸高。」（《文選》卷二四陸機〈答賈長淵〉詩注引）

《春秋元命包》曰：「許昌爲周當塗。」（《文選》卷十一何晏〈景福殿賦〉注引）

案「蒙孫」就使爲獻帝，取而代之者，亦未必爲魏家，則此前「說者」尚不以前讖「當塗高」爲魏也。且考曹操當權，建安元年遷帝都於許（《後漢書》卷九〈獻帝紀〉），上引讖《佐助期》、《元命包》及李雲語，謂魏、漢之興滅，應在許，是諸說不得早乎建安元禩；十八年，曹瞞自立爲魏公，二十一年，進號魏王（竝據《後漢書》〈獻帝紀〉及《三國志》卷一〈魏書〉〈武帝紀〉）。上引讖《漢含孳》、《玉版》、《保乾圖》及李雲語，謂魏將代漢，正應「當塗高」，是諸說又不得早於建安十八年也，明矣。〈獻帝傳〉作者失名，當成書於魏明帝世之後（註一九）。〈獻傳〉所載讖文，斷出於建安後人僞造，而所記李雲語，無論其原出於圖讖與否，亦皆後世術士、諛臣僞託，桓帝世李雲固未嘗作斯言也，此由《後漢書》〈雲本傳〉存其延熹二年上書可知也：

李雲，……善陰陽。……素剛，憂國將危，乃露布上書……曰：「……高祖受命，至今三百六十四歲，君期一周，當有黃精代見，姓陳、項、虞、田、許氏，不可令此人居太尉、太傅典兵之官。……孔子曰：『帝者，諦也。』今官位錯亂，小人諂進，……尺一拜用不經御省。是帝不欲諦乎？」

言黃（土）將代赤（火），忌陳項虞田許氏（李賢注：「陳項虞田，並舜之後；舜土德，亦尚黃，故忌也。」）（註二〇），並未預言魏曹。即下廷尉，明年死獄中。是「當塗高昌於許代魏」云云，非雲言也。

楊厚歸鄉授徒，在永和六年之後數年間，假設舒於厚卒年執卷西嚮事厚，且時年十五（舒「少學術於楊厚」），下至建安十八年曹操自立爲魏公，年六十一，乃有「當塗高，魏也」之說，下距許芝延康陳讖之年，猶有八年。以常理推度，芝年甚少於舒，所引李雲說既證係僞託，則此義豈非始發於舒乎？

近人劉咸炘《三國志知意》（頁五五）曰：

蜀中内學本盛。周舒以當塗高爲魏，其子羣則又以黃氣證西有天子，譙周熟聞其緒言，故以漢數當亡而勸降。承祚（陳壽）師譙周，具載其讖語。直至常道將（敏案：名璩，著《華陽國志》。），猶津津言周之讖。蜀之不能申大義者，以圖讖也。

一斷爲周舒之說，是也。

舒經學，受夏侯《尚書》於楊家世學，《傳經表》綴爲仲續六傳，是也。

周羣（？—建安二十五〔二二〇〕年？）（註二一），

舒子羣事迹，

《三國志》（卷四二）〈蜀書〉〈本傳〉：「周羣字仲直（註二二），巴西閬中人也。父舒，……少學術於廣漢楊厚。……羣少受學於舒，專心候業。於庭中作小樓，家富多奴，常令奴更直於樓上視天災，纔見一氣即白羣，羣自上樓觀之，不避晨夜。故凡言氣候，無不見之者，是以所言多中。州牧劉璋辟以爲師友從事。先主定蜀，署儒林校尉。先主欲與曹公爭漢中，問羣，羣對曰：『當得其地，不得其民也。若出偏軍，必不利，當戒愼之。』時州後部司馬蜀郡張裕亦曉占候，而天才過羣，諫先主曰：『不可爭漢中，軍必不利。』先主竟不用裕言，果得地而不得民也。遣將軍吳蘭、雷銅等入武都，皆沒不還。悉如羣言，於是舉羣茂才。」（羣語亦略見《華陽國志》卷六〈劉先主志〉）

楊厚授陰陽災異與圖讖之學，傳董扶、任安、周舒，三徒欲廣師學，皆治天文推步之術，用驗圖讖，以預測世代興亡。羣承父舒學而欲益專候業（顧櫰三《補後漢書藝文志》卷十〈經學師承〉〈圖讖門〉列錄，傳楊厚此學。），故使家奴昕夕登高闚天不間，故候業愈精。楊戲〈季漢輔臣贊〉謂周仲宣（直？）「儒林天文，宣班大化」，正以其氣候學也。州人張裕「亦曉占候」，才過仲直而譬索有遜，故諫先主用事漢中不驗而周氏言果中（得地不得民，偏將吳、雷屻敗等。）。羣以其術逆推未來有驗者，史志另尙存數節，

《續漢書》〈志〉十七〈五行〉五曰：「建安七年，越巂有男化爲女子。時周羣上言，哀帝時亦有此異，將有易代之事。至二十五年，獻帝封于山陽。」

《續漢書》〈志〉十二〈天文〉下：「建安十二年十月辛卯，有星孛于鶉尾，荆州分也。時荆州牧劉表據荆州，益州從事周羣以爲荆州牧將死而失土。明年秋，表卒，以小子琮自代。曹公將伐荆州，琮懼，舉軍詣公降。十七年十二月，有星孛于五諸侯，周羣以爲西方專據土地者皆將失土。是時，益州牧劉璋據益州，漢中太守張魯別據漢中，韓遂據涼州，宋（宗）建別據枹罕。明年冬，曹公遣偏將擊涼州。十九年，獲宋（宗）建；韓遂逃於羌中，病死。其年秋，璋失益州。二十年秋，曹公攻漢中，魯降。」

案，男化爲女，人祅也，此災祥見，輒有易代事——漢家前已一見，應在王莽篡立；後又一見，驗於獻帝廢爲山陽公，曹氏竊國。言固有後徵，但其爲術也不詳。十二、十七年星異，羣作預言，皆其氣候學之效。夫何以致知，安得起仲直於地下以叩之乎？

終始五德，漢家占赤火，定說於光武帝建武中。相生代赤者必黃，於是符瑞言「黃氣」者猥多矣（詳下何宗節）。周羣亦有說，意似謂天子（劉先主）將出其（西南）方者，

《宋書》（卷二七）〈符瑞志〉上：「先是術士周羣言：西南數有黃氣，直立數丈，如此積年，每有景雲祥氣，從璿璣下應之。」（《三國志》卷三二〈蜀書〉〈先主傳〉二載劉豹等上言引略同）

案：此乃以其占候之術，測度方來，《宋書》稱之爲「術士周羣」，洵是也。術士行徑，詭異非常，幾與仙怪同科，前秦王嘉《拾遺記》（卷八）載神怪小說一則，附會周羣事迹，

周羣妙閑筭術、讖說，游岷山採藥，見一白猿從絕峯而下，對羣而立。羣抽所佩書刀投猿，猿化爲一老翁，握中有玉版長八寸，以授羣。羣問曰：「公是何年生？」答曰：「已衰邁也，忘其年月。猶憶軒轅時始學厤數，風后、容成皆黃帝之史，就余授厤術。至顓頊時，考定日月星辰之運，尤多差異。及春秋時，有子韋、子野、裨竈之徒，權略雖驗，未得其門。遹來世代興亡，不復可記，因以相襲。至大漢時，有洛下閎頗得其旨。」羣服其言，更精勤筭術，及考校年歷之運，驗於圖緯，知蜀應滅。及明年，歸命奔吳。皆稱周羣詳陰陽之精妙也。蜀人謂之「後聖」。白猿之異，有似越人所記，而事皆迂誕，似是而非。

去其荒誕無稽之言弗顧，則蜀人多精天算一事畢陳。蜀士洛下閎，前漢天文歷算大家（註一三三），故神話者述列於此，意其爲羣筭學之鄉先導。羣精閑算術（此天文學基礎），沈潛圖讖，究陰陽五行，又考校史乘（建安時有男化女，羣檢校漢史，哀帝時亦有，因推將有易代之

事，類此。），知蜀將滅。孔子爲先聖，曰「其或繼周者，雖百世可知也」，蜀人若果譽羣爲「後聖」，以上方仲尼，非以其逆知興替耶？

〈季漢輔臣贊〉贊之曰「儒林天文」，以羣爲長於天文之儒；《華陽國志》讚羣爲「文學儒林」，則又許以經師，若游夏之徒。《傳經表》繫夏侯《尙書》學下，楊仲續之七傳，而父舒所授，以上述其經緯等學考之，一一若合契符。

周巨（三國劉後主世人），

周巨，巴西閬中人。祖父舒、父羣（已見上引《三國志》〈羣本傳〉，《華陽國志》卷十二〈巴郡士女目錄〉：「周巨，羣子。」），竝精讖緯，通天文，善推運數，察觀異變，逆言將來，多驗（已分詳舒、羣節）。

〈羣傳〉又記「子巨，頗傳其術」，術謂圖讖，亦稱內學（已詳周舒節）。顧櫰三《補後漢書藝文志》〈經學師承〉〈圖讖門〉記傳楊氏此學者不及巨，當補。巨經學，亦受之於父，《傳經表》繫之於夏侯《尙書》學下，爲楊仲續之八傳。《華陽國志》曰「博士周巨，……在劉氏三國之世」，當爲《尙書》學博士。

註釋

一 〔清〕顧櫰三《補後漢書藝文志》（卷十）〈經學師承〉「治大夏侯《尚書》」：「祁令新都楊則仲續。」謂仲續名則，不知何據。

二 《耆舊傳》記楊氏傳夏侯《尚書》，未別小大，顧《志》定為大夏侯學（已見〔註一〕）。大夏侯勝善說陰陽災異，仲續後裔統、厚竝頗以是學名世。顧《志》理是也。

三 楊春卿名廣，《後漢書》（卷五四）〈馬援傳〉：「援又為書與（隗）囂將楊廣，使曉勸於囂，曰：『春卿無恙。（敏案：書中復三呼「春卿」。）……願急賜報。』廣竟不答。」李賢注：「春卿，楊廣字。」為隗囂大將軍，漢軍破蜀，廣死，《後漢書》（卷四三）〈隗囂傳〉：「隗囂……季父崔……乃與兄義及上邽人楊廣……起兵應漢。……囂既立，……移檄告郡國曰：『……右將軍楊廣，……。』……囂……以……楊廣……為大將軍。……及赤眉去長安，欲西上隴，囂遣將軍楊廣迎擊。……囂將妻子奔西城，從楊廣。……吳漢與征南大將軍岑彭圍西城，……月餘，楊廣死，囂益困。」隗囂時稱臣於公孫述，故廣實亦公孫述將（合〈楊厚傳〉「春卿為公孫述將」，《華陽國志》（卷十二）〈廣漢士女目錄〉：「楊統，……父春卿，為公孫述將。」亦合。顧櫰三《補後漢書藝文志》（卷十）〈經學師承〉：「疑廣初為隗將，後乃事公孫述。」是。《後漢書》（卷四三）〈隗囂傳〉：「建武六年，囂知帝審其詐，遂遣使稱臣於公孫述。……明年，述以囂為寧朔王。……八年，……吳漢與征南大將軍岑彭圍西城，……月餘，楊廣死，囂益困。」《後漢書》（卷四三）〈公孫述傳〉：「明年，隗囂稱臣於述。」（亦見《後漢書》〈光武帝紀〉，略同。）〈楊厚傳〉「漢兵平蜀，春卿自殺」，謂建武八年吳漢等圍西城楊廣死事。廣善圖讖，公孫述亦樂此道，二人以相資。漢人絕多取單名，用《春秋》義嫌取二名也。常璩撰《華陽國志》已不察春卿即廣，范史於〈楊厚傳〉亦察不及此。

四　上邽、西縣，後漢均屬涼州漢陽郡，《續漢書》〈志〉〈郡國〉五：「涼州漢陽郡：上邽，故屬隴西；西，故屬隴西。」西城，李賢注〈隗囂傳〉：「西城，縣名，屬漢陽郡，……在今秦州上邽縣西南。」《集解》惠棟曰：「隴西西縣城也，後屬漢陽。」《後漢書》〈光武帝紀〉一下李賢注：「上邽，縣名，屬隴西郡，故邽戎邑，今秦州縣。」是二縣同郡邇近。疑斯時廣居上邽，駐防西縣，後卒於是，范史遂誤寄居爲本籍。廣、春卿爲一或二人，嚴可均（《全後漢文》卷十一）疑莫能定；王補判爲二人，余不敢從。

五　楊統作《家法章句》，〔清〕錢大昭曰：「即楊春卿綈袠中先祖所傳祕記也。」（《後漢書辨疑》卷六）

六　華里，《三國志》（卷四八）〈吳書〉〈孫晧傳〉：「建衡二年春三月晦，晧舉大眾出華里。」《集解》：「胡三省曰：『華里在建業西。』趙一清曰：『《方輿紀要》卷二十：華里在江寧府西南。』」炎氏其江寧人耶？

七　參看楊統節，廣亦戒統習祕緯，將爲漢家用。

近人姜亮夫《歷代名人年里碑傳總表》（頁二〇）：楊統，廣漢新都人，享年五六，漢安帝永初七年生，桓帝建甯元年卒：《後漢書》卷六十附，原傳目無名；《沛相楊統碑》（臺灣商務印書館，民國五十九年排印本）。姜氏民國五十九年修訂本（頁二三）：將籍貫改爲弘農華陰（餘同舊本）（臺北，華世出版社，民國六十五年據排印本影印本）。敏案：〔宋〕洪适《隸釋》（卷七）收錄《沛相楊統碑》，碑主乃弘農華陰太尉楊震之孫、楊牧之子。史傳與漢碑各一楊統，同名異人，姜《表》誤合爲一。

八 蜀人陳述、陳壽各撰《益部耆舊傳》，「益部」或作「益都」。後人引用缺標撰人，今不知誰陳之作。《經義考》或非據原書，所引不詳所本，或彝尊參正史本傳，增益李注所引，亦未可知也。

九 據近人黃本驥《歷代職官表》卷四及瞿蛻園《簡釋》。

一〇 《華陽國志》厚年八十三，正史傳八十二，此舍《志》從史推其生平。

一一 此楊厚之厚：《後漢書》凡廿四見（卷六十上見十六次，六一見三次，六三見二次，七九上見一次，八二上見二次。），概作厚；《三國志》二見（卷四二、六十）及其卷三一、三八注引《益部耆舊傳》二見，亦均作厚；《華陽國志》或作厚三見（卷三見一次，卷十二見二次。），時而作序七次（卷十中見一次，十二見五次，十上原注見一次。）。惠棟《後漢書補注》（卷八）：「楊厚，《華陽國志》作序。」嚴可均《全後漢文》（卷十一）：「《華陽國志》卷十中作楊序。」二氏並考徵未周。

一二 《隸釋》（卷二十）收〈侍中楊文父神道〉，題「漢楊侍中文父之神道」九字。李調元《蜀碑記補》（卷十）亦據以收錄。

一三　震安帝永寧元年十二月至延光二年十月爲司徒，薦徵宜在此四歲之間。

一四　《後漢書》（卷一一二上）〈方術〉〈樊英傳〉：「樊英……又善風角、星算、河洛、七緯，推步災異。……以圖緯教授。」同書同卷〈方術〉〈傳贊〉曰：「及徵樊英、楊厚，朝廷若待神明。」同書（卷九一）〈李固遺黃瓊書〉曰：「近魯陽樊君被徵，初至，朝廷設壇席，猶待神明。」

一五　如《尚書》〈堯典〉《正義》引馬注「璿璣玉衡」、《論語》「殷因於夏禮」《集解》引馬注，皆用緯書。詳參看近人李威熊氏《馬融之經學》。

一六　桓帝延熹八年八月，邊韶作〈老子銘〉曰：「其二篇之書，稱天地所以能長且久者，以不自生也。厥初生民，遺體相續，其死生之義可知也。或有『浴神不死，是謂玄牝』之言，由是世之好道者，觸類而長之，以老子離合於混沌之氣，與三光爲終始，觀天作讖。」（載《隸釋》卷三）《隋書》〈經籍志〉一〈經部〉〈讖緯類〉：「梁有《老子河洛讖》一卷，亡。」（清）姚振宗《隋書經籍志考證》（卷九）引〈邊氏銘〉，謂「是即此《老子河洛讖》之所由來，後漢桓靈時已有之。」《經義考》（卷二六四）〈毖緯〉二著錄曰：「《老子河洛讖》，蕭子顯《南齊書》〈符瑞志〉（敏案：見卷十八〈祥瑞志〉）引之，有云『年曆七七水滅緒，風雲俱起龍麟舉』，又云『壇堨河梁塞龍淵，消除水災泄山川』，又云『上參南斗第一星，下土草屋爲紫庭。神龍之崗梧桐生，鳳鳥舒翼翔且鳴』，類皆韻語。」考〈志〉引凡七條，此朱氏只錄其四。俱作詩體，七言，不似後漢作，「七七水滅」云云，已及劉宋之亡，後人託《老子》著無疑。

一七 謝承《後漢書》（惠棟《後漢書補注》卷八引）曰：「厚潛身藪澤，耦耕誦經，司徒楊震表薦其高操，公車特徵，不就。益州刺史焦參行部致謁，厚惡其苛暴，時耕于大澤，委鉏疾逝。參志恚之，收其妻子錄繫，欲致厚還，不知所在，乃出其妻子。」

一八 《三國志》〈先主傳〉：建安二十五年劉豹等上言「臣父羣未亡時」、《華陽國志》〈劉先主志〉引作「周羣父未亡時」，竝當作「臣周羣未亡時」（參看何宗節、周羣節），故不得據以考測舒卒年。

一九 姚振宗《三國藝文志》（卷二）著錄〈漢獻帝傳〉，曰：「……明紀青龍二年注引〈獻帝傳〉，載追謚山陽公爲漢孝獻皇帝事，則是書當成于是年之後。」

二〇 許，姜姓，伯夷之後，周武王封其苗裔文叔於許，因以爲氏（參見陳槃先生《春秋大事表譔異》頁一四三），忌用許氏，不知何故。

二一 建安二十三年，先主以漢中可爭不問羣。次年，用羣言，有漢中。其秋，先主爲漢中王，遂舉羣茂才（《三國志》〈先主傳〉二、〈周羣本傳〉）。二十五年（即延康元年，二二〇），十月之後，劉豹等上言引「臣父羣未亡時（《華陽國志》卷六〈劉先主志〉引作「周羣父未亡時」，竝當作「臣周羣未亡時」。），時羣已亡。（參看何宗節〔註二一〕）

二二 《華陽國志》（卷十二）〈巴郡士女目錄〉作字仲直，同；《三國志》（卷四五）載楊戲〈季漢輔臣贊〉作字仲宣。

二三 《益都耆舊傳》（《文淵閣四庫全書》本《說郛》卷五八上）：「洛下閎，字長公，明曉天文，隱於洛下。武帝徵待詔太史，於地中轉渾天，改《顓頊歷》，作《太初歷》。拜侍中，不受。」《史記》〈曆書〉、《漢書》〈律曆志〉並記閎曆學。

——原載《國立編譯館館刊》第十七卷第一期，民國七十七年十二月

三十六　東漢蜀楊厚經緯學宗傳（下）

任安（安帝延光三年，一二四至獻帝建安七年，二〇二），

任安事迹，見正傳，

《後漢書》（卷一〇九上）〈儒林〉本傳：「任安字定祖，廣漢綿竹人也。少遊太學，受孟氏《易》，兼通數經。又從同郡楊厚學圖讖，究極其術，時人稱曰：『欲知仲桓問任安。』又曰：『居今行古任定祖。』學終，還家教授，諸生自遠而至。初仕州郡，後太尉再辟，除博士，公車徵，皆稱疾不就。州牧劉焉表薦之，時王塗隔塞，詔命竟不至。年七十九，建安七年卒於家。」

又見《益部耆舊傳》，可援以補證正史：

安，……少事聘士楊厚，究極圖籍，游覽京師，還家講授，與董扶俱以學行齊聲。郡請

功曹，州辟治中別駕，終不久居。舉孝廉茂才，太尉載辟，除博士，公車徵，皆稱疾不就。州牧劉焉表薦安味精道度，厲節高邈，揆其器量，國之元寶，宜處弼疑之輔，以消非常之咎。玄纁之禮，所宜招命。王塗隔塞，遂無聘命。……卒，門人慕仰，爲立碑銘。後丞相亮問秦宓以安所長，宓曰：「記人之善，忘人之過。」（《三國志》卷三八〈蜀書〉〈秦宓傳〉注引）。

「郡請功曹，州辟治中別駕」（《耆舊傳》），即「初仕州郡」（《范史》），第「終不久居」（《耆舊傳》）。然後更有徵辟——「太尉再辟，除博士，公車徵」（《范史》），「舉孝廉茂才，太尉載辟，公車徵」（《耆舊傳》），「安察孝（廉）及茂才。公府辟，公車徵」（《華陽國志》卷十中〈廣漢士女讚〉）：三史所記有詳略，但大致相同。凡所徵招，皆辭不應——三史或曰「皆稱疾不就」，或曰「皆不詣」，即〔晉〕皇甫謐《高士》〈任安傳〉所稱「連辟不就」。「卒於家」（《范史》），卒時爲布衣（《華陽國志》），「遂終身不仕」（《高士傳》）。安既謝卻州郡官，終其生未嘗入仕皇廷，故縣人秦宓「奏記益州牧劉焉薦儒士任定祖」曰「今處士任安」（《三國志》卷三八〈蜀書〉〈秦本傳〉），《華陽國志》（卷十二〈廣漢士女目錄〉）稱之「文學聘士」，時人號爲「任徵君」（《高士傳》）。是安爲「徵博士」，未嘗實爲「太學博士」，而張金吾割取〈儒林傳〉「受孟氏《易》，除博士」

二句文，著錄之爲博士（《兩漢五經博士考》卷三），而不顧下文「皆稱疾不就」，以虛名爲實任，顧櫰三《補後漢書藝文志》（卷十）「經學師承」曰「博士任安」云云，並失之疎。

「安少遊太學，受孟氏《易》，兼通數經」（《范史》；《耆舊傳》「遊覽京師」，且次於從楊厚學之後，失實。）：傳孟《易》，《經典釋文》〈序錄〉「注解傳述人」曰：「孟喜……爲《易章句》，……後漢……任安……傳其孟氏《易》。」《傳經表》曰：「任安傳孟氏《易》，未詳所受。」顧氏〈經學師承〉亦次爲孟《易》傳者。夫安在太學受《易》，自以博士爲師；其師名不詳。安兼通數經，似亦當年習自京師（或即太學博士教授）者。《傳經表》又以爲傳夏侯《尙書》，次楊仲續後，爲六傳；別於所附〈通經表〉〈通二經類〉曰：「任安，……孟氏《易》、夏侯《尙書》………《益部耆舊傳》。」考《耆舊傳》云「仲續代以夏侯《尙書》相傳（未分大、小）」（已詳仲續節），是以安亦從師楊厚習《尙書》。顧氏〈經學師承〉亦以傳孟《易》、傳大夏侯《尙書》收錄安學。理固然也。唯若取以應任氏京師習通它經之一目，未有實證爲憾，不如求諸弟子之門，以彰顯師門所授。安弟子杜瓊治《詩》，著《韓詩章句》十餘萬言。瓊祇及安門受業，未有他師，其《韓詩》學斷來自安。則安於京師，兼通《韓詩》也明矣。

任母姚氏，「閨門早寡，立義資，安遂事大儒」（《華陽國志》卷十中〈廣漢士女讚〉）。大儒非他，郡人楊厚是也。「安從楊厚學圖讖，究極其術」（《范史》），是術謂圖讖，二辭互文；《耆舊傳》「安少事楊厚，究極圖籍」（少事，誤。），約「學、究」二句爲一，且「圖籍」即「圖讖」，《耆舊傳》「董扶事聘士楊厚，究極圖讖」可證。同門有周舒者，亦學術於厚，未能究極，故名亞任氏（已詳周節）。安復以斯傳杜微、何宗、杜瓊，宗、瓊「皆精究安術」（《三國志》卷四二〈蜀書〉〈瓊傳〉及卷四五〈季漢輔臣贊〉〈宗傳〉）。是安確爲楊厚弟子（《華陽國志》卷十二〈廣漢士女目錄〉：「任安，……亦厚弟子。」），而所從學者，圖讖其一也（顧氏〈經學師承〉錄安爲傳厚圖讖學）。

欲知任安經、緯學，必先明其早年所受——孟喜《易》學，此河先海後之義也。《漢書》（卷八八）〈儒林〉〈孟喜傳〉：

……喜從田王孫受《易》。喜好自稱譽，得《易》家候陰陽災變書，詐言師田生且死時枕喜厀，獨傳喜。

此書，〔清〕姚振宗以爲即《漢書》〈藝文志〉「《雜災異》三十五篇」之別本（《漢書藝文志拾補》卷一）。喜授焦延壽，延壽授京房（〈儒林傳〉、〈列傳〉〈京房傳〉）。孟、京竝善說陰陽災異，《漢》〈志〉又著錄「《災異孟氏京房》六十六篇」。喜以《易》卦爻配二十四節氣、七十二候，作《卦氣圖》，焦「分六十四卦，更直日用事，以風雨寒溫爲候：各有占驗」，而「房用之尤精」。嗣後，凡傳孟《易》者，莫不善推陰陽言說災異。流風西播，蜀有好之者矣：

蜀人趙賓好小數書，後爲《易》，飾《易》文，以爲「箕子明夷，陰陽氣亡箕子；箕子者，萬物方荄茲也」。……云受孟喜，喜爲名之。（《漢書》卷八八〈儒林〉〈孟喜傳〉）。

小數書，術數書也。陰陽氣、萬物荄滋云云，法孟氏用卦氣候學釋《易經》者也。

孟、趙《易》要義，任安宜早有所聞，洎遊學京師，遂攻孟氏學焉。後乃從楊厚，得其家傳夏侯《尚書》學——大夏侯勝固善推書災異（已詳楊統節）。衍卦、〈範〉，體天道、驗人事，《易》、《書》之術數學也（《隋書》〈經籍志〉〈子部〉〈天文類〉著錄《洪範占》二卷、《京房易傳》，《四庫全書》列〈子部〉〈術數類〉。）。其特色並爲立言於前、預決吉凶，類圖讖也。任君左右采獲，貫通經、緯，卓然大家，時人「欲知仲桓問任安」，猶以尊師，故作是言，實已出於藍而勝之矣。

任君陰陽災異圖讖說盡佚，但秦宓薦書中，仍可微見其要本：

夫欲救危撫亂，脩己以安人，則宜卓犖超倫，與時殊趣，震驚隣國，駭動四方，上當天心，下合人意；天人既和，内省不疚，雖遭凶亂，何憂何懼！昔楚葉公好龍，神龍下之，好僞徹天，何況於眞？今處士任安，仁義直道，流名四遠，如令見察，則一州斯服。

「上當天心，内省不疚」云云，即言天人相合；唯知變理陰陽，消伏災譴者乃能。故欲「救危撫亂」、「消非常之咎（非常咎即災異）」，宜處（任氏）以弼疑之輔」（《耆舊傳》）。則任君以善推陰陽消災救難之才見重；「仁義直道」，則其餘事也審矣！

任安先事博士，卒業歸蜀，復往同郡新都就楊厚肄業，「學終，還家（綿竹）教授，諸生自遠而至」（《范史》），《華陽國志》（卷十中〈廣漢士女讚〉）亦記任安「家居教授，弟子自遠而至」。授習經讖，皆儒學也（讖緯往往託先聖言，尙不離儒宗。），故《華陽國志》（卷三）〈蜀志〉：「建武以後，爰迄靈獻，任定祖訓徒，風同洙泗。」又曰：「漢時，任定祖以儒學教，號侔洙泗。」

秦宓薦書稱「儒士任定祖」，時人稱之「任孔子」（《高士傳》），良有以也。

弟子多樂從學者，尚別有一因：

《華陽國志》（卷十中）〈廣漢士女讚〉：「任安母，姚氏也。雍穆閨門，早寡，立義資，安遂事大儒。安教授，每爲賑卹其弟子，以慰勉其志，於是安之門生益盈門。」

弟子至今仕籍尚可考者，梓潼涪杜微、蜀郡郫何宗、蜀郡成都杜瓊三子而已（分詳各人節）。《傳經表》孟《易》傳人，僅綴微於任君後，而闕錄宗、瓊二子；當補入。

杜微（蜀漢後主建興二年〔二二四〕頃人），

杜微事迹。

《三國志》（卷四二）〈蜀書〉〈本傳〉：「杜微字國輔，梓潼涪人也。少受學於廣漢任安。劉璋辟爲從事，以疾去官。及先主定蜀，微常稱聾，閉門不出。建興二年，丞相亮領益州牧，選迎皆妙簡舊德，以……微爲主簿。微固辭，轝而致之。既致，亮引見微，微自陳謝。亮以微不聞人語，於坐上與書曰：『服聞德行，飢渴歷時，清濁異流，無緣咨覯。王元泰、李伯仁、王文儀、楊季休、丁君幹、李永南兄弟、文仲寶等，每歎高志，未見如舊。猥以空虛，統領貴州，德薄任重，慘慘憂慮。朝廷主公今年始十八，天姿仁敏，愛德下士。天下之人思慕漢室，欲與君因天順民，輔此明主，以隆季興之功，著勳於竹帛也。以謂賢愚不相爲謀，故自割絕，守勞而已，不圖自屈也。』微自乞老病求歸，亮又與書答曰：『曹丕篡弒，自立爲帝，是猶土龍芻狗之有名也。欲與羣賢因其邪僞，以正道滅之。怪君未有相誨，便欲求還於山野。丕又大興勞役，以向吳、楚。今因丕多務，且以閉境勤農，育養民物，並治甲兵，以待其挫，然後伐之，可使兵不戰民不勞而天下定也。君但當以德輔時耳，不責君軍事，何爲汲汲欲求去乎！』其敬微如此。拜爲諫議大夫，以從其志。」

杜氏稱疾不應召，強致之朝，則潛默自守；既而汲汲謝病乞歸，諸葛丞相表爲諫議大夫，楊戲贊之曰「諫議隱行」（〈季漢輔臣贊〉，載《三國志》卷四五），常璩讚之曰「形動神沈」、曰「尚玄諫議大夫」（分見《華陽國志》卷十〈梓潼士女讚〉、卷十二〈梓潼士女目錄〉）。記其爲任安弟子，別祇見《華陽國志》。

安六傳楊仲續夏侯《尚書》學（已詳楊氏節），當以下授杜氏，故《傳經表》次安後，作七傳；安又詣太學受孟氏《易》，還家教授，杜氏既及門肄業，必傳其學，故《傳經表》亦緊隨安後錄杜君，以爲孟《易》宗傳。安學圖讖，究極楊厚之術，乃以傳人，正史記其弟子杜瓊、何宗「皆精究安術」，而此杜微讖學則闕記，文臣之疎也。顧櫰三《補後漢書藝文志》

（卷十）〈經學師承〉〈圖讖門〉列微，爲任安學讖弟子，是也。

何宗（蜀漢後主建興中〔二二三至二三七〕卒），

何宗生平及學術，

《三國志》（卷四五）〈蜀書〉楊戲〈季漢輔臣贊〉陳壽撰〈傳〉曰：「何彥英名宗，蜀郡郫人也。事廣漢任安學，精究安術，與杜瓊同師而名問過之。劉璋時，爲犍爲太守。先主定益州，辟爲從事祭酒。後引圖讖，勸先主即尊號，踐阼之後，遷爲大鴻臚。建興中卒。失其行事，故不爲傳。」

《華陽國志》（卷十上）〈蜀都士女讚〉：「何宗，字彥若，郫縣人也。通經緯、天官推步、圖讖，知劉備應漢九世之運，讚立先主。爲大鴻臚，方授公輔，會卒。」（又卷十二〈蜀郡士女目錄〉：「大鴻臚何宗字彥英，郫人也。」彥若作彥英，反同正史。）

楊厚，後漢蜀地圖讖學大宗師，周舒「少學術於厚」、董扶「事楊厚，究極圖讖」、任安「從厚學圖讖，究極其術」，諸所云「術」，共「圖讖」互舉同義（參看楊周董任四子節）。今於杜瓊曰「受學於任安，精究安術」（正史本傳）、於此何宗曰「事任安學，精究安術」，是任授何受而精究者，固亦圖讖，故《華陽國志》稱何氏「通經緯、天官推步、圖讖」也何氏通經，說

[詳下文。]，是矣。顧櫰三《補後漢書藝文志》（卷十）〈經學師承〉〈圖讖門〉録何宗，以爲傳任安學，洵是也。

杜瓊、何宗並「精究安術」，杜爲人靜默深沈，故不尚論說；何則俊邁弘暢，是以講論撰著每以視人，而「名問過之（杜瓊）」。

漢獻帝建安二十五年十月，魏曹丕稱尊號改年，何氏爲蜀漢從事祭酒，時與議郎陽泉侯劉豹、青衣侯向舉、偏將軍張裔、黃權、大司馬屬殷純、益州別駕從事趙莋、治中從事楊洪、議曹從事杜瓊、勸學從事張爽、尹默、譙周等共十二人具銜上言劉備，乞就尊號（註一）。由宗執筆，知者，

文三百餘言，符瑞讖緯滿紙，而具名十二人中，精研圖讖者，何、杜、譙三子而已。杜氏闇默、不輕抒發，譙子齒少（時年廿三），又從共同列名者杜氏問讖，等弟子輩，故諸人不應共推杜、譙司草。而何氏英華煥發，聲聞過杜，力能勝任，則載筆之事，非屬何氏而誰屬？

常璩謂何氏「知劉備應漢九世運，讚立先主。爲大鴻臚」（《華陽國志》）。「應九世運」云云，數見奏文之中，是何氏「讚立先主」即指此章奏文之事。既勸進，先主踐阼，何乃爲大鴻臚，亦與正史傳契合。且常璩讚何氏又曰：「劉主割據，資我英俊，鴻臚淵通，與道推運。」與道推運，謂何氏推度世運，斷劉備當爲帝，是常璩始終以爲奏章乃何氏作也。

陳壽謂何氏爲從事祭酒，後引圖讖，勸先生就尊號，更後遷爲大鴻臚。則以其上言時官居

從事祭酒，此與〈先主傳〉錄具名者所署名銜合，後遷官又與《華陽志》合。勸就尊號，非指此奏文推世運、徵符瑞，言劉備當爲帝而何？

常璩、陳壽竝去古未遠，壽又從此奏共同具名者譙周學，所記斯文撰者，宜可信從。嚴可均《全三國文》（卷六十）收此文，以爲豹撰，蓋以劉氏領銜，故以屬之，其失在未考。何宗所撰此文，具載《三國志》（卷三二）〈蜀書〉〈先主傳〉，玆全錄於下：

臣聞《河圖》《洛書》，五經讖緯，孔子所甄，驗應自遠。謹案：《洛書甄曜度》曰：『赤三日德，昌九世，會備合，爲帝際。』《洛書寶號命》曰：『天度帝道備稱皇，以統握契，百成不敗。』《洛書錄運期》曰：『九侯七傑爭民炊骸，道路籍籍履人頭，誰使主者玄且來。』《孝經鉤命決》錄曰：『帝三建，九會備。』臣父羣未亡時，言西南數有黃氣，直立數丈，見來積年，時時有景雲祥風，從璿璣下來應之，此爲異瑞（註二）。又二十二年中，數有氣如旗，從西竟東，中天而行，《圖書》曰：『必有天子出其方。』加是年太白、熒惑、填星常從歲星相追，近漢初興，五星從歲星謀；歲星主義，漢位在西，義之上方，故漢法常以歲星候人主。當有聖主起於此州，以致中興。時許帝尚存，故羣下不敢漏言。頃者，熒惑復追歲星，見在胃昴畢；昴畢爲天綱，經曰：『帝星處之，衆邪消亡。』聖諱豫覩，推揆期驗，符合數至，若此非一。臣聞聖王先天而天不違，後天而奉天時，故應際而生，與神合契。願大王應天順民，速即洪業，以寧海內。（《華陽國志》卷六〈劉先主志〉、《宋書》卷二七〈符瑞志〉上竝載，大致相同。）

先是「在所並言眾瑞，日日相屬」（〈先主傳〉），乃有何氏等上言，故文中所記瑞異，必係集合眾說（〈先主傳〉又曰：「羣下前後上書者八百餘人，咸稱述符瑞、圖讖明徵。」亦可證），今其中尚存直引周羣言，可見一斑。

羣言瑞異——「西南數有黃氣」至「下來應之」，《宋書》〈符瑞志〉大體同，《華陽國志》數丈作數十丈。夫漢德赤火，論定於光武建武時。依五德終始相生說，繼赤火者必黃土，故當世多以黃見爲瑞（註三）。今劉備居西南，而黃氣數出於是，此天子在方之徵也。

景雲、祥風，並見《禮緯斗威儀》：「人君乘土而王，其政太平，則……祥風至、甘露降。……君乘火而王，其政頌平，則……祥風至、地生朱草。……君乘水而王，其政和平，則……景雲見、醴泉出。……」（宋均注：「祥風即景風也，其來長養萬物。……景，明也，言雲氣光明也。」）（見《玉函山房輯佚書》〈經編〉〈緯書類〉）是景雲祥風謂瑞徵也。璿璣，《史記》（卷二七）〈天官書〉：「北斗七星，所謂旋璣玉衡。」《索隱》：「《春秋運斗樞》云：『斗：第一天樞、第二旋、第三璣、第四權、第五衡、第六開陽、第七搖光，第一至第四爲魁、第五至第七爲標，合而爲斗。』」此以璿璣玉衡一詞，總謂北斗七星，亦簡稱斗。《續漢書》〈志〉十〈天文〉上劉昭注引《星經》云：「璇璣者，謂北極星也。玉衡者，謂斗九星也。」北極星即北辰（《爾雅》〈釋天〉）。此以璿璣、玉衡分詞，各有所指。任氏「璿璣」如即《史記》「璿璣玉衡」之省文，則其說斗之在天作用當同《史記》下文：「斗爲帝車，運于中央，臨制四鄉，分陰陽，建四時，均五行，移節度，定諸紀，皆繫於斗。」乃其「璿璣」如僅謂北辰或北極，則其在天之作用，任氏所說當如《爾雅》〈釋天〉郭注：「北極，天之中，以正四時。」極訓中，《論語》〈爲政〉朱注：「北辰、北極，天之樞也。」依前一說，璿璣傳示天帝命；依後一說，璿璣居天中樞，亦天帝垂象建命之方所。今祥瑞自天降矣，以應黃氣，是謂奉天承運天子在乎茲也。

謂建武二十二年一年之中，數有氣如旗云云，余求諸《後漢書》〈獻帝紀〉、《續漢書》〈天文志〉、《三國志》〈文帝紀〉及〈先主傳〉（此條以外）、《晉書》〈天文志〉、《宋書》〈天文志〉及〈符瑞志〉，皆無記錄（註四）。觀何氏述此異才竟，即引《圖》《書》曰，則所據以言者，仍爲讖緯。「必有天子出其方」，則旗者天子之旗也。言旗氣見某所，即天子將出乎是，斯說當時頗盛，茲舉以爲佐驗：

《三國志》（卷四七）〈吳書〉〈孫權傳〉注引〈吳書〉曰：「陳化……使魏，……對

（魏文帝）曰：『《易》稱『帝出乎震』，……舊說紫蓋黃旗，運在東南。』」化云「舊說」，刁玄說也，《三國志》（卷四八）〈吳書〉〈孫晧傳〉注引〈江表傳〉曰：「初，丹陽刁玄使蜀，得司馬徽與劉廙論《運命歷》數事，玄詐增其文，以誑國人，曰：『黃旗紫蓋，見於東南，終有天下者，荊揚之君乎？』」（《宋書》卷二七〈符瑞志〉上：「漢世術士言：『黃旗紫蓋，見於斗牛之間，江東有天子氣。』」術士應指刁氏。《三國志》〈孫權傳〉《集解》：「趙一清曰：『……《寰宇記》卷九十司馬德操與劉嗣恭書曰：「黃旗紫蓋，恆見東南，終能成天下之功者，揚州之君子乎？」謂斗牛之閒恆有此氣。一清案：庾信〈哀江南賦〉作黃旗紫氣。』」謂說者爲司馬徽，疑失。）

刁氏因司馬、劉論《運命歷》而增文，是三君所言，咸符命事，則此何君所言與相若，固亦符命之術也。

何君「漢初興，五星從歲星謀」，據《史》、《漢》也，

《漢書》（卷一上）〈高帝紀〉：「（漢王）元年冬十月，五星聚于東井。」（《史記》卷二七〈天官書〉：「漢之興，五星聚于東井。」同，無年月。）

《漢書》（卷二六）〈天文志〉：「漢元年十月，五星聚于東井，以曆推之，從歲星也。此高皇帝受命之符也。故客謂張耳曰：『東井，秦地，漢王入秦，五星從歲星聚，當以義取天下。』……五年，遂定天下，即帝位。此明歲星之崇義，東井爲秦之地明效也。」（《史記》卷八九、《漢書》卷三二〈張耳陳餘傳〉竝載謂張耳語，略同，惟客作甘公，甘、天文星占家也。）

亦見圖讖之書，

《河圖》曰：「帝劉季，……昌光出軫，五星聚井，期之興，天授圖，地出道，予張兵鈐劉季起。」（《後漢書》卷七十上〈班固傳〉注引）

《河圖稽命徵》曰：「劉受記，昌光出軫，五星聚井。」（《說郛》卷五下，《文淵閣四庫全書》本；《太平御覽》卷八七載作「《河圖》曰」。）

何又云「歲星主義」，亦出《史》、《漢》，方引《漢》〈志〉「義取」、「崇義」二事之外，猶有：

《史記》〈天官書〉：「察日、月之行，以揆歲星順逆。……義失者，罰出歲星。……其所在，五星皆從而聚於一舍，其下之國可以義致天下。」

《漢書》〈天文志〉：「凡五星所聚宿，其國王天下，從歲以義。」

案：漢高祖受項羽封爲漢王，故「漢位在西」。以五行五方配法，義在西方。熒惑、太白、辰、塡四星從歲星（以歲星爲主故曰從之），歲星既主義，故五星實共聚於西矣。凡其共聚之下之國——西方之國必王天下，故高祖將奄有四方，四星從歲聚於秦分——東井故也。嗣後，「漢法常以歲星候人主」者，用四星從歲星之所聚，以揆易代之期。何氏據讖緯；又可見其天文星占學，甘、石之流也。

何氏以爲：漢興，五星相聚，乃高祖受命致天下之符，而建安二十二年「太白、熒惑、塡星常從歲星相追」（註五），僅辰未見從歲，故斷曰「近漢初興」之符瑞，當有聖主起此州，中興漢家宏業。言之鑿鑿，奈何中原曹氏方竊位，江東孫氏久也僭尊？何氏以爲占諸星相，彼惡終將消亡，此其「頃者」至「天綱」之論所由作也。夫胃、昴、畢者，西方七宿之三；昴、畢爲天綱（《史記》〈天官書〉：「昴、畢閒爲天街。」《漢書》〈天文志〉同。《索隱》引孫炎云：「昴畢之閒，日月五星出入要道，若津梁也。」何氏「天綱」殆即謂「天街」），帝星（即北極五星中最明之星，主帝，太一常居：參看《史記》〈天官書〉。）操之（天綱），

故令「眾邪消亡」。「經曰」者，《星經》之類書也。（註八）

漢光武帝惑於圖讖，術士投其所好，輒以《河》《雒》讖緯諛媚之。帝者，高祖九世孫也（《後漢書》卷一〈光武紀〉、《東觀漢記》一），讖文「赤帝九世昌」云云，於時屑然多矣：

《河圖會昌符》：「赤帝九世，巡省得中，治平則封。……帝劉之九，會命岱宗。……赤漢德興，九世會昌。……漢大興之，道在九世之王。」

《河圖合古篇》：「帝劉之秀，九名之世。」

《河圖提劉予》：「九世之帝，方明聖，持衡拒，九州平，天下予。」

《雒書甄曜度》：「赤三德，昌九世，會修符，合帝際。」

《孝經鉤命決》：「予誰行？赤劉用帝，三建孝，九會修，專茲竭行封岱青。」（以上五節，均見《續漢書》志七〈祭祀〉上。）

《河圖》：「赤九會昌，十世以光，十一以興。」（見《後漢書》卷六五〈曹褒傳〉）

咸以爲赤漢受命，中經亂喪，至九世孫（首末合計）秀而復昌也。

自光武至獻帝，傳帝十二（少帝懿、廢帝辯未入）；傳世，亦始終通計，爲八（並據《後

漢書》〈帝紀〉），若繼以昭烈帝備，亦洽九數，綜表如下：（表見後）

何氏以爲：漢家氣運，至九世爲一周期，屆期必有應運而興者，復據圖讖推揆：「知劉備應漢九世之運」（《華陽國志》），一若光武九世昌然。其引《洛書甄曜度》「赤三日（日字疑衍，〔註七〕）德，昌九世，會備合，爲帝際」，視《續漢》〈志〉引（已見上錄，下倣此。），僅「會修符」爲「會備」，餘幾全同。其又引《孝經鉤命決》「帝三建，九會備」，僅「修」作「備」，餘亦幾全同。夫所云「赤三德」：赤，以火德王，三德即下文三建；云「帝三建」：帝，義即彼引「赤劉用帝」，火德之帝也；三建，謂建子、建丑、建寅——三正，殆同上文「三德」，則盡自五德終始說來。「九世，會備」、「九會備」，備，先主名，序光武八世孫之下，於次爲九，正直周期，故曰「合爲帝際」。何氏下文又云「天度帝道備稱皇」云云（《洛書寶號命》），謂天命劉備稱皇帝。下復云「誰使主者玄且來」云云（《洛書錄運期》），謂劉玄德（備字）將撥亂反正，爲天下君主也。夫先主名、字迭見於符瑞，是以何氏復總斷曰：「聖諱豫覩，推揆期驗，符合數至，……故應際而生，……願大王速即洪業。」

何氏時與勸進臣僚皆以爲劉備纂二祖（高祖劉季、世祖劉秀）之宏緒，歷數在躬，不可不嗣位，〈先主傳〉又載許靖等隨何氏後復上言曰：

夫漢者，高祖本所起定天下之國號也，大王襲先帝軌跡，亦興於漢中也，今天子玉璽神光先見，璽出襄陽漢水之末，明大王承其下流，授與大王以天子之位，瑞命符應，非人力所致。昔周有烏魚之瑞，咸曰休哉。二祖受命，《圖》、《書》先著，以爲徵驗。今上天告祥，羣儒英俊，並進《河》、《洛》，孔子《讖》、《記》，咸悉具至。伏惟大王出自孝景皇帝中山靖王之胄，本支百世，乾祇降祚，聖姿碩茂，神武在躬，仁覆積德，愛人好士，是以四方歸心焉。考省靈圖，啓發讖、緯，神明之表，名諱昭著。宜即帝位，以纂二祖，紹嗣昭穆，天下幸甚！

綜上所析述，何氏明引《洛書》、《孝經緯》，又一再稱「《圖》《書》曰」云云，論先主備當立於西國，斯其讖緯學也；又數觀星望氣，其占先主受民之符屢見，斯其天文推步之術也。故〈本傳〉謂其引《圖》《書》勸先主即尊號，《華陽國志》謂其通緯、天官推步及圖讖，是也。

昔任安遊太學，習孟氏《易》，還家以儒學教授（已詳任君節），孟《易》必以傳何宗。《易》孟學長於術數，用於推揆占驗，可輔成圖讖。上論何氏以九世爲一周期——變易期，受《周易》影響；《易》爻九爲老陽，老而變，即是。又其上言有聖王「先天而天不違，後天而奉天時」，出《乾卦》〈文言傳〉（今本「不」作「弗」，小異。），此其治《易》之明徵。《傳經表》列任安傳孟《易》，而傳任此學者，錄杜微而不及何氏，當補。安又嘗從楊厚習楊氏家學——大夏侯《尚書》，大夏侯長於推撰陰陽災變，《尚書》之術數家，與圖讖天文推步臭氣相投，意者何君亦必樂習，《傳經表》以其爲楊家《書》學之七傳爲任安教之，是也。

杜瓊（漢靈帝建寧四年，一七一至蜀漢後主延熙十三年，二五〇）附譙周《圖讖學要略》

杜瓊事迹，

《三國志》（卷四二）〈蜀書〉〈本傳〉：「杜瓊字伯瑜，蜀郡成都人也。少受學於任安，精究安術。劉璋時辟爲從事。先主定益州，領牧，以瓊爲議曹從事。後主踐阼，拜諫議大夫，遷左中郎將、大鴻臚、太常。爲人靜默少言，闔門自守，不與世事。蔣琬、費禕等皆器重之。雖學業深入，初不視天文有所論說。後進通儒譙周常問其意，瓊答曰：『欲明此術甚難，須當身視，識其形色，不可信人也。晨夜苦劇，然後知之，復憂漏泄，不如不知，是以不復視也。』周因問之：『昔周徵君（舒）以爲當塗高者魏也，其義何也？』瓊答曰：『魏，闕名也，當塗而高，聖人取類而言耳。』又問周曰：『寧復有所怪邪？』周曰：『未達也。』瓊又曰：『古者名官職不言曹；始自漢已來，名官盡言曹，吏言屬曹，卒言侍曹，此殆天意也。』瓊年八十餘，延熙十三年卒。著《韓詩章句》十餘萬言，不教諸子，內學無傳業者。……」

瓊爲「太常，爲人靜默少言」（正史〈本傳〉），《華陽國志》（卷十上〈蜀都士女〉）讚之曰「太常清密；太常沈默愼密」。瓊「少受學於任安」（〈本傳〉），《華陽國志》曰「師事任定祖，稱諸生之淳」。時定祖以儒學教，風同洙泗（已詳任氏節），〈本傳〉謂瓊「精究安術」，只及其習圖讖，《華陽國志》則云瓊從學通經緯術藝——謂通曉經藝緯術也，備矣。

任安經學：初從太學博士習孟氏《易》，兼通數經，後事楊厚習夏侯《尚書》學。安以孟《易》、夏侯《書》傳杜，理固然也。第史載瓊著《韓詩章句》，又不言受《詩》自他師，或嘗遊京師習經於博士，則其《韓詩》學斷亦任夫子親傳。《傳經表》記楊家世傳夏侯《尚書》，譜異姓杜瓊爲其七傳，謂由任安遞授，是也。又於〈附通經表〉傳《韓詩》者不名家法下著錄杜瓊，敏案：當於《傳經表》《韓詩》傳人欄增列任安（師）、杜瓊（弟子），義乃備。〈通經表〉錄身通二藝者多家，瓊以兼治《書》、《詩》入表，於瓊當增《易》一經，且改入通三經之林，事乃全。

瓊《尚書》說未見，專著有否，亦不甚詳。《詩》則撰《韓詩章句》十餘萬言；夫既名「章句」，大體篤守今文師法。《經義考》（卷一〇一）、顧懷三《補後漢書藝文志》、姚振宗《三國藝文志》咸著於錄。惜原書本文隻字無存，則表其承傳，以待續考，尤不可無作也。

楊厚仲桓精圖讖，任安盡得其傳，故時人讚曰「欲知仲桓問任安」；瓊精究安術，術即讖緯，下文曰「內學」是也。顧櫰三《補後漢書藝文志》（卷十）〈經學師承〉〈圖讖門〉錄杜氏，爲傳任安此業。治圖讖而深者，莫不曉天文，〈本傳〉言瓊「不視天文有所論說」，下即引瓊「欲明此術甚難」云云，繼以答譙周問讖，則曰術、曰天文、曰內學，一一謂其圖讖之學而已。

治圖讖術者，貴在目驗，如察星相，須當晨夕窺天，與周羣承父舒業，觀象察異，竟宵無間，成就其所謂「候業」者相若（詳彼羣節）。茍有預見，陰爲身家出處謀可以，倘或立言於前，以爲將徵於後，漏泄天機，號之於眾，致干犯權軸，刑網加施，未蒙其利，反遭其害，「不如不知」也。是故瓊雖深緯業，竟無多論說示人，《華陽國志》又讚之曰「玄寂太常」，是也。

漢獻帝建安二十五年，瓊與劉豹、向舉、何宗、譙周等具銜上言，請劉備就尊號，文數百言，多引圖讖語，今考爲何宗撰文（註八），茲不作瓊讖學依據。瓊之讖學，今存者唯答譙周釋周舒「當塗高魏也」，取《周禮》字義，謂爲魏闕（已詳舒節），進而又因漢官始盡言曹，此天意興曹滅劉之幾（均已見上引本傳）。其推度之法，曰「取類而言」。

〈本傳〉稱瓊「內學無傳業者」，余檢《華陽國志》（卷十一）〈後賢志〉〈李宓（密）傳〉「宓同時，蜀郡高玩，字伯珍。少受學於太常杜瓊，術藝微妙」云云（詳下玩節），則杜君內學固未終身遂絕，陳壽失考。且譙周者，蜀漢之讖學大家也（周父𡸣亦通圖讖，子傳父業，說別詳拙著《三國蜀經學》〈譙氏父子〉節。），嘗從問斯學。自言廣杜君之辭，亦得附爲讖學弟子，《三國志》瓊〈本傳〉隨「瓊內學無傳業者」後曰：

周緣瓊言，乃觸類而長之曰：「傳《春秋》著晉穆侯名太子曰仇，弟曰成師。師服曰：『異哉君之名子也！嘉耦曰妃，怨耦曰仇，今君名太子曰仇，弟曰成師，始兆亂矣，兄其替乎？』其後果如服言。及漢靈帝名二子曰史侯、董侯，既立爲帝，後皆免爲諸侯，與師服言相似也。先主諱備，其訓具也，後主諱禪，其訓授也，如言劉已具矣，當授與人也（敏案：「先主諱備」以下，亦見卷四一〈向朗傳〉注引《襄陽記》載李充語，云聞譙周之言，先主作先帝。）；意者甚於穆侯、靈帝之名子。」後宦人黃皓弄權於內，景耀五年，宮中大樹無故自折，周深憂之，無所與言，乃書柱曰：「眾而大，期之會，具而授，若何復？」言曹者眾也，魏者大也，眾而大，天下其當會也，具而授，如何復有立者乎？蜀既亡，咸以周言爲驗，周曰：「此雖己所推尋，然有所因，由杜君之辭而廣之耳，殊無神思獨至之異也。」

周云「《春秋傳》」至「兄其替乎」，見《左傳》；又云「其後果如服言」，求之《左》、《馬》之書，

《左傳》〈桓公二年〉：「惠之二十四年，晉始亂，故封桓叔于曲沃（杜注：晉文侯卒，子昭侯元年，危不自安，封成師爲曲沃伯。），靖侯之孫欒賓傅之。……惠之三十年，晉潘父弒昭侯而立桓叔不克，晉人立孝侯。惠之四十五年，曲沃莊伯伐翼弒孝侯。翼人立其弟鄂侯。鄂侯生哀侯。哀侯侵陘庭之田，陘庭南鄙啓曲沃伐翼。」（其後曲沃武公殺哀侯、小子侯，滅哀侯弟晉侯，盡併晉地而有之：參看《史記》〈晉世家〉。）

果如服言，兄（晉文侯）衰替國滅。《漢書》（卷二七中之上）〈五行志〉載《五行傳》曰「言之不從，是謂不義，厥咎僭」云云，後亦引晉國此事，以爲春秋災異，則譙氏此說，乃其陰陽五行學也。

周又云「及漢靈帝」至「免爲諸侯」：史侯、董侯，《後漢書》（卷十下）〈何皇后紀〉：「何皇后……生皇子辯，養於史道人家，號曰『史侯』。……王美人……生皇子協，后遂鴆殺美人。……董太后自養協，號曰『董侯』。」史侯靈帝中平六年四月即帝位，九月，董卓廢帝爲弘農王。董侯嗣位是爲獻帝，延康二十五年十月遜位，次月，曹氏廢帝爲山陽公（據《後漢書》卷八〈靈帝紀〉、卷九〈獻帝紀〉、《三國志》卷二〈魏書〉〈文帝紀〉）。春秋晉與漢先後兩事，皆命名乖異，譙氏深於古史（著《古史考》），知取類相從，推言彼此，斯即杜君讖學之發揮。師服見「嫡庶之名反逆」（《史記》卷三九〈晉世家〉），預測室家衰亂，雖所依準並非讖籍，然「立言於前」，居然「有徵於後」，甚合圖讖特質。

譙氏偏說五經，注《論語》，當通字學。其訓解備爲具、禪爲授、曹爲眾、魏爲大，一皆有小學基礎（註九）。其中「魏大」，由「魏闕」衍來；「曹眾」，因官名聯想：竝闈進昔人（特以周舒、杜瓊）說；「備具」、「禪授」雖自家拈出，然亦「由杜君之辭而廣之」。因見災異——宮中大樹無故自折（註一〇），遂自作文揭於柱曰「眾而大，期之會，具而授，若何復」（註一一），求合讖體（註一二）。又爲四語立注，曰「曹者眾也」云云，其後竟驗。夫杜瓊信讖，以爲漢祚當盡，而天意眷屬曹魏，譙從問斯學，以讖決劉氏運絕於禪無可復之理，竟力勸後主降魏，豈二君於讖眞有所見，然則前此列名與劉豹等勸先主踐尊號亦援讖、以爲應天順民契合神意。內學之誣妄亂國，蜀之多士何多惑之者耶！

譙氏《讖記》、《天文志》、《災異志》，三書佚，然周它著及史傳、類書尙存其殘文，除上〈杜瓊傳〉所載者，併輯如下：

典午忽兮，月酉沒兮。（《三國志》卷四二〈本傳〉載〈譙書板示文立〉）（第一則）。

巳（原誤巴，從原校改。）沒三十年後，當有異人入蜀；蜀由之亡。蜀亡之歲，去周三十三年。（《華陽國志》卷八武平府君云譙周言；亦載《魏書》卷九六〈李勢傳〉，略

同，三十三作三十二。）（第二則）

廣漢城北有大賊，曰流曰特攻難得，歲在玄宮自相賊。（《華陽國志》卷九引〈長老傳〉譙周讖曰；亦載《魏書》卷九六〈李勢傳〉，少第二曰字，賊作剋。）（第三則）

昔孔子七十二、劉向、揚雄七十一而沒，今吾年過七十，庶慕孔子遺風，可與劉、揚同軌，恐不出後歲，必便長逝，不復相見矣。（《三國志》卷四二〈本傳〉晉武帝泰始五年周語陳壽）（第四則）

炎帝有火應，故置官師皆以火爲名。（《初學記》卷九載）（註一三）（第五則）

窮桑氏，嬴姓也，以金德王，故號金天氏。（《太平御覽》卷七九載）（第六則）

高陽氏妘姓，以水德王。（《太平御覽》卷七九載）（第七則）

高辛氏，或曰房姓，以木德王。（《太平御覽》卷八十載）（第八則）

案：前四則皆推斷將來，所謂「立言於前」，有讖特質；其中則一、則三造語神秘，所謂「詭爲隱語」，且協韻（忽、沒，古音同微部；賊、得、賊，（或剋）古音同之部：據董同龢先生《上古音韵表稿》。），爲讖體常有，尤其顯著，則三且舉名「譙周讖」。則四，周自卜死期，陳壽曰「疑周以術知之」。術即讖緯之術。又案：則一「典午」二句，《三國志》〈本傳〉曰：「典午者謂司馬也，月酉者謂八月也。」晉惠帝太安二年李雄陷成都，則二所謂「蜀亡」指此，正後周卒之三十三年也（《晉書》卷四〈惠帝紀〉）。李特、流，兄弟也；特子雄，僭稱帝，及卒，兄子班立，雄子期殺班代統，李驤子壽又廢期自立。壽子勢嗣位，晉穆帝永和三年（丁未）降桓溫，國滅（據《魏書》卷九六〈李雄傳〉及〈附傳〉、《晉書》卷八〈穆帝紀〉），則三云李氏自相賊殆謂此。「歲在玄宮」，義指不詳。

又案：後四則皆合鄒衍五德終始說，漢以來盛行此學，援與圖讖輔行，相得益彰。茲略疏其源：則五，《左》〈昭公十七年〉《傳》：「郯子曰：『……昔者……炎帝氏以火紀，故爲火師而火名。』」則六，窮桑，少皞之號（《左》〈昭二十九年〉《傳》杜注），《漢書》〈卷二一下〉〈律曆志〉一下載《世經》：「少昊帝，考德曰：『少昊曰清。……土生金，故爲金德，天下號曰金天氏。』」則七，〈律曆志〉載《世經》又曰：「顓頊帝，《春秋外傳》曰：『少昊之衰，九黎亂德，顓頊受之。……金生水，故爲水德，天下號曰高陽氏。』」則八，〈律曆志〉載《世經》又曰：「帝嚳，《春秋外傳》曰：『顓頊之所建，帝嚳受之。……水生木，故爲木德，天下號曰高辛氏。』」

高玩（蜀漢末、西晉初人），

高玩，《三國志》、《晉書》並無及，事迹僅見，《華陽國志》（卷十一）〈後賢志〉〈李密（宓）傳〉：「宓同時，蜀郡高玩，字伯珍。少受學於太常杜瓊，術藝微妙，博聞強識，清尚簡素。少與宓齊名，官位相比。大同後，察孝廉，除曲陽令。單車之縣，移檄縣綱紀，不使遺迎。以明三才徵爲太史令，送者亦不出界。朝廷稱之，方論大用，會卒。」（同書卷十二〈蜀郡士女目錄〉：「令才太史令高玩字伯珍，江原人也。」）

杜瓊「通經緯術藝」，經謂孟《易》、夏侯《書》、《韓詩》；緯謂讖緯，一皆通曉（已詳杜節）。高從杜受「術藝」，術、讖緯術，藝、經藝也。高如盡得杜君經緯學，則亦當通《易》《書》《詩》三經與圖讖術，今雖無從考詳，然〈志〉又謂高君「以明三才徵爲太史令」，夫「三才」者，天道、地道、人道也，

《周易》〈說卦傳〉：「昔者聖人之作《易》，將以順性命之理。是以立天之道曰陰與陽，立地之道曰柔與剛，立人之道曰仁與義，兼三才而兩之，故《易》六畫而成卦。」

是明三才謂通《易》學。欲通《易》道，首當知天，故「立天之道曰陰與陽」次二才之上。星曆推步者，知天者必治，亦太史令所職。司馬談治《周易》及天文學，《史記》（卷一三〇）〈自序〉：「太史公學天官於唐都，受《易》於楊何。」天官謂天文。司馬遷〈報任安

書〉（載《漢書》卷六二〈司馬遷傳〉）：「僕之先人，非有剖符丹書之功，文史星歷，近乎卜祝之間。」星曆及卜，天文、《周易》學也。高君師祖任安習孟氏《易》，再傳與君；其天文學，亦經由杜師上受於任安，系出楊氏厚家學。高君明《易》、天文，故朝廷徵焉。

董扶（桓帝、靈帝世人），

《後漢書》（卷一一二下）〈方術〉〈本傳〉：「董扶字茂安，廣漢緜竹人也。少遊太學，與鄉人任安齊名。俱事同郡楊厚學圖讖。還家講授，弟子自遠而至。前後宰府十辟，公車三徵，再舉賢良方正、博士、有道，皆稱疾不就。靈帝時，大將軍何進薦扶，徵拜侍中，甚見器重。扶私謂太常劉焉曰：『京師將亂，益州分野有天子氣。』焉信之，遂求出爲益州牧，扶亦爲蜀郡屬國都尉，相與入蜀。去後一歲，帝崩，天下大亂，乃去官還家，年八十二卒。後劉備稱天子於蜀，皆如扶言。蜀丞相諸葛亮問廣漢秦密（一作宓），董扶及任安所長，密曰：『董扶褒秋豪之善，貶纖芥之惡』云。」

事迹亦見陳壽《益部耆舊傳》，錄要於下：

董扶，……少從師學，兼通數經，善歐陽《尚書》，又事聘士楊厚，究極圖讖。遂至京師，游覽太學，還家講授，弟子自遠而至。永康元年，日有蝕之，詔舉賢良方正之士，策問得失。左馮翊趙謙等舉扶，扶以病不詣，遙於長安上封事，遂稱疾篤歸家。前後宰府十辟，公車三徵，再舉賢良方正、博士、有道皆不就，名稱尤重。大將軍何進表薦扶曰：「資游、夏之德，述孔氏之風，內懷焦、董消復之術。今方并、涼騷擾，西戎蠢叛，宜敕公車特召，待以異禮，諮謀奇策。」於是靈帝徵扶，即拜侍中。在朝稱為儒宗，甚見器重。求為蜀郡屬國都尉。扶出一歲而靈帝崩，天下大亂。後去官，年八十二卒于家。始扶發辭抗論，益部少雙，故號曰「至止」，言人莫能當，所至而談止也。後丞相諸葛亮問秦宓以扶所長，宓曰：「董扶褒秋毫之善，貶纖芥之惡。」（《三國志》卷三一〈蜀書〉〈劉二牧傳〉注引）

桓帝永康元年，趙謙等舉扶，扶祇遙于長安上封事（《耆舊傳》），《華陽國志》（卷十中〈廣漢士女讚〉「扶初應賢良方正詣京師（洛陽）」，稍失其實，而《范史》則缺載。《范史》「宰府十辟」至「皆稱疾不就」，《耆舊傳》同，而《華陽國志》缺「舉賢良方正、博士」兩事。考扶未嘗實任博士，張金吾《兩漢五經博士考》（卷三）錄扶為博士、轉引此《耆舊傳》曰：「董扶……善歐陽《尚書》，……徵博士。」未察下文「不就」，致失收。

〈扶傳〉「少遊太學，與鄉人任安齊名」（《范史》），〈安傳〉「少遊太學」，是任、董同時負笈京師，受業學官博士（《耆舊傳》作「至京師，游覽太學」，失之），唯彼「受孟氏《易》」（《范史》），而此攻歐陽《尚書》爲異耳（參看《耆舊傳》，但《傳》以爲扶「善歐陽《尚書》」乃「少從師學」致，非是）。董「兼通數經」（《耆舊傳》），則同任（《范史》〈任傳〉）。二君京師求學一節，大事也，而《華陽國志》缺記，常璩之疎也。

扶從厚學，《范史》在太學肄業之後記述，《耆舊傳》亦謂扶「又事楊厚」，是兩《傳》無異，故《華陽國志》（卷十二〈廣漢士女目錄〉）云「董扶，……楊厚弟子也」。楊、董師生課業，圖讖爲主，故兩《傳》皆記扶——「學圖讖」、「究極圖讖」，而《華陽國志》無有明文。顧懷三《補後漢書藝文志》（卷十）〈經學師承〉敘董氏傳楊家圖讖學，是也。夏侯《尚書》學，楊厚家世相傳者也（已詳楊仲續、統、厚、任安諸人節），亦必嘗以相授，是扶於歐陽、夏侯學，左右采獲。《傳經表》傳夏侯《尚書》欄，錄扶六傳楊仲續，與任安竝，又於〈附通經表〉通（《易》、歐陽《尚書》）二經欄序列董君；謂其亦傳《易》，或係本《耆舊傳》「扶內懷焦（延壽）、董（仲舒）消復之術」輒定，但其《春秋》學則闕列（理據詳下論焦、董）。

歐陽容和伯事伏生，其《書》學家世下傳；容又以授倪寬，寬授蕑卿，蕑傳夏侯勝；夏侯建師事勝及歐陽高，左右采獲，則以陰陽推說災異，固亦歐陽《書》學所擅。董仲舒治《春秋》爲博士，以《春秋》災異之變推陰陽所以錯行，故求雨閉諸陽，縱諸陰，其止雨反是，著災異之記（《史記》卷一二一〈儒林〉〈董本傳〉），又本《春秋》二百四十二年間事，推言休咎，兩漢推陰陽言災異者，仲舒稱首（《漢書》〈五行志〉）。焦延壽從孟喜學《易》（喜漢術數《易》巨子，已見任安節），說《易》「長於災變，分六十四卦更直日用事，以風雨寒溫爲候，各有占驗」（《漢書》卷七五〈京房傳〉載），著《易林》（《隋書》〈經籍志〉入〈子部〉〈五行類〉），亦漢術數《易》大宗。扶集三經四家之長，又得楊師圖讖學，「究知天文」（《華陽國志》卷三〈蜀志〉），故何進薦表有「內懷焦、董消復之術」也（註一四）。其術固同甯周舒所不及（已詳舒節），恐亦當優於任安，《范書》以入〈方術傳〉，是也。

扶永康元年於長安因日蝕上封事，此其首奏消伏之策，今佚。後觀星象，見益州分野有天子氣，爲劉焉言，於是焉謀得益州牧，而扶尋亦求爲蜀郡屬國都尉（亦見《三國志》〈焉傳〉、《華陽國志》卷五〈公孫劉二牧志〉）。何氏又表扶「資游、夏之德，述孔氏之風」，《華陽國志》（卷十二〈廣漢士女目錄〉）曰「文學侍中董扶」，夫《論語》「文學子游、子夏」，此竝謂其傳經祖述孔子，故在朝人稱「儒宗」也。「褒秋毫之善，貶纖介之惡」，扶所長也，然而亦《春秋》教有施，謝承《後漢書》云：「李咸奏曰：『《春秋》之義，貶纖介之惡，采毫毛之善也。』」（《文選》卷三五〈潘勗冊魏公九錫文〉注引）可證。

扶發辭談論，益部無雙。《後漢書》記楊厚「歸家修黃老，教授門生」。扶既及門受業，能無聞乎？則其言談取材《老》《莊》，極有可能，故衆口莫能當而聲爲之止也。談言之風，東漢初起，不獨中州，波及華陽，許文休、董茂安皆其選也。

《范史》、《耆舊傳》並記扶「還家講授，弟子自遠而至」，則實有開門授徒之事，惜弟子名籍一無可考矣。

張光超（順帝世人），

張光超名某，父霸、兄楷、門人馮顥，其事迹，

《華陽國志》（卷十二）〈蜀郡士女目錄〉：「聘士張光超，公超（敏案：公超，張楷字，見《後漢書》卷六六〈本傳〉。）弟也。」又（卷十中）〈廣漢士女讚〉：「馮顥……少師事楊仲桓（厚）及蜀郡張光超。」

案：《公羊》嚴氏學，有丁恭者，不詳所受，傳之樊儵（一作鯈），儵傳光超父霸，霸傳子楷（《後漢書》卷六六〈霸〉、〈楷傳〉，《傳經表》。），度霸亦以斯學授子光超。霸又通《易》、《魯詩》、《禮記》、《老子》；觀其徒馮顥治《易》、修黃老，其得之光超、淵源於霸乎？

虞叔雅（順帝世人），

虞某字叔雅（《後漢書》、《三國志》竝未及此人），原籍兗州東平國（註一五），遊跡蜀廣漢郡，郡人折像、段恭及馮顥師友事之，

《華陽國志》（卷十中）〈廣漢士女讚〉：「折像……事東平虞叔雅，以道教授門人。」

又：「段恭，……。東平虞叔雅，學絕高當世，遂遊於蜀，恭以朋友禮待之。」

又：「馮顥……後又事東平虞叔雅。」

案：謂虞氏學絕高當世，不詳何學。觀其弟子與學侶，或通《易》《老》（折、馮），或知天文（折、段），或善《春秋》（折），好惡相同，講習切磋，則虞氏學業大略可知矣。

馮顥（順帝、桓帝間人），

正史無傳，其事迹今存凡僅四條，備錄於下，

《華陽國志》（卷十中）〈廣漢士女讚〉：「馮顥字叔宰，郪人也。少師事楊仲桓（厚）及蜀郡張光超，後又事東平虞叔雅。初爲謁者，儀威濟濟。爲成都令，遷越巂太守，所在著稱。爲梁冀所不善，冀風州追之。隱居作《易章句》及《刺奢說》，脩

黃老，恬然終日。」（又（卷十二）〈廣漢士女目錄〉：「越巂太守馮顥，字叔宰，郪人。」）

又（卷三）〈蜀志〉：「成都縣，郡治。時廣漢馮顥爲令，而太守京兆劉宣不奉法，顥奏免之，立文學學徒八百人。……」

《後漢書》（卷一一六）〈南蠻西南夷傳〉：「順、桓閒，廣漢馮顥爲太守，政化尤多異迹云。」

陳壽《益都耆舊傳》（載《說郛》卷五八上）：「廣漢馮顥爲謁者，逐單于至雲中。大將軍梁冀遣人求鷹，止晉陽，舍人不避，顥收之，使人挈鷹而亡。顥追捕甚急，冀辭乃止。」

漢地方有學，始於文翁守蜀郡，《漢書》（卷八九）〈循吏本傳〉：「（文翁）又修起學官於成都市中，招下縣子弟以爲學官弟子」（時景帝末，或武帝初）「至武帝時，乃令天下郡國皆立學校。」在太學，學官曰博士，而弟子稱博士弟子；彼時郡國學稱謂，師曰郡文學，生自可稱文學弟子（註一八）。元帝時，郡國置五經百石卒吏（《漢書》卷八八〈儒林傳序〉）。平帝元始三年，立學官，郡國曰「學」，縣、道、邑、侯國曰「校」。校、學置經師一人。鄉曰「庠」、聚曰「序」。序、庠置孝經師一人（《漢書》卷十二〈平帝紀〉）。後漢桓帝時，郡有文學掾史（已見楊厚節引厚〈本傳〉）。文學學徒，即文學弟子，所習主要爲經藝，其師當如平帝所立經師、孝經師之倫，無疑。

《華陽國志》云顥師事同郡新都楊厚，同書厚傳述弟子名未見，當另在「門徒三千人」之中。厚教圖讖，大師也，譽滿全蜀，顧櫰三《補後漢書藝文志》（卷十）〈經學師承〉〈圖讖門〉列多傳人，獨缺顥；又傳夏侯《尚書》者，《傳經表》記楊氏世家《尚書》學，亦未錄顥。厚晚修黃老，或亦以傳顥。〈志〉又云顥師事蜀郡成都張光超，同書存光超目而無傳讚，授業範圍不可知。儻光超傳其父霸學，治《易》、《魯詩》、《禮記》、《公羊》嚴氏學及《老子》（詳霸節），則顥從受者宜若此諸學。顥又事東平虞叔雅（亦見《華陽國志》），虞非蜀人，常璩固不爲立傳；馮、虞交游，又不可考矣。唯「東平虞叔雅學絕高當世」（同書〈段恭傳〉），段恭、折像或友之、或師之，而皆好黃老（分詳段、折節），則虞氏其以《老》《莊》學聞世乎？云顥從習道家，尚非純爲臆度之說。

顥《易》學專撰——《易章句》，《隋》〈志〉、《兩唐》〈志〉、《經義考》皆不收，蓋彼四書撰者所據以著錄之書，於《華陽國志》未甚重視，故遺而未及也。顧《志》、姚《志》、曾《志》咸據以著錄，姚且云：「不知主何家。」余謂當來自張光超，淵源於父霸。《傳經表》及〈附通經表〉，不列馮氏，當據補。

顥另著《刺奢說》，文亦盡佚。侯《志》、姚《志》著錄〈子部〉〈儒家〉，姚言其作意，云：「顥爲梁冀所不善，因而去官隱居，此說大要爲冀作也。」冀固奢縱（見《後漢書》卷六四〈梁本傳〉），然顥隱居後乃刺之，何益於事？姚見顥爲梁惡，故有是說，其實可議。曾《志》著錄〈子部〉〈道家〉。愚謂顥隱居後乃脩黃老，蚤受業師（楊、張、虞）影響。《老子》「聖人去甚去泰去奢」（二十九章），《刺奢說》似即申《老子》宗旨，立言傳世者，豈激於私憤、疾梁冀一時之作乎？曾《志》分類是也。

結論

上論二十八家，其爲楊厚父祖若兄及弟子後學者，莫不通經，而大夏侯《尚書》，既爲楊氏世傳，故又皆必通《今文尚書》大夏侯學，計二十三家；夫楊氏既以緯輔經，因以起其家，故凡諸人者，又必咸通讖緯，即竝時學者，若周循、鄭伯山、炎高、虞叔雅，或爲楊氏子所師事，或爲楊氏弟子所從學者，亦皆以通讖見重於當世。

東漢經緯學傳承，不專守一師者漸多。楊厚父統，既修家學，又遵父廣遺命，從周（循）、鄭（伯山）、炎（高）受圖讖。厚弟子馮顥，別事張光超、虞叔雅；而任安、董扶少遊太學事博士，歸復事同郡楊厚。譙周，傳父岍業，又從杜瓊、秦宓問學。皆其例也。

轉移多師，學科亦隨之增廣。楊厚既兼治《尚書》、《春秋公羊》、圖讖及黃老之學，弟子任安旁通《尙書》、《孟易》、《韓詩》、圖讖，董扶明《尙書》竝采歐陽、夏侯學，又長於《易》、《春秋》、圖讖，杜瓊淹貫《尙書》、《孟易》、《韓詩》、《周禮》、圖讖，馮顥兩玄——《周易》、黃老雙修，譙周則五經、《論語》、小學、圖讖無不通貫。夫東漢經師學，多涉羣籍，任董杜馮譙五子爲學兼明，甚合當年風尙。

伏生傳〈洪範五行〉，衍說災異，遞傳有歐陽、大夏侯學。夏侯尤深於陰陽五行，推言災眚，以戒人君。漢術數《易》家，首推孟氏，著《卦氣圖》、《災異孟氏》多篇，用推揆占驗，奏上吉凶，是足以輔翼伏夏《書》說。而圖讖藉符命，預決休咎，貴在徵驗，近《書》之〈五行〉、《易》之術數，東漢王帝多信之不疑。三學交作，若又能上稽《春秋》二百四十二年間事以證，則其術益信，故楊厚宗傳多士精圖讖、《尙書》而外，又兼擅《孟易》、《春秋》也。《老》《莊》玄妙，與《易》、圖讖、陰陽五行之神秘虛誕，氣臭相投；援此濟彼，義理無窮。故楊厚晚修黃老，教授弟子，可考者董扶、馮顥（及顥師張光超）皆治斯學。至諸家經讖子學專著：楊統《家法章句》、《內讖二卷解說》，東漢早期（鄭玄之前）讖緯專著，統作推首；馮顥《易章句》、《刺奢說》，夫兼治《易》《老》之言，至魏晉而普徧，馮氏可謂開風氣之先者；杜瓊《韓詩章句》十餘萬言，考三國《詩》學，毛鄭席捲天下，其時《韓詩》專著，僅此一家一書，可謂麟鳳矣。治《書》歐陽與夏侯、《易》孟、《詩》韓，著作又名「章句」，是皆今文家法明甚。

欲精高讖學，必治天官。故楊統家受圖讖，復從周鄭二氏習天文推步之術。周羣傳父俟業，象日月星辰，晝夜無間。杜瓊身視穹蒼，晨夕苦劇。董扶觀闚星野，知帝京將亂。而楊厚廷對七次，皆歷數星宿。蜀內學至楊厚師友而益深，勤修天文故也。

以經緯學經世致用，東漢士大夫多留意於此。楊廣、炎高竝教楊統以內讖佐漢，楊厚因讖法陳上改憲之道，周羣闚天，建言漢中可伐等是。至其以圖讖陰陽災異學出消救災譴之方則尤多見：如彭城大旱，楊統推陰陽消伏，爲郡求雨，郡縣蒙澤。星變大水，楊厚廷對當遣王子就國，而星滅水退，「每有災異，厚輒上消救之法」。任安、周舒、董扶、杜瓊、譙周亦竝以長於消災救譴稱。董說劉焉，致焉牧益州；周因「代漢者當塗高」，指爲魏曹，竟致譙君勸降後主。讖學妨害民族大義，又一至於斯！

東漢后帝，明經信讖，故學士通經達緯者，朝野每加譽重。楊統博父子以之位至光祿大夫。楊厚以之見徵，朝廷待若神明，仕至侍中。董扶亦以之徵拜侍中。何宗爲蜀漢先主大鴻臚，馮顥、楊班、羅衡仕至令守，亦皆以其經緯學也。若論學職，馮顥治成都，立文學學徒八百人；周羣爲師友從事；楊班、周巨爲博士；任安與董扶皆徵博士不就，還家教授，弟子自遠而至，風同洙泗，時人以「任孔子」稱焉；而楊厚歸教門生三千餘人，「眞孔子」也，惜乎名籍多渺不可考矣。

後漢帝系表

說明：右側阿拉伯數字表傳帝，不計作×者

傳世一	(1)光武帝							
傳世二	(2)子明帝							
傳世三	(3)子章帝							
傳世四	(4)子和帝							
傳世五	(5)子殤帝	(6)章帝孫 安帝	(×)章帝孫 少帝懿					
傳世六		(7)子順帝		(10)章帝曾孫 桓帝				
傳世七		(8)子沖帝			(9)章帝玄孫 質帝	(11)章帝玄孫 靈帝		
傳世八						(12)中子 獻帝	(×)長子 廢帝辯	
傳世九								(13)昭烈帝備（蜀漢）（中山靖王勝之後，景帝裔孫，直光武八世孫之後：當應運而興；非謂昭烈爲光武九世孫也。）

註釋

一　上表人，據《三國志》（卷三二）〈先主傳〉；《華陽國志》（卷六）〈劉先主志〉人名同，唯殷純作陰純，一異而已。又其中「譙周」，或以爲「周羣」之譌，非也，詳見下（註二）。

二　上表人列名「勸學從事譙周」、表文中有「臣父羣未亡時」可疑，盧弼《集解》載清何焯、顧炎武、趙一清、錢儀吉、沈家本、錢大昕、潘眉七家之說，茲述評如次：

何焯曰：「顧亭林言『〈譙周傳〉「建興中，丞相領益州牧，命周爲勸學從事」，與此前後不同』。案：（譙）周卒於晉泰始六年，年七十二，當昭烈即位之初，年僅二十三，未必與勸進之列，從〈本傳〉爲是。」敏案：獻帝建安十九年，先主定益州領牧（〈先主傳〉），令尹默爲勸學從事（〈尹默傳〉）；學職一人不克，疑此後數年，續有授任。夫譙周「耽古篤學，研精六經，頗曉天文，潛識內敏」（《三國志》〈譙本傳〉），年二十餘勝任勸學從事，而先主命之。年二十三與於勸進之列，誰曰不可？且此表列名者劉豹等十二人（恐尚不只此數），而譙氏陪列其末，正以其齒少。又同時先後上書者八百餘人，豈無學養資望更淺於譙君者乎？後主建興二年五月，丞相亮領益州牧（〔清〕萬斯同《漢將相大臣年表》），後此上表三年另七月而已，譙氏資望未甚加深，必謂此時始得爲學職，而必據〈本傳〉以輕改〈先主傳〉此表前文，余不敢從也。

趙一清疑「譙周」當作「周巨」，曰：「〈周羣傳〉『羣子巨』，此表不知何人所作，而云

『臣父羣』，豈周氏之子列名於中，傳寫者誤為譙周邪？」錢大昕疑表文「臣父羣」為「巨父羣」之譌，「巨」上又當加「周」字，但以列名者「譙周」可以不變，其言曰：「又案：〈周羣傳〉云『子巨亦（頗之誤）傳其術』，或『臣』為『巨』之誤，而上脫『周』字邪？」錢儀吉說，結論同趙、半同錢，唯謂「巨」上不應有「周」字，曰：「上文『譙周』即『周巨』之誤；此文『臣』當為『巨』，『巨』上無『周』字。」敏案：表乃何宗手撰，趙未考。上表者十二人，如依三家說，內有周巨，則文中十一人皆不稱己名，獨資望為最淺、職位最卑、敘次最末者稱之；不足，又舉其父言，無是理也。且巨，〈羣傳〉不載其仕履，《華陽國志》記其為博士，當在後主時，未嘗為勸學從事（詳巨節），而此記「勸學從事譙周」，譙周非周巨、表「臣」亦非「巨」誤，明矣。

錢大昕又曰：「此奏列名者，有劉豹……等，而忽稱『臣父』，果何人之父邪？《華陽國志》云『周羣父未亡時』，似當從之。」是謂「臣父羣未亡時」當作「周羣父未亡時」，列名者譙周不誤，而表文則當改正，表下文「西南數有黃氣」云云乃羣父舒之言。潘眉以為非舒，「臣父羣」當作「臣周羣」，而列名譙周亦仍舊，云：「……然周舒亦著名于時，何以不竟稱周舒？《宋書》〈符瑞志〉云『先是術士周羣言』云云，為羣無疑，非舒也。『臣父羣』，『父』字當改『周』。」錢儀吉以為《華陽國志》未足信，曰：「又按：《華陽國志》『羣是年舉茂才』，如謂羣甫亡，則巨方居憂，不得與於勸進之列。……然據《宋》〈符瑞志〉『先是術士周羣』云云，則《華陽國志》亦未足據。」敏案：建安二十三年，先主以漢中可取不問羣，次年王漢中，事果如羣言，遂舉羣茂才（事見〈先主傳〉及〈羣傳〉），儀吉誤為出《華陽國志》。），大約此後一年內羣卒。《宋》〈符瑞志〉「先是周羣言」云云與《華陽國志》「周羣父未亡時數言」，皆謂此所錄羣說乃其遺言，兩者並無牴牾。儀吉誤執上表者有子周巨，故疑《華陽國志》；不當疑也。錢大昕、潘眉此說近是，潘說尤切，但沈家本曰：「凡奏中列名，稱臣而不書姓；不列名者，稱名而不稱臣；其大較也。如改『臣父羣』爲『臣周羣』，若奏中未列名，則不必加臣字；若奏中列名，不必言周。潘說進退皆未當也。竊疑『父羣』二字，傳寫誤倒，當云『臣羣父未亡時』，與《華陽國志》之言亦不相悖。上文『譙周』之名則『周羣』之譌，傳寫奪『羣』字，而又誤添『譙』字也。若周巨，則傳中未言爲何官，而先主王漢中之時，周羣見在，距此時不過一年，未必遽卒，恐又不當作周巨也。」敏案：列名者無周巨，辨已見上。周羣卒於此前一年內，亦見上說；即或不爾，羣尚健在，列名者亦應無羣；沈氏謂列名者有羣，嘗自破己說矣，沈云：「譙周疑周羣之譌，……惟〈羣本傳〉言爲儒林校尉（敏案：『爲』當作『署』。），不言爲勸學從事。」至云「奏中不列名者，稱名而不稱臣」，「其大較也，」故此不列名而亦稱臣（作「臣周羣」），未甚失禮。沈氏駁潘說，非篤論也。

三

如〈獻帝傳〉載許芝條魏代漢見讖緯於魏王曰：「……《易運期》讖曰：『言居東，西有午，兩日並光日居下。其爲主，反爲輔，五八四十，黃氣受，眞人出。』……殿下即位，……黃龍數見，……眾瑞並出，斯皆帝王受命易姓之符也。……。」（《三國志》卷二〈文帝紀〉裴注引）故曹丕篡位，改號黃初。如《宋書》（卷二七）〈符瑞志〉下：「漢中平二年，洛陽民譌言虎賁寺有黃人，觀者日數萬，道路斷絕。中平元年，黃巾賊起，云『蒼天已死，黃天當立』。」又如《三國志》〈先主傳〉許靖等上言：「閒黃龍見武陽赤水，九日乃去。《孝經援神契》曰：『德至淵泉則黃龍見』。」《藝文類聚》九八引《孝經援神契》曰：「黃龍見者，君之象也。」

四　《太平御覽》十五：「〈蜀志〉曰：劉毅、向攀等上言：建安二十二年，數有氣，必有天子出其方。」幾全同此何氏等上言。疑劉毅、向攀爲此劉豹、向舉之誤。盧弼《集解》引潘眉曰向誤爲白，又謂今〈蜀志〉無此文，失之。《後漢書》（卷九）〈獻帝紀〉：「初平二年九月，蚩尤旗見于角、亢。」（《續漢書》〈志〉十二〈天文〉下略同；李注：「〈天官書〉曰：『蚩尤之旗，類彗而後曲，象旗。』熒惑之精也。《呂氏春秋》云：『其色黃上白下，見則王者征伐四方。』」附誌於此。

五　《後漢書》（卷九）〈獻帝紀〉：「建安十八年，歲星、鎭星、熒惑俱入太微。」《續漢書》〈志〉十二〈天文〉下：「建安十八年秋，歲星、鎭星、熒惑俱入太微，逆行留守帝坐百餘日。占曰：『歲星入太微，人主改。』」（《宋書》〈符瑞志〉略同）視何氏所言，少太白，且不在二十二年，亦附誌於此。

六　余檢「《增訂漢魏叢書》本《星經》」（題〔漢〕甘公、石申著），未見何氏所引此二句。

七　赤三日，盧弼《集解》引潘眉曰：「赤家有三日，高祖、光武、先主也。昔王莽嫌『三日』見於讖，改『疊』字爲『疊』。至是，卒符『三日』之讖。」敏案：《說文》〈晶部〉：「疊，楊雄說以爲『古理官決罪，三日得其宜，乃行之』，从晶从宜。亡新以爲从三日，太盛，改爲三田。」徐鍇《說文繫傳》：「（王）莽疑圖讖漢有再受之象，惡重疊字有三日，太盛也。」諸家據《說文》〈敘〉「及亡新居攝，使大司空甄豐等校文書之部，自以爲應制作，頗改定古文」，謂爲甄豐執改，而改疊爲疊，其事一也。夫許君但云莽惡「疊三日太盛」，未及圖讖。莽常假符命欺世有之，甄豐改字有之，徐氏度其改字亦因圖讖，則臆說也。且彼止謂莽見圖讖者漢家再受命之象，因惡疊字重疊三日——太盛，無「三日」見於讖書之意。乃潘氏竟誤認「三日」見於讖，又穿鑿其義，謂赤漢之家「三日」爲高祖、光武、先主，至是乃驗，愈失其本矣。考《洛書甄曜度》何宗引與《續漢》〈志〉載竝應皆四句十二字，二、四句韻腳（世、際並祭部字）。「日」字誠衍，《華陽國志》引亦衍，《宋書》〈符瑞志〉引正無「日」字（惟「帝」上脫「爲」字），矧有「日」字則義不可通，從刪爲是。

八 詳何宗節考徵。

九 備，《說文》：「具也。」禪，《說文通訓定聲》：「禪假借爲嬗，……《莊子》〈山木〉『而不知其禪之者』，司馬注：授予也。」曹，《詩經》〈大雅〉〈公劉〉《毛傳》：「羣也。」《呂氏春秋》〈知度〉篇：「眾。」魏通巍，《說文》：「巍，高也。」段注：「高者必大，故《論語注》曰『巍巍，高大之稱也』。」

一〇 此災異，《三國志》〈後主傳〉、《華陽國志》竝不記。

一一 顧櫰三見此書杜文載於〈杜瓊傳〉，遂以爲瓊書（《補後漢書藝文志》卷十），失察。

一二 讖文句常整齊，有韻，疑此「會」、「復」二字彼時口語可協韻。

一三 以下共三則，《黃氏逸書考》輯爲譙氏《古史考》文，今以其言五德終始，故合輯於此，用便討論。

一四　《資治通鑑》（卷五七）〈漢紀〉：「問以災異及消復之術。……楊賜對曰：『……惟陛下斥遠佞巧之臣，……冀上天還威，眾變可弭。』」胡注：「消復者，消變而復其常也。」

一五　《續漢書》〈志〉二十一〈郡國〉三：「兗州東平國。」劉昭注：「故梁，景帝分為濟東國，宣帝改。雒陽東九百七十五里。」

一六　〔宋〕歐陽脩《集古錄》（卷二）著錄所謂「〔漢〕文翁學生題名」，碑立在成都，殘文所記時蜀郡學官今仍可見者，有師、史、孝義掾、業掾、《易》師、《書》師、《詩》掾、《春秋》掾、文學孝掾、文學掾、文學師等，唯〔宋〕趙明誠（《金石錄》卷二十）、〔宋〕洪适（《隸釋》卷十四）考諸地名，余復考之官制，確知此刻石晉或尤後人所立，不足據以考〔前漢〕文翁時蜀地學官實情。〔西漢〕郡文學，近人黃本驥《歷代職官表》（卷五總頁二二六〇）：「府儒學教授：漢，郡文學；後漢，學官祭酒。」

引用書要目

《十三經注疏》　〔魏〕王弼、〔唐〕孔穎達等多家　臺北藝文印書館影印　〔清〕嘉慶二十年南昌府學刊本。

《經典釋文》　〔唐〕陸德明　《通志堂經解》本（〈序錄〉部分，〔民國〕吳承仕《疏證》，臺北新文豐出版公司民國六十四年十一月影印本。）

《經義考》〔清〕朱彝尊　臺灣中華書局《四部備要》本

《尚書大傳輯校》〔清〕陳壽祺　《皇清經解續編》本

《傳經表》〔清〕畢沅　臺灣商務印書館《叢書集成簡編》本

《說文解字詁林》〔民國〕丁福保　臺北國民出版社影印本

《上古音韻表稿》〔民國〕董同龢先生　臺北台聯國風出版社民國六十四年鉛排本

《春秋大事表列國爵姓及存滅表譔異》〔民國〕陳槃先生　中央研究院歷史語言研究所民國五十八年鉛排本

《馬融之經學》〔民國〕李威熊　自印本（民國六十四年手寫影印，博士論文。）

《三國蜀經學》〔民國〕程元敏　臺灣學生書局，一九九七年

《緯書集成》〔日本〕安居香山、〔日本〕中村璋八　〔日本〕明德出版社昭和四十年代至六十年二月排印本

《史記》〔漢〕司馬遷　臺北藝文印書館影印〔日本〕瀧川資言《會注考證》本

《漢書》〔漢〕班固　臺北藝文印書館影印長沙王氏虛受堂校刊本

《東觀漢記》〔漢〕劉珍　臺灣中華書局《四部備要》本

《三國志》〔晉〕陳壽　臺北藝文印書館影印盧弼《集解》本

《益部耆舊傳》　〔晉〕陳壽　《文淵閣四庫全書》本（載《說郛》）
《華陽國志》　〔晉〕常璩　臺灣中華書局《四部備要》本
《後漢書》　〔南朝宋〕范曄　臺北藝文印書館影印長沙王氏虛受堂校刊本
《宋書》　〔梁〕沈約　臺北藝文印書館影印清武英殿刊本
《南齊書》　〔梁〕蕭子顯　臺北藝文印書館影印清武英殿刊本
《魏書》　〔北齊〕魏收　臺北藝文印書館影印清武英殿刊本
《集古錄》　〔宋〕歐陽脩　商務印書館《四部叢刊》本（在《歐陽文忠集》）
《資治通鑑》　〔宋〕司馬光　臺北世界書局據排印本影印本
《金石錄》　〔宋〕趙明誠　臺北新文豐出版公司影印《石刻史料續編》本
《隸釋》　〔宋〕洪适　臺北新文豐出版公司影印《石刻史料新編》本
《漢將相大臣年表》　〔清〕萬斯同　臺北開明書店排印《二十五史補編》本
《後漢書補注》　〔清〕惠棟　《粵雅堂叢書》本
《兩漢五經博士考》　〔清〕張金吾　臺灣商務印書館《叢書集成簡編》本
《補後漢書藝文志》　〔清〕侯康　臺北開明書店排印《二十五史補編》本
《補後漢書藝文志》　〔清〕顧櫰三　臺北開明書店排印《二十五史補編》本
《後漢藝文志》　〔清〕姚振宗　臺北開明書店排印《二十五史補編》本

《三國藝文志》　〔清〕姚振宗　臺北開明書店排印《二十五史補編》本
《隋書經籍志考證》　〔清〕姚振宗　臺北開明書店排印《二十五史補編》本
《蜀碑記補》　〔清〕李調元　《函海》本
《補後漢書藝文志》并考　〔清〕曾樸　臺北開明書店排印《二十五史補編》本
《三國志知意》　〔民國〕劉咸炘　民國二十一年刊本
《歷代職官表》　〔民國〕黃本驥　臺北樂天出版社據排印本影印本
《星經》　題〔漢〕甘公、〔漢〕石申　臺北大化書局影印《增訂漢魏叢書》本
《拾遺記》　〔前秦〕王嘉　《文淵閣四庫全書》本
《初學記》　〔唐〕徐堅　《文淵閣四庫全書》本
《藝文類聚》　〔唐〕歐陽詢　《文淵閣四庫全書》本
《太平御覽》　〔宋〕李昉　臺灣商務印書館《四部叢刊三編》本
《全後漢文》　〔清〕嚴可均　臺北世界書局影印〔清〕光緒二十年刊本
《玉函山房輯佚書》　〔清〕馬國翰　臺北文海出版社影印〔清〕同治十年皇華館書局補刻本
《黃氏逸書考》　〔清〕黃奭　臺北藝文印書館影印《百部叢書集成三編》本
《說郛》　〔明〕陶宗儀　《文淵閣四庫全書》本

《文選》　〔梁〕蕭統　臺北啓明書局影印粹芬閣版胡刻本

——原載《國立編譯館館刊》第十七卷第二期，民國七十八年六月